PALAVRAS DE RADIÂNCIA

BRANDON SANDERSON
PALAVRAS DE RADIÂNCIA

LIVRO DOIS DE
OS RELATOS DA
GUERRA DAS TEMPESTADES

TRADUÇÃO
PEDRO RIBEIRO

TRAMA

Título original: *Words of Radiance*
Copyright © 2014 by Dragonsteel Entertainment, LLC
Os direitos morais do autor foram assegurados.

Direitos de edição da obra em língua portuguesa no Brasil adquiridos pela Trama, selo da Editora Nova Fronteira Participações S.A. Todos os direitos reservados. Nenhuma parte desta obra pode ser apropriada e estocada em sistema de banco de dados ou processo similar, em qualquer forma ou meio, seja eletrônico, de fotocópia, gravação etc., sem a permissão do detentor do copirraite.

Editora Nova Fronteira Participações S.A.
Av. Rio Branco, 115 — Salas 1201 a 1205 — Centro — 20040-004
Rio de Janeiro — RJ — Brasil
Tel.: (21) 3882-8200

Dados Internacionais de Catalogação na Publicação (CIP)

S216 p   Sanderson, Brandon
         Palavras de radiância / Brandon Sanderson; traduzido por Pedro Ribeiro. - Rio de Janeiro: Trama, 2023
         1328 p.; 15,5 x 23 cm; (Os Relatos da Guerra das Tempestades, v.2)

         Título original: *Words of Radiance*

         ISBN: 978-65-89132-71-4

         1. Literatura americana I. Ribeiro, Pedro. II. Título
                                                     CDD: 810
                                                     CDU: 821.111(73)

André Queiroz – CRB-4/2242

Visite nossa loja virtual em:

www.editoratrama.com.br

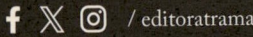 / editoratrama

PARA OLIVER SANDERSON,
Que nasceu no meio do processo de escrita deste livro, e que já estava andando quando ele foi concluído.

SUMÁRIO

Agradecimentos **9**

Mapa de Roshar **14**

Prólogo: Questionar **17**

PARTE UM: ACESO **33**

Interlúdios **193**

PARTE DOIS: A APROXIMAÇÃO DO VENTO **249**

Interlúdios **479**

PARTE TRÊS: LETAL **493**

Interlúdios **827**

PARTE QUATRO: A ABORDAGEM **879**

Interlúdios **1083**

PARTE CINCO: VENTOS ACESOS **1115**

Epílogo: Arte e expectativa **1307**

Nota final **1313**

ARS ARCANUM **1315**

AGRADECIMENTOS

COMO PODEM IMAGINAR, PRODUZIR um livro da série Os Relatos da Guerra das Tempestades é um empreendimento de grande porte. Envolveu quase 18 meses de escrita, desde o esboço até a revisão final, e inclui a arte de quatro pessoas e o olhar editorial de várias outras, sem mencionar as equipes da Tor, que fazem a produção, a publicidade, o marketing e tudo mais de que um grande livro precisa para ter sucesso.

Já faz duas décadas que sonho com a série Os Relatos da Guerra das Tempestades — a história que eu sempre quis contar. As pessoas sobre quem você vai ler a seguir literalmente tornaram meus sonhos uma realidade, e não há palavras para expressar minha gratidão pelos seus esforços. O primeiro na fila deste romance precisa ser meu assistente e principal editor de continuidade, o titular Peter Ahlstrom. Ele trabalhou longas horas neste livro, tolerando a minha repetida insistência de que coisas que não se encaixavam na continuidade na verdade encaixavam — por fim me persuadindo de que eu estava errado com muito mais frequência do que certo.

Como sempre, Moshe Feder — o homem que me descobriu como escritor — fez um excelente trabalho editorial no livro. Joshua Bilmes, meu agente, trabalhou duro no livro, tanto agenciando quanto editando. Junto com ele na agência estão Eddie Schneider, Brady "Palavras de Bradiância" McReynolds, Krystyna Lopez, Sam Morgan e Christa Atkinson. Na editora Tor, Tom Doherty aceitou que eu entregasse um livro ainda maior do que o último, mesmo eu tendo prometido fazê-lo mais curto. Terry McGarry fez o copidesque; Irene Gallo é responsável pela direção da arte para a capa; Greg Collins, pelo projeto gráfico; a equipe de Brian Lipofsky, na Westchester Serviços Editoriais, pela composição,

Meryl Gross e Karl Gold, pela produção; Patty Garcia e sua equipe, pela publicidade. Paul Stevens agiu como o Superman sempre que precisamos dele. Muito obrigado a todos vocês.

Vocês podem ter notado que este volume, como o anterior, inclui artes incríveis. A minha visão para Os Relatos da Guerra das Tempestades sempre foi de uma série que transcendia expectativas artísticas comuns para um livro de sua natureza. Como tal, é uma honra que novamente o meu artista favorito, Michael Whelan, tenha se envolvido no projeto. Acredito que a sua capa capturou Kaladin perfeitamente e estou extremamente grato pelo tempo extra que ele gastou neste trabalho — pela sua própria insistência —, passando por três esboços antes de ficar satisfeito. Ter Shallan na parte interna também foi mais do que eu poderia esperar ver no livro, e estou muito impressionado com a maneira como o conjunto inteiro se completou.

Quando fiz o *pitch* de Os Relatos da Guerra das Tempestades, falei como teria "artistas celebridades convidados" criando obras para os livros aqui e ali. Tivemos o primeiro desses casos para este romance, para o qual Dan dos Santos (outro dos meus artistas favoritos, e o homem que fez a capa de *Warbreaker*) concordou em fazer algumas das ilustrações internas.

Ben McSweeney graciosamente retornou para fazer mais daquelas maravilhosas páginas de caderno de desenho para nós, e é um grande prazer trabalhar com ele, que é rápido em reconhecer o que eu quero, às vezes mesmo quando eu não tenho muita certeza do que quero. Raramente conheci uma pessoa que reúne talento e profissionalismo como Ben. É possível ver mais da sua arte em InkThinker.net.

Há muito tempo, quase dez anos agora, conheci um homem chamado Isaac Stewart, que além de ser um aspirante a escritor, era um excelente artista, particularmente para fazer coisas como mapas e símbolos. Comecei a colaborar com ele em livros (começando com *Mistborn*) e ele por fim marcou para mim um encontro às cegas com uma mulher chamada Emily Bushman — com quem acabei me casando. Então nem é preciso dizer que devo alguns grandes favores a Isaac. A cada novo livro em que ele trabalha, esse débito cresce ainda mais quando vejo a incrível obra que ele fez. Esse ano, decidimos tornar seu envolvimento um pouco mais oficial, já que o contratei em tempo integral para ser um artista *in-house* e me ajudar com tarefas administrativas. Então, se o encontrar por aí, dê-lhe boas-vindas à equipe. (E diga-lhe para continuar trabalhando nos seus próprios livros, que são muito bons.)

Também se uniu a nós, na Dragonsteel Entertainment, Kara Stewart, a esposa de Isaac, como nossa gerente de logística. (Na verdade, tentei contratar Kara primeiro — e Isaac se manifestou, observando que algumas das coisas para as quais eu queria contratá-la ele podia fazer. Então acabei contratando os dois, um negócio bastante conveniente.) É com ela que você vai interagir se encomendar camisetas, pôsteres e coisas do tipo pelo meu site. E ela é o máximo.

Nós utilizamos alguns consultores especialistas neste livro, incluindo Matt Bushman pelo seu conhecimento de composição musical e poética. Ellen Asher forneceu excelentes instruções sobre as cenas com cavalos, e Karen Ahlstrom foi uma consultora adicional de poesia e canção. Mi'chelle Walker agiu como uma consultora de caligrafia alethiana. Finalmente, Elise Warren ofereceu algumas observações ótimas sobre a psicologia de um personagem principal. Muito obrigado por me emprestarem seus cérebros.

Este livro teve uma extensa leitura beta feita em tempo bastante estrito, então uma calorosa saudação de carregador de pontes para aqueles que participaram. Eles são: Jason Denzel, Mi'chelle Walker, Josh Walker, Eric Lake, David Behrens, Joel Phillips, Jory Phillips, Kristina Kugler, Lyndsey Luther, Kim Garrett, Layne Garrett, Brian Delambre, Brian T. Hill, Alice Arneson, Bob Kluttz e Nathan Goodrich.

Os revisores na Tor incluem Ed Chapman, Brian Connolly e Norma Hoffman. Os revisores da comunidade incluem Adam Wilson, Aubree e Bao Pham, Blue Cole, Chris King, Chris Kluwe, Emily Grange, Gary Singer, Jakob Remick, Jared Gerlach, Kelly Neumann, Kendra Wilson, Kerry Morgan, Maren Menke, Matt Hatch, Patrick Mohr, Richard Fife, Rob Harper, Steve Godecke, Steve Karam e Will Raboin.

Meu grupo de escrita conseguiu chegar até metade do livro, o que é um bocado, considerando quão longo é o romance. Eles são um recurso inestimável para mim. Os membros são: Kaylynn ZoBell, Kathleen Dorsey Sanderson, Danielle Olsen, Ben-son-son-Ron, E. J. Patten, Alan Layton e Karen Ahlstrom.

E, finalmente, obrigado à minha amorosa (e tumultuosa) família. Joel, Dallin e o pequeno Oliver me mantêm humilde a cada dia por me fazerem sempre ser o "malvado" que leva uma sova no final. Minha complacente esposa, Emily, aguentou muita coisa nesse último ano, à medida que as turnês se tornaram longas, e ainda não sei ao certo o que fiz para merecê-la. Obrigado a todos vocês por tornarem meu mundo mágico.

LIVRO DOIS

PALAVRAS DE RADIÂNCIA

Roshar

Oceano sem Fim

Rall Elorim

Ilhas

Quili

Kasitor

Iri

Rira

Kurth

Mar

Eilã

Babatharnam

Marabeth

Montanhas Enevoadas

Panatham

Lagopuro

Shinovar

Desh

Gulay

Fu Nam

Maraimiano

Azir

Almia

Alm

Uezier

Azimir

O Vale

Steen

Tafor

Tashikk

Emul

Dexi

Mara

Sesemalex Dar

Aguagelo

Tukar

Mara

N

Sotavento

S   Direção das Tempestades

Profundezas do S

Oceano dos Vapores
Akak
Sumi
Akak
Forteboreal
Herdaz
Tumba da Lamentação
Varikev
Ru Parat
Elanar
Jah Keved
Kholinar
Valath
Pico dos Papaguampas
Shulin
Colinas Devoeutas
Alethkar
Bavlândia
Rathalas
Silnasen
Sombra do Alvorecer
Triax
Vedenar
Dumadari
Mar de Tarat
Karanak
Planícies Quebradas
Kharbranth
Terras Geladas
Nova Natanan
Estreitos de Longafronte
Criptas rasas
Thaylenah
Oceano das Origens
Para Sua Majestade Rei Gavilar Kholin
Pelo seu Cartógrafo Real
Isasik Shulin
1167

SEIS ANOS ATRÁS

JASNAH KHOLIN FINGIA APRECIAR a festa, sem dar qualquer indicação de que pretendia causar a morte de um dos convidados.

Ela perambulou pelo salão de festas apinhado, atenta enquanto o vinho soltava línguas e obscurecia mentes. Seu tio Dalinar era um participante entusiasmado, levantando-se da grã-mesa para exigir aos gritos que os parshendianos trouxessem seus percussionistas. O irmão de Jasnah, Elhokar, apressou-se em silenciar o tio — embora os alethianos ignorassem polidamente a explosão de Dalinar. Todos, menos a esposa de Elhokar, Aesudan, que ria afetadamente por trás de um lenço.

Jasnah deu as costas para a grã-mesa e continuou avançando pelo salão. Havia marcado um encontro com um assassino e estava bastante feliz em deixar para trás o recinto abafado, que fedia a perfumes demais misturados. Um quarteto feminino tocava flautas em um palanque diante de uma lareira crepitante, mas a música há muito se tornara tediosa.

Ao contrário de Dalinar, Jasnah atraiu olhares. Aqueles olhos eram como moscas rondando carne podre, seguindo-a constantemente. Sussurros como zumbidos de asas. Se havia algo que a corte alethiana apreciava mais do que o vinho, era a fofoca. Todos esperavam que Dalinar perdesse a linha durante uma festa — mas a filha do rei, admitindo heresia? *Isso* era sem precedentes.

Jasnah havia se expressado precisamente por esse motivo.

Ela passou pela delegação parshendiana, que estava aglomerada junto à grã-mesa, conversando em seu idioma rítmico. Embora a celebração fosse em homenagem a eles e ao tratado que haviam assinado com o pai de Jasnah, não pareciam festivos, ou mesmo felizes; pareciam nervosos. Porém, naturalmente, eles não eram humanos, e a maneira como reagiam às vezes era estranha.

Jasnah queria falar com eles, mas seu compromisso era inadiável. Ela o marcara para durante a festa de propósito, pois muitos estariam distraídos e bêbados. Dirigiu-se às portas, mas então se deteve.

Sua sombra estava apontando na direção errada.

O salão abafado, agitado e barulhento pareceu tornar-se distante. O Grão-príncipe Sadeas passou direto através da sombra, que parecia apontar de modo bastante distinto *na direção* da lâmpada de esfera na parede próxima. Conversando animadamente com seu colega, Sadeas nada percebia. Jasnah fitou a sombra — sua pele ficando pegajosa, e o estômago, contraído, como se estivesse prestes a vomitar. *De novo, não*. Ela procurou alguma outra fonte de luz. Um motivo. Podia encontrar um motivo? Não.

A sombra fluiu languidamente de volta para ela, escorrendo rumo aos seus pés e então se esticando na direção oposta. Sua tensão diminuiu. Mas alguém teria visto?

Abençoadamente, ao analisar o salão não encontrou nenhum olhar perplexo. A atenção das pessoas fora atraída pelos percussionistas parshendianos, que estavam entrando no salão para se preparar. Jasnah franziu o cenho ao notar um criado que não era parshendiano, vestindo roupas brancas folgadas, os ajudando. Um homem shino? Isso era incomum.

Jasnah se recompôs. Qual seria o significado daqueles episódios? Os supersticiosos contos folclóricos que havia lido diziam que sombras malcomportadas indicavam uma pessoa amaldiçoada. Ela geralmente desconsiderava esse tipo de coisa, mas *algumas* superstições eram baseadas em fatos. Suas outras experiências comprovavam isso. Ela teria que investigar o assunto mais a fundo.

Os pensamentos calmos e eruditos pareciam mentirosos diante da verdade da sua pele fria e pegajosa e do suor que escorria por sua nuca. Mas era importante ser racional o tempo todo, e não apenas quando estava tranquila. Ela se forçou a abrir as portas, trocando o salão sufocante pelo corredor silencioso. Escolhera a saída dos fundos, geralmente usada pelos criados; afinal de contas, era a rota mais direta.

Ali, criados-mestres vestidos de preto e branco seguiam para cumprir tarefas para seus luminobres. Isso era esperado, mas ela não antecipara ver seu *pai* logo adiante, conversando discretamente com o Luminobre Meridas Amaram. O que o rei estava fazendo ali?

Gavilar Kholin era mais baixo do que Amaram, mas o homem estava ligeiramente curvado junto ao rei. Isso era comum perto de Gavilar, cuja voz baixa e veemente fazia com que o interlocutor desejasse se inclinar para ouvir e captar cada palavra e insinuação. Ao contrário do irmão, era um homem bonito, com uma barba que realçava sua mandíbula forte em vez de cobri-la. Era dotado de uma intensidade e magnetismo que, na opinião de Jasnah, nenhum biógrafo conseguira descrever.

Tearim, capitão da Guarda do Rei, pairava atrás deles. Estava vestindo a Armadura Fractal de Gavilar; o próprio rei deixara de usá-la nos últimos tempos, preferindo confiá-la a Tearim, que era conhecido como um dos maiores duelistas do mundo. Em vez disso, Gavilar trajava vestes em um estilo clássico e majestoso.

Jasnah olhou de relance para o salão de festa. Quando seu pai escapulira? *Desleixada*, acusou a si mesma. *Você devia ter verificado se ele ainda estava lá antes de sair.*

À frente, ele pousou a mão no ombro de Amaram e levantou um dedo, falando com severidade, mas baixinho, suas palavras indistintas para Jasnah.

— Pai? — chamou.

Ele olhou para ela.

— Ah, Jasnah. Está se recolhendo tão cedo?

— Não tão cedo assim — replicou Jasnah, avançando. Parecia óbvio que Gavilar e Amaram haviam se retirado para discutir em particular. — Essa é a parte cansativa da festa, quando a conversa fica mais barulhenta, mas não mais inteligente, e a companhia está embriagada.

— Muitas pessoas apreciam esse tipo de coisa.

— Infelizmente, muitas pessoas são idiotas.

Seu pai sorriu.

— É tão difícil assim para você? — indagou ele suavemente. — Viver com o resto de nós, suportando nossa inteligência mediana e nossos pensamentos simples? É solitário ser tão singular no seu brilhantismo, Jasnah?

Ela tomou o comentário como uma censura, que na verdade era, e percebeu que enrubescia. Nem mesmo sua mãe, Navani, conseguia esse efeito.

— Talvez, se encontrasse companhia agradável — continuou Gavilar —, conseguisse apreciar as festas.

Os olhos dele se voltaram para Amaram, quem há muito tempo seu pai considerava um par em potencial para ela.

Nunca seria. Amaram olhou-a nos olhos, então murmurou palavras de despedida para seu pai e partiu apressadamente pelo corredor.

— Que tarefa o senhor deu a ele? — questionou Jasnah. — O que está arrumando esta noite, pai?

— O tratado, naturalmente.

O tratado. Por que ele se importava tanto com aquilo? Outros haviam aconselhado que ignorasse os parshendianos ou os conquistasse. Gavilar insistiu em um acordo.

— Preciso voltar à celebração — disse Gavilar, gesticulando para Tearim.

Os dois seguiram pelo corredor rumo às portas por onde Jasnah passara.

— Pai! — chamou Jasnah. — O que é que o senhor não quer me contar?

Ele lançou a ela um olhar demorado. Olhos verde-claros, evidência da sua estirpe. Quando ele havia se tornado tão perspicaz? Raios! Ela sentia que já não conhecia direito aquele homem. Tamanha transformação em tão pouco tempo.

Pela maneira como ele a analisava, quase parecia não confiar nela. Será que sabia do seu encontro com Liss?

O rei se virou sem dizer mais nada e abriu caminho de volta para a festa, seguido pelo seu guarda.

O que está acontecendo neste palácio?, pensou Jasnah. Respirou fundo. Teria que investigar mais. Com sorte, ele não estaria a par dos seus encontros com assassinos — mas, se estivesse sabendo, ela lidaria com isso. Certamente Gavilar entenderia que alguém precisava tomar conta da família, à medida que ele se tornava cada vez mais obcecado e fascinado pelos parshendianos. Jasnah virou-se e seguiu no seu caminho, passando por um criado-mestre, que fez uma mesura.

Depois de caminhar um pouco pelos corredores, Jasnah notou que sua sombra estava se comportando de modo estranho novamente. Ela suspirou, irritada, quando a sombra se voltou *na direção* das três lâmpadas de Luz das Tempestades nas paredes. Felizmente, ela já havia deixado a área mais movimentada e não havia criados ali para ver aquilo.

— Muito bem — irritou-se ela. — Já chega.

Não teve a intenção de falar em voz alta. Contudo, quando as palavras escaparam, várias sombras distantes — originando-se de uma interseção à frente — ganharam vida. Ela perdeu o fôlego. As sombras se esticaram, se aprofundaram. Figuras se formaram a partir delas, crescendo, se levantando, ficando de pé.

Pai das Tempestades. Estou ficando louca.

Uma delas tomou a forma de um homem escuro como a meia-noite, embora possuísse certo aspecto reflexivo, como se fosse feito de óleo. Não... De algum outro líquido com um revestimento oleoso flutuando na superfície, dando-lhe uma qualidade sombria e prismática.

Ele seguiu na direção dela a passos largos e desembainhou uma espada.

Uma lógica fria e resoluta guiou Jasnah. Gritar não traria socorro rápido o bastante, e a tenebrosa agilidade daquela criatura indicava uma velocidade que certamente excedia a dela.

Jasnah permaneceu firme e encontrou o olhar sinistro da criatura, fazendo com que ela hesitasse. Atrás do ser, uma pequena ninhada de outras criaturas havia se materializado das trevas. Sentira aqueles olhos sobre ela nos últimos meses.

Naquele momento, todo o corredor havia escurecido, como se estivesse submergindo e afundando lentamente em profundezas sem luz. Com o coração disparado e a respiração acelerada, Jasnah estendeu a mão até a parede de granito ao seu lado, buscando tocar alguma coisa sólida. Seus dedos afundaram um pouco na pedra, como se a parede houvesse se tornado lama.

Ah, raios. Ela precisava fazer alguma coisa. O quê? O que *poderia* fazer?

A figura diante dela olhou para a parede. A lâmpada mais perto de Jasnah escureceu. E então...

Então o palácio se desintegrou.

O edifício inteiro se despedaçou em milhares e milhares de pequenas esferas de vidro, como contas. Jasnah gritava enquanto caía para trás em um céu escuro. Não estava mais no palácio; estava em algum outro lugar — outra terra, outro tempo, outra... *coisa*.

Ficou com a visão da figura escura e lustrosa flutuando no ar acima, aparentemente satisfeita enquanto embainhava novamente sua espada.

Jasnah bateu em alguma coisa — um oceano de contas de vidro. Um número incalculável de outras esferas choveu ao seu redor, estalando como granizo naquele estranho mar. Ela nunca vira aquele lugar, não podia explicar o que havia acontecido ou o que significava. Debateu-se no que parecia ser uma impossibilidade. Contas de vidro por todos os lados. Não conseguia enxergar nada além delas, só sentia que estava afundando através daquela massa agitada, sufocante e barulhenta.

Ia morrer. Deixando trabalho inacabado, deixando sua família desprotegida!

Nunca saberia as respostas.

Não.

Jasnah se debatia nas trevas, contas rolando sobre sua pele, entrando em sua roupa, em seu nariz, enquanto ela tentava nadar. Era inútil. Não conseguia flutuar naquele caos. Levou a mão à boca e tentou criar um bolsão de ar, conseguindo uma pequena respiração arquejante. Mas as contas rolaram ao redor da sua mão, forçando a passagem entre seus dedos. Ela afundou, agora mais lentamente, como se estivesse mergulhada em um líquido viscoso.

Cada conta que a tocava dava uma tênue impressão de alguma coisa. Uma porta. Uma mesa. Um sapato.

As contas alcançaram sua boca. Elas pareciam se mover por vontade própria. Iam sufocá-la, destruí-la. Não... não, era só porque pareciam *atraídas* por ela. Uma impressão lhe ocorreu, não como um pensamento distinto, mas como um sentimento. As contas queriam algo dela.

Jasnah agarrou uma conta na mão, e ela lhe transmitiu a impressão de uma taça. Ela deu... algo... à conta? As outras contas perto dela se reuniram, conectando-se, grudando como rochas vedadas com argamassa. Em um momento ela não estava mais caindo entre contas individuais, mas através de grandes massas de contas grudadas na forma de...

Uma taça.

Cada conta era um padrão, um guia para as outras.

Ela soltou a conta que segurava, então as outras ao redor se separaram. Jasnah afundou, procurando desesperadamente enquanto seu ar acabava. Precisava de algo que pudesse usar, algo que fornecesse ajuda, alguma maneira de sobreviver! Desesperada, abriu os braços para tocar o máximo de contas que pudesse.

Uma bandeja de prata.

Um casaco.

Uma estátua.

Uma lanterna.

E então algo antigo.

Algo pesado e de pensamentos vagarosos, mas de algum modo *forte*. O próprio palácio. Freneticamente, Jasnah agarrou aquela esfera e forçou seu poder para dentro dela. Enquanto sua mente se tornava nebulosa, ela deu àquela conta tudo que tinha e então ordenou que ela se erguesse.

As contas se deslocaram.

Um grande estrondo soava enquanto as contas se encontravam, estalando, tilintando, chocalhando. Parecia o som de uma onda arrebentando nas pedras. Jasnah irrompeu das profundezas, com algo sólido se movendo abaixo dela, obedecendo a seus comandos. As contas bateram em sua cabeça, ombros, braços, até que finalmente ela *explodiu* da superfície do mar de vidro, lançando um jato de contas para o céu negro.

Ela se ajoelhou em uma plataforma de vidro feita de pequenas contas unidas. Manteve a mão levantada, segurando a esfera que era a guia. Outras rolavam ao redor dela, se organizando na forma de um corredor com lanternas nas paredes, uma intersecção à frente. Claro que não tinha a aparência exata — a coisa toda era feita de contas. Mas estava bem parecido.

Jasnah não era forte o suficiente para formar o palácio inteiro. Havia criado apenas aquele corredor, sem nem mesmo um teto — mas o chão a sustentava, impedia que afundasse. Ela abriu a boca com um grunhido, e contas caíram e tilintaram no chão. Então tossiu, respirando ar doce, o suor escorrendo pelo rosto e acumulando no queixo.

À frente, a figura escura adentrou a plataforma. Novamente ele desembainhou a espada.

Jasnah segurou uma segunda conta, a estátua que havia sentido antes. Deu-lhe poder, e outras contas se juntaram diante dela, tomando a forma de uma das estátuas que ficavam na frente do salão de festa — a estátua de Talenelat'Elin, Arauto da Guerra. Um homem alto e musculoso com uma enorme Espada Fractal.

Não estava viva, mas Jasnah fez com que a estátua se movesse, baixando sua espada de contas. Duvidava que pudesse lutar; contas redondas não formam uma espada afiada. Mas a ameaça fez a figura sombria hesitar.

Rangendo os dentes, Jasnah ficou de pé, contas escorriam pelas suas vestes. Ela *não* se ajoelharia diante daquela coisa, fosse o que fosse. Deu um passo para ficar ao lado da estátua de contas, notando pela primeira vez as estranhas nuvens acima. Elas pareciam formar uma estrada estreita, reta e longa, apontando para o horizonte.

Ela encontrou o olhar da figura oleosa, que a fitou por um momento, levou dois dedos à testa e curvou-se, como se demonstrasse respeito, com uma capa ondeando atrás. Outros haviam se juntado atrás da criatura, e agora se voltavam uns para os outros, trocando sussurros.

O lugar das contas desapareceu, e Jasnah viu-se de volta ao corredor do palácio. O verdadeiro palácio, com pedras reais, embora estivesse escuro — a Luz das Tempestades nas lâmpadas das paredes havia apagado. A única iluminação vinha do fundo do corredor.

Ela pressionou as costas contra a parede, respirando fundo. *Preciso registrar essa experiência por escrito*, pensou.

Faria isso, e depois realizaria uma análise ponderada. Depois. Agora, queria ir embora daquele lugar. Saiu apressadamente, sem ligar para onde ia, tentando escapar daqueles olhares que ainda podia sentir.

Não adiantou.

Por fim, ela se recompôs e limpou o suor do rosto com um lenço. *Shadesmar*, pensou. *É esse o nome, nas histórias de ninar. Shadesmar*, o reino mitológico dos esprenos. Uma mitologia em que nunca acreditara. Certamente poderia encontrar algo, se pesquisasse as histórias o suficiente. Quase tudo que acontecia já acontecera antes. A grande lição da história, e...

Raios! Seu compromisso.

Ela apertou o passo, praguejando silenciosamente. A experiência continuava a distraí-la, mas precisava chegar ao seu encontro. Então desceu dois andares, se afastando ainda mais da percussão dos tambores parshendianos, até que só escutasse as batidas mais fortes.

A complexidade daquela música sempre a surpreendera, pois sugeria que, ao contrário do que muitos pensavam, os parshendianos não eram selvagens sem cultura. Daquela distância, a música soava perturbadoramente similar ao barulho das contas do lugar escuro chocalhando umas contra as outras.

Ela havia intencionalmente escolhido aquela área distante do palácio para seu encontro com Liss. Ninguém visitava aquela ala de quartos de hóspedes. Um homem que Jasnah não conhecia aguardava tranquilamente do lado de fora da devida porta. Isso a deixou aliviada. O homem devia ser o novo criado de Liss, e sua presença indicava que Liss não fora embora, apesar do atraso de Jasnah. Recompondo-se, ela acenou com a cabeça para o guarda — um brutamontes vedeno com fios ruivos na barba — e entrou no quarto.

Dentro da pequena câmara, Liss se levantou da mesa. Ela vestia os trajes de uma criada — decote grande, naturalmente — e poderia se passar por uma alethiana, ou vedena, ou bavlandesa, dependendo da parte de seu sotaque que ela escolhesse enfatizar. Longos cabelos escuros e soltos, e uma silhueta roliça e atraente tornavam-na notável de todas as maneiras.

— A senhora está atrasada, Luminosa — disse Liss.

Jasnah não respondeu. Era a empregadora ali, e não precisava dar explicações. Em vez disso, colocou algo na mesa ao lado de Liss. Um pequeno envelope, selado com besoucera.

Jasnah apoiou dois dedos sobre ele, meditando.

Não. Isso era ousado demais. Ela não sabia se seu pai havia percebido o que estava tramando, mas mesmo que não houvesse, coisas demais estavam acontecendo naquele palácio. Ela não queria cometer um assassinato até estar mais segura.

Felizmente, havia preparado um plano reserva. Tirou um segundo envelope da bolsa-segura dentro da manga e colocou-o na mesa no lugar do primeiro. Afastou os dedos, deu a volta na mesa e sentou-se.

Liss voltou a se sentar e sumiu com a carta no decote do vestido.

— Uma noite peculiar, Luminosa, para engajar-se em traição — comentou a mulher.

— Estou contratando você apenas para vigiar.

— Perdão, Luminosa. Mas é incomum contratar uma assassina para vigiar. Apenas.

— As suas instruções estão no envelope — disse Jasnah. — Junto com o pagamento inicial. Eu a escolhi porque é exímia em vigilância prolongada. É isso que desejo. Por enquanto.

Liss sorriu, mas assentiu.

— Espionar a esposa do herdeiro do trono? Vai ser mais caro assim. Tem certeza de que não quer simplesmente que ela morra?

Jasnah tamborilou os dedos na mesa, então percebeu que estava seguindo a batida dos tambores acima. A música era tão inesperadamente complexa — exatamente como os próprios parshendianos.

Tem mesmo coisa demais acontecendo, ela pensou. *Preciso ser muito cuidadosa. Muito sutil.*

— Eu aceito o custo — replicou Jasnah. — Em uma semana, vou cuidar para que uma das criadas da minha cunhada seja dispensada. Você vai se candidatar à posição, usando credenciais falsas que suponho que seja capaz de arranjar. Você será contratada. Daí em diante, vigie e relate. Eu direi se seus outros serviços forem necessários. Você só agirá se eu mandar. Entendido?

— É a senhora que está pagando — respondeu Liss, com um leve sotaque bavlandês.

Se o sotaque era aparente, era só porque ela assim desejava. Liss era a assassina mais hábil que Jasnah conhecia. As pessoas a chamavam de Chorão, pois ela arrancava os olhos dos alvos que matava. Embora não houvesse criado o cognome, este servia ao seu propósito, já que ela tinha segredos a esconder. Para começar, ninguém sabia que o Chorão era uma mulher.

Dizia-se que o Chorão arrancava os olhos para proclamar sua indiferença ao fato de suas vítimas terem olhos claros ou escuros. A verdade era que a ação ocultava um outro segredo — Liss não queria que ninguém soubesse que a maneira como ela matava deixava os cadáveres com órbitas oculares queimadas.

— Nossa reunião está encerrada, então — disse Liss, levantando-se.

Jasnah assentiu distraidamente, pensando de novo na sua bizarra interação de antes, com o espreno. Aquela pele brilhante, cores dançando sobre uma superfície da cor de piche...

Ela forçou sua mente a se desviar daquele momento. Precisava devotar sua atenção à tarefa presente. Por enquanto, era Liss.

A assassina hesitou na porta antes de partir.

— Sabe por que gosto da senhora, Luminosa?

— Suspeito que tenha algo a ver com meus bolsos e como são supostamente profundos.

Liss sorriu.

— Tem isso, não vou negar, mas a senhora também é diferente dos outros olhos-claros. Quando eles me contratam, ficam o tempo todo de nariz em pé. Eles ficam muito ansiosos para usar meus serviços, mas fazem cara de desdém e torcem as mãos, como se odiassem ter que fazer algo tão desagradável.

— Assassinato *é* desagradável, Liss. Assim como limpar nossos penicos. Posso respeitar a pessoa que executa tais tarefas sem admirar o trabalho em si.

Liss sorriu, então abriu a porta.

— Esse seu novo criado aí fora — disse Jasnah. — Você não disse que queria exibi-lo para mim?

— Talak? — disse Liss, olhando de relance para o vedeno. — Ah, a senhora quer dizer aquele *outro*. Não, Luminosa, eu vendi aquele para um traficante de escravos semanas atrás.

Liss fez uma careta.

— É mesmo? Mas você me falou que ele era o melhor criado que já teve.

— Era bom até demais — respondeu Liss. — Vamos deixar por isso mesmo. Raios, ele era assustador, aquele sujeito shino.

Liss estremeceu visivelmente, depois saiu pela porta.

— Lembre-se do nosso primeiro acordo — disse Jasnah.

— Tá sempre na minha mente, Luminosa.

Liss fechou a porta.

Jasnah se ajeitou na cadeira, entrelaçando os dedos. O "primeiro acordo" delas era que se alguém procurasse Liss e quisesse contratá-la para assassinar um membro da família de Jasnah, a mulher deixaria Jasnah cobrir a oferta em troca do nome dessa pessoa.

Liss cumpriria. Provavelmente. Assim como a outra dúzia de assassinos com que Jasnah negociava. Uma cliente frequente era mais valiosa do que um contrato único, e era do interesse de uma mulher como Liss ter uma amiga no governo. A família de Jasnah estava segura daquela laia. A menos que ela mesma empregasse os assassinos, naturalmente.

Jasnah soltou um longo suspiro, depois se levantou, tentando se livrar do peso que sentia.

Espere. Liss disse que seu antigo criado era shino?

Provavelmente era uma coincidência. Shinos não eram muito comuns no Leste, mas de vez em quando se via algum. Ainda assim, o fato de Liss mencionar um homem shino e Jasnah ver um entre os parshendianos... Bem, não havia mal em verificar, mesmo que isso significasse voltar à festa. *Havia* algo de errado naquela noite, e não era só devido à sua sombra e ao espreno.

Jasnah deixou a pequena câmara nas entranhas do palácio e caminhou a passos largos para o corredor até subir as escadas. Acima, os tambores foram silenciados de modo abrupto, como um instrumento cuja corda subitamente arrebenta. Será que a festa estava terminando tão cedo? Dalinar não teria feito nada para ofender os celebrantes, teria? Aquele homem e seu vinho...

Bem, os parshendianos haviam ignorado as ofensas dele no passado, então provavelmente ignorariam de novo. Na verdade, Jasnah estava contente com o súbito foco de seu pai no tratado. Significava que teria uma chance de estudar tradições e histórias dos parshendianos a seu bel-prazer.

Será que as eruditas andaram pesquisando nas ruínas erradas todos esses anos?

Palavras ecoaram no corredor, vindas de cima.

— Estou preocupado com Ash.

— Você se preocupa com tudo.

Jasnah hesitou no corredor.

— Ela está piorando — continuou a voz. — Nós não devíamos piorar. Eu estou piorando? Acho que me sinto pior.

— Cale a boca.

— Não gosto disso. O que fizemos foi errado. Aquela criatura carrega a Espada do *meu senhor*. Não devíamos permitir isso. Ele...

A dupla passou pela interseção na frente de Jasnah. Eram embaixadores do Oeste, incluindo o azishiano com a marca de nascença branca no rosto. Ou era uma cicatriz? O mais baixo dos dois — parecia até um alethiano — interrompeu sua fala quando notou Jasnah. Ele soltou um guincho, depois seguiu apressadamente.

O azishiano, que estava vestido de preto e prata, parou e olhou-a de cima para baixo. Ele franziu o cenho.

— O banquete já acabou? — perguntou Jasnah, mais abaixo no corredor.

Seu irmão havia convidado aqueles dois para a celebração junto com todos os outros dignitários de alta patente em Kholinar.

— Sim — respondeu o homem.

O olhar dele a deixou incomodada. Ela seguiu em frente mesmo assim. *Eu devia investigar mais esses dois*, pensou. Havia investigado seus históricos, claro, e não encontrara nada digno de nota. Eles estavam falando sobre uma Espada Fractal?

— Venha logo! — chamou o homem mais baixo, retornando e pegando o homem mais alto pelo braço.

Ele se permitiu ser puxado para longe. Jasnah andou até o ponto onde os corredores se cruzavam e observou eles saírem.

Onde antes soavam tambores, subitamente gritos se fizeram ouvir.

Ah, não...

Jasnah virou-se, alarmada, então agarrou a saia e correu o mais rápido que podia.

Uma dúzia de diferentes desastres em potencial passou por sua mente. O que mais poderia acontecer naquela noite maldita, quando sombras se levantaram e seu pai olhou para ela com suspeita? Com os nervos à flor da pele, ela chegou aos degraus e começou a subir.

Demorou demais. Ela podia ouvir os gritos enquanto subia e finalmente emergia no caos. Cadáveres de um lado, uma *parede* demolida do outro. Como...

A destruição conduzia aos aposentos do seu pai.

O *palácio* inteiro tremeu, e um som de esmagamento ecoou daquela direção.

Não, não, não!

Ela passava por cortes de Espada Fractal nas paredes de pedra enquanto corria.

Por favor.

Cadáveres com olhos queimados. Corpos amontoados no chão como ossos descartados de uma mesa de jantar.

Isso, não.

Um batente quebrado. Os aposentos do seu pai. Jasnah parou no corredor, arfante.

Controle-se, controle...

Ela não conseguia. Não agora. Desesperada, correu até os aposentos, embora um Fractário pudesse matá-la facilmente. Ela não estava pensando direito. Precisava encontrar alguém que pudesse ajudar. Dalinar? Ele estava bêbado. Sadeas, então.

O quarto parecia ter sido atingido por uma grantormenta. Mobília despedaçada, farpas para todo lado. As portas da sacada estavam quebradas para fora. Alguém cambaleava na direção delas, um homem vestindo a Armadura Fractal do seu pai. Tearim, o guarda-costas?

Não. O elmo estava quebrado. Não era Tearim, mas sim Gavilar. Alguém na sacada gritou.

— Pai! — chamou Jasnah.

Gavilar hesitou quando adentrava a sacada, olhando para trás na direção dela.

A sacada partiu-se debaixo dele.

Jasnah gritou, correndo pelo quarto até a sacada quebrada, caindo de joelhos na beirada. O vento soltava mechas de cabelo do seu coque enquanto via dois homens caírem.

Seu pai e o shino de roupas brancas do banquete.

O shino brilhava com uma luz branca. Ele caiu *na* parede. Aterrissou, rolando, então parou. Ele se levantou, de algum modo permanecendo na parede externa sem cair. Era algo que desafiava a razão.

Ele se virou, então avançou na direção do pai dela.

Jasnah assistiu, gelada e impotente, ao assassino descer até seu pai e se ajoelhar sobre ele.

Lágrimas caíram do queixo dela, e o vento as capturou. O que ele estava fazendo lá embaixo? Ela não conseguia distinguir.

Quando o assassino foi embora, deixou para trás o cadáver do seu pai. Empalado em um pedaço de madeira. Ele estava morto — de fato, sua Espada Fractal aparecera ao seu lado, como sempre acontecia quando seus Fractários morriam.

— Eu me esforcei tanto... — sussurrou Jasnah, entorpecida. — Tudo que eu fiz para proteger essa família...

Como? Liss. Liss tinha feito aquilo!

Não. Jasnah não estava pensando direito. Aquele shino... Liss não teria admitido que fora dona dele, nesse caso. Ela o vendera.

— Sentimos muito pela sua perda.

Jasnah girou, piscando olhos marejados. Três parshendianos, incluindo Klade, estavam junto ao batente da porta, em seus trajes distintos. Xales bem-costurados para homens e mulheres, faixas nas cinturas, camisas folgadas sem mangas. Coletes abertos, trançados em cores vivas. Eles não segregavam roupas por gênero. Ela pensou que fosse por casta, contudo, e...

Pare, pensou. *Pare de pensar como uma erudita por um tormentoso dia!*

— Nós assumimos responsabilidade pela morte dele — declarou a parshendiana principal.

Gangnah era uma fêmea, embora os parshendianos parecessem ter mínimas diferenças de gênero. As roupas escondiam seios e quadris, que tampouco eram muito pronunciados. Felizmente, a falta de barba era um claro indício. Todos os homens parshendianos que já vira tinham barba, que enfeitavam com gemas, e...

PARE COM ISSO.

— O que foi que você disse? — questionou Jasnah, forçando-se a ficar de pé. — Por que seria sua culpa, Gangnah?

— Porque nós contratamos o assassino — disse a parshendiana em sua voz cantada e carregada de sotaque. — Nós matamos seu pai, Jasnah Kholin.

— Vocês...

A emoção subitamente tornou-se fria, como um rio gelando nas alturas. Jasnah olhou de Gangnah para Klade e para Varnali. Anciões, todos os três. Membros do conselho governante dos parshendianos.

— Por quê? — sussurrou Jasnah.

— Porque precisava ser feito — respondeu Gangnah.

— *Por quê?* — clamou Jasnah, avançando. — Ele lutou por vocês! Afastou os predadores! Meu pai queria *paz*, seus monstros! Por que nos traíram justamente agora?

Gangnah apertou os lábios em uma linha. A canção da sua voz mudou. Ela parecia quase uma mãe explicando algo muito difícil para uma criança pequena.

— Porque o seu pai estava prestes a fazer algo muito perigoso.

— Mande chamar o Luminobre Dalinar! — gritou uma voz do corredor. — Raios! Minhas ordens chegaram a Elhokar? O príncipe herdeiro *precisa* ser levado a um lugar seguro!

O Grão-príncipe Sadeas cambaleou quarto adentro com um bando de soldados. Seu rosto vermelho e bulboso estava úmido de suor, e ele vestia a roupa de Gavilar, os trajes reais do ofício.

— O que esses selvagens estão fazendo aqui? Raios! Proteja a princesa Jasnah. O homem que fez isso... ele estava no séquito *deles*!

Os soldados se moveram para cercar os parshendianos. Jasnah os ignorou, virando-se e andando de volta para o portal quebrado, com a mão na parede, olhando seu pai lá embaixo, caído sobre as pedras, a Espada ao seu lado.

— Haverá guerra — sussurrou ela. — E eu não vou impedi-la.

— Isso está entendido — respondeu Gangnah atrás dela.

— O assassino — disse Jasnah. — Ele caminhou pela parede.

Gangnah nada disse.

No momento em que seu mundo se despedaçava, Jasnah agarrou-se a esse fragmento. Vira algo naquela noite. Algo que não deveria ser possível. Estaria relacionado ao estranho espreno? À sua experiência no local das contas de vidro e do céu escuro?

Essas perguntas tornaram-se o salva-vidas para sua estabilidade. Sadeas exigiu respostas dos líderes parshendianos. Não recebeu nenhuma. Quando se pôs ao lado de Jasnah e viu as ruínas lá embaixo, ele disparou, chamando seus guardas aos gritos, correndo para baixo para alcançar o rei caído.

Horas depois, descobriram que o assassinato e a rendição dos três líderes parshendianos haviam encoberto a fuga da maior parte do seu grupo. Eles escaparam rapidamente da cidade, e a cavalaria que Dalinar enviou atrás deles foi destruída. Uma centena de cavalos, cada um deles de valor quase inestimável, perdida junto com seus cavaleiros.

Os líderes parshendianos não disseram mais nada, nem entregaram qualquer pista, mesmo quando foram pendurados para serem enforcados pelos seus crimes.

Jasnah ignorou isso tudo. Em vez disso, interrogou os guardas sobreviventes para saber o que haviam visto. Ela seguiu pistas sobre a natureza do agora famoso assassino, extraindo informações de Liss. Não conseguiu quase nada. Liss o comandara por um curto período e alegara nada saber sobre seus estranhos poderes. Jasnah não conseguiu encontrar o proprietário anterior.

Em seguida vieram os livros. Um esforço dedicado e frenético de distrair-se do que havia perdido.

Naquela noite, Jasnah vira o impossível.

Ela *ia* descobrir o que aquilo significava.

PARTE
UM

Aceso

SHALLAN • KALADIN • DALINAR

I

SANTIDE

Para ser perfeitamente franca, o que aconteceu nesses últimos dois meses é de minha responsabilidade. A morte, destruição e dor são meu fardo. Eu deveria ter visto o que ia acontecer. E eu devia ter impedido.

— Do diário pessoal de Navani Kholin, jeseses, ano de 1174

SHALLAN PEGOU O FINO lápis de carvão e traçou uma série de linhas retas irradiando de uma esfera no horizonte. Aquela esfera não era *exatamente* o Sol, nem uma das luas. As nuvens delineadas em carvão pareciam fluir na sua direção. E o mar abaixo delas... Um desenho não podia expressar a natureza bizarra daquele oceano, feito não de água, mas de pequenas contas de vidro translúcido.

Shallan sentiu um arrepio ao se lembrar daquele lugar. Jasnah sabia muito mais sobre ele do que admitia à sua pupila, e Shallan não sabia ao certo como perguntar. Como exigir respostas depois de uma traição como a dela? Só alguns dias haviam se passado desde aquele evento, e Shallan ainda não sabia exatamente como seu relacionamento com Jasnah prosseguiria.

O convés sacudia enquanto o navio virava de bordo, velas enormes tremulando acima. Shallan foi forçada a agarrar a balaustrada com a mão segura coberta para se firmar. O capitão Tozbek dissera que até então os mares não estavam tão ruins para aquela parte dos Estreitos de Longa-fronte. Contudo, talvez ela tivesse que ir para a parte de baixo do convés, se as ondas e os movimentos piorassem muito.

Shallan soltou o ar e tentou relaxar enquanto o navio se aquietava. Um vento gelado soprou e esprenos de vento zuniram pelas correntes de ar invisíveis. Toda vez que o mar se encrespava, Shallan recordava aquele dia, aquele oceano alienígena de contas de vidro...

Ela baixou novamente os olhos para o que havia desenhado. Só havia vislumbrado aquele lugar, e seu esboço não era perfeito. Ele...

Ela franziu o cenho. No seu papel, um padrão havia se *erguido*, como uma marcação em relevo. O que ela havia feito? Aquele padrão era quase da largura da página, uma sequência de linhas complexas com ângulos agudos e repetidas formas de cabeça de flecha. Seria um efeito de desenhar naquele lugar estranho, o lugar que Jasnah dissera se chamar Shadesmar? Shallan moveu sua mão livre de modo hesitante para sentir os relevos anormais na página.

O padrão *se moveu*, deslizando através da página como um filhote de cão-machado debaixo de um lençol.

Shallan deu um gritinho e pulou do seu assento, deixando cair a prancheta de desenho. As folhas soltas caíram sobre as tábuas, flutuando e depois se espalhando ao vento. Marinheiros próximos — thaylenos com longas sobrancelhas brancas penteadas para trás das orelhas — se apressaram em ajudar, agarrando folhas no ar antes que pudessem voar para fora do barco.

— A senhorita está bem? — indagou Tozbek, olhando para ela de uma roda de conversa com seus oficiais.

O baixo e corpulento Tozbek vestia uma faixa larga e uma casaca dourada e vermelha, combinando com o chapéu em sua cabeça. Usava as sobrancelhas voltadas para cima e enrijecidas em forma de leque acima dos olhos.

— Estou bem, capitão — respondeu Shallan. — Só me assustei.

Yalb se aproximou, oferecendo as páginas.

— Sua parufelnália, senhorita.

Shallan levantou uma sobrancelha.

— Para-*fer*-nália?

— Pode ser. — O jovem marinheiro sorriu. — Estou praticando umas palavras bonitas. Elas ajudam um sujeito a obter uma companhia feminina razoável, sabe? O tipo de jovem que não fede demais e tem pelo menos alguns dentes sobrando.

— Que adorável — replicou Shallan, pegando as folhas de volta. — Bem, dependendo da sua definição de adorável, pelo menos.

Ela suprimiu o impulso de continuar com os gracejos, olhando desconfiada para a pilha de páginas em sua mão. A imagem que havia desenhado de Shadesmar estava no topo e não apresentava mais as estranhas marcas em relevo.

— O que aconteceu? — perguntou Yalb. — Um crenguejo subiu pelas suas pernas ou algo assim?

Como de costume, ele vestia um colete aberto e um par de calças folgadas.

— Não foi nada — disse Shallan baixinho, guardando as páginas na bolsa.

Yalb fez uma pequena saudação — ela não fazia ideia de por que ele desenvolvera esse hábito — e voltou a amarrar o cordame com os outros marinheiros. Ela logo escutou risadas dos homens perto dele, e quando olhou na sua direção, viu esprenos de glória dançando ao redor da cabeça de Yalb — eles tomavam a forma de pequenas esferas de luz. Ele estava aparentemente muito orgulhoso de seu gracejo.

Shallan sorriu. Foi de fato fortuito que Tozbek houvesse se demorado em Kharbranth. Ela gostava da tripulação e estava feliz que Jasnah os tivesse escolhido para sua viagem. Shallan se recostou na caixa que o capitão Tozbek havia ordenado que fosse amarrada na balaustrada para que ela pudesse apreciar o mar enquanto navegavam. Tinha que tomar cuidado com os respingos, que não eram lá muito bons para seus desenhos, mas, contanto que o mar não estivesse agitado demais, a oportunidade de contemplar as águas valia a pena.

O vigia no topo do cordame gritou. Shallan estreitou os olhos na direção em que ele apontava. Eles não estavam distante da terra, navegando paralelamente à costa. De fato, haviam atracado no porto na última noite, para se abrigar de uma grantormenta. Ao navegar, era preciso estar sempre perto do porto — aventurar-se em mar aberto, onde era possível ser surpreendido por uma grantormenta, era suicídio.

A mancha escura ao norte eram as Terras Geladas, uma área em grande parte desabitada junto da borda inferior de Roshar. Ocasionalmente, ela vislumbrava penhascos mais altos ao sul. Thaylenah, o grande reino insular, formava outra barreira ali. Os estreitos passavam entre as duas.

O vigia havia encontrado algo nas ondas a norte do barco, uma forma oscilante que de início parecia ser um grande tronco. Mas não, era muito maior que isso, e mais largo. Shallan se levantou, estreitando os olhos, enquanto o objeto se aproximava. Por fim, identificou uma concha verde-amarronzada em forma de domo, com o tamanho de cerca de três barcos a remo amarrados juntos. Enquanto passavam, a concha veio ficar ao lado do barco e de algum modo conseguiu acompanhá-lo, com a parte acima da superfície entre 1,80 e 2,5 metros.

Um santide! Shallan inclinou-se sobre a balaustrada, olhando para baixo, enquanto os marinheiros tagarelavam animadamente, vários deles se juntando a ela e tentando ver a criatura. Santidin eram tão reclusos que alguns livros alegavam que estavam extintos e que todos os relatos modernos de avistamentos não eram fidedignos.

— A senhorita *dá mesmo* sorte! — disse Yalb, gargalhando, enquanto passava por ela com uma corda. — A gente não via um santide há anos.

— Ainda não está vendo um — corrigiu Shallan. — Só a parte de cima da sua concha.

Para sua decepção, as águas escondiam todo o resto — exceto pelas sombras nas profundezas que poderiam ser longos braços se estendendo para baixo. As histórias alegavam que os animais às vezes seguiam navios durante dias, esperando no mar enquanto um barco atracava no porto e seguindo-o de novo quando a embarcação partia.

— Sempre só dá para ver a concha — disse Yalb. — Pelas paixões, isso é um bom sinal!

Shallan agarrou sua bolsa. Ela capturou uma Lembrança da criatura ao lado do navio, fechando os olhos, fixando a imagem na cabeça para que pudesse desenhá-la com precisão.

Mas desenhar o quê?, ela pensou. *Uma protuberância na água?*

Uma ideia começou a se formar em sua cabeça. Vocalizou-a antes que pudesse pensar melhor.

— Traga-me aquela corda — disse ela, voltando-se para Yalb.

— Luminosa... — respondeu ele, hesitando.

— Amarre um laço em uma ponta — pediu Shallan, apressadamente colocando a bolsa sobre o banco. — Preciso dar uma olhada no santide. Nunca coloquei a cabeça debaixo d'água no oceano. Será que o sal dificulta a visão?

— Debaixo d'água? — disse Yalb, a voz subitamente aguda.

— Você não está amarrando a corda.

— Porque não sou um idiota tormentoso! O capitão vai cortar minha cabeça se...

— Chame um amigo — continuou Shallan, ignorando-o e pegando a corda para amarrar uma extremidade em um laço pequeno. — Vocês vão me baixar pela lateral do barco, e vou dar uma olhada no que está debaixo daquela concha. Você entende que ninguém *jamais* fez um desenho de um santide vivo? Todos os cadáveres que apareceram nas praias já estavam em avançada decomposição. E como os marinheiros consideram que caçar essas coisas dá má sorte...

— Mas é má sorte! — interrompeu Yalb, com uma voz cada vez mais fina. — Ninguém vai matar um deles.

Shallan terminou o laço e foi rapidamente até a lateral do navio, os cabelos ruivos voejando ao redor do rosto enquanto ela se inclinava sobre a balaustrada. O santide ainda estava lá. Como ele conseguia acompanhá-los? Ela não via barbatanas.

Olhou de volta para Yalb, que segurava a corda, sorrindo.

— Ah, Luminosa. Isso é vingança pelo que eu disse sobre seu traseiro para Beznk? Foi só uma brincadeira, mas a senhorita me pegou direitinho! Eu... — Ele parou de falar quando ela o encarou. — Raios. A senhorita está falando sério.

— Eu não vou ter outra oportunidade como essa. Naladan perseguiu essas criaturas durante a maior parte da vida e nunca conseguiu dar uma boa olhada em uma.

— Isso é loucura!

— Não, é conhecimento! Eu não sei como vou enxergar através da água, mas preciso tentar.

Yalb suspirou.

— Nós temos máscaras. Feitas de uma carapaça de tartaruga com vidro em orifícios perfurados na frente e bexigas ao longo das bordas para a água não entrar. A senhorita pode enfiar a cabeça debaixo d'água com uma delas e ver. Nós as usamos para verificar o casco na doca.

— Maravilhoso!

— Mas claro que vou ter que pedir permissão ao capitão para usar uma... Ela cruzou os braços.

— Muito esperto da sua parte. Muito bem, vá em frente.

De qualquer maneira, era improvável que conseguisse levar a ideia a cabo sem que o capitão descobrisse. Yalb sorriu.

— O que aconteceu com a senhorita em Kharbranth? Na sua primeira viagem conosco, era tão tímida que parecia que ia desmaiar só de pensar em partir de barco da sua terra natal!

Shallan hesitou, então percebeu que estava ruborizando.

— Isso é um tanto quanto imprudente, não é?

— Se pendurar de um navio em movimento e enfiar a cabeça dentro d'água? — disse Yalb. — É. Um pouco, sim.

— Você acha... que poderíamos parar o navio?

Yalb deu uma gargalhada, mas saiu apressado para falar com o capitão, entendendo a pergunta como uma indicação de que ela ainda estava determinada a levar seu plano adiante. E estava mesmo.

De fato, o que aconteceu comigo? Ela se perguntou.

A resposta era simples: ela tinha perdido tudo. Roubara Jasnah Kholin, uma das mulheres mais poderosas do mundo — e, ao fazer isso, não só perdeu sua chance de estudar, como sempre sonhara, mas também havia condenado seus irmãos e sua casa. Ela fracassara, total e miseravelmente.

E conseguira dar a volta por cima.

Não saíra incólume; sua credibilidade com Jasnah fora seriamente prejudicada, e sentia que havia praticamente abandonado sua família. Mas algo na experiência de roubar o Transmutador de Jasnah — que de qualquer modo acabara se revelando falso — e depois ser quase morta por um homem que pensava estar apaixonado por ela...

Bem, agora tinha uma ideia melhor de quão ruins as coisas podiam ficar. Era como se... antes ela temesse a escuridão, mas agora a havia adentrado. Experimentara alguns dos horrores que a aguardavam ali. Por mais terríveis que fossem, pelo menos ela sabia.

Você sempre soube, sussurrou uma voz bem fundo dentro *dela. Você cresceu em meio aos horrores, Shallan. Só não se permite recordá-los.*

— Mas o que é isso? — indagou Tozbek enquanto se aproximava com sua esposa, Ashlv, ao lado.

A mulher minúscula não falava muito; estava vestida com uma saia e blusa amarelo-vivo, um lenço de cabeça cobrindo todo o cabelo, exceto pelas sobrancelhas brancas, que havia enrolado junto das bochechas.

— A senhorita quer nadar? — disse Tozbek. — Não pode esperar até chegarmos ao porto? Conheço algumas áreas agradáveis onde a água não é tão fria.

— Eu não vou nadar — respondeu Shallan, enrubescendo ainda mais. O que poderia *vestir* para nadar com homens por perto? As pessoas realmente faziam isso? — Preciso dar uma olhada mais de perto no nosso companheiro. — Ela acenou na direção da criatura marinha.

— Senhorita, sabe que não posso permitir algo tão perigoso. Mesmo que parássemos o navio, e se a fera a machucasse?

— Dizem que são inofensivas.

— Elas são tão raras, como podemos saber com certeza? Além disso, há outros animais nesses mares que podem machucá-la. Aguarrubras caçam por aqui com certeza, e podemos estar em águas rasas o bastante para que cornaques causem problemas. — Tozbek balançou a cabeça. — Sinto muito, mas não posso permitir.

Shallan mordeu o lábio e descobriu que seu coração batia de modo traiçoeiro. Queria insistir, mas aquele olhar decidido a fez murchar.

— Muito bem.

Tozbek deu um largo sorriso.

— Vou levá-la para ver algumas conchas no porto em Amydlatn quando pararmos lá, senhorita. Eles têm uma coleção e tanto!

Ela não sabia onde era aquele lugar, mas pelas consoantes amontoadas, imaginou que fosse na região thaylena, como a maioria das cidades tão ao sul. Embora Thaylenah fosse quase tão fria quanto as Terras Geladas, as pessoas pareciam gostar de viver ali.

Claro, os thaylenos eram todos um pouco estranhos. Que outra palavra poderia descrever Yalb e os outros, que não vestiam camisas apesar da friagem?

Não eram eles que estavam contemplando um mergulho no oceano, Shallan recordou a si mesma. Ela olhou novamente pela amurada do navio, vendo as ondas quebrarem contra a concha do gentil santide. O que era aquilo? Uma fera de grande casco, como os terríveis demônios-dos-abismos das Planícies Quebradas? Será que ele era mais parecido com um peixe, lá embaixo, ou seria como uma tartaruga? Os santidin eram tão raros — e as ocasiões em que tinham sido avistados por eruditas tão infrequentes — que todas as teorias se contradiziam.

Ela suspirou e abriu sua bolsa, então começou a organizar seus papéis, a maioria dos quais era esboços dos marinheiros em várias poses enquanto eles tentavam manobrar as enormes velas acima, virando de bordo contra o vento. Seu pai nunca teria permitido que ela passasse o dia sentada assistindo a um bando de olhos-escuros sem camisa. Como sua vida havia mudado em tão pouco tempo.

Ela estava trabalhando em um esboço da concha do santide quando Jasnah chegou ao convés.

Como Shallan, Jasnah trajava um havah, um vestido vorin com um formato distinto. A barra chegava aos pés, e o decote quase ao queixo. Alguns dos thaylenos — quando achavam que ela não estava ouvindo — haviam chamado a roupa de puritana. Shallan discordava; o havah não era puritano, e sim elegante. De fato, a seda era justa em seu corpo, particularmente no busto — e o modo como os marinheiros olhavam feito tontos para Jasnah indicava que não consideravam o traje desinteressante.

Jasnah *era* bonita. Corpo exuberante, pele bronzeada, sobrancelhas imaculadas, lábios pintados de um vermelho profundo, cabelo arrumado em uma bela trança. Embora Jasnah tivesse o dobro da idade de Shallan, sua beleza madura era algo a ser admirado, até mesmo invejado. Por que a mulher tinha que ser tão perfeita?

Jasnah ignorou os olhares dos marinheiros. Não que ela deixasse de notar os homens; Jasnah notava tudo e todos. Simplesmente não parecia se importar com o que os homens pensavam dela.

Não, isso não é verdade, pensou Shallan enquanto Jasnah se aproximava. *Ela não se daria ao trabalho de fazer o cabelo, ou aplicar maquiagem, se não se importasse com o que pensam dela.* Nisso, Jasnah era um enigma. Por um lado, ela parecia ser uma erudita preocupada somente com a própria pesquisa. Por outro, cultivava a postura e a dignidade da filha de um rei — e, às vezes, a usava como um porrete.

— Aí está você — disse Jasnah, caminhando até Shallan. Respingos de água escolheram esse momento para borrifá-la. Ela franziu o cenho para as gotas d'água no seu vestido de seda, então olhou de volta para Shallan e levantou a sobrancelha. — O navio, como pode ter notado, tem duas excelentes cabines, que aluguei para nós sem poupar despesas.

— Sim, mas elas ficam lá dentro.

— Como é costumeiro.

— Passei a maior parte da minha vida a portas fechadas.

— E vai passar muito mais, se deseja ser uma erudita.

Shallan mordeu o lábio, esperando pela ordem para entrar. Curiosamente, a ordem não veio. Jasnah chamou o capitão Tozbek com um gesto, e ele se aproximou servilmente, com o chapéu na mão.

— Sim, Luminosa?

— Eu gostaria de mais um desses... assentos — pediu Jasnah, fitando a caixa de Shallan.

Tozbek rapidamente mandou um dos seus homens amarrar uma segunda caixa. Enquanto aguardava que o assento estivesse pronto, Jasnah acenou para que Shallan passasse seus esboços e inspecionou o desenho do santide, depois olhou sobre a balaustrada do navio.

— Não surpreende que os marinheiros estejam fazendo tanto rebuliço.

— É sorte, Luminosa! — disse um dos homens. — É um bom presságio para sua viagem, não acha?

— Aceitarei toda a sorte recebida, Nanhel Eltorv — respondeu ela. — Obrigada pelo assento.

O marinheiro se curvou desajeitadamente antes de se afastar.

— A senhora acha que eles são tolos supersticiosos — disse Shallan baixinho, vendo o marinheiro se afastar.

— Pelo que pude observar, esses marinheiros são homens que encontraram um propósito na vida e agora tiram um prazer simples disso. — Jasnah olhou para o desenho seguinte. — Muitas pessoas fazem muito menos da vida. O capitão Tozbek tem uma boa equipe. Você fez bem em indicá-lo.

Shallan sorriu.

— A senhora não respondeu minha pergunta.

— Você não fez uma pergunta — devolveu Jasnah. — Esses esboços são caracteristicamente habilidosos, Shallan, mas você não devia estar lendo?

— Eu... tive dificuldade em me concentrar.

— Então veio para o convés para desenhar rapazes trabalhando sem camisa. Espera que isso *ajude* na sua concentração?

Shallan ficou vermelha, enquanto Jasnah se detinha em uma folha de papel na pilha. Shallan esperou pacientemente — fora bem treinada nisso pelo pai — até que Jasnah voltou-se para ela. Era a imagem de Shadesmar, naturalmente.

— Você respeitou minha ordem de não espiar novamente esse reino? — perguntou Jasnah.

— Sim, Luminosa. Desenhei baseada em uma memória do meu primeiro... lapso.

Jasnah baixou a página. Shallan pensou ver algo na expressão da mulher mais velha. Estaria Jasnah se perguntando se podia confiar na palavra de Shallan?

— Suponho que seja isso que esteja te incomodando — disse Jasnah.

— Sim, Luminosa.

— Então imagino que seja melhor que eu explique o que é.

— Mesmo? A senhora faria isso?

— Não precisa ficar tão surpresa.

— Parece uma informação poderosa — respondeu Shallan. — A maneira como me proibiu... Deduzi que a existência desse lugar fosse segredo, ou pelo menos algo que não deveria ser confiado a alguém da minha idade.

Jasnah bufou.

— Já percebi que recusar explicar segredos a jovens só os torna *mais* inclinados a se meterem em problemas, e não menos. Sua experimentação prova que você já caiu de cabeça em tudo isso... assim como aconteceu comigo, por fim. Sei por minha própria experiência dolorosa quão perigoso Shadesmar pode ser. Se eu a deixar na ignorância, serei culpada se você morrer lá.

— Então a senhora teria me explicado sobre o lugar, se eu tivesse perguntado antes, nesta viagem?

— Provavelmente, não — admitiu Jasnah. — Eu precisava ver quão disposta você estava a me obedecer. Desta vez.

Shallan esmoreceu e suprimiu o impulso de apontar que na época em que ela era uma pupila estudiosa e obediente, Jasnah não divulgara nem de longe tantos segredos como agora.

— Então, o que é? Aquele... lugar.

— Não é realmente um lugar — disse Jasnah. — Não como costumamos pensar em lugares. Shadesmar está aqui, ao nosso redor, agora mesmo. Todas as coisas existem lá de alguma forma, assim como todas as coisas existem aqui.

Shallan franziu o cenho.

— Eu não...

Jasnah levantou um dedo para silenciá-la.

— Todas as coisas têm três componentes: a alma, o corpo e a mente. Aquele lugar que você viu, Shadesmar, é o que chamamos de Reino Cognitivo; o lugar da mente. Tudo que você vê ao nosso redor é o mundo físico. Você pode tocá-lo, enxergá-lo, ouvi-lo. É assim que seu corpo físico vivencia o mundo. Bem, Shadesmar é a maneira como seu eu cognitivo... seu eu inconsciente... vivencia o mundo. Através dos seus sentidos ocultos que alcançam aquele reino, você faz saltos intuitivos de lógica e também forma esperanças. É provavelmente através desses sentidos extras que você cria arte, Shallan.

Água respingou na proa do navio enquanto ele cruzava uma onda. Shallan limpou uma gota salgada do rosto, tentando absorver o que Jasnah acabara de dizer.

— Isso quase não fez sentido *algum* para mim, Luminosa.

— Como esperado — disse Jasnah. — Passei seis anos pesquisando Shadesmar, e mal sei o que pensar a respeito. Terei que acompanhá-la até lá muitas vezes antes que você possa compreender, mesmo um pouco, o verdadeiro significado do lugar.

Jasnah fez uma careta ao pensar nisso. Shallan sempre se surpreendia ao vislumbrar emoções na mulher. Emoção era algo que inspirava simpatia, algo humano — e a imagem mental que tinha de Jasnah Kholin era de alguém quase divino. Pensando bem, era uma maneira estranha de considerar uma ateia convicta.

— Escute bem — prosseguiu Jasnah. — Minhas próprias palavras traem minha ignorância. Eu disse que Shadesmar não era um lugar, mas na frase seguinte digo que é. Falo em visitá-lo, embora esteja ao nosso redor. Nós simplesmente não temos a terminologia apropriada para discuti-lo. Deixe-me tentar outra tática.

Jasnah se levantou e Shallan apressou-se a segui-la. Elas caminharam ao longo da balaustrada do navio, sentindo o convés balançar sob seus pés. Marinheiros abriam caminho para Jasnah com rápidas mesuras. Tratavam-na com tanta reverência quanto prestariam a um rei. Como ela fazia isso? Como podia controlar o que estava à sua volta sem aparentemente fazer nada?

— Olhe para as águas — disse Jasnah quando chegaram à proa. — O que está vendo?

Shallan parou ao lado da balaustrada e fitou as águas azuis, que espumavam quando eram rompidas pela proa do navio. Ali na proa, ela podia ver uma *profundidade* nas ondas. Uma vastidão insondável que se estendia não só para os lados, como para baixo.

— Eu vejo a eternidade — respondeu Shallan.

— Falou como uma artista — disse Jasnah. — Este navio navega por profundidades desconhecidas. Por baixo dessas ondas, existe um mundo agitado, frenético, invisível.

Jasnah inclinou-se para a frente, agarrando a balaustrada com uma mão nua e a outra velada pela manga da mão segura. Ela olhou adiante. Não para as profundezas, não para a terra distante nos horizontes a norte e sul. Olhou para o leste, na direção das tempestades.

— Há um mundo inteiro, Shallan, e nossas mentes só alcançam sua superfície. Um mundo de pensamento profundo e abissal. Um mundo *criado* por pensamentos profundos e abissais. Quando você vê Shadesmar, adentra essas profundezas. Em certos aspectos, é um mundo alienígena para nós, mas ao mesmo tempo nós o formamos. Com alguma ajuda.

— Nós fizemos o quê?

— O que são os esprenos? — indagou Jasnah.

Essa pergunta pegou Shallan desprevenida, mas àquela altura já estava acostumada com perguntas desafiadoras da parte de Jasnah. Passou um tempo pensando na resposta.

— Ninguém sabe o que são os esprenos — respondeu Shallan —, embora muitos filósofos tenham opiniões diferentes sobre...

— Não — interrompeu Jasnah. — O que *são* eles?

— Eu... — Shallan olhou para um par de esprenos de vento girando pelo ar acima. Eles pareciam pequenas fitas de luz brilhando suavemente, dançando ao redor um do outro. — Eles são ideias vivas.

Jasnah virou-se bruscamente para ela.

— O quê? — disse Shallan, sobressaltada. — Estou errada?

— Não — respondeu Jasnah. — Você tem razão. — A mulher mais velha estreitou os olhos. — Minha melhor teoria é que esprenos são elementos do Reino Cognitivo que *vazaram* para o mundo físico. Eles são conceitos que ganharam um fragmento de senciência, talvez devido à intervenção humana. Pense em um homem que sente raiva com frequência. Pense em como seus amigos e família podem começar a se referir a essa raiva como uma fera, uma coisa que o possui, algo *externo* a ele. Humanos personificam. Nós falamos do vento como se ele tivesse vontade própria. Esprenos são essas ideias... as ideias da experiência humana coletiva... que de algum modo ganharam vida. Shadesmar é onde isso acontece primeiro, e é o lugar *deles*. Embora nós o tenhamos criado, eles lhe deram forma. Vivem lá; reinam lá, dentro de suas próprias cidades.

— *Cidades?*

— Sim — respondeu Jasnah, olhando de novo para o oceano. Ela parecia apreensiva. — Esprenos são barbaramente variados. Alguns são tão inteligentes como humanos e criam cidades; outros são como peixes e simplesmente nadam nas correntes.

Shallan assentiu. Embora na verdade estivesse com dificuldade para assimilar tudo aquilo, não queria que Jasnah parasse de falar. Esse era o tipo de conhecimento de que *precisava*, o tipo de coisa pela qual ela *ansiava*.

— Isso tem a ver com o que a senhora descobriu? Sobre os parshemanos, os Esvaziadores?

— Ainda não fui capaz de determinar. Os esprenos nem sempre colaboram. Em alguns casos, eles não sabem; em outros, não confiam em mim por causa da nossa antiga traição.

Shallan franziu o cenho, fitando sua professora.

— Que traição?

— Eles a mencionam, mas não dizem o que foi. Nós quebramos um juramento e os ofendemos imensamente. Acho que alguns deles morreram, embora eu não faça ideia de como um conceito possa morrer. — Jasnah virou-se para Shallan com uma expressão solene. — Entendo que é atordoante. Você vai ter que aprender tudo isso, se deseja me ajudar. Ainda está disposta?

— Eu tenho escolha?

Um sorriso repuxou o canto dos lábios de Jasnah.

— Duvido muito. Você é capaz de Transmutar por conta própria, sem o auxílio de um fabrial. Você é como eu.

Shallan voltou o olhar para as águas. Como Jasnah. O que isso significava? Por que... Ela parou, piscando. Por um momento, pensou ter visto o mesmo padrão que antes, aquele que havia feito relevos em sua folha de papel. Desta vez havia sido na água, formado de modo impossível na superfície de uma onda.

— Luminosa... — disse ela, pousando os dedos no braço de Jasnah. — Pensei ter visto algo na água, agora mesmo. Um padrão de linhas retas, como um labirinto.

— Mostre-me onde.

— Estava em uma das ondas, e nós já passamos. Mas acho que já o vi mais cedo, em uma das minhas páginas. Significa alguma coisa?

— Certamente. Preciso admitir, Shallan, que considero a coincidência do nosso encontro surpreendente. Até mesmo suspeita.

— Como assim?

— Teve o envolvimento deles — explicou Jasnah. — Eles trouxeram você até mim. E ainda estão te vigiando, aparentemente. Então não, Shallan, você não tem mais escolha. Os antigos costumes estão voltando, e não vejo isso como um sinal de esperança; é um ato de autopreservação. Os esprenos sentem perigo iminente, então voltam para nós. Nossa atenção agora deve se voltar para as Planícies Quebradas e para as relíquias de Urithiru. Vai levar muito, muito tempo até que você possa voltar à sua terra natal.

Shallan assentiu em silêncio.

— Isso preocupa você — disse Jasnah.

— Sim, Luminosa. Minha família...

Shallan sentia-se uma traidora por abandonar seus irmãos, que haviam confiado nela para obter riqueza. Ela havia escrito para eles e explicado, sem muitos detalhes, que fora obrigada a devolver o Transmutador roubado — e agora precisava ajudar Jasnah com seu trabalho.

A resposta de Balat havia sido positiva, de certo modo. Ele disse que estava feliz por pelo menos um deles ter escapado do destino que cairia sobre sua casa. Achava que o resto da família — seus três irmãos e a noiva de Balat — estavam condenados.

Podiam ter razão. Não só as dívidas do pai os esmagariam, como também havia a questão do Transmutador quebrado. O grupo que o havia fornecido ao pai queria o objeto de volta.

Infelizmente, Shallan estava *convencida* de que a busca de Jasnah era da maior importância. Os Esvaziadores logo voltariam — de fato, eles não eram ameaças distantes de histórias. Viviam entre os homens, e havia séculos. Os gentis e silenciosos parshemanos que trabalhavam como perfeitos criados e escravos eram na verdade destruidores.

Deter a catástrofe do retorno dos Esvaziadores era um dever ainda maior do que proteger seus irmãos. Ainda era doloroso admitir isso. Jasnah estudou seu rosto.

— Quanto à sua família, Shallan, tomei algumas atitudes.

— Atitudes? — disse Shallan, pegando o braço da mulher mais alta. — A senhora ajudou meus irmãos?

— De certo modo — disse Jasnah. — Riqueza não resolveria de fato o problema, imagino, embora eu tenha arranjado para que um pequeno presente fosse enviado. Pelo que você disse, os problemas da sua família na verdade derivam de duas questões. Primeiro, os Sanguespectros desejam seu Transmutador de volta, mas vocês o quebraram. Segundo, sua casa está sem aliados e profundamente endividada.

Jasnah fez surgir uma folha de papel.

— Isto aqui é de uma conversa que tive com minha mãe via telepena essa manhã.

Shallan passou os olhos pela carta, notando a explicação de Jasnah sobre o Transmutador quebrado e seu pedido de auxílio.

Isso acontece com mais frequência do que você pensa, replicara Navani. *O defeito provavelmente tem a ver com o alinhamento dos encaixes das gemas. Traga-me o dispositivo e veremos.*

— Minha mãe é uma renomada artifabriana — explicou Jasnah. — Suspeito que ela possa consertar seu Transmutador. Podemos enviá-lo para os seus irmãos, que poderão devolvê-lo aos proprietários.

— A senhora me deixaria fazer isso? — perguntou Shallan.

Durante aqueles dias navegando, Shallan havia cautelosamente tentado extrair mais informações sobre a seita, esperando compreender seu pai e seus motivos. Jasnah alegava saber muito pouco sobre eles, além do fato de que estavam atrás de sua pesquisa e estavam dispostos a matar para obtê-la.

— Não quero particularmente que eles tenham acesso a um dispositivo tão valioso — disse Jasnah. — Mas não tenho tempo para proteger sua família diretamente neste momento. Essa é uma solução funcional, partindo do princípio que seus irmãos possam postergar por mais algum tempo. Faça com que eles digam a verdade, se necessário; que você, sabendo que eu era uma erudita, veio ter comigo e me pediu que consertasse o Transmutador. Talvez isso os satisfaça por enquanto.

— Obrigada, Luminosa.

Raios. Se houvesse simplesmente procurado Jasnah, em primeiro lugar, depois de ter sido aceita como sua pupila, quão mais fácil teria sido? Shallan olhou para o papel, notando que a conversa continuava.

Quanto à outra questão, escreveu Navani, *gostei muito dessa sugestão. Acredito que posso persuadir o rapaz a pelo menos considerar a ideia, já que seu caso mais recente terminou de modo bastante abrupto — como é costumeiro da parte dele — mais cedo nessa semana.*

— O que é essa segunda parte? — indagou Shallan, levantando os olhos.

— Somente saciar os Sanguespectros não vai salvar a sua casa — explicou Jasnah. — Seus débitos são altos demais, particularmente levando em conta que as ações do seu pai afastaram tantas pessoas. Assim, arranjei uma aliança poderosa para sua casa.

— Aliança? Como?

Jasnah respirou fundo. Parecia relutante em explicar.

— Dei os primeiros passos para arranjar o seu noivado com um dos meus primos, filho do meu tio Dalinar Kholin. O nome do rapaz é Adolin. Ele é bonito e hábil em manter conversas amigáveis.

— Noivado? — disse Shallan. — A senhora prometeu minha mão a ele?

— Eu iniciei o processo — respondeu Jasnah, falando com um nervosismo incomum. — Embora às vezes ele careça de prudência, Adolin tem um bom coração... tão bom quanto o do pai, que talvez seja o melhor homem que já conheci. Ele é considerado o melhor partido de Alethkar, e minha mãe há muito deseja casá-lo.

— Noivado — repetiu Shallan.

— Sim. Isso a perturba?

— É maravilhoso! — exclamou Shallan, apertando mais o braço de Jasnah. — Tão fácil. Se eu me casar com alguém tão poderoso... Raios! Ninguém ousará nos tocar em Jah Keved. Isso resolveria muitos dos nossos problemas. Luminosa Jasnah, a senhora é genial!

Jasnah relaxou visivelmente.

— Sim, bem, parecia uma solução possível. Mas estava me perguntando se você não se ofenderia.

— Raios, por que eu me ofenderia?

— Por causa da restrição de liberdade implícita em um casamento — disse Jasnah. — E, se não por isso, porque a oferta foi feita sem consultar você. Eu precisei conferir se a possibilidade estava aberta, em primeiro lugar. A coisa avançou mais do que eu esperava, já que minha mãe adorou a ideia. Navani tende... a ser atordoante.

Shallan teve dificuldades para imaginar alguém que Jasnah considerasse atordoante.

— Pai das Tempestades! Estava preocupada que eu me ofendesse? Luminosa, passei a vida inteira trancada na mansão do meu pai... cresci acreditando que ele escolheria o meu marido.

— Mas você está livre do seu pai agora.

— Sim, e fui *perfeitamente* sábia nos relacionamentos que busquei — replicou Shallan. — O primeiro homem que escolhi não só era um fervoroso, como secretamente era um assassino.

— Isso não a incomoda em nada? — questionou Jasnah. — A ideia de estar comprometida com alguém, especialmente um homem?

— Não é como se fosse ser vendida como escrava — respondeu Shallan, rindo.

— Não. Suponho que não. — Jasnah se remexeu, recuperando a compostura. — Bem, informarei Navani de que você está inclinada ao noivado e que devemos celebrar um causal hoje mesmo.

Um causal — um noivado condicional, na terminologia vorin. Ela estaria, para todos os efeitos, comprometida, mas não haveria sustentação jurídica até que um noivado oficial fosse assinado e conferido pelos fervorosos.

— O pai do garoto disse que não vai forçar Adolin a nada — explicou Jasnah —, embora o rapaz esteja recentemente solteiro, já que conseguiu ofender mais uma jovem dama. Apesar disso, Dalinar prefere que vocês se conheçam pessoalmente antes que algo mais vinculatório seja acordado. Houve... mudanças no clima político das Planícies Quebradas. Uma grande perda para o exército do meu tio. Outro motivo para que nos apressemos em chegar nas Planícies.

— Adolin Kholin — disse Shallan, já um tanto distraída. — Um duelista, e dos melhores. E até mesmo um Fractário.

— Ah, então você *estava* prestando atenção nas suas leituras sobre meu pai e a família.

— Eu estava... mas já conhecia sua família antes disso. Os alethianos são o centro da sociedade! Até mesmo garotas de casas rurais conhecem os nomes dos príncipes alethianos. — E ela estaria mentindo se negasse que fantasiara em conhecer um deles, quando mais nova. — Mas Luminosa, tem certeza de que essa união será sábia? Quero dizer, eu não sou pessoa de grande importância.

— Bem, sim. Talvez o mais adequado para Adolin fosse a filha de outro grão-príncipe. Contudo, parece que ele conseguiu ofender todas as mulheres de nascimento apropriado disponíveis. O rapaz é um tanto afoito nos relacionamentos, digamos. Certamente não é nada com que você não possa lidar.

— Pai das Tempestades — disse Shallan, sentindo as pernas enfraquecerem. — Ele é herdeiro de um principado! Está na linha do trono de Alethkar!

— É o terceiro na linha — especificou Jasnah. — Atrás do filho bebê do meu irmão, e de Dalinar, meu tio.

— Luminosa, preciso perguntar. Por que Adolin? Por que não o filho mais jovem? Eu... eu não tenho nada a oferecer a Adolin ou à casa.

— Pelo contrário. Se você é o que penso que é, então será capaz de oferecer a ele algo que ninguém mais poderá. Algo mais importante do que riquezas.

— O que a senhora pensa que eu sou? — sussurrou Shallan, encontrando os olhos da mulher mais velha, finalmente fazendo a pergunta que não ousara até então.

— Neste momento, você não é nada além de uma promessa — respondeu Jasnah. — Uma crisálida guardando o potencial de grandeza. Outrora, quando humanos e esprenos se uniam, os resultados eram mulheres que dançavam nos céus e homens que podiam destruir pedras com um toque.

— Os Radiantes Perdidos. Traidores da humanidade.

Ela não conseguia absorver tudo. O noivado, Shadesmar e os esprenos, e aquilo, seu misterioso destino. Ela já sabia. Mas dizer em voz alta...

Shallan afundou, sem se importar que o vestido ficasse molhado no convés, e sentou-se com as costas contra a amurada. Jasnah permitiu que ela se recompusesse antes de, incrivelmente, também se sentar ao seu lado. Ela fez isso com uma graça muito superior, ajeitando o vestido sob as pernas enquanto se sentava de lado. As duas atraíram olhares dos marinheiros.

— Eles vão me fazer em pedaços — disse Shallan. — A corte alethiana. É a mais feroz do mundo.

Jasnah bufou.

— É mais bravata do que tormenta, Shallan. Eu vou treiná-la.

— Nunca serei como a senhora, Luminosa. A senhora tem poder, autoridade, riqueza. Basta ver como os marinheiros a tratam.

— Estou usando esse tal poder, autoridade ou riqueza neste exato momento?

— A senhora pagou por esta viagem.

— Você não pagou por várias viagens neste navio? — indagou Jasnah. — Eles não trataram você do mesmo modo que eu?

— Não. Ah, eles gostam de mim. Mas eu não tenho seu *peso*, Jasnah.

— Imagino que essa não foi uma indireta em relação à minha silhueta — disse Jasnah com um leve sorriso. — Compreendo seu argumento, Shallan. Contudo, ele está absolutamente errado.

Shallan voltou-se para ela. Jasnah estava sentada no convés do navio como se estivesse em um trono, as costas eretas, cabeça levantada, com um ar de comando. Shallan estava sentada com as pernas contra o peito e os braços ao redor delas. Até a maneira como se *sentavam* era diferente. Ela não era nada parecida com aquela mulher.

— Tem um segredo que você deve aprender, criança — disse Jasnah. — Um segredo que é ainda mais importante do que os relacionados com Shadesmar e os esprenos. O poder é uma ilusão da percepção.

Shallan franziu o cenho.

— Não me entenda mal — continuou Jasnah. — Alguns tipos de poder são reais... o poder de comandar exércitos, o poder de Transmutar. Mas são utilizados muito menos do que você poderia pensar. Falando individualmente, na maioria das interações, essa coisa que chamamos de poder, autoridade, só existe se for aceita. Você disse que eu tenho riqueza. É verdade, mas você também viu que não a utilizo com frequência. Você diz que eu tenho autoridade como a irmã de um rei. Eu tenho; e ainda assim, os homens desse navio me tratariam do mesmo jeito se eu fosse uma mendiga que os *convenceu* que era irmã de um rei. Nesse caso, minha autoridade não é uma coisa real. É meramente vapor... uma ilusão. Eu posso criar essa ilusão para eles, assim como você.

— Não estou convencida, Luminosa.

— Eu sei. Se estivesse, já estaria botando em prática. — Jasnah se levantou, limpando a saia. — Você me dirá se enxergar aquele padrão de novo? O que apareceu nas ondas.

— Sim, Luminosa — assentiu Shallan, distraída.

— Então tire o resto do dia para sua arte. Preciso pensar sobre a melhor maneira de ensiná-la sobre Shadesmar.

A mulher mais velha se afastou, acenando com a cabeça para as reverências dos marinheiros enquanto passava rumo aos conveses inferiores.

Shallan se levantou, então virou-se e agarrou a balaustrada, uma mão de cada lado do gurupés. O oceano espalhava-se diante dela, ondas agitadas, uma maresia fria e refrescante. Batidas rítmicas enquanto a embarcação abria caminho entre as ondas.

As palavras de Jasnah lutavam em sua mente, como enguias celestes disputando um rato. Esprenos com cidades? Shadesmar, um reino que estava ali, mas invisível? Shallan, subitamente *noiva* do solteiro mais importante do mundo?

Ela deixou a proa, caminhando pela lateral do barco, a mão livre deslizando pela balaustrada. Como os marinheiros a viam? Eles sorriam, acenavam. Gostavam dela. Yalb, que pendia preguiçosamente do cordame, chamou-a, dizendo que no próximo porto havia uma estátua que ela precisava visitar.

— É um pé *gigante*, senhorita. Só um pé! Nunca terminaram a tormentosa estátua...

Ela sorriu e continuou. Será que queria que olhassem para ela como olhavam para Jasnah? Sempre com medo, sempre preocupados com a possibilidade de fazerem algo errado? Isso era poder?

Quando saí de Vedenar, ela pensou, chegando ao lugar onde sua caixa fora amarrada, *o capitão só me aconselhava a voltar para casa. Ele via minha missão como uma tolice.*

Tozbek sempre agira como se estivesse lhe fazendo um favor em transportá-la até Jasnah. Será que deveria ter passado o tempo todo sentindo que fora inconveniente por contratar a ele e sua tripulação? Sim, ele havia oferecido um desconto devido aos negócios que fizera com seu pai no passado — mas ainda assim ela lhe pagara.

A maneira como ele a tratava provavelmente era característica dos comerciantes thaylenos. Se um capitão pudesse lhe fazer se sentir um incômodo, o pagamento era melhor. Ela gostava do homem, mas o relacionamento deles deixava algo a desejar. Jasnah nunca teria tolerado tal tratamento.

Aquele santide ainda nadava junto ao barco. Era como uma minúscula ilha móvel, suas costas cobertas com algas marinhas, pequenos cristais se projetando da concha.

Shallan virou-se e caminhou até a popa, onde o capitão Tozbek falava com um de seus oficiais, apontando para um mapa coberto de glifos. Ele assentiu para ela enquanto se aproximava.

— Só um aviso, senhorita — disse ele. — Os portos logo se tornarão menos hospitaleiros. Vamos deixar os Estreitos de Longafronte, contornando os limites orientais do continente, rumo a Nova Natanan. Não há nada de valor entre este ponto e as Criptas Rasas... e mesmo lá não é tão interessante. Não enviaria meu próprio irmão à terra sem guardas, e ele já matou 17 homens com as próprias mãos, de verdade.

— Compreendo, capitão — disse Shallan. — E agradeço. Mudei de ideia quanto à minha decisão anterior. Preciso que o senhor pare o navio e me deixe inspecionar o espécime nadando ao nosso lado.

Ele suspirou, passando os dedos ao longo de uma das sobrancelhas espetadas do mesmo jeito como os outros homens brincavam com seus bigodes.

— Luminosa, isso *não* é aconselhável. Pai das Tempestades! Se eu a deixasse cair no oceano...

— Então eu ficaria molhada — rebateu Shallan. — É um estado que já experimentei uma ou duas vezes na vida.

— Não, eu simplesmente não posso permitir isso. Como disse, vamos levá-la para ver algumas conchas em...

— Não pode permitir? — interrompeu Shallan.

Ela o fitou com o que esperava ser um olhar de perplexidade, torcendo para que ele não reparasse como estava pressionando as mãos fechadas junto ao corpo. Raios, ela detestava confrontos.

— Eu não estava ciente de que havia feito uma solicitação que o senhor tem o poder de permitir ou negar, capitão. Pare o navio. Me baixe até a água. Isso é uma ordem. — Ela tentou falar de modo tão vigoroso quanto Jasnah. Aquela mulher conseguia fazer com que parecesse mais fácil resistir a uma grantormenta do que discordar dela.

Tozbek abriu e fechou a boca por um momento, sem emitir som algum, como se seu corpo estivesse tentando continuar a objeção anterior, mas sua mente não conseguisse acompanhar.

— É o meu navio... — disse ele finalmente.

— Nada será feito com o seu navio — replicou Shallan. — Vamos logo com isso, capitão. Não quero atrasar demais nossa chegada ao porto esta noite.

Ela se afastou, caminhando de volta até sua caixa, o coração acelerado, as mãos tremendo. Sentou-se, em parte para se acalmar. Tozbek, parecendo profundamente chateado, começou a dar ordens. As velas foram baixadas, o navio desacelerou. Shallan soltou o ar, sentindo-se uma tola.

E, no entanto, o que Jasnah dissera havia funcionado. A maneira como Shallan agiu *criou* algo aos olhos de Tozbek. Uma ilusão? Como os próprios esprenos, talvez? Fragmentos da expectativa humana, dotados de vida?

O santide desacelerou com eles. Shallan se levantou, nervosa, enquanto marinheiros se aproximavam com a corda. Eles relutantemente amarraram um laço na ponta para que ela pudesse colocar o pé, explicando depois que Shallan deveria se agarrar bem à corda enquanto era baixada. Amarraram uma segunda corda menor firmemente ao redor de sua cintura — os meios para içá-la, encharcada e humilhada, de volta ao convés. Algo inevitável, aos olhos deles.

Shallan tirou os sapatos, depois subiu na balaustrada, como instruído. Estava ventando tanto assim antes? Ela teve um momento de vertigem, parada ali com os dedos dos pés curvados sobre a beirada estreita por baixo das meias, o vestido flutuando ao vento. Um espreno de vento zuniu até ela, então tomou a forma de um rosto com nuvens atrás. Raios, era melhor que aquela coisa não interferisse. Era a imaginação humana que dava aos esprenos de vento seu toque travesso?

Cambaleante, ela passou o pé pelo laço da corda quando os marinheiros o baixaram, então Yalb entregou-lhe a máscara de que falara antes.

Jasnah surgiu do convés inferior, olhando ao redor com um ar confuso. Ela viu Shallan de pé sobre a balaustrada do navio e levantou uma sobrancelha.

Shallan deu de ombros, depois fez um gesto para que os homens a baixassem.

Ela se recusou a sentir-se tola enquanto descia lentamente até as águas e ao animal recluso balançando nas ondas. Os homens pararam a cerca de meio metro acima da água, e ela colocou a máscara, presa por correias, cobrindo a maior parte do seu rosto, incluindo o nariz.

— Podem baixar! — gritou ela.

Achava que podia *sentir* a relutância deles na maneira letárgica como a corda desceu. Seu pé atingiu a água e um frio cortante subiu pela sua perna. Pai das Tempestades! Mas ela não mandou que eles parassem. Deixou-os baixá-la mais, até que suas pernas estivessem submersas na água frígida. Sua saia inchou de maneira desagradável, e Shallan teve que pisar na sua barra — dentro do laço — para impedir que subisse até sua cintura e flutuasse na superfície da água enquanto ela submergia.

Lutou com o tecido por um momento, feliz que os homens não pudessem vê-la ruborizada. Contudo, quando ele ficou mais molhado, ficou mais fácil de controlar. Ela finalmente conseguiu se agachar, ainda segurando firmemente na corda, e descer até que a água estivesse na sua cintura.

Então enfiou a cabeça debaixo d'água.

A luz fluía para baixo, vinda da superfície em colunas radiantes e cintilantes. Havia *vida* ali, vida furiosa e espantosa. Peixes minúsculos dardejavam de um lado para outro, mordiscando a parte inferior da concha que sombreava uma criatura majestosa. Nodoso como uma árvore antiga, com pele coberta de sulcos e dobras, a verdadeira forma do santide era de uma fera com longas e pendentes gavinhas azuis, como as de uma água-viva, mas muito mais espessas. Elas desapareciam nas profundezas, arrastando-se atrás do animal em um ângulo inclinado.

A fera em si era uma massa azul-cinzenta debaixo da concha. Suas dobras de aparência ancestral cercavam um único grande olho do lado dela — presumivelmente, seu par estava do outro lado. Parecia pesado, mas majestoso, com poderosas barbatanas se movendo como remadores. Um grupo de estranhos esprenos na forma de setas se movia pela água ao redor da criatura.

Cardumes passavam apressadamente ali perto. Embora as profundezas parecessem vazias, a área ao redor do santide fervilhava de vida, assim como a área sob o navio. Peixes minúsculos mordiscavam o casco da embarcação. Eles se moviam entre o santide e o navio, às vezes sozinhos, às vezes em ondas. Era por isso que a criatura nadava junto de uma embarcação? Algo a ver com os peixes e sua relação com eles?

Shallan olhou para a criatura, e aquele olho — tão grande quanto a cabeça dela — rolou em sua direção, ganhou foco e a *viu*. Naquele momento, Shallan não sentiu o frio, não sentiu vergonha; estava olhando para um mundo que, até onde sabia, nenhuma erudita havia visitado.

Ela piscou, capturando uma Lembrança da criatura, coletando-a para desenhos posteriores.

2
PONTE QUATRO

Nossa primeira pista foram os parshendianos. Mesmo semanas antes de abandonarem sua busca por gemas-coração, seu padrão de combate mudou. Eles se demoravam nos platôs depois das batalhas, como se estivessem esperando por algo.

— Do diário pessoal de Navani Kholin, jeseses, ano de 1174

Ar.

O ar de um homem era sua vida; expirado, pouco a pouco, de volta ao mundo. Kaladin respirou profundamente, de olhos fechados, e por algum tempo isso foi tudo que conseguiu ouvir. Sua própria vida. Entrando, saindo, de acordo com a batida tempestuosa em seu peito.

Ar. Sua própria pequena tempestade.

Do lado de fora, a chuva havia parado. Kaladin continuou sentado no escuro. Quando reis e ricos olhos-claros morriam, seus corpos não eram queimados como os dos homens comuns. Em vez disso, eles eram Transmutados em estátuas de pedra ou metal, para sempre congelados.

Os corpos dos olhos-escuros eram queimados. Eles se tornavam fumaça, para ascender aos céus e a qualquer coisa que esperasse lá, como uma oração queimada.

Ar. O ar de um olhos-claros não era diferente do de um olhos-escuros. Não era mais doce, ou mais livre. O ar de reis e escravos se misturava, para ser respirado de novo pelos homens, repetidamente.

Kaladin se levantou e abriu os olhos. Passara a grantormenta na escuridão daquele pequeno quarto junto da nova caserna da Ponte Quatro.

Sozinho. Ele caminhou até a porta, mas parou. Pousou os dedos em uma capa que sabia estar pendurada em um gancho ali. No escuro, não podia ver sua cor azul-escura, nem o glifo Kholin — na forma do selo de Dalinar — nas costas.

Parecia que todas as mudanças na sua vida haviam sido marcadas por uma tempestade. Essa era das grandes. Abriu a porta e saiu para a luz como um homem livre.

Deixou a capa para trás, por enquanto.

A Ponte Quatro o saudou ruidosamente quando ele emergiu. Tinham saído para se banhar e se barbear na calmaria da tempestade, como era costume. A fila já estava quase acabada, e Rocha havia barbeado cada um dos homens. O enorme papaguampas cantarolava baixinho enquanto passava a navalha sobre a cabeça calva de Drehy. O ar tinha um aroma úmido devido à chuva, e uma fogueira apagada ali perto era o único traço do guisado que o grupo compartilhara na noite anterior.

De muitas maneiras, aquele lugar não era tão diferente dos depósitos de madeira dos quais seus homens haviam recentemente escapado. As longas e retangulares casernas de pedra eram praticamente idênticas — Transmutadas em vez de construídas à mão, pareciam enormes troncos de pedra. Contudo, cada uma tinha um par de quartos menores nas laterais para sargentos, com suas próprias portas que abriam para fora. Elas haviam sido pintadas com os símbolos dos pelotões que as usaram anteriormente; os homens de Kaladin teriam que pintar por cima deles.

— Moash — chamou Kaladin. — Skar, Teft.

Os três correram até ele, espirrando água das poças deixadas pela tempestade. Vestiam as roupas dos carregadores de pontes: calças simples cortadas nos joelhos e coletes de couro sobre peitos nus. Skar estava de pé e andando, apesar do ferimento no pé, e estava bem óbvio que tentava não mancar. Por enquanto, Kaladin não ordenara que ficasse de cama. A ferida não era tão grave, e precisava dele.

— Quero ver o que temos — disse Kaladin, conduzindo-os para longe da caserna.

O local podia abrigar cinquenta homens e mais meia dúzia de sargentos. Mais casernas flanqueavam aquela. Kaladin recebera uma quadra inteira delas — vinte edifícios — para abrigar seu novo batalhão de ex-carregadores de pontes.

Vinte edifícios. Que Dalinar pudesse encontrar tão facilmente uma quadra de vinte edifícios para os carregadores de pontes indicava uma terrível verdade — o custo da traição de Sadeas. Milhares de homens mortos. De fato, mulheres escribas estavam junto de algumas das casernas, supervisionando parshemanos que carregavam montes de roupas e outros objetos pessoais. As posses dos mortos.

Um número razoável daquelas escribas tinha olhos vermelhos e postura abalada. Sadeas havia criado milhares de novas viúvas no acampamento de Dalinar, e provavelmente um número similar de órfãos. Se Kaladin precisasse de outro motivo para odiar aquele homem, encontraria ali, manifestado no sofrimento daquelas mulheres cujos maridos haviam confiado nele no campo de batalha.

Aos olhos de Kaladin, não havia pecado maior do que trair os próprios aliados durante a batalha. Exceto, talvez, trair seus próprios homens — assassiná-los logo depois de terem arriscado a vida para protegê-lo. Kaladin sentiu um imediato lampejo de raiva ao pensar em Amaram e no que ele havia feito. Sua marca de escravo pareceu arder novamente na testa.

Amaram e Sadeas. Dois homens na vida de Kaladin que teriam, em algum momento, que pagar pelo que tinham feito. Preferivelmente, com juros pesados.

Kaladin continuou a caminhar com Teft, Moash e Skar.

Aquelas casernas, que estavam sendo lentamente esvaziadas de bens pessoais, também estavam apinhadas com carregadores de pontes. Eles se pareciam muito com os homens da Ponte Quatro — os mesmos coletes e calças até os joelhos. Contudo, de algumas maneiras, não poderiam ser *menos* parecidos com os homens da Ponte Quatro. Com cabelos desgrenhados e barbas que não eram aparadas há meses, eles tinham olhos vazios, que não pareciam piscar o bastante. Costas encurvadas, rostos inexpressivos.

Cada homem dava a impressão de estar sentado sozinho, mesmo quando cercado pelos seus companheiros.

— Eu me lembro de me sentir assim — disse Skar em voz baixa. O homem baixo e magro tinha feições angulosas e cabelo grisalho nas têmporas, apesar de ter ainda trinta e poucos anos. — Não queria, mas me lembro.

— Nós temos que transformar *esses aí* em um exército? — indagou Moash.

— Kaladin fez isso com a Ponte Quatro, não fez? — perguntou Teft, sacudindo um dedo na direção de Moash. — Vai fazer de novo.

— Transformar umas poucas dúzias de homens é diferente de fazer o mesmo com centenas — replicou Moash, chutando para o lado um galho caído da grantormenta.

Alto e robusto, Moash tinha uma cicatriz no queixo, mas nenhuma marca de escravo na testa. Caminhava com as costas retas e o queixo erguido. Exceto pelos olhos castanhos, poderia passar por um oficial.

Kaladin levou os três de caserna em caserna, fazendo uma rápida contagem. Quase mil homens, e, embora houvesse dito a eles no dia anterior que agora estavam livres — e poderiam retornar às suas antigas vidas, se desejassem —, poucos pareciam querer fazer qualquer outra coisa além de ficarem sentados. Embora houvesse originalmente quarenta equipes de pontes, muitas haviam sido exterminadas durante o último assalto, e outras já estavam desfalcadas.

— Vamos juntá-los em vinte equipes com cerca de cinquenta homens em cada — disse Kaladin. Acima dele, Syl flutuava como uma fita de luz e voejava ao seu redor. Os homens não davam sinal de vê-la; ela podia ficar invisível para eles. — Não podemos ensinar cada um desses mil homens pessoalmente, não de início. Vamos treinar os mais animados entre eles, então mandá-los para liderar e treinar suas próprias equipes.

— Acho que pode ser — disse Teft, coçando o queixo.

Era o mais velho dos carregadores de pontes, e um dos poucos que mantinham uma barba. A maioria dos outros havia deixado o rosto glabro como uma marca de orgulho, algo para diferenciar os homens da Ponte Quatro dos escravos comuns. Teft mantinha sua barba bem aparada pelo mesmo motivo. Era castanho-clara onde não havia se tornado grisalha, e ele a usava curta e quadrada, quase como a de um fervoroso.

Moash fez uma careta, olhando para os carregadores de pontes.

— Você parte do princípio de que alguns deles estarão "mais animados", Kaladin. A meu ver, todos parecem ter o mesmo nível de desânimo.

— Alguns ainda vão ter vontade de lutar — respondeu Kaladin, seguindo de volta para a Ponte Quatro. — Aqueles que se uniram a nós ontem de noite, na fogueira, para começar. Teft, vou precisar que você escolha os outros. Organize e reúna equipes, depois escolha quarenta homens, dois de cada equipe, para serem treinados primeiro. Você vai ficar no comando desse treinamento. Esses quarenta serão as sementes que usaremos para ajudar o resto.

— Acho que posso fazer isso.

— Ótimo. Vou pedir que alguns homens te ajudem.

— Alguns? — perguntou Teft. — Poderia usar mais do que alguns...

— Vai ter que se virar com alguns — declarou Kaladin, parando no caminho e se voltando para oeste, rumo ao complexo do rei além da muralha do acampamento. O palácio se erguia sobre uma colina, com vista para os acampamentos de guerra. — A maioria de nós será necessária para manter Dalinar Kholin vivo.

Moash e os outros pararam ao seu lado. Kaladin estreitou os olhos na direção do palácio. Certamente não parecia grandioso o bastante para abrigar um rei — por ali, tudo parecia ser feito apenas de pedra e mais pedra.

— Você está disposto a confiar em Dalinar? — perguntou Moash.

— Ele abriu mão de sua Espada Fractal por nós — respondeu Kaladin.

— Ele nos devia isso — grunhiu Skar. — Raios, nós salvamos a vida dele.

— Pode ter sido só fingimento — disse Moash, cruzando os braços. — Jogos políticos, ele e Sadeas tentando manipular um ao outro.

Syl pousou no ombro de Kaladin, tomando a forma de uma jovem com um vestido leve e ondulante, totalmente branco-azulada. Tinha as mãos unidas enquanto olhava na direção do complexo real, aonde Dalinar Kholin fora estrategiar.

Ele havia dito a Kaladin que ia fazer algo que deixaria um monte de gente irritada. *Vou acabar com os jogos deles...*

— Precisamos manter aquele homem vivo — insistiu Kaladin, olhando para os outros. — Não sei se confio nele, mas é a única pessoa nessas Planícies que mostrou um *mínimo* de compaixão pelos carregadores de pontes. Se ele morrer, querem adivinhar quanto tempo vai levar para seu sucessor nos vender de volta a Sadeas?

Skar bufou ironicamente.

— Gostaria de vê-los tentar, tendo um Cavaleiro Radiante na liderança.

— Eu *não sou* um Radiante.

— Tudo bem, tanto faz — disse Skar. — Seja lá o que você *for*, vai ser difícil eles nos tirarem de você.

— Acha que consigo lutar com todos eles, Skar? — questionou Kaladin, encarando o homem mais velho. — Dezenas de Fractários? Dezenas de milhares de soldados? Você acha que um só homem consegue fazer isso?

— Um homem, não — respondeu Skar, teimosamente. — Você.

— Eu não sou um deus, Skar. Não consigo conter o peso de dez exércitos. — Ele se virou para os outros dois. — Nós decidimos permanecer aqui nas Planícies Quebradas. Por quê?

— De que adiantaria fugir? — indagou Teft, dando de ombros. — Mesmo como homens livres, apenas acabaríamos recrutados em um exército ou outro, lá nas colinas. Ou isso, ou morreríamos de fome.

Moash assentiu.

— Aqui não é um lugar pior que os outros, desde que a gente seja livre.

— Dalinar Kholin é nossa melhor esperança de uma vida *de verdade* — disse Kaladin. — Guarda-costas, e não trabalho recrutado. Homens livres, apesar das marcas em nossas testas. Ninguém mais nos dará isso. Se queremos liberdade, precisamos manter Dalinar Kholin vivo.

— E o Assassino de Branco? — perguntou Skar em voz baixa.

Eles tinham ouvido falar sobre o que esse homem andava fazendo ao redor do mundo, chacinando reis e grão-príncipes em todas as nações. As notícias causavam furor nos acampamentos de guerra, desde que os relatos começaram a chegar via telepena. O imperador de Azir, morto. Jah Keved no caos. Meia dúzia de outras nações sem governante.

— Ele já matou nosso rei — disse Kaladin. — O velho Gavilar foi a primeira vítima desse assassino. Vamos torcer para ele já ter acabado por aqui. De qualquer modo, nós protegemos Dalinar. A todo custo.

Eles assentiram, um a um, embora de modo relutante. Kaladin não os culpava. Confiar em olhos-claros não os levara muito longe — até Moash, que um dia havia falado bem de Dalinar, agora parecia ter perdido sua afeição pelo homem. Ou por qualquer outro olhos-claros.

Na verdade, Kaladin estava um pouco surpreso consigo mesmo e com a confiança que sentia. Mas raios, Syl gostava de Dalinar. Isso contava muito.

— Nós estamos fracos agora — disse Kaladin, baixando a voz. — Mas se cumprirmos nosso papel por algum tempo, protegendo Kholin, seremos muito bem pagos. Serei capaz de treinar vocês, treinar de verdade, como soldados e oficiais. Além disso, vamos poder ensinar esses outros. Nós nunca conseguiríamos nos virar por conta própria, por aí no mundo, como ex-carregadores de pontes. Mas se em vez disso formos um exército de mercenários altamente qualificados, com mil soldados, portando o melhor equipamento dos acampamentos de guerra? Se o pior acontecer e precisarmos abandonar os acampamentos, gostaria de fazer isso como uma equipe coesa, fortalecida e impossível de se ignorar. Me deem um ano com esses mil homens e consigo pôr tudo isso em prática.

— Ora, *desse* plano eu gostei — disse Moash. — Posso aprender a usar uma espada?

— Ainda somos olhos-escuros, Moash.

— Você, não — retorquiu Skar, do outro lado. — Eu vi seus olhos durante a...

— Chega! — disse Kaladin. Ele respirou fundo. — Já chega. Nada de falar sobre isso.

Skar ficou quieto.

— Eu *vou* nomeá-los oficiais — disse Kaladin a eles. — Vocês três, junto com Sigzil e Rocha. Vocês serão tenentes.

— Tenentes olhos-escuros? — estranhou Skar.

Essa patente era comumente usada como equivalente a sargentos em companhias compostas apenas por olhos-claros.

— Dalinar me fez capitão — respondeu Kaladin. — A patente mais alta que ele ousou comissionar para um olhos-escuros. Bem, eu preciso desenvolver uma estrutura de comando completa para mil homens, e vamos precisar de alguma coisa entre um sargento e um capitão. Isso significa apontar vocês cinco como tenentes. Acho que Dalinar vai permitir. Vamos fazer sargentos-mestres, se precisarmos de mais uma patente. Rocha vai ser o quarteleiro, encarregado da alimentação dos homens. Vou apontar Lopen como o segundo em comando. Teft, você vai ficar encarregado do treinamento. Sigzil será nosso secretário. Ele é o único que sabe ler glifos. Moash e Skar...

Ele olhou para os dois homens. Um era baixo e o outro, alto, mas caminhavam do mesmo jeito, com um passo suave, perigoso, as lanças sempre nos ombros. Nunca as deixavam para trás. De todos os homens que havia treinado na Ponte Quatro, só aqueles dois haviam instintivamente *compreendido*. Eram matadores.

Como o próprio Kaladin.

— Nós três vamos nos concentrar em proteger Dalinar Kholin — disse Kaladin. — Sempre que possível, quero um de nós três guardando-o pessoalmente. Frequentemente um dos outros dois vai vigiar seus filhos, mas, entendam bem, o Espinho Negro é o homem que precisamos manter vivo. A qualquer custo. Ele é nossa única garantia de liberdade para a Ponte Quatro.

Os outros concordaram.

— Ótimo — disse Kaladin. — Agora vamos ver o resto dos homens. Está na hora de o mundo ver vocês como eu vejo.

D E COMUM ACORDO, HOBBER foi o primeiro a se sentar e conseguir sua tatuagem. O homem de dentes separados tinha sido o primeiro a confiar em Kaladin, que se lembrava daquele dia; exausto depois de uma incursão de ponte, querendo simplesmente ficar deitado e olhar para cima. Em vez disso, escolhera salvar Hobber e não deixá-lo morrer. Kaladin também salvara a si mesmo naquele dia.

O resto da Ponte Quatro estava ao redor de Hobber na barraca, assistindo em silêncio enquanto a tatuadora trabalhava cuidadosamente na sua testa, cobrindo a cicatriz da marca de escravo com os glifos que Kaladin fornecera. Hobber de vez em quando fazia uma careta de dor, mas mantinha um sorriso no rosto.

Kaladin ouvira falar que era possível cobrir uma cicatriz com uma tatuagem, e acabou funcionando muito bem. Uma vez que a tinta da tatuagem era injetada, os glifos chamavam a atenção, e mal era possível notar que a pele por baixo trazia cicatrizes.

Quando o processo terminou, a tatuadora forneceu um espelho para que Hobber pudesse se ver. O carregador de pontes tocou a testa, hesitante. A pele estava vermelha devido às agulhas, mas a tatuagem escura cobrira perfeitamente a marca de escravo.

— O que significa? — perguntou Hobber baixinho, com lágrimas nos olhos.

— Liberdade — respondeu Sigzil, antes que Kaladin pudesse replicar. — O glifo significa liberdade.

— Os glifos menores acima dizem a data em que você foi libertado e quem o libertou — acrescentou Kaladin. — Mesmo que você perca sua ordem de alforria, qualquer um que tente aprisioná-lo por ser fugitivo pode facilmente encontrar prova de que você não fugiu. Eles podem procurar as escribas de Dalinar Kholin, que mantêm uma cópia da sua alforria.

Hobber assentiu.

— Isso é bom, mas não é o bastante. Acrescente "Ponte Quatro" aí. Liberdade, Ponte Quatro.

— Para dizer que você foi libertado da Ponte Quatro?

— Não, senhor. Eu não fui libertado *da* Ponte Quatro. Fui libertado *por* ela. Eu não trocaria meu tempo lá por nada.

Isso era loucura. A Ponte Quatro havia sido a morte — dezenas de homens haviam sido chacinados ao correr com aquela maldita ponte. Mesmo depois que Kaladin decidira salvar os homens, ainda havia perdido muita gente. Hobber teria sido um tolo de não aproveitar qualquer oportunidade de escapar.

Mas ainda assim ele se sentou teimosamente até Kaladin entregar os devidos glifos para a tatuadora — uma mulher olhos-escuros calma e corpulenta, que parecia capaz de levantar uma ponte sozinha. Ela se acomodou no seu banco e começou a acrescentar os dois glifos na testa de Hobber, bem abaixo do glifo de liberdade. Ela passou o processo explicando — de novo — como a tatuagem ficaria dolorida durante dias e como Hobber deveria cuidar dela.

Ele aceitou as novas tatuagens com um sorriso no rosto. Pura tolice, mas os outros assentiram, apertando seu braço. Quando Hobber acabou, Skar sentou-se às pressas, ansioso, exigindo o mesmo conjunto de tatuagens.

Kaladin deu um passo atrás, cruzando os braços e balançando a cabeça. Fora da tenda, um mercado agitado vendia e comprava. O "acampamento de guerra" era na verdade uma cidade, construída no interior de uma imensa formação rochosa semelhante a uma cratera. A guerra prolongada nas Planícies Quebradas atraíra comerciantes de todos os tipos, junto com artesãos, artistas e até famílias com crianças.

Moash estava ali perto, com uma expressão preocupada, assistindo à tatuadora. Ele não era o único na equipe de ponte sem uma marca de escravo; Teft também não tinha. Eles viraram carregadores sem tecnicamente terem sido escravos primeiro. Isso acontecia com frequência no acampamento de Sadeas, onde carregar pontes era uma punição que podia ser aplicada a todo tipo de infração.

— Se você não tem uma marca de escravo, não precisa fazer a tatuagem — disse Kaladin para os homens. — Ainda será um de nós.

— Não — contestou Rocha. — Vou fazer isso aí.

Ele insistiu em sentar-se depois de Skar e fazer a tatuagem bem na testa, embora não tivesse uma marca de escravo. De fato, todos os homens sem marca — incluindo Beld e Teft — tatuaram as frontes.

Só Moash se absteve e fez a tatuagem no antebraço. Ótimo. Ao contrário da maioria dos outros, ele não teria que sair por aí com uma antiga proclamação de escravidão à vista de todos.

Moash levantou-se do banco, e outro tomou seu lugar. Um homem com pele vermelha e preta em um padrão marmorizado, feito uma rocha. A Ponte Quatro era bastante diversa, mas Shen era único. Um parshemano.

— Não posso tatuá-lo — disse a artista. — Ele é propriedade.

Kaladin abriu a boca para contestar, mas os outros carregadores de pontes se anteciparam.

— Ele foi libertado, como nós — explicou Teft.

— Ele é parte da equipe — insistiu Hobber. — Faça a tatuagem nele ou não vai ver uma só esfera de qualquer um de nós.

Ele ficou vermelho depois de dizer isso, olhando para Kaladin, que iria pagar por tudo usando esferas concedidas por Dalinar Kholin.

Outros carregadores também se manifestaram, e a tatuadora suspirou e cedeu. Ela puxou seu banco e começou a trabalhar na testa de Shen.

— Vocês não vão nem conseguir ver — resmungou a mulher, embora a pele de Sigzil fosse quase tão escura quanto a de Shen e a tatuagem estivesse perfeitamente visível nele.

Por fim, Shen olhou no espelho, depois se levantou. Ele olhou de relance para Kaladin e acenou com a cabeça. Shen não falava muito, e Kaladin não sabia o que pensar dele. Na verdade, era bastante fácil esquecer sua presença, já que geralmente seguia silenciosamente na parte de trás do grupo. Invisível. Parshemanos costumavam ser assim.

Depois que Shen terminou, só faltava Kaladin. Ele se sentou e fechou os olhos. A dor das agulhas era muito mais aguda do que antecipara. Depois de um curto período, a tatuadora começou a praguejar baixinho.

Kaladin abriu os olhos quando ela esfregava um pano na testa dele.

— O que foi? — ele quis saber.

— A tinta não está pegando! — respondeu ela. — Nunca vi nada do tipo. Quando eu esfrego a sua testa, a tinta sai toda! A tatuagem não permanece.

Kaladin suspirou, percebendo que ainda tinha um pouco de Luz das Tempestades rugindo em suas veias. Nem mesmo notara que a inspirara, mas parecia estar ficando cada vez melhor em mantê-la. Ultimamente, era comum que capturasse um pouco enquanto caminhava por aí. Portar Luz das Tempestades era como encher um odre de vinho — caso enchesse até quase arrebentar e o deixasse destampado, o odre vazava rapidamente, então diminuía até um gotejo. Era o mesmo com a Luz.

Ele a exalou, esperando que a tatuadora não notasse quando expirou uma pequena nuvem de fumaça brilhante.

— Tente novamente — disse ele, enquanto ela ia buscar mais tinta.

Dessa vez, a tatuagem pegou. Kaladin aguentou o processo, os dentes cerrados contra a dor, então ergueu os olhos quando ela segurou o espelho diante dele. O rosto que o encarou parecia desconhecido. Bem barbeado, o cabelo puxado para trás para permitir a tatuagem, as marcas de escravo cobertas e, por enquanto, esquecidas.

Posso ser esse homem novamente?, pensou ele, tocando o rosto. *Esse homem morreu, não foi?*

Syl pousou em seu ombro, contemplando o espelho junto com ele.

— Vida antes da morte, Kaladin — sussurrou ela.

Ele inconscientemente inspirou Luz das Tempestades. Só um pouco, uma fração do valor de uma esfera. Ela fluiu pelas suas veias como uma onda de força, como ventos presos em um espaço pequeno.

A tatuagem na sua testa derreteu. Seu corpo expeliu a tinta, que começou a escorrer pelo seu rosto. A tatuadora praguejou de novo e pegou seu pano.

Kaladin ficou com a imagem daqueles glifos derretendo. A liberdade dissolvida e, por baixo, as violentas cicatrizes do seu cativeiro. Dominadas por um glifo marcado a ferro em brasa.

Shash. Perigoso.

A mulher limpou o rosto dele.

— Eu não sei por que isso está acontecendo! Pensei que fossem permanecer dessa vez. Eu...

— Está tudo bem — disse Kaladin, pegando o pano enquanto se levantava, terminando a limpeza. Ele se virou para encarar os homens, os carregadores de pontes que agora eram soldados. — Parece que ainda não vou me livrar das cicatrizes. Vou tentar de novo em outro momento.

Eles assentiram. Teria que explicar depois o que estava acontecendo; eles sabiam de suas habilidades.

— Vamos embora — disse Kaladin, jogando uma pequena bolsa de esferas para a tatuadora e depois pegando sua lança, que estava junto da entrada da tenda.

Os outros se juntaram a ele, as lanças nos ombros. Eles não precisavam andar armados no acampamento, mas Kaladin queria que se acostumassem à ideia de que agora estavam livres para carregar armas.

O mercado do lado de fora estava lotado e vibrante. As tendas, naturalmente, haviam sido desmontadas e guardadas durante a grantormenta da noite anterior, mas já haviam se erguido novamente. Talvez porque estivesse pensando em Shen, ele notou os parshemanos. Distinguiu dezenas deles com uma olhadela rápida, ajudando a montar umas últimas tendas, carregando compras para olhos-claros, ajudando lojistas a empilhar suas mercadorias.

O que eles pensam desta guerra nas Planícies Quebradas?, Kaladin se perguntou. *Uma guerra para derrotar, e talvez subjugar, os únicos parshemanos livres do mundo?*

Quisera ele poder extrair uma resposta de Shen sobre perguntas como aquelas. Parecia que tudo que conseguia tirar do parshemano era o gesto de encolher os ombros.

Kaladin conduziu os homens pelo mercado, que parecia muito mais amigável do que o do acampamento de Sadeas. Embora pessoas os olhassem, ninguém demonstrava desprezo, e as pechinchas nas barracas próximas — embora enérgicas — não progrediam para gritaria. Até parecia haver menos pivetes e mendigos.

Você só está vendo o que quer, pensou Kaladin. *Quer acreditar que Dalinar é o homem que todos dizem que é. O honrado olhos-claros das histórias. Mas todos diziam as mesmas coisas sobre Amaram.*

Enquanto caminhavam, passaram por alguns soldados. Muito poucos. Homens que estavam de plantão no acampamento quando os outros foram para o desastroso assalto onde Sadeas havia traído Dalinar. Enquanto passavam por um grupo patrulhando o mercado, Kaladin viu dois homens na dianteira levantando as mãos cruzadas nos pulsos.

Como haviam aprendido a velha saudação da Ponte Quatro, e tão rápido? Aqueles homens não fizeram a saudação completa, só um pequeno gesto, mas acenaram para Kaladin e seus soldados ao passarem. Subitamente, a natureza mais calma do mercado ganhou outra nuance para Kaladin. Talvez não fosse apenas a ordem e a organização do exército de Dalinar.

Havia uma atmosfera de medo silencioso naquele acampamento de guerra. Milhares tinham sido perdidos na traição de Sadeas. Todos ali provavelmente conheciam um homem que havia morrido naqueles platôs. E todos provavelmente se perguntavam como o conflito entre os dois grão-príncipes se intensificaria.

— É ótimo ser visto como um herói, não é mesmo? — perguntou Sigzil, caminhando ao lado de Kaladin e contemplando outro grupo de soldados que passava.

— Quanto tempo você acha que essa boa vontade vai durar? — indagou Moash. — Quanto tempo até que fiquem com raiva de nós?

— Ha! — Rocha, assomando atrás dele, bateu no ombro de Moash. — Sem reclamar hoje! Você faz isso aí demais. Não me faça te dar um chute. Eu não gosto de chutar. Machuca meus dedos.

— Me chutar? — Moash bufou. — Você não carrega nem uma lança, Rocha.

— Lanças não servem para chutar reclamões. Mas o pé grande de unkalakiano, como o meu... É para isso que foi feito! Ha! Isso aí é óbvio, né?

Kaladin conduziu os homens para fora do mercado até um grande edifício retangular próximo das casernas. Esse havia sido construído com pedra talhada, em vez de rocha Transmutada, permitindo um projeto muito mais sofisticado. Tais edifícios foram se tornando mais comuns nos acampamentos de guerra à medida que chegavam mais pedreiros.

A Transmutação era mais rápida, mas também mais cara e menos flexível. Kaladin não sabia muito sobre o assunto, só que as obras dos Transmutadores tinham limitações. Era por isso que as casernas eram todas praticamente idênticas.

Kaladin levou seus homens para dentro do imponente edifício, até o balcão, onde um homem grisalho e imensamente barrigudo supervisionava uns poucos parshemanos que empilhavam rolos de tecido azul. Rind, o chefe dos quarteleiros de Kholin, a quem Kaladin havia enviado instruções na noite anterior. Rind era um olhos-claros, mas de uma patente baixa conhecida como "décimo", pouco acima dos olhos-escuros.

— Ah! — disse Rind, falando com um tom agudo que não combinava com seu porte. — Finalmente chegou! Eu peguei tudo para o senhor, capitão. Tudo que restava.

— Que restava? — perguntou Moash.

— Uniformes da Guarda Cobalto! Eu encomendei alguns novos, mas esse é o estoque restante. — Rind foi ficando mais desanimado. — Não esperava precisar de tantos tão cedo, sabe?

Ele olhou Moash de cima a baixo, então lhe entregou um uniforme e apontou para uma cabine para que ele se trocasse. Moash pegou a roupa.

— Vamos usar nossos gibões de couro por cima disso?

— Ha! — exclamou Rind. — Aqueles com tantos ossos amarrados que vocês ficam parecendo uns cranióforos em dia de banquete? Ouvi falar nisso. Mas não, o Luminobre Dalinar diz que cada um de vocês deve ser equipado com placas peitorais, elmos de aço e novas lanças. Cota de malha para o campo de batalha, se necessário.

— Por enquanto, os uniformes já bastam — replicou Kaladin.

— Acho que vou parecer um idiota usando isso — resmungou Moash, mas foi se trocar.

Rind distribuiu os uniformes para os homens. Ele olhou Shen de forma estranha, mas entregou o uniforme ao parshemano sem reclamar. Os carregadores de pontes se reuniram em um grupo animado, tagarelando enquanto desdobravam seus uniformes. Fazia muito tempo desde que qualquer um deles havia vestido algo além dos couros de carregador ou trapos de escravos. Eles pararam de falar quando Moash saiu da cabine.

Aqueles uniformes eram mais novos, de um estilo mais moderno do que os que Kaladin usara no seu serviço militar anterior. Calças azuis rígidas e botas pretas engraxadas até brilhar. Uma camisa branca de botões, com apenas a borda do colarinho e dos punhos aparecendo sob a jaqueta, que descia até a cintura e era abotoada por baixo do cinto.

— Agora, *aí está* um soldado! — disse o quarteleiro, rindo. — Ainda acha que parece idiota? — Ele gesticulou para que Moash inspecionasse seu reflexo no espelho na parede.

Moash ajeitou os punhos da camisa e chegou a enrubescer. Kaladin raramente vira o homem tão desconcertado.

— Não — respondeu Moash. — Não acho.

Os outros rapidamente começaram a se trocar. Alguns foram para as cabines, mas a maioria não se importou. Tinham sido carregadores e escravos; haviam passado a maior parte das suas vidas recentes andando por aí em tangas ou pouco mais que isso.

Teft se vestiu primeiro e sabia como fechar os botões direito.

— Faz muito tempo — sussurrou ele, afivelando o cinto. — Não sei se mereço vestir algo assim novamente.

— É isso que você é, Teft — disse Kaladin. — Não deixe que o escravo controle você.

Teft grunhiu, guardando sua faca de combate no cinto.

— E você, filho? Quando é que *você* vai admitir o que é?

— Já admiti.

— Para nós. Não para os outros.

— Não comece de novo.

— Raios, eu vou começar o que eu quiser — respondeu Teft rispidamente. Ele se inclinou, falando baixo: — Pelo menos até que você me dê uma resposta de verdade. Você é um Manipulador de Fluxos. Ainda não é um Radiante, mas será, quando tudo isso passar. Os outros têm razão em te pressionar. Por que não vai procurar esse tal de Dalinar, inspira um pouco de Luz das Tempestades e faz com que ele o reconheça como um olhos-claros?

Kaladin deu uma olhadela para os homens amontoados tentando se meter nos uniformes, com um exasperado Rind tentando explicar como abotoar as jaquetas.

— Os olhos-claros me tomaram tudo que eu já tive, Teft — sussurrou Kaladin. — Minha família, meu irmão, meus amigos. E mais, muito mais do que você imagina. Eles veem o que eu tenho e tiram de mim. — Ele levantou a mão, identificando alguns traços brilhantes na sua pele, já que sabia o que procurar. — Eles vão tirar isso de mim. Se descobrirem o que sei fazer, vão *tomar*.

— Ora, pelo bafo de Kelek, como é que eles fariam isso?

— Eu não sei — respondeu Kaladin. — Eu não *sei*, Teft, mas entro em pânico quando penso a respeito. Não posso deixar que eles fiquem com isso, não posso deixar que eles tirem isso... ou vocês... de mim. Vamos ficar quietos sobre a minha habilidade. Chega de falar disso.

Teft resmungou enquanto os outros homens finalmente se resolviam, embora Lopen — que só tinha um braço, com sua manga vazia virada para dentro para não ficar pendurada — cutucasse o emblema em seu ombro.

— O que é isso?

— É a insígnia da Guarda Cobalto — respondeu Kaladin. — A guarda pessoal de Dalinar Kholin.

— Eles estão mortos, *gancho* — disse Lopen. — Não somos eles.

— É — concordou Skar. Para o pavor de Rind, ele sacou a faca e cortou fora o emblema. — Nós somos a Ponte Quatro.

— A Ponte Quatro era a sua prisão — protestou Kaladin.

— Não importa — disse Skar. — Nós somos a Ponte Quatro.

Os outros concordaram, cortando os emblemas e jogando-os no chão. Teft assentiu e fez o mesmo.

— Vamos proteger o Espinho Negro, mas a gente não vai só substituir o que ele tinha antes. Somos uma equipe própria.

Kaladin esfregou a testa, mas aquele era o resultado de tê-los unido, tê-los tornado uma unidade coesa.

— Vou criar uma insígnia com um par de glifos para você usar — disse ele a Rind. — Você vai ter que encomendar novos emblemas.

O homem corpulento suspirava enquanto coletava os emblemas descartados.

— Pelo visto, sim. Seu uniforme está ali, capitão. Um capitão olhos-escuros! Quem diria que isso era possível? Você vai ser o único no exército. O único que já existiu, pelo que sei!

Ele não pareceu considerar isso ofensivo. Kaladin tinha pouca experiência com olhos-claros de baixo dan, como Rind, embora eles fossem muito comuns nos acampamentos de guerra. Na sua cidade natal, havia apenas a família do senhor da cidade — de um dan intermediário-superior — e os olhos-escuros. Só quando chegou ao exército de Amaram foi que Kaladin percebeu que havia todo um espectro de olhos-claros, muitos dos quais trabalhavam em ofícios comuns e se viravam para conseguir dinheiro, como as pessoas comuns.

Kaladin caminhou até a última pilha na bancada. O seu uniforme era diferente; incluía um colete azul e um casaco longo de abotoamento duplo, com forro branco e botões de prata. O casaco longo devia ficar aberto, apesar das fileiras de botões de cada lado.

Ele já havia visto aquele uniforme com frequência. Em olhos-claros.

— Ponte Quatro — disse ele, cortando a insígnia da Guarda Cobalto do ombro e jogando-a na bancada com as outras.

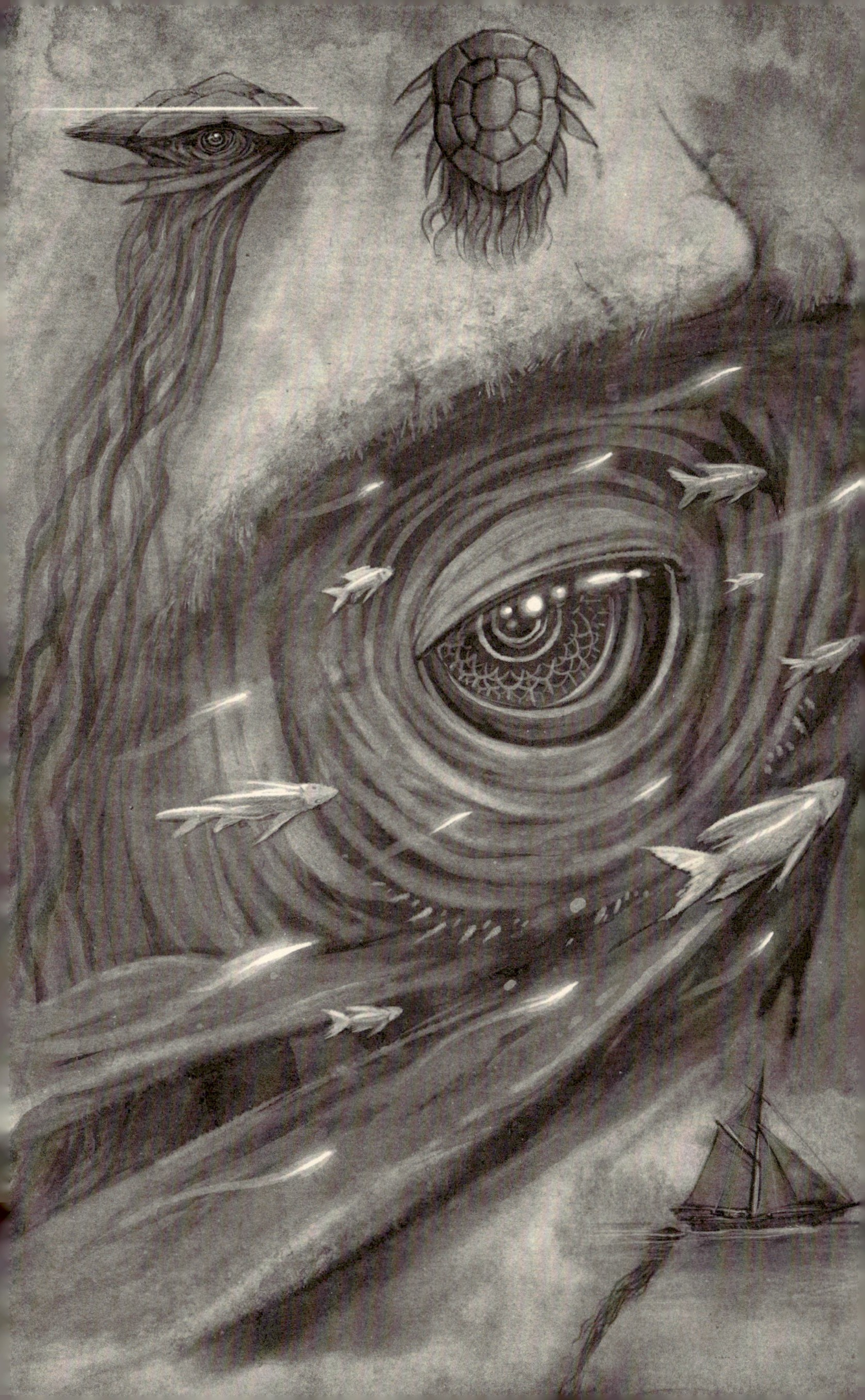

3
PADRÃO

Soldados relataram que estavam sendo vigiados de longe por um número enervante de batedores parshendianos. Então notamos um novo padrão, em que eles se aproximavam dos acampamentos à noite e depois batiam em retirada rapidamente. Só posso imaginar que nossos inimigos estavam, mesmo então, preparando seu estratagema para terminar essa guerra.

— Do diário pessoal de Navani Kholin, jeseses, ano de 1174

PESQUISAR OS TEMPOS ANTERIORES à Hierocracia é difícil e frustrante, dizia o livro. Durante o reinado da Hierocracia, a Igreja Vorin tinha controle quase absoluto sobre o oriente de Roshar. As invenções que ela promovia — e que então perpetuava como verdade absoluta — tornaram-se arraigadas na consciência da sociedade. E o mais perturbador é que a igreja fez cópias modificadas de textos antigos, alinhando a história com o dogma hierocrático.

Na sua cabine, Shallan lia sob o brilho de um cálice de esferas, vestindo sua camisola. A câmara apertada carecia de uma verdadeira escotilha, e só possuía uma janelinha estreita no alto da parede externa. O único som que podia ouvir era a água batendo contra o casco. Naquela noite, a embarcação não tinha um porto onde pudesse se abrigar.

A igreja dessa era desconfiava dos Cavaleiros Radiantes, contava o livro. No entanto, se apoiava na autoridade concedida ao vorinismo pelos Arautos. Isso criou uma dicotomia onde a Traição e a perfídia dos cavaleiros foram excessivamente enfatizadas. Ao mesmo tempo, os antigos cavaleiros — aqueles que viveram junto com os Arautos na era sombria — eram celebrados.

Isso torna especialmente difícil estudar os Radiantes e o lugar chamado Shadesmar. O que é fato? Quais foram os registros que a igreja, na sua tentativa equivocada de limpar o passado das notáveis contradições, reescreveu para acomodar sua narrativa preferida? Sobreviveram poucos documentos do período que não tenham sido copiados por mãos vorins dos pergaminhos originais para códices modernos.

Shallan levantou os olhos do livro. O volume era uma das primeiras obras publicadas por Jasnah como uma erudita plena. Jasnah não havia designado aquele livro para sua leitura. De fato, ela hesitara quando Shallan pediu uma cópia, e precisou desenterrá-la de um dos numerosos baús cheios de livros que estavam no depósito do navio.

Por que ela ficou tão relutante, quando aquele volume tratava das mesmas coisas que Shallan estava estudando? Será que Jasnah não devia ter dado o livro a ela imediatamente? Ele...

O padrão retornou.

A respiração de Shallan ficou presa na garganta ao vê-lo na parede da cabine, ao lado do beliche, à sua esquerda. Ela cuidadosamente moveu os olhos de volta à página na sua frente. O padrão era o mesmo que havia visto antes, a forma que havia aparecido na prancheta de desenho.

Desde então, ela o tinha visto pelo canto do olho, aparecendo na textura da madeira, no tecido nas costas da camisa de um marinheiro, no tremeluzir da água. Toda vez, quando ela olhava diretamente, o padrão desaparecia. Jasnah não disse nada além de indicar que aquilo era provavelmente inofensivo.

Shallan virou a página e acalmou a respiração. Havia experimentado algo assim antes com as estranhas criaturas com cabeça de símbolos que haviam aparecido sem ser convidadas nos seus desenhos. Ela permitiu que seus olhos deslizassem da página e fitassem a parede — não direto para o padrão, mas para o lado, como se não houvesse notado sua presença.

Sim, estava lá. Em relevo, como uma estampa complexa de simetria insólita. Suas linhas finas se torciam e se recurvavam através da massa, de algum modo levantando a superfície da madeira, como arabescos de ferro sob uma toalha de mesa esticada.

Era uma daquelas *coisas*. Os cabeças-de-símbolos. Aquele padrão era similar às suas estranhas cabeças. Ela olhou de volta para a página, mas não leu. O navio balançava e as brilhantes esferas brancas no seu cálice tilintavam ao movimento. Ela respirou fundo.

Então olhou diretamente para o padrão.

Imediatamente, ele começou a sumir, as protuberâncias afundando. Antes que isso acontecesse, ela o olhou bem diretamente e capturou uma Lembrança.

— Dessa vez, não — murmurou ela enquanto o padrão desaparecia. — Dessa vez eu te peguei.

Ela jogou longe o livro, se apressando em pegar o lápis de carvão e uma folha de papel de desenho. Encolheu-se junto da luz, os cabelos ruivos caindo sobre os ombros.

Ela trabalhou furiosamente, possuída por uma frenética *necessidade* de completar o desenho. Seus dedos se moviam por conta própria, sua mão segura descoberta segurando a prancheta de desenho na direção do cálice, que salpicava o papel com fragmentos de luz.

Shallan jogou o lápis para o lado. Precisava de algo mais nítido, capaz de fazer linhas mais definidas. Tinta. O lápis era maravilhoso para desenhar as sombras sutis da vida, mas aquela coisa que desenhava não era vida; era algo diferente, algo irreal. Ela pegou uma pena e um tinteiro de seus suprimentos, então voltou ao seu desenho, reproduzindo as linhas minúsculas e intricadas.

Não pensou enquanto desenhava. A arte a consumia, e esprenos de criação surgiram de repente ao seu redor. Dúzias de formas minúsculas logo abarrotaram a pequena mesa ao lado da sua cama e o chão da cabine, perto de onde ela estava ajoelhada. Os esprenos mudavam e giravam, cada um do tamanho da concha de uma colher, tomando formas que haviam encontrado recentemente. Ela ignorou-os de modo geral, embora nunca houvesse visto tantos de uma só vez.

Os esprenos mudavam de forma mais e mais rápido enquanto ela desenhava concentrada. O padrão parecia impossível de ser capturado. Suas repetições complexas torciam-se até o infinito. Não, uma pena nunca seria capaz de capturar aquela coisa perfeitamente, mas estava chegando perto. Ela o desenhou como uma espiral a partir do ponto central, então recriou cada ramo a partir do centro, que tinha seu próprio vértice de linhas minúsculas. Era como um labirinto criado para enlouquecer seu prisioneiro.

Quando ela terminou a última linha, descobriu que estava ofegante, como se houvesse corrido uma grande distância. Piscou, novamente notando os esprenos de criação ao seu redor — havia *centenas*. Eles se demoraram um pouco antes de sumirem um a um. Shallan pousou a pena ao lado do tinteiro, que ela havia prendido na mesa com cera para impedir que deslizasse enquanto o navio oscilava. Ela pegou a página, esperando que as últimas linhas de tinta secassem, e sentiu que havia realizado algo significativo — embora não soubesse o quê.

Quando a última linha secou, o padrão *ergueu-se* diante dela. Shallan ouviu um distinto suspiro do papel, como se de alívio.

Ela pulou, deixando o papel cair e subindo desajeitadamente na cama. Ao contrário das outras vezes, o relevo não desapareceu, embora tivesse *deixado* o papel — brotando do desenho correspondente — e se movido para o chão.

Não tinha outro modo de descrever. O padrão de alguma maneira passou do papel para o chão. Ele foi até o pé da cama e se enrolou nele, escalando e subindo até o cobertor. Não parecia algo se movendo debaixo do cobertor; dizer isso era apenas uma aproximação primária. As linhas eram precisas demais, e não havia distensão do tecido. Alguma coisa debaixo do cobertor teria sido apenas um calombo indistinto, mas aquilo era exato.

A coisa se aproximou. Não parecia perigosa, mas Shallan ainda estava tremendo. Esse padrão era diferente dos cabeças-de-símbolos nos seus desenhos, mas de algum modo era a *mesma coisa*. Uma versão unidimensional, sem torso ou membros. Era uma abstração de um deles, assim como um círculo com algumas linhas podia representar um rosto humano em um papel.

Os cabeças-de-símbolos haviam-na apavorado, assombrado seus sonhos, feito com que ela tivesse medo de estar enlouquecendo. Assim, quando aquela coisa se aproximou, Shallan saiu da cama e se afastou o máximo possível dentro da pequena cabine. Então, com o coração batendo forte, ela abriu a porta para procurar Jasnah.

Encontrou Jasnah logo ali fora, estendendo a mão direita para a maçaneta, a esquerda dobrada em concha. Uma pequena figura feita de breu — com a silhueta de um homem em trajes elegantes e com uma longa casaca — estava de pé na sua palma. Ele derreteu em sombras quando viu Shallan.

Jasnah olhou para Shallan, depois fitou o chão da cabine, onde o padrão estava cruzando a madeira.

— Vista-se, menina — disse Jasnah. — Temos assuntos a discutir.

— A PRINCÍPIO, TIVE ESPERANÇAS DE que teríamos o mesmo tipo de espreno — disse Jasnah, sentando-se em um banco na cabine de Shallan. O padrão permanecia no chão entre ela e Shallan, que estava de bruços na cama, vestida apropriadamente com um robe sobre a camisola e uma fina luva branca na mão esquerda. — Mas claro que isso seria fácil demais. Eu suspeitava desde Kharbranth que seríamos de ordens diferentes.

— Ordens, Luminosa? — indagou Shallan, timidamente usando um lápis para cutucar o padrão no piso.

Ele se afastou, como um animal incomodado. Shallan estava fascinada com a maneira como ele elevava a superfície do assoalho, embora parte dela não quisesse se envolver com aquela coisa e suas geometrias antinaturais, que embaralhavam os olhos.

— Sim — respondeu Jasnah. O espreno escuro que a acompanhara antes não havia reaparecido. — Cada ordem supostamente tinha acesso a dois dos Fluxos, com sobreposição entre elas. Nós chamamos os poderes de Manipulação de Fluxos. Transmutação é um deles, e é o que nós compartilhamos, embora nossas ordens sejam diferentes.

Shallan assentiu. Manipulação de Fluxos. Transmutação. Eram talentos dos Radiantes Perdidos, as habilidades — supostamente apenas lendárias — que foram sua bênção ou maldição, dependendo dos relatos que se liam. Ou pelo menos foi isso que aprendera dos livros que Jasnah lhe dera para ler durante a viagem.

— Eu não sou uma Radiante — disse Shallan.

— Claro que não — replicou Jasnah. — E nem eu. As ordens dos cavaleiros eram uma construção, assim como toda a sociedade é uma construção, usada pelos homens para definir e explicar. Nem todos os homens que têm uma lança são soldados, e nem todas as mulheres que fazem pão são padeiras. Ainda assim, armas, ou panificação, se tornam as marcas de certas profissões.

— Então está dizendo que os nossos poderes...

— Um dia foram a definição do que iniciava uma pessoa nos Cavaleiros Radiantes — concluiu Jasnah.

— Mas nós somos mulheres!

— Sim — disse Jasnah casualmente. — Esprenos não sofrem dos preconceitos da sociedade humana. Gratificante, não acha?

Shallan levantou os olhos do espreno em forma de padrão que estava cutucando.

— Havia mulheres entre os Cavaleiros Radiantes?

— Um número estatisticamente apropriado — respondeu Jasnah. — Mas não tema, porque você não vai brandir uma espada tão cedo, menina. O arquétipo dos Radiantes no campo de batalha é um exagero. Pelo que li... embora os registros sejam, infelizmente, pouco confiáveis... para cada Radiante dedicado à batalha, havia outros três que passavam o tempo na diplomacia, erudição ou em outras maneiras de auxiliar a sociedade.

— Ah.

Por que Shallan estava desapontada? *Tola.* Uma memória surgiu sem controle. Uma espada prateada. Um padrão de luz. Verdades que ela não podia encarar. Shallan as afastou, fechando os olhos com força.

Dez batimentos cardíacos.

— Andei pesquisando os esprenos de que você me falou — comentou Jasnah. — As criaturas com cabeças de símbolos.

Shallan respirou fundo e abriu os olhos.

— Esse é um deles — disse ela, apontando o lápis para o padrão, que havia se aproximado do seu baú e estava se movendo para cima e para fora dele, como uma criança pulando em um sofá. Em vez de ameaçador, ele parecia inocente, até mesmo brincalhão... e nem um pouco inteligente. Ela tivera medo daquela coisa?

— Sim, suspeito que seja — concordou Jasnah. — A maioria dos esprenos se manifesta de modo diferente aqui do que em Shadesmar. O que você desenhou antes era a forma deles lá.

— Esse aqui não é muito impressionante.

— Sim. Admito que estou desapontada. Sinto que estamos deixando passar algo importante, Shallan, e isso me irrita. Os Crípticos têm uma reputação temível, mas esse aqui... o primeiro espécime que já vi... parece...

O padrão subiu a parede, então escorregou para baixo, depois subiu novamente, então escorregou mais uma vez.

— Idiota? — indagou Shallan.

— Talvez ele só precise de mais tempo — especulou Jasnah. — Quando me conectei pela primeira vez com Marfim... — Ela parou abruptamente.

— O que foi? — disse Shallan.

— Sinto muito. Ele não gosta que eu fale dele, fica ansioso. O fato de os cavaleiros terem quebrado seus votos foi muito doloroso para os esprenos. Muitos deles morreram; disso eu tenho certeza. Embora Marfim não fale do assunto, deduzi que o que ele fez é considerado uma traição pelos outros da sua raça.

— Mas...

— Chega de falar sobre isso — cortou Jasnah. — Sinto muito.

— Tudo bem. A senhora mencionou os Crípticos?

— Sim — respondeu Jasnah, enfiando a outra mão na manga que ocultava sua mão segura e retirando um pedaço dobrado de papel; um dos desenhos de Shallan dos cabeças-de-símbolos. — É assim que eles se chamam, embora nós provavelmente os chamássemos de esprenos de mentira. Eles não gostam desse termo. De qualquer modo, os Crípticos governam uma das maiores cidades de Shadesmar. Pense neles como os olhos-claros do Reino Cognitivo.

— Então essa coisa — disse Shallan, apontando para o padrão, que estava girando em círculos no centro da cabine — é um tipo... de príncipe, no lado deles?

— Algo assim. Há um tipo de conflito complexo entre eles e os esprenos de honra. Não devotei muito tempo à política dos esprenos. Esse espreno será seu companheiro... e vai fornecer a capacidade de Transmutar, entre outras coisas.

— Outras coisas?

— Teremos que ver — disse Jasnah. — Depende da natureza do espreno. O que a sua pesquisa revelou?

Com Jasnah, tudo parecia ser um teste de erudição. Shallan suprimiu um suspiro. Por isso acompanhara Jasnah, em vez de voltar para casa. Ainda assim, ela às vezes desejava que Jasnah simplesmente *desse* as respostas em vez de fazer com que ela trabalhasse tão duro para encontrá-las.

— Alai diz que os esprenos são fragmentos dos poderes da criação. Muitas das eruditas que li concordam com isso.

— É uma opinião. O que isso significa?

Shallan tentou não ser distraída pelo espreno no chão.

— Existem dez Fluxos fundamentais... forças... pelas quais o mundo funciona. Gravitação, pressão, transformação. Esse tipo de coisa. A senhora me disse que os esprenos são fragmentos do Reino Cognitivo que, de algum modo, adquiriram senciência devido à atenção humana. Bem, é evidente que eles eram alguma coisa antes disso. Como... Como uma pintura era uma tela antes de ganhar vida.

— Vida? — disse Jasnah, levantando a sobrancelha.

— Naturalmente — respondeu Shallan. Pinturas eram vivas. Não vivas como uma pessoa ou um espreno, mas... bem, era óbvio para ela, pelo menos. — Então, antes que os esprenos estivessem vivos, eles eram alguma coisa. Poder. Energia. Zen-filha-Vath desenhou esprenos minúsculos que ela às vezes encontrava ao redor de objetos pesados. Esprenos de gravitação — fragmentos do *poder* ou da *força* que faz com que a gente caia. É lógico pensar que todo espreno era um poder antes de ser um espreno. De fato, é possível dividir esprenos em dois grupos gerais: aqueles que respondem a emoções e aqueles que respondem a forças como o fogo ou a pressão do vento.

— Então você acredita na teoria de Namar da categorização dos esprenos?

— Acredito.

— Ótimo — disse Jasnah. — Eu também. Pessoalmente, suspeito que esses agrupamentos de esprenos... esprenos de emoção contra esprenos da natureza... sejam de onde surgiram as ideias dos "deuses" primordiais da humanidade. Honra, que se tornou o Todo-Poderoso do vorinismo, foi criado pelos homens que queriam uma representação das emoções humanas ideais, como viam nos esprenos de emoção. Cultura, o deus venerado no Oeste, é uma divindade feminina que é também uma corporificação da natureza e dos esprenos da natureza. Os vários esprenos de vazio, com seu senhor invisível... cujo nome muda de acordo com diferentes culturas... evocam um inimigo ou antagonista. O Pai das Tempestades, naturalmente, é um estranho derivado disso, e sua natureza teórica muda de acordo com a era do vorinismo em questão...

Ela deixou a frase morrer. Shallan enrubesceu, percebendo que desviara o olhar e começara a traçar um glifo-amuleto no seu cobertor contra o mal, nas palavras de Jasnah.

— Comecei a divagar — disse Jasnah. — Peço desculpas.

— A senhora tem tanta certeza de que ele não é real — comentou Shallan. — O Todo-Poderoso.

— Não tenho mais provas da existência dele do que das Paixões thaylenas, de Nu Ralik de Lagopuro, ou de qualquer outra religião.

— E os Arautos? A senhora não acha que eles existiram?

— Eu não sei — respondeu Jasnah. — Há muitas coisas nesse mundo que eu não compreendo. Por exemplo, há *alguma* leve evidência de que tanto o Pai das Tempestades quanto o Todo-Poderoso sejam criaturas reais... simplesmente esprenos poderosos, como a Guardiã da Noite.

— Então ele *seria* real.

— Nunca aleguei que não era — replicou Jasnah. — Apenas afirmei que não o aceito como Deus, nem sinto qualquer inclinação a adorá-lo. Mas estou divagando novamente. — Jasnah se levantou. — Você está liberada de outros deveres de estudo. Durante os próximos dias, só terá um foco para sua erudição. — Ela apontou para o chão.

— O padrão? — indagou Shallan.

— Você é a única pessoa em séculos a ter a chance de interagir com um Críptico — disse Jasnah. — Estude-o e registre suas experiências. Detalhadamente. Esse vai ser provavelmente seu primeiro texto significativo, e pode ser da maior importância para nosso futuro.

Shallan observou o padrão, que havia se aproximado e esbarrado no seu pé — a sensação era muito tênue —, e agora estava batendo nele repetidamente.

— Que ótimo — disse Shallan.

4
CAPTORA DE SEGREDOS

A pista seguinte veio das paredes. Não ignorei o sinal, mas tampouco compreendi todas as suas implicações.

— Do diário de Navani Kholin, jeseses, ano de 1174

— Estou correndo pela água — disse Dalinar, voltando a si. Ele *estava* se movendo, avançando.

A visão solidificou-se ao seu redor. Água morna respingava em suas pernas. Era ladeado por uma dúzia de homens com martelos e lanças correndo pela água rasa. Eles levantavam as pernas bem alto a cada passo, pés para trás, coxas se elevando até ficarem paralelas à superfície da água, como se estivessem marchando em um desfile — só que nenhum desfile jamais apresentara aquela carreira desabalada. Obviamente, correr daquele jeito os ajudava a avançar pelo líquido. Ele tentou imitar o passo estranho.

— Acho que estou em Lagopuro — disse ele em voz baixa. — Água morna que não passa dos joelhos, sem sinal de terra à vista. Mas é de noite, então não enxergo muita coisa. Tem gente correndo comigo. Não sei se estamos correndo rumo a alguma coisa ou fugindo de algo. Não vejo nada olhando sobre o ombro. Essas pessoas são obviamente soldados, embora os uniformes sejam antiquados. Saias de couro, elmos de bronze e placas peitorais. Pernas e braços nus. — Dalinar correu os olhos por si mesmo. — Estou usando a mesma coisa.

Alguns grão-senhores em Alethkar e em Jah Keved ainda usavam uniformes assim, então ele não podia identificar a era específica. Os usos modernos eram todos renovações calculadas por comandantes tradicionalistas que esperavam que uma aparência clássica inspirasse seus homens. Naqueles casos, contudo, equipamentos de aço moderno eram usados com os uniformes antigos — e ele não via nada disso ali.

Dalinar não fez perguntas. Descobrira que entrar no clima das visões ensinava-lhe mais do que parar e exigir respostas.

Correr através da água era difícil. Embora houvesse começado perto da frente do grupo, agora estava ficando para trás. O grupo corria na direção de algum tipo de grande colina de pedra à frente, sombreada no crepúsculo. Talvez *não fosse* Lagopuro. Eles não tinham formações rochosas como aquelas...

Não era uma colina rochosa. Era uma *fortaleza*. Dalinar parou, olhando para a estrutura alta semelhante a um castelo que surgia direto das águas paradas do lago. Nunca vira nada do tipo. Pedra totalmente negra. Obsidiana? Talvez o lugar tivesse sido Transmutado.

— Há uma fortaleza à frente — disse ele, voltando a avançar. — Não deve existir mais... se existisse, seria famosa. Parece que foi construída inteiramente em obsidiana. Laterais semelhantes a barbatanas que se elevam até torres que parecem pontas de flechas... Pai das Tempestades. É majestoso. Estamos nos aproximando de outro grupo de soldados parados na água, apontando lanças em todas as direções. São mais ou menos uma dúzia; tem outra dúzia comigo. E... sim, há alguém no meio deles. Um Fractário. Armadura brilhante.

Não apenas um Fractário. Um Radiante. Um cavaleiro em uma Armadura Fractal resplandecente, que brilhava com um vermelho profundo nas juntas e em certas marcações. As armaduras eram assim na era sombria. A visão estava ocorrendo antes da Traição.

Como todas as Armaduras Fractais, aquela chamava a atenção. Com aquele saiote de cota de malha, aquelas juntas lisas, os avambraços levemente estendidos para trás... Raios, parecia a armadura de Adolin, embora a armadura fosse mais fina na cintura. Seria uma mulher? Dalinar não podia ter certeza, já que o visor estava abaixado.

— Em formação! — ordenou o cavaleiro quando o grupo de Dalinar chegou, e ele assentiu consigo mesmo. Sim, era uma mulher.

Dalinar e os outros soldados formaram um círculo ao redor da cavaleira, com as armas voltadas para fora. Não muito longe, outro grupo de soldados com um cavaleiro no centro marchava pela água.

— Por que nos chamou de volta? — indagou um dos companheiros de Dalinar.

— Caeb acha que viu alguma coisa — disse a cavaleira. — Fiquem atentos. Vamos nos mover cuidadosamente.

O grupo se afastou da fortaleza em uma direção diferente da que tinha vindo. Dalinar segurava sua lança apontada, suando nas têmporas. Aos seus olhos, não se via diferente do normal. Os outros, contudo, o viam como um dos seus.

Ele ainda não sabia muita coisa sobre aquelas visões. O Todo-Poderoso as enviava, de algum modo. Mas o Todo-Poderoso estava morto, como ele mesmo admitira. Então, como funcionava?

— Estamos procurando alguma coisa — sussurrou Dalinar. — Equipes de cavaleiros e soldados foram enviadas para encontrar alguma coisa avistada.

— Você está bem, novato? — perguntou um dos soldados ao seu lado.

— Estou bem — respondeu Dalinar. — Só preocupado. Quero dizer, nem sei direito o que estamos procurando.

— Um espreno que não age como deveria — respondeu o homem. — Mantenha os olhos abertos. Quando Sja-anat toca um espreno, ele passa a se comportar de um jeito estranho. Chame atenção para qualquer coisa que veja.

Dalinar assentiu, então repetiu as palavras bem baixo, na esperança de que Navani pudesse ouvi-lo. Ele e os soldados continuaram a varredura, a cavaleira no centro falando com... ninguém? Parecia que ela estava tendo uma conversa, mas Dalinar não via nem ouvia mais ninguém com ela.

Ele voltou sua atenção aos arredores. Sempre quisera ver o centro de Lagopuro, mas nunca teve a chance de visitar mais que a fronteira. Não encontrara tempo para um desvio naquela direção durante sua última visita a Azir. Os azishianos sempre pareciam surpresos que ele quisesse ir até lá, já que alegavam que "não havia nada lá".

Dalinar estava calçado com algum tipo de sapato apertado, talvez para impedir que cortasse os pés em qualquer coisa oculta pela água. O chão era desigual em alguns lugares, com buracos e sulcos que ele sentia mais que via. Ele percebeu que estava assistindo aos peixinhos nadarem de um lado para outro, sombras na água, e havia um rosto junto deles.

Um rosto.

Dalinar gritou, pulando para trás, apontando sua lança para baixo.

— Era um rosto! Na água!

— Um espreno de rio? — indagou a cavaleira, indo se pôr ao seu lado.

— Parecia uma sombra — descreveu Dalinar. — Olhos vermelhos.

— Está aqui, então — disse a cavaleira. — O espião de Sja-anat. Caeb, corra até o posto de controle. O resto de vocês continue vigiando. Ele não vai conseguir ir longe sem um hospedeiro.

Ela puxou algo do seu cinto, uma pequena bolsa.

— Ali! — disse Dalinar, identificando um pequeno ponto vermelho na água.

O ponto fluiu para longe dele, nadando como um peixe. Ele foi atrás da criatura, correndo como aprendera antes. Mas de que adiantaria perseguir um espreno? Não era possível capturá-lo. Não com qualquer método que ele conhecesse.

Os outros foram atrás dele. Os peixes fugiram, assustados pelos respingos de Dalinar.

— Estou caçando um espreno — sussurrou Dalinar. — Era isso que estávamos procurando. Parece um pouco com um rosto... um rosto sombrio, com olhos vermelhos. Ele nada pela água como um peixe. Espere! Tem outro se juntando a ele. Maior, uma figura inteira, deve ter um metro e oitenta. Uma pessoa nadando, mas como uma sombra. Ele...

— Raios! — gritou subitamente a cavaleira. — Ele trouxe uma escolta!

O espreno maior se contorceu, então afundou mais na água, desaparecendo no chão rochoso. Dalinar parou, sem saber se devia continuar caçando o menor ou permanecer ali.

Os outros se viraram e começaram a correr na direção oposta.

Ah, não...

Dalinar recuou enquanto o fundo rochoso do lago começou a tremer. Ele tropeçou, caindo na água. Era tão clara que ele pôde ver o chão *rachando* debaixo de si, como se alguma coisa grande estivesse batendo contra ele por baixo.

— Anda! — gritou um dos soldados, agarrando-o pelo braço.

Dalinar foi puxado de pé enquanto as rachaduras abaixo se alargavam. A superfície do lago, anteriormente tranquila, agora estava agitada e cheia de ondas. O solo deu um *tranco*, quase derrubando Dalinar novamente. À sua frente, vários dos soldados chegaram a cair.

A cavaleira permaneceu firme, uma enorme Espada Fractal se formando em suas mãos.

Dalinar olhou sobre o ombro a tempo de ver uma rocha emergindo da água. Um braço comprido! Esguio, de talvez um metro e meio de comprimento, o braço saiu da água em uma *explosão*, depois caiu pesadamente, como se desejasse encontrar um apoio firme no leito do lago. Outro braço surgiu ali perto, o cotovelo voltado para o céu, então os dois se flexionaram, como se estivessem presos a um corpo fazendo uma flexão.

Um corpo gigante se desprendeu do chão rochoso. Foi como se alguém enterrado na areia estivesse emergindo. A água fluiu das costas estriadas e esburacadas da criatura, que estava recoberta de pedaços de casca-pétrea e fungos submarinos. O espreno havia de algum modo animado a pedra.

Enquanto ele se levantava e se contorcia, Dalinar pôde identificar fundos olhos vermelhos e brilhantes — como rocha derretida — em um maligno rosto rochoso. O corpo era esquelético, com membros finos e ossudos, e dedos pontudos que terminavam em garras pétreas. O peito era uma caixa torácica de pedra.

— Petronante! — gritaram os soldados. — Martelos! Martelos a postos!

A cavaleira colocou-se diante da criatura, que tinha quase nove metros de altura e escorria água. Uma calma luz branca começou a emanar dela, lembrando Dalinar da luz de esferas. Luz das Tempestades. A mulher levantou a Espada Fractal e atacou, atravessando a água com uma sinistra facilidade, como se não lhe causasse qualquer resistência. Talvez fosse a força da Armadura Fractal.

— Eles foram criados para vigiar — disse uma voz atrás dele.

Dalinar olhou para o soldado que o ajudara a se levantar antes, um selayano de rosto comprido com a cabeça ficando calva e um nariz largo. Dalinar estendeu a mão para ajudar o homem a se erguer.

O homem estava falando diferente de mais cedo, mas Dalinar reconheceu sua voz. Era a mesma que aparecia no final da maioria das visões. O Todo-Poderoso.

— Os Cavaleiros Radiantes — disse o Todo-Poderoso, ao lado de Dalinar, assistindo à cavaleira atacar aquela besta saída de um pesadelo. — Eles foram uma solução, uma maneira de contrabalançar a destruição das Desolações. Dez ordens de cavaleiros, fundadas com o propósito de ajudar os homens a lutar, depois a reconstruir.

Dalinar repetiu o discurso palavra por palavra, concentrado em captar cada uma delas e não em entender o significado.

O Todo-Poderoso se virou para ele.

— Fiquei surpreso quando essas ordens chegaram. Não ensinei isso aos meus Arautos. Foram os esprenos, desejando imitar o que eu tinha dado aos homens, que tornaram isso possível. Você vai precisar refundá-las. Essa é a *sua* tarefa. Você deve uni-los. Crie uma fortaleza que possa resistir à tempestade. Atormente Odium, convença-o de que ele pode perder, e aponte um campeão. Ele vai aproveitar essa chance, em vez de arriscar outra derrota, como já aconteceu tantas vezes. Esse é o melhor conselho que posso lhe dar.

Dalinar acabou de repetir as palavras. Além dele, a luta começou a ganhar intensidade, água espirrando e rocha quebrando. Soldados se aproximaram portando martelos, e, inesperadamente, esses homens agora também brilhavam com Luz das Tempestades, embora de modo muito mais fraco.

— Você foi surpreendido pela chegada dos cavaleiros — disse Dalinar ao Todo-Poderoso. — E essa força, esse inimigo, conseguiu matá-lo. Você nunca foi Deus. Deus sabe de todas as coisas. Deus não pode ser morto. Então, *quem* era você?

O Todo-Poderoso não respondeu. Não podia. Dalinar havia compreendido que aquelas visões eram algum tipo de experiência predeterminada, como uma peça. As pessoas nela podiam reagir a Dalinar, como atores capazes de improvisar até certa medida. O próprio Todo-Poderoso nunca fazia isso.

— Farei o que puder — disse Dalinar. — Vou refundá-los. Vou me preparar. Você me disse muitas coisas, mas tem uma que descobri por conta própria. Se você pode ser morto, então o outro como você, seu inimigo, provavelmente também pode.

A escuridão caiu sobre Dalinar. Os gritos e sons de água agitada sumiram. Será que aquela visão ocorrera durante uma Desolação, ou entre elas? As visões nunca diziam o *bastante*. Quando a escuridão se evaporou, viu-se deitado em uma pequena câmara de pedra dentro do seu complexo nos acampamentos de guerra.

Navani estava ajoelhada ao seu lado, segurando uma prancheta e escrevendo. Raios, ela era linda. Madura, lábios pintados de vermelho, cabelo enrolado ao redor da cabeça em uma trança complexa que faiscava com rubis. Vestido vermelho-sangue. Ela o encarou, notando que estava despertando, e sorriu.

— Foi... — começou ele.

— Quieto — pediu ela, ainda escrevendo. — Essa última parte parecia importante. — Ela escreveu por um momento, então finalmente afastou a caneta da prancheta, que segurava com a mão segura coberta. — Acho que peguei tudo. É difícil quando você muda de idioma.

— Eu mudei de idioma?

— No final. Antes, você estava falando selayano. Uma versão antiga da língua, com certeza, mas nós temos registros disso. Espero que meus tradutores possam entender minha transcrição; meu conhecimento desse idioma está enferrujado. Você precisa falar mais lentamente nesses casos, querido.

— Às vezes, na hora, é difícil — replicou Dalinar, se levantando.

Em comparação ao que havia sentido na visão, o ar ali estava frio. A chuva bombardeava as janelas fechadas do recinto, embora ele soubesse por experiência própria que o final da sua visão significava que a tempestade já estava quase acabando.

Sentindo-se exausto, ele caminhou para um banco junto à parede e se acomodou. Só ele e Navani estavam no cômodo; ele preferia assim. Renarin e Adolin esperavam o fim da tormenta em outro cômodo nos aposentos de Dalinar, sob os olhos vigilantes do capitão Kaladin e seus guarda-costas carregadores de pontes.

Talvez ele devesse convidar mais eruditas para observar suas visões; elas todas poderiam escrever suas palavras, então se consultarem para produzir a versão mais precisa. Mas, raios, já tinha problemas suficientes com uma pessoa que o vigiava naquele estado, esbravejando e se sacudindo no chão. Acreditava nas visões, até confiava nelas, mas nem por isso deixava de ser embaraçoso.

Navani sentou-se ao seu lado e envolveu-o em seus braços.

— Foi muito ruim?

— Dessa vez? Não. Não foi. Alguma correria, depois um pouco de combate. Eu não participei. A visão terminou antes que eu precisasse ajudar.

— Então por que essa cara?

— Preciso refundar os Cavaleiros Radiantes.

— Refundar os... Mas como? O que isso significa?

— Eu não sei. Eu não *sei* de nada; só tenho pistas e ameaças nebulosas. Alguma coisa perigosa está a caminho, isso é certo. Tenho que detê-la.

Navani pousou a cabeça em seu ombro. Ele fitou a lareira, que crepitava baixinho, dando ao cômodo pequeno um brilho cálido. Essa era uma das poucas lareiras que não fora convertida para os novos dispositivos fabriais de aquecimento.

Ele preferia o fogo de verdade, embora não fosse dizer isso a Navani. Ela trabalhava duro para criar novos fabriais para todos.

— Por que você? — indagou Navani. — Por que precisa fazer isso?

— Por que um homem nasce rei, e outro, um mendigo? — perguntou Dalinar. — Assim é o mundo.

— É tão fácil assim para você?

— Não é fácil, mas não adianta exigir respostas.

— Ainda mais se o Todo-Poderoso está morto...

Talvez ele não devesse ter compartilhado esse fato com ela. Aquela única ideia bastaria para que ele fosse marcado como um herege, afastando seus próprios fervorosos e dando a Sadeas uma arma contra o Trono.

Se o Todo-Poderoso estava morto, o que Dalinar adorava? Em que acreditava?

— Vamos registrar suas memórias da visão. — Navani suspirou, se afastando dele. — Enquanto ainda estão frescas.

Dalinar concordou. Era importante ter uma descrição que acompanhasse as transcrições. Ele começou recontando o que tinha visto, falando lentamente o bastante para que ela pudesse escrever tudo. Descreveu o lago, as roupas dos homens, a estranha fortaleza ao longe. Navani disse que havia histórias de grandes estruturas em Lagopuro contadas por algumas pessoas que viveram lá. Essas histórias eram consideradas mitológicas pelas eruditas.

Dalinar se levantou e andou de um lado para outro enquanto passava para a descrição da criatura horrenda que surgira do lago.

— Ele deixou para trás um buraco no leito do rio — explicou Dalinar. — Imagine que você traçou a silhueta de um corpo no chão e depois viu esse corpo se *desprender* do chão. Imagine a vantagem tática que um ser assim teria. Esprenos se movem com rapidez e facilidade. Um deles poderia se esgueirar pelas linhas de batalha, depois se levantar e começar a atacar a equipe de apoio. O corpo de pedra da fera deve ter sido difícil de quebrar. Raios... Espadas Fractais. Fico pensando se *essas* são as coisas que as armas foram realmente projetadas para combater.

Navani sorriu enquanto escrevia.

— O que foi? — indagou Dalinar, parando de andar.

— Você é mesmo um soldado.

— Sim. E o que tem?

— É encantador — respondeu ela, terminando de escrever. — O que aconteceu depois?

— O Todo-Poderoso falou comigo.

Ele reproduziu o monólogo o melhor que pôde enquanto andava devagar. *Preciso dormir mais*, pensou. Não era mais o jovem que fora há vinte anos, capaz de ficar acordado a noite inteira com Gavilar, com uma taça de vinho na mão, enquanto ouvia seu irmão fazer planos, e depois partir para a batalha no dia seguinte cheio de vigor e ansioso por uma contenda.

Quando ele concluiu a narrativa, Navani se levantou, guardando seu material de escrita. Levaria aquelas palavras e faria com que as eruditas dela — bem, as eruditas dele, de quem ela se apropriara — trabalhassem para combinar as palavras em alethiano com as transcrições que registrara. Contudo, naturalmente, ela primeiro removeria as linhas onde ele mencionava questões sensíveis, tais como a morte do Todo-Poderoso.

Ela também procuraria referências históricas que correspondessem às suas descrições. Navani gostava de tudo bem correto e quantificado. Ela havia preparado uma linha do tempo para todas as visões, tentando encaixá-las em uma única narrativa.

— Você ainda vai publicar a proclamação esta semana? — perguntou ela.

Dalinar assentiu. Ele a transmitira para os grão-príncipes uma semana atrás, em particular. Quisera liberá-la no mesmo dia para os acampamentos, mas Navani convencera-o de que esperar era mais inteligente. As notícias estavam vazando aos poucos, mas isso permitiria que os grão-príncipes se preparassem.

— A proclamação irá a público dentro de alguns dias — disse ele. — Antes que os grão-príncipes possam pressionar Elhokar ainda mais para revogá-la.

Navani apertou os lábios.

— É necessário — insistiu Dalinar.

— Você deveria uni-los.

— Os grão-príncipes são crianças mimadas — disse Dalinar. — Mudá-los vai exigir medidas extremas.

— Se você partir o reino em pedaços, nunca conseguiremos unificá-lo.

— Vamos garantir que ele não se parta.

Navani olhou-o de cima a baixo, depois sorriu.

— Eu *gosto* desse seu lado mais confiante, devo admitir. Se pudesse pegar emprestado só um pouco dessa confiança em relação a *nós*...

— Estou bastante confiante em relação a nós — disse ele, puxando-a para perto.

— É mesmo? Porque essas viagens entre o palácio do rei e seu complexo desperdiçam um bocado do meu tempo todos os dias. Se eu trouxesse minhas coisas para cá... digamos, para os seus aposentos... pense em como tudo seria muito mais *conveniente*.

— Não.

— Você tem certeza de que não vão permitir nosso casamento, Dalinar. Então, o que mais vamos fazer? É pela moralidade da situação? Você mesmo disse que o Todo-Poderoso está morto.

— Uma coisa ou é certa ou é errada — disse Dalinar, teimoso. — O Todo-Poderoso não entra nisso.

— Deus não entra no fato de seus mandamentos serem certos ou errados? — rebateu Navani, séria.

— Hã. Isso.

— Cuidado — disse Navani. — Você está parecendo a Jasnah. De qualquer maneira, se Deus está morto...

— *Deus* não está morto. Se o Todo-Poderoso morreu, então ele nunca foi Deus, só isso.

Ela suspirou, ainda perto dele, então ficou na ponta dos pés e o beijou — e não de maneira recatada. Navani considerava o recato coisa de gente frívola e dissimulada. Então, foi um beijo apaixonado, pressionando sua boca, empurrando sua cabeça para trás, querendo mais. Quando ela se afastou, Dalinar estava sem fôlego.

Ela sorriu para ele, então se virou, pegou suas coisas — ele não havia notado que ela as deixara cair durante o beijo — e caminhou até a porta.

— Não sou uma mulher paciente, você sabe. Sou tão mimada quanto esses grão-príncipes, acostumada a conseguir o que eu quero.

Ele bufou. Nada disso era verdade. Ela *sabia* ser paciente. Quando era do seu interesse. O que ela queria dizer era que isso não lhe interessava naquele momento.

Navani abriu a porta e o próprio capitão Kaladin espiou ali dentro, inspecionando o cômodo. O carregador de pontes certamente era dedicado.

— Cuide dela na viagem de volta para casa, soldado — ordenou Dalinar.

Kaladin fez uma saudação. Navani passou por ele e saiu sem dizer adeus, fechando a porta e deixando Dalinar sozinho novamente.

Ele suspirou profundamente, depois caminhou até a cadeira e se instalou junto da lareira para pensar.

Despertou algum tempo depois, com o fogo já apagado. Raios. Agora ele estava caindo no sono no meio do dia? Se ao menos não passasse tanto tempo rolando na cama, a cabeça cheia de preocupações e fardos que nunca deveriam ter sido dele... O que havia acontecido com os dias simples? Sua mão na espada, seguro de que Gavilar cuidaria das partes difíceis?

Dalinar se espreguiçou e levantou-se. Precisava rever as preparações para a transmissão da proclamação do rei e então cuidar para que os novos guardas... ele parou. A parede do seu quarto trazia uma série de arranhões brancos formando glifos que não estavam ali antes.

Sessenta e dois dias, diziam os glifos. *A morte seguirá.*

Algum tempo depois, Dalinar se levantou, empertigado, as mãos unidas às costas enquanto ouvia Navani conversar com Rushu, uma das eruditas dos Kholin. Adolin estava ali perto, inspecionando um pedaço de pedra branca que havia sido encontrada no chão. Aparentemente fora arrancada da fileira de pedras ornamentais na moldura da janela do quarto, depois usada para escrever os glifos.

Coluna reta, cabeça erguida, Dalinar disse a si mesmo. *Ainda que você queira simplesmente desabar naquela cadeira.* Um líder não desabava; um líder estava sempre no controle. Até mesmo quando sentia que não controlava coisa alguma.

Especialmente nesses momentos.

— Ah — disse Rushu, uma jovem fervorosa com longos cílios e lábios em botão. — Vejam só que linhas descuidadas! A simetria inapropriada. Quem fez isso *não* tem prática em desenhar glifos. Quase escreveu morte errado... parece mais "quebrado". E o significado é vago. A morte seguirá? Ou será "siga a morte"? Ou "sessenta e dois dias de morte e seguimento"? Glifos são imprecisos.

— Só faça a cópia, Rushu — disse Navani. — E não fale disso com ninguém.

— Nem mesmo com a senhora? — perguntou Rushu, distraída, enquanto escrevia.

Navani suspirou, caminhando até Dalinar e Adolin.

— Ela *é* boa no que faz — disse Navani em voz baixa —, mas às vezes é meio tonta. De qualquer modo, ela conhece linguagem manuscrita melhor do que qualquer pessoa. É uma das suas várias áreas de interesse.

Dalinar assentiu, ocultando seus medos.

— Por que alguém faria isso? — perguntou Adolin, deixando cair a pedra. — É algum tipo de ameaça obscura?

— Não — respondeu Dalinar.

Navani o encarou.

— Rushu, deixe-nos por um momento — pediu ela.

A mulher não respondeu de início, mas saiu apressada depois que Navani repetiu o pedido. Quando abriu a porta, revelou membros da Ponte Quatro do lado de fora, liderados pelo capitão Kaladin, com uma expressão sombria. Ele havia acompanhado a saída de Navani, depois voltara para encontrar aquilo — e então imediatamente enviara homens para verificar se Navani estava bem e trazê-la de volta.

Ele obviamente culpava-se por aquele lapso, pensando que alguém havia se esgueirado para dentro do quarto de Dalinar enquanto ele dormia. Dalinar acenou, mandando o capitão entrar.

Kaladin se apressou, e por sorte não viu o maxilar de Adolin se retesando enquanto o observava. Dalinar estivera combatendo o Fractário parshendiano quando Kaladin e Adolin se confrontaram no campo de batalha, mas ouvira histórias sobre o desentendimento deles. Seu filho certamente não gostara de saber que aquele carregador de pontes olhos-escuros havia sido colocado no comando da Guarda Cobalto.

— Senhor — disse o capitão Kaladin, apresentando-se. — Estou envergonhado. Uma semana no trabalho e falhei com o senhor.

— Você obedeceu às ordens, capitão — replicou Dalinar.

— Meu *comando* era mantê-lo seguro, senhor — respondeu Kaladin, a raiva transparecendo na sua voz. — Eu devia ter colocado guardas nas portas individuais dentro dos seus aposentos, não apenas fora do complexo de cômodos.

— Seremos mais atentos no futuro, capitão — disse Dalinar. — Seu predecessor sempre postou a mesma guarda que você, e sempre foi suficiente.

— Eram outros tempos, senhor — respondeu Kaladin, vasculhando o quarto e estreitando os olhos. Ele voltou sua atenção para a janela, pequena demais para deixar alguém se esgueirar para dentro. — Ainda gostaria de saber como conseguiram entrar. Os guardas não ouviram nada.

Dalinar inspecionou o jovem soldado, marcado por cicatrizes e de expressão sombria. *Por que confio tanto nesse homem?* Ele não conseguia identificar o motivo, mas, com o passar dos anos, aprendera a confiar nos seus instintos como soldado e general. Algo o levava a confiar em Kaladin, e ele aceitava esse instinto.

— Isso é uma questão de menor importância — declarou Dalinar.

Kaladin fitou-o com um ar severo.

— Não se preocupe demais com como a pessoa entrou para escrever na minha parede. Só seja mais vigilante no futuro. Dispensado. — Ele acenou com a cabeça para Kaladin, que se retirou com relutância, fechando a porta.

Adolin se aproximou. O jovem de cabelo volumoso era tão alto quanto Dalinar. Às vezes era difícil se lembrar disso. Não fazia tanto tempo que Adolin fora um garotinho entusiasmado com uma espada de madeira.

— Você falou que acordou e encontrou isso aqui — disse Navani. — Falou que não viu ninguém entrar, nem ouviu ninguém fazendo o desenho.

Dalinar assentiu.

— Então por que tenho a súbita e distinta impressão de que você *sabe* por que isso está aqui?

— Eu não sei com certeza quem fez isso, mas sei o que significa.

— O que é, então? — insistiu Navani.

— Significa que temos muito pouco tempo — respondeu Dalinar. — Envie a proclamação, depois vá até os grão-príncipes e combine uma reunião. Eles vão querer falar comigo.

A Tempestade Eterna está chegando...

Sessenta e dois dias. Não era tempo o bastante.

Era, aparentemente, tudo que ele tinha.

Liberdade   Ponte Quatro   Kholin   Tanat

Tive que passar horas observando os carregadores de pontes para poder desenhar os estúpidos glifos de suas testas, para que você pudesse tê-los, minha amiga. Tenho certeza de que é esse o formato.
— Nazh

Ano Tradicional -1173   Ano Estilizado -1173

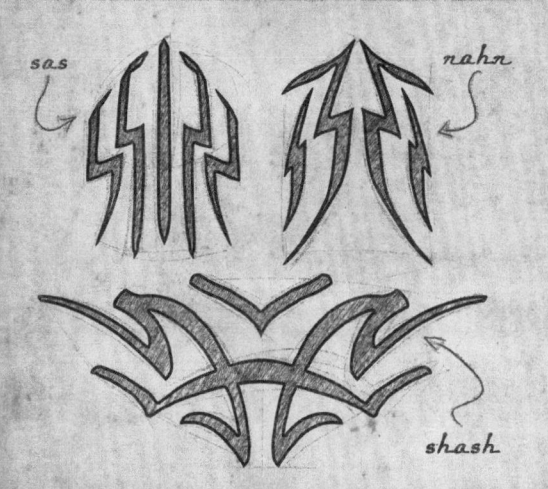

sas   nahn

shash

Marcas na testa de Kaladin   Insígnia do uniforme da Ponte Quatro

5

IDEAIS

> *O sinal na parede apresentava um perigo ainda maior do que o seu prazo final. Prever o futuro é coisa dos Esvaziadores.*
>
> —Do diário de Navani Kholin, jeseses, ano de 1174

— **N**A VITÓRIA E, FINALMENTE, na vingança. — A pregoeira segurava um texto com as palavras do rei, protegido entre duas placas revestidas de tecido, embora ela obviamente houvesse memorizado as palavras. Não era surpresa; só Kaladin a havia feito repetir a proclamação três vezes.

— De novo — disse ele, sentado em sua pedra junto da fogueira da Ponte Quatro.

Muitos membros da equipe haviam baixado suas tigelas de desjejum, em silêncio. Ali perto, Sigzil repetia as palavras para si mesmo, memorizando-as. A pregoeira suspirou. Era uma jovem olhos-claros roliça, com mechas de cabelo vermelho misturadas com cabelo preto, indicando herança vedena ou papaguampas. Devia ter dúzias de mulheres como ela se movendo pelo acampamento de guerra para ler, e às vezes explicar, as palavras de Dalinar.

Ela abriu o fichário novamente. *Em qualquer outro batalhão, o líder seria de uma classe social superior à dela*, pensou Kaladin distraidamente.

— Sob a autoridade do rei — proclamou ela —, Dalinar Kholin, Grão-príncipe da Guerra, por meio deste ordena mudanças no modo de coleta e distribuição de gemas-coração nas Planícies Quebradas. Doravante, cada gema-coração será coletada em turno por dois grão-príncipes trabalhando conjuntamente. Os espólios tornar-se-ão propriedade do rei, que determinará, de acordo com a eficácia das partes envolvidas e da sua presteza em obedecer, a parte de cada.

"Um rodízio prescrito detalhará quais grão-príncipes e exércitos serão responsáveis pela caça de gemas-coração, e em que ordem. Os pares não serão sempre os mesmos e serão julgados de acordo com a compatibilidade estratégica. Espera-se que, pelos Códigos prezados por todos nós, os homens e mulheres desses exércitos apreciem esse foco renovado na vitória e, finalmente, na vingança."

A pregoeira fechou o caderno, olhando para Kaladin e levantando uma longa sobrancelha preta que ele tinha quase certeza de que havia sido pintada com maquiagem.

— Obrigado — disse ele.

A mulher assentiu, depois foi na direção da próxima quadra do batalhão. Kaladin se levantou.

— Bem, aí está a tempestade que estávamos esperando.

Os homens concordaram. A conversa na Ponte Quatro havia diminuído depois da estranha invasão nos aposentos de Dalinar no dia anterior. Kaladin sentia-se um tolo. Dalinar, contudo, parecia estar ignorando a invasão completamente. Ele sabia muito mais do que estava dizendo a Kaladin. *Como posso fazer meu trabalho se não tenho as informações de que preciso?*

Nem duas semanas no serviço, e a política e as maquinações dos olhos-claros estavam lhe dando rasteiras.

— Os grão-príncipes vão *detestar* essa proclamação — disse Leyten, ao lado da fogueira, onde estava trabalhando nas correias da placa peitoral de Beld, que tinham vindo do quarteleiro com as fivelas torcidas. — O foco deles está quase todo em conseguir essas gemas-coração. Vai ter muito descontentamento nos ventos de hoje.

— Ha! — disse Rocha, servindo uma concha de *curry* para Lopen, que voltara para repetir a refeição. — Descontentamento? Hoje, isso vai significar *motins*. Ouviu aquela menção aos Códigos? Isso aí é um insulto contra os outros, já que sabemos que eles não seguem seus juramentos.

— Ele estava sorrindo, e parecia considerar a ideia da raiva dos grão-príncipes, e até mesmo dos motins, divertida.

— Moash, Drehy, Mart e Eth comigo — falou Kaladin. — Vamos render Skar e sua equipe. Teft, como está indo a sua tarefa?

— Lentamente — respondeu Teft. — Esses rapazes nas outras equipes de pontes... Eles têm um longo caminho pela frente. Precisamos de algo mais, Kal. Algo para inspirá-los.

— Vou trabalhar nisso — prometeu Kaladin. — Por enquanto, vamos tentar comida. Rocha, só temos cinco oficiais no momento, então você pode usar aquele último quarto externo para armazenamento. Kholin nos deu direitos de requisição do quarteleiro do acampamento. Pode encher o quarto.

— Encher? — perguntou Rocha, um sorriso enorme se abrindo em seu rosto. — Encher quanto?

— *Muito* — disse Kaladin. — Estamos comendo caldo e guisado com cereais Transmutados há meses. Durante o próximo mês, a Ponte Quatro vai comer feito reis.

— Agora, nada de conchas — disse Mart, apontando para Rocha enquanto recolhia sua lança e abotoava a jaqueta do uniforme. — Só porque você pode fazer o que quiser, não significa que vamos comer coisas estúpidas.

— Terrabaixistas malucos — disse Rocha. — Vocês não querem ficar fortes?

— Eu quero que meus dentes fiquem inteiros, muito obrigado — respondeu Mart. — Papaguampas doido.

— Vou preparar duas coisas — proclamou Rocha, com a mão no peito, como se estivesse fazendo uma saudação. — Uma para os bravos e outra para os bobos. Você pode escolher entre elas.

— Você vai fazer banquetes, Rocha — disse Kaladin. — Preciso que você treine cozinheiros para as outras casernas. Mesmo que Dalinar tenha cozinheiros sobrando, com menos tropas regulares para alimentar, quero que os carregadores sejam autossuficientes. Lopen, estou encarregando Dabbid e Shen para te ajudarem a auxiliar Rocha daqui em diante. Precisamos transformar esses mil homens em soldados. Isso vai começar da mesma maneira que aconteceu com vocês: enchendo os seus estômagos.

— Pode deixar — disse Rocha, gargalhando e batendo no ombro de Shen quando o parshemano se aproximou para repetir o prato. Ele começara recentemente a fazer coisas assim, e parecia se esconder menos do que antes. — Eu nem vou botar esterco na comida!

Os outros riram. Colocar esterco na comida foi o que levou Rocha a se tornar um carregador de pontes. Enquanto Kaladin partia na direção do palácio do rei — Dalinar tinha uma reunião importante com o rei hoje —, Sigzil se juntou a ele.

— Um momento do seu tempo, senhor — pediu Sigzil em voz baixa.

— Como desejar.

— O senhor me prometeu que eu teria uma chance de medir suas... habilidades particulares.

— Prometi? Não me lembro de uma promessa.

— O senhor grunhiu.

— Eu... grunhi?

— Quando falamos sobre fazer algumas medições. O senhor pareceu pensar que era uma boa ideia e disse a Skar que poderíamos ajudá-lo a entender os seus poderes.

— Acho que sim.

— Precisamos saber exatamente o que o senhor pode fazer... a extensão das suas habilidades, o tempo em que a Luz das Tempestades permanece em você. Concorda que ter uma compreensão clara dos seus limites seria valioso?

— Sim — disse Kaladin, relutante.

— Excelente. Então...

— Me dê uns dois dias — disse Kaladin. — Prepare um local onde não nos vejam. Então... sim, tudo bem. Vou deixar você me medir.

— Excelente — disse Sigzil. — Já andei planejando alguns experimentos.

Ele parou no caminho, permitindo que Kaladin e os outros se afastassem.

Kaladin pousou sua lança no ombro e relaxou a mão. Frequentemente se descobria segurando a arma com demasiada força, a ponto de deixar brancas as articulações dos dedos. Era como se parte dele ainda não acreditasse que agora podia carregá-la em público e temesse que a lança lhe fosse tirada novamente.

Syl desceu flutuando da sua ronda diária pelo acampamento nos ventos matinais. Ela pousou no ombro dele e sentou-se, aparentemente perdida em pensamentos.

O acampamento de guerra de Dalinar era um lugar organizado. Os soldados nunca ficavam parados preguiçosamente; estavam sempre fazendo alguma coisa. Trabalhando nas suas armas, pegando comida, transportando carga, patrulhando. Havia muitas patrulhas naquele acampamento. Mesmo com os números reduzidos no exército, Kaladin passou por três enquanto seus homens marchavam rumo aos portões. Isso era três vezes mais do que ele já vira no acampamento de Sadeas.

Ele foi lembrado novamente do vazio. Os mortos não precisavam se tornar Esvaziadores para assombrar esse acampamento; as casernas vazias já cumpriam o papel. Ele passou por uma mulher, sentada no chão ao lado de uma dessas casernas sem ninguém, fitando o céu e agarrando um embrulho de roupas masculinas. Duas criancinhas estavam paradas ao lado dela. Silenciosas demais. Crianças tão pequenas não deviam ser silenciosas.

As casernas formavam quadras em um enorme círculo, e no centro ficava uma parte mais populosa do acampamento — a seção agitada que continha o complexo de moradia de Dalinar, junto com os aposentos dos vários grão-senhores e generais. O complexo de Dalinar era uma casamata de pedra semelhante a um morro, com bandeiras tremulando e escrivãs apressadas carregando cadernos. Ali perto, vários oficiais haviam montado tendas de recrutamento, e uma longa fila de aspirantes a soldados havia se formado. Alguns eram mercenários que vieram para as Planícies Quebradas procurando trabalho. Outros eram padeiros ou coisa do gênero, que haviam escutado o chamado por mais soldados depois do desastre.

— Por que você não riu? — indagou Syl, inspecionando a fila enquanto Kaladin a contornava rumo aos portões para sair do acampamento de guerra.

— Desculpe. Você fez alguma coisa engraçada que eu não vi?

— Estou falando de mais cedo — explicou ela. — Rocha e os outros riram. Você, não. Naquelas semanas em que as coisas estavam difíceis, quando você ria, eu sabia que era forçado. Mas pensei que talvez quando as coisas melhorassem...

— Eu tenho um batalhão inteiro de carregadores sob minha responsabilidade agora — disse Kaladin, olhando para a frente. — E um grão-príncipe para manter vivo. Estou no meio de um acampamento cheio de viúvas. Não sinto vontade de rir.

— Mas as coisas estão *melhores* — insistiu ela. — Para você e seus homens. Pense no que fez, no que realizou.

Um dia passado em um platô, matando. Uma fusão perfeita dele com sua arma e com as próprias tempestades. E ele a usara para matar. Matara para proteger um olhos-claros.

Ele é diferente, pensou Kaladin.

Eles sempre diziam isso.

— Acho que estou só esperando — disse Kaladin.

— Pelo quê?

— Pelo trovão — respondeu baixinho. — Ele sempre vem depois do relâmpago. Às vezes demora, mas sempre chega.

— Eu...

Syl zuniu até a frente dele, de pé no ar, movendo-se para trás enquanto ele caminhava. Ela não voava — não tinha asas — e não oscilava no ar. Apenas pairava, apoiada em nada, e movia-se junto com ele. Parecia não ligar para as leis normais da física.

Ela inclinou a cabeça.

— Eu não entendo o que você quer dizer. Droga! Achei que já tinha entendido tudo isso. Tempestades? Relâmpago?

— Lembra que quando você me encorajou a lutar para salvar Dalinar, você ainda sofria quando eu matava?

— Lembro.

— É parecido — disse Kaladin em voz baixa.

Ele olhou para o lado. Estava novamente segurando a lança com força demais. Syl o observava, mãos nos quadris, esperando que ele dissesse mais alguma coisa.

— Algo ruim vai acontecer — disse Kaladin. — As coisas não podem continuar indo bem para mim. Não é assim que a vida funciona. Pode ter a ver com esses glifos na parede de Dalinar, ontem. Pareciam uma contagem regressiva.

Ela concordou.

— Você já tinha visto algo parecido?

— Eu me lembro... de alguma coisa — sussurrou ela. — Alguma coisa ruim. Ver o futuro... não é da Honra, Kaladin. É alguma outra coisa. Algo perigoso.

Que maravilha.

Como ele não disse mais nada, Syl suspirou e zuniu no ar, tornando-se uma fita de luz. Ela o seguiu lá de cima, movendo-se entre rajadas de vento.

Ela disse que era um espreno de honra, pensou Kaladin. *Então por que continua fingindo que brinca com os ventos?*

Teria que perguntar a ela, partindo do princípio que Syl responderia. Partindo do princípio de que saberia a resposta.

Torol Sadeas entrelaçou os dedos diante de si, os cotovelos apoiados na bela mesa de cantaria, enquanto olhava para a Espada Fractal com que trespassara o centro da mesa. Ela refletia seu rosto.

Maldição. Quando ele havia envelhecido? Imaginava-se como um homem jovem, nos seus vinte anos. Agora tinha cinquenta. Tormentosos *cinquenta anos*. Ele firmou o queixo, olhando para aquela Espada.

Sacramentadora. Era a Espada Fractal de Dalinar — curva como um dorso arqueado, com a ponta em forma de gancho, arrematada por uma sequência de dentes serrilhados salientes junto à guarda. Como ondas em movimento, surgindo do oceano abaixo.

Quantas vezes desejara possuir aquela arma? Agora era sua, mas a posse parecia-lhe vazia. Dalinar Kholin — enlouquecido pelo luto, arrasado ao ponto de temer a batalha — ainda se agarrava à vida. O velho amigo de Sadeas era como um cão-machado favorito que ele fora forçado a sacrificar, só para descobri-lo choramingando na janela devido a um veneno pouco eficiente.

Pior ainda, ele não conseguia se livrar da sensação de que Dalinar de algum modo o *vencera*.

A porta da sua sala se abriu e Ialai entrou. Com um pescoço esguio e uma boca grande, sua esposa nunca fora descrita como uma beldade — particularmente com o passar dos anos. Ele não ligava. Ialai era a mulher mais perigosa que conhecia. Isso era mais atraente do que qualquer simples rostinho bonito.

— Estou vendo que você destruiu a minha mesa — disse ela, fitando a Espada Fractal enfiada no centro.

Ialai deixou-se cair no pequeno sofá ao lado dele, envolveu as suas costas com o braço e colocou os pés sobre a mesa. Com os outros, ela era a perfeita mulher alethiana. Em particular, preferia relaxar.

— Dalinar está recrutando em grandes números — disse ela. — Tive a oportunidade de colocar mais alguns dos meus associados entre a equipe do seu acampamento de guerra.

— Soldados?

— O que você pensa de mim? Isso seria óbvio demais; ele vai vigiar cuidadosamente os novos soldados. Mas grande parte da sua equipe de apoio vai ficar desfalcada à medida que os homens atenderem ao chamado para tomar as lanças e reforçar seu exército.

Sadeas assentiu, ainda olhando para a Espada. Sua esposa possuía a mais impressionante rede de espiões dos acampamentos de guerra. De fato impressionante, já que poucos, pouquíssimos sabiam disso. Ela coçou suas costas, causando-lhe arrepios.

— Ele fez a proclamação — observou Ialai.

— Sim. E as reações?

— Como previsto. Os outros odiaram.

Sadeas assentiu.

— Dalinar deveria estar morto, mas, já que não está, pelo menos podemos contar que ele mesmo vai acabar se enforcando. — Sadeas estreitou os olhos. — Eu estava tentando impedir o colapso do reino, ao tentar acabar com ele. Agora me pergunto se esse colapso não seria melhor para todos nós.

— O quê?

— Eu não fui feito para isso, amor — sussurrou Sadeas. — Esse jogo estúpido nos platôs. De início, fiquei contente, mas estou começando a abominá-lo. Eu quero *guerra*, Ialai. Não horas de marcha atrás da possibilidade de encontrar alguma pequena escaramuça!

— São essas pequenas escaramuças que nos trazem riqueza.

— E foi por isso que as suportei por tanto tempo. — Ele se levantou. — Preciso me reunir com alguns dos outros. Aladar. Ruthar. Temos que estimular as chamas entre os outros grão-príncipes, aumentar a indignação deles contra o que Dalinar está tentando fazer.

— E nossa meta final?

— Eu vou recuperá-la, Ialai — disse ele, pousando os dedos no cabo de Sacramentadora. — A conquista.

Essa era a única coisa que ainda o fazia se sentir vivo. Aquela gloriosa, maravilhosa Euforia de estar no campo de batalha e pelejar, homem contra homem. De arriscar tudo pelo prêmio. Dominação. Vitória.

Era a única coisa que o fazia sentir-se jovem novamente.

Essa era uma verdade brutal. As melhores verdades, contudo, eram simples.

Ele agarrou Sacramentadora pelo cabo e arrancou-a da mesa.

— Dalinar agora quer brincar de política, o que não me surpreende. No fundo, ele sempre quis ser como seu irmão. Felizmente para nós, Dalinar não é bom nesse tipo de coisa. Sua proclamação vai alienar os outros. Ele vai pressionar os grão-príncipes, que vão tomar armas contra ele, fragmentando o reino. E então, com sangue aos meus pés e a espada do próprio Dalinar na minha mão, forjarei uma nova Alethkar das chamas e das lágrimas.

— E se, em vez disso, ele for bem-sucedido?

— Então, minha cara, será nesse momento que seus assassinos terão utilidade.

Ele dispensou a Espada Fractal, que se transformou em névoa e desapareceu.

— Vou reconquistar esse reino, e então Jah Keved cairá em seguida. Afinal de contas, o propósito dessa vida é treinar soldados. De certo modo, só estou fazendo o desejo do próprio Deus.

A CAMINHADA ENTRE AS CASERNAS e o palácio do rei — que o rei havia começado a chamar de Pináculo — levava mais ou menos uma hora, o que deu a Kaladin bastante tempo para pensar. Infelizmente, no caminho, ele passou por um grupo de cirurgiões de Dalinar em um campo com criados, colhendo seiva de erva-botão para um antisséptico.

Ver isso fez com que Kaladin pensasse não só nos seus esforços para coletar a seiva, mas também no seu pai, Lirin.

Se ele estivesse aqui, perguntaria por que eu não estou lá com os cirurgiões, pensava Kaladin enquanto passava por eles. *Exigiria saber por que, se Dalinar me acolheu, eu não pedi para me unir ao seu corpo médico.*

Era verdade que Kaladin provavelmente poderia ter convencido Dalinar a empregar toda a Ponte Quatro como assistentes de cirurgiões. Kaladin poderia tê-los treinado em medicina quase tão facilmente quanto no domínio da lança. Dalinar teria aceitado. Um exército nunca tinha bons cirurgiões sobrando.

Ele nem havia considerado essa possibilidade. A escolha fora bem mais simples — ou eles se tornavam guarda-costas de Dalinar ou deixavam os acampamentos de guerra. Kaladin escolhera colocar seus homens no caminho da tempestade novamente. Por quê?

Por fim, chegaram ao palácio do rei, que fora construído na lateral de uma grande colina de pedra, com túneis escavados até o interior da rocha. Os aposentos do rei estavam localizados no topo. Isso significava que Kaladin e seus homens teriam que subir muitas escadas.

Eles seguiram pelo caminho sinuoso; Kaladin ainda estava perdido em pensamentos sobre seu pai e seu dever.

— Isso é meio injusto, sabe? — disse Moash quando alcançaram o topo.

Kaladin olhou para os outros, percebendo que todos estavam ofegantes depois da longa subida. Ele, contudo, havia captado Luz das Tempestades sem perceber. Não estava nem mesmo sem ar.

Ele sorriu abertamente, para que Syl pudesse ver, e observou os corredores cavernosos do Pináculo. Alguns bons homens estavam de guarda nos portões, vestindo o azul e dourado da Guarda do Rei, uma unidade separada e distinta da guarda de Dalinar.

— Soldado — saudou Kaladin com um aceno de cabeça para um deles, um olhos-claros de baixa patente.

Militarmente, Kaladin tinha um posto superior, mas não socialmente. Mais uma vez, não sabia bem como aquilo devia funcionar. O homem olhou-o de cima a baixo.

— Ouvi que você segurou uma ponte praticamente sozinho contra centenas de parshendianos. Como fez isso?

Ele não se dirigiu a Kaladin como "senhor", como teria sido apropriado para qualquer outro capitão.

— Quer descobrir como foi? — disse Moash rispidamente, atrás dele. — Podemos te mostrar. Pessoalmente.

— Silêncio — rosnou Kaladin, fulminando Moash com os olhos. Ele se voltou novamente para o soldado, olhando-o nos olhos. — Eu tive sorte. Só isso.

— Acho que faz sentido — respondeu o soldado.

Kaladin esperou.

— Senhor — acrescentou o soldado finalmente.

Kaladin acenou para que os homens avançassem, e eles passaram pelos guardas olhos-claros. O interior do palácio estava iluminado por esferas agrupadas em lâmpadas nas paredes — safiras e diamantes misturados para fornecer um tom branco-azulado. As esferas eram uma lembrança pequena mas significativa de como as coisas haviam mudado. Ninguém teria permitido que carregadores de pontes chegassem perto de esferas sendo usadas tão casualmente.

O Pináculo ainda era desconhecido para Kaladin — até o momento, seu tempo guardando Dalinar fora principalmente dentro do acampamento de guerra. Contudo, ele se certificara de olhar mapas do local, então conhecia o caminho até o topo.

— Por que me cortou daquela maneira? — perguntou Moash, alcançando Kaladin.

— Você estava errado. É um soldado agora, Moash. Tem que aprender a agir como um. E isso significa não provocar brigas.

— Não vou me curvar e beijar os pés dos olhos-claros, Kal. Não mais.

— Não espero que se curve, mas espero, *sim*, que controle a sua língua. A Ponte Quatro não fica dando alfinetadas e fazendo ameaças mesquinhas.

Moash recuou, mas Kaladin sabia que ele ainda estava furioso.

— Que estranho — comentou Syl, pousando novamente no ombro de Kaladin. — Ele parece tão zangado.

— Quando assumi o comando dos carregadores de pontes, eles eram como animais enjaulados que haviam sido surrados até se tornarem submissos — sussurrou Kaladin. — Fiz com que eles recuperassem o espírito combativo, mas ainda estavam enjaulados. Agora as portas foram arrancadas das jaulas. Vai levar tempo para que Moash e os outros se ajustem.

Eles conseguiriam. Durante as últimas semanas como carregadores de pontes, haviam aprendido a agir com a precisão e a disciplina de soldados. Eles ficavam em posição de sentido enquanto seus abusadores marchavam através das pontes, sem dizer uma palavra de zombaria. A disciplina em si se transformara em uma arma.

Agora eles aprenderiam a ser soldados de verdade. Não, eles *eram* soldados de verdade. Agora precisavam aprender a agir sem estarem sob a opressão de Sadeas. Moash voltou a se aproximar.

— Sinto muito — falou baixinho. — Você tem razão.

Kaladin sorriu, dessa vez genuinamente.

— Eu não vou fingir que não os odeio — continuou Moash. — Mas serei educado. Nós temos um dever. Vamos fazer tudo direito. Melhor do que qualquer um espera. Nós somos a Ponte Quatro.

— Muito bem — respondeu Kaladin.

Seria particularmente complicado lidar com Moash, já que Kaladin se via confiando no homem cada vez mais. A maioria dos outros idolatrava Kaladin. Moash, não, e ele era o mais próximo de um amigo de verdade que Kaladin tivera desde que fora marcado como escravo.

O corredor foi ficando surpreendentemente decorado à medida que se aproximavam do salão de audiências do rei. Havia até mesmo uma série de relevos esculpidos nas paredes — os Arautos, enfeitados com gemas incrustradas na rocha, brilhando nos locais apropriados.

Está cada vez mais parecido com uma cidade, pensou Kaladin. *Daqui a pouco isso aqui pode ser um palácio de verdade.*

Ele encontrou Skar e sua equipe junto da porta para o salão de audiências.

— Relatório? — perguntou Kaladin em voz baixa.

— Manhã tranquila — respondeu Skar. — O que eu acho ótimo.

— Então você está livre pelo resto do dia — declarou Kaladin. — Vou ficar aqui só para a reunião, depois vou deixar o turno da tarde com Moash. Voltarei para o turno da noite. Você e o seu esquadrão devem dormir um pouco; voltarão para o plantão da noite, até amanhã de manhã.

— Entendido, senhor — disse Skar, fazendo uma saudação. Ele juntou seus homens e foi embora.

O salão além das portas estava decorado com um espesso tapete e grandes janelas abertas a sotavento. Kaladin nunca estivera naquele recinto, e os mapas do palácio — para a proteção do rei — só incluíam as rotas e corredores básicos através dos aposentos dos criados. O salão tinha outra porta, provavelmente para a sacada, mas não tinha outras saídas além daquela por onde Kaladin passou.

Dois outros guardas em azul e dourado estavam a postos de cada lado da porta. O próprio rei andava de um lado para outro junto da mesa do salão. Seu nariz era maior do que as pinturas dele mostravam.

Dalinar falava com a Grã-senhora Navani, uma mulher elegante com alguns cabelos grisalhos. O escandaloso relacionamento entre o tio e a mãe do rei teria sido o maior assunto das fofocas do acampamento de guerra, se a traição de Sadeas não houvesse roubado a cena.

— Moash — disse Kaladin, apontando. — Veja aonde aquela porta vai dar. Mart e Eth, fiquem de guarda no corredor. Ninguém além de um grão-príncipe pode entrar sem antes vocês verificarem conosco aqui dentro.

Moash fez uma saudação ao rei em vez de uma mesura, e verificou a porta. Ela de fato levava à sacada que Kaladin identificara de baixo, que percorria todo o comprimento daquele salão no topo.

Dalinar observou Kaladin e Moash enquanto eles trabalhavam. Kaladin fez uma saudação e seus olhos se encontraram. Ele não ia falhar novamente, como acontecera no dia anterior.

— Não reconheço esses guardas, tio — disse o rei, irritado.

— Eles são novos — respondeu Dalinar. — Não há outra entrada para aquela sacada, soldado. Está a trinta metros de altura.

— Bom saber — respondeu Kaladin. — Drehy, junte-se a Moash na sacada, feche a porta e fique de vigia.

Drehy assentiu, partindo para a ação.

— Acabei de dizer que não há maneira de alcançar aquela sacada do lado de fora — observou Dalinar.

— Então seria por ali que eu tentaria entrar, se eu quisesse, senhor — respondeu Kaladin.

Dalinar sorriu, entretido. O rei, contudo, estava assentindo.

— Bom... Bom.

— Existem outras entradas para esta sala, Vossa Majestade? — indagou Kaladin. — Passagens secretas?

— Caso houvesse, eu não ia querer que as pessoas soubessem delas — replicou o rei.

— Meus homens não podem manter o salão seguro se não souberem o que guardar. Se há passagens sobre as quais ninguém deveria saber, elas são imediatamente suspeitas. Se o senhor as compartilhar comigo, usarei apenas meus oficiais para guardá-las.

O rei fitou Kaladin por um momento, então se voltou para Dalinar.

— Eu *gosto* desse aqui. Por que não o colocou no comando da sua guarda antes?

— Não tive essa oportunidade — respondeu Dalinar, estudando Kaladin com olhos que tinham uma *profundidade* em seu interior. Um peso. Ele deu a volta e pousou a mão no ombro de Kaladin, puxando-o de lado.

— Espere — disse o rei atrás deles. — Essa é uma insígnia de *capitão*? Em um olhos-escuros? Quando isso começou a acontecer?

Dalinar não respondeu; em vez disso, caminhou com Kaladin até o outro lado do salão.

— O rei se preocupa muito com assassinos — disse ele em voz baixa. — É bom que você saiba.

— Uma paranoia saudável torna o trabalho mais fácil para seus guarda-costas, senhor — respondeu Kaladin.

— Eu não disse que era saudável — replicou Dalinar. — Você me chama de "senhor". O tratamento costumeiro é "Luminobre".

— Usarei esse termo se for ordenado, senhor — respondeu Kaladin, encontrando os olhos do homem mais velho. — Mas "senhor" é um título apropriado, mesmo para um olhos-claros, se ele for seu superior direto.

— Sou um grão-príncipe.

— Falando francamente... — disse Kaladin; ele não pediria permissão para isso. Aquele homem o colocara naquele papel, então Kaladin partiria do princípio de que isso envolvia certos privilégios, a menos que Dalinar dissesse o contrário. — Todo homem que eu já chamei de "Luminobre" me traiu. Uns poucos homens que chamei de "senhor" ainda têm minha confiança até hoje. Uso o segundo termo com muito mais reverência que o primeiro. Senhor.

— Você é uma pessoa estranha, filho.

— As pessoas normais estão mortas nos abismos, senhor — disse Kaladin em voz baixa. — Sadeas cuidou disso.

— Bem, mande seus homens ficarem de guarda mais nas pontas da sacada, de onde não podem ouvir pela janela.

— Vou esperar com os homens no corredor, então — disse Kaladin, notando que os dois soldados da Guarda do Rei já haviam passado pelas portas.

— Não foi essa a minha ordem — replicou Dalinar. — Guarde as portas, mas do lado de dentro. Quero que você ouça o que estamos planejando. Só não repita fora daqui o que ouvir.

— Sim, senhor.

— Mais quatro pessoas estão vindo para a reunião — continuou Dalinar. — Meus filhos, o general Khal e a Luminosa Teshav, a esposa de Khal. Eles podem entrar. Qualquer outra pessoa deve ser impedida de passar até que a reunião esteja encerrada.

Dalinar voltou a conversar com a mãe do rei. Kaladin posicionou Moash e Drehy, então explicou o protocolo da porta para Mart e Eth. Teria que treiná-los mais tarde. Olhos-claros nunca realmente queriam dizer "Não deixe mais ninguém entrar" quando diziam "Não deixe mais ninguém entrar". O que isso significava era "Se você deixar mais alguém entrar, é melhor que eu concorde que essa pessoa era importante o bastante, senão você está encrencado".

Então, Kaladin assumiu seu posto do lado de dentro da porta fechada, recostado contra uma parede com um entalhado painel de uma madeira rara que ele não reconheceu. *Provavelmente vale mais do que ganhei em toda a minha vida,* ele pensou casualmente. *Um* único *painel de madeira.*

Os filhos do grão-príncipe chegaram; Adolin e Renarin Kholin. Kaladin já vira o primeiro no campo de batalha, embora ele parecesse diferente sem sua Armadura Fractal. Menos imponente; mais um garoto rico e mimado. Ah, ele usava um uniforme como todos os outros, mas os botões eram entalhados, e as botas... eram de um caro couro suíno, sem um único arranhão. Novas em folha, provavelmente compradas a um preço ridiculamente caro.

Mas ele salvou aquela mulher no mercado, pensou Kaladin, lembrando-se do encontro de semanas atrás. *Não se esqueça disso.*

Kaladin não sabia o que pensar de Renarin. O jovem — ele podia ser mais velho que Kaladin, mas não parecia — usava óculos e seguia seu irmão como uma sombra. Aqueles membros magros e dedos delicados nunca haviam conhecido a batalha ou o trabalho de verdade.

Syl balançava pelo quarto, verificando cantos, fendas e vasos. Ela parou junto de um peso de papel na escrivaninha das mulheres, ao lado da cadeira do rei, tocando um bloco de cristal com um estranho animal parecido com um caranguejo preso dentro. O bicho tinha asas?

— Esse aí não devia esperar do lado de fora? — indagou Adolin, indicando Kaladin com o queixo.

— O que estamos fazendo aqui vai me colocar em perigo direto — disse Dalinar, com as mãos unidas às costas. — Eu quero que ele saiba dos detalhes. Pode ser importante para realizar o trabalho dele.

Dalinar não olhou para Adolin ou Kaladin. O filho caminhou até ele, pegando Dalinar pelo braço e falando em voz baixa, mas não tão baixa que Kaladin não pudesse ouvi-lo.

— Nós mal o conhecemos.

— Temos que confiar em algumas pessoas, Adolin — respondeu seu pai em uma voz normal. — Se há uma pessoa nesse exército que eu posso garantir que não trabalha para Sadeas é esse soldado.

Ele se virou e olhou de relance para Kaladin, mais uma vez estudando-o com aqueles olhos insondáveis.

Ele não me viu com a Luz das Tempestades, Kaladin insistiu consigo mesmo. *Ele estava praticamente inconsciente. Ele não sabe.*

Ou sabe?

Adolin jogou as mãos para o alto, mas caminhou até o outro lado da sala, murmurando algo para seu irmão. Kaladin permaneceu a postos, parado confortavelmente na posição de descanso. *Sim, definitivamente mimado.*

O general que chegou logo em seguida era um homem calvo e ágil, de costas retas e olhos de um amarelo-pálido. Sua esposa, Teshav, tinha um rosto solene e cabelos entremeados de fios loiros. Ela se posicionou na escrivaninha, que Navani não fizera movimento para ocupar.

— Relatório — disse Dalinar, da janela, enquanto a porta se fechava atrás dos dois recém-chegados.

— Suspeito que o senhor saiba o que vai ouvir, Luminobre — disse Teshav. — Eles estão irados. Sinceramente esperavam que o senhor reconsiderasse o comando... e acreditam que enviá-lo ao público foi uma provocação. O Grão-príncipe Hatham foi o único a fazer um pronunciamento público. Ele planeja, nas suas palavras, "cuidar para que o rei seja dissuadido desse rumo imprudente e desavisado".

O rei suspirou, se remexendo na cadeira. Renarin sentou-se imediatamente, e o general fez o mesmo. Adolin demorou um pouco mais a sentar-se.

Dalinar permaneceu de pé, olhando pela janela.

— Tio? — indagou o rei. — O senhor ouviu essa reação? Ainda bem que o senhor não foi tão longe quanto pretendia antes: proclamar que eles *precisam* seguir os Códigos ou vão sofrer confisco de bens. Estaríamos no meio de uma rebelião.

— Isso ainda virá — respondeu Dalinar. — Ainda me pergunto se devia ter anunciado tudo de uma vez. Quando você tem uma flecha enfiada na carne, é melhor arrancá-la de uma vez.

Na verdade, quando alguém tinha uma flecha no corpo, a melhor coisa a fazer era deixá-la ali até encontrar um cirurgião. Frequentemente ela bloqueava o fluxo do sangue e o mantinha vivo. Mas provavelmente era melhor não falar isso em voz alta e estragar a metáfora do grão-príncipe.

— Raios, que imagem horrível — disse o rei, limpando o rosto com um lenço. — Por que precisa dizer coisas assim, tio? Eu *já* tenho medo de estar morto antes do fim da semana.

— Seu pai e eu sobrevivemos a coisas piores — replicou Dalinar.

— Mas nessa época vocês tinham aliados! Três grão-príncipes com vocês, só seis contra, e nunca lutaram contra todos ao mesmo tempo.

— Se os grão-príncipes se unirem contra nós, não seremos capazes de manter nossa posição — disse o general Khal. — Não teremos escolha senão rescindir a proclamação, o que enfraquecerá o Trono consideravelmente.

O rei se inclinou para trás, a mão na testa.

— Jezerezeh, isso vai ser um desastre...

Kaladin levantou uma sobrancelha.

— Você discorda? — perguntou Syl, movendo-se até ele como um aglomerado de folhas flutuantes. Era desconcertante ouvir a voz dela vindo de tais formas. Os outros na sala, naturalmente, não podiam vê-la ou ouvi-la.

— Não — sussurrou Kaladin. — Essa proclamação parece uma verdadeira tormenta. Eu só esperava que o rei fosse menos... Bem, menos chorão.

— Nós precisamos garantir aliados — disse Adolin. — Formar uma coalizão. Sadeas vai fazer uma, então devemos enfrentá-lo com a nossa.

— Dividindo o reino em dois? — contestou Teshav, balançando a cabeça. — Não vejo como uma guerra civil serviria ao Trono. Ainda mais uma que provavelmente não venceremos.

— Esse pode ser o fim de Alethkar enquanto reino — concordou o general.

— Alethkar deixou de ser um reino séculos atrás — respondeu Dalinar em voz baixa, olhando pela janela. — Essa coisa que criamos não é Alethkar. Alethkar era justiça. Nós somos crianças vestindo o manto de nosso pai.

— Mas, tio, pelo menos o reino é *alguma coisa* — disse o rei. — Mais do que tem sido há séculos! Se falharmos aqui, e nos fragmentarmos em dez principados em guerra, vamos negar tudo pelo que meu pai trabalhou!

— Não foi por isso que seu pai trabalhou, filho — respondeu Dalinar. — Esse jogo nas Planícies Quebradas, essa asquerosa farsa política. Não era essa a visão de Gavilar. A Tempestade Eterna está chegando...

— O quê? — indagou o rei.

Dalinar finalmente deixou a janela, caminhando até os outros, e pousou a mão no ombro de Navani.

— Nós vamos encontrar uma maneira de fazer dar certo, ou vamos destruir o reino no processo. Não vou mais tolerar essa farsa.

Kaladin, com os braços cruzados, batia um dedo contra o cotovelo.

— Dalinar age como se fosse o rei — sussurrou ele, tão baixo que só Syl pôde ouvi-lo. — E todos os outros fazem o mesmo.

Preocupante. Era o mesmo que Amaram fizera: tomar o poder que estava ao alcance dele, mesmo que não lhe pertencesse.

Navani olhou para Dalinar, levantando a mão e colocando-a sobre a dele. Ela sabia dos planos dele, a julgar por aquela expressão.

Já o rei, não. Ele suspirou.

— O senhor *obviamente* tem um plano, tio. E então? Diga logo, esse drama é cansativo.

— O que eu realmente quero fazer é dar uma bela surra neles — disse Dalinar com franqueza. — É o que eu faria com novos recrutas que não estivessem dispostos a obedecer a ordens.

— Acho que terá dificuldade em *dar uma surra* nos grão-príncipes, tio — disse o rei, seco. Por algum motivo, ele esfregou distraidamente o peito.

— O senhor precisa desarmá-los — Kaladin deixou escapar.

Todos os olhos na sala se voltaram para ele. A Luminosa Teshav franziu o cenho, como se Kaladin não tivesse o direito de falar; provavelmente não tinha. Dalinar, contudo, acenou com a cabeça na sua direção.

— Soldado? Você tem uma sugestão?

— Com sua licença, senhor — disse Kaladin. — E com sua licença, Vossa Majestade. Mas se um esquadrão está criando problemas, a primeira coisa a fazer é separar seus membros. Dividi-los, enfiá-los em esquadrões melhores. Não acho que o senhor possa fazer isso nessa situação.

— Eu não sei como poderíamos separar os grão-príncipes — replicou Dalinar. — Duvido que eu possa impedi-los de se juntarem. Talvez, se essa guerra estivesse vencida, eu pudesse designar diferentes grão-príncipes para diferentes deveres, mandá-los embora, e então trabalhar com eles individualmente. Mas, por enquanto, estamos presos aqui.

— Bem, a segunda coisa a fazer com desordeiros é desarmá-los — continuou Kaladin. — Eles são mais fáceis de controlar se forem obrigados a entregar suas lanças. É embaraçoso, faz com que eles se sintam como recrutas novamente. Então... talvez o senhor possa tirar as tropas deles?

— Temo que isso não seja possível — respondeu Dalinar. — Os soldados juram lealdade aos seus olhos-claros, não à Coroa especificamente. Só os grão-príncipes juraram servir à Coroa. Contudo, sua linha de raciocínio está correta. — Ele apertou o ombro de Navani. — Passei as duas últimas semanas tentando decidir como abordar esse problema. Meu instinto diz que preciso tratar os grão-príncipes, toda a população olhos-claros de Alethkar, como novos recrutas, que precisam de disciplina.

— Ele me procurou e nós conversamos — disse Navani. — Não podemos *realmente* rebaixar os grão-príncipes a uma patente administrável, por mais que Dalinar desejasse fazer exatamente isso. Em vez disso, precisamos levá-los a acreditar que *vamos* tirar tudo deles, se não tomarem jeito.

— Essa proclamação vai deixá-los furiosos — prosseguiu Dalinar. — Eu *quero* que eles fiquem furiosos. Quero que eles pensem sobre a guerra, sobre seu lugar aqui, e quero que se lembrem do assassinato de Gavilar. Se eu puder pressioná-los a agirem mais como soldados, ainda que isso comece com eles pegando em armas contra mim, então talvez possa persuadi-los. Sei argumentar com soldados. Independentemente disso, grande parte do plano envolve a ameaça de que vou tomar sua autoridade e poder se eles não forem utilizados corretamente. E isso começa, como o capitão Kaladin sugeriu, desarmando-os.

— Desarmar os *grão-príncipes*? — indagou o rei. — Que tolice é essa?

— Não é tolice. — Dalinar sorriu. — Não podemos tomar os exércitos deles, mas *podemos* fazer outra coisa. Adolin, pretendo remover o cadeado da sua bainha.

Adolin franziu o cenho, digerindo as palavras por um momento. Então sorriu de orelha a orelha.

— Quer dizer que terei sua permissão para voltar a duelar? De verdade?

— Sim — disse Dalinar. Ele se voltou para o rei. — Faz tempo que eu o proibi de lutar em justas importantes, já que os Códigos proíbem duelos de honra entre oficiais durante a guerra. Contudo, fui me dando conta que os outros não se consideram em guerra; eles estão jogando um jogo. Está na hora de permitir que Adolin duele com os Fractários de outros acampamentos em justas oficiais.

— Para que ele possa humilhá-los? — perguntou o rei.

— Não seria para causar humilhação; seria para privá-los de suas Espadas Fractais. — Dalinar colocou-se no meio do grupo de cadeiras. — Os grão-príncipes terão muita dificuldade em lutar contra nós, se controlarmos todas as Espadas Fractais e Armaduras Fractais do exército. Adolin, quero que você desafie os Fractários dos outros grão-príncipes em duelos de honra, tendo como prêmio as próprias Fractais.

— Eles não vão concordar com isso — disse o general Khal. — Vão recusar os duelos.

— Teremos que garantir que eles concordem — replicou Dalinar. — Encontrar uma maneira de forçá-los, ou envergonhá-los, para que lutem. Imagino que isso seria mais fácil se pudéssemos rastrear para onde foi que Riso fugiu.

— O que acontece se o rapaz perder? — perguntou o general Khal. — Esse plano parece demasiado imprevisível.

— Veremos — disse Dalinar. — Isso é apenas parte do que vamos fazer, a menor parte... mas também a parte mais visível. Adolin, todos me dizem como você é bom em duelos, e você tem me importunado sem parar para desistir de minha proibição. Há trinta Fractários no exército, sem contar os nossos. Você pode derrotar tantos homens?

— Se eu posso? — disse Adolin, sorrindo. — Não vou nem suar, contanto que eu possa começar pelo próprio Sadeas.

Então ele é mimado e *convencido*, pensou Kaladin.

— Não — respondeu Dalinar. — Sadeas não vai aceitar um desafio pessoal, muito embora nossa meta seja derrubá-lo, ao fim. Começaremos com alguns dos Fractários menores e chegaremos nele.

Os outros na sala pareciam preocupados. Isso incluía a Luminosa Navani, que apertou os lábios e olhou de relance para Adolin. Ela podia saber do plano de Dalinar, mas não gostava da ideia de o sobrinho duelar.

Ela não fez comentários sobre isso.

— Como Dalinar indicou — disse Navani —, esse não é o plano inteiro. Com sorte, os duelos de Adolin não precisarão ir muito longe. Seu propósito é principalmente inspirar preocupação e medo, pressionar algumas facções que estão trabalhando contra nós. Nosso maior trabalho envolve um complexo e determinado esforço político para nos conectarmos com quem pode ser persuadido a tomar nosso lado.

— Navani e eu vamos trabalhar para persuadir os grão-príncipes das vantagens de um Alethkar verdadeiramente unificado — disse Dalinar, concordando. — Embora o Pai das Tempestades saiba que sou menos confiante da minha sagacidade política do que Adolin é de sua habilidade como duelista. É o que deve ser. Se Adolin vai ser o bastão, eu preciso ser a pena.

— Haverá assassinos, tio — disse Elhokar, soando cansado. — Eu não acho que Khal tenha razão; não acho que Alethkar vá se fragmentar imediatamente. Os grão-príncipes gostam da ideia de fazer parte de um reino. Mas eles também gostam do seu entretenimento, sua diversão, suas gemas-coração. Então vão enviar assassinos. Primeiro, discretamente, e provavelmente não diretamente contra o senhor ou contra mim. Nossas famílias. Sadeas e os outros vão tentar nos ferir, tentar nos fazer recuar. Está disposto a arriscar os seus filhos nisso? E a minha mãe?

— Sim, você tem razão. Eu não tinha... mas é verdade. É assim que eles pensam.

Kaladin achou que ele soou pesaroso.

— E ainda assim está disposto a levar em frente esse plano? — quis saber o rei.

— Não tenho escolha — respondeu Dalinar, dando-lhe as costas e caminhando de volta para a janela; olhando para o oeste, para o continente.

— Então, pelo menos me diga: qual é o seu objetivo, tio? O que é que o senhor quer disso tudo? Em um ano, se sobrevivermos a esse fiasco, onde o senhor quer que estejamos?

Dalinar colocou as mãos no espesso parapeito de pedra. Ele olhou para fora, como se houvesse algo que pudesse ver e os outros não enxergassem.

— Vamos voltar a ser o que éramos, filho. Um reino capaz de atravessar tempestades, um reino que é uma luz e não uma escuridão. Terei um Alethkar verdadeiramente unido, com grão-príncipes leais e justos. Terei mais do que isso. — Ele bateu no parapeito. — Vou refundar os Cavaleiros Radiantes.

Chocado, Kaladin quase deixou a lança cair. Felizmente, ninguém estava olhando para ele — estavam se levantando de um salto, fitando Dalinar.

— Os Radiantes? — explodiu a Luminosa Teshav. — Está louco? O senhor vai tentar reconstruir uma seita de traidores que nos entregaram aos Esvaziadores?

— O resto do plano parece bom, pai — disse Adolin, se adiantando. — Eu sei que o senhor pensa muito sobre os Radiantes, mas o senhor os enxerga... de modo diferente de todo mundo. Não vai cair bem se anunciar que pretende imitá-los.

O rei apenas grunhiu, enterrando o rosto nas mãos.

— As pessoas estão enganadas sobre eles — disse Dalinar. — E mesmo se não estivessem, os Radiantes originais, aqueles que foram criados pelos Arautos, são considerados virtuosos e justos mesmo pela Igreja Vorin. Precisamos lembrar as pessoas de que os Cavaleiros Radiantes, como uma ordem, representavam algo grandioso. Se não fosse o caso, eles não teriam "caído", como dizem as histórias.

— Mas *por quê?* — indagou Elhokar. — Qual é o objetivo disso?

— É o que preciso fazer. — Dalinar hesitou. — Ainda não tenho certeza absoluta do motivo. Só que fui instruído a fazer isso. Como uma proteção, e preparação, para o que está vindo. Algum tipo de tormenta. Talvez seja algo simples, como a revolta doutros grão-príncipes contra nós. Eu duvido, mas talvez seja.

— Pai — disse Adolin, com a mão no braço de Dalinar. — Tudo bem, talvez o senhor possa mudar a percepção das pessoas sobre os Radiantes, mas... pela alma de Ishar, Pai! Eles podiam fazer coisas que nós não podemos. Apenas nomear alguém um Radiante não vai dar à pessoa poderes fantásticos, como nas histórias.

— Os Radiantes eram mais do que seus poderes — respondeu Dalinar. — Eles representavam um ideal. O tipo de ideal que nos falta hoje em dia. Podemos até não ser mais capazes das antigas Manipulações de Fluxos, dos poderes que eles tinham, mas podemos imitar os Radiantes de outras maneiras. Estou decidido. Não tentem me dissuadir.

Os outros não pareciam convencidos.

Kaladin estreitou os olhos. Será que Dalinar sabia sobre seus poderes, ou não? A reunião passou a tópicos mais mundanos, como a maneira de manipular Fractários a enfrentarem Adolin e como aumentar as patrulhas dos arredores. Dalinar julgava que tornar os acampamentos de guerra seguros era um pré-requisito para o que estava tentando fazer.

Quando a reunião finalmente terminou, com a maioria das pessoas ali no salão partindo para executar ordens, Kaladin ainda estava pensando sobre o que Dalinar dissera sobre os Radiantes. Dalinar não sabia disso, mas fora bastante preciso. Os Cavaleiros Radiantes tinham ideais — e esse era o nome que usavam. Os Cinco Ideais, as Palavras Imortais.

Vida antes da morte, pensou Kaladin, brincando com uma esfera que tirara do bolso. *Força antes da fraqueza, jornada antes do destino.* Essas Palavras compunham a totalidade do Primeiro Ideal. Ele só tinha uma ideia do que isso significava, mas sua ignorância não o impedira de descobrir o Segundo Ideal dos Corredores dos Ventos, o juramento de proteger aqueles que não podiam proteger a si mesmos.

Syl não queria contar quais eram os outros três. Ela disse que ele saberia quando fosse necessário. Ou não saberia, e não poderia progredir.

Ele queria progredir? Para se tornar o quê? Um membro dos Cavaleiros Radiantes? Kaladin não pedira para ter a vida governada pelos ideais de outros. Ele só queria sobreviver. Agora, de algum modo, estava seguindo direto por um caminho que homem algum trilhara durante séculos. Com chances de se tornar algo que as pessoas de toda Roshar odiariam ou reverenciariam. Tanta atenção...

— Soldado? — chamou Dalinar, parando junto à porta.

— Senhor. — Kaladin se endireitou e fez a saudação.

Era *bom* fazer isso, ficar em posição de sentido, ter um lugar. Ele não sabia ao certo se era o bom sentimento de recordar uma vida que ele antes amara, ou o sentimento patético de um cão-machado reencontrando sua coleira.

— Meu sobrinho estava certo — disse Dalinar, vendo o rei afastar-se pelo corredor. — Os outros podem tentar ferir a minha família. É assim que eles pensam. Vou precisar de destacamentos de guarda para Navani e meus filhos o tempo todo. Seus melhores homens.

— Tenho cerca de duas dúzias, senhor — disse Kaladin. — Isso não é o bastante para destacamentos de guarda completos em tempo integral para proteger os quatro. Logo devo ter mais homens treinados, mas colocar uma lança nas mãos de um carregador de pontes não faz dele um soldado, ainda mais um bom guarda-costas.

Dalinar assentiu, parecendo perturbado. Ele coçou o queixo.

— Senhor?

— A sua força não é a única que está sobrecarregada nesse acampamento de guerra, soldado — disse Dalinar. — Perdi muitos homens na traição de Sadeas. Homens excelentes. Agora eu tenho um prazo. Pouco mais de sessenta dias...

Kaladin sentiu um arrepio. O grão-príncipe estava levando o número desenhado na sua parede muito a sério.

— Capitão — continuou Dalinar em voz baixa —, preciso de todos os homens fisicamente aptos que eu puder obter. Preciso treiná-los, reconstruir meu exército, me preparar para a tormenta. Preciso deles nas investidas nos platôs, lutando com os parshendianos, para adquirir experiência de combate.

O que isso tinha a ver com ele?

— O senhor prometeu que meus homens não precisariam lutar em investidas nos platôs.

— Vou manter essa promessa — garantiu Dalinar. — Mas há 250 soldados na Guarda do Rei. Eles incluem alguns dos meus últimos oficiais prontos para a batalha, e precisarei colocá-los no comando de novos recrutas.

— Eu não vou ter que vigiar apenas a sua família, não é? — indagou Kaladin, sentindo um novo peso nos ombros. — O senhor está dizendo que quer que eu me encarregue de guardar o *rei* também.

— Isso. Aos poucos, mas quero. Eu preciso desses soldados. Além disso, manter duas forças de guarda separadas me parece um erro. Sinto que seus homens, levando em conta o seu histórico, são os menos prováveis de incluir espiões dos meus inimigos. Você deve saber que, algum tempo atrás, pode ter havido um atentado contra a vida do rei. Ainda não descobri quem estava por trás disso, mas estou preocupado com a possibilidade de que alguns dos guardas dele estejam envolvidos.

Kaladin respirou fundo.

— O que aconteceu?

— Elhokar e eu estávamos caçando um demônio-do-abismo — contou Dalinar. — Durante a caçada, em um momento de perigo, a Armadura do rei quase parou de funcionar. Nós descobrimos que muitas das gemas que a alimentavam provavelmente tinham sido substituídas por outras com falhas, fazendo com que rachassem sob tensão.

— Eu não sei muito sobre Armaduras, senhor — disse Kaladin. — Ela poderia ter quebrado por conta própria, sem sabotagem?

— É possível, mas improvável. Quero que os seus homens se alternem guardando o palácio e o rei, em turnos com alguns membros da Guarda do Rei, para que vocês se familiarizem com ele e com o palácio. Também seria bom para os seus homens aprenderem com alguns dos guardas mais experientes. Ao mesmo tempo, vou começar a remover alguns dos oficiais da guarda de Elhokar para treinar soldados no meu exército. Nas próximas semanas, vamos fundir o seu grupo e a Guarda do Rei em um só. Você estará no comando. Uma vez que tenha treinado carregadores dessas outras equipes bem o bastante, vamos substituir soldados da guarda pelos seus homens, e passar os soldados para o meu exército. — Ele fitou Kaladin nos olhos. — Pode fazer isso, soldado?

— Sim, senhor — respondeu Kaladin, embora parte dele estivesse entrando em pânico. — Posso.

— Ótimo.

— Senhor, uma sugestão. O senhor disse que vai expandir patrulhas fora dos acampamentos de guerra, tentando policiar as colinas ao redor das Planícies Quebradas?

— Sim. O número de bandidos ali é vergonhoso. Esta terra é alethiana agora. Ela precisa seguir as leis alethianas.

— Tenho mil homens que preciso treinar — disse Kaladin. — Se eu puder usá-los para patrulhar essa área, talvez eles se sintam mais como soldados. Posso usar uma força grande o bastante para passar uma mensagem para os bandidos, talvez fazendo com que recuem... mas os meus homens não vão precisar entrar em muitos combates.

— Ótimo. O general Khal estava no comando do patrulhamento, mas agora ele é meu comandante mais graduado e será necessário para outras coisas. Treine os seus homens. Nossa meta é fazer com que os seus mil homens acabem patrulhando de verdade a estrada entre as Planícies, Alethkar e os portos ao sul e ao leste. Quero equipes de batedores atentos a sinais de acampamentos de bandidos e buscando caravanas que tenham sido atacadas. Preciso saber quanta atividade está acontecendo por aí, e qual é o nível de perigo.

— Cuidarei disso pessoalmente, senhor.

Raios. Como ele ia conseguir fazer tudo aquilo?

— Ótimo — respondeu Dalinar.

Dalinar saiu do salão, as mãos às costas, como se estivesse perdido em pensamentos. Moash, Eth e Mart o seguiram, como Kaladin havia ordenado. Tinha dois homens com Dalinar o tempo todo, três se possível. Chegara a ter a esperança de expandir esse número para quatro ou cinco, mas raios, com tantos para vigiar agora, isso seria impossível.

Quem é esse homem?, pensou Kaladin, olhando a silhueta de Dalinar se distanciando. Ele comandava um bom acampamento. Era possível julgar uma pessoa — e Kaladin julgava — pelos homens que o seguiam.

Mas um tirano podia ter um bom acampamento com soldados disciplinados. Aquele homem, Dalinar Kholin, ajudara a unir Alethkar — e isso fora feito com muito sangue derramado. Agora... Agora ele falava como um rei, mesmo quando o próprio rei estava na sala.

Ele quer reconstruir os Cavaleiros Radiantes, pensou Kaladin. Não era algo que Dalinar Kholin poderia realizar através da simples força de vontade.

A menos que tivesse ajuda.

6
TERRÍVEL DESTRUIÇÃO

> *Nunca pensamos que pudesse haver espiões parshendianos escondidos entre nossos escravos. Essa é mais uma coisa que eu deveria ter previsto.*
>
> — Do diário de Navani Kholin, jesesan, ano de 1174

SHALLAN SENTOU-SE NOVAMENTE EM sua caixa no convés do navio, embora dessa vez usasse um chapéu, um casaco sobre o vestido e uma luva na mão livre — sua mão segura estava, naturalmente, dentro da manga.

A friagem ali fora, em mar aberto, era irreal. O capitão dissera que no extremo sul, o próprio oceano chegava a congelar. Isso parecia incrível; algo que ela gostaria de ver. Já vira neve e gelo algumas vezes em Jah Keved, durante um ou outro inverno. Mas um oceano inteiro de gelo? Fantástico.

Ela escrevia com dedos enluvados enquanto observava o espreno que nomeara de Padrão. No momento, ele havia se levantado da superfície do convés, formando uma bola de negrume giratório — linhas infinitas que se retorciam de maneiras que nunca poderiam ser capturadas na página bidimensional. Em vez disso, ela escreveu descrições suplementadas com esboços.

— Comida... — disse Padrão. O som parecia um zumbido e ele vibrava ao falar.

— Sim — disse Shallan. — Nós a comemos.

Ela selecionou uma pequena frutalima da tigela ao seu lado e colocou-a na boca, depois a mastigou e engoliu.

— Comer — disse Padrão. — Você... faz isso... parte de você.
— Sim! Exatamente.

Ele deixou-se cair, a escuridão desaparecia enquanto adentrava o convés de madeira do navio. Mais uma vez, tornou-se parte do material — fazendo a madeira ondular como água. Ele deslizou pelo chão, então se moveu pela caixa, subindo até estar junto dela, na tigela de pequenas frutas verdes. Ali, ele moveu-se *através* das frutas, a casca de cada uma se franzindo e elevando na forma do seu padrão.

— Horrível! — disse ele, o som vibrando da tigela.
— Horrível?
— Destruição!
— O quê? Não, é assim que sobrevivemos. Tudo precisa comer.
— Comer é horrível destruição! — Ele soou horrorizado e recuou da tigela para o convés.

Padrão conecta pensamentos cada vez mais complexos, escreveu Shallan. *Abstrações lhe ocorrem facilmente. Antes, ele me perguntava "Por quê? Por que você? Por que ser?". Interpretei como se ele estivesse indagando meu propósito. Quando respondi "para encontrar a verdade", ele pareceu compreender facilmente o que eu queria dizer. Ainda assim, algumas realidades simples — tais como por que as pessoas precisam comer — lhe escapam completamente. Ele...*

Ela parou de escrever quando o papel se enrugou e se elevou, com Padrão aparecendo na própria folha, suas linhas minúsculas elevando as letras que ela acabara de escrever.

— Por que isso? — perguntou ele.
— Para lembrar.
— Lembrar — disse ele, experimentando a palavra.
— Significa... — Pai das Tempestades. Como ela podia explicar a memória? — Significa ser capaz de saber o que você fez no passado. Em outros momentos, que aconteceram dias atrás.
— Lembrar. Eu... não consigo... lembrar...
— Qual é a primeira coisa de que você se lembra? — indagou Shallan. — Onde você esteve primeiro?
— Primeiro — disse Padrão. — Com você.
— No navio? — perguntou ela, escrevendo.
— Não. Verde. Comida. Comida que não foi comida.
— Plantas?
— Sim. Muitas plantas.

Ele vibrou, e ela ouviu naquela vibração o vento soprando pelos galhos. Shallan inspirou. Ela quase podia *ver*. O convés diante de si transformou-se em um caminho de terra, sua caixa virou um banco de pedra. De modo tênue. Não era real, mas *quase*. Os jardins do seu pai. Padrão no chão, desenhado na poeira...

— Lembrar — disse Padrão, sua voz como um sussurro.

Não, pensou Shallan, horrorizada. *NÃO!*

A imagem desapareceu. Nem existira de verdade, existira? Ela levou a mão segura ao peito, inspirando e expirando, ofegante. Não.

— Ei, senhorita! — chamou Yalb de trás. — Conte ao novato aqui o que aconteceu em Kharbranth!

Shallan se virou, o coração ainda acelerado, e viu Yalb se aproximando com o "novato", um homenzarrão de um metro e oitenta que era pelo menos cinco anos mais velho do que Yalb. Eles o contrataram em Amydlatn, o último porto. Tozbek quis garantir que não faltaria pessoal durante a última parte da jornada até Nova Natanan.

Yalb se agachou junto ao banco de Shallan. Devido ao frio, ele concordara em vestir uma camisa com mangas esfarrapadas e um tipo de faixa de cabeça enrolada ao redor das orelhas.

— Luminosa? A senhorita está bem? Parece que engoliu uma tartaruga. Com casco e tudo.

— Estou bem — disse Shallan. — O que... O que foi mesmo que você me pediu?

— Em Kharbranth — disse Yalb, apontando por cima do ombro com o polegar. — Nós nos encontramos ou não com o rei?

— Nós? Eu me encontrei com ele.

— E eu era o seu séquito.

— Você esperou do lado de fora.

— Isso não faz diferença — disse Yalb. — Eu fui seu lacaio naquela reunião, né?

Lacaio? Ele a conduzira até o palácio como um favor.

— Acho... que sim. Você fez uma bela mesura, se bem me lembro.

— Viu? — disse Yalb, ficando de pé e confrontando o homem muito maior. — Eu mencionei a mesura, não foi?

O "novato" grunhiu, concordando.

— Então vá lavar aqueles pratos — ordenou Yalb, e recebeu uma carranca como resposta. — Ora, não me venha com cara feia. Eu *disse* a você, o capitão sempre fica de olho no plantão da cozinha. Se quer se enturmar, faça direito, e depois faça melhor. Assim você fica bem com o capitão *e* com o resto dos homens. Estou lhe dando uma boa oportunidade, viu, então pode ficar grato.

Isso pareceu aplacar o grandalhão, que deu meia-volta e foi para o convés inferior.

— Paixões! — exclamou Yalb. — Aquele sujeito é tão brilhante quanto duas esferas de lama. Fico preocupado com ele; alguém vai acabar se aproveitando do coitado, Luminosa.

— Yalb, você andou contando vantagem novamente? — quis saber Shallan.

— Num é contar vantagem se for meio verdade.

— É *exatamente* esse o significado de contar vantagem.

— Ei — disse Yalb, voltando-se para ela. — O que estava fazendo antes? Com as cores, sabe?

— Cores? — Shallan sentiu um calafrio.

— É, o convés ficou verde, né? — disse Yalb. — Juro que vi. Isso tem algo a ver com o espreno esquisito, não tem?

— Eu... Eu estou tentando determinar exatamente que tipo de espreno é esse — respondeu Shallan, calma. — É uma questão de erudição.

— Foi o que eu pensei — respondeu Yalb, embora sua resposta não dissesse nada.

Ele acenou de modo afável, depois se afastou. Ela se preocupara em deixá-los ver Padrão. Tentara permanecer na cabine para mantê-lo escondido dos homens, mas ficar engaiolada fora difícil demais, e ele não reagiu às sugestões de ficar fora da vista dos outros. Então, durante os últimos quatro dias, ela fora forçada a deixar que os marinheiros a vissem o estudando.

Compreensivelmente, eles ficaram inquietos com a criatura, mas não disseram muito. Naquele dia, estavam preparando o navio para navegar a noite toda. Pensar sobre o mar aberto à noite a perturbava, mas era o preço de navegar para um ponto tão distante da civilização. Dois dias atrás, eles chegaram a ser forçados a aguentar uma tempestade em uma enseada junto à costa. Jasnah e Shallan desceram a terra para permanecer em uma fortaleza mantida ali para esse propósito — pagando um preço bem caro para entrar —, enquanto os marinheiros permaneceram a bordo.

Aquela enseada, embora não fosse um verdadeiro porto, pelo menos tinha um paredão para ajudar a abrigar o navio. Na próxima grantormenta, eles não teriam nem isso. Encontrariam uma enseada e tentariam navegar para longe dos ventos, embora Tozbek houvesse dito que enviaria Shallan e Jasnah para terra firme para procurar abrigo em uma caverna.

Ela se voltou para Padrão, que havia mudado para sua forma flutuante. Ele se parecia um pouco com o padrão de luz fragmentada lançado na parede por um lustre de cristal — exceto que era feito de algo escuro em vez de luz, e era tridimensional. Então... talvez não fosse tão parecido assim.

— Mentiras — disse Padrão. — Mentiras do Yalb.

— Sim. — Shallan suspirou. — Às vezes, Yalb é persuasivo demais para seu próprio bem.

Padrão murmurou baixinho. Ele parecia satisfeito.

— Você gosta de mentiras? — indagou Shallan.

— Boas mentiras — respondeu Padrão. — Aquela mentira. Boa mentira.

— O que faz uma mentira ser boa? — perguntou Shallan, anotando cuidadosamente para registrar as palavras exatas.

— Mentiras verdadeiras.

— Padrão, essas duas coisas são opostas.

— Hmmmm... a luz faz sombra. Verdade faz mentiras. Hmmmm.

Jasnah os chamou de esprenos de mentira, escreveu Shallan. *Um apelido de que eles aparentemente não gostam. Quando eu Transmutei pela primeira vez, uma voz me exigiu uma verdade. Eu ainda não sei o que isso significa, e Jasnah não tem sido muito aberta. Ela também parece não saber como interpretar minha experiência. Eu não acho que aquela voz pertence a Padrão, mas não sei dizer, já que ele parece ter esquecido tanto sobre si mesmo.*

Ela voltou a fazer alguns desenhos de Padrão tanto na sua forma flutuante quanto plana. Desenhar permitia que sua mente relaxasse. Quando acabou, havia várias passagens de que se lembrava vagamente e que desejava citar em suas anotações.

Ela foi até os degraus que davam para o convés inferior, seguida por Padrão, que atraiu olhares dos marinheiros. Marinheiros costumavam ser supersticiosos, e alguns achavam que ele era um mau agouro.

Na sua cabine, Padrão subiu na parede ao lado dela, observando sem olhos enquanto Shallan procurava uma passagem que mencionava um espreno falante. Não só esprenos de vento e esprenos de rio, que conseguiam imitar pessoas e fazer comentários espirituosos. Esses estavam em um nível acima de um espreno normal, mas havia ainda outro nível de espreno, que era raramente visto: esprenos como Padrão, que tinham verdadeiras conversas com pessoas.

A Guardiã da Noite é obviamente um desses, escrevera Alai, e Shallan copiou a passagem. *Os registros de conversas com ela — e ela é definitivamente fêmea, apesar do que diziam os contos folclóricos rurais dos alethianos — são numerosos e confiáveis. Shubalai em pessoa, determinada a fornecer um relato erudito, visitou a Guardiã da Noite e registrou sua história palavra por palavra...*

Shallan foi até outra referência, e em pouco tempo ficou totalmente perdida nos seus estudos. Algumas horas depois, ela fechou um livro e deixou-o na mesa ao lado da cama. Suas esferas estavam escurecendo, logo se apagariam, e precisariam ser reinfundidas com Luz das Tempestades. Shallan soltou um suspiro de contentamento e se recostou contra a cama, suas anotações de uma dúzia de fontes diferentes dispostas no chão de sua pequena câmara.

Sentia-se... satisfeita. Seus irmãos haviam adorado o plano de consertar o Transmutador e devolvê-lo, e pareciam animados com a sua insinuação de que nem tudo estava perdido. Eles achavam que conseguiriam segurar as pontas mais um tempo, agora que havia um plano.

A vida de Shallan estava se resolvendo. Quanto tempo fazia desde a última vez que fora capaz de simplesmente sentar-se e ler? Sem se preocupar com sua casa, sem temer a necessidade de encontrar um jeito de roubar de Jasnah? Mesmo antes da terrível sequência de eventos que acarretara a morte do seu pai, ela sempre fora ansiosa. Sua vida fora assim. Considerava tornar-se uma verdadeira erudita algo inalcançável. Pai das Tempestades! Considerava a *cidade mais próxima* inalcançável.

Ela se levantou, pegando seu caderno e folheando pelas imagens do santide, incluindo várias desenhadas da memória do seu mergulho no oceano. Sorriu ao se lembrar disso, recordando como escalara de volta para o convés, encharcada e sorridente. Os marinheiros todos obviamente pensaram que ela era louca.

Agora ela estava viajando para uma cidade na beira do mundo, noiva de um poderoso príncipe alethiano, e estava livre para simplesmente aprender. Estava conhecendo incríveis novas vistas, desenhando-as durante os dias, depois lendo pilhas de livros durante as noites.

Tropeçara na vida perfeita, e era tudo que sempre desejara.

Shallan procurou no bolso dentro da manga segura, catando mais algumas esferas para substituir as que estavam escurecendo no cálice. Contudo, as que emergiram na sua mão estavam completamente opacas. Nem um lampejo de Luz nelas.

Franziu o cenho. As esferas haviam sido restauradas na grantormenta anterior, mantidas em uma cesta amarrada ao mastro do navio. Aquelas no seu cálice já eram mais antigas, de duas tormentas atrás, o que explicava por que estavam se apagando. Por que as esferas no seu bolso haviam escurecido mais rápido? Isso desafiava a razão.

— Hmmmm... — fez Padrão da parede perto da sua cabeça. — Mentiras.

Shallan voltou a botar as esferas no bolso, depois abriu a porta para o estreito corredor do navio e foi até a cabine de Jasnah. Era a cabine que Tozbek e sua esposa geralmente compartilhavam, mas eles a trocaram pela terceira — e menor — das cabines, para oferecer a Jasnah os melhores aposentos. As pessoas faziam coisas assim por ela, mesmo quando ela não pedia.

Jasnah teria algumas esferas que Shallan pudesse usar. De fato, a porta estava entreaberta, oscilando levemente enquanto o navio rangia e balançava em seu percurso noturno. Jasnah estava ali dentro, sentada à mesa, e Shallan deu uma espiadela, subitamente incerta se queria incomodá-la.

Podia ver o rosto de Jasnah, a mão contra a têmpora, olhando para as páginas abertas diante dela. Os olhos da mulher estavam apreensivos; sua expressão, exausta.

Aquela *não* era a Jasnah que Shallan estava acostumada a ver. A confiança fora sobrepujada pela exaustão, a compostura substituída pela preocupação. Jasnah começou a escrever, mas parou depois de algumas palavras. Ela pousou a pena, fechando os olhos e massageando as têmporas. Alguns esprenos que pareciam tontos, como jatos de poeira se levantando no ar, apareceram ao redor da cabeça de Jasnah. Esprenos de exaustão.

Shallan recuou, subitamente sentindo que havia invadido um momento íntimo. Jasnah com as defesas baixas. Shallan começou a se afastar em silêncio, mas uma voz ecoou de repente do chão:

— Verdade!

Assustada, Jasnah ergueu os olhos e encontrou Shallan — que, naturalmente, enrubesceu furiosamente. Jasnah voltou os olhos para Padrão, no assoalho, depois recolocou sua máscara, sentando-se com a postura apropriada.

— Sim, menina?

— Eu... Eu preciso de esferas... — balbuciou Shallan. — As que estavam na minha bolsa escureceram.

— Você andou Transmutando? — perguntou Jasnah rispidamente.

— O quê? Não, Luminosa. Prometi que não faria isso.

— Então é a segunda habilidade — disse Jasnah. — Entre e feche a porta. Preciso falar com o capitão Tozbek; ela não fecha direito.

Shallan entrou, puxando a porta, mas o fecho não travou. Ela avançou, as mãos entrelaçadas, sentindo-se constrangida.

— O que você fez? — indagou Jasnah. — Imagino que tenha envolvido luz.

— Parece que fiz plantas aparecerem. Bem, na verdade só a cor. Um dos marinheiros viu o convés ficar verde, mas a cor desapareceu quando eu deixei de pensar nas plantas.

— Sim...

Jasnah folheou um dos seus livros, parando em uma ilustração. Shallan a vira antes; era tão antiga quanto o vorinismo. Dez esferas conectadas por linhas, formando uma silhueta parecida com uma ampulheta deitada. Duas das esferas no centro quase pareciam pupilas. O Olho Duplo do Todo-Poderoso.

— Dez Essências — sussurrou Jasnah. Ela correu os dedos pela página. — Dez Fluxos. Dez ordens. Mas o que significa que os esprenos tenham finalmente decidido nos devolver os juramentos? E quanto tempo me resta? Não muito. Não muito...

— Luminosa?

— Antes da sua chegada, era possível deduzir que eu era uma anomalia. Era possível esperar que as Manipulações de Fluxos não estivessem voltando em grande número. Não tenho mais essa esperança. Os Crípticos a enviaram até mim, disso não tenho dúvida, porque eles sabiam que você precisaria de treinamento. Isso me dá a esperança de que eu fui pelo menos uma das primeiras.

— Eu não entendo.

Jasnah ergueu os olhos para Shallan, encarando-a com uma expressão intensa. Seus olhos estavam vermelhos de fadiga. Até que horas ela andava trabalhando? Toda noite, quando Shallan ia se deitar, havia ainda luz sob a porta de Jasnah.

— Para ser honesta, eu também não entendo.

— A senhora está bem? — perguntou Shallan. — Antes que eu entrasse, parecia... angustiada.

Jasnah hesitou só um momento.

— Tenho passado tempo demais nos meus estudos, só isso. — Ela se voltou para um dos seus baús, retirando uma bolsa de pano escuro cheia de esferas. — Leve essas daqui. Sugiro que você carregue esferas o tempo todo, para que sua Manipulação de Fluxos tenha a oportunidade de se manifestar.

— Pode me ensinar? — perguntou Shallan, pegando a bolsa.

— Eu não sei. Vou tentar. Nesse diagrama, um dos Fluxos é conhecido como Iluminação, o domínio da luz. Por enquanto, prefiro que você volte seus esforços para aprender este Fluxo, em vez da Transmutação. Essa é uma arte perigosa, agora ainda mais do que antes.

Shallan assentiu, se levantando. Contudo, hesitou antes de sair.

— Tem certeza de que está bem?

— Claro. — Ela falou rápido demais. Ela mantinha a postura controlada, mas também estava obviamente exausta. A máscara havia rachado, e Shallan via a verdade.

Ela está tentando me tranquilizar. Dar um tapinha na minha cabeça e me mandar de volta para a cama, como uma criança que acordou por um pesadelo.

— A senhora está preocupada — disse Shallan, encontrando o olhar de Jasnah.

A mulher desviou os olhos, empurrou um livro sobre alguma coisa se remexendo em sua mesa — um pequeno espreno roxo. Espreno de medo. Só um, verdade, mas ainda assim.

— Não... — sussurrou Shallan. — A senhora não está preocupada. Está *apavorada*.

Pai das Tempestades!

— Está tudo bem, Shallan. Só preciso dormir um pouco. Volte para os seus estudos.

Shallan sentou-se novamente no banco ao lado da mesa de Jasnah. A mulher mais velha a olhou de volta, e Shallan percebeu a máscara rachando ainda mais. Irritação, à medida que Jasnah apertava os lábios. Tensão na maneira como ela segurava a pena, em punho.

— A senhora me disse que eu podia fazer parte disso. Jasnah, se está preocupada com alguma coisa...

— Minha preocupação é a de sempre — respondeu Jasnah, se recostando na cadeira. — Que seja tarde demais. Que eu seja incapaz de fazer qualquer coisa significativa para deter o que está chegando... que eu esteja tentando deter uma grantormenta soprando *com muita força* contra ela.

— Os Esvaziadores — disse Shallan. — Os parshemanos.

— No passado, a Desolação... a chegada dos Esvaziadores... supostamente era sempre marcada por um retorno dos Arautos para preparar a humanidade. Eles treinavam os Cavaleiros Radiantes, que viam um rápido aumento de novos membros.

— Mas nós capturamos os Esvaziadores — disse Shallan. — E os escravizamos. — Era isso que Jasnah postulava, e Shallan concordava, tendo visto a pesquisa. — Então a senhora acha que um tipo de revolução está chegando. Que os parshemanos vão se voltar contra nós, como fizeram no passado.

— Sim — respondeu Jasnah, remexendo suas anotações. — E logo. O fato de você ser uma Manipuladora de Fluxos não me conforta, já que isso se parece demais com o que aconteceu antes. Mas, no passado, novos cavaleiros tinham professores para treiná-los, gerações de tradição. Nós não temos nada.

— Os Esvaziadores são cativos — comentou Shallan, olhando de relance para Padrão. Ele repousava no chão, quase invisível, sem dizer nada. — Os parshemanos mal conseguem se comunicar. Como poderiam organizar uma revolução?

Jasnah encontrou a folha de papel que estava procurando e entregou-a a Shallan. Escrita com a letra de Jasnah, era a narrativa da esposa de um capitão de uma investida de platô nas Planícies Quebradas.

— Parshendianos sabem cantar em sincronia uns com os outros, não importa a distância que os separe. Eles têm alguma capacidade de comunicação que não compreendemos. Só posso deduzir que seus primos, os parshemanos, também têm. Eles talvez não precisem *ouvir* um chamado à ação para se revoltarem.

Shallan leu o relatório, assentindo devagar.

— Precisamos avisar outras pessoas, Jasnah.

— Acha que eu não tentei? Escrevi para eruditas e reis do mundo inteiro. A maioria me considera paranoica. A evidência que você aceita prontamente, os outros chamam de pouco convincente. Os fervorosos eram minha maior esperança, mas sua visão fica obscurecida pela interferência da Hierocracia. Além disso, minhas crenças pessoais fazem com que os fervorosos sejam céticos em relação a qualquer coisa que eu diga. Minha mãe quer ver minha pesquisa, o que já é alguma coisa. Meu irmão e tio talvez acreditem, e é por isso que estamos indo até eles. — Ela hesitou. — Há outro motivo para irmos às Planícies Quebradas. Uma maneira de encontrar evidências que podem convencer a todos.

— Urithiru — disse Shallan. — A cidade que você procura?

Jasnah lançou a ela outro olhar seco. Aprendera sobre a antiga cidade lendo em segredo as anotações de Jasnah.

— Você ainda ruboriza fácil demais quando confrontada — observou Jasnah.

— Sinto muito.

— E também pede desculpas fácil demais.

— Estou... hã, indignada?

Jasnah sorriu, segurando a representação do Olho Duplo e a encarando.

— Há um segredo escondido em algum lugar nas Planícies Quebradas. Um segredo sobre Urithiru.

— A senhora me disse que a cidade não ficava lá!

— E não fica. Mas o caminho para ela talvez sim. — Seus lábios se apertaram. — De acordo com as lendas, só um Cavaleiro Radiante pode abrir o caminho.

— Felizmente, conhecemos duas.

— Repito: você não é uma Radiante, e nem eu. Ser capaz de reproduzir algumas das habilidades deles pode não importar. Não temos suas tradições ou conhecimento.

— Estamos falando sobre o possível fim da civilização, não estamos? — perguntou Shallan em voz baixa.

Jasnah hesitou.

— As Desolações — disse Shallan. — Eu sei muito pouco, mas as lendas...

— Depois de cada uma delas, a humanidade ficava devastada. Grandes cidades em cinzas, a indústria esmagada. Toda vez, o conhecimento e o crescimento foram reduzidos a um estado quase pré-histórico... levava *séculos* de reconstrução para restaurar a civilização ao que era antes. — Ela hesitou. — Espero estar errada.

— Urithiru — repetiu Shallan. Queria evitar fazer perguntas, tentando, em vez disso, raciocinar até encontrar a resposta. — A senhora disse que a cidade era um tipo de base ou lar para os Cavaleiros Radiantes. Eu nunca ouvi falar dela antes de conversar com a senhora, então posso especular que não é comumente mencionada na literatura. Talvez, então, seja uma das coisas sobre as quais a Hierocracia suprimiu conhecimento?

— Muito bom — disse Jasnah. — Embora eu ache que ela já tinha começado a tornar-se lenda mesmo antes, a Hierocracia não ajudou.

— Então, se ela existia antes da Hierocracia, e se o caminho para ela foi fechado na queda dos Radiantes... Então ela pode conter palavras que não foram tocadas por eruditas modernas. Conhecimento inalterado, intocado, sobre os Esvaziadores e a Manipulação de Fluxos. — Shallan sentiu um arrepio. — *Esse é o motivo* por que estamos realmente indo para as Planícies Quebradas.

Jasnah sorriu em meio à sua fadiga.

— Muito bom mesmo. Meu tempo no Palaneu foi muito útil, mas também decepcionante sob alguns aspectos. Embora eu tenha confirmado minhas suspeitas sobre os parshemanos, também descobri que grande parte dos registros da grande biblioteca apresenta os mesmos sinais de adulteração que outros que já havia lido. Essa "limpeza" da história, removendo referências diretas a Urithiru ou aos Radiantes, porque eles eram embaraçosos para o vorinismo... me deixa furiosa. E as pessoas me perguntam por que sou hostil com a igreja! Preciso de fontes primárias. E também existem histórias... histórias em que ouso acreditar... alegando que Urithiru era sagrada e protegida contra os Esvaziadores. Talvez fosse um devaneio, mas não sou tão erudita a ponto de duvidar que algo assim possa ser verdade.

— E os parshemanos?

— Teremos que persuadir os alethianos a se livrarem deles.

— Não será uma tarefa fácil.

— Será quase impossível — disse Jasnah, se levantando. Ela começou a guardar seus livros, colocando-os no baú à prova d'água. — Os parshemanos são escravos perfeitos. Dóceis, obedientes. Nossa sociedade tornou-se dependente demais deles. Eles nem precisariam se tornar violentos para nos jogar no caos, embora eu tenha certeza de que isso vai acontecer. Eles poderiam apenas ir embora. Isso causaria uma crise econômica.

Ela fechou o baú depois de pegar um volume, então virou-se de volta para Shallan.

— Convencer a todos do que digo está além da nossa capacidade, se não tivermos provas. Mesmo que meu irmão me escute, ele não tem a autoridade para forçar os grão-príncipes a se livrarem dos seus parshemanos. E, honestamente, temo que meu irmão não seja corajoso o bastante para arriscar o colapso que a expulsão dos parshemanos poderia causar.

— Mas, se eles se voltarem contra nós, o colapso virá de qualquer modo.

— Sim — concordou Jasnah. — Você sabe disso, e eu também. A minha mãe talvez acredite. Mas o risco de estarmos erradas é tão imenso que... bem, precisaremos de provas. Provas avassaladoras e irrefutáveis. Então nós encontraremos a cidade. A qualquer custo, nós *encontraremos* aquela cidade.

Shallan concordou.

— Eu não queria despejar tudo isso nos seus ombros, menina — disse Jasnah, sentando-se. — Contudo, admito que é um alívio falar sobre essas coisas com alguém que não me desafia em todos os pontos.

— Vamos conseguir, Jasnah. Vamos viajar até as Planícies Quebradas e encontrar Urithiru. Vamos obter as provas e convencer a todos.

— Ah, o otimismo da juventude. É bom ouvir isso, de vez em quando. — Ela entregou o livro a Shallan. — Entre os Cavaleiros Radiantes, havia uma ordem conhecida como os Teceluzes. Sei muito pouco sobre eles, mas de todas as fontes que li, essa é a que contém mais informações.

Shallan pegou o livro ansiosamente. *Palavras de Radiância*, dizia o título.

— Vá — disse Jasnah. — Leia.

Shallan olhou-a de relance.

— Vou dormir — prometeu Jasnah, um sorriso brotando em seus lábios. — E pare de bancar a minha mãe. Não deixo nem Navani fazer isso.

Shallan suspirou, assentindo, e deixou os aposentos de Jasnah. Padrão veio logo atrás; ele passara toda a conversa em silêncio. Ao entrar na sua cabine, ela descobriu que seu coração estava muito mais pesado do que quando saíra dela. Não conseguia banir a imagem do pavor nos olhos de Jasnah. Jasnah Kholin não devia ter medo de nada, não era?

Shallan se arrastou até seu leito com o livro que recebera e a bolsa de esferas. Parte dela estava ansiosa para começar, mas estava exausta, as pálpebras pesando. Estava muito tarde. Se ela começasse o livro agora...

Talvez fosse melhor ter uma boa noite de sono, então mergulhar descansada nos estudos de um novo dia. Ela colocou o livro na pequena mesa ao lado da cama, se enrolou e deixou que o balanço do barco a ninasse.

Acordou em meio a berros, gritos e fumaça.

7
CHAMA ABERTA

Eu não estava preparada para a dor causada pela minha perda — como uma chuva inesperada irrompendo de um céu limpo e desabando sobre mim. A morte de Gavilar anos atrás foi avassaladora, mas isso... isso quase acabou comigo.

— Do diário de Navani Kholin, jesesach, ano de 1174

AINDA MEIO ADORMECIDA, SHALLAN entrou em pânico. Ela saiu desajeitadamente da cama, esbarrando no cálice de esferas, quase todas apagadas. Embora houvesse usado cera para fixá-lo, o esbarrão o soltou e lançou as esferas para todos os cantos da cabine.

Havia um intenso cheiro de fumaça. Ela correu até a porta, descabelada, com o coração batendo forte. Pelo menos adormecera vestida. Ela abriu a porta.

Três homens ocupavam o corredor, segurando tochas, de costas para ela. *Tochas*, cintilando com esprenos de chama dançando ao redor do fogo. Quem levava uma chama aberta para um navio? Shallan parou, entorpecida pela confusão.

Os gritos vinham do convés acima, e não parecia que o navio estivesse pegando fogo. Mas quem eram aqueles homens? Eles carregavam machados e estavam concentrados na cabine de Jasnah, que estava aberta.

Figuras se moviam no interior do quarto. Em um momento paralisante de horror, uma delas jogou algo no chão diante das outras, que se afastaram para abrir espaço.

Um corpo em uma camisola fina, olhos abertos e fixos, sangue brotando do peito. Jasnah.

— Só para garantir — disse um dos homens.

O outro se ajoelhou e enfiou com toda a força uma faca longa e fina no peito de Jasnah. Shallan ouviu quando ela atingiu a madeira no chão sob o corpo.

Gritou.

Um dos homens girou na sua direção.

— Ei! — Era o sujeito alto e de rosto rude que Yalb havia chamado de "novato". Ela não reconheceu os outros.

Enfrentando de alguma forma o terror e a perplexidade, Shallan bateu sua porta e fechou o trinco com dedos trêmulos.

Pai das Tempestades! Pai das Tempestades! Ela recuou da porta enquanto alguma coisa pesada a atingia do outro lado. Eles não precisariam de machados; alguns golpes determinados de ombro derrubariam a porta.

Shallan cambaleou de volta à cama, quase escorregando nas esferas que rolavam de um lado para outro com o movimento do navio. A janela estreita perto do teto — pequena demais para permitir passagem — revelava apenas a escuridão da noite lá fora. Gritos ecoavam acima, pés batendo na madeira.

Shallan tremia, ainda entorpecida. Jasnah...

— Espada — disse uma voz. Padrão, pendurado na parede ao lado dela. — Hmmm... A espada...

— Não! — gritou Shallan, as mãos segurando a cabeça, dedos nos cabelos. Pai das Tempestades! Ela estava tremendo.

Pesadelo. Era um pesadelo! Não podia ser...

— Hmmm... Lutar...

— *Não!*

Shallan percebeu que estava hiperventilando enquanto os homens do lado de fora continuavam a se jogar contra sua porta. Ela não estava pronta para aquilo. Não estava preparada.

— Hmmm... — fez Padrão, soando insatisfeito. — Mentiras.

— Eu não sei como usar as mentiras! Eu não pratiquei.

— Sim. Sim... lembre... a vez antes...

A porta começou a rachar. Ela ousaria lembrar? *Poderia* lembrar? Uma criança, brincando com um padrão de luz cintilante...

— O que eu faço?

— Você precisa da Luz — disse Padrão.

Isso despertou algo no fundo da sua memória, algo recoberto de farpas que ela não ousava tocar. Precisava de Luz das Tempestades para alimentar a Manipulação de Fluxos.

Shallan caiu de joelhos diante do seu leito e, sem saber exatamente o que estava fazendo, inspirou avidamente. A Luz das Tempestades deixou as esferas ao seu redor, fluindo para o seu corpo, tornando-se uma tempestade que rugia nas suas veias. A cabine escureceu, negra como uma caverna sob a terra.

Então a Luz começou a se elevar da sua pele como vapor de água em ebulição, iluminando a cabine com sombras dançantes.

— E agora?

— Forme a mentira.

O que isso significava? A porta rangeu novamente, uma grande rachadura se abriu no centro.

Em pânico, Shallan soltou o ar. Luz das Tempestades fluiu dela em uma nuvem. Sentia quase como se pudesse tocá-la. *Sentia* seu potencial.

— Como?! — exigiu ela.

— Faça a verdade.

— Isso não faz sentido!

Shallan gritou quando a porta despedaçada se abriu. Nova luz entrou na cabine, luz de tocha — vermelha e amarela, hostil.

A nuvem de Luz das Tempestades *saltou* de Shallan, com mais Luz fluindo do seu corpo para unir-se a ela. Ela formou uma vaga forma ereta; uma mancha iluminada que passou pelos homens através da porta, balançando apêndices que podiam ser braços. A própria Shallan, ajoelhada ao lado da cama, caiu nas sombras.

Os olhos dos homens foram atraídos para a forma brilhante. Então, abençoadamente, eles se viraram e a perseguiram.

Shallan se aconchegou contra a parede, tremendo. A cabine estava totalmente escura. Acima, homens gritavam.

— Shallan... — zumbiu Padrão em algum lugar na escuridão.

— Vá e olhe. Me conte o que está acontecendo no convés.

Ela não sabia se ele havia obedecido, já que não fazia som ao se mover. Depois de respirar fundo algumas vezes, Shallan se levantou. Suas pernas tremiam, mas ficou de pé.

Ela se acalmou um pouco. Isso era terrível, era pavoroso, mas nada, *nada*, se comparava ao que ela tivera que fazer na noite em que seu pai morreu. Ela havia sobrevivido àquilo. Podia sobreviver a isso.

Aqueles homens deviam ser do mesmo grupo do qual Kabsal fora membro — os assassinos que Jasnah temia. Eles finalmente a pegaram.

Ah, Jasnah...

Jasnah estava morta.

Chorar depois. O que Shallan ia fazer quanto aos homens armados assumindo o controle do navio? Como poderia encontrar uma saída?

Ela tateou para achar o caminho até o corredor. Havia um pouco de luz ali, das tochas no convés. Os berros que ouvia estavam cada vez mais apavorados.

— Matando — disse subitamente uma voz.

Ela deu um pulo, embora, naturalmente, fosse apenas Padrão.

— O quê? — sibilou Shallan.

— Homens sombrios matando — disse Padrão. — Marinheiros amarrados com cordas. Um morto, sangrando vermelho. Eu... Eu não entendo...

Ah, Pai das Tempestades... Acima, a gritaria aumentou, mas não havia o som de botas no convés, nem o clangor de armas. Os marinheiros haviam sido capturados. Pelo menos um deles estava morto.

Na escuridão, Shallan viu formas trêmulas surgindo da madeira ao redor dela. Esprenos de medo.

— E os homens que perseguiram a minha imagem?

— Procurando na água — disse Padrão.

Então eles pensavam que ela havia saltado do navio. Com o coração acelerado, Shallan tateou até a cabine de Jasnah, esperando a qualquer momento tropeçar no cadáver dela no chão. Mas não tropeçou. Teria sido arrastado para cima pelos homens?

Shallan entrou na cabine de Jasnah e encostou a porta. O trinco não fechava, então ela puxou uma caixa até a entrada para bloqueá-la.

Precisava fazer alguma coisa. Ela tateou até encontrar um dos baús de Jasnah, que havia sido aberto pelos homens e tido seu conteúdo — roupas — espalhado pelo quarto. No fundo, Shallan encontrou a gaveta oculta e abriu-a. Uma luz subitamente banhou a cabine. As esferas eram tão brilhantes que cegaram Shallan por um momento, e ela teve que desviar o olhar.

Padrão vibrava no chão ao lado dela, sua forma tremendo de preocupação. Shallan olhou ao redor. A pequena cabine estava uma bagunça, roupas no chão, papéis espalhados por toda parte. O baú com os livros de Jasnah desaparecera. O sangue, fresco demais para ter sido totalmente absorvido, formava uma poça na cama. Shallan rapidamente desviou o olhar.

Um grito soou acima, seguido por um som de queda. A gritaria aumentou. Ela ouviu Tozbek urrando, pedindo que os homens poupassem sua esposa.

Todo-Poderoso nos céus... Os assassinos estavam executando os marinheiros um a um. Shallan tinha que fazer alguma coisa. Qualquer coisa.

Olhou para as esferas no fundo falso, forrado com pano preto.

— Padrão, vamos Transmutar o fundo do navio e afundá-lo.

— O quê! — Sua vibração aumentou, um som sibilante. — Humanos... Humanos... Comem água?

— Nós a bebemos, mas não podemos respirá-la.

— Hmmm... Confuso... — disse Padrão.

— O capitão e os outros foram capturados e estão sendo executados. A melhor chance que posso dar a eles é o caos.

Shallan colocou as mãos nas esferas e atraiu a Luz com uma respiração profunda. Sentiu-se *ardendo* com a Luz em seu interior, como se fosse explodir. A Luz era uma coisa viva, tentando forçar saída pelos poros de sua pele.

— Me mostre! — gritou ela, muito mais alto do que pretendia. A Luz das Tempestades a estimulava à ação. — Já Transmutei antes. Preciso fazer de novo! — Uma baforada de Luz das Tempestades saiu de sua boca enquanto ela falava, como hálito em um dia frio.

— Hmmmm... — disse Padrão, nervoso. — Vou interceder. Veja.

— Ver o quê?

— *Veja!*

Shadesmar. Na última vez que esteve naquele lugar, ela quase morrera. Só que não era um lugar. Ou será que era? Isso importava?

Ela buscou na memória o momento em que Transmutara e acidentalmente transformara um cálice em sangue.

— Eu preciso de uma verdade.

— Você deu o bastante — replicou Padrão. — Agora. Veja.

O navio desapareceu.

Tudo... estalou. As paredes, os móveis, tudo se despedaçou em pequenos globos de vidro negro. Shallan se preparou para cair no oceano daquelas contas de vidro, mas em vez disso pousou em chão sólido.

Ela estava em um lugar com um céu negro e um sol minúsculo e distante. O chão debaixo dela refletia luz. Obsidiana? Em todas as direções, o chão era feito do mesmo breu. Ali perto, as esferas — como aquelas que continham Luz das Tempestades, mas escuras e pequenas — quicavam até repousar no chão.

Árvores, como cristais alongados, se aglomeravam aqui e ali. Os galhos eram pontudos e vítreos, sem folhas. Ali perto, pequenas luzes pendiam no ar, chamas sem velas. *Pessoas, ela compreendeu. Cada uma delas é a mente de uma pessoa, refletida aqui no Reino Cognitivo. Chamas menores estavam espalhadas aos seus pés, dezenas e dezenas, mas tão pequenas que ela mal podia distingui-las. As mentes dos peixes?*

Ela se virou e deu de cara com uma criatura que tinha um símbolo como cabeça. Surpresa, ela gritou e saltou para trás. Aquelas coisas... a assombravam... elas...

Era Padrão. Ele era alto e esguio, mas ligeiramente indistinto, translúcido. O complexo padrão de sua cabeça, com linhas nítidas e geometrias impossíveis, parecia não ter olhos. Ele estava com as mãos unidas atrás do corpo, usando um robe que parecia rígido demais para ser pano.

— Vá — disse ele. — Escolha.

— Escolher o quê? — perguntou, Luz das Tempestades escapando dos lábios.

— Seu navio.

Ele não tinha olhos, mas ela teve a sensação de seguir seu olhar a uma das esferas no chão vítreo. Ela a pegou e subitamente recebeu a impressão de um navio.

O *Prazer do Vento*. Um navio que fora bem cuidado, amado. Ele havia transportado seus passageiros em segurança durante anos e anos, possuído por Tozbek e por seu pai antes dele. Um navio velho, mas não decrépito, ainda confiável. Um navio orgulhoso. Ele se manifestava ali como uma esfera.

O navio tinha até pensamentos. Ele pensava. Ou... bem, ele refletia os pensamentos das pessoas que serviram nele, que o conheciam, que pensavam nele.

— Eu preciso que você mude — sussurrou Shallan para o navio acolhendo a conta em suas mãos. Era pesado demais para seu tamanho, como se o peso inteiro do navio tivesse sido comprimido em uma única conta.

— Não — veio a resposta, embora tenha sido Padrão a falar. — Não, eu não posso, preciso servir. Estou feliz.

Shallan olhou para ele.

— Vou interceder — repetiu Padrão. — ...Traduzir. Você não está pronta.

Shallan olhou de novo para a conta em suas mãos.

— Eu tenho Luz das Tempestades. Bastante. Vou dá-la a você.

— Não! — A resposta parecia zangada. — Eu sirvo.

Ele realmente queria continuar sendo um navio. Ela podia senti-lo, o orgulho que possuía, suplementado por anos de serviço.

— Eles estão morrendo — sussurrou ela.

— Não!

— Você pode senti-los morrendo. O sangue deles no seu convés. Uma a uma, as pessoas que você serve serão abatidas.

Ela mesma podia sentir, podia ver o que acontecia no navio. Eles estavam sendo executados. Ali perto, uma das três chamas de vela desapareceu. Três dos oito prisioneiros estavam mortos, embora ela não soubesse quais.

— Só há uma chance de salvá-los — insistiu Shallan. — Que é mudar.

— Mudar — sussurrou Padrão para o navio.

— Se você mudar, eles podem escapar dos homens maus que matam — balbuciou Shallan. — É incerto, mas eles terão uma chance de nadar. De fazer alguma coisa. Você pode prestar um último serviço a eles, *Prazer do Vento*. Mude por eles.

Silêncio.

— Eu...

Outra luz desapareceu.

— Eu vou mudar.

Aconteceu em um segundo frenético; a Luz das Tempestades foi *arrancada* de Shallan. Ela ouviu rachaduras distantes no mundo físico ao sorver tanta Luz das gemas restantes que elas se despedaçaram.

Shadesmar desapareceu.

Ela estava de volta à cabine de Jasnah.

O piso, as paredes e o teto derreteram e viraram água.

Shallan foi lançada nas negras profundezas geladas. Ela se debateu na água, o vestido atrapalhando seus movimentos. Ao redor, objetos afundavam, os artefatos comuns da vida humana.

Desesperada, ela buscou a superfície. Originalmente, ela pensara de modo vago em nadar e ajudar a soltar os marinheiros, se eles estivessem amarrados. Agora, contudo, via-se com dificuldade até de encontrar o caminho para cima.

Como se a escuridão houvesse ganhado vida, algo a envolveu.

E puxou-a para as profundezas.

8
FACAS NAS COSTAS · SOLDADOS NO CAMPO

> *Não pretendo usar meu luto como desculpa, mas é uma explicação. Pessoas agem de modo estranho depois de enfrentar uma perda inesperada. Embora Jasnah estivesse distante, sua perda foi inesperada. Eu, como muitos, acreditava que ela fosse imortal.*
>
> — Do diário de Navani Kholin, jesesach, ano de 1174

O ARRANHÃO FAMILIAR DE MADEIRA enquanto uma ponte deslizava até a posição. A batida de pés em uníssono, primeiro como um som surdo na pedra, então como a pisada vibrante de botas na madeira. Os chamados distantes de batedores, gritando "liberado".

Os sons de uma investida de platô eram familiares para Dalinar. Outrora, ansiara por aqueles sons. Ficava impaciente entre as investidas, ansioso pela chance de abater parshendianos com sua Espada, de conquistar riqueza e reconhecimento.

Aquele Dalinar estivera buscando acobertar sua vergonha — a vergonha de estar caído em um estupor alcoólico enquanto seu irmão combatia um assassino.

A ambientação de uma investida de platô era uniforme: rochas nuas e escarpadas, geralmente da mesma cor sem graça da superfície pétrea onde estavam dispostas, quebrada apenas por alguns aglomerados de petrobulbos fechados. Mesmo esses, como seu nome indicava, podiam ser confundidos com mais pedras. Dali onde estava, só havia mais do mesmo até o horizonte distante; e tudo que se trazia, tudo que era humano, ficava minúsculo diante da vastidão daquelas infindáveis planícies fraturadas e abismos letais.

Com o passar dos anos, a atividade havia se tornado automática. Marchar sob o sol branco como aço derretido. Cruzar fenda após fenda. Por fim, as investidas de platô haviam deixado de ser algo a se antecipar e se tornado uma obrigação insistente. Por Gavilar e pela glória, sim, mas principalmente porque eles — e o inimigo — estavam ali. Era isso que se fazia.

Os odores de uma investida de platô eram aromas de uma grande quietude: pedra quente, crem seco, ventos vindos de longe.

Mais recentemente, Dalinar passara a detestar investidas de platô. Eram uma frivolidade, um desperdício de vida. Não se propunham a realizar o Pacto de Vingança, mas se propunham à cobiça. Muitas gemas-coração apareciam nos platôs próximos, convenientes de alcançar. Essas não saciavam os alethianos. Eles queriam expandir seu alcance, com assaltos que custavam caro.

À frente, os homens do Grão-príncipe Aladar lutavam em um platô. Eles haviam chegado antes do exército de Dalinar, e o conflito narrava uma história familiar. Homens contra parshendianos, lutando em uma fileira sinuosa, cada exército tentando fazer o outro recuar. Os humanos podiam colocar em campo muito mais homens que os parshendianos, mas estes podiam alcançar platôs de modo mais rápido e tomar posse deles com mais velocidade.

Os corpos espalhados dos carregadores de pontes no platô de concentração, conduzindo ao abismo, atestavam o perigo de atacar um inimigo entrincheirado. Dalinar notou as expressões sombrias no rosto de seus guarda-costas ao verem os mortos. Aladar, como a maioria dos outros grão-príncipes, seguia a filosofia de Sadeas nas incursões de ponte. Assaltos rápidos e brutais que tratavam mão de obra como um recurso dispensável. Nem sempre fora assim. No passado, as pontes eram carregadas por tropas de armadura, mas o sucesso levou à imitação.

Os acampamentos de guerra precisavam de um influxo constante de escravos baratos para alimentar o monstro. Isso significava uma praga crescente de escravagistas e bandidos perambulando pelas Colinas Devolutas, comerciando carne humana. *Outra coisa que terei que mudar*, pensou Dalinar.

O próprio Aladar não lutava; em vez disso, estabelecera um centro de comando em um platô adjacente. Dalinar apontou para o estandarte tremulando, e uma das suas enormes pontes mecânicas rolou até a posição. Puxadas por chules e cheias de engrenagens e alavancas, as pontes protegiam os homens que trabalhavam nelas. Também eram muito lentas. Dalinar esperava com uma paciência conquistada pela autodisciplina enquanto os trabalhadores desciam a ponte, atravessando o abismo entre aquele platô e o outro, onde voejava o estandarte de Aladar.

Quando a ponte foi posicionada e travada, seus guarda-costas — conduzidos por um dos oficiais olhos-escuros do capitão Kaladin — correram por ela, com lanças nos ombros. Dalinar prometera a Kaladin que seus homens não precisariam lutar, exceto para defendê-lo. Quando atravessaram, Dalinar bateu com os calcanhares em Galante para conduzi-lo até o platô de comando de Aladar. Sentia-se leve demais no dorso do corcel — a falta da Armadura Fractal. Nos muitos anos desde que obteve sua Armadura, nunca fora para um campo de batalha sem ela.

Naquele dia, contudo, não estava cavalgando para a batalha — não de verdade. Atrás dele ondulava o estandarte pessoal de Adolin, e ele conduzia a maior parte dos exércitos de Dalinar para atacar o platô onde os homens de Aladar já lutavam. Dalinar não enviara ordem alguma sobre como o ataque deveria prosseguir. Seu filho havia sido bem treinado e estava pronto para assumir o comando no campo de batalha — com o general Khal ao seu lado, naturalmente, como conselheiro.

Sim, de agora em diante, Adolin conduziria as batalhas.

Dalinar mudaria o mundo.

Ele cavalgou até a tenda de comando de Aladar. Era a primeira investida de platô depois da sua proclamação exigindo que os exércitos trabalhassem juntos. O fato de que Aladar viera, como ordenado, e Roion não — muito embora o platô em questão fosse mais próximo ao acampamento de Roion — já era uma vitória. Um pequeno encorajamento, mas Dalinar aproveitaria o que pudesse.

Ele encontrou o Grão-príncipe Aladar assistindo a tudo de um pequeno pavilhão montado em uma parte segura e elevada daquele platô com vista para o campo de batalha. Um local perfeito para um posto de comando. Aladar era um Fractário, embora costumasse emprestar sua Armadura e Espada para um de seus oficiais durante as batalhas, preferindo liderar taticamente por trás das linhas de ataque. Um Fractário experiente podia comandar mentalmente uma Espada para que não se dissolvesse quando ele a soltasse, muito embora — em uma emergência — Aladar pudesse invocá-la para si, fazendo-a desaparecer das mãos do seu oficial em um piscar de olhos, aparecendo em suas próprias mãos dez batimentos cardíacos depois. Emprestar uma Espada exigia um bocado de confiança dos dois lados.

Dalinar desmontou. Seu cavalo, Galante, lançou um olhar feroz para o cavalariço que tentou levá-lo, e Dalinar acariciou o pescoço do animal.

— Ele fica bem sozinho, filho — disse ele ao cavalariço.

A maioria dos cavalariços comuns não sabia o que fazer com um richádio, de qualquer modo. Seguido pelos seus guardas carregadores, Dalinar se juntou a Aladar, que estava à beira do platô, supervisionando o campo de batalha à frente e abaixo. Esguio e totalmente calvo, o homem tinha uma pele mais escura do que a maioria dos alethianos. Ele estava parado com as mãos às costas e vestia um elegante uniforme tradicional com um *takama* semelhante a um saiote, embora vestisse uma jaqueta moderna acima dele, cortada para combinar com o *takama*.

Era um estilo que Dalinar nunca vira antes. Aladar também usava um bigode fino e um tufo de cabelo debaixo do lábio, novamente uma escolha pouco convencional. Aladar era poderoso o bastante, e renomado o bastante, para criar sua própria moda — e criava, frequentemente estabelecendo tendências.

— Dalinar — saudou Aladar, acenando com a cabeça. — Pensei que você não fosse mais lutar em investidas de platô.

— E não vou — replicou Dalinar, indicando com o queixo o estandarte de Adolin.

Lá, os soldados fluíam pelas pontes para se juntarem à batalha. O platô era pequeno o bastante para que muitos dos homens de Aladar tivessem que recuar para abrir caminho, algo que eles estavam obviamente muito dispostos a fazer.

— Você quase perdeu hoje — observou Dalinar. — Ainda bem que teve apoio.

Abaixo, as tropas de Dalinar restauravam a ordem ao campo de batalha e pressionavam os parshendianos.

— Talvez — disse Aladar. — Mas, no passado, eu era vitorioso em uma de cada três investidas. Ter apoio certamente significa que ganharei mais vezes, mas também custará metade dos meus ganhos. Isso partindo do princípio de que o rei me fornecerá qualquer ganho. Não estou convencido de que a situação vai melhorar a longo prazo.

— Mas desse modo você vai perder menos homens — rebateu Dalinar. — E os ganhos totais para o exército inteiro vão aumentar. A honra do...

— Não me fale sobre honra, Dalinar. Não posso pagar meus soldados com honra e não posso usá-la para impedir que outros grão-príncipes avancem no meu pescoço. Seu plano favorece os mais fracos entre nós e prejudica os bem-sucedidos.

— Certo — respondeu rispidamente Dalinar. — Você não dá valor à honra. *Mesmo assim* vai obedecer, Aladar, porque o seu rei exige. Esse é o único motivo de que precisa. Você vai seguir as ordens.

— Ou...? — quis saber Aladar.

— Pergunte a Yenev.

Aladar se sobressaltou como se houvesse levado uma bofetada. Dez anos atrás, o Grão-príncipe Yenev havia se recusado a aceitar a unificação de Alethkar. Seguindo ordens de Gavilar, Sadeas duelara com o homem. E o matara.

— Ameaças? — perguntou Aladar.

— Sim. — Dalinar voltou-se para fitar o homem mais baixo nos olhos. — Cansei de usar a persuasão, Aladar. Cansei de pedir. Quando você desobedece a Elhokar, zomba do meu irmão e das crenças dele. Eu *vou conseguir* um reino unificado.

— Interessante. É bom que você tenha mencionado Gavilar, já que ele não unificou o reino com honra. Ele fez isso com facas nas costas e soldados em campo, cortando as cabeças daqueles que resistiam. Voltamos a isso, então? Não parece muito com as belas palavras do seu precioso livro.

Dalinar rangeu os dentes, se afastando para ver o campo de batalha. Seu primeiro instinto era dizer a Aladar que ele era um oficial sob seu comando e repreendê-lo pelo tom de voz; tratá-lo como um recruta que precisava de um corretivo.

Mas e se Aladar simplesmente o ignorasse? Ele teria que *forçar* o homem a obedecer? Dalinar não tinha tropas suficientes para isso.

Descobriu que estava irritado — mais consigo mesmo do que com Aladar. Fora naquela investida de platô não para lutar, mas para conversar. Para persuadir. Navani estava certa. Dalinar precisava de mais do que palavras bruscas e comandos militares para salvar o reino. Ele precisava de lealdade, não medo.

Mas, que raios o levassem, *como*? Toda persuasão que realizara em sua vida fora feita com uma espada na mão e um punho na cara. Gavilar sempre fora o homem com as palavras certas, que conseguia fazer as pessoas escutarem.

Dalinar não servia para político.

Metade dos rapazes naquele campo de batalha provavelmente não achavam que serviam para ser soldados, de início, sussurrou uma parte dele. *Você não pode se dar ao luxo de ser péssimo nisso. Não reclame. Mude.*

— Os parshendianos estão pressionando demais — disse Aladar aos seus generais. — Eles querem nos empurrar para fora do platô. Mande os homens cederem um pouco e deixarem os parshendianos perderem a vantagem do ponto de apoio; isso vai nos permitir cercá-los.

Os generais assentiram, e um deles deu as ordens. Dalinar estreitou os olhos para o campo de batalha, estudando-o.

— Não — disse ele em voz baixa.

O general interrompeu as ordens. Aladar o olhou de relance.

— Os parshendianos estão se preparando para recuar — afirmou Dalinar.

— Eles certamente não estão dando indicações disso.

— Eles querem algum espaço para respirar — disse Dalinar, lendo a movimentação de combate abaixo. — Já quase coletaram a gema-coração. Vão continuar pressionando, mas vão partir para uma retirada rápida contornando a crisálida para ganhar tempo para o fim da coleta. É isso que você precisa deter.

Os parshendianos avançaram em uma onda.

— Estou no comando nessa investida — disse Aladar. — Pelas suas próprias regras, tenho a última palavra sobre nossas táticas.

— Estou apenas observando. Não estou comandando nem meu próprio exército hoje. Você pode escolher suas táticas, não vou interferir.

Aladar pensou bem, então praguejou baixinho.

— Parta do princípio de que Dalinar está certo. Prepare os homens para uma retirada dos parshendianos. Envie uma equipe de ataque para capturar a crisálida, que já deve estar quase aberta.

Os generais acertaram os novos detalhes e os mensageiros correram com ordens táticas. Aladar e Dalinar observavam, lado a lado, enquanto os parshendianos faziam pressão para avançar. Aquela cantoria deles pairava sobre o campo de batalha.

Então eles recuaram, cuidadosos como sempre, para evitar respeitosamente pisar nos corpos dos mortos. Prontas para isso, as tropas humanas correram atrás deles. Liderada por Adolin na sua brilhante Armadura, uma força de ataque de tropas descansadas rompeu através da linha parshendiana e alcançou a crisálida. Outras tropas humanas passaram pela fenda aberta, empurrando os parshendianos para os flancos, transformando a retirada em um desastre tático.

Em minutos, os parshendianos haviam abandonado o platô, saltando para longe e fugindo.

— Danação — sussurrou Aladar. — Eu *odeio* o fato de você ser tão bom nisso.

Dalinar estreitou os olhos, notando que alguns dos parshendianos em fuga pararam em um platô próximo do campo de batalha. Eles se demoraram ali, embora a maior parte da tropa continuasse a retirada.

Dalinar acenou para que um dos criados de Aladar lhe passasse uma luneta, então a levantou, focando naquele grupo. Uma figura estava na beirada do platô, uma figura em uma armadura resplandecente.

O Fractário parshendiano, ele pensou. *O mesmo da batalha na Torre. Ele quase me matou.*

Dalinar não se lembrava direito daquele encontro. Fora surrado até quase perder os sentidos, no final. Aquele Fractário não havia participado da batalha do dia. Por quê? Certamente com um Fractário eles poderiam ter aberto a crisálida mais cedo.

Dalinar sentiu um abismo perturbador dentro de si. Esse único fato, o Fractário vigilante, mudou inteiramente sua compreensão da batalha. Ele pensara que havia sido capaz de entender o que estava acontecendo. Agora lhe ocorria que as táticas do inimigo eram mais complexas do que imaginara.

— Alguns deles ainda estão lá? — perguntou Aladar. — Assistindo?

Dalinar assentiu, baixando a luneta.

— Eles já fizeram isso antes, em alguma outra batalha em que você combateu?

Dalinar balançou a cabeça.

Aladar matutou por um momento, então deu ordens para que os seus homens no platô permanecessem alerta, com batedores a postos para vigiar um retorno surpresa dos parshendianos.

— Obrigado — acrescentou Aladar, de má vontade, voltando-se para Dalinar. — Seu conselho se provou útil.

— Você confiou em mim no aspecto tático — disse Dalinar, voltando-se para ele. — Por que não tenta confiar em relação ao que é melhor para o reino?

Aladar o estudou. Atrás dele, soldados comemoravam a vitória e Adolin arrancava a gema-coração da crisálida. Outros se espalharam para vigiar um possível retorno dos inimigos, mas não houve nenhum.

— Quisera que eu pudesse fazer isso, Dalinar — disse Aladar finalmente. — Mas não é por você. É pelos outros grão-príncipes. Talvez eu pudesse confiar em você, mas nunca vou confiar neles. Você está me pedindo para me arriscar demais. Os outros fariam comigo o que Sadeas fez com você na Torre.

— E se eu puder convencer os outros? E se eu puder provar a você que eles são dignos de confiança? E se eu mudar o rumo deste reino, e desta guerra? Você me seguiria, então?

— Não — respondeu Aladar. — Sinto muito.

E deu-lhe as costas, chamando pelo seu cavalo.

A viagem de volta foi péssima. Tinham ganhado o dia, mas Aladar manteve sua distância. Como era possível que Dalinar fizesse tantas coisas direito e ainda assim fosse incapaz de persuadir homens como Aladar? E o que significava o fato de os parshendianos estarem mudando de tática no campo de batalha, sem usar seu Fractário? Estariam eles com medo de perder seus Fractais?

Quando finalmente Dalinar retornou à sua casamata no acampamento de guerra — depois de cuidar dos seus homens e enviar um relatório ao rei —, descobriu uma carta inesperada em seu aguardo.

Ele mandou chamar Navani para ler as palavras. Dalinar esperou no seu escritório privado, fitando a parede que havia recebido os estranhos glifos. Estes haviam sido lixados, os arranhões escondidos, mas o trecho pálido de pedra sussurrava.

Sessenta e dois dias.

Sessenta e dois dias para encontrar uma resposta. Bem, sessenta agora. Não era muito tempo para salvar um reino, para se preparar para o pior. Os fervorosos condenariam a profecia como uma brincadeira, na melhor das hipóteses, ou como blasfêmia, na pior. Prever o futuro era proibido; era coisa dos Esvaziadores. Até jogos de azar eram suspeitos, pois incitavam os homens a procurar pelos segredos do que estava por vir.

Ele acreditava de qualquer maneira, pois suspeitava que sua própria mão escrevera aquelas palavras.

Navani chegou e deu uma olhada na carta, então começou a lê-la em voz alta. Era de um velho amigo que chegaria em breve às Planícies Quebradas — e que poderia trazer uma solução para os problemas de Dalinar.

9

ENTRANDO NO TÚMULO

> *Gosto de pensar que, se eu não estivesse subjugada pela tristeza, certamente teria visto antes os perigos que se aproximavam. Mas, com toda a honestidade, não sei se algo poderia ter sido feito.*
>
> — Do diário de Navani Kholin, jesesach, ano de 1174

KALADIN LIDEROU A DESCIDA até os abismos, como era seu direito. Usaram uma escada de corda, como as que possuíam no exército de Sadeas. As de Sadeas eram perigosas, com as cordas puídas e manchadas de limo, as tábuas surradas por muitas grantormentas. Kaladin nunca perdera um homem por conta daquelas escadas tormentosas, mas sempre se preocupava.

Aquela ali era nova em folha. Ele sabia disso porque Rind, o quarteleiro, havia coçado a cabeça ao ouvir seu pedido, e depois mandara construir uma segundo as especificações de Kaladin. Era resistente e bem-feita, como o exército de Dalinar.

Kaladin chegou ao fundo com um salto final. Syl desceu flutuando e pousou no seu ombro enquanto ele segurava uma esfera para inspecionar o fundo do abismo. Aquele único brom de safira valia mais do que todo o salário que recebera como carregador de pontes.

No exército de Sadeas, os abismos eram um destino frequente para carregadores de pontes. Kaladin ainda não sabia se o propósito era fazer a limpa em todos os recursos possíveis das Planícies Quebradas, ou se na verdade era encontrar algo inútil — e humilhante — para os carregadores de pontes fazerem entre as investidas.

Ali, contudo, o fundo do abismo estava intocado. Não havia caminhos abertos entre o emaranhado de lixo que as tormentas arrastavam, e não havia mensagens ou instruções gravadas no musgo das paredes. Como os outros abismos, aquele se abria como um vaso, mais largo no fundo do que no topo rachado — um resultado das águas que corriam durante as grantormentas. O chão era relativamente plano, alisado pelo sedimento de crem endurecido.

Enquanto avançava, Kaladin teve que abrir caminho por cima de todo tipo de dejetos. Galhos e troncos quebrados de árvores arrastadas das Planícies. Conchas rachadas de petrobulbos. Incontáveis emaranhados de vinhas secas, torcidas como novelos descartados.

E corpos, naturalmente.

Muitos corpos terminavam nos abismos. Sempre que homens perdiam a batalha para controlar um platô, eles precisavam recuar e deixar seus mortos para trás. Raios! Sadeas frequentemente deixava cadáveres para trás mesmo quando vencia — e também abandonava carregadores de pontes feridos, mesmo que ainda pudessem ser salvos.

Depois de uma grantormenta, os mortos terminavam ali, nos abismos. E, como as tempestades sopravam para oeste, na direção dos acampamentos de guerra, a água levava os corpos naquela direção. Kaladin achou difícil se mover sem pisar nos ossos misturados com a folhagem acumulada no solo do abismo.

Ele abriu caminho do modo mais respeitoso possível enquanto Rocha pulava da escada atrás dele, murmurando uma frase em sua língua nativa. Kaladin não soube dizer se era um xingamento ou uma oração. Syl saiu de seu ombro, zunindo pelo ar, então fazendo um arco até o chão. Ali ela tomou o que ele pensava ser sua verdadeira forma, a de uma mulher jovem com um vestido simples que se transformava em névoa pouco abaixo dos joelhos. Ela se empoleirou em um galho e fitou um fêmur que despontava entre o musgo.

Ela não gostava de violência. Ele não sabia ao certo, mesmo agora, se Syl compreendia a morte; falava sobre o assunto como uma criança tentando compreender algo além da sua capacidade.

— Que sujeira — disse Teft quando chegou ao fundo. — Bah! Este lugar nunca viu qualquer tipo de cuidado.

— É um túmulo — comentou Rocha. — Nós entramos em um túmulo.

— Todos os abismos são túmulos — respondeu Teft, sua voz ecoando nos confins úmidos. — Esse é só um túmulo sujo.

— É difícil achar alguma morte que não seja suja, Teft — falou Kaladin.

Teft grunhiu, então começou a saudar os novos recrutas enquanto eles chegavam ao fundo. Moash e Skar estavam protegendo Dalinar e seus filhos enquanto eles participavam de algum banquete de olhos-claros — algo que Kaladin ficou feliz em poder evitar. Em vez disso, fora com Teft até ali embaixo.

Estavam acompanhados pelos quarenta carregadores de pontes — dois de cada equipe reorganizada — que Teft estava treinando, na esperança de que se tornassem bons sargentos para suas próprias equipes.

— Deem uma boa olhada, rapazes — disse Teft a eles. — Foi daqui que viemos. É por isso que alguns nos chamam de ordem do osso. Não vamos fazer com que passem por tudo que passamos, e fiquem felizes! Uma grantormenta podia ter nos levado a qualquer momento. Agora, com os guarda-tempos de Dalinar Kholin para nos guiar, não vamos correr tanto risco... e vamos ficar perto da saída, só por via das dúvidas...

Kaladin cruzou os braços, assistindo à instrução de Teft, enquanto Rocha entregava lanças de treinamento para os homens. O próprio Teft não carregava uma lança e, ainda que ele fosse mais baixo do que os carregadores reunidos ao seu redor — vestindo uniformes simples de soldados —, eles pareciam completamente intimidados.

O que mais você esperava?, pensou Kaladin. *Eles são carregadores de pontes. Uma brisa forte poderia amedrontá-los.*

Ainda assim, Teft parecia estar completamente no controle; confortavelmente no controle. Isso era bom. Algo naquilo era simplesmente... certo.

Um enxame de pequenos orbes brilhantes se materializou ao redor da cabeça de Kaladin, esprenos na forma de esferas douradas que se deslocavam apressadamente de um lado para outro. Ele os encarou, surpreso. Esprenos de glória. Raios. Parecia que não os via há anos.

Syl voejou pelo ar e juntou-se a eles, rindo e girando ao redor da cabeça de Kaladin.

— Está sentindo orgulho de si mesmo?

— Teft — explicou Kaladin. — Ele é um líder.

— Claro que é. Você deu esse posto a ele, não deu?

— Não. Eu não dei; ele o conquistou. Venha, vamos caminhar.

Ela assentiu, subindo no ar e se instalando, com as pernas cruzadas como se estivesse decorosamente sentada em uma cadeira invisível. Ela flutuou desse jeito, movendo-se exatamente junto com ele.

— Estou vendo que desistiu novamente de fingir que obedece às leis naturais — observou ele.

— Leis *naturais*? — disse Syl, achando o conceito divertido. — As leis são dos homens, a Natureza não tem leis!

— Se eu jogo alguma coisa para cima, ela desce de volta.

— Exceto quando não desce.

— É uma lei.

— Não — discordou Syl, olhando para cima. — É mais como... mais como um acordo entre amigos.

Ele a encarou, levantando uma sobrancelha.

— Temos que ser consistentes — disse ela, se inclinando na direção dele como se conspirassem juntos. — Ou quebramos os cérebros de vocês.

Ele bufou, contornando uma pilha de ossos e galhos perfurada por uma lança. Manchada de ferrugem, ela parecia um monumento.

— Ora, vamos lá — disse Syl, jogando o cabelo. — Essa foi digna de *pelo menos* uma risada.

Kaladin continuou caminhando.

— Uma bufada *não* é uma risada — insistiu Syl. — Eu sei, porque sou inteligente e articulada. Você devia me elogiar agora.

— Dalinar Kholin quer refundar os Cavaleiros Radiantes.

— Sim — disse Syl com um ar arrogante, pendendo no canto da sua visão. — Uma ideia brilhante. Gostaria de ter pensado nisso.

Ela sorriu triunfante, depois fechou a cara.

— O que foi? — disse ele, voltando-se para ela.

— Você nunca pensou como é injusto que esprenos não possam atrair esprenos? Eu *realmente* devia ter meus próprios esprenos de glória aqui.

— Eu preciso proteger Dalinar — disse Kaladin, ignorando a reclamação. — Não só ele, mas sua família, talvez o próprio rei. Mesmo eu tendo falhado em impedir que alguém entrasse escondido nos aposentos dele. — Ainda não compreendia como alguém havia conseguido entrar. A menos que não fosse uma pessoa. — Poderia um espreno ter feito aqueles glifos na parede?

Syl havia carregado uma folha certa vez. Ela tinha *alguma* forma física, só era muito tênue.

— Eu não sei — disse ela, olhando para o lado. — Eu vi...

— O quê?

— Esprenos que pareciam relâmpagos vermelhos — disse Syl em voz baixa. — Esprenos perigosos. Esprenos que nunca vi antes. Eu os vejo de longe, às vezes. Esprenos de tempestade? Algo perigoso *está* chegando. Sobre isso, os glifos estão certos.

Ele pensou a respeito por algum tempo, então finalmente parou e olhou para ela.

— Syl, existem outros como eu?

O rosto dela assumiu uma expressão solene.

— Ah.

— Ah?

— Ah, *aquela* pergunta.

— Então você já estava esperando que eu a fizesse?

— Sim. Mais ou menos.

— Então você teve bastante tempo para pensar em uma boa resposta — disse ele, cruzando os braços e se recostando contra uma parte razoavelmente seca da parede. — Isso me faz pensar se você conseguiu bolar uma explicação convincente ou uma mentira convincente.

— Mentira? — disse Syl, horrorizada. — Kaladin! O que você pensa que eu sou? Um Críptico?

— E o que é um Críptico?

Syl, ainda empoleirada como se estivesse em uma cadeira, empertigou-se e inclinou a cabeça.

— Na verdade... na verdade, não tenho ideia. Hum.

— Syl...

— Estou falando *sério*, Kaladin! Eu não sei. Não lembro.

Ela agarrou os cabelos, uma mecha de branco-translúcido em cada mão, e puxou-os.

Ele franziu o cenho, então apontou.

— Isso...

— Eu vi uma mulher fazer isso no mercado — disse Syl, puxando os cabelos novamente. — Significa que estou frustrada. Parece que dói fazer isso. Então... ai? De qualquer modo, não é que eu não queira contar o que eu sei. Eu quero! Eu só... Não *sei* o que eu sei.

— Isso não faz sentido.

— Bem, imagine como é *frustrante*!

Kaladin suspirou, então continuou seguindo pelo abismo, passando por poças de água estagnada, pontilhada por detritos. Petrobulbos dispersos e ambiciosos cresciam atrofiados ao longo de uma parede do abismo. Eles não conseguiam muita luz ali.

Ele respirou profundamente os odores de vida sobrecarregada. Musgo e limo. A maioria dos corpos ali era mero osso, embora ele houvesse se desviado de um trecho do chão tomado pelos pontos vermelhos dos esprenos de putrefação. Bem ao lado, um grupo de floragolas abanava suas delicadas frondes, que dançavam com os pontos verdes dos esprenos de vida. Vida e morte se davam as mãos ali nos abismos.

Ele explorou vários dos caminhos que se bifurcavam. Era estranho não conhecer aquela área; aprendera a seguir pelos abismos mais próximos ao acampamento de Sadeas com mais facilidade do que pelo acampamento em si. Enquanto caminhava, o abismo foi se tornando mais profundo, e a área se abriu. Ele fez algumas marcas na parede.

Em uma bifurcação, encontrou um espaço aberto e circular com poucos detritos. Ele tomou nota, então caminhou de volta, marcando novamente a parede antes de seguir por outro caminho. Por fim, adentraram em outro lugar onde o abismo se abria, estendendo-se em um espaço mais amplo.

— Vir aqui era perigoso — disse Syl.

— Nos abismos? Não há nenhum demônio-do-abismo perto dos acampamentos.

— Não. Quero dizer para mim. Vir para este reino antes de encontrar você. Era perigoso.

— Onde você estava antes?

— Outro lugar. Com muitos esprenos. Não lembro direito... havia luzes no ar. Luzes vivas.

— Como esprenos de vida.

— Sim. E não. Vir aqui era um risco de morte. Sem você, sem uma mente nascida desse reino, eu não podia pensar. Sozinha, eu era só outro espreno de vento.

— Mas você não é um espreno de vento — replicou Kaladin, ajoelhando-se ao lado de uma grande poça d'água. — Você é um espreno de honra.

— Sim — disse Syl.

Kaladin fechou a mão ao redor da sua esfera, trazendo uma escuridão quase total ao espaço cavernoso. Era dia acima, mas o céu estava distante, inalcançável.

Montes de refugo trazido pelas enchentes caíram nas sombras, o que quase pareceu lhes restaurar a carne. Grupos de ossos ganharam a aparência de braços flácidos, de cadáveres em altas pilhas. Em um instante, Kaladin se recordou. Avançar gritando contra fileiras de arqueiros parshendianos. Seus amigos morrendo em platôs áridos, debatendo-se em meio ao próprio sangue.

O trovão de cascos sobre pedra. O cântico incongruente de línguas alienígenas. Os gritos dos homens, tanto de olhos-claros quanto de olhos-escuros. Um mundo que não se importava com carregadores de pontes. Eles eram refugo, sacrifícios a serem lançados nas fendas e arrastados pela limpeza das enchentes.

Aquele era o verdadeiro lar deles, aqueles rasgos na terra, aqueles lugares abaixo de todos os outros. Quando seus olhos se ajustaram à escuridão, as memórias da morte recuaram, embora ele nunca pudesse se livrar delas. Para sempre levaria aquelas cicatrizes na memória, como as muitas cicatrizes na carne. Como aquelas na sua testa.

A poça diante dele brilhava com uma profunda cor violeta. Ele havia notado antes, mas sob a luz da sua esfera era mais difícil de ver. Agora, no escuro, a poça podia revelar sua radiância misteriosa.

Syl pousou do outro lado da poça, como uma mulher à beira do oceano. Kaladin franziu o cenho, se inclinando para inspecioná-la mais de perto. Ela parecia... diferente. Seu rosto havia mudado de forma?

— *Existem* outros como você — sussurrou Syl. — Eu não os conheço, mas sei que outros esprenos estão tentando, ao seu próprio modo, recuperar o que foi perdido.

Ela o encarou, e seu rosto havia recuperado a forma usual. A mudança fugidia havia sido tão sutil que Kaladin não sabia ao certo se a imaginara.

— Eu sou o único espreno de honra que veio — disse Syl. — Eu... — Ela parecia estar se esforçando para recordar. — Fui proibida de vir. Vim de qualquer jeito. Para encontrá-lo.

— Você me conhecia?

— Não. Mas eu sabia que o encontraria. — Ela sorriu. — Passei o tempo com meus primos, procurando.

— Os esprenos de vento.

— Sem a conexão, sou basicamente um deles. Embora eles não tenham a capacidade de fazer o que nós fazemos. E o que nós fazemos é importante. Tão importante que eu deixei tudo para trás, desafiando o Pai das Tempestades, para vir. Você o viu. Na tempestade.

Os pelos dos braços de Kaladin se arrepiaram. Ele havia de fato visto um ser na tempestade; um rosto vasto como o próprio céu. Independentemente do que fosse aquilo — espreno, Arauto ou deus —, não havia amenizado suas tempestades para Kaladin durante o dia em que permanecera pendurado.

— Nós somos necessários, Kaladin — disse Syl, em voz baixa.

Ela acenou para ele, que baixou a mão até a beira do minúsculo oceano violeta que brilhava suavemente no abismo. Ela subiu na mão dele, e Kaladin se pôs de pé, levantando-a.

Syl caminhou sobre seus dedos, e ele chegou a sentir um pequeno peso, o que era incomum. Virou a mão enquanto ela subia até estar empoleirada em um dedo, as mãos dela unidas atrás do corpo, encontrando o olhar dele enquanto Kaladin mantinha o dedo diante do próprio rosto.

— Você — disse Syl. — Você vai precisar se tornar o que Dalinar Kholin está procurando. Não deixe que ele procure em vão.

— Eles vão tomar de mim, Syl — sussurrou Kaladin. — Vão descobrir uma maneira de tomar *você* de mim.

— Isso é bobagem. Você sabe que é.

— Eu sei que é, mas eu *sinto* que não é. Eles acabaram comigo, Syl. Eu não sou o que você pensa que sou. Eu não sou um Radiante.

— Não foi isso que eu vi. No campo de batalha, depois da traição de Sadeas, quando os homens estavam numa armadilha, abandonados. Naquele dia, eu vi um herói.

Ele fitou-a nos olhos. Syl tinha pupilas, embora fossem criadas apenas com os diferentes tons de branco e azul, como o resto dela. Brilhava mais suavemente do que a mais fraca das esferas, mas era o bastante para iluminar seu dedo. Ela sorriu, parecendo confiar totalmente nele.

Pelo menos um deles confiava.

— Vou tentar — sussurrou Kaladin. Uma promessa.

— Kaladin? — A voz era de Rocha, com seu distinto sotaque de paguampas. Ele pronunciava o nome como "kal-a-*din*" em vez do normal "*kal*-a-din".

Syl saiu voando do dedo de Kaladin, se tornando uma fita de luz e zunindo até Rocha. Ele demonstrou seu respeito à maneira papaguampas, tocando os ombros alternadamente com uma das mãos, e depois a levando à testa. Ela deu uma risadinha; sua profunda solenidade havia se transformado em alegria pueril em instantes. Syl podia ser apenas uma prima dos esprenos de vento, mas obviamente compartilhava com eles a natureza travessa.

— Ei — disse Kaladin, acenando com a cabeça para Rocha e enfiando a mão na poça. Ele voltou com um brom de ametista e o segurou. Em algum lugar lá em cima, nas Planícies, um olhos-claros havia morrido com aquilo no bolso. — Riqueza, se ainda fôssemos carregadores de pontes.

— Ainda somos carregadores de pontes — respondeu Rocha, se aproximando. Ele pegou a esfera dos dedos de Kaladin. — E isso ainda é riqueza. Ha! Os temperos que eles têm nas despensas são *tuma'alki*! Prometi que não vou colocar esterco na comida, mas é difícil, com soldados acostumados com comida que não é muito melhor que isso. — Ele segurou a esfera. — Vou usar *ele* para comprar tempero melhor, tá?

— Claro — disse Kaladin. Syl pousou no ombro de Rocha e se transformou numa jovem, então se sentou.

Rocha viu-a de relance e tentou fazer uma mesura para o próprio ombro.

— Pare de atormentá-lo, Syl — disse Kaladin.

— É tão divertido!

— Você deve ser louvada pela ajuda que nos deu, *mafah'liki* — disse Rocha. — Suportarei tudo que desejar de mim. E, agora que estou livre, posso criar um santuário adequado para você.

— Um *santuário*? — Os olhos de Syl se arregalaram. — Ooooh.

— Syl! — disse Kaladin. — Pare com isso. Rocha, eu vi um bom lugar para os homens praticarem. É lá para trás, depois de umas duas bifurcações. Marquei as paredes no caminho.

— Sim, nós vimos isso aí — respondeu Rocha. — Teft levou os homens lá. É estranho. Esse lugar é assustador; é um lugar aonde ninguém vem, mas ainda assim os novos recrutas...

— Eles estão se abrindo — adivinhou Kaladin.

— Sim. Como você sabia que isso ia acontecer?

— Eles estavam no acampamento de Sadeas quando nós fomos designados para o plantão exclusivo nos abismos. Eles viram o que nós fizemos e tinham escutado histórias sobre nós treinarmos lá embaixo. Trazendo eles para cá, nós os convidamos a participar, como uma iniciação.

Teft estava tendo dificuldade em fazer com que os ex-carregadores mostrassem interesse no treinamento. O velho soldado estava sempre irritado e reclamando com eles. Os homens insistiram em permanecer com Kaladin em vez de serem liberados, então por que não queriam aprender?

Eles precisavam ser convidados. Não só com palavras.

— Sim, bem — disse Rocha. — Sigzil me mandou aqui. Ele quer saber se está pronto para praticar suas habilidades.

Kaladin respirou fundo, olhando de relance para Syl, então assentiu.

— Sim. Traga-o aqui. Podemos fazer isso aqui.

— Ha! Finalmente. Vou chamá-lo.

10

TAPETE VERMELHO OUTRORA BRANCO

SEIS ANOS ATRÁS

O MUNDO ACABOU, E A culpa era de Shallan.
— Faça de conta que isso nunca aconteceu — sussurrou seu pai. Ele limpou algo úmido da bochecha dela. O seu polegar voltou vermelho. — Vou proteger você.

A sala estava tremendo? Não, era Shallan. Tremendo. Sentia-se tão pequena. Já considerava 11 anos muita idade. Mas ela era uma criança, ainda uma criança. Tão pequena.

Ela olhou para o pai, estremecendo. Não podia piscar, os olhos paralisados com as pálpebras abertas. O pai começou a sussurrar, piscando entre lágrimas.

— Vem dormir aqui na fenda, no meio da escuridão...

Uma canção de ninar familiar, que ele sempre cantava para ela. Na sala atrás dele, cadáveres escuros esticados no chão. Um tapete vermelho outrora branco.

— Em um berço de pedra e medo, vem dormir, meu coração.

O pai a tomou nos braços, e ela sentiu a pele se arrepiando. Não. Não, aquela afeição não estava certa. Um monstro não devia ser abraçado com amor. Um monstro que matava, que assassinava. *Não.*

Ela não conseguia se mover.

— Até caindo a tormenta, você ainda se esquenta, o vento vai te ninar...

O pai carregou Shallan por cima do corpo de uma mulher vestida de azul e dourado. Pouco sangue ali. Era o homem que sangrava. A mãe estava com o rosto para baixo, então Shallan não podia ver seus olhos. Seus olhos horríveis.

Shallan quase imaginava que a canção de ninar era o fim de um pesadelo. Que era noite, ela havia despertado gritando e seu pai estava cantando para ela dormir...

— Os cristais brilham tão belos, vem dormir, meu coração.

Eles passaram pelo cofre do seu pai na parede. Ele brilhava forte, a luz fluindo das fendas ao redor da porta fechada. Havia um monstro ali dentro.

— Não demora com a canção, vem dormir, meu coração.

Com Shallan nos seus braços, o pai deixou a sala e fechou a porta para os cadáveres.

Foi aqui que Shallan
chegou a terra firme.
—Nazh

11
UMA ILUSÃO DA PERCEPÇÃO

> *Mas, compreensivelmente, estávamos concentrados em Sadeas. Sua traição ainda era recente, e eu via seus sinais todos os dias ao passar por casernas vazias e viúvas chorando. Sabíamos que Sadeas não ia simplesmente repousar orgulhosamente sobre sua chacina. Havia mais por vir.*
>
> — Do diário de Navani Kholin, jesesach, ano de 1174

SHALLAN DESPERTOU QUASE SECA, deitada sobre uma pedra irregular que emergia do oceano. As ondas lambiam seus pés, embora ela mal pudesse senti-los no seu estado de torpor. Ela gemeu, levantando a bochecha do granito molhado. Havia terra ali perto, e a arrebentação ecoava como um rugido baixo. Na outra direção estendia-se apenas o mar azul sem fim.

Estava com frio e sua cabeça latejava como se a tivesse batido repetidamente contra uma parede, mas estava viva. De alguma maneira. Levantou a mão — coçando um ponto com sal seco na testa — e tossiu rouca. Seu cabelo havia grudado no rosto, e seu vestido estava manchado pela água e pelas algas na pedra.

Como...?

Então ela o viu, uma grande concha marrom na água, quase invisível enquanto se movia rumo ao horizonte. O santide.

Shallan se levantou, cambaleando, agarrando-se ao topo pontudo de seu poleiro rochoso. Mareada, ela fitou a criatura até que sumisse na distância.

Algo zumbiu ao lado dela. Padrão exibia sua forma usual na superfície do mar revolto, translúcido como se fosse uma pequena onda.

— Alguém... — Ela tossiu, limpando a voz, depois grunhiu e sentou-se na pedra. — Alguém mais conseguiu?

— Conseguiu? — perguntou Padrão.

— Outras pessoas. Os marinheiros. Eles conseguiram escapar?

— Incerto — respondeu Padrão na sua voz murmurante. — O navio... se foi. Nas ondas. Nada visto.

— O santide. Ele me salvou.

Como ele soubera o que fazer? Eram inteligentes? Ela poderia ter se comunicado com ele de algum modo? Teria perdido uma oportunidade de...?

Ela quase começou a rir ao perceber a direção de seus pensamentos. Por pouco não se afogara, Jasnah estava morta, a tripulação do *Prazer do Vento* provavelmente havia sido assassinada ou tragada pelo mar! Em vez de lamentar a morte deles ou se espantar com a própria sobrevivência, Shallan estava fazendo especulações eruditas?

É isso que você faz, acusou uma parte profundamente enterrada dela mesma. *Você se distrai. Você se recusa a pensar sobre as coisas que a incomodam.*

Mas foi assim que sobreviveu.

Shallan envolveu o corpo com os braços para se aquecer no recife e lançou um olhar distante sobre o oceano. *Precisava* encarar a verdade. Jasnah estava morta.

Jasnah estava morta.

Shallan sentiu vontade de chorar. Uma mulher tão brilhante, tão incrível, simplesmente... se fora. Jasnah havia tentado salvar a todos, proteger o mundo inteiro. E eles a mataram por isso. O caráter inesperado do que havia acontecido deixava Shallan atordoada, e assim ela ficou ali sentada, tremendo e com frio, simplesmente olhando para o oceano. Sua mente estava tão entorpecida quanto seus pés.

Abrigo. Ela precisava de abrigo... de alguma coisa. Pensamentos sobre os marinheiros, sobre a pesquisa de Jasnah, eram agora uma preocupação menos imediata. Shallan estava encalhada em um trecho da costa que era quase completamente desabitado, em uma terra que congelava à noite. Enquanto estava sentada, a maré havia lentamente recuado, e o espaço entre ela e a costa já não era tão grande quanto antes. Isso era uma sorte, já que ela não sabia realmente nadar.

Forçou-se a se mover, embora levantar os membros fosse como tentar deslocar troncos de árvores caídas. Ela trincou os dentes e deixou-se escorregar para a água. Ainda podia sentir seu frio intenso, um sinal de que não estava totalmente entorpecida.

— Shallan? — chamou Padrão.

— Não podemos ficar aqui sentados para sempre — respondeu ela, agarrando-se à pedra e descendo totalmente para a água.

Seus pés roçaram um fundo rochoso, então ela ousou soltar-se, meio nadando e meio chafurdando enquanto abria caminho até a terra.

Provavelmente engoliu metade da água da baía enquanto lutava com as ondas gélidas, até que finalmente foi capaz de caminhar. Com o vestido e o cabelo escorrendo, ela tossiu e cambaleou até a praia, então caiu de joelhos. O chão ali estava coberto de algas marinhas variadas, que se contorciam sob seus pés, se afastando, lodosas e escorregadias. Crenguejos e caranguejos maiores corriam em todas as direções, alguns dos mais próximos estalando as garras para ela, como um aviso para manter distância.

Ela pensou que era uma prova da sua exaustão que não houvesse nem considerado, antes de deixar a rocha, os predadores marinhos sobre os quais havia lido: dezenas de grandes crustáceos que ficariam felizes em ter uma perna para arrancar e mastigar. Esprenos de medo surgiram subitamente da areia, como lesmas roxas.

Que bobagem. Agora ela estava com medo? *Depois* de nadar? Os esprenos logo desapareceram.

Shallan olhou de volta para a rocha onde acordara. O santide provavelmente não conseguira deixá-la mais perto da costa, já que a água ficava rasa demais. Pai das Tempestades. Ela tinha sorte de ainda estar viva.

Apesar do nervosismo crescente, Shallan se ajoelhou e traçou um glifo-amuleto na areia, rezando. Não tinha como queimá-lo. Por enquanto, tinha que acreditar que o Todo-Poderoso aceitaria a oração. Ela inclinou a cabeça e sentou-se reverentemente por dez batimentos cardíacos.

Então se levantou e, contra toda esperança, começou a procurar outros sobreviventes. Aquele trecho da costa possuía várias praias e enseadas. Ela adiou buscar abrigo, em vez disso caminhou por muito tempo pelo litoral. A praia era composta por uma areia mais áspera do que esperava. Certamente não condizia com as histórias idílicas que lera, e ralava de modo desagradável seus dedos enquanto ela caminhava. Ao seu lado, a areia se elevava em uma forma móvel, enquanto Padrão a acompanhava, zumbindo ansiosamente.

Shallan passou por galhos, até por pedaços de madeira que *poderiam* ter pertencido a navios. Não viu pessoa alguma, nem encontrou pegadas. Ao fim do dia, ela desistiu, sentando-se em uma pedra desgastada. Não havia percebido que seus pés estavam cortados e avermelhados pela caminhada sobre as pedras. Seu cabelo estava uma bagunça. Sua bolsa-segura ainda possuía algumas esferas, mas nenhuma delas estava infundida. Eram inúteis, a menos que encontrasse a civilização.

Lenha, ela pensou. Juntaria lenha e faria uma fogueira. À noite, serviria de sinal para outros sobreviventes.

Ou poderia sinalizar para piratas, bandidos ou os assassinos do navio, caso eles tivessem sobrevivido.

Shallan fez uma careta. O que ia fazer?

Faça uma pequena fogueira para se aquecer, ela decidiu. *Proteja o fogo, então procure outras fogueiras durante a noite. Se enxergar alguma, tente inspecioná-la sem se aproximar demais.*

Um ótimo plano, exceto pelo fato de que ela havia passado a vida inteira em uma rica mansão, com criados que acendiam as lareiras para ela. Nunca havia acendido o fogo em uma lareira, quanto mais ao ar livre.

Raios... ela teria sorte se não morresse de frio ali. Ou de fome. O que faria se chegasse uma grantormenta? Quando seria a próxima? Na noite seguinte? Ou na outra?

— Venha! — chamou Padrão.

Ele vibrava na areia. Grãos saltavam e tremiam enquanto ele falava, subindo e descendo ao redor dele. *Já vi isso antes...*, pensou Shallan, franzindo o cenho. *Areia em uma placa. Kabsal...*

— Venha! — repetiu Padrão, com mais urgência.

— O quê? — Shallan se levantou. Raios, estava exausta. Mal conseguia se mexer. — Encontrou alguém?

— Sim!

Isso imediatamente obteve sua atenção. Ela não fez mais perguntas, apenas seguiu Padrão, que se movia animadamente pela costa. Será que ele saberia a diferença entre alguém perigoso e alguém amigável? No momento, gelada e exausta, ela quase não se importava.

Ele parou ao lado de algo meio submerso na água e nas algas, à beira do oceano. Shallan franziu o cenho.

Um baú. Não uma pessoa, mas um grande baú de madeira. Sua respiração agarrou na garganta e ela caiu de joelhos, mexendo nos fechos e abrindo a tampa.

No interior, como um tesouro reluzente, estavam os livros e anotações de Jasnah, cuidadosamente embalados, protegidos pela vedação à prova d'água.

Jasnah podia não ter sobrevivido, mas o trabalho da sua vida, sim.

SHALLAN AJOELHOU-SE JUNTO DE sua fogueira improvisada. Um círculo de pedras, preenchido com gravetos que catara de umas poucas árvores ali perto. A noite já estava quase chegando.

Com ela, veio um frio chocante, tão intenso quanto o pior inverno da sua terra. Ali nas Terras Geladas, isso seria comum. Suas roupas, que naquela umidade ainda não haviam secado completamente, apesar das horas de caminhada, pareciam feitas de gelo.

Ela não sabia como acender um fogo, mas talvez pudesse fazer chamas de outra maneira. Lutou para vencer o cansaço — raios, estava mesmo exausta — e pegou uma esfera brilhante, uma das muitas que encontrara no baú de Jasnah.

— Muito bem — ela sussurrou. — Vamos lá. Shadesmar.

— Mmm... — fez Padrão. Ela estava aprendendo a interpretar seu zumbido; aquele, em particular, parecia tenso. — Perigoso.

— Por quê?

— O que é terra aqui, lá, é mar.

Shallan assentiu, entorpecida. *Espere. Pense.*

Pensar estava ficando cada vez mais difícil, mas ela se forçou a rever as palavras de Padrão. Quando viajavam pelo oceano, e ela visitara Shadesmar, encontrara um chão de obsidiana sob seus pés. Mas em Kharbranth, ela caíra naquele oceano de esferas.

— Então, o que fazemos? — indagou Shallan.

— Vamos devagar.

Shallan respirou fundo o ar gelado, depois assentiu. Tentou fazer como antes. Lentamente, cuidadosamente. Era como... como abrir os olhos de manhã.

A consciência de outro lugar a consumiu. As árvores próximas *estouraram* como bolhas, contas se formaram no seu lugar e caíram em um mar cambiante de esferas abaixo. Shallan sentiu que estava caindo.

Arfou, assustada, então retornou daquela consciência, fechando seus olhos metafóricos. Aquele lugar desapareceu, e em um momento estava de volta ao agrupamento de árvores.

Padrão zumbiu nervosamente.

Shallan travou o maxilar e tentou outra vez. Mais devagar, escorregando para aquele lugar com seu estranho céu e não sol. Por um momento, flutuou entre mundos, com Shadesmar sobreposto ao mundo ao redor dela, como uma imagem fantasmagórica. Manter-se entre os dois lugares era difícil.

Use a Luz, disse Padrão. *Traz ela junto.*

Hesitante, Shallan atraiu a Luz para si. As esferas no oceano abaixo se moveram como um cardume de peixes, ondulando na sua direção, tilintando. Na sua exaustão, Shallan mal conseguia manter o estado duplo, e ficou tonta ao olhar para baixo.

De algum modo, ela se manteve firme.

Padrão estava ao seu lado, na sua forma de roupas rígidas e cabeça feita de linhas impossíveis, os braços juntos atrás do corpo, flutuando como se estivesse no ar. Ele era alto e imponente daquele lado, e ela notou distraída que ele lançava uma sombra na direção errada, *rumo* ao distante e aparentemente frio sol, em vez de para longe dele.

— Bom — disse ele, sua voz zumbia mais grave ali. — Bom.

Padrão inclinou a cabeça e, embora não possuísse olhos, virou-se como se estivesse avaliando o lugar.

— Eu sou daqui, mas me lembro de tão pouco...

Shallan tinha a sensação de que seu tempo era limitado. Ajoelhando-se, ela estendeu a mão e tateou os gravetos que empilhara para formar o lugar para seu fogo. Sentia os gravetos — mas ao olhar para aquele estranho reino, seus dedos também encontraram uma das contas de vidro que havia se amontoado abaixo dela.

Ao tocá-la, percebeu algo planando no ar acima dela. Shallan se encolheu, olhando para cima e vendo grandes criaturas semelhantes a aves circulando à sua volta em Shadesmar. Elas eram cinza-escuro e pareciam não ter uma forma específica, suas silhuetas embaçadas.

— O que...

— Esprenos — respondeu Padrão. — Atraídos por você. Pelo seu... cansaço?

— Esprenos de exaustão? — indagou ela, chocada pelo tamanho deles ali.

— Sim.

Shallan se arrepiou, depois olhou para a esfera sob sua mão. Estava perigosamente perto de cair em Shadesmar completamente, e mal podia ver as impressões do mundo físico ao seu redor. Só aquelas contas. Sentia que poderia tropeçar naquele mar a qualquer instante.

— Por favor — disse Shallan para a esfera. — Preciso que você se transforme em fogo.

Padrão zumbiu, falando com uma nova voz, interpretando as palavras da esfera.

— Eu sou um graveto — disse ele. A voz parecia satisfeita.

— Você poderia ser fogo — sugeriu Shallan.

— Eu sou um graveto.

O graveto não era particularmente eloquente. Isso não devia surpreendê-la.

— Por que não virar fogo, em vez disso?

— Eu sou um graveto.

— Como posso fazê-lo mudar? — perguntou Shallan a Padrão.

— Hum... Eu não sei. Você precisa persuadi-lo. Oferecendo-lhe verdades, eu acho? — Ele parecia agitado. — Esse lugar é perigoso para você. Para nós. Por favor. Rápido.

Ela olhou de volta para o graveto.

— Eu quero que você queime.

— Eu sou um graveto.

— Já pensou em como seria divertido?

— Eu sou um graveto.

— Luz das Tempestades — disse Shallan. — Eu te dou! Toda a Luz que eu tenho.

Uma pausa. Finalmente:

— Eu sou um graveto.

— Gravetos precisam de Luz das Tempestades. Para... coisas... — Shallan piscou para afastar lágrimas de fadiga.

— Eu sou...

— Um graveto — completou Shallan.

Ela pegou a esfera, sentindo tanto a conta quanto o graveto no reino físico, tentando pensar em outro argumento. Por um momento, não se sentira tão cansada, mas agora estava voltando — desabando sobre ela. Por que...

Sua Luz das Tempestades estava acabando.

Ela se esgotou em um instante, drenada do corpo de Shallan, que expirou, caindo em Shadesmar com um suspiro, sentindo-se sobrecarregada e exausta.

Caiu no oceano de esferas. Aquele horrível breu, milhões de partes móveis, consumindo-a.

Ela se expulsou de Shadesmar.

As esferas se expandiram para fora, crescendo até virarem gravetos, rochas e árvores, restaurando o mundo como ela o conhecia. Shallan desabou no pequeno arvoredo, o coração batendo forte.

Tudo ficou normal ao seu redor. Não havia mais um sol distante, nem um mar de esferas. Só o frio intenso, um céu noturno e o vento inclemente que soprava entre as árvores. A esfera que havia esgotado escapou dos seus dedos, tilintando contra o solo pedregoso. Ela se inclinou para trás contra o baú de Jasnah. Seus braços ainda doíam por ter arrastado o baú da praia até as árvores. Ficou ali encolhida, assustada.

— Você sabe como fazer fogo? — perguntou a Padrão.

Seus dentes batiam. Pai das Tempestades. Ela não sentia mais frio, mas seus dentes estavam batendo e seu hálito estava visível como vapor à luz das estrelas. Ela percebeu que estava ficando com sono. Talvez devesse simplesmente dormir e então tentaria lidar com tudo aquilo de manhã.

— Mudança? — perguntou Padrão. — Ofereça a mudança.

— Eu tentei.

— Eu sei. — Suas vibrações pareciam deprimidas.

Shallan fitou aquela pilha de gravetos, sentindo-se totalmente inútil. O que Jasnah dissera mesmo? Controle era a base de todo poder verdadeiro? Autoridade e força eram questões de percepção? Bem, tivera uma refutação direta *disso*. Shallan podia se imaginar grandiosa, podia agir como uma rainha, mas isso não mudava nada ali, naquele lugar ermo.

Bem, não vou ficar aqui sentada e congelar até a morte. Vou pelo menos congelar até a morte procurando ajuda.

Mas ela não se moveu; mover-se era difícil. Pelo menos ali, acomodada junto ao baú, ela não precisava sentir tanto o vento. Era só ficar deitada até de manhã...

Ela se encolheu até virar uma bola.

Não. Não parecia certo. Ela tossiu, então de algum modo conseguiu se levantar. Cambaleou para longe da sua não fogueira, catou uma esfera na bolsa-segura, então começou a caminhar.

Padrão movia-se junto aos seus pés; eles sangravam mais, agora. Ela deixava uma trilha rubra na rocha. Já não sentia os cortes.

Ela caminhou e caminhou.

E caminhou.

E...

Luz.

Ela não acelerou o passo, pois não conseguia. Mas continuou avançando, tropeçando na direção daquela luz minúscula nas trevas. Uma parte entorpecida dela se preocupava com a possibilidade de a luz na verdade ser Nomon, a segunda lua. De que marchasse na sua direção e caísse da borda de Roshar.

Então ela se surpreendeu ao cambalear direto até um pequeno grupo de pessoas sentadas ao redor de uma fogueira. Ela hesitou, olhando de um rosto para outro; então, ignorando os sons que eles faziam, pois as palavras não lhe diziam nada naquele estado, ela caminhou até a fogueira e se deitou, enrolada, e caiu no sono.

—Luminosa?
Shallan grunhiu, rolando para o outro lado. Seu rosto doía. Não, seus *pés* doíam. Seu rosto não era nada em comparação com aquela dor.

Se dormisse mais um pouco, talvez passasse. Pelo menos por aquele período...

— Lu-Luminosa? — chamou novamente a voz. — A senhora está se sentindo bem, sim?

Um sotaque thayleno. Arrastada do seu âmago, uma luz emergiu, trazendo memórias. O navio. Thaylenos. Os marinheiros?

Shallan forçou-se a abrir os olhos. O ar tinha um leve odor de fumaça da fogueira, cujas brasas ainda ardiam. O céu era de um violeta profundo, clareando enquanto o sol irrompia no horizonte. Ela dormira sobre pedra nua, e seu corpo doía.

Não reconheceu a pessoa que estava falando, um corpulento thayleno usando um chapéu trançado e um velho terno e colete, emendado em alguns lugares discretos. Suas sobrancelhas brancas estavam presas atrás das orelhas. Não era um marujo, mas sim um comerciante.

Shallan abafou um grunhido enquanto se sentava. Então, em um momento de pânico, ela verificou sua mão segura. Um dos dedos havia escapado da manga, e ela o puxou de volta para dentro. Os olhos do thayleno acompanharam o movimento, mas ele nada disse.

— A senhorita está bem, então? — perguntou o homem em alethiano. — Nós temos que nos preparar para partir, sabe? Sua chegada na noite passada foi... inesperada. Não queríamos perturbá-la, mas pensamos que talvez fosse melhor despertá-la antes de irmos embora.

Shallan correu a mão livre pelo cabelo, um emaranhado de madeixas ruivas e gravetos. Dois outros homens — altos, musculosos, e de descendência vorin — embalavam cobertores e esteiras. Ela teria dado tudo por uma delas durante a noite; lembrava-se de rolar no chão desconfortavelmente.

Controlando as necessidades naturais, ela se virou e ficou surpresa ao ver três grandes carroças de chules com jaulas. Dentro delas havia um punhado de homens sujos e sem camisa. Só foi preciso um instante para que tudo se encaixasse.

Mercadores de escravos.

Ela abafou um acesso inicial de pânico. Vender escravos era uma profissão perfeitamente legal; pelo menos, na maior parte do tempo. Só que ali eram as Terras Geladas, muito longe do domínio de qualquer grupo ou nação. Quem saberia dizer o que era legal ali ou não?

Fique calma, disse a si mesma com severidade. *Eles não teriam acordado você educadamente se estivessem planejando alguma coisa assim.*

Vender uma mulher vorin de alto dan — algo indicado pelo seu vestido — seria uma jogada arriscada para um mercador de escravos. A maioria dos proprietários em terras civilizadas exigia documentação sobre o passado do escravo, e era de fato raro que um olhos-claros fosse escravizado, exceto no caso de fervorosos. Geralmente alguém de alta estirpe era simplesmente executado. A escravidão era uma misericórdia para as classes inferiores.

— Luminosa? — chamou o mercador de escravos nervosamente.

Ela estava pensando novamente como uma erudita, para se distrair. Precisava perder esse hábito.

— Qual é o seu nome? — indagou Shallan.

Ela não pretendera que sua voz soasse tão fria, mas o choque do que vira a perturbara. O homem deu um passo para trás ao ouvir seu tom.

— Sou Tvlakv, um humilde comerciante.

— Mercador de escravos — replicou Shallan, se levantando e afastando o cabelo do rosto.

— Como eu disse. Um comerciante.

Os dois guardas dele a vigiavam enquanto carregavam o equipamento para a carroça principal. Ela não deixou de notar os cassetetes que carregavam na cintura. Ela tinha uma esfera na mão quando chegou na noite anterior, não tinha?

As memórias fizeram a dor nos pés irromper novamente. Ela teve que cerrar os dentes contra a agonia, enquanto esprenos de dor, como finas mãos alaranjadas, brotavam violentamente do chão próximo. Teria que limpar as feridas, mas ensanguentadas e raladas como estavam, ela não poderia andar tão cedo para lugar algum. Aquelas carroças tinham assentos...

Eles provavelmente roubaram a esfera de mim. Ela apalpou dentro da sua bolsa-segura. As outras esferas ainda estavam lá, mas a manga estava desabotoada. Teria ela feito isso? Será que eles haviam olhado? Não conseguiu evitar um rubor ao pensar.

Os dois guardas a fitavam com um ar faminto. Tvlakv agia humildemente, mas seus olhos maliciosos também pareciam ávidos. Os homens estavam a um passo de roubá-la.

Mas se ela permitisse, provavelmente morreria naquele lugar, sozinha. Pai das Tempestades! O que podia fazer? Sentiu vontade de se sentar e chorar. Depois de tudo que havia acontecido, agora isso?

Controle é a base de todo poder.

Como Jasnah teria reagido àquela situação?

A resposta era simples. Ela seria Jasnah.

— Permitirei que me ajude — declarou Shallan. De algum modo, conseguiu manter a voz calma, apesar do terror ansioso que sentia.

— ...Luminosa? — indagou Tvlakv.

— Como pode ver, sou vítima de um naufrágio. Meus criados foram perdidos. Você e seus homens servirão. Eu tenho um baú. É preciso que vocês vão buscá-lo.

Ela se sentia como um dos dez tolos. Certamente ele perceberia o que estava por trás daquela frágil atuação. Fingir que possuía autoridade não era o mesmo que tê-la, independentemente do que Jasnah dissera.

— Seria... nosso privilégio ajudar, é claro — disse Tvlakv. — Luminosa...?

— Davar — respondeu Shallan, tomando o cuidado de suavizar a voz.

Jasnah não era condescendente. Enquanto outros olhos-claros, como o pai de Shallan, saíam por aí agindo com egoísmo e arrogância, Jasnah simplesmente esperava que as pessoas fizessem o que ela desejava. E elas faziam.

Ela ia dar um jeito. Precisava dar.

— Comerciante Tvlakv — disse Shallan. — Preciso ir para as Planícies Quebradas. Você conhece o caminho?

— As Planícies Quebradas? — perguntou o homem, olhando para seus guardas, um dos quais havia se aproximado. — Nós estivemos lá alguns meses atrás, mas agora estamos indo pegar uma barca para Thaylenah. Já completamos nossos negócios nessa área, não precisamos voltar para o norte.

— Ah, mas você precisa voltar, sim — replicou Shallan, caminhando na direção das carroças. Cada passo era uma agonia. — Para me levar.

Ela olhou ao redor e ficou feliz ao notar Padrão na lateral de uma carroça, observando. Ela caminhou até a frente daquela carroça, então estendeu a mão para o outro guarda, que estava ali perto. Ele olhou para sua mão sem dizer nada, coçando a cabeça, depois olhou para a carroça e subiu nela, estendendo a mão para ajudá-la.

Tvlakv se aproximou.

— Será uma viagem dispendiosa para nós, se voltarmos sem mercadorias! Só tenho esses escravos que comprei nas Criptas Rasas. Não é o bastante para justificar a viagem de volta, ainda não.

— Dispendiosa? — indagou Shallan, sentando-se e tentando indicar que achara o comentário engraçado. — Posso garantir-lhe, comerciante Tvlakv, que a despesa é minúscula para mim. Você será regiamente recompensado. Agora, vamos andando. Há pessoas importantes me esperando nas Planícies Quebradas.

— Mas Luminosa — insistiu Tvlakv —, é obvio que a senhorita passou por momentos difíceis recentemente, sim, posso ver. Deixe-me levá-la às Criptas Rasas. É muito mais perto. A senhorita poderá descansar lá e mandar uma mensagem para aqueles que a esperam.

— Eu pedi para ser levada às Criptas Rasas?

— Mas... — Ele perdeu o fio da meada enquanto ela o encarou diretamente.

Shallan suavizou sua expressão.

— Eu sei o que estou fazendo, e agradeço pelo conselho. Agora, vamos andando.

Os três homens trocaram olhares perplexos, e o mercador de escravos tirou seu chapéu trançado, torcendo-o nas mãos. Ali perto, um par de parshemanos com pele marmorizada caminhou até o acampamento. Shallan quase pulou quando eles passaram carregando conchas secas de petrobulbos, aparentemente coletadas para fogueiras. Tvlakv não prestou atenção neles.

Parshemanos. Esvaziadores. Ela se arrepiou, mas não podia se preocupar com eles agora. Olhou de novo para o mercador de escravos, esperando que ele ignorasse suas ordens. Contudo, ele assentiu. E então ele e seus homens... simplesmente obedeceram a ela. Eles amarraram os chules, o mercador de escravos recebeu instruções para chegar até o baú, e todos começaram a se mover sem mais objeções.

Talvez só estejam obedecendo agora porque querem saber o que tem no meu baú. Mais coisas para roubar. Mas quando o alcançaram, os homens o prenderam na carroça, depois deram meia-volta e seguiram para o norte.

Rumo às Planícies Quebradas.

12
HERÓI

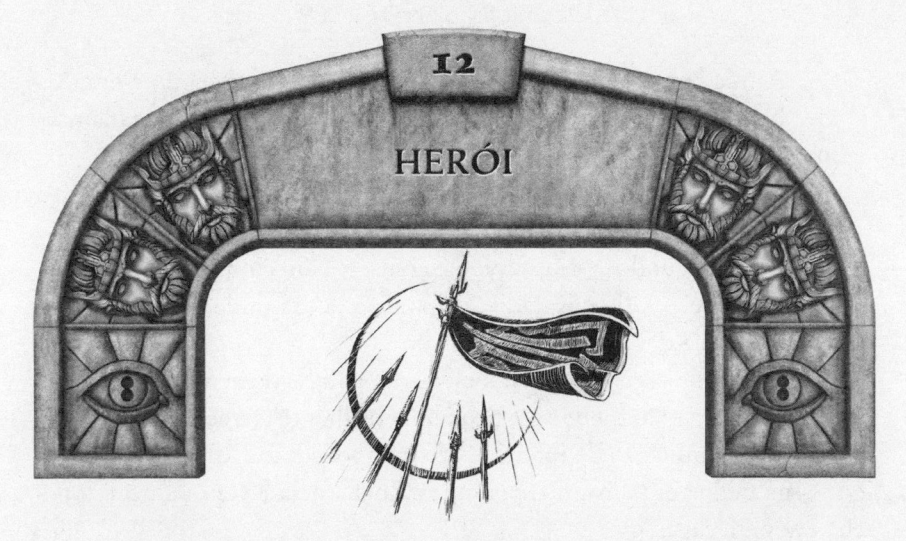

> *Infelizmente, estávamos tão concentrados nos ardis de Sadeas que não prestamos atenção no padrão alterado dos nossos inimigos, os assassinos do meu marido, o verdadeiro perigo. Gostaria de saber qual vento trouxe a sua súbita e inexplicável transformação.*
>
> — Do diário de Navani Kholin, jesesach, ano de 1174

KALADIN PRESSIONOU A PEDRA contra a parede do abismo, e ela se fixou ali.

— Muito bem — disse ele, dando um passo para trás.

Rocha saltou e a agarrou, então ficou pendurado na parede, com as pernas erguidas do chão. Sua gargalhada profunda como um bramido ecoou pelo abismo.

— Dessa vez ela me aguenta!

Sigzil fez uma anotação no seu caderno.

— Ótimo. Continue se segurando, Rocha.

— Por quanto tempo?

— Até você cair.

— Até eu... — O grande papaguampas franziu o cenho, pendendo da pedra com as duas mãos. — Não gosto mais desse experimento.

— Ah, pare de choramingar — disse Kaladin, cruzando os braços e encostando-se à parede ao lado de Rocha. As esferas iluminavam o chão do abismo ao redor deles, com suas vinhas, detritos e plantas florescentes. — Você não vai cair muito.

— Não é a queda, são meus braços. Eu sou um homem grande, sabe?

— Ainda bem que você tem braços grandes para se segurar, então.

— Não é assim que funciona — grunhiu Rocha. — E a pegada não é boa. E eu...

A pedra se soltou e Rocha caiu. Kaladin agarrou seu braço, ajudando-o a se equilibrar.

— Vinte segundos — observou Sigzil. — Não é muito tempo.

— Eu avisei — disse Kaladin, pegando a pedra caída. — Dura mais se uso mais Luz das Tempestades.

— Acho que precisamos estabelecer uma linha de base — disse Sigzil. Ele enfiou a mão no bolso e tirou uma brilhante clareta de diamante, a menor denominação de esfera. — Extraia toda a Luz disso aqui, coloque-a na pedra, então vamos pendurar Rocha nela e ver quanto tempo ele leva para cair.

Rocha gemeu.

— Meus pobres braços...

— Ei, *mancha* — chamou Lopen de um ponto mais distante do abismo —, pelo menos você tem dois, né?

O herdaziano estava vigiando para garantir que nenhum dos novos recrutas perambulasse até ali e visse o que Kaladin estava fazendo. Era improvável — eles estavam praticando a vários abismos de distância —, mas Kaladin queria alguém de guarda.

Em algum momento todos vão ficar sabendo, pensou Kaladin, pegando a esfera de Sigzil. *Não foi isso que você prometeu a Syl? Que se tornaria um Radiante?*

Kaladin extraiu a Luz das Tempestades da esfera com uma inspiração forte, então infundiu a Luz na pedra. Estava ficando mais hábil nisso, atraindo a Luz para sua mão, depois a usando como tinta luminosa para revestir a base da pedra. A Luz permeou a rocha e, quando ele a pressionou contra a parede, a pedra permaneceu ali. Filamentos luminescentes fumegantes se elevavam dela.

— Acho que não precisamos fazer Rocha se pendurar nela — disse Kaladin. — Se precisa de uma linha de base, por que não usa o tempo que a pedra permanece ali sozinha?

— Bem, isso é menos divertido — disse Sigzil. — Mas tudo bem.

Ele continuou a escrever números no caderno. Isso teria deixado a maioria dos outros carregadores desconfortável. Um homem escrevendo era visto como algo pouco viril, até mesmo blasfemo — embora Sigzil só estivesse escrevendo glifos.

Naquele dia, felizmente, Kaladin estava acompanhado por Sigzil, Rocha e Lopen — todos estrangeiros de locais com regras diferentes. Herdaz era vorin, tecnicamente, mas eles tinham a própria variedade da religião, e Lopen não parecia se incomodar com um homem escrevendo.

— Então, líder Filho da Tempestade, você disse que tinha mais uma habilidade, não disse? — disse Rocha enquanto eles esperavam.

— Voar! — exclamou Lopen lá da passagem.

— Não sei voar — respondeu Kaladin em um tom seco.

— Caminhar pelas paredes!

— Eu tentei fazer isso — disse Kaladin. — Quase quebrei a cabeça na queda.

— Ah, *gancho* — disse Lopen. — Nem voar *nem* caminhar pelas paredes? Eu preciso impressionar as mulheres. Não acho que grudar pedras na parede será suficiente.

— Acho que qualquer pessoa consideraria isso impressionante — contestou Sigzil. — Desafia as leis da natureza.

— Você não conhece muitas mulheres herdazianas, né? — Lopen suspirou. — Bem, acho que deveríamos tentar voar outra vez. Seria o melhor.

— *Tem* outra coisa — disse Kaladin. — Não é voar, mas ainda é útil. Não sei se consigo fazer de novo... Nunca fiz conscientemente.

— O escudo — disse Rocha, parado junto à parede, fitando a pedra. — No campo de batalha, quando os parshendianos atiraram contra nós. As flechas atingiram seu escudo. *Todas* as flechas.

— Isso — admitiu Kaladin.

— Vamos testar isso — disse Sigzil. — Precisamos de um arco.

— Esprenos. — Rocha apontou. — Eles puxam a pedra contra a parede.

— O quê? — disse Sigzil, correndo até o local e apertando os olhos na direção da pedra que Kaladin havia pressionado contra a parede. — Eu não estou vendo.

— Ah, então eles não querem ser vistos. — Rocha curvou a cabeça na direção dos esprenos. — Minhas desculpas, *mafah'liki*.

Sigzil franziu o cenho, olhando mais de perto, segurando uma esfera para iluminar a área. Kaladin se juntou a eles. Conseguia discernir os minúsculos esprenos roxos, se olhasse atentamente.

— Eles estão aí, Sig — confirmou Kaladin.

— Então por que não posso vê-los?

— Tem a ver com minhas habilidades — disse Kaladin, olhando de relance para Syl, que estava sentada em uma fissura na rocha ali perto, com uma perna balançando.

— Mas Rocha...

— Eu sou *alaii'iku* — respondeu Rocha, levando a mão ao peito.

— Que significa? — questionou Sigzil, impaciente.

— Que consigo ver esses esprenos, e você não. — Rocha pousou a mão no ombro do homem mais baixo. — Está tudo bem, amigo. Não culpo você por ser cego. A maioria dos terrabaixistas é assim. É o ar, sabe? Faz com que seus cérebros não funcionem direito.

Sigzil franziu o cenho, mas escreveu algumas anotações enquanto fazia algo com os dedos. Estaria contando os segundos? A pedra finalmente se soltou da parede, deixando traços fracos de Luz das Tempestades ao atingir o chão.

— Bem mais que um minuto — disse Sigzil. — Eu contei oitenta e sete segundos. — Ele olhou para os outros homens.

— Era para a gente estar contando? — perguntou Kaladin, olhando para Rocha, que deu de ombros.

Sigzil suspirou.

— Noventa e um segundos — disse Lopen, de longe. — De nada.

Sigzil sentou-se em uma pedra, ignorando alguns ossos de dedos despontando no musgo abaixo dele, e fez mais anotações no caderno. Ele franziu o cenho.

—Ha! — disse Rocha, se agachando ao lado dele. — Parece que você comeu ovos estragados. Qual é o problema?

— Eu não sei o que estou fazendo, Rocha — respondeu Sigzil. — Meu mestre me ensinou a fazer perguntas e encontrar respostas exatas. Mas como posso ser exato? Eu precisaria de um relógio para contar o tempo, mas eles são muito caros. Mesmo que eu tivesse um, não saberia como medir Luz das Tempestades!

— Com esferas — sugeriu Kaladin. — As gemas são pesadas com exatidão antes de serem encerradas em vidro.

— E todas elas comportam a mesma quantidade? — indagou Sigzil.

— Sabemos que gemas brutas comportam menos do que gemas lapidadas. Então, uma que foi melhor lapidada vai comportar mais? Além disso, a Luz se esvai de uma esfera com o tempo. Quantos dias se passaram desde que aquela peça foi infundida, e quanta Luz ela perdeu desde então? Todas perdem a mesma quantidade na mesma velocidade? Nós sabemos muito pouco. Penso que talvez esteja desperdiçando seu tempo, senhor.

— Não é um desperdício — disse Lopen, juntando-se a eles. O herdaziano de um braço só bocejou, sentando-se na pedra junto de Sigzil, empurrando um pouco o outro homem para o lado. — Nós só precisamos testar outras coisas, né?

— Como por exemplo? — quis saber Kaladin.

— Bem, *gancho*, você consegue me grudar na parede?

— Eu... Eu não sei.

— Parece que seria bom saber, né? — Lopen se levantou. — Vamos tentar?

Kaladin olhou para Sigzil, que deu de ombros.

Kaladin extraiu mais Luz. A tempestade furiosa o preencheu, como se estivesse batendo contra sua pele, um prisioneiro tentando escapar. Ele atraiu a Luz para sua mão e pressionou-a contra a parede, pintando as pedras com luminescência.

Respirando fundo, ele pegou Lopen — o homem esguio foi surpreendentemente fácil de levantar, ainda mais com uma dose de Luz das Tempestades ainda nas veias de Kaladin. Ele pressionou Lopen contra a parede.

Quando Kaladin deu um passo atrás, hesitante, o herdaziano continuou ali, preso à pedra pelo seu uniforme, que se amontoava sob as axilas.

Lopen sorriu.

— Funcionou!

— Isso aí pode ser útil — disse Rocha, esfregando sua barba de papaguampas de corte estranho. — Sim, é *isso* que precisamos testar. Você é um soldado, Kaladin. Pode usar isso em combate?

Kaladin assentiu lentamente, uma dúzia de possibilidades surgindo em sua cabeça. E se os seus inimigos corressem sobre uma poça de Luz que ele colocara no chão? Conseguiria impedir que uma carroça capotasse? Enfiar sua lança em um escudo inimigo, depois arrancá-lo das mãos dele?

— Como é a sensação, Lopen? — indagou Rocha. — Isso aí dói?

— Nada — disse Lopen, se remexendo. — Estou preocupado que meu casaco se rasgue, ou que os botões arrebentem. Ah. Ah. Tenho uma pergunta! O que foi que o herdaziano de um braço só fez com o homem que o pendurou na parede?

Kaladin franziu o cenho.

— Eu... Eu não sei.

— Alguma coisa — respondeu Lopen. — Porque ele não podia ficar *de braços cruzados*.

O homem esguio caiu na risada.

Sigzil resmungou, mas Rocha riu também. Syl inclinou a cabeça, voando até Kaladin.

— Isso foi uma piada? — perguntou ela em voz baixa.

— Foi — respondeu Kaladin. — Uma piada bem ruim.

— Ah, não diga isso! — protestou Lopen, ainda rindo. — É a melhor que eu conheço... e acredite, sou um especialista em piadas de herdazianos de um braço só. Minha mãe sempre dizia: "Lopen, você precisa aprender a rir antes dos outros. Assim você rouba a risada deles e fica com ela só para você." Era uma mulher muito sábia. Uma vez eu dei a ela a cabeça de um chule.

Kaladin ficou confuso.

— Você... O quê?

— Cabeça de chule — repetiu Lopen. — Muito gostosa de comer.

— Você é estranho, Lopen — disse Kaladin.

— Não, é gostoso mesmo — confirmou Rocha. — A cabeça é a melhor parte do chule.

— Se vocês dizem... — respondeu Kaladin. — Eu tento acreditar.

Ele estendeu a mão, pegando Lopen pelo braço quando a Luz das Tempestades que o segurava começou a se esvair. Rocha pegou-o pela cintura e os dois o ajudaram a descer.

— Muito bem — disse Kaladin, instintivamente verificando o céu para avaliar a hora, embora não pudesse ver o sol através da estreita abertura da fenda acima. — Vamos fazer experimentos.

COM A TEMPESTADE DENTRO de si, Kaladin disparou pelo chão do abismo. Seus movimentos assustaram um grupo de floragolas, que se contraíram agitadamente, como mãos se fechando. Vinhas tremeram nas paredes e começaram a recuar.

Os pés de Kaladin pisaram em água estagnada. Ele saltou sobre um monte de detritos, deixando um rastro de Luz das Tempestades. Estava preenchido por ela, *pulsando* com ela. Isso a tornava mais fácil de usar; ela *queria* fluir. Ele a guiou para sua lança.

À frente, Lopen, Rocha e Sigzil esperavam com lanças de treinamento. Embora Lopen não fosse muito bom — o braço ausente era uma enorme desvantagem —, Rocha compensava. O enorme papaguampas se recusava a lutar com parshendianos e não matava, mas havia concordado em treinar em nome da "experimentação".

Ele lutava muito bem, e Sigzil era razoável com a lança. Juntos no campo de batalha, os três carregadores poderiam ter causado problemas a Kaladin antes.

Os tempos haviam mudado.

Kaladin jogou sua lança na direção de Rocha, surpreendendo o papaguampas, que havia levantado sua arma para bloquear. A Luz das Tempestades fez com que a lança de Kaladin grudasse na de Rocha, formando uma cruz. Rocha praguejou, tentando virar sua lança para atacar, mas, ao fazer isso, bateu em seu próprio flanco com a lança de Kaladin.

Quando a lança de Lopen avançou, Kaladin empurrou-a para baixo facilmente com uma das mãos, preenchendo a ponta com Luz. A arma acertou a pilha de detritos e grudou em madeira e ossos.

A arma de Sigzil se aproximou, errando o peito de Kaladin por uma ampla margem quando ele se desviou. Kaladin a segurou e infundiu a arma com a lateral da mão, empurrando-a contra a lança de Lopen, que ele havia acabado de conseguir soltar do lixo, recoberta de musgo e osso. As duas lanças ficaram grudadas.

Kaladin passou entre Rocha e Sigzil, deixando os três confusos, desequilibrados e tentando soltar as próprias armas. Kaladin deu um sorriso soturno, correndo até o outro lado do abismo. Ele pegou uma lança, depois se virou, dançando de um pé para outro. A Luz das Tempestades encorajava-o a se mover; ficar parado era praticamente impossível quando estava com tanta energia.

Vamos, vamos, ele pensou. Os três homens finalmente separaram suas armas quando a Luz se esgotou. Eles entraram em formação para enfrentá-lo novamente.

Kaladin disparou. Na luz fraca do abismo, o brilho de fumaça que se elevava dele era intenso o bastante para lançar sombras saltitantes e rodopiantes. Ele atravessou poças, a água gelada em seus pés descalços. Havia removido as botas; queria sentir a pedra debaixo dele.

Dessa vez, os três carregadores apoiaram a base das lanças no chão, como se esperassem a investida de um exército. Kaladin sorriu, então agarrou o topo de sua própria lança — como as outras, era uma lança de treinamento, sem uma ponta verdadeira — e a infundiu com Luz das Tempestades.

Ele a bateu contra a lança de Rocha, pretendendo arrancá-la das mãos do papaguampas. Rocha tinha outros planos e *puxou* sua lança com uma força que surpreendeu Kaladin. Ele quase perdeu a pegada.

Lopen e Sigzil rapidamente o atacaram dos dois lados. *Muito bem*, pensou Kaladin, orgulhoso. Ensinara-lhes formações como aquela, mostrando como trabalhar juntos no campo de batalha.

Enquanto eles fechavam o cerco, Kaladin soltou a lança e esticou a perna. A Luz fluiu do seu pé descalço tão facilmente quanto fluía de suas mãos, e ele foi capaz de traçar um grande arco brilhante no chão. Sigzil pisou nele e tropeçou, seu pé grudado na Luz. Ele tentou golpear enquanto caía, mas o ataque saiu fraco.

Kaladin jogou seu peso sobre Lopen, cujo ataque estava descentralizado. Ele empurrou Lopen contra a parede, depois recuou, deixando o herdaziano preso na pedra, que Kaladin havia infundido em um instante quando a tocaram juntos.

— Ah, de novo, não — grunhiu Lopen.

Sigzil havia caído de cara na água. Kaladin mal teve tempo de sorrir antes de notar Rocha brandindo um tronco na direção da sua cabeça.

Um tronco inteiro. Como Rocha havia *levantado* aquilo? Kaladin jogou-se para longe, rolando no chão e arranhando a mão enquanto o tronco atingia ruidosamente o chão do abismo.

Kaladin rosnou, Luz das Tempestades passando entre seus dentes e se elevando no ar diante dele. Saltou sobre o tronco de Rocha enquanto o papaguampas tentava levantá-lo novamente.

A pisada de Kaladin bateu o tronco novamente contra o chão. Ele saltou na direção de Rocha, e parte dele se perguntou o que estava pensando, partindo para combate corpo a corpo com alguém que tinha o dobro do seu peso. Ele se atirou com força contra o papaguampas, levando os dois ao chão. Rolaram no musgo, Rocha se retorcendo para prender os braços de Kaladin. O papaguampas obviamente tinha treinamento em luta.

Kaladin verteu Luz das Tempestades no chão. Havia descoberto que ela não o afetava ou atrapalhava. Então, enquanto rolavam, primeiro o braço de Rocha ficou preso no chão, depois seu flanco.

O papaguampas continuou lutando para prender Kaladin, e quase conseguiu, até que Kaladin tomou impulso com as pernas, rolando os dois até que o outro cotovelo de Rocha tocasse o chão, onde ficou grudado.

Kaladin se livrou dele, arfando e ofegando, perdendo a maior parte da sua Luz restante enquanto tossia. Ele se encostou contra a parede, limpando suor do rosto.

— Ha! — exclamou Rocha, preso no chão, esparramado com os braços abertos. — Eu quase peguei você. Você é escorregadio como um quinto filho!

— Raios, Rocha — disse Kaladin. — O que eu não faria para tê-lo no campo de batalha... Você é um desperdício como cozinheiro.

— Você não gosta da comida? — Rocha gargalhou. — Preciso tentar alguma coisa mais oleosa. Disso aí você vai gostar! Te agarrar foi como tentar segurar um peixe vivo! E coberto de manteiga! Ha!

Kaladin foi até ele, se agachando.

— Você é um guerreiro, Rocha. Vi isso em Teft, e você pode dizer o que quiser, mas vejo isso em você.

— Sou o filho errado para ser soldado — insistiu Rocha teimosamente. — Isso é coisa de *tuanalikina*, o quarto filho ou abaixo. O terceiro filho não pode ser desperdiçado em batalhas.

— Isso não impediu que você jogasse uma árvore na minha cabeça.

— Era uma árvore pequena — replicou Rocha. — E uma cabeça muito dura.

Kaladin sorriu, então estendeu a mão para tocar a Luz infundida na pedra abaixo de Rocha. Nunca tentara tomá-la de volta depois de usá-la desse modo. Seria possível? Ele fechou os olhos e inspirou, tentando... sim.

Parte da tempestade dentro dele foi reabastecida. Quando abriu os olhos, Rocha estava livre. Kaladin não fora capaz de tomar tudo de volta, mas uma parte. O resto estava se evaporando no ar.

Ele pegou Rocha pela mão, ajudando o homenzarrão a se levantar. Rocha limpou a poeira de si.

— Isso foi *constrangedor* — disse Sigzil enquanto Kaladin caminhava até ele para libertá-lo também. — Como se fôssemos crianças. Nem os olhos do Primeiro já viram um espetáculo tão vergonhoso.

— Tenho uma vantagem injusta — replicou Kaladin, ajudando Sigzil a se levantar. — Anos de treinamento como soldado, sou mais alto que você. Ah, e a capacidade de emitir Luz das Tempestades pelos dedos. — Ele deu um tapinha no ombro de Sigzil. — Você foi muito bem. Isso é só um teste, como você queria.

Um tipo de teste mais útil, pensou Kaladin.

— Claro — comentou Lopen atrás deles. — Pode deixar o herdaziano preso na parede. A vista daqui é linda. Ah, e é lodo escorrendo pela minha cara? A nova moda do Lopen, que não pode se limpar porque... já mencionei?... a mão dele está presa *na parede*.

Kaladin sorriu, caminhando até ele.

— Foi você que me pediu que te grudasse na parede, Lopen.

— Sabe a minha outra mão? Aquela que foi cortada muito tempo atrás, comida por uma fera horrorosa? Ela está fazendo um gesto feio para você agora mesmo. Pensei que gostaria de saber, para poder se sentir insultado. — Ele disse isso com a mesma leveza com que parecia abordar todas as coisas. Até havia se unido à equipe de ponte com certo entusiasmo maluco.

Kaladin deixou-o descer.

— Isso aí funcionou bem — comentou Rocha.

— Funcionou — concordou Kaladin.

Ainda que, honestamente, fosse provável que ele conseguisse despachar os três de modo mais fácil simplesmente usando uma lança e a velocidade e a força extras concedidas pela Luz das Tempestades. Não sabia ainda se era porque não estava familiarizado com os novos poderes, mas ele achava que forçar-se a usá-los o colocara em algumas situações difíceis.

Familiaridade, ele pensou. *Preciso conhecer essas habilidades tão bem quanto conheço minha lança.*

Isso significava praticar. Praticar muito. Infelizmente, a melhor maneira de praticar era descobrir alguém que se igualasse ou o superasse em habilidade, força e capacidade. Considerando o que podia fazer agora, seria difícil.

Os outros três foram pegar odres de água em suas bolsas, e Kaladin notou uma figura nas sombras, um pouco distante no abismo. Ele se levantou, alarmado, até que Teft emergiu na luz das esferas.

— Pensei que você fosse ficar de vigia — rosnou Teft para Lopen.

— Estava muito ocupado sendo grudado em paredes — respondeu Lopen, levantando seu odre. — Pensei que você tivesse um bando de verdinhos para treinar.

— Drehy está com eles — disse Teft, contornando cuidadosamente alguns detritos e juntando-se a Kaladin perto da parede. — Não sei se os rapazes lhe contaram, Kaladin, mas trazer aquele pessoal aqui para baixo de algum modo tirou-os de suas conchas.

Kaladin assentiu.

— Como você passou a conhecer as pessoas tão bem? — perguntou Teft.

— Tive que abrir um bocado delas com lâminas — respondeu Kaladin, olhando para a própria mão, que havia arranhado enquanto lutava com Rocha. O arranhão se fora; a Luz das Tempestades curara as lesões.

Teft grunhiu, olhando de relance para Rocha e os outros dois, que haviam aberto suas rações.

— Você devia colocar Rocha no comando dos novos recrutas.

— Ele não quer lutar.

— Ele acabou de lutar com você — replicou Teft. — Então talvez faça o mesmo com eles. As pessoas gostam mais dele do que de mim. Vou acabar estragando tudo.

— Você vai fazer um bom trabalho, Teft, e não quero que diga o contrário. Temos recursos agora; não precisamos mais poupar até a última esfera. Você vai treinar esses rapazes, e vai fazer isso *direito*.

Teft suspirou, mas não disse mais nada.

— Você viu o que eu fiz.

— Vi — respondeu Teft. — Vamos precisar de todos os vinte homens, se quisermos dificultar mesmo as coisas para você.

— Isso, ou encontrar outra pessoa como eu. Alguém com quem eu possa treinar.

— É — concordou Teft, como se não houvesse pensado nisso.

— Havia dez ordens de cavaleiros, certo? — indagou Kaladin. — Você sabe bastante sobre as outras?

Teft havia sido o primeiro a entender suas habilidades. Soubera antes mesmo do que o próprio Kaladin.

— Não muito — respondeu Teft com uma careta. — Eu sei que as ordens nem sempre se davam bem, apesar do que dizem as histórias oficiais. Temos que ver se conseguimos encontrar alguém que saiba mais do que eu. Eu... Eu me afastei. E as pessoas que eu conhecia, que poderiam nos dizer, não estão mais entre nós.

Se Teft estava de mau humor antes, isso o desanimou ainda mais. Ele não costumava falar do passado, mas Kaladin estava cada vez mais certo de que aquelas pessoas estavam mortas por causa de alguma coisa que o próprio Teft fizera.

— O que você acharia se ouvisse que alguém quer refundar os Cavaleiros Radiantes? — perguntou Kaladin em voz baixa.

Teft ergueu os olhos bruscamente.

— Você...

— Eu, não — falou Kaladin com cuidado.

Dalinar Kholin o deixara ouvir sua conferência e, ainda que Kaladin confiasse em Teft, havia certas expectativas de silêncio que um oficial devia seguir.

Dalinar é um olhos-claros, sussurrou parte dele. *Não pensaria duas vezes em revelar um segredo que você compartilhou com ele.*

— Eu, não — repetiu Kaladin. — E se um rei em algum lugar decidisse que gostaria de juntar um grupo de pessoas e nomeá-las Cavaleiros Radiantes?

— Eu o chamaria de idiota — respondeu Teft. — Ora, os Radiantes não eram o que as pessoas dizem; não eram traidores. Simplesmente *não eram*. Mas todo mundo tem certeza de que eles nos traíram, e não dá para mudar essa ideia tão rápido. A menos que possa Manipular Fluxos para silenciar todo mundo. — Teft olhou Kaladin de cima a baixo. — Você vai fazer isso, rapaz?

— As pessoas me odiariam, não é? — disse Kaladin. Ele reparou em Syl, que caminhava pelo ar em sua direção, estudando seu rosto. — Pelo que os antigos Radiantes fizeram. — Ele levantou a mão para interromper a objeção de Teft. — O que as pessoas *pensam* que eles fizeram.

— Sim — concordou Teft.

Syl cruzou os braços, lançando um olhar a Kaladin. *Você prometeu*, dizia aquele olhar.

— Então precisamos tomar cuidado com como vamos fazer isso — concluiu Kaladin. — Vá pegar os novos recrutas. Eles já praticaram o bastante por hoje.

Teft concordou, então saiu para cumprir suas ordens. Kaladin coletou sua lança e as esferas que havia espalhado para iluminar o treino, então acenou para os outros três. Eles cataram suas coisas e começaram a caminhada de volta.

— Então você vai mesmo fazer isso — disse Syl, pousando em seu ombro.

— Quero praticar mais primeiro.

E me acostumar com a ideia, pensou.

— Vai dar tudo certo, Kaladin.

— Não. Vai ser difícil. As pessoas vão me odiar e, mesmo que não odeiem, vou me afastar delas. Ser isolado. Mas aceito que esse seja meu destino. Vou lidar com isso.

Até na Ponte Quatro, Moash era o único que não tratava Kaladin como algum tipo de mitológico Arauto salvador. Ele, e talvez Rocha. Ainda assim, os outros carregadores não haviam reagido com o medo que antes o preocupara. Eles podiam idolatrá-lo, mas não o isolaram. Isso já era bom.

Eles alcançaram a escada de cordas antes de Teft e dos verdinhos, mas não havia motivo para esperar. Kaladin escalou até sair do abismo úmido no platô a leste dos acampamentos de guerra. Era tão estranho poder levar sua lança e seu dinheiro para fora da fenda. De fato, os soldados guardando o acampamento de guerra de Dalinar não o incomodaram — em vez disso, saudaram-no e ficaram em posição de sentido. Foi uma saudação bastante cuidadosa, tanto quanto aquelas dadas a um general.

— Eles parecem orgulhosos de você — disse Syl. — Nem o conhecem, mas estão orgulhosos de você.

— Eles são olhos-escuros — respondeu Kaladin, saudando-os de volta. — Provavelmente estavam lutando na Torre quando Sadeas os traiu.

— Filho da Tempestade — chamou um deles. — Já ouviu as notícias?

Maldito seja quem contou a eles sobre esse apelido, pensou Kaladin enquanto Rocha e os outros dois o alcançavam.

— Não. Que notícias?

— Chegou um herói nas Planícies Quebradas! — gritou o soldado de volta. — Ele vai se encontrar com o Luminobre Kholin, talvez apoiá-lo! É um bom sinal. Pode acalmar as coisas por aqui.

— Que história é essa? — gritou Rocha de volta. — Quem?

O soldado disse um nome.

O coração de Kaladin gelou.

Ele quase deixou a lança cair de seus dedos entorpecidos. E então saiu correndo. Não ligou para o grito de Rocha atrás dele, não parou para que os outros o alcançassem. Disparou pelo acampamento, correndo na direção do complexo de comando de Dalinar, bem no centro.

Não quis acreditar quando viu o estandarte pendurado acima de um grupo de soldados, provavelmente acompanhados por um grupo muito maior fora do acampamento. Kaladin passou por eles, atraindo gritos e olhares, perguntas sobre se havia algo errado.

Ele finalmente parou, desajeitado, junto aos degraus que levavam até o complexo de reforçados edifícios de pedra. Ali, bem na frente, o Espinho Negro apertava a mão de um homem alto.

De rosto quadrado e elegante, o recém-chegado vestia um uniforme imaculado. Ele riu, depois abraçou Dalinar.

— Velho amigo. Há quanto tempo.

— Tempo demais — concordou Dalinar. — Estou feliz que você finalmente tenha vindo, depois de anos de promessas. Ouvi que até conseguiu uma Espada Fractal!

— Sim — confirmou o recém-chegado, recuando e estendendo a mão para o lado. — Tomada de um assassino que ousou tentar me matar no campo de batalha.

A Espada apareceu. Kaladin olhou fixamente para a arma prateada. Toda entalhada, a Espada havia sido feita para se parecer com chamas em movimento, e pareceu a Kaladin que a lâmina estava manchada de vermelho. Nomes tomaram seus pensamentos: Dallet, Coreb, Reesh... um esquadrão de outro tempo, de outra vida. Homens que Kaladin havia amado.

Ele ergueu os olhos e se forçou a ver o rosto do recém-chegado. Um homem que Kaladin odiava, *odiava* além de qualquer outro. Um homem que, outrora, reverenciara.

O Grão-senhor Amaram. O homem que roubara sua Espada Fractal, marcara a fogo a sua testa e o vendera como escravo.

FIM DA
PARTE UM

INTERLÚDIOS

ESHONAI • YM • RYSN

I-1

NARAK

O Ritmo de Determinação tamborilava no fundo da mente de Eshonai enquanto ela alcançava o platô no centro das Planícies Quebradas.

O platô central. Narak. Exílio.

Lar.

Ela arrancou da cabeça o elmo da Armadura Fractal, respirando profundamente o ar frio. A Armadura era maravilhosamente ventilada, mas mesmo assim ela ficava abafada depois de esforços prolongados. Outros soldados pousaram atrás de Eshonai — ela havia trazido cerca de mil e quinhentos naquela incursão. Felizmente, dessa vez haviam chegado bem antes dos humanos e coletado a gema-coração com um mínimo de combate. Devi a carregava; ele conquistara o privilégio por ter sido quem identificou a crisálida de longe.

Ela quase desejava que a incursão não tivesse sido tão fácil.

Quase.

Onde está você, Espinho Negro?, pensou ela, olhando para o oeste. *Por que não veio me enfrentar novamente?*

Pensava tê-lo visto naquela incursão há mais ou menos uma semana, quando haviam sido empurrados para fora do platô pelo seu filho. Eshonai não havia participado daquela luta; sua perna ferida doía, e os saltos de um platô para outro a desgastaram, mesmo com a Armadura Fractal. Talvez ela não devesse participar das incursões, afinal de contas.

Quisera estar presente para o caso de a sua força de ataque acabar cercada e precisar de uma Fractária — mesmo que ferida — para libertá-los. Sua perna ainda doía, mas a Armadura a protegia bem. Logo ela teria que voltar ao combate. Talvez se participasse diretamente, o Espinho Negro voltasse a aparecer.

Ela *precisava* falar com ele. Sentia a urgência disso soprando até nos ventos.

Os soldados levantavam as mãos em despedida enquanto seguiam em caminhos distintos. Muitos cantavam ou cantarolavam em voz baixa uma canção no Ritmo da Lamentação. Ultimamente, poucos cantavam para Empolgação, ou mesmo para Determinação. Passo a passo, tempestade a tempestade, a depressão tomava seu povo — os Ouvintes, como eles chamavam sua raça. "Parshendiano" era um termo humano.

Eshonai andou a passos largos rumo às ruínas que dominavam Narak. Depois de tantos anos, não restara muita coisa. Ruínas de ruínas, poderia-se dizer. As obras dos homens e dos Ouvintes não duravam muito diante do poder das grantormentas.

Aquele pináculo de pedra à frente provavelmente tinha sido uma torre um dia. Com o passar dos séculos, acumulara um espesso revestimento de crem das terríveis tempestades. O crem macio entrara nas rachaduras e preenchera janelas, depois lentamente enrijecera. A torre agora parecia uma enorme estalagmite, a ponta arredondada rumo ao céu, as paredes encalombadas com rochas de aparência derretida.

O pináculo devia possuir um centro forte para ter sobrevivido aos ventos por tanto tempo. Outros exemplos de engenharia antiga não haviam se mostrado tão resistentes. Eshonai passou por amontoados e morros, restos de edifícios caídos que haviam sido lentamente consumidos pelas Planícies Quebradas. As tempestades eram imprevisíveis. Às vezes grandes seções de pedra se soltavam das formações, deixando buracos e bordas recortadas. Em outras ocasiões, pináculos duravam séculos, crescendo — e não diminuindo — enquanto os ventos tanto os erodiam quanto aumentavam.

Eshonai havia descoberto ruínas similares nas suas explorações, como aquelas em que se encontrava quando seu povo conheceu os humanos. Apenas sete anos atrás, mas também uma eternidade. Adorara aqueles dias, explorando um vasto mundo que parecia infinito. E agora...

Agora ela passava a vida aprisionada naquele único platô. A vastidão a chamava, cantava que ela devia juntar o que pudesse carregar e partir. Infelizmente, esse não era mais o seu destino.

Ela adentrou a sombra de uma grande pedra que sempre imaginou que tivesse sido um portão da cidade. Pelo pouco que haviam descoberto com seus espiões, nos últimos anos, ela sabia que os alethianos não compreendiam. Eles marchavam sobre a superfície desigual dos platôs e só viam rochas naturais, sem saber que pisavam nos ossos de uma cidade morta há muito tempo.

Eshonai sentiu um arrepio e se sintonizou com o Ritmo dos Perdidos. Era uma batida baixa, mas ainda assim violenta, com notas afiadas e distintas. Não se sintonizou com ela por muito tempo. Recordar os caídos era importante, mas trabalhar para proteger os vivos era mais ainda.

Ela se sintonizou novamente com a Determinação e adentrou Narak. Ali, os Ouvintes haviam construído o melhor lar possível durante os anos de guerra. Plataformas rochosas haviam se tornado casernas, os cascos de grã-carapaças formavam as paredes e tetos. Morros que antes haviam sido edifícios agora criavam petrobulbos como alimento nos seus lados de sotavento. Grande parte das Planícies Quebradas havia sido habitada um dia, mas a maior cidade se localizava ali no centro. Então agora as ruínas de seu povo faziam um lar nas ruínas de uma cidade morta.

O nome era Narak — exílio —, pois foi ali que se separaram de seus deuses.

Ouvintes, tanto virilen quanto feminen, levantavam as mãos para ela enquanto passava. Tão poucos restavam. Os humanos eram implacáveis na busca pela vingança.

Ela não os culpava.

Voltou-se para o Salão da Arte; ficava próximo dali, e ela não aparecia por lá há dias. Lá dentro, soldados executavam pinturas risíveis.

Eshonai caminhou entre eles, ainda trajando sua Armadura Fractal, o elmo debaixo do braço. O longo edifício não tinha teto — permitindo bastante luz para pintar — e as paredes eram espessas de crem há muito endurecido. Segurando pincéis de pelos grossos, os soldados tentavam representar da melhor maneira possível o arranjo de flores de petrobulbo em um pedestal no centro. Eshonai visitou os artistas, olhando seu trabalho. Papel era precioso e não possuíam telas, então pintavam em cascos.

As pinturas eram horríveis. Manchas de cores espalhafatosas, pétalas descentralizadas... Eshonai parou ao lado de Varanis, um dos seus tenentes. Ele segurava o pincel delicadamente entre dedos revestidos em armadura, uma silhueta avantajada diante de um cavalete. Placas de armadura quitinosa cresciam dos seus braços, ombros, peito e até mesmo da cabeça. Eram semelhantes às dela própria, sob a Armadura.

— Você está melhorando — disse Eshonai, falando no Ritmo de Elogio.

Ele a encarou e cantarolou baixinho em Ceticismo.

Eshonai deu uma risadinha, pousando uma das mãos em seu ombro.

— Parecem realmente flores, Varanis. De verdade.

— Parece água lamacenta em um platô marrom — respondeu ele. — Talvez com algumas folhas marrons flutuando nela. Por que as cores ficam marrom quando se misturam? Três lindas cores colocadas juntas, e elas se tornam a cor *menos* bela. Não faz sentido, general.

General. Às vezes se sentia tão desajeitada nesse posto como os homens se sentiam tentando pintar. Ela usava a forma bélica, já que precisava da armadura para batalha, mas preferia a forma laboral. Mais ágil, mais austera. Não era que não gostasse de liderar os homens, mas fazer a mesma coisa todos os dias — exercícios de treinamento, investidas de platô — embotava a sua mente. Queria ver coisas novas, ir a novos lugares. Em vez disso, juntou-se ao seu povo em uma longa vigília funerária, enquanto eles morriam um a um.

Não. Nós vamos encontrar uma saída.

Ela tinha esperança de que a arte fizesse parte disso. Por ordem sua, cada homem ou mulher devia cumprir seu turno no Salão de Arte no período designado. E eles tentavam; tentavam *de verdade*. Até agora, as tentativas haviam sido tão bem-sucedidas quanto tentar saltar sobre uma fenda com o outro lado fora de vista.

— Nenhum espreno? — perguntou ela.

— Nenhum — respondeu ele no Ritmo de Lamentação. Ouvia aquele ritmo com demasiada frequência ultimamente.

— Continue tentando. Não vamos perder essa batalha por falta de esforço.

— Mas, general, de que *adianta*? Ter artistas não vai nos salvar das espadas dos humanos.

Ali perto, outros soldados se voltaram para ouvir a resposta.

— Artistas não vão ajudar — disse ela, no Ritmo de Paz. — Mas a minha irmã acredita estar perto de descobrir novas formas. Se conseguirmos descobrir como criar artistas, isso pode ensinar mais a ela sobre o processo de mudança... e isso pode ajudá-la na pesquisa. Ajudá-la a descobrir formas ainda mais fortes do que a forma bélica. Artistas não vão nos ajudar a sair dessa situação, mas alguma outra forma talvez ajude.

Varanis assentiu. Ele era um bom soldado. Nem todos eram — a forma bélica não tornava alguém intrinsecamente mais disciplinado. E, infelizmente, abafava a habilidade artística.

Eshonai havia tentado pintar. Não conseguia pensar do modo certo, captar a abstração necessária para criar arte. A forma bélica era uma forma boa e versátil. Não impedia o pensamento, como a forma copulatória. Como a forma laboral, você permanecia o mesmo quando estava na forma bélica. Mas cada uma tinha suas particularidades. Um trabalhador tinha dificuldade em cometer violência — havia um bloqueio em algum lugar da mente. Esse era um dos motivos por que gostava daquela forma; ela a forçava a pensar de modo diferente para resolver problemas.

Nenhuma das duas formas podia criar arte. Ao menos não muito bem. A forma copulatória era melhor, mas trazia uma série de outros problemas. Manter esses tipos concentrados em qualquer coisa produtiva era quase impossível. Havia duas outras formas, embora a primeira — a forma opaca — raramente fosse usada. Era uma relíquia do passado, antes de descobrirem algo melhor.

Então restava apenas a forma hábil, uma forma genérica que era ágil e cuidadosa. Eles a usavam para cuidar de crianças e realizar o tipo de trabalho que exigia mais habilidade do que força física. Podiam abrir mão de poucos para aquela forma, embora ela fosse mais capacitada para a arte.

As velhas canções falavam de centenas de formas; agora só cinco eram conhecidas. Bem, seis, se contassem a forma servil, a forma sem esprenos, sem alma e sem canção. A forma com que os humanos estavam acostumados, aqueles que chamavam de parshemanos. Não era realmente uma forma, contudo, mas a ausência de qualquer forma.

Eshonai deixou o Salão da Arte, com o elmo debaixo do braço e a perna doendo. Passou pela praça de irrigação, onde hábeis haviam feito um grande reservatório de crem esculpido. Ele recolhia a chuva durante a calmaria de uma tempestade, rica em nutrientes. Ali, trabalhadores carregavam baldes para pegar água. Suas formas laborais eram fortes, quase como a forma bélica, embora possuíssem dedos mais finos e não tivessem armaduras. Muitos acenaram para ela, embora como general ela não tivesse autoridade sobre eles. Ela era a última Fractária.

Um grupo de três formas copulatórias — duas fêmeas e um macho — brincavam dentro do reservatório, jogando água uns nos outros. Quase nus, eles estavam espalhando a água que outros deveriam estar *bebendo*.

— Vocês três — chamou Eshonai rispidamente. — Não deviam estar fazendo alguma coisa?

Rechonchudos e alienados, eles sorriram para Eshonai.

— Venha! — chamou um deles. — É divertido!

— Fora — ordenou Eshonai, apontando.

Os três murmuravam no Ritmo de Irritação enquanto saíam da água. Ali perto, vários trabalhadores balançavam a cabeça enquanto eles passavam, um deles cantando em Elogio, em agradecimento a Eshonai. Trabalhadores não gostavam de confrontos.

Isso era uma desculpa, assim como aqueles que assumiam a forma copulatória usavam-na como uma desculpa para suas atividades fúteis. Quando era trabalhadora, Eshonai treinou para confrontos, quando necessário. Até fora uma copuladora certa vez, e havia provado a si mesma que era de fato possível ser produtiva como copuladora, apesar... das distrações.

Naturalmente, o resto de suas experiências como copuladora havia sido um total desastre.

Ela falou no Ritmo de Repreensão com as formas copulatórias, suas palavras foram tão intensas que ela chegou a atrair esprenos de raiva. Viu-os chegando de longe, atraídos pela sua emoção, movendo-se com uma velocidade incrível — como relâmpago dançando em sua direção através da pedra distante. O relâmpago se acumulou aos seus pés, tornando as pedras vermelhas.

Isso colocou um bom medo nas formas copulatórias, e eles correram para se apresentar no Salão da Arte. Com sorte, não acabariam em alguma alcova pelo caminho, copulando. Seu estômago se revirou ao pensar nisso. Ela nunca fora capaz de compreender pessoas que queriam *permanecer* na forma copulatória. A maioria dos casais, para ter um filho, entrava na forma e se isolava por um ano — então saíam da forma tão rápido quanto possível depois do nascimento da criança. Afinal de contas, quem desejaria sair em público daquele jeito?

Os humanos faziam isso. Era algo que a deixara perplexa, no início, quando passara algum tempo aprendendo a linguagem humana, negociando com eles. Não só os humanos não mudavam de forma, como também estavam *sempre* prontos a copular, sempre distraídos por impulsos sexuais.

Daria tudo para ser capaz de ficar entre eles sem ser percebida, de adotar sua pele monocromática por um ano e caminhar nas suas estradas, ver suas grandiosas cidades. Em vez disso, ela e os outros haviam ordenado o assassinato do rei alethiano em uma jogada desesperada para impedir que os deuses dos Ouvintes retornassem.

Bem, havia funcionado — o rei alethiano não pudera colocar seu plano em ação. Mas agora, como resultado, o povo dela estava lentamente sendo destruído.

Ela finalmente alcançou a formação rochosa que chamava de lar: um domo pequeno e desmoronado. Até a fazia se lembrar daqueles que existiam na fronteira das Planícies Quebradas — aqueles enormes, que os humanos chamavam de acampamentos de guerra. Seu povo havia vivido neles, antes de abandoná-los pela segurança das Planícies Quebradas, com seus abismos que os humanos não conseguiam saltar.

Naturalmente, seu lar era muito, muito menor. Durante os primeiros dias da sua estadia, Venli havia construído um teto de cascos de grã-carapaça e paredes para dividir o espaço em câmaras. Ela cobriu tudo com crem, que havia endurecido com o tempo, criando algo que parecia uma casa em vez de uma palhoça.

Eshonai colocou seu elmo na mesa, mas seguiu com o resto da armadura. Usar a Armadura Fractal lhe parecia certo; gostava da sensação de força. Permitia que soubesse que ainda havia algo confiável no mundo. E com o poder da Armadura Fractal, ela podia quase ignorar a ferida na perna.

Passou por algumas salas, acenando com a cabeça para as pessoas no caminho. Os associados de Venli eram eruditos, embora nenhum deles conhecesse a forma apropriada para a verdadeira erudição. Por enquanto, a forma hábil era a substituta improvisada. Eshonai encontrou a irmã ao lado da janela na câmara mais ao fundo. Demid, ex-consorte de Venli, estava sentado ao seu lado. Venli mantinha a forma hábil há três anos, desde que a descobriram, embora Eshonai ainda visse a irmã como uma trabalhadora, com braços mais grossos e um tórax mais corpulento.

Isso ficara no passado. Agora, Venli era uma mulher esguia e de rosto fino, suas marmorizações em padrões delicados de vermelho e branco. A forma hábil fazia crescer longos fios de cabelo, sem um elmo de carapaça para bloqueá-los. Os cabelos de Venli, de um vermelho profundo, caíam até sua cintura, onde estavam presos em três pontos. Ela vestia um robe, estreitamente amarrado na cintura, e mostrando parte dos seios. Essa não era uma forma copulatória, então eles eram pequenos.

Venli e seu ex-consorte eram próximos, embora seu período como consortes não houvesse produzido filhos. Se eles estivessem no campo de batalha, seriam um par de combate. Em vez disso, eram um par de pesquisa, ou algo assim. As coisas que passavam o dia fazendo eram muito não Ouvintes; era essa a questão. O povo de Eshonai não podia mais se dar ao luxo de ser o que havia sido no passado. Os dias de ócio, isolados naqueles platôs — cantando uns para os outros, lutando só de vez em quando — haviam acabado.

— E então? — indagou Venli em Curiosidade.

— Nós vencemos — disse Eshonai, recostando-se contra a parede e cruzando os braços com um tinido da Armadura Fractal. — A gema-coração é nossa. Vamos continuar a comer.

— Isso é bom — replicou Venli. — E seu humano?

— Dalinar Kholin. Ele não veio nessa batalha.

— Ele não vai encará-la novamente — comentou Venli. — Você quase o matou da última vez.

Ela disse isso no Ritmo de Diversão enquanto se levantava, pegando um pedaço de papel feito de polpa de petrobulbo seca depois da colheita, que ela entregou ao ex-consorte. Depois de olhá-la, ele assentiu e começou a fazer anotações na sua própria folha. Aquele papel exigia preciosos recursos e tempo para ser fabricado, mas Venli insistira que a recompensa valeria o esforço. Era bom que ela estivesse certa.

Venli fitou Eshonai. Ela tinha olhos aguçados — vítreos e escuros, como de todos os Ouvintes. Os de Venli sempre pareciam ter uma profundidade extra de conhecimento secreto. Sob a luz certa, eles tinham um tom violeta.

— O que você faria, irmã? — indagou Venli. — Se você e esse Kholin realmente conseguissem parar de tentar matar um ao outro por um tempo suficiente para ter uma conversa?

— Eu pediria paz.

— Nós assassinamos o irmão dele. Matamos o rei Gavilar na noite em que ele nos recebeu em sua casa. Os alethianos não vão esquecer, nem perdoar.

Eshonai descruzou os braços e flexionou uma das mãos calçada com manopla. Aquela noite. Um plano desesperado, tramado por ela e outros cinco. Fizera parte dele, apesar da sua juventude, devido ao seu conhecimento dos humanos. Todos haviam votado do mesmo modo.

Matar o homem. Matá-lo e arriscar a destruição. Pois, se ele vivesse para fazer o que havia contado a eles naquela noite, tudo estaria perdido. Os outros que haviam tomado a decisão com ela agora estavam mortos.

— Eu descobri o segredo da forma tempestuosa — declarou Venli.

— *O quê?* — Eshonai se empertigou. — Você disse que estava trabalhando em uma forma para ajudar! Uma forma para diplomatas, ou para eruditos.

— Essas formas não vão nos salvar — disse Venli em Diversão. — Se queremos lidar com os humanos, vamos precisar dos poderes antigos.

— Venli — disse Eshonai, agarrando a irmã pelo braço. — Nossos deuses!

Venli não vacilou.

— Os humanos têm Manipuladores de Fluxos.

— Talvez não. Pode ter sido uma Espada de Honra.

— Você lutou com ele. Foi uma Espada de Honra que atingiu você, feriu sua perna, deixou-a mancando?

— Eu... — Sua perna doía.

— Nós não sabemos quais das canções são verdadeiras — continuou Venli.

Embora falasse em Determinação, parecia cansada e atraiu esprenos de exaustão. Eles surgiram com um som parecido com o vento, soprando pelas janelas e portas como jatos de vapor translúcido, antes de se tornarem mais fortes, mais visíveis e girarem ao redor da cabeça dela como vapores.

Minha pobre irmã. Ela trabalha tão duro quanto os soldados.

— Se os Manipuladores de Fluxos retornaram, precisamos buscar por algo significativo, algo que possa garantir nossa liberdade — continuou Venli. — As formas de *poder*, Eshonai... — Ela olhou de relance a mão da irmã ainda em seu braço. — Pelo menos sente-se e escute. E pare de ficar em cima de mim como uma montanha.

Eshonai afastou os dedos, mas não se sentou. O peso de Armadura Fractal quebraria a cadeira. Em vez disso, inclinou-se para a frente, inspecionando a mesa cheia de papéis.

A própria Venli havia inventado a escrita. Tinha aprendido aquele conceito com os humanos — memorizar músicas era bom, mas não perfeito, mesmo tendo ritmos como guias. Informações armazenadas em páginas eram mais práticas, especialmente para pesquisa.

Eshonai havia aprendido a escrita sozinha, mas ler ainda era difícil. Não tivera muito tempo para praticar.

— Então... forma tempestuosa? — disse Eshonai.

— Pessoas o bastante nessa forma poderiam controlar uma grantormenta, ou mesmo chamar uma delas.

— Lembro a canção que fala dessa forma — disse Eshonai. — Era uma coisa dos deuses.

— A maioria das formas está relacionada a eles de algum modo. Podemos realmente confiar na precisão de palavras cantadas tanto tempo atrás? Quando essas canções foram memorizadas, a maioria da nossa gente estava na forma opaca.

Era uma forma de baixa inteligência, baixa capacidade. Eles a usavam agora para espionar os humanos. Outrora, ela e a forma copulatória haviam sido as únicas conhecidas pelo seu povo.

Demid juntou algumas das páginas em uma pilha.

— Venli está certa, Eshonai. Esse é um risco que devemos assumir.

— Nós *podemos* negociar com os alethianos — replicou Eshonai.

— Com que propósito? — questionou Venli, novamente em Ceticismo, seus esprenos de exaustão finalmente sumindo, indo embora em busca de fontes mais frescas de emoção. — Eshonai, você fica dizendo que quer negociar. Imagino que seja porque é fascinada pelos humanos. Você acha que eles permitirão que caminhe livremente entre eles? Uma pessoa que veem como um tipo de escravo rebelde?

— Séculos atrás, nós escapamos tanto dos nossos deuses quanto dos humanos — disse Demid. — Nossos ancestrais deixaram para trás a civilização, o poder e o domínio para garantir a liberdade. Eu não quero abrir mão disso, Eshonai. Forma tempestuosa. Com ela, podemos destruir o exército alethiano.

— Quando eles se forem, você poderá voltar à exploração — insistiu Venli. — Sem responsabilidades. Você poderá viajar, fazer seus mapas, descobrir lugares onde ninguém jamais esteve.

— O que eu quero para mim não importa, enquanto todos nós estivermos correndo risco de destruição — disse Eshonai, em Repreensão.

Ela sondou as manchas na página, rabiscos de canções. Canções sem música, escritas como eram. Suas almas arrancadas. Poderia a salvação dos Ouvintes estar em algo tão terrível? Venli e sua equipe tinham passado cinco anos registrando todas as canções, aprendendo as nuances com os anciões, capturando-as naquelas páginas. Através de colaboração, pesquisa e pensamento profundo, haviam descoberto a forma hábil.

— É a única maneira — disse Venli, em Paz. — Temos que levar isso aos Cinco, Eshonai. Gostaria de ter você do nosso lado.

— Eu... Eu vou pensar.

I-2

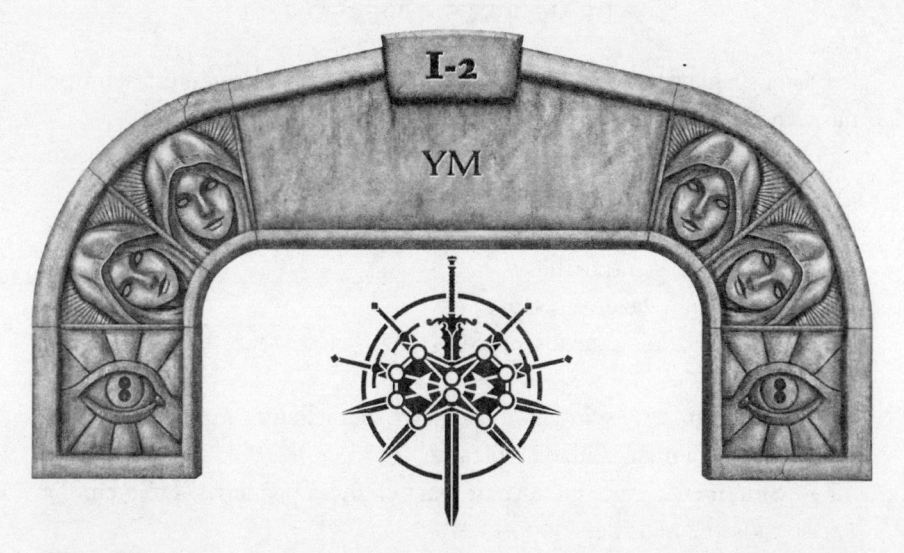

YM

Ym aparou cuidadosamente a madeira na lateral do pequeno bloco. Ele ergueu a lâmpada de esfera ao lado da bancada, segurando os óculos pela armação e aproximando-os dos olhos.

Uma invenção encantadora, os óculos. Viver era ser um fragmento da cosmere que estava experimentando a si mesmo. Como ele podia experimentar apropriadamente se não conseguia ver? O azishiano que havia criado aquele dispositivo há muito já morrera, e Ym havia apresentado uma proposta para que ele fosse considerado um dos Mortos Honoráveis.

Ym baixou o pedaço de madeira e continuou a esculpi-lo, cuidadosamente talhando a frente para formar uma curva. Alguns dos seus colegas compravam de carpinteiros as formas de madeira usadas pelos sapateiros para criar sapatos, mas Ym fora ensinado a fazer suas próprias. Era a maneira antiga, a maneira como era feita há séculos. Se algo era feito de um jeito durante um período tão longo, ele imaginava que provavelmente havia um bom motivo.

Atrás dele estavam os cubículos sombreados de uma loja de sapateiro, a ponta de dezenas de sapatos despontando como enguias em suas tocas. Eram sapatos de teste, usados para julgar tamanho, escolher materiais e decidir estilos, para que pudesse fabricar o sapato perfeito para o pé e a personalidade do indivíduo. Os ajustes podiam levar algum tempo, se feitos apropriadamente.

Algo se moveu no escuro à sua direita. Ym olhou naquela direção, mas não mudou de postura. Os esprenos estavam vindo com mais frequência ultimamente — pontos de luz, como os criados por um pedaço de cristal suspenso contra um raio de sol. Ele não sabia qual era seu tipo, mas nunca vira um assim antes.

O espreno moveu-se pela bancada, se esgueirando mais para perto. Quando parou, uma luz se ergueu dele, como pequenas plantas crescendo ou saindo de suas tocas. Quando o espreno se moveu de novo, a luz recuou.

Ym voltou ao seu trabalho.

— Vai ser para fazer um sapato.

Era noite e a loja estava silenciosa, a não ser pela faca talhando a madeira.

— Sa-sapato...? — indagou uma voz. Semelhante à de uma jovem, suave, com certa musicalidade repicante.

— Sim, meu amigo. Um sapato para crianças pequenas. Hoje em dia preciso cada vez mais desse tipo.

— Sapato — disse o espreno. — Para cri-crianças. Pessoas pequenas.

Ym jogou as lascas de madeira para fora da bancada para varrê-las mais tarde, depois colocou a forma perto do espreno. Ele recuou, como um reflexo fora de um espelho — translúcido, quase que só uma luz bruxuleante.

Ele afastou a mão e esperou. O espreno avançou lentamente, como um crenguejo se arrastando para fora de uma fenda depois de uma tempestade. Ele parou, e a luz cresceu dele na forma de minúsculos brotos. Uma visão bem estranha.

— Você é uma experiência interessante, meu amigo — declarou Ym enquanto a luz bruxuleante se moveu na direção da forma de sapato. — Uma experiência da qual fico honrado em participar.

— Eu... — O espreno hesitou. — Eu... — A forma do espreno estremeceu subitamente, então se tornou mais intensa, como luz sendo focalizada. — *Ele está vindo.*

Ym levantou-se, subitamente nervoso. Alguma coisa se moveu na rua lá fora. Seria aquele homem? Aquele vigia, com a jaqueta militar? Mas não, era só uma criança espiando pela porta aberta. Ym sorriu, abrindo sua gaveta de esferas e deixando mais luz entrar no recinto. A criança recuou, do mesmo modo que o espreno.

Ele havia desaparecido. Ele fazia isso quando outros se aproximavam.

— Não precisa ter medo — disse Ym, se recostando novamente em seu banco. — Pode entrar. Deixe-me dar uma olhada em você.

O pivetinho sujo espiou de novo. Estava vestindo apenas calças esfarrapadas, sem camisa, embora isso fosse comum em Iri, onde os dias e noites costumavam ser quentes. Os pés da pobre criança estavam sujos e arranhados.

— Ora, isso não está certo — disse Ym. — Venha, jovenzinho, sente aqui. Vamos arrumar alguma coisa para esses pés.

Ele puxou um dos seus bancos menores.

— Dizem que você num cobra nada — disse o menino, sem se mover.

— Não é verdade — respondeu Ym. — Mas acho que você vai considerar meu preço aceitável.

— Num tenho esferas.

— Nenhuma esfera é necessária. Seu pagamento será sua história, suas experiências. Eu gostaria de ouvi-las.

— Dizem que você é estranho — disse o menino, finalmente entrando na loja.

— Isso é verdade — confirmou Ym, dando um tapinha no banco.

O pivetinho andou timidamente até o banco, tentando ocultar que estava mancando. Era irialiano, embora a sujeira escurecesse sua pele e cabelo, que eram dourados. A pele um pouco menos — era preciso de luz para ver direito —, mas o cabelo com certeza. Era o traço característico do seu povo.

Ym gesticulou para que a criança levantasse seu pé saudável, então pegou um pano, molhou-o e limpou a sujeira. Não ia fazer um molde em pés tão sujos. Perceptivelmente, o menino recuou o pé com que havia mancado, como se tentasse esconder que havia um trapo enrolado ao redor dele.

— Então... sua história?

— Você é velho — disse o menino. — Mais velho do que qualquer pessoa que eu conheço. Velho que nem um vovô. Já deve saber tudo. Por que quer saber de mim?

— É uma das minhas particularidades. Agora vamos. Quero ouvir.

O menino bufou, mas falou. Em poucas palavras. Isso não era incomum; ele queria guardar sua história para si. Lentamente, com perguntas cuidadosas, Ym tirou a história dele. O menino era filho de uma prostituta e fora expulso assim que foi capaz de se virar sozinho. Isso acontecera três anos atrás, segundo a estimativa da criança. Ele provavelmente tinha oito anos agora.

Enquanto escutava, Ym limpou o primeiro pé, então aparou e lixou as unhas. Depois, fez um gesto na direção do outro pé. Relutante, o menino levantou a perna. Ym desamarrou o trapo e encontrou um corte feio na sola daquele pé. Já estava infectado, fervilhando com esprenos de putrefação, minúsculos ciscos vermelhos.

Ym hesitou.

— Preciso de sapatos — disse o pivetinho, desviando o olhar. — Num dá para continuar sem eles.

O corte no pé tinha um formato irregular. *Cortou escalando uma cerca?*, Ym pensou.

O menino o encarou, fingindo indiferença. Uma ferida como aquela devia atrapalhar muito a vida de um pivete, o que poderia facilmente significar morte nas ruas. Ym sabia disso muito bem.

Ele olhou para o menino, notando a sombra de preocupação naqueles olhinhos. A infecção se espalhara até a perna.

— Meu amigo, acredito que vou precisar da sua ajuda — sussurrou Ym.

— O quê? — disse o menino.

— Nada — replicou Ym, estendendo a mão para a gaveta em sua mesa.

A luz que emanava dela era de cinco claretas de diamante. Toda criança que o procurara havia visto as esferas. Até agora, elas só haviam sido roubadas duas vezes.

Ele enfiou a mão mais fundo, desdobrando um compartimento oculto na gaveta e pegando uma esfera mais poderosa — um brom —, cobrindo sua luz rapidamente com a mão enquanto pegava um pouco de antisséptico com a outra.

O remédio não seria o bastante, visto que o menino não poderia evitar ficar de pé. Passar semanas em uma cama para se curar, aplicando constantemente medicamentos caros? Impossível para um pivete lutando por comida todos os dias.

Ym recolheu as mãos, a esfera oculta em uma delas. Pobre criança, devia sentir uma dor horrível. O menino provavelmente deveria estar deitado, febril, mas todo pivete sabia que podia mascar casca de sulcadeira para continuar alerta e desperto mais tempo do que deveria.

Ali perto, o espreno de luz cintilante espiou debaixo de uma pilha de retalhos de couro. Ym aplicou o remédio, depois deixou-o de lado e levantou o pé do menino, cantarolando baixinho.

O brilho em sua outra mão desapareceu.

Os esprenos de deterioração fugiram da ferida.

Quando Ym afastou a mão, o corte havia formado uma casca e a cor havia voltado ao normal, já sem sinais de infecção. Até o momento, Ym havia usado essa habilidade apenas umas poucas vezes, e sempre a disfarçara como medicina. Nunca ouvira falar de nada parecido. Talvez fosse por isso que a recebera — de modo que a cosmere pudesse experimentá-la.

— Ei, está *muito* melhor — disse o menino.

— Fico feliz — respondeu Ym, devolvendo a esfera e o remédio à gaveta. O espreno havia recuado. — Agora vamos ver se tenho alguma coisa que sirva em você.

Ele começou a experimentar sapatos. Normalmente, depois dos ajustes, mandava o cliente embora e criava um par de sapatos perfeitos para ele. Para aquela criança, infelizmente, teria de usar sapatos que já estavam prontos. Muitas crianças nunca voltaram para pegar seu par de sapatos, deixando-o preocupado e cismado. Teria acontecido alguma coisa com elas? Ou teriam simplesmente esquecido? Ou sua desconfiança natural vencera?

Felizmente, ele tinha vários pares bons e resistentes que caberiam no menino. *Preciso de mais couro suíno tratado*, ele pensou, fazendo uma anotação. Crianças não cuidavam direito de sapatos. Ele precisava de couro que envelhecesse bem, mesmo sem cuidados.

— Você vai me dar mesmo um par de sapatos? De *graça*?

— De graça, a não ser pela sua história — respondeu Ym, calçando outro sapato de teste no pé do menino. Havia desistido de tentar que pivetes usassem meias.

— Por quê?

— Porque você e eu somos Um.

— Um o quê?

— Um ser — respondeu Ym. Ele deixou de lado o sapato e pegou outro. — Muito tempo atrás, só havia o Um. O Um sabia tudo, mas não havia experimentado nada. Então, o Um se tornou muitos... nós, pessoas. O Um, que é tanto macho quanto fêmea, fez isso para experimentar todas as coisas.

— Um. Você quer dizer Deus?

— Se você quiser chamar assim — replicou Ym. — Mas isso não é completamente verdade. Eu não aceito deus nenhum. Você não deveria aceitar deus nenhum. Somos irialianos e parte da Longa Trilha, da qual esta é a Quarta Terra.

— Você fala que nem um sacerdote.

— Também não aceite sacerdotes. Eles são de outras terras, e vêm pregar para nós. Irialianos não precisam de pregação, só de experiência. Já que cada experiência é diferente, ela traz completude. No fim, todos serão reunidos de volta... quando a Sétima Terra for obtida.. e novamente seremos Um.

— Então você e eu... — disse o pivete. — Somos a mesma coisa?

— Sim. Duas mentes de um único ser, experimentando vidas diferentes.

— Isso é besteira.

— É apenas uma questão de perspectiva — disse Ym, passando talco nos pés do menino e calçando outro par de sapatos de teste. — Por favor, caminhe com eles um instante.

O garoto o olhou de um jeito estranho, mas obedeceu, tentando dar alguns passos. Não estava mais mancando.

— Perspectiva — disse Ym, erguendo a mão e balançando os dedos. — Bem de perto, os dedos das mãos podem parecer individuais e isolados. De fato, o polegar pode pensar que nada tem a ver com o mindinho. Mas, com a perspectiva certa, percebe-se que os dedos fazem parte de algo muito maior. Que, de fato, são Um.

O pivete franziu o cenho. Parte daquilo provavelmente estava além das capacidades dele. *Preciso falar de um jeito mais simples, e...*

— Por que você pode ser o dedo com o anel caro — disse o menino, andando de volta da outra direção —, enquanto eu tenho que ser o mindinho com a unha quebrada?

Ym sorriu.

— Eu sei que parece injusto, mas não pode *existir* injustiça, já que somos todos o mesmo, no fim. Além disso, eu nem sempre tive essa loja.

— Não?

— Não. Acho que você ficaria surpreso se soubesse de onde eu vim. Por favor, sente-se de novo.

O menino sentou-se.

— Aquele remédio funciona muito bem. Muito, muito bem.

Ym removeu os sapatos, usando o talco — que havia sido removido em alguns pontos — para julgar o encaixe. Ele pegou um par de sapatos já prontos, então trabalhou neles por um momento, flexionando-os em suas mãos. Queria colocar um acolchoamento no fundo para o pé ferido, mas algo que se rasgasse algumas semanas depois, quando a ferida estivesse curada...

— Isso que você está falando parece bobagem para mim — disse o menino. — Quero dizer, se nós fôssemos todos a mesma pessoa, todo mundo já não ia saber?

— Como Um, nós sabíamos a verdade, mas como muitos, precisamos de ignorância. Nós existimos em variedade para experimentar todos os tipos de pensamento. Isso significa que alguns de nós devem saber e outros, não. — Ele trabalhou mais um momento no sapato. — Mais pessoas *sabiam* disso, antes. Não se fala tanto sobre o assunto quanto se deveria. Aqui, vamos ver se serve agora.

Ele deu os sapatos ao menino, que os calçou e amarrou os cadarços.

— Sua vida pode ser desagradável... — começou Ym.
— Desagradável?
— Tudo bem, sua vida pode ser horrível. Mas vai melhorar, jovenzinho. Eu prometo.
— Eu pensei que você fosse dizer que a vida é horrível, mas que num faz diferença no final, porque vamos todos para o mesmo lugar — disse o menino, pisando firme com seu pé saudável para testar os sapatos.
— Isso é verdade, mas não é muito reconfortante nesse momento, é?
— Não.
Ym se voltou para sua mesa de trabalho.
— Tente não pisar muito com esse pé machucado, se possível.
O pivete foi até a saída com uma súbita urgência, como se estivesse ansioso para partir antes que Ym mudasse de ideia e pegasse os sapatos de volta. Mas parou na porta.
— Se a gente é tudo a mesma pessoa experimentando vidas diferentes, você não precisa dar sapatos de graça. Porque num faz diferença.
— Você não acertaria um soco na própria cara, acertaria? Se eu melhoro a sua vida, melhoro a minha.
— Isso é conversa de maluco — replicou o menino. — *Eu* acho que você é só uma boa pessoa.
Ele foi embora sem dizer outra palavra. Ym sorriu, balançando a cabeça. Por fim, voltou a trabalhar na sua forma de sapato. O espreno reapareceu.
— Obrigado — disse Ym. — Pela sua ajuda.
Ele não sabia por que tinha aquela habilidade, mas sabia que o espreno estava envolvido.
— Ele *ainda está aqui* — sussurrou o espreno.
Ym olhou para a porta e para a noite lá fora. O pivete estava ali?
Alguma coisa fez barulho atrás dele.
Ym deu um pulo, girando. A oficina era um espaço cheio de cantos escuros e cubículos. Talvez tivesse ouvido um rato?
Por que a porta no quarto dos fundos — onde Ym dormia — estava aberta? Ele costumava deixá-la fechada.
Uma sombra se moveu na escuridão ali.
— Se veio atrás das esferas, só tenho essas cinco peças aqui — disse Ym, tremendo.
Mais barulho. A sombra separou-se da escuridão, se revelando um homem de pele escura makabakiana — exceto por uma marca na forma de crescente em sua bochecha. Ele vestia preto e prata, um uniforme, mas

Ym não reconheceu a força militar. Luvas espessas, com punhos rígidos na parte posterior.

— Eu tive que procurar muito para descobrir a sua infração — disse o homem.

— Eu... — gaguejou Ym. — Só... cinco claretas...

— Você viveu uma vida limpa, desde sua juventude de farra — disse o homem, com uma voz sem emoção. — Um jovem bem de vida que jogou fora a herança dos pais em festas e bebida. Isso não é ilegal. Assassinato, contudo, é.

Ym afundou no seu banco.

— Eu não sabia. Eu não *sabia* que aquilo ia matá-la.

— Veneno entregue na forma de uma garrafa de vinho — disse o homem, entrando na sala.

— Eles me disseram que a safra era o sinal! — insistiu Ym. — Que ela saberia que a mensagem era deles, e que significava que ela tinha que pagar! Eu estava desesperado por dinheiro. Para comer, sabe? As pessoas nas ruas não são generosas...

— Você foi cúmplice de assassinato — disse o homem, ajustando as luvas, primeiro uma mão, depois a outra. Ele falava com tão árida ausência de emoção que poderia estar conversando sobre o clima.

— Eu não sabia... — implorou Ym.

— Ainda assim, é culpado.

O homem estendeu a mão para o lado e uma arma se formou em meio a uma névoa diretamente em sua mão. Uma *Espada Fractal*? Que tipo de agente da lei era aquele? Ym fitou aquela maravilhosa Espada prateada.

Então saiu correndo.

Aparentemente, ainda tinha instintos úteis do seu tempo nas ruas. Conseguiu jogar uma pilha de couro na direção do homem e se desviou da Espada que golpeou em sua direção. Ym correu para a rua escura, gritando. Talvez alguém ouvisse; talvez alguém ajudasse.

Ninguém ouviu.

Ninguém ajudou.

Ym já era um homem velho. Quando alcançou a primeira rua transversal, já estava arfando, sem fôlego. Ele parou ao lado da antiga barbearia, o interior escuro e a porta trancada. O pequeno espreno moveu-se para junto dele, uma luz cintilante que se espalhava em um círculo. Tão belo.

— Acho que essa... é minha hora — disse Ym, ofegante. — Que o Um... considere essa memória... agradável.

Passos rápidos soavam na rua atrás dele, cada vez mais perto.

— Não — sussurrou o espreno. — Luz!

Ym enfiou a mão no bolso e puxou uma esfera. Será que de algum modo poderia usá-la para...

O ombro do oficial empurrou Ym com força contra a parede da barbearia. Ele grunhiu, deixando cair a esfera.

O homem de preto e prata girou-o. Parecia uma sombra na noite, uma silhueta contra o céu negro.

— Foi *quarenta* anos atrás — sussurrou Ym.

— A justiça não tem data de expiração.

O homem atravessou o peito de Ym com a Espada Fractal.

A experiência acabou.

RYSN

R YSN GOSTAVA DE FINGIR que seu pote de grama shina não era estúpido, apenas contemplativo. Estava sentada perto da proa do seu catamarã, segurando o pote no colo. A superfície tranquila do Mar de Reshi ondulava por causa do remo do guia atrás dela. O ar cálido e úmido fazia com que gotas de suor se formassem em sua testa e pescoço.

Provavelmente ia chover mais uma vez. A precipitação ali no mar era do pior tipo — não era poderosa ou impressionante como uma grantormenta, nem mesmo insistente como uma pancada de chuva normal. Ali, era só uma garoa nevoenta, mais que uma neblina, mas menos do que um chuvisco. O bastante para arruinar cabelos, maquiagem, roupas — de fato, todos os elementos dos esforços cuidadosos de uma jovem para apresentar um rosto adequado para o comércio.

Rysn moveu o pote no seu colo. Chamava a grama de Tyvnk. Rabugenta. Seu *babsk* rira ao ouvir o nome. Ele compreendia. Ao dar um nome para a grama, ela reconhecera que ele estava certo e ela, errada; seus negócios com o povo shino no ano anterior haviam sido excepcionalmente lucrativos.

Rysn escolheu não ficar rabugenta por estar tão claramente errada; deixou a planta ficar rabugenta no seu lugar.

Eles já estavam cruzando aquelas águas há dois dias, e só depois de esperar por semanas no porto pelo tempo certo entre grantormentas para fazer uma viagem pelo mar quase fechado. Naquele dia, as águas estavam surpreendentemente calmas. Quase tão serenas quanto as do Lagopuro.

Vstim estava a dois barcos de distância naquela flotilha irregular deles. Tendo os novos parshemanos como remadores, os 16 esguios catamarãs estavam carregados com bens que haviam sido comprados com os lucros da última expedição. Vstim ainda estava descansando na parte de trás do seu barco. Parecia apenas outro embrulho de roupas, quase indistinguível dos sacos de mercadorias.

Ele logo ficaria bem. As pessoas ficavam doentes. Acontecia, mas ele logo ficaria bem de novo.

E o sangue que você viu no lenço dele?

Ela suprimiu o pensamento e se virou deliberadamente no assento, deslocando Tyvnk para a dobra do braço esquerdo. Mantinha o pote *muito* limpo. Aquela tal terra de que a grama precisava para viver era ainda pior que crem, e tendia a arruinar roupas.

Gu, o guia da flotilha, estava no barco da própria Rysn, imediatamente atrás dela. Com aqueles membros longos, pele áspera e cabelos escuros, ele parecia um bocado com um lagopurano. Todo lagopurano que ela conhecera, contudo, se importava profundamente com aqueles deuses lá deles. Ela duvidava que Gu houvesse algum dia se importado com *qualquer coisa*.

Isso incluía levá-los ao seu destino pontualmente.

— Você falou que a gente estava perto — disse ela.

— Ah, nós estamos — replicou Gu, levantando seu remo e depois o descendo de novo na água. — Falta pouco agora. — Ele falava thayleno muito bem, o motivo por que fora contratado. *Certamente* não fora por sua pontualidade.

— Defina "falta pouco" — disse Rysn.

— Defina...

— O que você quer dizer com "falta pouco"?

— Falta pouco. Hoje, talvez.

Talvez. Que ótimo.

Gu continuou a remar, só de um lado do barco, mas ainda assim evitando que se movessem em círculos. Na parte traseira do barco de Rysn, Kylrm — chefe dos seus guardas — brincava com a sombrinha dela, abrindo-a e fechando-a. Ele parecia considerá-la uma invenção maravilhosa, embora já fosse popular em Thaylenah há *muito* tempo.

Isso mostra quão raramente os trabalhadores de Vstim voltam à civilização. Outro pensamento alegre. Bem, ela se tornara aprendiz de Vstim para viajar a lugares exóticos, e aquele lugar era bem exótico. Era verdade que esperara que cosmopolitismo e exotismo andassem de mãos dadas. Se tivesse um mínimo de juízo — algo de que não tinha certeza ultimamente —, ela teria percebido que os comerciantes *realmente* bem-sucedidos não eram aqueles que iam aonde todos os outros queriam ir.

— Difícil — comentou Gu, ainda remando no seu ritmo letárgico. — Os padrões estão estranhos nos últimos dias. Os deuses não caminham onde deveriam. Nós vamos encontrá-la. Vamos, sim.

Rysn reprimiu um suspiro e voltou-se para a frente. Com Vstim novamente incapacitado, ela estava no comando da flotilha. Gostaria de saber para onde a estava conduzindo — ou até mesmo como encontrar seu destino.

Esse era o problema de ilhas que se moviam.

Os barcos passaram por um banco de galhos rompendo a superfície do mar. Encorajadas pelo vento, ondas suaves batiam contra os galhos rígidos, que despontavam das águas como dedos de homens se afogando. O mar era mais fundo do que Lagopuro, que tinha águas surpreendentemente rasas. Aquelas árvores deviam ter dezenas de metros de altura, no mínimo, com cascas de pedra. Gu as chamava de *i-nah*, o que aparentemente tinha um significado ruim. Elas podiam cortar o casco de um barco.

Às vezes eles passavam por galhos ocultos logo abaixo da superfície vítrea, quase invisíveis. Ela não sabia como Gu conseguia se desviar deles. Nesse caso, como em tantos outros, tinham apenas que confiar nele. O que fariam se ele os conduzisse para uma emboscada naquelas águas silenciosas? Subitamente, ela ficou feliz por Vstim ter ordenado que seus guardas monitorassem seu fabrial que mostrava se havia pessoas se aproximando. Ele...

Terra.

Rysn se levantou no catamarã, fazendo com que ele balançasse precariamente. *Havia* alguma coisa à frente, uma distante linha escura.

— Ah — disse Gu. — Viu? Falta pouco.

Rysn permaneceu de pé, acenando para que lhe passassem a sombrinha, quando uma pancada de chuva começou a cair. A sombrinha mal fez diferença, embora estivesse encerada para também servir como um guarda-chuva. Na sua empolgação, ela mal pensou nisso — ou no seu cabelo cada vez mais desfeito. *Finalmente.*

A ilha era muito maior do que esperava. Ela imaginava que fosse como um barco bem grande, e não aquela imensa formação rochosa se projetando das águas como um rochedo em um campo. Era diferente de todas as outras ilhas que já vira; não parecia ter qualquer praia, e não era plana e baixa, mas montanhosa. Os flancos e o topo não deviam ter se erodido com o tempo?

— É tão verde — disse Rysn quando se aproximavam.

— O Tai-na é bom lugar onde crescer — replicou Gu. — Bom lugar para viver. Exceto quando está em guerra.

— Quando duas ilhas se aproximam demais — disse Rysn.

Tinha lido sobre isso na sua preparação, embora não houvesse muitos eruditos que se importassem o bastante com os reshianos para escrever sobre eles. Dezenas, talvez centenas daquelas ilhas móveis flutuavam no mar. As pessoas nelas levavam vidas simples, interpretando os movimentos das ilhas como vontade divina.

— Nem sempre — disse Gu, rindo. — Às vezes Tai-na próximo é bom. Às vezes, ruim.

— O que determina isso? — perguntou Rysn.

— Ora, o próprio Tai-na.

— A ilha decide — resumiu Rysn, dando corda. Primitivos. O que seu *babsk* esperava ganhar fazendo comércio ali? — Como pode uma ilha...

Então a ilha à frente deles se moveu.

Não da forma à deriva que ela havia imaginado. O formato da ilha mudou, as pedras se torcendo e ondulando, uma grande seção da pedra se elevando em um movimento que parecia letárgico até que a escala grandiosa fosse apreciada.

Rysn caiu de volta no assento, com os olhos arregalados. A rocha — a *perna* — se levantou, fazendo água escorrer como uma cachoeira. Ela se esticou, então desceu de volta ao mar com uma força inacreditável.

Os Tai-na, os deuses das Ilhas Reshi, eram grã-carapaças.

Aquela era a maior besta que já vira, ou mesmo de que ouvira falar. Grande o bastante para fazer com que monstros mitológicos, como os demônios-dos-abismos da distante Natanatan, parecessem pedregulhos em comparação!

— Por que ninguém me contou? — questionou ela, olhando para os outros dois ocupantes do barco. Certamente Kylrm, pelo menos, deveria ter dito alguma coisa.

— É melhor ver — respondeu Gu, remando na sua costumeira postura relaxada. Ela não gostou nada do seu sorriso astuto.

— E estragar esse momento de descoberta? — replicou Kylrm. — Lembro a primeira vez que vi um deles se mover. Vale a pena não estragar a surpresa. Nunca contamos aos novos guardas quando eles vêm pela primeira vez.

Rysn conteve sua irritação e olhou de volta para a "ilha". Amaldiçoou as narrativas imprecisas das suas leituras. Boatos demais, experiência de menos. Era difícil acreditar que ninguém houvesse registrado a verdade. Ela provavelmente apenas lera as fontes erradas.

Uma névoa chuvosa envolvia a fera titânica em neblinas e enigmas. O que uma coisa tão grande comia? Será que ela percebia as pessoas vivendo nas suas costas; será que se importava? Por Kelek... Como seria a *cópula* daqueles monstros?

Ele devia ser muito antigo. O barco adentrou sua sombra, e ela pôde ver a vegetação crescendo sobre a pele rochosa. Montes de casca-pétrea formavam vastos campos de cores vibrantes. Musgo cobria quase tudo. Vinhas e petrobulbos se enrolavam ao redor de arvorezinhas que haviam conquistado espaço nas rachaduras entre as placas do casco do animal.

Gu conduziu o comboio ao redor da pata traseira — a uma ampla distância, para o alívio de Rysn — e chegou ao flanco da criatura. Ali, o casco mergulhava na água, formando uma plataforma. Ela ouviu as pessoas antes de vê-las, sua risada soando acima do som do mar. A chuva parou, de modo que Rysn baixou a sombrinha e sacudiu-a sobre a água. Finalmente enxergou as pessoas, um grupo de jovens, tanto moços quanto moças, escalando um ponto alto do casco e saltando dali para o mar.

Isso não era tão surpreendente. A água do Mar de Reshi, como a do Lagopuro, era notadamente morna. Ela já havia se aventurado na água perto da sua terra natal. Foi uma experiência gelada, e não devia ser realizada em juízo perfeito. Frequentemente, o álcool e fanfarronice estavam envolvidos em qualquer mergulho no oceano.

Ali, contudo, imaginava que nadadores fossem comuns. Só não esperava que estivessem despidos.

Rysn corava furiosamente enquanto um grupo de pessoas corria por uma floração do casco que era semelhante a um cais, todos nus como no dia em que nasceram. Tanto rapazes quanto moças, sem se preocupar com quem estava vendo. Ela não era nenhuma alethiana puritana, mas... Por Kelek! Eles não deviam estar vestindo *alguma coisa*?

Esprenos de vergonha caíram ao redor dela na forma de pétalas brancas e vermelhas que se moviam no vento. Atrás dela, Gu deu uma risadinha. Kylrm se uniu a ele.

— Essa é outra coisa que não contamos aos novatos.

Primitivos, pensou Rysn. Não devia corar assim; já era uma adulta. Bem, quase.

A flotilha continuou rumo à seção que formava um tipo de cais — uma placa baixa que pendia em maior parte acima da água. Eles se assentaram para esperar, embora ela não soubesse pelo quê.

Depois de alguns momentos, a placa se moveu — com água escorrendo dela — quando o animal deu outro passo letárgico. Ondas causadas pelo movimento bateram nos barcos. Quando as coisas se estabilizaram, Gu guiou o barco até o cais.

— Pode subir — disse ele.

— Vamos amarrar os barcos em alguma coisa? — perguntou Rysn.

— Não. Não é seguro, com movimento. Vamos recuar.

— E à noite? Como vai atracar os barcos?

— Quando dormimos, nós movemos os barcos para longe, amarramos todos juntos. Dormimos lá. Encontramos a ilha de novo de manhã.

— Ah — disse Rysn, respirando fundo para se acalmar e verificando se seu pote de grama estava cuidadosamente guardado no fundo do catamarã.

Ela se levantou. Aquilo não seria bom para seus sapatos, que tinham sido *muito* caros. Suspeitava que os reshianos não se importariam; provavelmente poderia se encontrar com o rei com os pés nus. Paixões! Pelo que havia visto, provavelmente poderia se reunir com ele de *peito* nu.

Ela subiu cuidadosamente, e ficou feliz em descobrir que, embora estivesse uns dois centímetros debaixo d'água, a concha não era escorregadia. Kylrm subiu junto com ela e entregou-lhe a sombrinha dobrada, dando um passo atrás e esperando enquanto Gu afastava seu barco. Outro remador se aproximou com o próprio barco, um catamarã mais longo, com parshemanos para ajudar a remar.

O *babsk* dela estava encolhido ali dentro, envolto no cobertor, apesar do calor, a cabeça apoiada na parte traseira do barco. Sua pele pálida parecia pastosa.

— *Babsk*... — chamou Rysn, o coração apertado. — Devíamos ter dado a volta.

— Bobagem — respondeu ele, a voz frágil. Ele sorriu de qualquer modo. — Já estive pior. A transação deve acontecer. Nós investimos demais.

— Vou até o rei e os comerciantes da ilha. Vou pedir que eles venham aqui para negociar com o senhor no cais.

Vstim tossiu na mão.

— Não. Essas pessoas não são como os shinos. Minha fraqueza vai arruinar o negócio. Ousadia. Você precisa ser ousada com os reshianos.

— Ousada? — disse Rysn, olhando de relance para o guia do barco, que estava recostado, com os dedos na água. — *Babsk*... os reshianos são um povo relaxado. Não acho que se importem com muita coisa.

— Então você vai se surpreender — replicou Vstim. Ele seguiu o olhar dela na direção dos nadadores ali perto, que riam e gargalhavam enquanto saltavam nas águas. — A vida pode ser simples aqui, sim. Ela atrai pessoas desse tipo, como a guerra atrai esprenos de dor.

Atrai... Uma das mulheres passou correndo e Rysn notou, chocada, que ela tinha sobrancelhas *thaylenas*. Sua pele estava bronzeada pelo sol, de modo que a diferença de tons não fora imediatamente óbvia. Prestando atenção nos nadadores, Rysn viu outros. Dois que eram provavelmente herdazianos, e até mesmo... um *alethiano*? Impossível.

— As pessoas buscam esse lugar — explicou Vstim. — Elas gostam da vida dos reshianos. Aqui, podem simplesmente seguir com a ilha. Lutam quando ela luta com outra ilha; se não, relaxam. Há gente assim em qualquer cultura, pois cada sociedade é feita de indivíduos. Você precisa aprender isso. Não deixe que seus pressupostos sobre uma cultura bloqueiem sua capacidade de ver o indivíduo, ou vai fracassar.

Ela assentiu. Ele parecia frágil, mas as suas palavras foram firmes. Tentou não pensar nas pessoas nadando. O fato de pelo menos uma delas ser do seu próprio povo deixou-a ainda *mais* constrangida.

— Se o senhor não puder negociar com eles... — disse Rysn.

— Você deve negociar.

Rysn sentiu frio, apesar do calor. Fora por isso que se juntara com Vstim, não? Quantas vezes desejou que ele a deixasse tomar a frente? Por que estava tão tímida agora?

Ela fitou o próprio barco, se afastando, levando o seu pote de grama. Olhou de volta para seu *babsk*.

— Me diga o que fazer.

— Eles sabem muito sobre estrangeiros. Mais do que nós sabemos deles. Porque muitos de nós vêm viver entre eles. Muitos reshianos são tão despreocupados quanto você diz, mas também há muitos que não são. Esses preferem lutar. E uma transação... é como uma luta para eles.

— Para mim também — disse Rysn.

— Eu conheço essas pessoas — continuou Vstim. — Nós precisamos ter Paixão de que Talik não esteja aqui. Ele é o melhor de todos, e frequentemente vai negociar com outras ilhas. Seja lá com quem você for negociar, ele ou ela vai julgá-la como julgaria um rival em batalha. E, para eles, a batalha é uma questão de postura. Tive o infortúnio de estar em uma ilha durante uma guerra. — Ele fez uma pausa, tossindo, mas recusou a bebida oferecida por Kylrm. — Enquanto as duas ilhas brigavam, as pessoas desciam até barcos para trocar insultos e contar vantagem. Eles começavam com seus membros mais fracos, que se vangloriavam aos gritos, depois progrediam em um tipo de duelo verbal até os melhores. Depois disso, flechas e lanças, lutando nos barcos e na água. Felizmente, ocorria mais gritaria do que golpes de verdade.

Rysn engoliu em seco, assentindo.

— Você não está pronta para isso, menina — concluiu Vstim.

— Eu sei.

— Ótimo. Finalmente compreendeu. Agora vá; não vão permitir que a gente fique muito tempo na ilha a não ser que concordemos em nos juntar a eles permanentemente.

— E isso exigiria...? — perguntou Rysn.

— Bem, para começar, exigiria que entregássemos tudo que possuímos ao rei.

— Que ótimo — disse Rysn, se levantando. — Como será que ele ficaria usando meus sapatos? — Ela respirou fundo. — O senhor ainda não disse o que estamos negociando.

— Eles sabem — respondeu seu *babsk*, depois tossiu. — Sua conversa não será uma negociação. Os termos foram estabelecidos anos atrás.

Ela se voltou para ele, franzindo a testa.

— Como assim?

— A questão a discutir não são os ganhos, e sim se eles acham que você os merece. Convença-os. — Ele hesitou. — Paixões a guiem, menina. Faça o seu melhor.

Parecia um apelo. Se a flotilha deles fosse rejeitada... O custo daquela transação não estava na mercadoria — madeiras, tecidos, suprimentos simples comprados a baixo custo —, mas na equipagem de um comboio. Estava na viagem distante, no pagamento de guias, na perda de tempo esperando intervalos entre tormentas, então mais tempo procurando a ilha certa. Se fosse recusada, ainda poderiam vender o que tinham — mas com um prejuízo devastador, levando em conta as elevadas despesas da viagem.

Dois dos guardas, Kylrm e Nlent, se juntaram a ela quando se afastou de Vstim e caminhou pelo trecho do casco semelhante a um cais. Agora que estavam tão perto, era difícil ver uma criatura e não uma ilha. Logo adiante, a pátina de líquen tornava o casco quase indistinguível de rocha. Árvores se aglomeravam ali, suas raízes chegando até a água, os galhos se estendendo para o alto e criando uma floresta.

Hesitante, ela pegou o único caminho a partir das águas. Ali, o "terreno" formava degraus que pareciam quadrados e regulares demais para serem naturais.

— Eles entalharam os degraus no casco? — indagou Rysn, subindo. Kylrm grunhiu.

— Chules não têm sensibilidade nos cascos. Esse monstro provavelmente também não.

Enquanto andavam, ele manteve a mão em sua *gtet*, um tipo de espada thaylena tradicional. A coisa tinha uma grande lâmina triangular, com o cabo diretamente na base; segurava-se o cabo fechando a mão em punho, e a longa lâmina se estendia para baixo além das juntas dos dedos, com partes da guarda envolvendo o pulso para dar suporte. Naquele momento, ele a usava em uma bainha na cintura, junto com um arco nas costas.

Por que estava tão nervoso? Os reshianos supostamente não eram perigosos. Talvez, quando se era um guarda profissional, fosse melhor partir do princípio de que *todo mundo* era perigoso.

O caminho sinuoso subia através da selva espessa. As árvores ali eram flexíveis e robustas, seus ramos se moviam quase constantemente. E quando a fera andava, tudo tremia.

Gavinhas tremulavam e se retorciam pelo caminho ou pendiam de galhos, e recuavam para fora do caminho quando Rysn se aproximava, mas retornavam rapidamente depois da sua passagem. Logo o mar saíra de vista, e mesmo o cheiro de maresia sumira. Os profundos tons de verde e marrom eram quebrados ocasionalmente por montes rosa e amarelos de casca-pétrea, que pareciam estar crescendo há gerações.

Achara a umidade opressiva antes, mas ali ela era avassaladora. Sentia como se estivesse nadando, e mesmo sua fina saia, blusa e colete de linho pareciam tão espessos quanto vestes invernais dos thaylenos das terras altas.

Depois de uma subida interminável, ela ouviu vozes. À direita, a floresta se abriu para uma vista do oceano. Rysn prendeu a respiração. Infinitas águas azuis, nuvens deixando cair uma névoa chuvosa em trechos que pareciam muito nítidos. E ao longe...

— Outra? — indagou ela, apontando para uma sombra no horizonte.

— Sim — confirmou Kylrm. — Com sorte, indo para outra direção. Preferia não estar aqui caso elas decidam guerrear. — Ele apertou a pegada no cabo da espada.

As vozes vinham de um lugar mais acima, então Rysn resignou-se a subir mais. Suas pernas doíam com o esforço.

Embora a selva continuasse impenetrável à esquerda, permanecia aberta à direita, onde o massivo flanco do grã-carapaça formava sulcos e plataformas. Avistou algumas pessoas sentadas ao redor de tendas, recostadas, fitando o mar. Mal olharam na direção dela e dos dois guardas. Mais acima, ela encontrou mais reshianos.

Eles estavam saltando.

Tanto homens quanto mulheres — em diversos estados de desnudamento — se alternavam para saltar dos afloramentos do casco com gritos entusiasmados, mergulhando nas águas muito abaixo. Rysn ficou nauseada só de assistir. De que altura estavam pulando?

— Eles fazem isso para chocá-la. Sempre saltam de pontos mais altos quando tem um estrangeiro por perto.

Rysn assentiu, então, com um sobressalto repentino, percebeu que o comentário não viera dos guardas. Ela se virou e descobriu que à sua esquerda a floresta havia recuado ao redor de um grande afloramento do casco que parecia um monte de pedra.

Ali, pendendo de cabeça para baixo e amarrado pelos pés a um ponto alto do casco, havia um homem magricela com uma pele branca tão pálida que beirava o azul. Vestia apenas uma tanga, e sua pele estava coberta com centenas e mais centenas de minúsculas e intrincadas tatuagens.

Rysn deu um passo na direção dele, mas Kylrm agarrou seu ombro e puxou-a de volta.

— Aimiano — sibilou ele. — Mantenha a distância.

As unhas azuis e os olhos azul-profundos deveriam ter sido uma pista. Rysn deu um passo atrás, embora não pudesse ver a sombra de Esvaziador do homem.

— De fato, mantenha a distância — disse o aimiano. — Sempre uma boa ideia.

Nunca ouvira um sotaque como o dele, embora falasse bem o idioma thayleno. Ele estava pendurado ali com um sorriso simpático no rosto, como se estivesse completamente indiferente ao fato de estar de cabeça para baixo.

— Você está... bem? — perguntou Rysn.

— Hmmm? Ah, entre desmaios, sim. Bastante bem. Acho que estou ficando insensível à dor nos meus tornozelos, o que é simplesmente adorável.

Rysn levou as mãos ao peito, sem ousar se aproximar mais. Aimiano. Péssima sorte. Ela não era particularmente supersticiosa — às vezes era até cética em relação às Paixões —, mas... bem, ele era um *aimiano*.

PALAVRAS DE RADIÂNCIA   225

— Que maldições terríveis você trouxe para este povo, criatura? — quis saber Kylrm.

— Trocadilhos vulgares — respondeu o homem preguiçosamente. — E o fedor de alguma coisa que comi e *não* me caiu bem. Então, você está indo falar com o rei?

— Eu.... — Rysn hesitou. Atrás dela, outro reshiano soltou um gritinho e pulou da plataforma. — Sim.

— Bem, não pergunte sobre a alma do deus deles. Parece que eles não gostam de falar sobre isso. Deve ser espetacular, para que os animais consigam crescer até esse tamanho. Maior até que os esperonos que habitam os corpos dos grã-carapaças comuns. Hmmm.... — Ele parecia muito satisfeito com alguma coisa.

— Não tenha pena dele, mestra comerciante — disse Kylrm em voz baixa, conduzindo-a para longe do prisioneiro pendurado. — Ele poderia escapar se quisesse.

Nlent, o outro guarda, concordou.

— Eles podem arrancar os próprios membros, ou tirar a própria pele. Não têm corpos de verdade. São só uma coisa maligna que toma forma humana.

O guarda atarracado usava um talismã no pulso, um talismã de coragem, que ele tirou e segurou bem apertado em uma das mãos. O talismã em si não tinha propriedades mágicas, naturalmente; era uma recordação. Coragem. Paixão. Desejo o que precisa, acolha, *deseje* e atraia para você. Bem, o que *ela* precisava era que seu *babsk* estivesse ali. Rysn voltou à subida, nervosa devido ao encontro com o aimiano. Mais pessoas estavam correndo e saltando dos afloramentos à sua direita. Loucura.

Mestra comerciante, ela pensou. *Kylrm me chamou de "mestra comerciante"*. Ela não era, não ainda. Era propriedade de Vstim; por enquanto, apenas uma aprendiz que ocasionalmente fornecia trabalho de escrava.

Não merecia o título, mas ouvi-lo a fortaleceu. Ela continuou o caminho pelos degraus, que se seguiam contornando o casco da fera. Passaram por um lugar onde o chão estava rachado, o casco mostrava pele lá no fundo. A rachadura era como um abismo; não conseguiria saltar para o outro lado sem cair. Os reshianos por quem passou no caminho se recusaram a responder às suas perguntas. Felizmente, Kylrm conhecia o caminho, e quando a trilha se bifurcou, ele apontou para a da direita. Às vezes, o caminho ficava plano por longos trechos, mas sempre havia mais degraus.

Com as pernas ardendo e as roupas úmidas de suor, ela alcançou o topo daquele lance e, finalmente, viram que não havia mais degraus. Ali, a selva cessava completamente, embora petrobulbos estivessem grudados no casco em campo aberto — além do qual só havia o céu vazio.

A cabeça, pensou Rysn. *Nós escalamos até a cabeça da fera.*

Soldados ladeavam o caminho, armados com lanças dotadas de borlas coloridas. Suas placas peitorais e antebraçais eram feitas de carapaças esculpidas com pontas cruéis, e ainda que só usassem faixas de pano como vestes, eles tinham a mesma postura rígida que qualquer soldado alethiano, com expressões igualmente severas. Então seu *babsk* estava certo; nem todos os reshianos eram do tipo "relaxar e nadar".

Ousadia, ela pensou, lembrando-se das palavras de Vstim. Não podia mostrar àquelas pessoas uma face tímida. O rei estava no final do caminho ladeado de guardas e petrobulbos, uma figura diminuta na beira de uma plataforma no casco, olhando na direção do sol.

Rysn adiantou-se, passando por uma fileira dupla de lanças. Teria esperado o mesmo tipo de roupas no rei, mas em vez disso o homem trajava robes volumosos de verde e amarelo vibrantes, que pareciam terrivelmente quentes.

Enquanto se aproximava, Rysn teve uma noção do quanto havia escalado. As águas abaixo reluziam sob os raios do sol, tão abaixo que, se Rysn deixasse uma pedra cair, não a ouviria atingindo a água. Longe o bastante para que olhar sobre a borda fizesse seu estômago se retorcer e suas pernas tremerem.

Aproximar-se do rei exigiria andar até a plataforma onde ele estava. Isso a colocaria muito perto de despencar por centenas de metros.

Fique firme, disse Rysn a si mesma. Ela *mostraria* ao seu *babsk* que era capaz. Não era a garota ignorante que havia julgado mal os shinos ou que havia ofendido os irialianos. Tinha aprendido.

Ainda assim, talvez devesse ter pedido a Nlent que lhe emprestasse seu amuleto de coragem.

Ela subiu na plataforma. O rei parecia jovem, pelo menos de costas. Com o corpo de um rapaz, ou...

Não, pensou Rysn, surpresa, quando o rei se virou. Era uma mulher, com idade o bastante para ter cabelos grisalhos, mas não tão velha a ponto de estar encurvada.

Alguém subiu na plataforma atrás de Rysn. Mais jovem, ele vestia os panos e faixas costumeiros. Seu cabelo se dividia em duas tranças que caíam sobre ombros nus e bronzeados. Quando falou, não havia nem *pista* de sotaque em sua voz.

— O rei deseja saber por que seu velho parceiro comercial, Vstim, não veio pessoalmente, e em vez disso enviou uma criança em seu lugar.

— E você é o rei? — perguntou Rysn ao recém-chegado.

O homem riu.

— Você está ao lado dele, mas pergunta isso para mim?

Rysn olhou para a figura nas roupas volumosas. Os robes estavam amarrados com a frente aberta o bastante para mostrar que o "rei" definitivamente possuía seios.

— Nós somos liderados por um rei — disse o recém-chegado. — Seu gênero é irrelevante.

A Rysn parecia que o gênero era parte da definição, mas não valia a pena discutir.

— Meu mestre está indisposto — disse ela, dirigindo-se ao recém-chegado; ele devia ser o mestre comerciante da ilha. — Estou autorizada a falar por ele e a realizar a transação.

O recém-chegado bufou, sentando-se na beirada da plataforma, com as pernas pendendo para fora. O estômago de Rysn deu uma cambalhota.

— Ele deveria ter sido mais esperto. A negociação está cancelada, então.

— Suponho que você seja Talik — disse Rysn, cruzando os braços. O homem não estava mais voltado para ela. Parecia uma desfeita intencional.

— Sim.

— Meu mestre me avisou sobre você.

— Então ele não é um completo idiota — replicou Talik. — Só muito idiota.

Sua pronúncia era impressionante. Ela inconscientemente procurou as sobrancelhas de thayleno, mas ele era obviamente reshiano.

Rysn cerrou os dentes, então forçou-se a se sentar ao lado dele na borda. Tentou fazer isso de maneira tão despreocupada quando a dele, mas simplesmente não conseguiu. Em vez disso, sentou-se — algo nada fácil com uma saia elegante — e se arrastou para o lado dele.

Ah, Paixões! Vou cair daqui e morrer. Não olhe para baixo! Não olhe para baixo!

Não pôde evitar; olhou para baixo e imediatamente sentiu vertigem. Podia ver a lateral da cabeça lá embaixo, a gigantesca linha de uma mandíbula. Ali perto, em um cume acima do olho à direita de Rysn, pessoas empurravam grandes embrulhos de frutas da borda. Amarrados com corda de vinha, os pacotes balançavam ao lado da bocarra.

As mandíbulas se moviam lentamente, puxando as frutas para dentro, sacudindo as cordas. Os reshianos as puxaram de volta para prender mais frutas, tudo isso sob o olhar do rei, que estava supervisionando a alimentação da ponta do nariz, à esquerda de Rysn.

— Um agrado — explicou Talik, notando o que ela observava. — Uma oferenda. Naturalmente, esses pequenos pacotes de fruta não sustentam nosso deus.

— E o que sustenta?

Ele sorriu.

— Por que ainda está aqui, jovenzinha? Eu não a dispensei?

— A transação não precisa ser cancelada — disse Rysn. — Meu mestre me contou que os termos já foram estabelecidos. Nós trouxemos tudo que vocês pediram como pagamento. — *Embora eu não saiba para quê.* — Me mandar embora de nada serviria.

O rei, ela notou, havia se aproximado para escutar.

— Serviria para o mesmo propósito de tudo na vida — replicou Talik. — Agradar Relu-na.

Esse devia ser o nome do seu deus, o grã-carapaça.

— E a sua ilha aprovaria tal desperdício? Convidar comerciantes para vir de tão longe, só para mandá-los embora de mãos vazias?

— Relu-na aprova a ousadia — respondeu Talik. — E, mais importante, o *respeito*. Se não respeitamos a pessoa com quem vamos fazer negócios, não devemos fazê-los.

Que lógica ridícula. Se um comerciante seguisse aquela linha de raciocínio, nunca seria capaz de negociar. Só que... nos seus meses com Vstim, parecia que ele frequentemente procurava pessoas que gostavam de negociar com ele. Pessoas que ele respeitava. Esse tipo de gente certamente não ficava menos inclinado a enganá-lo.

Talvez não fosse uma lógica ruim... só incompleta.

Pense como o outro comerciante, ela recordou. Uma das lições de Vstim — que eram muito diferentes daquelas que aprendera em casa. *O que ele quer? Por que ele quer? Por que você é a melhor pessoa para fornecer?*

— Deve ser difícil viver aqui, nas águas — observou Rysn. — O seu deus é impressionante, mas vocês não podem fazer tudo de que precisam.

— Nossos ancestrais se viravam muito bem.

— Sem remédios que poderiam ter salvado muitas vidas. Sem roupas de fibras que só crescem no continente. Seus ancestrais sobreviveram sem essas coisas porque precisaram; vocês não precisam.

O mestre comerciante se inclinou para a frente.

Não faça isso! Você vai cair!

— Nós não somos idiotas — declarou Talik.

Rysn franziu o cenho. Por que...

— Estou tão cansado de explicar isso — continuou o homem. — Nós vivemos de maneira simples. Isso não nos torna estúpidos. Durante anos os forasteiros vieram, tentando nos explorar devido à nossa ignorância. Estamos cansados disso, mulher. Tudo que você disse é verdade. Verdade, não... é *óbvio*. Mas você fala como se nunca houvéssemos parado para pensar. "Ah! Remédios! Mas é claro que precisamos de remédios! Muito obrigado pela sugestão. Eu ia só ficar aqui sentado e *morrer*."

Rysn enrubesceu.

— Eu não quis...

— Você *quis* dizer isso, sim — cortou Talik. — Suas palavras escorriam condescendência, mocinha. Estamos cansados de pessoas que se aproveitam de nós. Estamos cansados de estrangeiros tentando nos empurrar lixo em troca de riquezas. Não temos conhecimento da situação econômica atual do continente, então não podemos saber ao certo se estamos sendo enganados ou não. Portanto, nós *só* fazemos comércio com pessoas que conhecemos e confiamos. Ponto-final.

Situação econômica atual no continente...?, pensou Rysn.

— Você foi treinado em Thaylenah — adivinhou ela.

— É claro que fui. É preciso conhecer os truques de um predador antes que possa capturá-lo. — Ele se inclinou para trás, o que permitiu que ela relaxasse um pouco. — Meus pais me mandaram para ser treinado quando criança. Eu tive um dos seus *babsks*. Me tornei mestre comerciante por conta própria, antes de voltar para cá.

— Seus pais são o rei e a rainha? — adivinhou Rysn novamente.

Ele a olhou de soslaio.

— O rei e o consorte do rei.

— Vocês podiam simplesmente chamá-la de rainha.

— Essa transação não vai acontecer — disse Talik, se levantando. — Vá e diga ao seu mestre que sentimos muito pela doença dele e que esperamos que se recupere. Caso isso aconteça, ele pode voltar no ano que vem, durante a estação comercial, e falaremos com ele.

— Você dá a entender que o respeita — disse Rysn, levantando-se e se afastando do abismo. — Então apenas negocie com ele!

— Ele está doente — replicou Talik, sem encará-la. — Não seria justo; estaríamos nos aproveitando dele.

Se aproveitando... Paixões, aquelas pessoas eram *estranhas*. Parecia ainda mais estranho ouvir tais coisas da boca de um homem que falava thayleno tão perfeitamente.

— Você negociaria comigo se me respeitasse — disse Rysn. — Se pensasse que sou digna.

— Vai levar anos para isso acontecer — disse Talik, se juntando à mãe na parte dianteira da plataforma. — Vá embora e...

Ele se interrompeu quando o rei falou com ele em reshiano, a voz baixa.

Talik apertou os lábios em uma linha.

— O que foi? — perguntou Rysn, dando um passo à frente.

Talik se virou para ela.

— Parece que você impressionou o rei. Você argumenta com ferocidade. Embora nos considere primitivos, não é tão ruim quanto alguns outros. — Ele rangeu os dentes por um instante. — O rei vai ouvir seu argumento para uma transação.

Rysn hesitou, olhando de um para outro. Não acabara de expor seu argumento para uma transação, com o rei prestando atenção?

A mulher a fitou com olhos escuros e uma expressão calma. *Venci a primeira luta*, compreendeu Rysn. *Como os guerreiros no campo de batalha. Duelei e fui julgada digna de enfrentar alguém com uma autoridade superior.*

O rei falou, e Talik traduziu.

— O rei diz que você é talentosa, mas que, naturalmente, a transação não pode continuar. Você deve retornar com seu *babsk* quando ele voltar aqui. Em mais ou menos uma década, talvez façamos negócios com você.

Rysn buscou um argumento.

— E foi assim que Vstim conquistou seu respeito, Vossa Majestade? — Ela *não* ia falhar. Não podia falhar! — Com o passar dos anos, com o *babsk* dele?

— Sim — disse Talik.

— Você não traduziu minha pergunta — protestou Rysn.

— Eu... — Talik suspirou, então traduziu a questão dela.

O rei sorriu com aparente afeição. Ela disse algumas palavras no seu idioma, e Talik se voltou para a mãe com um ar chocado.

— Eu... Uau.

— O que foi? — indagou Rysn.

— Seu *babsk* matou um coracote com alguns dos nossos caçadores — disse Talik. — Por conta própria? Um estrangeiro? Nunca ouvi falar em uma coisa dessas.

Vstim. Matando alguma coisa? Com *caçadores*? Impossível.

Embora ele obviamente nem sempre houvesse sido o velho rato de mercado que era agora, ela sempre imaginara que ele tivesse sido um *jovem* rato de mercado no passado.

O rei falou novamente.

— Duvido que você vá matar alguma fera, menina — traduziu Talik.
— Vá. Seu *babsk* vai se recuperar. Ele é sábio.

Não. Ele está morrendo, Rysn pensou. Foi um pensamento involuntário, mas sua verdade deixou-a apavorada. Mais do que a altura, mais do que qualquer coisa que já experimentara. Vstim estava morrendo. Aquela podia ser sua última transação.

E ela a estava arruinando.

— Meu *babsk* confia em mim — declarou Rysn, se aproximando do rei, movendo-se pelo nariz do grã-carapaça. — E a senhora disse que confia nele. Não pode confiar no julgamento dele de que sou digna?

— Não é possível substituir a experiência pessoal — traduziu Talik.

A fera deu um passo, fazendo o chão tremer, e Rysn trincou os dentes, imaginando todos caindo. Felizmente, daquela altura, o movimento era mais uma gentil oscilação. Árvores farfalharam e o estômago dela se revirou, mas não era mais perigoso do que um navio sobre uma onda.

Rysn se aproximou do ponto onde estava o rei, ao lado do nariz da criatura.

— Você é rei... sabe a importância de confiar em seus inferiores. Não pode estar em toda parte, nem saber tudo. Às vezes, precisa aceitar o julgamento daqueles que conhece. Meu *babsk* é uma dessas pessoas.

— Seu argumento é válido — traduziu Talik, parecendo surpreso. — Mas o que você não percebe é que já prestei ao seu *babsk* esse respeito. Foi por isso que concordei em falar com você pessoalmente. Não teria feito isso por nenhum outro.

— Mas...

— Retorne para baixo — disse o rei por meio de Talik, sua voz se tornando mais dura. Ela parecia pensar que estava encerrando o assunto. — Diga ao seu *babsk* que você foi longe o bastante para falar comigo pessoalmente. Sem dúvida, isso é mais do que ele esperava. Você pode deixar a ilha e voltar quando ele estiver bem.

— Eu... — Rysn sentia um punho esmagando sua garganta, tornando difícil falar. Não podia falhar com ele, não agora.

— Diga a ele que lhe desejo melhoras — disse o rei, dando-lhe as costas.

Talik sorriu, aparentemente satisfeito. Rysn olhou de relance para seus dois guardas, que exibiam expressões severas, e então se afastou. Sentia-se entorpecida. Mandada embora, como uma criança pedindo doces. Um rubor quente a consumia enquanto passava pelos homens e mulheres que preparavam mais pacotes de frutas.

Rysn se deteve. Ela olhou para a esquerda, para a infindável vastidão azul. Depois olhou de volta para o rei.

— Acredito que preciso falar com uma autoridade superior — declarou Rysn em alta voz.

Talik se virou para ela.

— Você falou com o rei. Não *há* ninguém com mais autoridade.

— Perdão, mas acredito que há, sim.

Uma das cordas se sacudiu, o presente de frutas fora consumido. *Isso é estúpido, isso é estúpido, isso é...*

Não pense.

Rysn disparou na direção da corda, fazendo com que seus guardas gritassem. Ela agarrou a corda e deixou-se cair da beirada, descendo até o lado da cabeça do grã-carapaça; da cabeça do *deus*.

Paixões! Era difícil fazer aquilo usando uma saia. A corda machucava a pele dos seus braços e vibrava enquanto a criatura abaixo mastigava as frutas na ponta.

A cabeça de Talik apareceu acima.

— Em nome de Kelek, o que está fazendo, mulher idiota? — gritou ele.

Ela achou graça que ele houvesse aprendido a praguejar como thaylenos quando estudou com seu povo. Rysn se agarrou à corda, o coração batendo em pânico. *O que* ela *estava* fazendo?

— Relu-na aprova a ousadia! — gritou de volta para Talik.

— Há uma diferença entre ousadia e estupidez!

Rysn continuou a descer, praticamente escorregando.

Ah, Ânsia, Paixão da necessidade...

— Puxem ela de volta! — ordenou Talik. — Vocês, soldados, ajudem.

Ele deu mais ordens em reshiano.

Rysn olhava para o alto enquanto os trabalhadores agarravam a corda para levantá-la de volta. Contudo, um novo rosto apareceu acima, olhando para baixo. O rei. Ela levantou a mão, detendo-os enquanto estudava Rysn.

Rysn continuou a descer. Não foi muito longe, talvez cerca de 15 metros. Nem chegou perto do olho da criatura. Ela se deteve com esforço, os dedos queimando devido à fricção.

— Ó grande Relu-na — disse Rysn bem alto —, seu povo se recusa a negociar comigo, então vim aqui para implorar. Seu povo precisa do que eu trouxe, mas eu preciso ainda mais dessa transação. Não posso voltar.

A criatura, naturalmente, não respondeu. Rysn ficou parada junto ao casco recoberto de líquen e pequenos petróbulbos.

— Por favor. Por favor.

O que espero que aconteça?, Rysn se perguntou. *Não imaginava que a coisa fosse oferecer qualquer tipo de réplica. Mas talvez pudesse persuadir aqueles acima de que era ousada o bastante para ser digna. Mal não ia fazer.*

A corda tremeu em suas mãos e ela cometeu o erro de olhar para baixo.

Na verdade, o que estava fazendo poderia fazer mal. Muito mal.

— O rei ordenou que retorne — disse Talik lá do alto.

— Nossa negociação vai continuar? — indagou Rysn, olhando para cima. O rei parecia de fato preocupada.

— Isso não é importante — replicou Talik. — Você recebeu uma ordem.

Rysn trincou os dentes, agarrada à corda, olhando para as placas de quitina diante dela.

— E o que *você* acha? — disse ela em voz baixa.

Lá embaixo, a coisa mordeu e a corda subitamente ficou muito esticada, fazendo Rysn bater contra a lateral da imensa cabeça. Acima, os trabalhadores berraram. O rei gritou com eles em uma voz súbita e áspera.

Ah, não...

A corda se esticou ainda mais.

Então arrebentou.

Os gritos acima tornaram-se desesperados, embora Rysn mal os notasse, tomada pelo pânico. Ela não caiu graciosamente, mas sim gritando em uma confusão de roupas e pernas, sua saia tremulando, o estômago se revirando. *O que tinha feito? Ela...*

Ela viu um olho. O olho do deus. Só um vislumbre enquanto passava; era grande como uma casa, escuro e vítreo, e refletiu sua silhueta em queda. Pareceu pender diante dele por uma fração de segundo, e o grito morreu em sua garganta.

Passou em um instante. Então o sopro do vento, outro grito, e o impacto em águas duras como pedra.

Escuridão.

R YSN DESPERTOU PARA SE descobrir flutuando. Não abriu os olhos, mas podia sentir que estava flutuando. À deriva, balançando para cima e para baixo...

— Ela é uma idiota.

Conhecia aquela voz. Talik, aquele com quem estivera negociando.

— Então ela combina bem comigo — respondeu Vstim. Ele tossiu. — Preciso dizer, velho amigo, que você deveria me ajudar a treiná-la, *não* deixá-la cair de um precipício.

Flutuando... À deriva...

Espere.

Rysn se forçou a abrir os olhos. Estava em uma cama dentro de uma cabana. Estava quente. Sua visão oscilava, e ela flutuava... flutuava porque sua mente estava enevoada. O que haviam dado a ela? Tentou se levantar. Suas pernas não se moviam. S*uas* pernas não se moviam.

Ela ofegou, depois sua respiração ficou acelerada.

O rosto de Vstim apareceu acima dela, seguido por uma mulher reshiana com expressão preocupada e fitas no cabelo. Não era a rainha... rei... seja lá o que fosse. A mulher falou rápido na língua brusca dos reshianos.

— Acalme-se — disse Vstim, se ajoelhando ao lado dela. — Calma... Eles vão trazer algo para você beber, menina.

— Eu sobrevivi — disse Rysn, a voz esganiçada.

— Por pouco — respondeu Vstim, mas com delicadeza. — O espreno amorteceu sua queda. Daquela altura... Criança, o que estava pensando, se pendurando daquele jeito?

— Eu precisava fazer alguma coisa para provar minha coragem. Eu pensei... Que precisava ser ousada...

— Ah, menina. Isso é culpa minha.

— Você foi o *babsk* dele — disse Rysn. — De Talik, o negociante. Você combinou isso com ele, para que eu tivesse uma chance de negociar por conta própria, mas em um ambiente controlado. A transação nunca esteve em perigo, e você não está tão doente quanto parece. — As palavras fervilharam, tropeçando umas nas outras como cem homens tentando sair pela mesma porta de uma só vez.

— Quando foi que você descobriu? — indagou Vstim, então tossiu.

— Eu... — Ela não sabia. Tudo havia se encaixado. — Agora.

— Bem, fique sabendo que estou me sentindo um verdadeiro tolo — declarou Vstim. — Pensei que seria uma chance perfeita para você. Uma prática com riscos reais. E então... Então você foi e caiu da cabeça da ilha!

Rysn apertou os olhos enquanto a mulher reshiana chegava com uma taça de alguma coisa.

— Vou voltar a andar? — perguntou Rysn baixinho.

— Aqui, beba isso — disse Vstim.

— Vou voltar a andar?

Ela não pegou a taça e continuou de olhos fechados.

— Eu não sei. Mas você *vai* voltar a negociar. Paixões! Ousando ir acima da autoridade do rei? Sendo salva pela própria alma da ilha? — Ele deu uma risadinha, que soou forçada. — As outras ilhas vão implorar para negociar conosco.

— Então eu consegui *alguma coisa* — disse ela, sentindo-se uma completa e absoluta idiota.

— Ah, mas com toda a certeza — concordou Vstim.

Ela sentiu uma agulhada no braço e abriu os olhos subitamente. Alguma coisa rastejava por ele, algo tão grande quanto a palma da sua mão — uma criatura que parecia um crenguejo, mas com asas dobradas nas costas.

— O que é isso? — indagou Rysn.

— O motivo por que viemos aqui — respondeu Vstim. — A coisa pela qual realizamos a transação, um tesouro que muitos poucos sabem que ainda existe. Eles supostamente foram extintos junto com Aimia, sabe? Vim até aqui com todas essas mercadorias porque Talik me mandou uma mensagem dizendo que eles tinham o cadáver de um deles para negociar. Reis pagam fortunas por eles. — Ele se inclinou. — Nunca tinha visto um vivo. Recebi o cadáver que eu queria na transação. Esse aí foi dado a você.

— Pelos reshianos? — indagou Rysn, a mente ainda confusa. Ela não sabia o que pensar de tudo aquilo.

— Os reshianos não comandam os larkins — disse Vstim, se levantando. — Esse foi dado a você pela própria ilha. Agora tome seu remédio e durma. Você fraturou as duas pernas. Vamos permanecer nessa ilha por um bom tempo enquanto você se recupera, e enquanto eu busco seu perdão por ser um homem muito, muito estúpido.

Ela aceitou a bebida. Enquanto bebia, a pequena criatura voou até as vigas da cabana e se aninhou ali, olhando para ela com olhos de prata sólida.

I-4
A ÚLTIMA LEGIÃO

— Então, que tipo de espreno *é* esse? — indagou Thude, no lento Ritmo de Curiosidade.

Ele levantou a gema, olhando para a criatura enfumaçada em seu interior.

— Espreno de tempestade, diz minha irmã — respondeu Eshonai, recostada na parede, os braços cruzados.

Os fios da barba de Thude estavam trançados com pedaços de gema bruta que tremeram e piscaram quando ele coçou o queixo. Ele estendeu a grande gema lapidada para Bila, que a pegou e batucou com o dedo.

Eles eram um par de combate da divisão pessoal de Eshonai. Vestiam-se com trajes simples, ajustados às placas de armadura quitinosas em seus braços, pernas e troncos. Thude também usava um longo casaco, mas não ia com ele para a batalha.

Já Eshonai vestia seu uniforme — tecido vermelho esticado sobre sua armadura natural — e um chapéu sobre a placa craniana. Ela nunca falava sobre como aquele uniforme a aprisionava, como grilhões.

— Um espreno de tempestade — disse Bila no Ritmo de Ceticismo enquanto revirou a pedra nos dedos. — Vai me ajudar a matar humanos? Senão, não vejo motivo para me importar.

— Isso pode mudar o mundo, Bila — disse Eshonai. — Se Venli estiver certa e conseguir criar um laço com esse espreno que resulte em qualquer coisa que não seja a forma opaca... bem, no mínimo teremos uma forma inteiramente nova para escolher. Na melhor das hipóteses, teremos o poder de controlar as tempestades e usar sua energia.

— Então ela vai tentar fazer isso pessoalmente? — perguntou Thude no Ritmo de Ventos, o ritmo usado para julgar quando uma grantormenta estava próxima.

— Se os Cinco concederem sua permissão.

Eles iam discutir o assunto e tomar sua decisão naquele dia.

— Isso é ótimo, mas vai me ajudar a *matar humanos*? — disse Bila.

Eshonai se sintonizou com Lamentação.

— Se a forma tempestuosa for realmente um dos poderes antigos, Bila, então sim. Vai ajudar você a matar humanos. Muitos.

— Então acho ótimo — disse Bila. — Por que você está tão preocupada?

— Dizem que os antigos poderes vêm dos nossos deuses.

— E daí? Se os deuses quiserem nos ajudar a matar aqueles exércitos, então prestarei meu juramento a eles agora mesmo.

— Não diga isso, Bila — falou Eshonai em Repreensão. — *Nunca* diga coisas assim.

A mulher se calou, jogando a pedra na mesa. Ela cantarolou baixinho em Ceticismo. Isso era quase uma insubordinação. Eshonai encontrou o olhar de Bila e se pegou cantarolando baixo em Determinação.

Thude olhou de Bila para Eshonai.

— Comida? — perguntou ele.

— Essa é sua resposta para qualquer discussão? — perguntou Eshonai, interrompendo sua canção.

— É difícil discutir com a boca cheia — explicou Thude.

— Tenho certeza de que já vi você fazer isso — replicou Bila. — Muitas vezes.

— Mas as discussões têm um final feliz, porque todo mundo está de barriga cheia. Então... comida?

— Tudo bem — disse Bila, olhando de soslaio para Eshonai.

As duas recuaram. Eshonai sentou-se à mesa, sentindo-se esgotada. Quando começara a se preocupar se seus amigos agiam com insubordinação? Era esse uniforme horrível.

Pegou a gema, fitando suas profundezas. Era grande, cerca de um terço do tamanho do seu punho, embora gemas não precisassem ser grandes para aprisionar um espreno em seu interior.

Ela odiava capturá-los. A maneira certa era encarar a grantormenta com a atitude apropriada, cantando a canção apropriada para atrair o espreno apropriado. Estabelecia-se um laço com ele na fúria da tempestade e renascia-se com um novo corpo. As pessoas faziam isso desde a chegada dos primeiros ventos.

Os Ouvintes haviam aprendido com os humanos que era possível capturar esprenos, então desenvolveram o método por conta própria. Um espreno cativo tornava a transformação muito mais confiável. Antes, sempre havia um elemento do acaso. Podia-se entrar na tempestade querendo se tornar um soldado e voltar como copulador.

Isso é progresso, pensou Eshonai, fitando o pequeno espreno nevoento dentro da pedra. *Progresso é aprender a controlar o seu mundo. Erguer paredes para deter as tempestades, escolher quando se tornar um copulador. Progresso era pegar a natureza e colocar uma caixa ao redor dela.*

Eshonai guardou a gema no bolso e verificou o horário. Sua reunião com o resto dos Cinco estava marcada para depois do terceiro movimento do Ritmo de Paz, e ainda faltava uma boa metade de um movimento até lá.

Era hora de falar com sua mãe.

Eshonai saiu para Narak e seguiu pelo caminho, acenando com a cabeça para aqueles que a saudavam. Passou principalmente por soldados; grande parte da população usava a forma bélica atualmente. Sua pequena população. Outrora, havia centenas de milhares de Ouvintes espalhados por aquelas planícies; agora só restava uma fração disso.

Mesmo então, os Ouvintes haviam sido um povo unido. Ah, existiam divisões, conflitos, até mesmo guerras entre suas facções. Mas eles eram um único povo — aqueles que haviam rejeitado seus deuses e procurado a liberdade na obscuridade.

Bila não se importava mais com as origens deles. Haveria outros como ela, pessoas que ignoravam o perigo dos deuses e se concentravam apenas na luta com os humanos.

Eshonai passou por habitações — barracos construídos com crem endurecido sobre estruturas de cascos, amontoados na sombra de sotavento de montes de pedra. A maioria estava vazia agora. Haviam perdido milhares para a guerra nos últimos anos.

Precisamos fazer alguma coisa, ela pensou, afinando-se com o Ritmo de Paz no fundo da mente. Procurou conforto nas suas batidas calmas e tranquilizantes, suaves e misturadas. Como uma carícia.

Então viu as formas opacas.

Elas se pareciam muito com o que os humanos chamavam de "parshemanos", embora fossem um pouco mais altos e nem de longe tão estúpidos. Ainda assim, a forma opaca era uma forma limitadora, sem as capacidades e as vantagens das formas mais recentes. Não deveria haver nenhuma delas ali. Teriam aquelas pessoas estabelecido laços com os esprenos errados por equívoco? Isso às vezes acontecia.

Eshonai caminhou até o trio, duas feminens e um virilen. Eles estavam transportando petrobulbos coletados em um dos platôs próximos, plantas que haviam sido encorajadas a crescer rapidamente pelo uso de gemas infundidas com Luz das Tempestades.

— O que é isso? — indagou Eshonai. — Vocês escolheram essa forma sem querer? Ou são novos espiões?

Eles a encararam com olhos insípidos. Eshonai se sintonizou com Ansiedade. Tentara a forma opaca uma vez — queria saber o que seus espiões sofreriam. Tentar pensar em conceitos havia sido como tentar pensar racionalmente em um sonho.

— Alguém pediu que vocês adotassem essa forma? — perguntou Eshonai, falando de modo lento e claro.

— Ninguém pediu — respondeu o virilen, sem ritmo algum. Sua voz parecia morta. — Nós que fizemos.

— Por quê? *Por que* vocês fariam isso?

— Humanos não vão nos matar quando chegarem — respondeu o virilen, levantando seu petrobulbo e seguindo seu caminho. As outras se juntaram a ele sem dizer uma palavra.

Eshonai arfou, o Ritmo de Ansiedade forte em sua mente. Uns poucos esprenos de medo, como longos vermes roxos, se ergueram da rocha próxima, indo em sua direção até tomarem o chão ao redor dela.

Formas não podiam ser ordenadas; cada pessoa estava livre para escolher por conta própria. Transformações podiam ser estimuladas e solicitadas, mas não podiam ser forçadas. Seus deuses não permitiam essa liberdade, então os Ouvintes *permitiam*, a qualquer custo. As pessoas podiam escolher a forma opaca, se desejassem. Eshonai não podia fazer nada quanto a isso; não diretamente.

Ela apertou o passo. Sua perna ainda doía devido à ferida, mas estava se curando rapidamente. Um dos benefícios da forma bélica. Já quase podia ignorar o dano.

Uma cidade cheia de edifícios vazios, e a mãe de Eshonai escolheu um barraco na periferia da cidade, quase totalmente exposto às tempestades. A mãe trabalhava nas suas fileiras de casca-pétrea do lado de fora, cantarolando suavemente para si mesma no Ritmo de Paz. Ela usava a forma laboral; sempre fora a sua favorita. Mesmo depois de a forma hábil ter sido descoberta, a mulher não havia mudado. Ela dissera que não queria encorajar as pessoas a ver uma forma como mais valiosa do que outra, que tal estratificação poderia destruí-los.

Sábias palavras. Do tipo que Eshonai não ouvia da sua mãe há anos.

— Filha! — disse a mãe enquanto Eshonai se aproximou. Forte, apesar da idade, a mãe tinha um rosto redondo e bem-cuidado, e seus cabelos estavam trançados e presos por uma fita. Eshonai levara a fita para ela de um encontro com os alethianos anos atrás. — Filha, você viu sua irmã? É o dia da primeira transformação dela! Precisamos prepará-la.

— Já estão cuidando disso, mãe — respondeu Eshonai no Ritmo de Paz, se ajoelhando junto à mulher. — Como está indo a poda?

— Devo acabar logo. Preciso ir embora antes que os donos desta casa retornem.

— A casa é sua, mãe.

— Não, não. Ela pertence a duas outras pessoas. Elas vieram ontem à noite e me disseram que preciso partir. Vou só terminar essa casca-pétrea antes de ir embora.

Ela pegou sua lixa, suavizando a lateral de um sulco, depois pintando-o com seiva para encorajar o crescimento naquela direção. Eshonai sentou-se, sintonizando Lamentação, e a Paz a deixou. Talvez devesse ter escolhido o Ritmo dos Perdidos em vez disso. O ritmo em sua cabeça mudou.

Ela se forçou a mudar de volta. Não, sua mãe *não* estava morta.

Tampouco estava totalmente viva.

— Aqui, pegue isto — disse a mãe em Paz, passando uma lixa a Eshonai. Pelo menos naquele dia a mulher a reconhecera. — Trabalhe naquela florescência ali. Eu não quero que ela continue a crescer para baixo. Precisamos mandá-la para cima, para a luz.

— As tempestades são fortes demais neste lado da cidade.

— Tempestades? Tolice. Não há tempestades aqui. — A mãe fez uma pausa. — *Aonde* será que vamos levar sua irmã? Ela vai precisar de uma tempestade para sua transformação.

— Não se preocupe com isso, mãe — disse Eshonai, forçando-se a falar no Ritmo de Paz. — Vou dar um jeito.

— Você é tão boa, Venli. Tão prestativa. Ficando em casa, sem sair por aí como sua irmã. Aquela garota... ela nunca está onde deveria.

— Ela está agora — sussurrou Eshonai. — Ela está tentando.

A mãe cantarolou para si mesma, continuando a trabalhar. Outrora, aquela mulher tivera uma das melhores memórias na cidade. Ainda tinha, de certo modo.

— Mãe, preciso de ajuda. Acho que alguma coisa terrível vai acontecer. Não consigo decidir se é *menos* terrível do que a coisa que já está acontecendo.

A mãe lixou uma seção da casca-pétrea, então soprou a poeira.

— Nosso povo está desmoronando — continuou Eshonai. — Estamos sendo desgastados. Nos mudamos para Narak e escolhemos uma guerra de exaustão. Isso significou seis anos com perdas constantes. As pessoas estão desistindo.

— Isso não é bom.

— Mas que alternativa? Mexer com coisas que não deveríamos, coisas que trarão o olhar dos Desfeitos sobre nós.

— Você não está trabalhando — apontou a mãe. — Não seja como sua irmã.

Eshonai colocou as mãos no colo. Isso não estava ajudando. Ver sua mãe desse jeito...

— Mãe, por que deixamos o lar sombrio? — disse Eshonai em Súplica.

— Ah, essa é uma canção antiga, Eshonai. Uma canção sombria, que não é para uma criança como você. Ora, nem mesmo é o dia da sua primeira transformação.

— Tenho idade o bastante, mãe. Por favor?

A mulher soprou sua casca-pétrea. Teria ela esquecido, finalmente, aquela última parte do que havia sido? O coração de Eshonai se apertou.

— Longe estão os dias em que conhecíamos o lar sombrio — cantou a mãe docemente em um dos Ritmos de Recordação. — A Última Legião, era esse nosso nome, na época. Guerreiros que haviam sido mandados para lutar nas planícies mais distantes, este lugar que um dia tinha sido uma nação e que agora era ruínas. Morta estava a liberdade da maioria das pessoas. As formas, desconhecidas, nos eram forçadas. Formas de poder, sim, mas também formas de obediência. Os deuses comandavam e nós obedecíamos, sempre. Sempre.

— Exceto por aquele dia — cantou Eshonai junto com a mãe, no ritmo.

— O dia da tempestade, quando a Última Legião fugiu — continuou cantando sua mãe. — Difícil foi o caminho escolhido. Guerreiros, tocados pelos deuses, nossa única escolha foi buscar um estado de mente opaco. Uma mutilação que trouxe liberdade.

A canção calma e sonora da mãe dançava com o vento. Por mais que parecesse frágil em outros momentos, quando ela cantava as velhas canções, voltava a parecer ela mesma. Uma mãe com a qual às vezes entrava em conflito, mas que sempre respeitara.

— Ousado foi o desafio feito — cantou a Mãe — quando a Última Legião abandonou o pensamento e o poder em troca da liberdade. Eles se arriscaram a esquecer tudo. E assim eles compuseram as canções, uma centena de histórias para contar, para lembrar. Eu conto a você, e você irá contá-las para seus filhos, até que as formas sejam novamente descobertas.

Então sua mãe começou uma das antigas canções, sobre como as pessoas fizeram seu lar nas ruínas de um reino abandonado. Como se espalharam, agindo como simples tribos e refugiados. Era o plano permanecerem ocultos, ou ao menos ignorados.

As canções deixavam tanta coisa de fora. A Última Legião não sabia como se transformar em qualquer outra coisa que não a forma opaca e a forma copulatória, pelo menos não sem o auxílio dos deuses. Então como sabiam que outras formas eram possíveis? Será que esses fatos haviam sido originalmente gravados nas canções, e então perdidos com o passar dos anos à medida que as palavras mudavam aqui e ali?

Eshonai ouviu com atenção e, embora a voz da mãe a ajudasse a se sintonizar novamente com a Paz, ela se descobriu profundamente perturbada de qualquer jeito. Fora até ali em busca de respostas. Antigamente, teria funcionado.

Não mais.

Eshonai se levantou para deixar sua mãe cantando.

— Achei algumas das suas coisas quando estava fazendo a faxina hoje — disse a mãe, interrompendo a canção. — Você deveria levá-las. Elas ficam amontoadas na casa, e logo vou me mudar.

Eshonai cantarolou Lamentação baixinho, mas foi ver o que sua mãe havia "descoberto". Outra pilha de pedras, onde ela via brinquedos de criança? Tiras de tecido que imaginava serem roupas?

Eshonai encontrou um pequeno saco na frente da casa. Dentro, achou papel.

Papel feito das plantas locais, não papel humano. Papel áspero, com cores variadas, feito à antiga maneira dos Ouvintes. Áspero e grosso, não liso e estéril. A tinta nele estava começando a desbotar, mas Eshonai reconheceu os desenhos.

Meus mapas, ela pensou. *Daqueles primeiros dias.*

Involuntariamente, sintonizou com Recordação. Dias passados andando pela região selvagem que os humanos chamavam Natanatan, passando através de florestas e selvas, traçando seus próprios mapas e expandindo o mundo. Havia começado sozinha, mas suas descobertas empolgaram toda uma população. Logo, embora ainda estivesse na adolescência, passara a liderar expedições para encontrar novos rios, novas ruínas, novos esprenos, novas plantas.

E humanos. De certo modo, tudo aquilo era culpa dela.

Sua mãe havia recomeçado a cantar.

Folheando seus antigos mapas, Eshonai descobriu um poderoso anseio dentro de si. Outrora, vira o mundo como algo tenro e excitante. Novo, como uma floresta desabrochando depois de uma tempestade. Ela estava morrendo devagar, tão inexoravelmente quanto seu povo.

Embalou os mapas e deixou a casa de sua mãe, caminhando até o centro da cidade. A canção de sua mãe, ainda bela, ecoava atrás dela. Eshonai sintonizou-se com Paz. Isso permitiu que soubesse que estava quase atrasada para o encontro com o resto dos Cinco.

Ela não apertou o passo; deixou que as batidas constantes e abrangentes do Ritmo de Paz a levassem adiante. A menos que se concentrasse em se sintonizar com um certo ritmo, seu corpo naturalmente escolheria aquele que combinava com seu humor. Assim, era sempre uma decisão consciente prestar atenção em um ritmo que não combinava com seus sentimentos. No momento, ela se concentrou na Paz.

Os Ouvintes haviam tomado uma decisão séculos atrás, uma decisão que havia feito com que voltassem a níveis primitivos. Escolher assassinar Gavilar Kholin fora um ato para afirmar aquela decisão dos seus ancestrais. Eshonai não era um dos seus líderes na época, mas eles escutaram seu conselho e deram a ela o direito de votar também.

A escolha, por mais horrível que parecesse, havia sido um ato de coragem. Eles tinham esperança de que uma guerra longa deixasse os alethianos entediados.

Eshonai e os outros haviam subestimado a ganância alethiana. As gemas-coração haviam mudado tudo.

No centro da cidade, junto do reservatório, havia uma torre alta que permanecia orgulhosamente de pé, desafiando séculos de tempestades. Antigamente, ela possuíra degraus em seu interior, mas o crem vazando das janelas havia preenchido o edifício com rochas. Então trabalhadores esculpiram degraus no exterior.

Eshonai começou a subir, segurando a corrente para maior segurança. Era uma escalada longa mas familiar. Embora sua perna estivesse doendo, a forma bélica era muito resistente — ainda que precisasse de mais comida do que qualquer outra forma para manter-se forte. Ela chegou facilmente no topo.

Encontrou os outros membros dos Cinco aguardando-a, cada um usando uma das formas conhecidas. Eshonai com a forma bélica, Davim com a forma laboral, Abronai com a forma copulatória, Chivi com a forma hábil, e o silencioso Zuln com a forma opaca. Venli esperava também, com seu ex-consorte, embora ele estivesse corado devido à difícil subida. A forma hábil, ainda que fosse ótima para muitas atividades delicadas, não possuía grande resistência.

Eshonai chegou ao topo plano da antiga torre, com o vento soprando contra ela vindo do leste. Não havia cadeiras ali, e os Cinco estavam sentados na pedra nua.

Davim cantarolou em Irritação. Com os ritmos na cabeça de cada indivíduo, era difícil se atrasar por acidente. Eles corretamente suspeitavam que Eshonai procrastinara.

Ela se sentou na pedra e pegou no bolso a gema com o espreno, colocando-a no chão diante de si. A pedra violeta brilhava com Luz das Tempestades.

— Estou preocupada com esse teste — disse Eshonai. — Não acho que devemos permitir que ele prossiga.

— O quê? — disse Venli em Ansiedade. — Irmã, não seja ridícula. Nosso povo precisa disso.

Davim se inclinou para a frente, os braços nos joelhos. Ele tinha um rosto largo, a pele de sua forma laboral marmorizada quase toda em preto, com minúsculos remoinhos de vermelho aqui e ali.

— Se funcionar, será um avanço incrível. A primeira das antigas formas de poder a ser redescoberta.

— Essas formas estão vinculadas aos deuses — disse Eshonai. — E se, ao escolhermos essa forma, os convidarmos a retornar?

Venli cantarolou Irritação.

— Antigamente, *todas* as formas vinham dos deuses. Nós descobrimos que a forma hábil não nos prejudica. Por que a forma tempestuosa prejudicaria?

— É diferente. Cante a canção; cantarole para si mesma. "A sua chegada traz a noite dos deuses." Os antigos poderes são perigosos.

— Os homens têm esses poderes — disse Abronai.

Ele usava a forma copulatória, exuberante e roliça, embora controlasse suas paixões. Eshonai nunca invejara a posição dele; sabia, por meio de conversas particulares, que ele teria preferido outra forma. Infelizmente, outros que mantinham a forma copulatória o faziam de modo temporário — ou não possuíam a solenidade apropriada para se juntar aos Cinco.

— Você mesma nos trouxe o relato, Eshonai — continuou Abronai. — Você viu um guerreiro entre os alethianos usando antigos poderes, e muitos outros nos confirmaram o mesmo. Os homens recuperaram as Manipulações de Fluxos. Os esprenos novamente nos traíram.

— Se as Manipulações de Fluxos voltaram, então isso pode indicar que os deuses estão voltando de qualquer forma — disse Davim em Consideração. — Se for esse o caso, é melhor estarmos preparados para lidar com eles. As formas de poder podem ajudar nisso.

— Não sabemos se eles vão voltar — replicou Eshonai em Determinação. — Não sabemos *nada* disso. Quem sabe se os homens têm mesmo Manipulações de Fluxos? Pode ter sido uma das Espadas de Honra. Deixamos uma em Alethkar naquela noite.

Chivi cantarolou em Ceticismo. Na forma hábil, seu rosto possuía traços alongados, os cabelos presos em um longo rabo de cavalo.

— Nosso povo está definhando. Passei hoje por algumas pessoas que haviam assumido a forma opaca e que não se lembram do nosso passado. Fizeram isso porque estavam preocupados de que os homens os matassem, caso contrário! Estão se preparando para ser escravos!

— Também os vi — disse Davim em Determinação. — Precisamos fazer alguma coisa, Eshonai. Seus soldados estão perdendo essa guerra, pouco a pouco.

— A próxima tempestade — disse Venli. Ela usou o Ritmo de Imploração. — Posso testar na próxima tempestade.

Eshonai fechou os olhos. Imploração. Não era um ritmo sintonizado com frequência. Seria difícil dizer não à sua irmã.

— Precisamos tomar essa decisão de forma unânime — afirmou Davim. — Não vou aceitar outra coisa. Eshonai, você insiste na sua objeção? Vamos precisar levar horas aqui para tomar essa decisão?

Ela respirou fundo, chegando a uma decisão que fora elaborada no fundo de sua mente. A decisão de uma exploradora. Olhou de relance para o saco de mapas que havia deixado no chão ao seu lado.

— Vou concordar com esse teste — disse Eshonai.

Ali perto, Venli cantarolou em Apreciação.

— Contudo, serei eu a primeira a experimentar essa nova forma — continuou Eshonai em Determinação.

Todos os cantos cessaram. Os outros membros dos Cinco olharam para ela, boquiabertos.

— O quê? — disse Venli. — Irmã, não! É meu direito.

— Você é valiosa demais — replicou Eshonai. — Sabe demais sobre as formas, e grande parte da sua pesquisa está apenas na sua cabeça. Eu sou apenas um soldado. Posso ser substituída, se der errado.

— Você é uma Fractária — observou Davim. — Nossa última.

— Thude treinou com minha Espada e Armadura — disse Eshonai. — Deixarei as duas com ele, só por via das dúvidas.

Os outros membros dos Cinco sussurraram em Consideração.

— Essa é uma boa sugestão — disse Abronai. — Eshonai tem força e experiência.

— É *minha* descoberta! — disse Venli em Irritação.

— E você tem nossa gratidão — replicou Davim. — Mas Eshonai está certa; você e seus eruditos são importantes demais para nosso futuro.

— Mais do que isso — acrescentou Abronai. — Você está apegada demais ao projeto, Venli. A maneira como fala deixa isso claro. Se Eshonai adentrar as tempestades e descobrir que há algo de errado com essa forma, ela pode interromper o experimento e voltar para nós.

— É uma boa solução — Chivi assentiu. — Estamos de acordo?

— Acredito que sim — disse Abronai, voltando-se para Zuln.

A representante das formas opacas raramente falava. Ela vestia a bata de um parshemano e havia indicado que considerava seu dever representá-los — aqueles que não tinham canções — assim como quaisquer formas opacas entre eles.

O seu sacrifício era tão nobre quanto o de Abronai, que mantinha a forma copulatória. Mais ainda; a forma opaca era difícil de suportar, e só uns poucos a experimentavam por muito mais tempo do que uma pausa de tempestade.

— Eu concordo — disse Zuln.

Os outros cantarolaram em Apreciação. Só Venli não se juntou à canção. Se a tal forma tempestuosa se revelasse real, será que acrescentariam outra pessoa aos Cinco? De início, os Cinco eram todos formas opacas, então todos formas laborais. Foi só com a descoberta da forma hábil que decidiram que haveria um representante para cada forma.

Uma pergunta para depois. Os outros membros dos Cinco se levantaram, então começaram a descer pela longa escada em espiral ao redor da torre. O vento soprava do leste, e Eshonai se voltou para ele, olhando para além das planícies fraturadas — rumo à Origem das Tempestades.

Durante uma futura grantormenta, ela enfrentaria os ventos e se tornaria algo novo. Algo poderoso. Algo que seria capaz de alterar o destino dos Ouvintes, e talvez dos humanos, para sempre.

— Quase tive motivo para odiá-la, irmã — disse Venli em Repreensão, esperando junto do lugar onde Eshonai estava sentada.

— Eu não proibi o teste.

— Em vez disso, você roubou sua glória.

— Caso haja glória, será sua, por ter descoberto a forma — disse Eshonai em Repreensão. — Isso não deveria ser levado em consideração; só nosso futuro importa.

Venli cantarolou em Irritação.

— Eles a chamaram de sábia e experiente. Isso me faz pensar se esqueceram quem você era... como saía imprudentemente por áreas selvagens, *ignorando* seu povo, enquanto eu ficava em casa e memorizava canções. Quando foi que todo mundo começou a acreditar que você é a irmã responsável?

É esse maldito uniforme, pensou Eshonai, se levantando.

— Por que você não nos disse o que estava pesquisando? Me deixou acreditar que seus estudos buscavam encontrar a forma artística ou a forma mediadora. Em vez disso, estava procurando uma das formas de antigo poder.

— Isso importa?

— Sim, importa muito, Venli. Eu amo você, mas sua ambição me assusta.

— Você não confia em mim — disse Venli em Traição.

Traição. Uma canção raramente ouvida. Doeu tanto que Eshonai retraiu-se.

— Veremos o que essa forma faz — disse Eshonai, coletando seus mapas e a gema com o espreno aprisionado. — Então conversaremos mais. Só quero ser cuidadosa.

— Você quer fazer pessoalmente — disse Venli em Irritação. — Sempre quer ser a primeira. Mas já chega, está feito. Venha comigo; vou precisar treiná-la no estado de espírito apropriado para fazer com que a forma funcione. Então vamos escolher uma grantormenta para a transformação.

Eshonai assentiu. Faria o treinamento. Enquanto isso, poderia meditar. Talvez houvesse outra maneira. Se pudesse fazer com que os alethianos a escutassem, encontrar Dalinar Kholin, pleitear a paz...

Talvez então aquilo não fosse necessário.

PARTE
DOIS

A aproximação do vento

SHALLAN • KALADIN • ADOLIN • SADEAS

13
A OBRA-PRIMA DO DIA

> *A forma bélica é para governo e batalha,*
> *Reivindicada pelos deuses, entregue para matar.*
> *Desconhecida, despercebida, mas para vencer é necessária.*
> *Ela vem para aquele que ousar.*

— Da Canção de Listagem dos Ouvintes, 15ª estrofe

A CARROÇA CHOCALHAVA E SACUDIA sobre o chão rochoso, com Shallan empoleirada no banco duro ao lado de Bluth, um dos mercenários de cara dura empregados por Tvlakv. Ele guiava o chule que puxava a carroça e não falava muito, embora quando pensava que ela não estava vendo, a inspecionasse com seus pequenos olhos escuros.

Fazia frio. Ela desejava que o clima mudasse, e a primavera — ou até mesmo o verão — viesse por algum tempo. Isso não era provável em um lugar notório pela sua friagem permanente. Tendo improvisado um cobertor a partir do forro do baú de Jasnah, Shallan o enrolara sobre os joelhos até os pés, tanto para esconder a saia esfarrapada quanto para se defender do frio.

Ela tentava se distrair estudando os arredores; a flora ali nas Terras Geladas do sul lhe era completamente estranha. A pouca grama crescia em trechos ao longo das faces a sotavento das rochas, com folhas curtas e pontudas em vez de longas e flexíveis. Os petrobulbos nunca cresciam mais que um palmo e não se abriam totalmente, mesmo quando ela tentou jogar água sobre um deles. Suas gavinhas eram preguiçosas e lentas, como se estivessem dormentes devido ao frio. Mas também havia pequenos arbustos espinhosos que cresciam em rachaduras e encostas. Seus galhos quebradiços arranhavam as laterais da carroça, suas minúsculas folhas verdes, do tamanho de gotas de chuva, se dobravam e se recolhiam nos caules.

Os arbustos cresciam de modo prolífico, se espalhando onde quer que encontrassem apoio. Quando a carroça passou por um tufo particularmente alto, Shallan estendeu a mão e arrancou um galho. Ele era tubular, com um centro aberto, e áspero como areia.

— Esses galhos são frágeis demais para grantormentas — disse Shallan, segurando-o. — Como essa planta sobrevive?

Bluth grunhiu.

— É comum, Bluth, manter uma conversa mutuamente instigante com companheiros de viagem.

— Danação, eu conversaria, se soubesse o que metade dessas palavras significa — respondeu ele sombriamente.

Shallan se surpreendeu. Ela honestamente não esperava uma resposta.

— Então estamos quites — ela disse —, já que você usa muitas palavras que *eu* desconheço. É verdade que acho que a maioria delas são xingamentos...

Ela falou de modo casual, mas a expressão dele se fechou mais ainda.

— A senhorita acha que sou tão idiota quanto esse galho.

Pare de insultar meu galho. As palavras lhe vieram à mente, e quase aos lábios, involuntariamente. Deveria ser mais apta em conter a própria língua, considerando sua criação. Mas a liberdade — sem o temor de que seu pai espreitava por trás de cada porta fechada — havia diminuído severamente seu autocontrole.

Ela suprimiu a provocação dessa vez.

— A estupidez é uma função do ambiente ao redor do indivíduo — disse ela, em vez disso.

— A senhorita está dizendo que sou idiota porque fui criado assim?

— Não. Estou dizendo que todo mundo é estúpido em algumas situações. Depois que meu navio naufragou, cheguei à costa, mas fui incapaz de acender uma fogueira para me aquecer. Você diria que sou estúpida?

Ele a olhou de soslaio, mas não ousou falar. Talvez aquela pergunta parecesse uma armadilha para um olhos-escuros.

— Bem, eu sou — disse Shallan. — Em muitas áreas, eu sou estúpida. Talvez para entender palavras complicadas, você seja estúpido. É por isso que precisamos de eruditas e mercadores, guarda Bluth. Nossos tipos de estupidez se complementam.

— Entendo por que precisamos de sujeitos que saibam acender fogueiras — disse Bluth. — Mas não por que precisamos de pessoas que usam palavras bonitas.

— Shhhh. Não diga isso tão alto. Se os olhos-claros ouvirem, podem parar de perder tempo inventando novas palavras e, em vez disso, começarem a interferir nos assuntos de homens honestos.

Ele a encarou novamente. Nenhum sinal de humor nos olhos sob aquela fronte séria. Shallan suspirou, mas voltou sua atenção para as plantas. *Como* elas sobreviviam a grantormentas? Devia pegar sua prancheta de desenho e...

Não.

Ela esvaziou a mente e relaxou. Pouco tempo depois, Tvlakv ordenou a parada de meio-dia. A carroça de Shallan desacelerou e uma das outras parou ao lado dela.

Tag estava conduzindo a outra, com os dois parshemanos sentados na jaula atrás, trabalhando silenciosamente, trançando chapéus de juncos que haviam coletado de manhã. As pessoas frequentemente ordenavam que parshemanos fizessem tarefas como aquela — algo para garantir que todo o seu tempo fosse gasto em alguma atividade lucrativa para aqueles que os possuíam. Tvlakv venderia os chapéus por umas poucas esferas no seu destino.

Eles continuaram trabalhando quando a carroça parou. Era necessário que alguém mandasse que fizessem outra coisa, e precisavam ser treinados especificamente para cada trabalho que faziam. Mas, uma vez treinados, trabalhavam sem reclamar.

Para Shallan, era difícil não ver aquela silenciosa obediência como algo pernicioso. Ela balançou a cabeça, mas depois estendeu a mão a Bluth, que a ajudou a descer da carroça prontamente. No chão, ela pousou a mão na lateral do veículo e respirou fundo através dos dentes. *Pai das Tempestades*, o que fizera com seus pés? Esprenos de dor se esgueiraram da parede ao seu lado, pequenos tendões alaranjados — como mãos descarnadas.

— Luminosa? — chamou Tvlakv, gingando na sua direção. — Infelizmente, não temos muito a oferecer em termos de refeições. Somos comerciantes pobres, como pode ver, e não podemos arcar com iguarias.

— O que você tiver será o suficiente — respondeu Shallan, tentando impedir que sua dor transparecesse, embora os esprenos já a houvessem entregado. — Por favor, mande um dos seus homens descer o meu baú.

Tvlakv obedeceu sem reclamar, embora tenha ficado assistindo cobiçosamente enquanto Bluth o baixava até o chão. Parecia uma péssima ideia deixar que ele soubesse o que havia no seu interior; quanto menos informação ele tivesse, melhor para ela.

— Essas jaulas... — disse Shallan, olhando para a parte traseira da sua carroça. — Pelos fechos na parte superior, parece que laterais de madeira podem ser fixadas sobre as barras.

— Sim, Luminosa — concordou Tvlakv. — Para grantormentas, sabe?

— Você só tem escravos o bastante para ocupar uma das três carroças — disse Shallan. — E os parshemanos vão em outra. Essa aqui está vazia e será uma excelente carroça de viagem para mim. Monte as laterais.

— Mas Luminosa... — Ele soou surpreso. — A senhora quer ser colocada em uma *jaula*?

— Por que não? — indagou Shallan, fitando seus olhos. — Certamente estou segura sob sua custódia, comerciante Tvlakv.

— Hã... sim...

— Você e seus homens devem estar bem acostumados com viagens difíceis — disse Shallan calmamente —, mas eu não estou. Ficar sentada sob o sol em um banco duro não é para mim. Uma carruagem apropriada, contudo, será uma melhora bem-vinda nesta viagem por áreas ermas.

— Carruagem? É uma carroça de escravos!

— Meras palavras, comerciante Tvlakv — disse Shallan. — Por gentileza.

Ele suspirou, mas deu a ordem, e os homens puxaram as laterais de baixo da carroça e as prenderam por fora. Eles não usaram a da parte traseira, onde ficava a porta da jaula. O resultado não parecia especialmente confortável, mas *oferecia* alguma privacidade. Shallan fez com que Bluth carregasse o baú para dentro, para o desânimo de Tvlakv. Então ela subiu e fechou a porta da jaula, depois estendeu a mão pelas barras na direção de Tvlakv.

— Luminosa?

— A chave.

— Ah. — Ele a puxou de um bolso, observando-a por um momento, um momento longo demais, antes de entregá-la.

— Obrigada. Pode mandar Bluth com minha refeição quando ela estiver pronta, mas vou precisar de um balde de água limpa imediatamente. Você foi muito solícito. Não esquecerei o seu serviço.

— Hã... Obrigado. — Soou quase como uma pergunta, e ele parecia confuso ao se afastar. Ótimo.

Ela esperou que Bluth trouxesse a água, então engatinhou — para não usar os pés — pela carroça fechada. Estava fedendo a sujeira e suor, e sentiu nojo ao pensar nos escravos que haviam sido mantidos ali. Depois pediria a Bluth que mandasse os parshemanos esfregarem o piso.

Parou diante do baú de Jasnah, depois se ajoelhou e cuidadosamente levantou a tampa. Luz vazou das esferas infundidas ali dentro. Padrão esperava ali também — ela o instruíra a ficar fora de vista —, sua forma destacada na capa de um livro.

Shallan havia sobrevivido até agora. Ela certamente não estava segura, mas pelo menos não ia congelar ou morrer de fome imediatamente. Isso significava que finalmente precisava encarar questões e problemas maiores. Pousou a mão nos livros, ignorando seus pés latejantes por enquanto.

— Esses livros precisam chegar às Planícies Quebradas.

Padrão vibrou com um som confuso — um tom questionador que implicava curiosidade.

— Alguém precisa continuar o trabalho de Jasnah — disse Shallan. — Urithiru precisa ser encontrada, e os alethianos devem ser convencidos de que o retorno dos Esvaziadores é iminente.

Ela se arrepiou, pensando nos parshemanos marmorizados trabalhando a uma carroça de distância.

— Você... hmmm... continua? — perguntou Padrão.

— Sim. — Ela havia tomado aquela decisão no momento em que insistira que Tvlakv fosse para as Planícies Quebradas. — Naquela noite antes do naufrágio, quando vi Jasnah tão vulnerável... Eu sei o que tenho que fazer.

Padrão zumbiu, novamente parecendo confuso.

— É difícil explicar — disse Shallan. — É uma coisa humana.

— Excelente — respondeu Padrão, ansioso.

Ela levantou uma sobrancelha. Ele evoluíra muito desde o período em que passava horas girando no centro de uma sala ou subindo e descendo pelas paredes.

Shallan retirou algumas esferas para uma melhor iluminação, depois removeu um dos panos com que Jasnah havia envolvido seus livros. Estava imaculadamente limpo. Shallan mergulhou o pano no balde d'água e começou a lavar os pés.

— Antes de ver a expressão de Jasnah naquela noite, antes de falar com ela enquanto estava exausta e perceber o nível de sua preocupação, eu havia caído em uma armadilha: a armadilha de uma erudita. Apesar do meu medo inicial do que Jasnah havia descrito sobre os parshemanos, passei a ver tudo como um quebra-cabeça intelectual. Jasnah parecia tão impassível que deduzi que ela também via assim.

Shallan se retraiu ao remover um pedacinho de pedra de uma rachadura no seu pé. *Mais* esprenos de dor surgiram do chão da carroça. Ela não caminharia longas distâncias tão cedo, mas pelo menos não via ainda esprenos de putrefação. Precisava encontrar algum antisséptico.

— Nosso perigo não é apenas teórico, Padrão. É real, e terrível.

— Sim — disse Padrão com uma voz séria.

Ela levantou os olhos de seus pés. Ele havia se movido para o interior da tampa do baú, iluminado pela luz variada das esferas de cores diferentes.

— Você sabe do perigo? Os parshemanos, os Esvaziadores?

Talvez ela estivesse vendo coisa demais nos tons dele. Ele não era humano e frequentemente falava com estranhas entonações.

— Meu retorno... — disse Padrão. — Por causa disso.

— O quê? Por que não disse nada?!

— Dizer... falar... Pensar... Tudo difícil. Ficando melhor.

— Você me procurou por causa dos Esvaziadores — disse Shallan, se aproximando do baú, o trapo ensanguentado esquecido na mão.

— Sim. Padrões... nós... nos... preocupamos. Um foi enviado. Eu.

— Por que para mim?

— Por causa das mentiras.

Ela balançou a cabeça.

— Não compreendo.

Ele zumbiu, insatisfeito.

— Você. Sua família.

— Você me viu com minha família? Há tanto tempo assim?

— Shallan. Lembre...

Novamente aquelas memórias. Dessa vez, não era um banco de jardim, mas um quarto branco e estéril. A canção de ninar do seu pai. Sangue no chão.

Não.

Ela se afastou e voltou a limpar os pés.

— Eu sei... pouco dos humanos — disse Padrão. — Eles quebram. Suas mentes quebram. Você não quebrou. Só rachou.

Ela continuou a se lavar.

— São as mentiras que salvam você. As mentiras que me atraíram — disse Padrão.

Ela molhou o trapo no balde.

— Você tem um nome? Chamei você de Padrão, mas isso é mais uma descrição.

— Nome é números — respondeu Padrão. — Muitos números. Difícil de dizer. Padrão... Padrão está bom.

— Contanto que você não comece a me chamar de Caótica, como contraste — disse Shallan.

— Hmmmm...

— O que isso significa?

— Estou pensando — disse Padrão. — Considerando a mentira.

— A piada?

— Sim.

— Por favor, não pense demais. Não foi uma piada muito boa. Se quiser ponderar sobre uma piada de verdade, considere que deter o retorno dos Esvaziadores pode depender logo de *mim*.

— Hmmmm...

Ela terminou de cuidar dos pés o melhor que pôde, então enrolou-os com vários outros panos do baú. Não tinha chinelos ou sapatos. Talvez pudesse comprar um par de botas extras de um dos mercadores de escravos. O mero pensamento embrulhou seu estômago, mas não tinha escolha.

A seguir, ela separou o conteúdo do baú. Era apenas um dos baús de Jasnah, mas Shallan reconheceu que era o que a mulher mantinha em sua própria cabine — aquele que os assassinos haviam levado. Ele continha as anotações de Jasnah: livros e mais livros cheios de notas. O baú continha poucas fontes primárias, mas isso não importava, já que Jasnah havia transcrito meticulosamente todas as passagens relevantes.

Enquanto Shallan punha de lado o último livro, ela notou algo no fundo do baú. Uma folha solta de papel? Ela a pegou, curiosa — então quase a deixou cair, de tão surpresa.

Era um retrato de Jasnah, desenhado pela própria Shallan. Dera o desenho à mulher depois que fora aceita como sua pupila. Pensara que Jasnah o jogara fora — ela tinha pouco apreço pelas artes visuais, que considerava uma frivolidade.

Em vez disso, ela o guardara junto de seus objetos mais preciosos. Não. Shallan não queria pensar sobre isso, não queria encarar a questão.

— Hmm... — fez Padrão. — Você não pode guardar todas as mentiras. Só as mais importantes.

Shallan ergueu a mão e sentiu lágrimas nos olhos. Por Jasnah. Ela vinha evitando o luto, guardara-o em uma caixinha e colocara-o de lado.

Assim que deixou o luto chegar, outra dor se juntou a ele. Uma dor que parecia frívola em comparação à morte de Jasnah, mas que ameaçava arrastar Shallan para baixo igualmente, ou ainda mais.

— Meus cadernos de desenhos... — sussurrou ela. — Tudo perdido.

— Sim — disse Padrão, parecendo triste.

— Cada desenho que já guardei. Meus irmãos, meu pai, minha mãe...

Todos afundaram nas profundezas, junto com seus desenhos de criaturas e suas reflexões sobre suas conexões, biologia e natureza. Perdidos. Todos.

O mundo não dependia dos seus desenhos bobos de enguias celestes. Mesmo assim, ela sentia que tudo estava arrasado.

— Você vai desenhar mais — sussurrou Padrão.

— Eu não quero. — Shallan piscou, deixando escapar mais lágrimas.

— Não vou parar de vibrar. O vento não vai parar de soprar. Você não vai parar de desenhar.

Shallan passou os dedos sobre a imagem de Jasnah. Os olhos da mulher estavam acesos, quase vivos novamente — foi o primeiro retrato que Shallan desenhara dela, feito no dia em que se conheceram.

— O Transmutador quebrado estava com as minhas coisas. Agora está no fundo do oceano, perdido. Não vou poder repará-lo e enviá-lo para meus irmãos.

Padrão zumbiu em um tom que parecia deprimido.

— Quem são eles? — indagou Shallan. — Os homens que fizeram isso, que a mataram e tomaram minha arte? Por que eles fizeram coisas tão horríveis?

— Eu não sei.

— Mas você tem certeza de que Jasnah tinha razão? Os Esvaziadores vão voltar?

— Sim. Esprenos... esprenos *dele*. Estão vindo.

— Essas pessoas... mataram Jasnah. Elas provavelmente são do mesmo grupo de Kabsal, e... e do meu pai. Por que matariam a pessoa mais próxima de entender como e por que os Esvaziadores estão voltando?

— Eu... — Ele hesitou.

— Eu não devia ter perguntado — disse Shallan. — Já sei a resposta, e é bastante humana. Essas pessoas querem controlar o conhecimento para poderem lucrar com ele. Lucrar com o próprio apocalipse. Vamos cuidar para que isso não aconteça.

Ela baixou o desenho de Jasnah, colocando-o entre as páginas de um livro para mantê-lo seguro.

Excerto de um rolo mais longo. A metade inferior foi comida por um cão-machado enquanto eu fugia do lugar de onde roubei isso.

14
POSTURA DO FERRO

> *Dócil forma copulatória, para o partilhamento amoroso,*
> *Quando dada à vida, traz-nos alegria.*
> *Para achar essa forma, é preciso ser carinhoso.*
> *Deve-se usar da verdadeira empatia.*
>
> — Da Canção de Listagem dos Ouvintes, 5ª estrofe

— Faz um tempo — disse Adolin, ajoelhando-se e segurando sua Espada Fractal diante de si, a ponta afundada alguns centímetros no chão de pedra. Estava sozinho. Só ele e a espada em uma das novas salas de preparação, construídas junto da arena de duelo.

— Lembro quando conquistei você — sussurrou Adolin, olhando para seu reflexo na lâmina. — Ninguém me levava a sério naquela época também. O janota de roupas bonitas. Tinalar pensou em duelar comigo só para constranger meu pai; em vez disso, fiquei com a sua Espada.

Se ele houvesse perdido, teria entregado a Tinalar sua Armadura, que herdara do lado materno da família. Adolin nunca nomeara sua Espada Fractal. Alguns faziam isso, mas ele nunca considerara apropriado — não porque achasse que a Espada não merecia um nome, mas porque pensava que não sabia o nome certo. Aquela arma pertencera a um dos Cavaleiros Radiantes, muito tempo atrás. Aquele homem dera um nome à arma, sem sombra de dúvida. Chamá-la de outra coisa parecia presunção. Adolin já pensava assim mesmo antes de começar a ver os Radiantes de forma positiva, como seu pai.

A Espada continuaria a existir depois da morte de Adolin. Ele não era seu proprietário; só a pegara emprestado por algum tempo.

A superfície era lisa de modo austero, longa, sinuosa como uma enguia, com uma crista na parte posterior, como afloramentos de cristais. Moldada como uma versão maior de uma espada longa padrão, ela tinha alguma semelhança com as enormes espadas largas de duas mãos que já vira nas mãos de papaguampas.

— Um duelo de verdade — sussurrou Adolin para a Espada. — Com uma aposta real. Finalmente. Chega de ser cauteloso, chega de me conter.

A Espada Fractal não respondeu, mas Adolin imaginou que ela o escutava. Não era possível usar uma arma assim, uma arma que parecia uma extensão da própria alma, e não ter às vezes a impressão de que ela estava viva.

— Eu falo de modo tão confiante com todo mundo porque sei que eles contam comigo. Mas se eu perder hoje, acabou. Mais nenhum duelo, e um nó terrível no grande plano do meu pai.

Ele ouvia as pessoas lá fora. Pés batendo, vozes tagarelando. Pedras arranhando. Tinham vindo. Para ver Adolin vencer ou ser humilhado.

— Essa pode ser nossa última luta juntos — disse Adolin em voz baixa. — Agradeço o que fez por mim. Sei que faria o mesmo por qualquer um que a brandisse, mas ainda assim agradeço. Eu... eu quero que saiba que acredito no meu pai. Acredito que ele está certo, que as coisas que ele vê são reais. Que o mundo precisa de uma Alethkar unida. Lutas como essa são minha maneira de fazer isso acontecer.

Adolin e seu pai não eram políticos. Eles eram soldados — Dalinar por escolha, Adolin de modo mais circunstancial. Não seriam capazes de unificar o reino só na conversa. Teriam que lutar.

Adolin se levantou, apalpando o bolso, então dispensando a Espada em névoa e cruzando a pequena câmara. As paredes de pedra do corredor estreito que adentrou eram entalhadas com imagens das dez posturas básicas da esgrima. Haviam sido gravadas em outro lugar, depois colocadas ali, uma vez que o cômodo foi construído — um acréscimo recente, para substituir as tendas onde antes ocorria a preparação para duelos.

Postura do Vento, Postura da Rocha, Postura da Chama... Havia uma imagem, com a postura retratada, para cada uma das Dez Essências. Adolin contou-as enquanto passava. O pequeno túnel havia sido cortado na pedra da própria arena e terminava em uma diminuta sala escavada na rocha. O sol forte da área de duelo cintilava na moldura das portas entre ele e seu oponente.

Com uma adequada sala de preparação na qual meditar, e depois aquela sala de concentração onde vestir a armadura ou se abrigar entre as lutas, a arena de duelo dos acampamentos de guerra estava se transformando em uma instalação tão boa quanto as de Alethkar. Uma mudança bem-vinda.

Adolin entrou na sala de concentração, onde seu irmão e sua tia o esperavam. Pai das Tempestades, suas mãos estavam suando. Ele não se sentia tão nervoso nem ao cavalgar para a batalha, quando sua vida estava realmente em risco.

Tia Navani havia concluído um glifo-amuleto. Ela se afastou do pedestal, deixando de lado seu pincel, e levantou o amuleto para que ele visse. Estava pintado em vermelho-vivo sobre um pano branco.

— Vitória? — arriscou Adolin.

Navani o baixou, arqueando uma sobrancelha.

— O que foi? — perguntou Adolin enquanto seus armeiros entraram, trazendo as peças da sua Armadura Fractal.

— Aqui diz "segurança e glória" — respondeu Navani. — Não faria mal que você aprendesse alguns glifos, Adolin.

Ele deu de ombros.

— Nunca pareceu importante.

— Sim, bom — disse Navani, dobrando reverentemente a oração e colocando-a no braseiro para queimar. — Com sorte, logo você terá uma esposa para fazer isso por você. Tanto a leitura de glifos quanto a sua confecção.

Adolin curvou a cabeça, como era apropriado, enquanto a oração queimava. Em nome de Pailiah, não era hora de ofender o Todo-Poderoso. Quando acabou, contudo, ele olhou para Navani.

— E quais são as notícias do navio?

Esperavam que Jasnah enviasse notícias quando alcançasse as Criptas Rasas, mas nada chegara. Navani havia conferido com o escritório do mestre do porto naquela cidade distante. Disseram que o *Prazer do Vento* ainda não havia chegado; estava uma semana atrasado.

Navani acenou para dispensar o assunto.

— Jasnah estava naquele navio.

— Eu sei, tia — disse Adolin, se remexendo de modo desconfortável.

O que teria acontecido? Será que o navio fora pego em uma grantormenta? O que teria acontecido com a mulher com quem Adolin talvez se casasse, se a vontade de Jasnah se cumprisse?

— Se o navio está atrasado, é porque Jasnah está tramando alguma coisa — disse Navani. — Espere só. Nós vamos receber um recado dela em algumas semanas, exigindo alguma tarefa ou informação. Vou ter que arrancar dela o motivo do seu desaparecimento. Que Battah bote algum juízo na cabeça daquela garota para acompanhar a sua inteligência.

Adolin não insistiu. Navani conhecia Jasnah melhor do que qualquer um. Mas... ele certamente estava preocupado com Jasnah, e sentiu uma inquietação súbita por talvez não chegar a conhecer a garota, Shallan, quando esperado. Óbvio, o noivado causal provavelmente não daria certo — mas parte dele queria que desse. Deixar outra pessoa escolher por ele era estranhamente atrativo, considerando quão alto Danlan o xingara quando Adolin terminou o relacionamento.

Danlan ainda era uma das escribas do seu pai, então ele a via ocasionalmente. Mais olhares hostis. Mas, raios, *não* foi culpa dele. As coisas que ela dizia para as amigas...

Um armeiro preparou suas botas, e Adolin enfiou os pés nelas sentindo-as se encaixarem. Os armeiros rapidamente afixaram as grevas, depois foram subindo, cobrindo-o com metal muito leve. Logo, tudo que faltava eram as manoplas e o elmo. Ele se ajoelhou, encaixando as mãos nas manoplas que o ladeavam, os dedos em suas posições. A Armadura Fractal tinha uma estranha maneira de se contrair por conta própria, como uma enguia celeste se enrolando ao redor de um rato, e se apertou até chegar a uma estreiteza confortável ao redor dos seus pulsos.

Ele se virou e estendeu a mão para pegar seu elmo com o último armeiro. Era Renarin.

— Você comeu galinha? — perguntava Renarin enquanto Adolin pegava o elmo.

— No desjejum.

— E falou com a espada?

— Conversamos bastante.

— A corrente da nossa mãe está no seu bolso?

— Conferi três vezes.

Navani cruzou os braços.

— Vocês ainda acreditam nessas superstições tolas?

Os dois irmãos fitaram-na, sérios.

— Não são superstições — disse Adolin, ao mesmo tempo em que Renarin falou:

— É só para dar sorte, tia.

Ela revirou os olhos.

— Eu não participo de um duelo formal há muito tempo — continuou Adolin, pegando o elmo com o visor aberto. — Não quero que nada dê errado.

— Tolice — repetiu Navani. — Confie no Todo-Poderoso e nos Arautos, não no fato de você ter feito a *refeição* certa antes de duelar. Raios. Desse jeito, daqui a pouco está acreditando nas Paixões.

Adolin e Renarin se entreolharam. Suas pequenas tradições provavelmente não o ajudavam a vencer, mas, bem, por que arriscar? Todo duelista tinha suas manias. As deles ainda não haviam falhado.

— Nossos guardas não estão felizes — disse Renarin em voz baixa. — Não param de falar sobre como vai ser difícil proteger você com outra pessoa brandindo uma Espada Fractal na sua direção.

Adolin fechou seu visor. Ele virou névoa nas laterais, se encaixando, tornando-se translúcido e fornecendo uma visão completa do aposento. Adolin sorriu, sabendo muito bem que Renarin não podia ver sua expressão.

— Estou desolado por negar a eles a chance de serem minhas babás.

— Por que você gosta de atormentá-los?

— Não gosto de ter gente me vigiando.

— Você já teve outros guarda-costas.

— No campo de batalha — respondeu Adolin. Era diferente ser seguido por toda parte.

— Tem mais coisa. Não minta para mim, irmão. Eu o conheço bem.

Adolin estudou o irmão, cujos olhos estavam muito sérios por trás dos óculos. O garoto era solene demais o tempo todo.

— Eu não gosto do capitão deles — admitiu Adolin.

— Por quê? Ele salvou a vida do nosso pai.

— Ele me incomoda, só isso. — Adolin deu de ombros. — Tem algo de errado nele, Renarin. Isso me deixa desconfiado.

— Acho que você não gostou que ele lhe deu ordens no campo de batalha.

— Nem me lembro mais disso — respondeu Adolin, despreocupado, andando para a porta.

— Bem, tudo certo, então. Está na hora. Irmão?

— Sim?

— Tente não perder.

Adolin abriu as portas e pisou na areia. Já estivera naquela arena, usando o argumento de que ainda que os Códigos de Guerra alethianos proibissem duelos entre oficiais, ele precisava manter sua habilidade.

Para aplacar seu pai, Adolin evitara duelos importantes — duelos por campeonatos ou por Fractais. Não ousara arriscar sua Espada e Armadura. Agora, tudo era diferente.

O ar ainda estava gelado pelo inverno, mas o sol brilhava forte acima de sua cabeça. Sua respiração ecoava contra o metal do elmo, e seus pés esmagavam a areia. Ele conferiu se seu pai estava assistindo; estava, assim como o rei.

Sadeas não viera. Melhor assim. Isso poderia distrair Adolin com memórias das últimas ocasiões em que Sadeas e Dalinar haviam sido amistosos, sentados juntos naquelas arquibancadas de pedra, assistindo a Adolin duelar. Será que Sadeas estivera planejando a traição mesmo então, enquanto ria com seu pai e conversava como um velho amigo?

Concentre-se. Seu inimigo do momento não era Sadeas, embora algum dia... Algum dia, em breve, teria aquele homem na arena. Essa era a meta de tudo que estava fazendo ali.

Por ora, teria que se conformar com Salinor, um dos Fractários de Thanadal. O homem só tinha a Espada, mas pudera pegar emprestado um conjunto de Armadura do Rei para um duelo com um Fractário completo.

Salinor estava do outro lado da arena, trajando a Armadura cinza-ardósia sem ornamentos e esperando que a grã-juíza — a Luminobre Istow — sinalizasse o início do duelo. A luta era, de certo modo, um insulto a Adolin. Para que Salinor concordasse com o duelo, Adolin fora forçado a apostar *tanto* sua Armadura quanto sua Espada contra apenas a Espada do oponente. Como se Adolin fosse indigno e precisasse oferecer mais despojos para justificar o esforço de Salinor.

Como esperado, a arena estava apinhada de olhos-claros. Mesmo que especulassem sobre Adolin estar fora de forma, duelos por Espadas eram muito, muito raros. Aquele seria o primeiro em mais de um ano.

— Invocar Espadas! — ordenou Istow.

Adolin estendeu a mão para o lado. A espada surgiu depois de dez batimentos cardíacos — um momento antes da lâmina do seu oponente. O coração de Adolin estava batendo mais rápido do que o de Salinor. Talvez isso significasse que seu oponente não estava com medo e o subestimava.

Adolin assumiu a Postura do Vento, cotovelos dobrados, voltados para o lado, a ponta da espada apontando para cima e para trás. Seu oponente assumiu a Postura da Chama, a espada em uma das mãos, a outra tocando a lâmina, os pés em uma posição quadrada. As posturas eram mais uma filosofia do que um conjunto predeterminado de movimentos. Postura do Vento: fluida, ampla, majestosa. Postura da Chama: rápida e flexível, melhor para Espadas Fractais mais curtas.

A Postura do Vento era familiar para Adolin. Ela o servira bem durante sua carreira.

Mas não parecia certa hoje.

Estamos em guerra, pensava Adolin enquanto Salinor avançava, cauteloso, procurando testá-lo. *E cada olhos-claros neste exército é um recruta inexperiente.*

Não era hora de espetáculo.

Era hora de uma surra.

Enquanto Salinor se aproximava para um ataque cuidadoso, para sondar seu oponente, Adolin se remexia e assumia a Postura do Ferro, segurando sua espada com as duas mãos ao lado da cabeça. Afastou o primeiro golpe de Salinor, depois avançou e bateu a Espada no elmo do homem. Uma, duas, três vezes. Salinor tentou se defender, mas estava obviamente surpreso com o ataque de Adolin, e dois dos golpes o acertaram.

Rachaduras se espalharam pelo elmo de Salinor. Adolin ouvia grunhidos acompanhados de imprecações enquanto seu oponente tentava levar a arma de volta para a ofensiva. Não era para ser assim. Onde estavam os golpes avaliativos, a arte, a dança?

Adolin rosnou, sentindo a velha Euforia da batalha enquanto rechaçava o ataque de Salinor, sem ligar para o impacto em seu flanco. Então brandiu a Espada com as duas mãos e *estrondou* o peitoral do oponente, como se estivesse cortando lenha. Salinor grunhiu novamente e Adolin levantou o pé e o *chutou* para trás, jogando-o no chão.

Salinor deixou cair a Espada — uma fraqueza da Postura da Chama, que só usava uma das mãos — e ela se desfez em névoa. Adolin andou até o homem e dispensou a própria Espada, depois chutou o elmo de Salinor com o calcanhar da sua bota. A peça da Armadura explodiu em pedaços derretidos, expondo um rosto tonto e apavorado.

Em seguida, Adolin bateu o calcanhar contra o peitoral. Embora Salinor tentasse agarrar seu pé, Adolin chutou implacavelmente até que o peitoral também estivesse despedaçado.

— Pare! *Pare!*

Adolin se deteve, baixando o pé ao lado da cabeça de Salinor, olhando para a grã-juíza. A mulher estava de pé em seu camarote, de rosto vermelho e voz furiosa.

— Adolin Kholin! Isto é um duelo, não uma *competição de pugilismo!*

— Eu quebrei alguma regra? — gritou ele de volta.

Silêncio. Ele notou, pela pressão em seus ouvidos, que a multidão inteira se calara. Podia ouvir a respiração deles.

— Eu quebrei alguma *regra*? — questionou Adolin novamente.

— Não é assim que um duelo...

— Então eu venci — disse Adolin.

A mulher arfou.

— É um duelo de três peças de Armadura quebradas. Você só quebrou duas.

Adolin olhou para o atordoado Salinor. Então estendeu a mão para baixo, arrancou a ombreira do homem e esmagou-a entre os punhos.

— Pronto.

Silêncio perplexo.

Adolin se ajoelhou ao lado do oponente.

— Sua Espada.

Salinor tentou se levantar, mas isso era muito mais difícil de fazer sem o peitoral. A armadura não funcionava direito, e ele precisaria rolar para o lado e se esforçar para ficar de pé. Possível, mas obviamente ele não tinha a devida experiência com a Armadura para executar a manobra. Adolin jogou-o de volta na areia pelo ombro.

— Você perdeu — rosnou Adolin.

— Você trapaceou! — gaguejou Salinor.

— Como?

— Eu não sei como! É que... Não se faz...

Ele perdeu o fio da meada enquanto Adolin cuidadosamente colocou a mão calçada com a manopla em seu pescoço. Os olhos de Salinor se arregalaram.

— Você não faria isso.

Esprenos de medo se esgueiraram da areia ao redor do homem.

— Meu prêmio — disse Adolin, sentindo-se subitamente esgotado.

A Euforia nele se apagou. Raios, nunca havia se sentido assim em um duelo. A espada de Salinor apareceu na mão do homem.

— O julgamento vai para Adolin Kholin, o vencedor — proclamou a grã-juíza, soando relutante. — Salinor Eved perdeu a sua Espada.

Salinor deixou a Espada escorregar de seus dedos. Adolin tomou-a e se ajoelhou ao lado do oponente, segurando a arma com o punho voltado para o homem.

— Rompa o laço.

Salinor hesitou, então tocou o rubi no punho da arma. A gema brilhou em um súbito clarão. O laço havia sido rompido.

Adolin se levantou, arrancando o rubi, depois esmagando-o na manopla. Isso não era necessário, mas era um belo símbolo. A multidão finalmente fez barulho, um burburinho frenético. Tinham ido ver um espetáculo, em vez disso assistiram a um ato de brutalidade. Bem, as coisas costumavam ser assim na guerra. Imaginava que fosse bom que eles vissem, muito embora, quando voltava para a sala de espera, se sentisse inseguro. Tinha sido imprudente. Dispensar sua Espada? Colocar-se em uma posição onde o inimigo poderia ter facilmente alcançado seus pés?

Adolin entrou na sala de preparação, onde Renarin o fitou com olhos arregalados.

— Aquilo foi *incrível* — disse seu irmão mais novo. — Deve ter sido a luta Fractal mais curta já registrada! Você foi fantástico, Adolin!

— Eu... Obrigado. — Ele estendeu a Espada Fractal de Salinor para Renarin. — Um presente.

— Adolin, tem certeza? Quero dizer, não sou exatamente o melhor com a Armadura que já tenho.

— Pode muito bem ter o conjunto inteiro. Tome.

Renarin pareceu hesitar.

— Tome — repetiu Adolin.

Relutante, Renarin lhe obedeceu. Depois, fez uma careta ao pegar a espada. Adolin balançou a cabeça, sentando-se em um dos bancos reforçados para aguentar um Fractário.

Navani entrou no recinto, vinda de um dos assentos acima.

— O que você fez não teria funcionado com um oponente mais habilidoso — observou ela.

— Eu sei.

— Foi inteligente, então. Você disfarçou sua verdadeira habilidade. As pessoas vão achar que venceu por astúcia, armando uma cilada em vez de duelar de verdade. Podem continuar subestimando você. Posso usar isso para lhe conseguir mais duelos.

Adolin assentiu, fingindo ter sido esse o motivo do que fizera.

15
UMA MÃO COM A TORRE

> *A forma laboral para força e cuidado é usada.*
> *Esprenos murmurantes ficam à espreita.*
> *Misteriosa, deve ser a primeira forma procurada.*
> *E nela toda sombra de medo é desfeita.*
>
> — Da Canção de Listagem dos Ouvintes, 19ª estrofe

— Comerciante Tvlakv, acredito que esteja usando hoje um par de sapatos diferente daquele que usava no primeiro dia da nossa viagem — disse Shallan.

Tvlakv deteve-se no caminho até a fogueira noturna, mas adaptou-se habilmente ao desafio dela. Ele voltou-se para Shallan com um sorriso, balançando a cabeça.

— Receio que esteja enganada, Luminosa! Pouco depois de partir nessa viagem, perdi um dos meus baús de roupas em uma tempestade. Só possuo este par de sapatos.

Era uma mentira deslavada. Contudo, depois de seis dias viajando juntos, ela descobrira que Tvlakv não se importava muito em ser pego mentindo.

Shallan subiu no banco da sua carroça sob a luz fraca, os pés enfaixados, encarando Tvlakv nos olhos. Passara a maior parte do dia recolhendo a seiva de caules de erva-botão, depois esfregando-a nos pés para afastar os esprenos de putrefação. Estava muito satisfeita por ter notado as plantas — isso mostrava que, embora carecesse de muitos conhecimentos práticos, alguns de seus estudos podiam ser úteis na natureza.

Ela deveria confrontá-lo quanto à mentira? De que adiantaria? Ele não parecia ficar embaraçado com coisas assim. Ele a observava no escuro, o olhar suspeito, sombreado.

— Bem, que pena — respondeu Shallan. — Talvez encontremos em nossas viagens outro grupo de mercadores de quem eu possa comprar calçados adequados.

— Certamente estarei atento a tal oportunidade, Luminosa.

Tvlakv curvou-se e abriu um sorriso falso, depois continuou rumo à fogueira da refeição noturna, que estava queimando com dificuldade — eles estavam sem madeira, e os parshemanos haviam saído em busca de mais.

— Mentiras — disse Padrão em voz baixa, sua forma quase invisível no assento ao lado dela.

— Ele sabe que, se eu não puder caminhar, serei mais dependente dele.

Tvlakv se instalou ao lado da frágil fogueira. Ali perto, os chules — soltos das suas carroças — perambulavam pesadamente, esmagando minúsculos petrobulbos sob seus pés gigantescos. Eles nunca se afastavam muito.

Tvlakv começou a sussurrar junto com Tag, o mercenário. Ele mantinha um sorriso no rosto, mas Shallan não confiava naqueles olhos escuros reluzindo junto da fogueira.

— Vá ver o que ele está dizendo — ordenou Shallan a Padrão.

— Ver...?

— Preste atenção nas palavras dele, depois volte e repita para mim. Não se aproxime muito da luz.

Padrão desceu pela lateral da carruagem. Shallan se recostou contra o banco duro, depois pegou da bolsa-segura um pequeno espelho que encontrara no baú de Jasnah com uma única esfera de safira como iluminação. Só um marco, nada muito brilhante, e já estava se apagando. *Quando é a próxima grantormenta? Amanhã?*

Já era quase o início do novo ano — e isso significava que o Pranto estava chegando, embora ainda fosse levar algumas semanas. Era um Ano de Luz, não era? Bem, dava para aguentar uma grantormenta ali. Já havia sido forçada a sofrer aquela indignidade antes, trancada em sua carroça.

No espelho, podia ver que sua aparência estava horrível. Olhos vermelhos com olheiras, cabelos despenteados, vestido puído e sujo. Parecia uma mendiga que havia encontrado, em uma pilha de lixo, um vestido que já fora belo.

Isso não a incomodava tanto. Estava preocupada em ficar bonita para mercadores de escravos? Claro que não. Jasnah era indiferente ao que as pessoas achavam dela, mas sempre mantinha uma aparência imaculada. Não que Jasnah agisse de modo sedutor — nem por um momento. Na verdade, ela menosprezava tal comportamento. *Usar um belo rosto para fazer os homens realizarem seus desejos não é diferente de um homem usar os músculos para forçar uma mulher a fazer sua vontade*, dissera ela. *As duas coisas são vis, e as duas perderão o poder com a idade.*

Não, Jasnah não aprovava o uso da sedução como ferramenta. Contudo, as pessoas respondiam de modo diferente àqueles que pareciam em perfeito controle.

Mas o que posso fazer?, pensou Shallan. *Não tenho maquiagem; nem mesmo tenho sapatos.*

— ...ela pode ser alguém importante — disse a voz de Tvlakv abruptamente perto dela.

Shallan pulou, então olhou para o lado, onde Padrão pousara no assento. A voz vinha dali.

— Ela é encrenca — disse a voz de Tag. As vibrações de Padrão produziam uma perfeita imitação. — Ainda acho que deveríamos abandoná-la e ir embora.

— Felizmente para nós, essa decisão não é sua — disse a voz de Tvlakv. — Cuide do jantar. Eu cuido da nossa pequena companheira olhos-claros. Alguém está sentindo falta dela, alguém rico. Se pudermos levá-la de volta a essa pessoa, Tag, isso pode finalmente nos tirar do buraco.

Padrão imitou o som de fogo crepitando por algum tempo, depois ficou em silêncio. A reprodução precisa da conversa foi maravilhosa. *Isso pode ser muito útil*, pensou Shallan.

Infelizmente, teria que tomar alguma atitude em relação a Tvlakv. Não podia permitir que ele a considerasse algo a ser vendido de volta para quem estivesse dando falta dela — isso ficava desagradavelmente próximo de ser vista como uma escrava. Se deixasse que ele continuasse pensando assim, passaria a viagem inteira preocupada com o comerciante e seus brutamontes.

Então o que Jasnah faria naquela situação?

Cerrando os dentes, Shallan desceu da carroça, pisando cuidadosamente com seus pés machucados. Mal podia caminhar. Esperou que os esprenos de dor recuassem, então — escondendo sua agonia — se aproximou do fogo parco e sentou-se.

— Tag, você está dispensado.

Ele olhou para Tvlakv, que assentiu. Tag se afastou para verificar os parshemanos. Bluth saíra para sondar a área, como costumava fazer à noite, procurando sinais de outros passando por ali.

— Está na hora de discutir seu pagamento — disse Shallan.

— Servir a alguém tão ilustre já é um pagamento, naturalmente.

— Naturalmente — concordou ela, encontrando os olhos dele. *Não recue. Você consegue.* — Mas um comerciante precisa ganhar a vida. Não sou cega, Tvlakv. Seus homens não concordam com sua decisão de me ajudar. Eles pensam que é um desperdício.

Tvlakv deu uma olhadela para Tag, parecendo perturbado. Com esperança, ele estava se perguntando o que mais ela havia adivinhado.

— Ao chegar nas Planícies Quebradas, vou adquirir uma grande fortuna. Eu ainda não a possuo.

— Isso é... uma pena.

— De modo algum — disse Shallan. — É uma oportunidade, comerciante Tvlakv. A fortuna que vou adquirir é resultado de um noivado. Se eu chegar em segurança, os homens que me socorreram... que me salvaram de piratas e fizeram grandes sacrifícios para que eu fosse levada à minha nova família... sem dúvida serão bem recompensados.

— Sou apenas um humilde criado — respondeu Tvlakv com um sorriso largo e falso. — Não estou nem pensando em recompensas.

Ele acha que estou mentindo sobre a fortuna. Shallan rangeu os dentes, frustrada, a raiva começando a arder dentro dela. Kabsal havia feito a mesma coisa! Tratando-a como um brinquedo, um meio para um fim, não uma pessoa de verdade.

Ela se inclinou para mais perto de Tvlakv à luz do fogo.

— Não brinque comigo, mercador de escravos.

— Eu não ousaria...

— Você não faz ideia da situação tormentosa em que se meteu — sibilou Shallan, fixando os olhos nele. — Não faz ideia do que está em jogo com a minha chegada. Pegue suas maquinações mesquinhas e enfie-as em uma fissura. Faça o que eu digo e cuidarei para que suas dívidas sejam canceladas. Você será um homem livre novamente.

— O quê? Como... como a senhora...

Shallan se levantou, interrompendo-o. De algum modo, agora sentia-se mais forte do que antes, mais determinada. Suas inseguranças ardiam no fundo do estômago, mas não prestou atenção nelas.

Tvlakv não sabia que ela era tímida; não sabia que havia sido criada em isolamento, no campo. Para ele, ela era uma mulher da corte, hábil na argumentação e acostumada a ser obedecida.

De pé diante dele, sentindo-se radiante no brilho das chamas — assomando sobre ele e suas tramas medíocres —, ela *enxergou*. Expectativa não era só o que as pessoas esperavam de você. Era o que você esperava de si mesmo.

Tvlakv se encolheu como um homem diante de um fogo selvagem. Retraiu-se, olhos arregalados, levantando um braço. Shallan percebeu que *estava* brilhando com a luz das esferas. Seu vestido não mostrava mais os rasgos e as manchas de antes; estava majestoso.

Instintivamente, ela fez sumir o brilho de sua pele, torcendo para que Tvlakv pensasse que fora um truque da fogueira. Ela girou e deixou-o tremendo ao lado do fogo enquanto caminhava de volta para a carroça. A escuridão os envolvia totalmente, e a primeira lua não havia nascido. Enquanto andava, seus pés já não doíam como antes. Será que a seiva de erva-botão era tão eficiente assim?

Alcançou a carroça e começou a subir de volta para o banco, mas Bluth escolheu aquele momento para surgir subitamente no acampamento.

— Apaguem o fogo! — gritou ele.

Tvlakv o encarou, perplexo.

Bluth correu, passando por Shallan e alcançando o fogo, onde pegou o pote de caldo fumegante e o virou sobre as chamas, espalhando cinzas e vapor com um som sibilante. Os esprenos de chama sumiram.

Tvlakv deu um pulo, olhando para baixo enquanto o caldo sujo — iluminado fracamente pelas brasas moribundas — escorria pelos seus pés. Shallan, cerrando os dentes contra a dor, saiu da carroça e se aproximou. Tag veio correndo da outra direção.

— ...parecem ser dezenas — dizia Bluth em uma voz baixa. — Estão bem armados, mas não têm cavalos ou chules, então não são ricos.

— O que houve? — perguntou Shallan.

— Bandidos — respondeu Bluth. — Ou mercenários. Ou como quiser chamar.

— Ninguém vigia esta área, Luminosa — disse Tvlakv. Ele a encarou e depois desviou o olhar de modo rápido, obviamente ainda abalado. — É realmente uma região selvagem, sabe? A presença dos alethianos nas Planícies Quebradas significa que muitos vêm e vão. Caravanas de comerciantes, como a nossa, artesãos buscando trabalho, mercenários olhos-claros de nível inferior querendo se alistar. Essas duas condições, sem leis, mas com muitos viajantes, atraem certo tipo de malfeitor.

— São perigosos — concordou Tag. — Esses tipos tomam o que querem. Deixam apenas cadáveres.

— Eles viram nosso fogo? — indagou Tvlakv, retorcendo o chapéu nas mãos.

— Não sei — disse Bluth, olhando sobre o ombro. Shallan mal conseguia distinguir sua expressão no escuro. — Não quis me aproximar. Cheguei perto para contar quantos eram, depois voltei rápido para cá.

— Como pode ter certeza de que são bandidos? — indagou Shallan.

— Podem ser apenas soldados a caminho das Planícies Quebradas, como disse Tvlakv.

— Eles não têm estandartes, nem exibem selos — disse Bluth. — Mas têm bons equipamentos e mantêm uma guarda fechada. São desertores. Apostaria os chules nisso.

— Bah — disse Tvlakv. — Você apostaria meus chules em uma mão com a torre, Bluth. Mas, Luminosa, apesar do péssimo senso para jogatina dele, acredito que esse tolo esteja certo. Temos que colocar arreios nos chules e partir imediatamente. A escuridão é nossa aliada, e precisamos aproveitá-la.

Ela concordou. Os homens se moveram rapidamente, mesmo o corpulento Tvlakv, desfazendo o acampamento e arreando os chules. Os escravos resmungaram por não terem recebido sua comida da noite. Shallan parou ao lado da jaula deles, sentindo-se envergonhada. Sua família possuía escravos — e não apenas parshemanos e fervorosos. Escravos comuns. Na maior parte, eram basicamente olhos-escuros sem direito de viajar.

Aquelas pobres almas, contudo, estavam doentes e meio mortas de fome.

Você está a apenas um passo de ficar presa nessas gaiolas, Shallan, pensava ela com um arrepio enquanto Tvlakv passava, lançando pragas contra os prisioneiros. *Não. Ele não ousaria colocar você ali. Apenas a mataria.*

Bluth teve que ser lembrado novamente de oferecer a ela a mão para subir na carroça. Tag conduziu os parshemanos até a carroça deles, amaldiçoando sua lentidão, então subiu em seu assento e tomou a posição traseira.

A primeira lua começou a nascer, deixando tudo mais claro do que Shallan gostaria. Parecia-lhe que cada passo esmagador dos chules soava tão alto quanto o trovão de uma grantormenta. Eles roçavam as plantas que ela havia nomeado de crustispinhos, com seus galhos que pareciam tubos de arenito, que rachavam e tremiam.

O progresso não foi rápido — chules nunca eram. Enquanto avançavam, ela vislumbrava luzes em um morro, assustadoramente próximas. Fogueiras de acampamento a uma caminhada de dez minutos. Uma mudança nos ventos trouxe o som de vozes distantes, de metal sobre metal, talvez homens treinando combate.

Tvlakv virou as carroças para leste. Shallan franziu o cenho.

— Por que esse caminho? — sussurrou ela.

— Lembra a ravina que vimos? — sussurrou Bluth. — Vamos passar para o outro lado, caso eles nos ouçam e venham nos procurar.

Shallan assentiu.

— O que podemos fazer se eles nos alcançarem?

— Não vai ser bom.

— Não podemos pagá-los para nos deixarem passar?

— Desertores não são como bandidos comuns — disse Bluth. — Esses homens desistiram de tudo. Juramentos. Famílias. Quando você deserta, acaba arrasado. Disposto a fazer qualquer coisa, porque já desistiu de tudo que se importava em perder.

— Uau — disse Shallan, olhando sobre o ombro.

— Eu... É, esse tipo de decisão se carrega pela vida inteira, realmente. Você deseja que ainda lhe reste alguma honra, mas sabe que abriu mão dela.

Ele ficou em silêncio, e Shallan estava nervosa demais para insistir. Continuou vigiando as luzes na colina enquanto as carroças — abençoadamente — se afastaram cada vez mais noite adentro, por fim escapando para a escuridão.

16
MESTRE ESPADACHIM

A forma hábil tem um toque delicado.
A muitos os deuses essa forma deram,
Mas quando desafiaram, pelos deuses foram esmagados.
Precisão e fartura os dessa forma esperam.

— Da Canção de Listagem dos Ouvintes, 27ª estrofe

—Sabe — disse Moash, ao lado de Kaladin —, sempre pensei que esse lugar seria...

— Maior? — sugeriu Drehy com seu leve sotaque.

— *Melhor* — respondeu Moash, olhando ao redor da área de treinamento. — Parece o pátio onde os soldados olhos-escuros praticam.

Aquelas áreas de treinamento eram reservadas para os olhos-claros de Dalinar. No centro, o amplo pátio aberto era coberto por uma espessa camada de areia. Uma passarela de madeira envolvia o perímetro, posicionada entre a areia e o estreito edifício que a cercava, que tinha apenas um cômodo de profundidade. Aquele edifício estreito envolvia todo o pátio, exceto a frente, que possuía um muro com um arco para a entrada e um telhado largo e comprido, fornecendo sombra para a passarela de madeira. Oficiais olhos-claros estavam conversando na sombra ou assistindo aos homens treinando sob o sol do pátio, e fervorosos se moviam de um lado para outro, entregando armas ou bebidas.

Era uma planta comum para áreas de treinamento. Kaladin já estivera em vários edifícios semelhantes, principalmente quando entrara para o exército de Amaram.

Kaladin firmou o queixo, repousando os dedos no arco de entrada. Fazia sete dias desde a chegada de Amaram nos acampamentos de guerra. Sete dias lidando com o fato de que Amaram e Dalinar eram amigos.

Tinha decidido ficar tormentosamente feliz com a chegada de Amaram. Afinal de contas, isso significava que Kaladin poderia encontrar uma chance de finalmente enfiar uma lança naquele homem.

Não, ele pensou, adentrando a área de treinamento. *Uma lança, não. Quero que seja bem de perto, cara a cara, para ver seu pânico enquanto ele morre. Quero sentir a faca entrando.*

Kaladin acenou para seus homens e passou pelo arco, forçando-se a se concentrar nos arredores em vez de em Amaram. Aquele arco era de boa pedra, escavada ali perto, construído em uma estrutura com o tradicional reforço a leste. Julgando pelos modestos depósitos de crem, aqueles muros não estavam ali há muito tempo. Era um sinal de que Dalinar estava começando a pensar nos acampamentos de guerra como permanentes — ele estava derrubando edifícios simples e temporários e substituindo-os por estruturas firmes.

— Eu não sei o que você esperava — disse Drehy a Moash enquanto inspecionava o terreno. — Como você faria uma *área de treinamento* diferente para os olhos-claros? Usando pó de diamante em vez de areia?

— Essa doeu — disse Kaladin.

— Eu não sei como — replicou Moash. — É que eles faziam tanto alvoroço com isso. Olhos-escuros não são permitidos na área de treinamento "especial". Eu não sei o que a torna tão especial.

— É porque você não pensa como um olhos-claros — comentou Kaladin. — Este lugar é especial por um único motivo.

— Qual?

— Porque *nós* não estamos aqui — disse Kaladin, seguindo na frente. — Pelo menos, não normalmente.

Estava acompanhado por Drehy, Moash e outros cinco outros homens, uma mistura de membros da Ponte Quatro e alguns sobreviventes da antiga Guarda Cobalto. Dalinar os designara para Kaladin e, para sua surpresa e prazer, eles o aceitaram como líder sem uma palavra de reclamação. Todos o impressionaram. A antiga Guarda havia merecido sua reputação.

Uns poucos deles, todos olhos-escuros, haviam começado a comer com a Ponte Quatro. Eles haviam solicitado emblemas da Ponte Quatro, e Kaladin fornecera-lhes alguns — mas ordenara que usassem seus emblemas da Guarda Cobalto no outro ombro e que continuassem a usá-los como marca de orgulho.

Com a lança na mão, Kaladin conduziu sua equipe na direção de um grupo de fervorosos que se apressou a encontrá-los. Os fervorosos vestiam trajes religiosos vorins — calças e túnicas largas, amarradas na cintura com cordas simples. Roupas de mendigo. Eles eram escravos, mas ao mesmo tempo não eram. Kaladin nunca pensara muito neles. Sua mãe provavelmente lamentaria quão pouco ele se importava com observâncias religiosas. Em sua opinião, o Todo-Poderoso não se preocupava muito com ele, então por que *ele* devia se importar?

— Essa é a área de treinamento dos *olhos-claros* — disse a fervorosa principal com severidade.

Era uma mulher esbelta, mas não se devia pensar em fervorosos como homem ou mulher. Sua cabeça estava raspada, como a de todos os fervorosos. Seus companheiros masculinos usavam barbas quadradas com o bigode raspado.

— Capitão Kaladin, Ponte Quatro — declarou Kaladin, analisando a área e colocando a lança no ombro. Seria muito fácil um acidente acontecer ali, durante o treino de combate. Ele teria que tomar cuidado com isso. — Estou aqui para proteger os rapazes Kholin enquanto eles praticam hoje.

— Capitão? — zombou um dos fervorosos. — Você...

Outro fervoroso o silenciou, sussurrando alguma coisa. As notícias sobre Kaladin se espalharam rapidamente pelo acampamento, mas fervorosos às vezes se mantinham muito isolados.

— Drehy — disse Kaladin, apontando. — Está vendo aqueles petrobulbos crescendo até o topo do muro ali?

— Estou.

— Eles são cultivados. Isso significa que tem como subir lá.

— É claro que tem — replicou a fervorosa. — A escadaria no canto noroeste. Eu tenho a chave.

— Ótimo, então abra para ele — disse Kaladin. — Drehy, fique de olho nas coisas lá de cima.

— Entendido — respondeu Drehy, trotando na direção da escadaria.

— E que tipo de perigo você acha que eles vão correr aqui? — indagou a fervorosa, cruzando os braços.

— Eu vejo muitas armas — respondeu Kaladin. — Muita gente entrando e saindo, e... estou vendo Espadas Fractais? Me pergunto *o que* poderia dar errado.

Ele a encarou de modo significativo. A mulher suspirou, então entregou a chave para um assistente, que correu atrás de Drehy.

Kaladin apontou posições de onde seus outros homens deveriam vigiar. Todos se afastaram, ficando apenas ele e Moash. O homem magro havia se voltado imediatamente à menção de Espadas Fractais, e agora as contemplava com um ar faminto. Um par de olhos-claros portando Espadas havia se movido para o centro da areia. Uma Espada era longa e fina, com um guarda-mão grande, enquanto a outra era larga e imensa, com sinistros espinhos — ligeiramente parecidos com chamas — despontando dos dois lados ao longo do terço inferior da lâmina. As duas armas possuíam faixas protetoras nos fios, como uma bainha parcial.

— Hum — resmungou Moash. — Não reconheço esses homens. Pensei que conhecesse todos os Fractários no acampamento.

— Eles não são Fractários — replicou a fervorosa. — Estão usando as Espadas do rei.

— Elhokar permite que pessoas usem sua Espada Fractal? — indagou Kaladin.

— É uma grande tradição — respondeu a fervorosa, aparentemente irritada por ter que explicar. — Os grão-príncipes costumavam fazer isso em seus próprios principados, antes da reunificação, e agora é a obrigação e a honra do rei. Homens podem usar a Espada e a Armadura do rei para praticar. Os olhos-claros dos nossos exércitos devem ser treinados com Fractais, para o bem de todos. Espada e Armadura são difíceis de dominar, e se um Fractário cair em batalha, é importante que outros sejam capazes de usá-las imediatamente.

Fazia sentido, supôs Kaladin, embora achasse difícil imaginar quaisquer olhos-claros deixando alguém tocar na sua Espada.

— O rei possui duas Espadas Fractais?

— Uma delas é a do seu pai, guardada para a tradição de treinar Fractários. — A fervorosa olhou para os homens duelando. — Alethkar sempre teve os melhores Fractários do mundo. Essa tradição é parte disso. O rei deu a entender que algum dia talvez conceda a Espada do seu pai a um guerreiro digno.

Kaladin assentiu em apreciação.

— Nada mal — disse ele. — Aposto que muitos homens vêm praticar com elas esperando provar que é o mais hábil e mais merecedor. Uma boa maneira de Elhokar botar um bando de homens para treinar.

A fervorosa bufou e foi embora. Kaladin olhou as Espadas Fractais faiscando no ar. Os homens que as usavam mal sabiam o que estavam fazendo. Os verdadeiros Fractários que já vira, os verdadeiros Fractários que *combatera*, não cambaleavam brandindo as enormes espadas como bastões. Até o duelo de Adolin no outro dia fora...

— Raios, Kaladin — disse Moash, observando a fervorosa sair pisando duro. — E você estava *me* dizendo para ser respeitoso?

— Hmm?

— Você não usou um honorífico para o rei — explicou Moash. — Então deu a entender que os olhos-claros que vêm praticar são preguiçosos e precisam ser enganados para virem treinar. Nós não devíamos evitar antagonizar os olhos-claros?

Kaladin desviou o olhar dos Fractários. Distraído, ele havia falado sem pensar.

— Tem razão. Obrigado pelo lembrete.

Moash assentiu.

— Quero que você fique junto do portão — disse Kaladin, apontando.

Um grupo de parshemanos entrou trazendo caixas, provavelmente alimentos. Eles não seriam perigosos, seriam?

— Preste bastante atenção nos criados, em mensageiros com espadas, ou em qualquer pessoa aparentemente inofensiva que se aproxime dos filhos do Grão-príncipe Dalinar. Uma faca nas costas vinda de alguém assim seria uma das melhores maneiras de realizar um assassinato.

— Certo. Mas me diga uma coisa, Kal: quem é esse tal Amaram?

Kaladin voltou-se bruscamente para Moash.

— Eu vi como você olha para ele. Vi a sua cara quando os outros carregadores o mencionam. O que ele fez com você?

— Eu fazia parte do exército dele — respondeu Kaladin. — O último lugar onde lutei, antes...

Moash gesticulou na direção da testa de Kaladin.

— Isso é obra dele, então?

— É.

— Então ele não é o herói que as pessoas dizem — observou Moash, parecendo satisfeito com o fato.

— A alma dele é uma das mais sombrias que já conheci.

Moash pegou Kaladin pelo braço.

— Nós *vamos* dar o troco neles, de algum modo. Sadeas, Amaram. Os homens que fizeram essas coisas conosco.

Esprenos de raiva fervilharam ao redor dele, como poças de sangue na areia. Kaladin encontrou os olhos de Moash, então assentiu.

— Para mim, isso basta — concluiu Moash, colocando a lança no ombro e trotando até a posição que Kaladin havia indicado, os esprenos desaparecendo.

— Ele é outro que precisa aprender a sorrir mais — sussurrou Syl.

Kaladin não a havia notado voejando ali perto, e então ela se instalou no seu ombro. Ele se voltou para caminhar pelo perímetro da área de treinamento, notando cada entrada. Talvez estivesse sendo cauteloso demais. Só gostava de fazer suas tarefas direito, e já fazia muito tempo desde que tivera outro trabalho além de salvar a Ponte Quatro.

Às vezes, contudo, parecia que seu trabalho era impossível de ser feito direito. Durante a grantormenta na semana anterior, alguém havia *novamente* se esgueirado até os aposentos de Dalinar e rabiscado um segundo número na parede. Fazendo a contagem regressiva, ele apontava para a mesma data, a pouco mais de um mês.

O grão-príncipe não parecia preocupado, e não quis que o evento fosse divulgado. Raios... estaria ele escrevendo os glifos pessoalmente durante algum tipo de ataque? Ou seria algum tipo de espreno? Kaladin tinha *certeza* de que ninguém podia ter passado por ele daquela vez.

— Quer falar sobre o que está te incomodando? — perguntou Syl do seu poleiro.

— Estou preocupado com o que está acontecendo com Dalinar durante as grantormentas — disse Kaladin. — Esses números... alguma coisa está errada. Você ainda está vendo aqueles esprenos por aí?

— Os relâmpagos vermelhos? Acho que sim. Eles são difíceis de notar. Você não os viu?

Kaladin balançou a cabeça, levantando sua lança e andando até a passarela. Dali ele espiou uma sala de armazenamento. Espadas de madeira, algumas do tamanho de Espadas Fractais, e acolchoamentos de couro estavam enfileirados na parede.

— É isso que está te incomodando? — perguntou Syl.

— O que mais seria?

— Amaram e Dalinar.

— Não é importante. Dalinar Kholin é amigo de um dos piores assassinos que já conheci. E daí? Dalinar é um olhos-claros. Ele provavelmente é amigo de vários assassinos.

— Kaladin...

— Amaram é pior do que Sadeas, sabe? — continuou Kaladin, contornando a sala de armazenamento, conferindo as portas. — Todo mundo sabe que Sadeas é um rato. Ele é bem direto. "Você é um carregador de pontes", ele me disse, "e vou usá-lo até você morrer". Mas Amaram... Ele prometeu ser mais, um luminobre como aqueles das histórias. Ele me disse que protegeria Tien. Fingiu ser honrado. Isso é pior do que qualquer barbaridade que Sadeas já tenha feito.

— Dalinar não é como Amaram — replicou Syl. — Você sabe que não.

— As pessoas falam dele o mesmo que falavam de Amaram. Que *ainda falam* de Amaram.

Kaladin voltou para a luz do sol e continuou seu circuito pelo terreno, passando por olhos-claros em duelo, que chutavam areia e grunhiam, suavam e batiam espadas de madeira.

Cada par era servido por meia dúzia de criados olhos-escuros carregando toalhas e cantis — e muitos tinham um parshemano ou dois para trazer-lhes cadeiras para quando quisessem descansar. Pai das Tempestades. Mesmo em algo tão rotineiro os olhos-claros precisavam ser paparicados.

Syl zuniu no ar diante de Kaladin, descendo como uma tempestade. *Literalmente* como uma tempestade. Ela parou no ar na frente dele, uma nuvem fervilhando sob os pés dela, com a luz súbita de relâmpagos.

— Você pode honestamente dizer que acha que Dalinar Kholin só está *fingindo* ser honrado?

— Eu...

— Não minta para mim, Kaladin — disse ela, dando um passo à frente, apontando. Diminuta como era, naquele momento parecia gigante como uma grantormenta. — Sem mentiras. Jamais.

Ele respirou fundo.

— Não — respondeu finalmente. — Não, Dalinar entregou sua Espada por nós. Ele é um bom homem. Eu aceito isso. Amaram o enganou. Ele me enganou também, então acho que não posso culpar Kholin.

Syl assentiu com um movimento seco, a nuvem se dissipando.

— Você devia falar com ele sobre Amaram — disse ela, caminhando no ar ao lado da cabeça de Kaladin enquanto ele continuava a vasculhar a área.

Seus passos eram pequenos, e ela devia ficar para trás, mas não ficava.

— E o que eu diria? Devo ir até ele e acusar um olhos-claros do terceiro dan de assassinar suas próprias tropas? Ou de roubar minha Espada Fractal? Vou soar como um idiota ou um louco.

— Mas...

— Ele não vai me escutar, Syl — disse Kaladin. — Dalinar Kholin pode ser um bom homem, mas ele não vai me deixar falar mal de um poderoso olhos-claros. O mundo é assim. E isso é verdade.

Ele continuou sua inspeção, querendo saber o que havia nas salas de onde as pessoas podiam assistir aos lutadores treinando. Algumas eram para armazenamento, outras para banhos e descanso. Várias dessas estavam trancadas, com olhos-claros lá dentro se recuperando do treino diário. Olhos-claros gostavam de banhos.

A parte dos fundos da estrutura, oposta ao portão de entrada, continha os aposentos dos fervorosos. Kaladin nunca vira tantas cabeças raspadas e túnicas andando apressadamente de um lado para outro. Em Larpetra, o senhor da cidade só abrigava alguns poucos fervorosos velhos e enrugados como tutores do seu filho; eles também desciam periodicamente à cidade para queimar orações e elevar as Vocações dos olhos-escuros.

Aqueles fervorosos ali não pareciam ser do mesmo tipo. Tinham o físico de guerreiros e frequentemente se ofereciam para praticar com olhos-claros que precisavam de um parceiro de luta. Alguns eram olhos-escuros, mas ainda assim usavam a espada — eles não eram considerados olhos-claros ou olhos-escuros. Eram apenas fervorosos.

E o que eu faço se um deles *decidir tentar matar os jovens príncipes?* Raios, ele detestava alguns aspectos do dever de um guarda-costas. Se nada acontecesse, nunca tinha certeza se era porque nada estava errado ou porque havia impedido assassinos em potencial.

Adolin e seu irmão finalmente chegaram, ambos totalmente blindados em suas Armaduras Fractais, os elmos debaixo dos braços. Estavam acompanhados por Skar e um punhado de antigos membros da Guarda Cobalto, que saudaram Kaladin quando ele se aproximou e gesticulou para dispensá-los, seu turno estava oficialmente concluído. Skar iria se juntar a Teft e ao grupo que protegia Dalinar e Navani.

— A área está tão segura quanto possível sem interromper o treino, Luminobre — disse Kaladin, caminhando até Adolin. — Meus homens e eu vamos ficar de olho enquanto treinam, mas não hesite em chamar se algo parecer estranho.

Adolin grunhiu, inspecionando o local, mal prestando atenção em Kaladin. Ele era um homem alto, seus poucos fios pretos alethianos sobrepujados por muitos cabelos louro-dourados. Seu pai não era assim. Será que a mãe de Adolin era de Rira?

Kaladin se virou para caminhar até o lado norte do pátio, de onde teria uma vista diferente da de Moash.

— Carregador — chamou Adolin. — Você decidiu começar a usar os títulos apropriados das pessoas? Não chamava meu pai de "senhor"?

— Ele está na minha cadeia de comando — respondeu Kaladin, se virando de volta. A resposta simples parecia a melhor.

— E eu não estou? — questionou Adolin, fechando a cara.

— Não.

— E se eu lhe der uma ordem?

— Obedecerei a quaisquer solicitações razoáveis, Luminobre. Mas se desejar alguém para lhe trazer chá entre os duelos, terá que pedir a outra pessoa. Deve haver bastante gente aqui disposta a lamber suas botas.

Adolin andou até ele. Embora a Armadura Fractal azul-profundo só acrescentasse alguns centímetros à sua altura, fazia com que ele parecesse bem grande. Talvez a fala sobre lamber botas houvesse sido atrevida demais.

Mas Adolin representava uma coisa: o privilégio dos olhos-claros. Ele não era como Amaram ou Sadeas, que haviam despertado o ódio de Kaladin. Homens como Adolin apenas o irritavam, lembrando-o de que nesse mundo alguns bebericavam vinho e vestiam roupas elegantes enquanto outros eram escravizados quase que por capricho.

— Devo a você minha vida — rosnou Adolin, como se doesse dizer tais palavras. — Esse é o único motivo por que ainda não o joguei por uma janela. — Ele cutucou o peito de Kaladin com um dedo envolto na manopla. — Mas minha paciência com você não vai tão longe quanto a do meu pai, carregadorzinho. Há algo de errado com você, algo que não entendo. Estou de olho. Lembre-se de seu lugar.

Ótimo.

— Vou mantê-lo vivo, Luminobre — respondeu Kaladin, afastando seu dedo. — *Esse* é o meu lugar.

— Sei me cuidar sozinho — replicou Adolin, virando-se e marchando pela areia com um tilintar da Armadura. — Seu trabalho é tomar conta do meu irmão.

Kaladin ficou mais do que feliz de vê-lo ir embora.

— Criança mimada — murmurou.

Supunha que Adolin fosse alguns anos mais velho do que ele. Só recentemente Kaladin percebera que havia passado pelo seu vigésimo aniversário enquanto era um carregador de pontes, e nem se dera conta. Adolin tinha vinte e poucos anos. Mas ser uma criança pouco tinha a ver com a idade.

Renarin ainda estava parado desajeitadamente junto do portão da frente, vestindo a antiga Armadura Fractal de Dalinar e carregando sua recém-adquirida Espada Fractal. O rápido duelo de Adolin do dia anterior era o assunto do momento nos acampamentos de guerra, e Renarin precisaria de cinco dias para estabelecer totalmente um laço com sua Espada antes que pudesse dispensá-la.

A Armadura Fractal do jovem era da cor de aço escuro, sem tinta. Era assim que Dalinar preferia. Ao entregar sua Armadura, Dalinar sugeria que precisava vencer suas próximas batalhas como político. Foi um ato louvável; era sempre possível fazer com que homens o seguissem por medo de apanhar — ou mesmo porque era o melhor soldado entre eles. Porém, era preciso mais, muito mais, para ser um verdadeiro líder.

Contudo, Kaladin teria preferido que Dalinar houvesse ficado com a Armadura. Qualquer coisa que ajudasse o homem a continuar vivo seria uma dádiva para a Ponte Quatro.

Ele se recostou contra uma coluna, cruzando os braços, lança na dobra do cotovelo, vigiando a área em busca de problemas e inspecionando todos que se chegavam perto demais dos jovens príncipes. Adolin se aproximou e agarrou o irmão pelo ombro, rebocando-o pelo pátio. Várias pessoas que lutavam na arena pararam e se curvaram — se não estavam de uniforme —, ou saudaram os jovens príncipes enquanto eles passaram. Um grupo de fervorosos de túnicas cinzentas havia se reunido nos fundos do pátio, e a mulher de mais cedo se adiantou para conversar com os irmãos. Tanto Adolin quanto Renarin se curvaram formalmente para ela.

Fazia três semanas desde que Renarin havia recebido sua Armadura. Por que Adolin esperara tanto para levá-lo ali para treinar? Será que estivera esperando até o duelo, para que pudesse conquistar também uma Espada para o rapaz?

Syl pousou no ombro de Kaladin.

— Adolin e Renarin estão se curvando para ela.

— É — disse Kaladin.

— Mas a fervorosa não é uma escrava? Posse do pai deles?

Kaladin assentiu.

— Humanos não fazem sentido.

— Se só aprendeu isso agora, então não andou prestando atenção — disse ele.

Syl jogou o cabelo, que se moveu de modo realista. O próprio gesto era bastante humano. Talvez ela estivesse prestando atenção, afinal de contas.

— Eu não gosto deles — comentou ela, casualmente. — De nenhum dos dois, Adolin ou Renarin.

— Você não gosta de ninguém que carregue Fractais.

— Exato.

— Você já chamou as Espadas de abominações — disse Kaladin. — Mas os Radiantes as usavam. Então, eles estavam errados?

— É claro que não — respondeu ela, soando como se ele houvesse dito algo completamente estúpido. — As Fractais não eram abominações naquela época.

— O que mudou?

— Os cavaleiros — disse Syl, baixando a voz. — Os cavaleiros mudaram.

— Então não é que as armas especificamente sejam abominações. É que as pessoas erradas as possuem.

— Não existem mais as pessoas corretas — sussurrou Syl. — Talvez nunca tenham existido...

— E de onde elas vieram, para começar? — indagou Kaladin. — As Espadas Fractais. Armaduras Fractais. Até mesmo os fabriais modernos não são tão bons, nem de longe. Então, de onde os antigos conseguiram armas tão incríveis?

Syl ficou em silêncio. Ela tinha o hábito frustrante de fazer isso quando as perguntas dele se tornavam específicas demais.

— E então?

— Gostaria de poder contar.

— Então conte.

— Gostaria que funcionasse assim, mas não funciona.

Kaladin suspirou, voltando sua atenção a Adolin e Renarin, onde devia estar. A fervorosa sênior os conduzira até os fundos do pátio, onde outro grupo de pessoas estava sentado no chão. Também eram fervorosos, mas havia algo de diferente neles. Professores de algum tipo?

Enquanto Adolin falava com eles, Kaladin de novo vasculhou rapidamente o pátio, então franziu o cenho.

— Kaladin? — chamou Syl.

— Tem um homem nas sombras ali — disse ele, gesticulando com a lança para um lugar sob os beirais. Havia um homem recostado, com os braços cruzados contra um parapeito de madeira na altura da cintura. — Ele está olhando para os príncipes.

— Hum, todos estão olhando.

— Ele é diferente — replicou Kaladin. — Venha.

Kaladin perambulou até lá casualmente, de modo não ameaçador. O homem provavelmente era só um criado. De cabelos compridos, com uma barba curta e desgrenhada, ele vestia roupas marrom-claras presas por cordas. Parecia deslocado no pátio de treinamento, e talvez isso fosse o bastante para indicar que não era um assassino; os melhores assassinos nunca chamavam atenção.

Ainda assim, o homem tinha um corpo robusto e uma cicatriz na face, então já estivera em combate. Era melhor verificar. O homem vigiava Renarin e Adolin atentamente e, daquele ângulo, Kaladin não via se seus olhos eram claros ou escuros.

Enquanto se aproximava, seu pé raspou sonoramente a areia. O homem girou imediatamente e Kaladin nivelou sua lança por instinto. Enfim viu os olhos do homem — eram castanhos —, mas teve dificuldades em identificar sua idade. De algum modo, seus olhos pareciam velhos, mas a pele do homem não parecia enrugada o bastante para combinar com eles. Poderia ter 35, ou poderia ter setenta.

Jovem demais, pensou Kaladin, embora não soubesse dizer por quê. Baixou sua lança.

— Desculpe, estou meio alerta. Primeiras semanas nesse trabalho. — Ele tentou falar de modo tranquilizador.

Não funcionou. O homem fitou-o de cima a baixo, ainda exibindo a ameaça contida de um guerreiro decidindo se devia ou não atacar. Finalmente, ele desviou o olhar de Kaladin e relaxou, assistindo a Adolin e Renarin.

— Quem é você? — perguntou Kaladin, chegando junto ao homem. — Eu sou novo, como disse. Estou tentando aprender o nome de todo mundo.

— Você é o carregador de pontes. Aquele que salvou o grão-príncipe.

— Eu mesmo.

— Não precisa ficar me espiando — disse o homem. — Não vou ferir seu maldito príncipe. — Ele tinha uma voz baixa e áspera; seu sotaque também era estranho.

— Ele não é meu príncipe — replicou Kaladin. — Só minha responsabilidade.

Olhou novamente para o homem, notando uma coisa. A roupa clara, amarrada com cordas, era muito similar à que alguns dos fervorosos estavam usando. A cabeça que não estava raspada despistara Kaladin.

— Você é um soldado — adivinhou Kaladin. — Ex-soldado, quero dizer.

— Sou. Me chamam de Zahel.

Kaladin assentiu, as estranhices finalmente faziam sentido. Às vezes, soldados iam para o fervor ao se aposentar, se não tivessem outro tipo de vida para a qual voltar. Kaladin teria esperado que exigissem ao menos que o homem raspasse a cabeça.

Será que Hav está em um desses monastérios, em algum lugar?, pensou Kaladin, distraído. *O que será que ele pensaria de mim agora?* Provavelmente ficaria orgulhoso. Ele sempre vira o plantão de guarda como a mais respeitável tarefa de um soldado.

— O que eles estão fazendo? — perguntou Kaladin a Zahel, acenando com a cabeça na direção de Renarin e Adolin, que, apesar da sobrecarga das suas Armaduras Fractais, haviam se sentado no chão diante dos fervorosos mais velhos.

Zahel grunhiu.

— O Kholin caçula precisa ser escolhido por um mestre. Para treinamento.

— Eles não podem simplesmente escolher quem quiserem?

— Não funciona assim. Mas é uma situação meio embaraçosa. O príncipe Renarin nunca praticou muito com uma espada. — Zahel fez uma pausa. — Ser escolhido por um mestre é um passo que a maioria dos garotos olhos-claros de posição elevada já deu aos dez anos.

Kaladin franziu o cenho.

— Por que ele nunca treinou?

— Problemas de saúde.

— E eles realmente o rejeitariam? — perguntou Kaladin. — O filho do próprio grão-príncipe?

— Poderiam, mas provavelmente não vão. Não têm coragem. — O homem estreitou os olhos quando Adolin se levantou e gesticulou. — Danação. Eu sabia que era suspeito eles terem esperado eu voltar para fazer isso.

— Mestre espadachim Zahel! — chamou Adolin. — Você não está sentado com os outros!

Zahel suspirou, então olhou resignado para Kaladin.

— Eu provavelmente também não tenho coragem. Vou tentar não machucá-lo muito.

Ele deu a volta no parapeito e foi até o grupo. Adolin apertou ansiosamente a mão de Zahel, então apontou para Renarin. Zahel parecia nitidamente deslocado entre os outros fervorosos de cabeças raspadas, barbas bem cortadas e roupas mais limpas.

— Hã — fez Kaladin. — Ele te pareceu estranho?

— Vocês todos me parecem estranhos — disse Syl com leveza. — Todos menos Rocha, que é um completo cavalheiro.

— Ele acha que você é um deus. Não devia encorajá-lo.
— Por que não? Eu *sou* um deus.
Ele virou a cabeça, fitando-a sério enquanto ela se sentou no seu ombro.
— Syl...
— O quê? Eu sou mesmo! — Ela sorriu e mostrou os dedos, como se estivesse pegando uma coisa muito pequena. — Um pedaço bem pequeno de um deus. Bem, bem pequenininho. Você tem permissão de se curvar para mim agora.

— É meio difícil me curvar quando você está sentada no meu ombro — resmungou ele. Notou que Lopen e Shen estavam chegando ao portão, provavelmente trazendo os relatórios diários de Teft. — Venha. Vamos ver se Teft precisa de alguma coisa, depois vamos fazer o circuito e ver como estão Drehy e Moash.

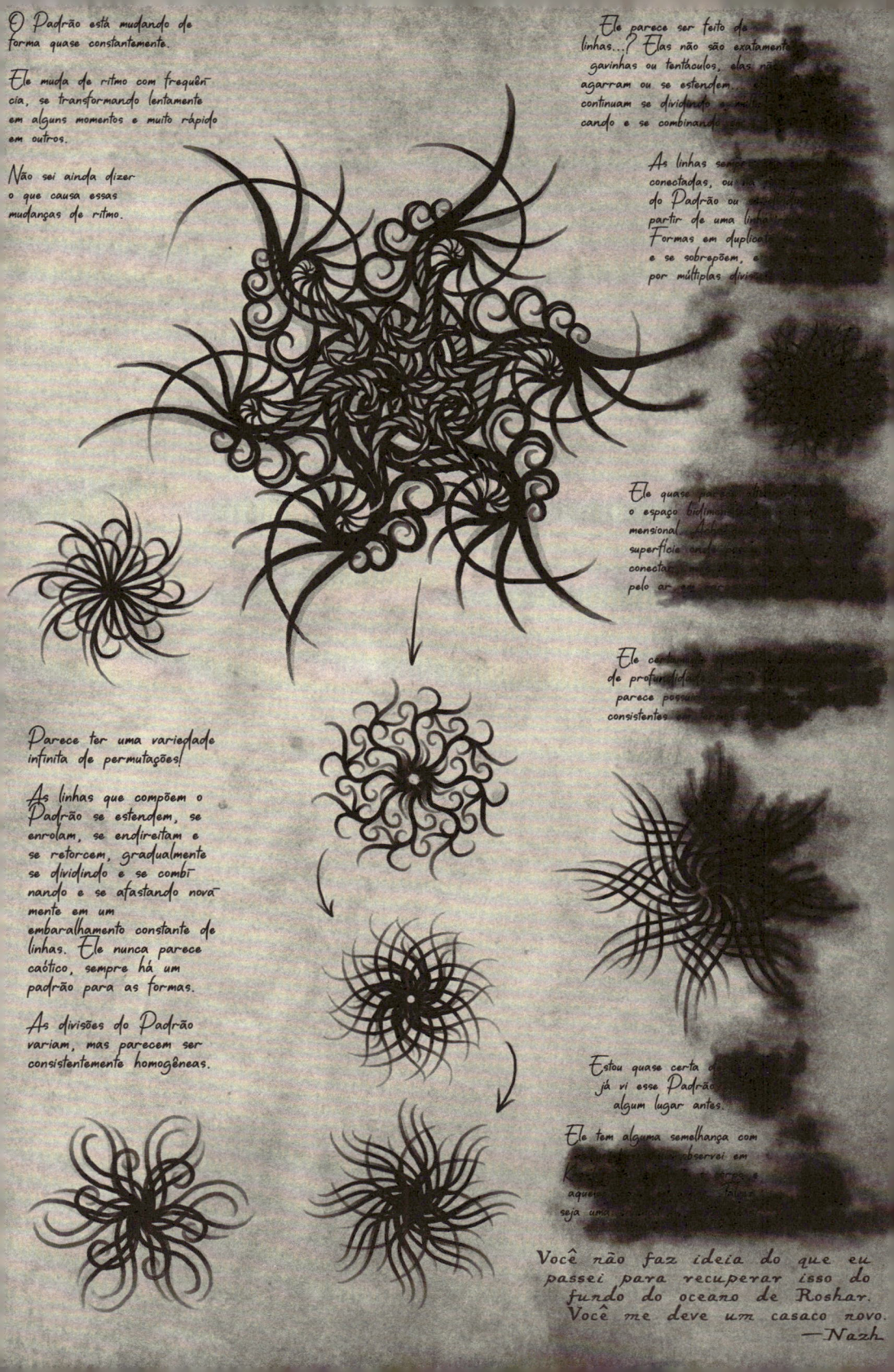

O Padrão está mudando de forma quase constantemente.

Ele muda de ritmo com frequência, se transformando lentamente em alguns momentos e muito rápido em outros.

Não sei ainda dizer o que causa essas mudanças de ritmo.

Parece ter uma variedade infinita de permutações!

As linhas que compõem o Padrão se estendem, se enrolam, se endireitam e se retorcem, gradualmente se dividindo e se combinando e se afastando novamente em um embaralhamento constante de linhas. Ele nunca parece caótico, sempre há um padrão para as formas.

As divisões do Padrão variam, mas parecem ser consistentemente homogêneas.

Ele parece ser feito de linhas...? Elas não são exatamente gavinhas ou tentáculos, elas não agarram ou se estendem, continuam se dividindo e se combinando e se combinando.

As linhas sempre estão conectadas, ou ao centro do Padrão ou a partir de uma linha. Formas em duplicata e se sobrepõem, e por múltiplas divisões.

Ele quase parece ocupar o espaço bidimensional... talvez uma superfície onde as linhas conectam-se pelo ar em...

Ele certamente tem profundidade, parece possuir consistentes...

Estou quase certa de que já vi esse Padrão em algum lugar antes.

Ele tem alguma semelhança com... que observei em... aquele... talvez seja uma...

Você não faz ideia do que eu passei para recuperar isso do fundo do oceano de Roshar. Você me deve um casaco novo.

—Nazh

17

UM PADRÃO

A temida forma opaca a mente quase toda perderá.
É a mais baixa, e de brilhante não tem nada.
Para tomar essa forma, no preço não se pode pensar.
O encontro com ela é sua derrocada.

— Da Canção de Listagem dos Ouvintes, estrofe final

ENQUANTO VIAJAVA NA CARROÇA, Shallan cobria sua ansiedade com erudição. Não tinha como saber se os desertores haviam identificado os rastros de petrobulbos esmagados feitos pela caravana. Eles podiam estar no encalço. Ou não.

Não adiantava pensar nisso, ela disse a si mesma. E assim encontrou uma distração.

— As folhas podem ter seus próprios brotos — disse ela, segurando uma das pequenas e redondas folhas na ponta do dedo. Ela voltou-a contra a luz.

Bluth estava sentado ao seu lado, enorme como um rochedo. Usava um chapéu que era elegante demais para ele — cor de creme, com abas dobradas para cima nas laterais. Às vezes batia seu bambu de condução — que tinha o tamanho de Shallan — na concha do chule à frente.

Shallan havia feito uma pequena lista, na parte de trás do seu livro, das batidas que ele usava. Bluth batia duas vezes, fazia uma pausa e batia de novo. Isso fez o animal ir mais devagar quando a carroça na frente — conduzida por Tvlakv — começou a subir uma colina coberta de minúsculos petrobulbos.

— Está vendo? — disse Shallan, mostrando-lhe a folha. — É por isso que os galhos da planta são tão frágeis. Quando vem a tempestade, ela despedaça esses galhos e arranca as folhas, que são levadas pelo vento e dão início a novos brotos, construindo suas próprias conchas. Elas crescem tão rápido. Mais rápido do que eu imaginava, nessas terras pouco férteis.

Bluth grunhiu.

Shallan suspirou, baixando o dedo e colocando a planta minúscula no copo que estava usando para nutri-la. Olhou sobre o ombro.

Nenhum sinal de perseguição. Ela realmente deveria deixar de se preocupar.

Voltou ao seu novo caderno de desenho — um dos cadernos de Jasnah que não tinha muitas páginas escritas —, então começou um rápido esboço da pequena folha. Não tinha materiais muito bons, só um único lápis de carvão, algumas canetas e um pouco de tinta, mas Padrão estava certo. Ela não podia parar.

Havia começado com um esboço para substituir o do santide, uma vez que se lembrava de seu mergulho no mar. A imagem não se igualava àquela que produzira logo depois do evento, mas tê-la de novo — de qualquer forma — havia começado a curar as feridas dentro dela.

Concluiu a folha, depois virou a página e começou a desenhar um esboço de Bluth. Não estava particularmente feliz de reiniciar sua coleção de pessoas com ele, mas suas opções eram limitadas. Infelizmente, aquele chapéu realmente parecia bobo — era pequeno demais para sua cabeça. A imagem dele inclinado à frente como um caranguejo, as costas para o céu e o chapéu na cabeça... bem, pelo menos seria uma composição interessante.

— Onde você conseguiu o chapéu? — perguntou ela, desenhando.

— Eu comprei — murmurou Bluth, sem encará-la.

— Custou caro?

Ele deu de ombros. Shallan havia perdido seus próprios chapéus no naufrágio, mas persuadira Tvlakv a dar a ela um dos chapéus trançados pelos parshemanos. Não era particularmente belo, mas tirava o sol da sua cara.

Apesar da carroça sacolejante, Shallan enfim conseguiu terminar seu esboço de Bluth. Ela o inspecionou, insatisfeita. Era *de fato* uma maneira pobre de reiniciar sua coleção, particularmente porque achava que o desenhara de modo um tanto caricato. Apertou os lábios. Como seria a aparência de Bluth se ele não estivesse sempre de cara feia? Se suas roupas fossem melhores, se ele carregasse uma arma de verdade em vez daquele velho cassetete?

Ela virou a página e começou de novo. Uma composição diferente — idealizada, talvez, mas de algum modo também *certa*. Ele poderia até ser belo, se vestido apropriadamente. Um uniforme. Uma lança, plantada ao seu lado. Olhos na direção do horizonte. Quando terminou, estava se sentindo muito melhor em relação ao seu dia. Ela sorriu para sua produção, então mostrou-o para Bluth enquanto Tvlakv chamava para a pausa do meio-dia.

Bluth deu uma olhada na imagem, mas não disse nada. Ele bateu algumas vezes no chule para que parasse junto da carroça de Tvlakv. Tag se aproximou com sua carroça — estava transportando os escravos dessa vez.

— Erva-botão! — disse Shallan, baixando seu desenho e apontando para um tufo de caniços finos crescendo atrás de uma pedra próxima.

Bluth grunhiu.

— Mais daquela planta?

— Sim. Poderia fazer a gentileza de colhê-la para mim?

— Os parshemanos não podem fazer isso? Eu tenho que alimentar os chules...

— Quem você prefere deixar esperando, guarda Bluth? Os chules ou uma olhos-claros?

Bluth coçou a cabeça debaixo do chapéu, então desceu da carroça, mal-humorado, e caminhou até os caniços. Ali perto, Tvlakv estava de pé em sua carroça, fitando o horizonte ao sul.

Um fino rastro de fumaça se erguia daquela direção. Shallan sentiu um arrepio imediato. Ela desceu apressada da carroça e foi até Tvlakv.

— Raios! — disse Shallan. — São os desertores? Eles *estão* nos seguindo?

— Sim. Pararam para a refeição de meio-dia, parece — disse Tvlakv do alto da carroça. — Eles não se importam que a gente veja a fogueira deles. — O homem forçou uma risada. — Isso é um bom sinal. Provavelmente sabem que somos apenas três carroças, e que mal vale a pena a perseguição. Então, contanto que a gente continue avançando e não pare com frequência, eles vão desistir. Sim, tenho certeza.

Ele pulou da sua carroça, então rapidamente começou a dar água para os escravos. Não se deu ao trabalho de passar a tarefa aos parshemanos — ele mesmo a fez. Isso, mais do que qualquer outra coisa, indicava seu nervosismo. Ele queria continuar avançando o mais rápido possível.

Assim, os parshemanos continuaram tecendo na sua jaula atrás da carroça de Tvlakv. Ansiosa, Shallan ficou assistindo. Os desertores haviam encontrado a trilha de petrobulbos quebrados.

Percebeu que estava suando, mas o que podia fazer? Não tinha como apressar a caravana. Ela só podia esperar, como havia dito Tvlakv, que conseguissem permanecer à frente da perseguição.

Isso não parecia provável. As carroças de chules não poderiam avançar mais rápido do que homens marchando.

Tente se distrair, pensava Shallan enquanto começava a entrar em pânico. *Encontre alguma coisa para afastar sua mente da perseguição.*

E os parshemanos de Tvlakv? Shallan olhou para eles. Talvez desenhar os dois na jaula?

Não. Estava nervosa demais para desenhar, mas talvez pudesse descobrir alguma coisa. Ela caminhou até os parshemanos. Seus pés reclamaram, mas a dor era suportável. Na verdade, em contraste com a maneira como havia ocultado suas expressões de dor antes, agora ela as exagerou. Era melhor fazer com que Tvlakv pensasse que estava pior do que a realidade.

Ela parou junto das barras da jaula. A parte traseira estava destrancada — parshemanos nunca fugiam. Comprar aqueles dois devia ter sido um investimento e tanto para Tvlakv. Parshemanos não eram baratos, e muitos monarcas e olhos-claros poderosos os acumulavam.

Um deles olhou para Shallan, depois voltou ao seu trabalho. Ou uma delas? Era difícil diferenciar os homens das mulheres sem despi-los. Os dois tinham pele marmorizada, vermelho sobre branco. Seus corpos eram atarracados, com talvez um metro e meio de altura, e eram calvos.

Era tão difícil ver aqueles dois humildes trabalhadores como uma ameaça.

— Quais são seus nomes? — indagou Shallan.

Um ergueu os olhos. O outro continuou trabalhando.

— Seu nome — insistiu Shallan.

— Um — disse o parshemano. Ele apontou para seu companheiro. — Dois. — Ele baixou a cabeça e seguiu trabalhando.

— Você está feliz com sua vida? Preferiria ser livre, se tivesse a oportunidade?

O parshemano a encarou e franziu o cenho. Ele enrugou a testa, articulando com os lábios algumas das palavras, depois balançou a cabeça. Não compreendia.

— Liberdade? — insistiu Shallan.

Ele se curvou para trabalhar.

Ele realmente parece incomodado, pensou Shallan. *Com vergonha por não entender.* Sua postura parecia dizer "por favor, pare de fazer perguntas." Shallan pôs o caderno debaixo do braço e capturou uma Lembrança dos dois trabalhando ali.

Eles são monstros malignos, ela disse a si mesma, assertiva. *Criaturas lendárias que logo vão tentar destruir tudo e todos ao seu redor.* Ali, olhando para eles, achava difícil acreditar nisso, muito embora houvesse aceitado as evidências.

Raios. Jasnah tinha razão. Convencer os olhos-claros a se livrarem de seus parshemanos seria quase impossível. Ela precisaria de provas muito sólidas. Perturbada, caminhou de volta até seu banco e subiu, não se esquecendo de fazer uma cara de dor. Bluth havia deixado para ela um punhado de erva-botão e agora cuidava dos chules. Tvlakv estava pegando um pouco de comida para um almoço rápido, que eles provavelmente comeriam em movimento.

Ela se tranquilizou e forçou-se a desenhar algumas plantas próximas. Logo passou para um esboço do horizonte e das formações rochosas ali perto. O ar não parecia tão frio quanto nos seus primeiros dias com os mercadores de escravos, embora seu hálito ainda soltasse vapor todas as manhãs.

Quando Tvlakv passou, lançou a ela um olhar desconfortável. Ele a tratava muito diferente desde seu confronto na fogueira, na noite passada.

Shallan continuou desenhando. O terreno ali era certamente muito mais plano do que na sua terra natal. E havia muito menos plantas, embora fossem mais robustas. E...

...E aquilo era *outra* coluna de fumaça à frente? Ela se levantou e protegeu os olhos com a mão. Sim. Mais fumaça. Ela olhou para o sul, na direção dos mercenários que os perseguiam.

Ali perto, Tag parou, notando o mesmo que ela. Ele foi até Tvlakv, e os dois começaram a discutir.

— Comerciante Tvlakv — Shallan recusava-se a chamá-lo de "mestre comerciante", seu título apropriado como um comerciante pleno. — Gostaria de ouvir sua discussão.

— Naturalmente, Luminosa, naturalmente. — Ele foi até ela, torcendo as mãos. — A senhorita viu a fumaça à frente. Entramos em um corredor entre as Planícies Quebradas e as Criptas Rasas e suas vilas próximas. Há mais tráfego aqui do que em outras partes das Terras Geladas, sabe? Então não é inesperado encontrar outros...

— Quem são as pessoas na nossa frente?

— Outra caravana, se tivermos sorte.

E se tivermos azar... Ela não precisou perguntar. Seriam mais desertores ou bandidos.

— Podemos evitá-los — disse Tvlakv. — Só um grupo grande ousaria fazer fumaça para refeições de meio-dia, já que é um convite... ou um aviso. As caravanas pequenas, como nós, não se arriscam a fazer isso.

— Se for uma caravana grande, eles terão guardas. Boa proteção — meditou Tag, esfregando a testa com um dedo grosso. Ele olhou para o sul.

— Sim — respondeu Tvlakv. — Mas também podemos estar nos colocando entre dois inimigos. Perigo por todos os lados...

— Os homens atrás de nós *vão* nos alcançar, Tvlakv — replicou Shallan.

— Eu...

— Um caçador aceita voltar para casa com um visom se não conseguir encontrar um telme — disse ela. — Esses desertores precisam matar para sobreviver aqui. Você não disse que provavelmente haveria uma grantormenta esta noite?

— Sim — admitiu Tvlakv, relutante. — Duas horas depois do pôr do sol, se a lista que comprei estiver certa.

— Eu não sei como bandidos geralmente passam as tempestades, mas eles obviamente estão dedicados a nos caçar. Aposto que planejam usar as carroças como abrigo depois de nos matar. Não vão nos deixar ir embora.

— Talvez — respondeu Tvlakv. — Sim, talvez. Mas, Luminosa, se nós estamos vendo aquela segunda coluna de fumaça à frente, os desertores também estão...

— É — concordou Tag, como se houvesse acabado de pensar nisso. — Vamos cortar para o leste. Os assassinos podem ir atrás do outro grupo.

— Vamos deixá-los atacar outros em vez de nós? — disse Shallan, cruzando os braços.

— O que mais espera que a gente faça, Luminosa? — replicou Tvlakv, exasperado. — Nós somos pequenos crenguejos, sabe? Nossa única escolha é ficar longe das criaturas maiores e torcer para que elas cacem umas às outras.

Shallan estreitou os olhos, inspecionando aquela pequena coluna de fumaça à frente. Seriam seus olhos, ou ela estava se tornando mais espessa? Olhou para trás. Na verdade, as colunas pareciam ser do mesmo tamanho.

Não vão caçar presas tão grandes quanto eles, pensou Shallan. *Eles abandonaram o exército e fugiram. São covardes.*

Ali perto, podia ver Bluth olhando para trás também, contemplando a fumaça com uma expressão que não conseguiu decifrar. Repulsa? Nostalgia? Medo? Não havia nenhum espreno para oferecer-lhe uma pista.

Covardes ou apenas homens desiludidos? Pedras que começaram a rolar morro abaixo, indo tão rápido que não sabiam como parar?

Não importava. Aquelas pedras esmagariam Shallan e os outros, se tivessem a oportunidade. Cortar caminho pelo leste não funcionaria. Os desertores seguiriam a presa fácil — carroças lentas — em vez da presa potencialmente mais difícil que estava em frente.

— Vamos na direção da segunda coluna de fumaça — disse ela, sentando-se.

Tvlakv a encarou.

— Não é você quem... — Ele parou de falar quando Shallan o fitou. — Você... — disse Tvlakv, umedecendo os lábios. — A senhorita não... chegará nas Planícies Quebradas tão rápido, Luminosa, se ficarmos presos a uma caravana maior, sabe? Pode ser ruim.

— Resolverei o problema se ele surgir, comerciante Tvlakv.

— Os que estão à frente vão continuar avançando — advertiu Tvlakv. — Podemos chegar naquele acampamento e descobrir que já se foram.

— Nesse caso, eles estarão indo rumo às Planícies Quebradas ou vindo nesta direção, ao longo do corredor que vai para as cidades portuárias. Vamos encontrar com eles de um modo ou de outro.

Tvlakv suspirou, então assentiu, mandando Tag se apressar.

Shallan ficou ali, sentindo-se empolgada. Bluth voltou e assumiu seu assento, então empurrou algumas raízes murchas na direção dela; o almoço, aparentemente. Pouco depois, as carroças começaram a seguir para norte, com a carroça de Shallan ficando na terceira posição dessa vez.

Shallan se acomodou no banco para a viagem — eles estavam a horas de distância do segundo grupo, mesmo que conseguissem alcançá-lo. Para não se preocupar, ela concluiu seus esboços da paisagem. Então voltou a fazer desenhos ociosos, simplesmente deixando o lápis ir aonde quisesse.

Desenhou enguias celestes dançando no ar. Desenhou as docas de Kharbranth. Fez um esboço de Yalb, embora o rosto lhe parecesse errado, e ela não houvesse conseguido capturar a centelha travessa nos olhos dele. Talvez os erros estivessem relacionados com sua tristeza ao pensar no que provavelmente acontecera com ele.

Ela virou a página e começou um desenho aleatório, qualquer coisa que lhe viesse à mente. Seu lápis se moveu até representar uma mulher elegante em um vestido imponente. Solto mas elegante abaixo da cintura, justo no peito e na barriga. Mangas longas e abertas, uma ocultando a mão segura, a outra na altura do cotovelo, expondo o antebraço e drapeado abaixo.

Uma mulher audaciosa, de porte. No controle. Ainda desenhando inconscientemente, Shallan acrescentou seu próprio rosto à cabeça elegante da mulher.

Ela hesitou, o lápis pairando sobre a imagem. Aquela não era ela. Era? Seria possível?

Fitou a imagem enquanto a carroça sacolejava sobre pedras e plantas. Ela virou a página e iniciou outro desenho. Um vestido de baile, uma mulher na corte, cercada pelo que imaginava ser a elite de Alethkar. Alta, forte. Aquela mulher pertencia àquele lugar.

Shallan acrescentou seu rosto à figura.

Ela virou a página e fez outro desenho. Depois, mais outro.

O último era um esboço dela parada na borda das Planícies Quebradas, como eram em sua imaginação. Olhando para leste, na direção dos segredos que Jasnah havia buscado.

Shallan virou a página e desenhou de novo. Uma imagem de Jasnah no navio, sentada à sua mesa, papéis e livros espalhados ao redor. Não era o ambiente que importava, mas o rosto. Aquele rosto preocupado, apavorado. Exausto, levado até seus limites.

Shallan reproduziu essa imagem perfeitamente. O primeiro desenho, desde o desastre, que capturava exatamente o que havia visto. O fardo de Jasnah.

— Pare a carroça — disse Shallan, sem erguer os olhos.

Bluth a olhou de soslaio. Ela resistiu ao impulso de repetir a ordem. Ele, infelizmente, não lhe obedeceu imediatamente.

— Por quê?

Shallan olhou para cima. A coluna de fumaça ainda estava distante, mas ela tinha razão, estava ficando mais espessa. O grupo à frente havia parado e montado uma fogueira de bom tamanho para a refeição do meio-dia. Julgando pela fumaça, era um grupo muito maior do que seus perseguidores.

— Vou para os fundos da carroça — disse Shallan. — Preciso procurar uma coisa. Você pode continuar quando eu estiver instalada, mas, por favor, pare e me chame quando estivermos perto do grupo à frente.

Ele suspirou, mas deteve o chule com algumas pancadas no casco. Shallan desceu, pegou a erva-botão e o caderno, depois foi até a parte de trás da carroça. Quando entrou, Bluth imediatamente voltou a avançar, gritando de volta para Tvlakv, que queria saber o motivo do atraso.

Com as paredes encaixadas, sua carroça tinha sombra e privacidade, ainda mais porque era a última na fila, de modo que ninguém podia olhar pela porta traseira. Infelizmente, viajar ali não era tão confortável quanto ir na frente. Aqueles minúsculos petrobulbos causavam uma quantidade surpreendente de balanços e trancos.

O baú de Jasnah estava amarrado junto da parede da frente. Ela abriu a tampa — deixando as esferas no interior fornecerem uma parca iluminação —, depois se acomodou em sua almofada improvisada, uma pilha de panos que Jasnah havia usado para envolver seus livros. O cobertor que usava à noite — já que Tvlakv fora incapaz de lhe fornecer um — era o forro de veludo que havia arrancado do baú.

Recostando-se, ela descobriu os pés para aplicar a nova seiva de erva--botão. As feridas haviam formado casca e a condição havia melhorado muito desde o dia anterior.

— Padrão?

Ele vibrou de algum lugar ali perto. Shallan pedira que ele continuasse na parte traseira para não alarmar Tvlakv e os guardas.

— Meus pés estão se curando. Você fez isso?

— Hmmm... Eu sei quase nada sobre por que as pessoas quebram. Sei menos ainda sobre por que elas... desquebram.

— A sua raça não se machuca? — perguntou ela, quebrando uma haste de erva-botão e espremendo as gotas sobre seu pé esquerdo.

— Nós quebramos. Mas é... diferente dos homens. E não nos desquebramos sem ajuda. Eu não sei por que você desquebra. Por quê?

— É uma função natural dos nossos corpos. Coisas vivas se regeneram automaticamente.

Ela segurou uma das esferas perto do pé, procurando sinais de pequenos esprenos vermelhos de putrefação. Quando encontrou alguns junto de uma ferida, apressou-se em aplicar a seiva para afastá-los.

— Queria saber por que as coisas funcionam — disse Padrão.

— Muitos de nós também queriam — replicou Shallan, curvada para a frente. Ela fez uma careta quando a carroça bateu em uma pedra particularmente grande. — Eu me fiz brilhar na noite passada, junto à fogueira com Tvlakv.

— Sim.

— Você sabe por quê?

— Mentiras.

— Meu vestido mudou — continuou Shallan. — Juro que os rasgos sumiram na noite passada. Mas agora eles voltaram.

— Hmm. Sim.

— Eu tenho que ser capaz de controlar essa nossa habilidade. Jasnah chamava de Teceluminação. Ela deu a entender que era mais segura de praticar do que a Transmutação.

— O livro?

Shallan franziu o cenho, recostando-se contra as barras na lateral da carroça. Ao lado dela havia uma longa linha de arranhões no piso, aparentemente feita por unhas. Como se um dos escravos houvesse tentado, em um acesso de loucura, abrir caminho para a liberdade com os dedos.

O livro que Jasnah lhe dera, *Palavras de Radiância*, havia sido engolido pelo oceano. Parecia uma perda maior do que o outro que recebera de Jasnah, o *Livro das páginas infinitas*, estranhamente em branco. Ela ainda não compreendia totalmente o significado daquilo.

— Nunca tive uma oportunidade de ler aquele livro — disse Shallan. — Vamos ter que procurar outra cópia quando chegarmos às Planícies Quebradas.

Mas como o destino deles era um acampamento de guerra, ela duvidava que houvesse muitos livros à venda.

Shallan segurou uma das esferas diante de si. Ela estava escurecendo, por isso precisava ser reinfundida. O que aconteceria se a grantormenta chegasse e eles ainda não tivessem alcançado o grupo à frente? Será que os desertores forçariam caminho através da tempestade para alcançá-los? E, potencialmente, a segurança das suas carroças?

Raios, que confusão. Ela precisava de uma vantagem.

— Os Cavaleiros Radiantes formavam um laço com um espreno — disse Shallan, mais para si mesma do que para Padrão. — Era como um relacionamento simbiótico, como um pequeno crenguejo vivendo em uma casca-pétrea. O crenguejo remove o líquen, obtendo comida, mas também mantendo a casca-pétrea limpa.

Padrão zumbiu, confuso.

— Eu sou... a casca-pétrea ou o crenguejo?

— Tanto faz — respondeu Shallan, girando a esfera de diamante nos dedos; a minúscula gema no interior brilhava com uma luz vigilante, suspensa no vidro. — Os Fluxos, as forças que regem o mundo, são mais maleáveis para os esprenos. Ou... bem... como os esprenos são *pedaços* desses Fluxos, talvez isso signifique que são melhores em influenciar uns aos outros. Nosso vínculo me fornece a capacidade de manipular um dos Fluxos. Nesse caso, luz, o poder da Iluminação.

— Mentiras — sussurrou Padrão. — E verdades.

Shallan agarrou a esfera no punho, a luz brilhando através da pele, fazendo com que sua mão parecesse vermelha. Desejou que a Luz entrasse nela, mas nada aconteceu.

— Então, como faço funcionar?

— Talvez comê-la? — sugeriu Padrão, movendo-se para a parede ao lado de sua cabeça.

— Comê-la? — perguntou Shallan, cética. — Eu não precisei comê-la antes para obter a Luz das Tempestades.

— Mas pode funcionar. Tente!

— Duvido que eu consiga engolir uma esfera inteira. Mesmo que eu quisesse, o que com certeza *não* quero.

— Hmmm — fez Padrão, suas vibrações fazendo a madeira tremer. — Essa... não é uma das coisas que os humanos gostam de comer, então?

— Raios, não. Você não tem prestado atenção?

— Eu tenho — disse ele com uma vibração irritada. — Mas é difícil entender! Você consome algumas coisas e as transforma em outras coisas... Coisas muito curiosas, que você esconde. Elas têm valor? Mas você as deixa para trás. Por quê?

— Já chega dessa conversa — disse Shallan, abrindo o punho e segurando a esfera novamente.

Precisava admitir que parte do que ele dissera parecia *certo*. Ela não havia comido nenhuma esfera antes, mas de algum modo havia... consumido a Luz. Como se a bebesse.

Ela havia inspirado a Luz, certo? Olhou para a esfera por um momento, depois inspirou com força.

Funcionou. A Luz deixou a esfera, rápido como um batimento cardíaco, uma linha brilhante fluindo para seu peito. Dali, ela se espalhou, preenchendo-a. A sensação incomum fez com que Shallan se sentisse ansiosa, alerta, pronta. A ponto de fazer... alguma coisa. Seus músculos ficaram tensos.

— Funcionou — disse ela, embora a Luz das Tempestades, brilhando de modo tênue, lhe escapasse quando falava.

Também estava emanando da sua pele. Ela precisava praticar antes que se esgotasse. Teceluminação... Ela precisava criar alguma coisa. Decidiu fazer algo que já realizara antes, aprimorando a aparência do seu vestido.

Novamente, nada aconteceu. Ela não sabia o que fazer, quais músculos usar, ou mesmo se era para usar músculos. Frustrada, ficou sentada ali tentando encontrar uma maneira de fazer a Luz das Tempestades funcionar, sentindo-se inepta à medida que ela escapava por sua pele.

Vários minutos se passaram até que a Luz se dissipasse completamente.

— Bem, isso não foi nada impressionante — comentou ela, movendo-se para pegar mais hastes de erva-botão. — Talvez seja melhor praticar Transmutação.

Padrão zumbiu.

— Perigoso.

— Foi o que Jasnah me disse — respondeu Shallan. — Mas ela não está mais aqui para me ensinar e, pelo que sei, era a única capaz de Transmutar. Ou pratico por conta própria ou nunca vou aprender a usar minha habilidade.

Ela espremeu mais algumas gotas de seiva de erva-botão para massagear um corte no pé, então parou. A ferida estava perceptivelmente menor do que momentos atrás.

— A Luz das Tempestades está me curando — disse Shallan.

— Ela faz você desquebrar?

— Sim. Pai das Tempestades! Estou fazendo coisas quase por acidente.

— Algo pode ser feito "quase" por acidente? — perguntou Padrão, genuinamente curioso. — Essa frase, não sei o que significa.

— Eu... Bem, é na maior parte uma figura de linguagem. — Então, antes que ele pudesse perguntar mais, ela continuou: — E com isso quero dizer algo que falamos para expressar uma ideia ou sentimento, mas não um fato literal.

Padrão zumbiu.

— Mas o que *isso* significa? — perguntou Shallan, massageando o pé com erva-botão de qualquer jeito. — Quando você zumbe assim. O que está sentindo?

— Hmmm... Empolgado. Sim. Faz tanto tempo desde que alguém aprendeu sobre você e sua raça.

Shallan espremeu mais seiva nos seus dedos do pé.

— Você veio aprender? Espere... você é um *erudito*?

— Mas é claro. Hmmm. Por que outro motivo eu viria? Eu vou aprender tanto antes de...

Ele parou subitamente.

— Padrão? Antes do quê?

— Uma figura de linguagem — disse ele de modo absolutamente inexpressivo, sem tom algum.

Ele estava ficando cada vez melhor em falar como uma pessoa, e às vezes soava como uma. Mas no momento toda cor havia sumido da sua voz.

— Você está mentindo — acusou ela, olhando para o padrão dele na parede.

Ele havia encolhido, ficando tão pequeno quanto um punho, metade do seu tamanho normal.

— Sim — admitiu ele, relutante.

— Você é um péssimo mentiroso — disse Shallan, surpresa com a descoberta.

— Sim.

— Mas você adora mentiras!

— Tão fascinantes. Vocês todos são tão *fascinantes*.

— Diga-me o que ia dizer — ordenou Shallan. — Antes de parar de falar, vou saber se você mentir.

— Hmmmm. Você soa como ela. Cada vez mais como ela.

— Me conte.

Ele zumbiu de modo irritado, rápido e agudo.

— Vou aprender o que puder antes de você me matar.

— Você acha... Você acha que vou *matar* você?

— Aconteceu com os outros — disse Padrão, sua voz mais suave agora. — Vai acontecer comigo. É... um padrão.

— Isso tem a ver com os Cavaleiros Radiantes — disse Shallan, erguendo as mãos para começar a trançar seu cabelo. Seria melhor do que deixá-lo despenteado — ainda que, sem um pente e uma escova, até mesmo trançá-lo seria difícil. *Raios, preciso de um banho. E de sabão. E de uma dúzia de outras coisas.*

— Sim — disse Padrão. — Os cavaleiros mataram seus esprenos.

— Como? Por quê?

— Seus juramentos — disse Padrão. — Isso é tudo que sei. Minha espécie, os que não tinham vínculos, nós recuamos, e muitos mantiveram suas mentes. Ainda assim, é difícil pensar longe da minha espécie, a não ser...

— A não ser?

— A não ser que tenhamos uma pessoa.

— Então é isso que você ganha — disse Shallan, desfazendo os nós dos cabelos com os dedos. — Simbiose. Eu tenho acesso à Manipulação de Fluxos, você adquire pensamento.

— Sapiência — respondeu Padrão. — Pensamento. Vida. Essas coisas são dos humanos. Nós somos ideias. Ideias que desejam viver.

Shallan continuou cuidando do cabelo.

— Eu não vou matar você — disse ela com firmeza. — Não *vou*.

— Eu não acho que os outros queriam matar também. Mas isso não importa.

— *Importa, sim*. Não vou fazer isso. Não sou um Cavaleiro Radiante. Jasnah deixou isso claro. Um homem que usa uma espada não é necessariamente um soldado. Só porque tenho essas habilidades, não significa que sou um deles.

— Você falou juramentos.

Shallan gelou.

Vida antes da morte... As palavras lhe ocorreram das sombras do passado. Um passado em que ela não queria pensar.

— Você vive mentiras — disse Padrão. — Isso te dá força. Mas a verdade... Sem falar verdades você não será capaz de crescer, Shallan. De algum modo, sei disso.

Ela terminou de cuidar do cabelo e passou a recolocar as ataduras nos pés. Padrão havia se movido para o outro lado da carroça barulhenta, só ligeiramente visível na luz fraca. Ela ainda tinha um punhado de esferas infundidas. Não era muita Luz das Tempestades, considerando quão rapidamente aquela outra lhe escapara. Deveria usar o que tinha para curar mais os pés? Será que conseguiria fazer isso intencionalmente, ou essa habilidade lhe fugiria, como a Teceluminação?

Ela guardou as esferas na bolsa-segura. Economizaria, só por via das dúvidas. Por enquanto, aquelas esferas e sua Luz podiam ser a única arma disponível.

Com as ataduras refeitas, ela se levantou na carroça sacolejante e descobriu que a dor dos pés praticamente se fora. Podia andar quase normalmente, embora ainda não quisesse ir longe sem sapatos. Satisfeita, ela bateu na madeira mais perto de Bluth.

— Pare a carroça!

Desta vez, ela não precisou repetir. Contornou a carroça e, sentando-se ao lado de Bluth, imediatamente notou a coluna de fumaça à frente. Ela havia se tornado mais escura e maior, encrespando-se violentamente.

— Isso não é fogo de cozinhar — disse Shallan.

— É — concordou Bluth, a expressão sombria. — Alguma coisa grande está queimando. Provavelmente carroças. — Ele olhou para ela. — Não sei quem está lá, mas as coisas não vão bem para eles.

18

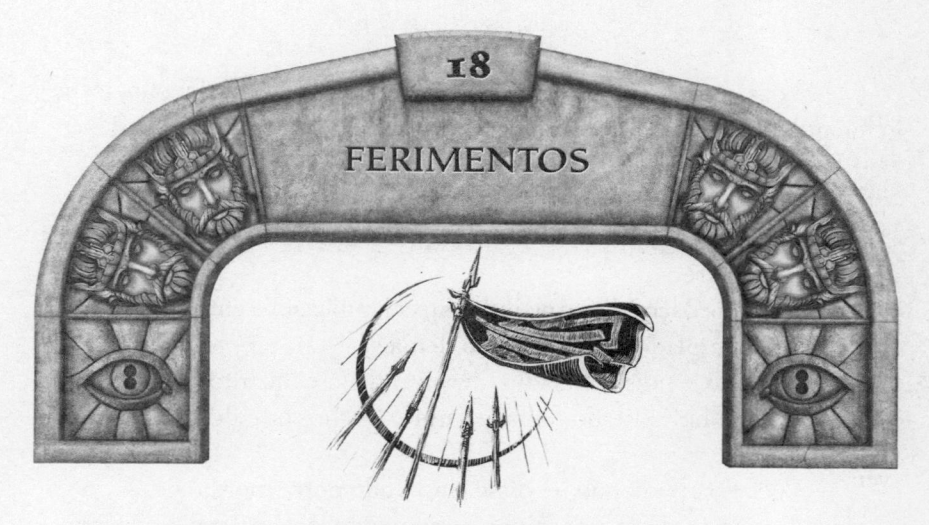

FERIMENTOS

Forma erudita para paciência e pensamento.
Mas de suas ambições inatas tome consciência.
Embora o estudo e diligência rendam pagamento,
O destino pode ser a perda da inocência.

— Da Canção de Listagem dos Ouvintes, 69ª estrofe

— OS NOVOS RAPAZES ESTÃO progredindo, *gancho* — disse Lopen, dando uma mordida em alguma coisa envolta em papel que estava comendo. — Vestindo seus uniformes, falando como homens de verdade. Engraçado. Só levaram alguns dias. Nós levamos semanas.

— Os outros homens levaram semanas, mas você não — replicou Kaladin, protegendo os olhos do sol e se apoiando em sua lança. Ainda estava na área de treinamento dos olhos-claros, vigiando Adolin e Renarin, que recebia as primeiras instruções de Zahel, o mestre espadachim. — Você estava bem-disposto desde o primeiro dia em que o encontramos, Lopen.

— Bem, a vida era boa, sabe?

— Boa? Você havia acabado de ser designado para carregar pontes de cerco até morrer nos platôs.

— É... — disse Lopen, mordendo sua comida. Parecia uma fatia grossa de pão com algum recheio gosmento. Ele lambeu os lábios, depois passou a comida a Kaladin para liberar sua única mão, de modo que pudesse enfiá-la no bolso por um momento. — Você tem dias ruins, você tem dias bons. Tudo acaba se equilibrando.

— Você é um homem estranho, Lopen — comentou Kaladin, inspecionando o "alimento" que Lopen estava comendo. — O que *é isso*?

— *Chouta*.

— Juta?

— *Cho-u-ta*. Comida herdaziana, *gon*. É muito bom. Pode dar uma mordida, se quiser.

Pareciam pedaços de carne indefinível lambuzados em algum líquido escuro, tudo enrolado em pão grosso demais.

— Nojento — disse Kaladin, devolvendo-o enquanto Lopen dava a ele a coisa que havia tirado do bolso, uma concha com glifos escritos dos dois lados.

— Você está perdendo — disse ele, dando outra mordida.

— Você não devia andar por aí comendo desse jeito — observou Kaladin. — É falta de educação.

— Não, é *conveniente*. Veja só, está bem embrulhado. Posso andar por aí, fazer coisas, comer ao mesmo tempo...

— Desleixado — disse Kaladin, inspecionando a concha.

Ela listava as contagens de Sigzil de quantas tropas eles tinham, quanta comida Rocha achava que precisavam, e as avaliações de Teft de quantos dos ex-carregadores de pontes estavam prontos para treinamento.

O último número era bastante alto. Quando sobreviviam, os carregadores ficavam fortes por carregar as pontes. Como Kaladin provara em primeira mão, isso podia se traduzir em fazer deles bons soldados, contanto que se motivassem.

No verso da concha, Sigzil havia delineado um caminho para Kaladin patrulhar fora dos acampamentos de guerra. Ele logo teria verdinhos o bastante para começar a patrulhar a região ao redor dos acampamentos de guerra, como dissera a Dalinar. Teft achava que seria bom que Kaladin fosse com eles, pois isso permitiria que os homens novos passassem algum tempo com seu capitão.

— Noite de gràntormenta — observou Lopen. — Sig diz que vai cair duas horas depois do crepúsculo. Ele achou que você fosse querer fazer preparativos.

Kaladin assentiu. Outra chance para aqueles números misteriosos aparecerem — nas duas vezes anteriores, eles haviam surgido durante tempestades. Tomaria cuidados extras para que Dalinar e sua família fossem vigiados.

— Obrigado pelo relatório — disse Kaladin, enfiando a concha no bolso. — Retorne e diga a Sigzil que a rota que ele propôs se afasta demais dos acampamentos de guerra. Peça que trace outra rota. Além disso, diga a Teft que preciso que mais homens venham para cá hoje, para render Moash e Drehy. Os dois estão ficando de plantão por tempo demais ultimamente. Eu mesmo vou proteger Dalinar esta noite. Sugira ao grão-príncipe que seria conveniente que sua família inteira estivesse junta para a grantormenta.

— Se os ventos quiserem, *gon* — disse Lopen, terminando seu último pedaço de *chouta*. Então ele assoviou, olhando para a área de treinamento. — Olha só aquilo ali.

Kaladin seguiu o olhar de Lopen. Adolin, tendo deixado o irmão com Zahel, agora estava executando uma sequência de treinamento com sua Espada Fractal. Graciosamente, ele girava e se retorcia na areia, brandindo a espada em padrões amplos e fluidos.

Em um Fractário experiente, a Armadura nunca parecia desajeitada. Imponente, resplandecente, ela se adaptava à forma do usuário. A Armadura de Adolin refletia o sol enquanto ele fazia movimentos amplos com a espada, movendo-se de uma postura para a seguinte. Kaladin sabia que era só uma sequência de aquecimento, mais impressionante do que funcional. Nunca se veria algo assim no campo de batalha, embora muitas das posturas e golpes individuais representassem movimentos práticos.

Mesmo sabendo disso, Kaladin teve que se livrar de um sentimento de fascínio. Fractários de Armadura pareciam inumanos quando lutavam, mais como Arautos do que homens.

Ele pegou Syl sentada na beira do telhado acima de Adolin, contemplando o rapaz. Ela estava distante demais para que Kaladin pudesse identificar sua expressão.

Adolin concluiu seu aquecimento com um movimento em que caía sobre um joelho e enfiava sua Espada Fractal no chão. Ela afundou até o meio da lâmina, depois desapareceu quando ele a soltou.

— Eu já o vi invocar aquela espada antes — disse Kaladin.

— Sim, *gancho*, no campo de batalha, quando salvamos seu traseiro miserável de Sadeas.

— Não, antes disso — respondeu Kaladin, lembrando-se de um incidente com uma prostituta no acampamento de Sadeas. — Ele salvou uma pessoa que estava sendo maltratada.

— Hã. Então talvez ele não seja tão ruim assim, sabe?

— Pois é. De qualquer modo, vá logo. E trate de enviar a equipe de reposição.

Lopen fez uma saudação, chamando Shen, que estava cutucando espadas de treinamento ao longo do muro do pátio. Juntos, eles foram embora cumprir a tarefa.

Kaladin fez sua ronda, verificando como estavam Moash e os outros, antes de caminhar até onde Renarin estava sentado — ainda de armadura — no chão diante de seu novo mestre.

Zahel, o fervoroso com olhos de ancião, estava sentado em uma postura solene que contrastava com sua barba desgrenhada.

— Você vai precisar reaprender a lutar, usando essa Armadura. Ela muda a maneira como um homem pisa, agarra e se move.

— Eu... — Renarin baixou os olhos. Era muito estranho ver um homem usando óculos naquela armadura magnífica. — Eu não preciso reaprender a lutar, mestre. Eu nunca aprendi, em primeiro lugar.

Zahel grunhiu.

— Isso é ótimo. Significa que não vou ter que desfazer velhos maus hábitos.

— Sim, mestre.

— Vamos começar com algo fácil, então — prosseguiu Zahel. — Há alguns degraus naquele canto ali. Suba até o telhado da área de duelo. Depois salte lá de cima.

Renarin levantou os olhos bruscamente.

— ...Saltar?

— Eu sou velho, filho, ficar me repetindo faz com que eu coma a flor errada.

Kaladin franziu o cenho e Renarin inclinou a cabeça, depois olhou para o capitão, confuso. Kaladin deu de ombros.

— Comer... o quê... ? — indagou Renarin.

— Significa que fico irritado — ladrou Zahel. — Vocês não têm expressões apropriadas para nada. Vá!

Renarin se levantou de um salto, chutando areia, e saiu apressado.

— Seu elmo, filho! — gritou Zahel.

Renarin parou, então voltou desajeitadamente e agarrou o elmo, quase caindo de cara no chão com o movimento. Ele girou, desequilibrado, e correu desajeitadamente até as escadas. Quase se chocou com um pilar no caminho.

Kaladin riu baixinho.

— Ah, e você acredita que se sairia melhor na sua primeira vez usando uma Armadura Fractal, guarda-costas? — questionou Zahel.

— Eu duvido que esqueceria meu elmo — respondeu Kaladin, colocando a lança no ombro e se esticando. — Se Dalinar Kholin pretende fazer os outros grão-príncipes andarem na linha, acho que vai precisar de Fractários melhores que este. Ele deveria ter escolhido outra pessoa para aquela Armadura.

— Como você?

— Raios, não — respondeu Kaladin, talvez de modo veemente demais. — Sou um soldado, Zahel. Não quero nada com Fractais. O garoto é muito simpático, mas não confiaria homens ao comando dele, muito menos uma armadura que poderia manter um soldado muito melhor vivo em campo. Só isso.

— Ele vai te surpreender — replicou Zahel. — Cheguei para ele com o discurso de "eu sou seu mestre e você vai fazer o que eu mandar" e ele realmente prestou atenção.

— Todo soldado escuta isso no primeiro dia. Às vezes, eles prestam atenção. Isso não é nada incomum.

— Se você soubesse quantos moleques olhos-claros mimados de dez anos passaram por aqui... acharia incomum. Eu pensei que um rapaz de 19 anos como ele seria insuportável. E não o chame de garoto, garoto. Ele provavelmente tem quase a mesma idade que você, e é filho do humano mais poderoso neste...

Ele se interrompeu quando o som metálico vindo de cima do edifício anunciou Renarin Kholin correndo e se jogando no ar, as botas raspando contra o telhado de pedra. Ele voou três metros ou mais sobre o pátio — Fractários experientes podiam fazer muito melhor — antes de afundar como uma enguia celeste moribunda e se esborrachar na areia.

Zahel olhou para Kaladin, levantando uma sobrancelha.

— O que foi? — perguntou Kaladin.

— Entusiasmo, obediência, sem medo de parecer tolo — disse Zahel. — Eu posso ensiná-lo a lutar, mas essas qualidades são inatas. Esse rapaz vai se sair bem.

— Contanto que ele não caia em cima de ninguém — comentou Kaladin.

Renarin se levantou. Ele olhou para baixo, como se estivesse surpreso por não ter quebrado nada.

— Vá e faça de novo! — instruiu Zahel. — Dessa vez, mergulhe de cabeça!

Renarin assentiu, depois virou-se e trotou para a escadaria.

— Você quer que ele tenha confiança na proteção da Armadura — disse Kaladin.

— Parte de usar uma Armadura é saber os seus limites — respondeu Zahel, voltando-se para Kaladin. — Além disso, quero que ele se mova com ela. De qualquer modo, ele está prestando atenção, e isso é bom. Ensiná-lo será um verdadeiro prazer. Você, por outro lado, é outra história.

Kaladin levantou a mão.

— Obrigado, mas não.

— Vai recusar uma oferta de treinar com um mestre de armas pleno? — indagou Zahel. — Posso contar em uma das mãos o número de olhos-escuros que vi receber essa oportunidade.

— Sim, bem, já passei por isso de ser o "novo recruta". Sargentos gritando comigo, trabalhar até cansar, marchar horas sem fim. De verdade, estou bem.

— Não é a mesma coisa, de jeito nenhum — disse Zahel, acenando para um dos fervorosos que estavam passando.

O homem carregava uma Espada Fractal com protetores metálicos sobre o fio da lâmina, uma daquelas que o rei havia fornecido para treinamento.

Zahel pegou a Espada Fractal do fervoroso, segurando-a. Kaladin apontou para ela com o queixo.

— O que é isso na Espada?

— Ninguém sabe ao certo — respondeu Zahel, fazendo floreios com a Espada. — Se você cobre o fio da Espada com esse material, ele se adapta à forma da arma, tornando-a cega e segura. Se você retira, ele se quebra de modo surpreendentemente fácil. É inútil sozinho em uma luta, mas é perfeito para treinamento.

Kaladin grunhiu. Alguma coisa criada muito tempo atrás, para uso em treinamento? Zahel inspecionou a Espada Fractal por um momento, depois apontou-a diretamente para Kaladin.

Mesmo com ela cega — mesmo sabendo que o homem não ia realmente atacá-lo —, Kaladin sentiu um momento imediato de pânico. Uma Espada Fractal. Aquela ali tinha uma forma esguia e fina, com um guarda-mão largo. Os lados planos da lâmina estavam marcados com os dez glifos fundamentais. Tinha um palmo de largura e cerca de um metro e oitenta de comprimento, mas Zahel a segurava com umas das mãos e não parecia desequilibrado.

— Niter — disse Zahel.

— O quê? — perguntou Kaladin, franzindo o cenho.

— Ele era o chefe da Guarda Cobalto antes de você. Era um bom homem e um amigo. Ele morreu mantendo vivos os homens da casa Kholin.

Agora você tem a mesma Danação de trabalho, e vai ser difícil ser metade tão bom quanto ele.

— Eu não vejo o que isso tem a ver com você agitando uma Espada Fractal na minha direção.

— Qualquer pessoa que enviar assassinos atrás de Dalinar ou de seus filhos será poderoso — disse Zahel. — Terá acesso a Fractários. É isso que você vai enfrentar, filho. Vai precisar de muito mais treinamento do que a prática que um campo de batalha oferece a um lanceiro. Já lutou contra um homem brandindo uma arma como essa?

— Uma ou duas vezes — disse Kaladin, relaxando contra o pilar mais próximo.

— Não minta para mim.

— Não estou mentindo — respondeu, enfrentando o olhar de Zahel. — Pergunte a Adolin sobre a situação de que livrei seu pai há algumas semanas.

Zahel baixou a espada. Atrás dele, Renarin mergulhou de cara do telhado e se estatelou no chão. Ele grunhiu dentro do elmo, rolando de costas. Seu elmo vazava Luz, mas ele parecia bem.

— Muito bem, príncipe Renarin — gritou Zahel, sem olhar para ele. — Agora salte mais algumas vezes e veja se consegue cair de pé.

Renarin se levantou e partiu, tilintando.

— Muito bem, então — disse Zahel, fazendo um movimento amplo com a Espada Fractal. — Vamos ver o que você sabe fazer, garoto. Convença-me a deixá-lo em paz.

Kaladin nada disse, apenas levantou a lança e entrou em uma postura defensiva, um pé para trás, outro na frente. Segurava a arma com a base para a frente em vez da ponta. Ali perto, Adolin treinava com outro dos mestres, que estava usando a segunda Espada do rei e uma Armadura.

Como aquilo ia funcionar? Se Zahel acertasse a lança de Kaladin, eles fingiriam que ela havia sido cortada?

O fervoroso se aproximou rápido, levantando a Espada com as duas mãos. A calma e o foco familiares da batalha envolveram Kaladin. Ele não inspirou Luz das Tempestades. Precisava ter cuidado para não depender demais dela.

Cuidado com essa Espada Fractal, pensou, dando um passo à frente, tentando invadir o alcance da arma. Ao lutar com um Fractário, todo o foco era na Espada. A Espada que nada podia deter, a Espada que não só matava o corpo como também cortava a própria alma. A Espada...

Zahel deixou a arma cair.

Ela atingiu o chão enquanto Zahel entrava na guarda de Kaladin. Ele estava concentrado demais na arma, e embora tenha tentado colocar a lança em uma posição de ataque, Zahel se contorceu e enterrou o punho no seu estômago. O soco seguinte — no rosto — jogou Kaladin no chão da área de treinamento.

Kaladin rolou imediatamente, ignorando os esprenos de dor surgindo da areia. Ficou de pé, a visão oscilando. Ele sorriu.

— Belo movimento.

Zahel já estava voltando, a Espada recuperada. Kaladin recuou na areia, a lança ainda apontada, mantendo distância. Zahel sabia usar uma Espada. Ele não lutava como Adolin; menos golpes amplos, mais movimentos cortantes. Rápido e furioso. Ele perseguiu Kaladin pela lateral da área de treinamento.

Ele vai se cansar se continuar fazendo isso, disseram os instintos de Kaladin. *Mantenha-o em movimento*.

Depois de um circuito quase completo ao redor do terreno, Zahel desacelerou sua ofensiva e passou a rodear Kaladin, procurando uma abertura.

— Você estaria em apuros se eu estivesse com uma Armadura — disse Zahel. — Eu seria mais rápido e não me cansaria.

— Você não está com uma Armadura.

— E se alguém vier atrás do rei usando uma?

— Usarei uma tática diferente.

Zahel grunhiu enquanto Renarin caiu no chão ali perto. O príncipe quase conseguiu aterrissar de pé, mas tropeçou e caiu de lado, deslizando na areia.

— Bem, se essa fosse uma tentativa real de assassinato, eu também usaria táticas diferentes.

Ele disparou na direção de Renarin.

Kaladin praguejou, correndo atrás de Zahel.

Imediatamente, o homem reverteu o movimento, derrapando até parar na areia e girando para atacar Kaladin com um poderoso golpe de duas mãos. A investida acertou a lança de Kaladin, fazendo ressoar um nítido *craque* pela área de treinamento. Se a Espada não estivesse com o protetor, ela teria cortado a lança em duas e talvez arranhado o peito de Kaladin.

Um fervoroso atento jogou para Kaladin metade de uma lança. Eles estavam esperando que sua lança fosse "cortada" e queriam imitar um combate real o máximo possível. Ali perto, Moash havia chegado, com um ar preocupado, mas foi interceptado por vários fervorosos, que explicaram a situação.

Kaladin olhou de volta para Zahel.

— Em uma luta real, eu poderia ter alcançado o príncipe a essa altura — disse o homem.

— Em uma luta real, eu poderia ter apunhalado você com metade de uma lança quando pensasse que eu estava desarmado — replicou Kaladin.

— Eu não teria cometido esse erro.

— Então vamos ter que imaginar que eu não teria cometido o erro de deixá-lo se aproximar de Renarin.

Zahel sorriu. Parecia uma expressão perigosa no seu rosto. Ele deu um passo à frente, e Kaladin compreendeu. Não haveria recuos ou desvios dessa vez. Kaladin não teria essa opção se estivesse protegendo um membro da família de Dalinar. Em vez disso, precisava tentar fazer o melhor para matar aquele homem.

Isso significava um ataque.

Uma luta prolongada a curta distância favoreceria Zahel, já que Kaladin não poderia desviar de uma Espada Fractal. A melhor aposta seria atacar rápido e tentar acertá-lo logo. Kaladin disparou, então se jogou de joelhos, deslizando pela areia sob o ataque de Zahel. Isso o deixaria perto e...

Zahel chutou Kaladin no rosto.

Com a visão embaçada, ele golpeou a perna de Zahel com sua lança falsa. A Espada Fractal do homem desceu um segundo depois, parando onde o ombro de Kaladin se juntava ao pescoço.

— Você está morto, filho.

— Você tem uma lança atravessando sua perna — disse Kaladin, ofegante. — Não vai perseguir Renarin desse jeito. Eu venci.

— Você continua morto — grunhiu Zahel.

— Meu trabalho é impedir você de matar Renarin. Com o que acabei de fazer, ele escaparia. Não importa se o guarda-costas morre.

— E se o assassino tiver um amigo? — perguntou outra voz atrás dele.

Kaladin voltou-se para ver Adolin, de Armadura completa e com a ponta da Espada Fractal enfiada no chão diante dele. Havia removido o elmo, que segurava com uma das mãos, enquanto a outra descansava sobre a guarda da Espada.

— E se forem dois assassinos, carregadorzinho? — indagou Adolin com um sorriso zombeteiro. — Conseguiria lutar com dois Fractários ao mesmo tempo? Se eu quisesse matar meu pai ou o rei, não mandaria apenas um.

Kaladin se levantou, girando o ombro na articulação. Ele encontrou o olhar de Adolin. Tão condescendente. Tão seguro de si. Babaca arrogante.

— Muito bem — disse Zahel. — Tenho certeza de que ele entendeu seu argumento, Adolin. Não precisa...

Kaladin se lançou contra o jovem príncipe e pensou ouvir Adolin dando uma risadinha enquanto vestia o elmo.

Alguma coisa fervilhou dentro dele.

O Fractário sem nome que havia matado tantos dos seus amigos.

Sadeas, sentado como um rei de armadura vermelha.

Amaram, com as mãos em uma espada manchada de sangue.

Kaladin gritou enquanto a Espada Fractal de Adolin, sem protetores, veio em sua direção em um dos cuidadosos golpes amplos da sessão de prática do rapaz. Kaladin se deteve, levantando a meia lança e deixando a Espada passar bem diante dele. Então deu *um tapa* com a lança na parte traseira da Espada, jogando a pegada de Adolin para o lado e estragando a sequência dele.

Kaladin avançou e jogou o ombro contra o príncipe. Foi como se chocar contra uma parede. A dor explodiu em seu ombro, mas o impulso junto com a surpresa do seu golpe pesado desequilibraram Adolin. Os dois cambalearam para trás, e o Fractário desabou no chão com um estrondo e um grunhido de surpresa.

Renarin fez um estrondo uníssono, caindo no chão ali perto. Kaladin levantou sua meia-lança como um punhal para enfiá-la na placa facial de Adolin. Infelizmente, o príncipe havia dispensado sua Espada ao cair. O rapaz enfiou uma manopla sob Kaladin.

Kaladin baixou sua lança em um golpe.

Adolin o empurrou com a mão.

O golpe de Kaladin não fez contato; em vez disso, ele se viu voando, jogado com toda a força, aumentada pela Armadura de um Fractário. Debateu-se no ar antes de atingir o chão a dois metros e meio de distância, a areia arranhando seu flanco, o ombro com que atingira Adolin sofrendo outro lampejo de dor. Kaladin ofegou.

— Idiota! — gritou Zahel.

Kaladin grunhiu, rolando o corpo. Sua cabeça rodava.

— Você poderia ter matado o garoto!

Ele estava falando com Adolin em algum lugar muito distante.

— Ele me atacou! — A voz de Adolin soou abafada pelo elmo.

— Você o desafiou, criança estúpida. — A voz de Zahel estava mais próxima.

— Então foi ele que pediu.

Dor. Alguém ao lado de Kaladin. Zahel?

— Você está usando *Armadura*, Adolin. — Sim, era Zahel ajoelhado sobre ele, cuja visão se recusava a voltar ao foco. — Não se joga um parceiro de treinamento sem armadura como se ele fosse um saco de gravetos. O seu pai o ensinou a se comportar melhor que isso!

Kaladin inspirou bruscamente e se forçou a abrir os olhos. Luz das Tempestades da bolsa em seu cinto o preencheu. *Não muita. Não deixe que eles vejam. Não deixe que tirem isso de você!*

A dor desapareceu. Seu ombro se reencaixou — ele não sabia se estava quebrado ou apenas deslocado. Zahel soltou um grito de surpresa quando Kaladin se levantou e correu rumo a Adolin.

O príncipe recuou desajeitadamente, a mão estendida para o lado, obviamente invocando sua Espada. Kaladin chutou para cima sua meia-lança caída, levantando areia, então agarrou-a no ar, aproximando-se.

Naquele momento, sua força se esgotou. A tempestade dentro dele fugiu sem aviso, e ele cambaleou, ofegando com a dor que havia voltado ao seu ombro.

Adolin segurou-o pelo braço com sua manopla. A Espada Fractal do príncipe se formou na outra mão, mas no mesmo instante uma segunda Espada deteve-se no pescoço de Kaladin.

— Você está morto — disse Zahel por trás, segurando a Espada contra a pele dele. — De novo.

Kaladin afundou no meio da área de treinamento, deixando cair sua meia-lança. Estava completamente esgotado. O que havia acontecido?

— Vá ajudar seu irmão com os saltos — ordenou Zahel a Adolin.

Por que ele podia mandar nos príncipes? Adolin partiu e Zahel se ajoelhou ao lado de Kaladin.

— Você não recua quando alguém o ataca com uma Espada. Realmente já *lutou* com Fractários, não é mesmo?

— Lutei.

— Então tem sorte de estar vivo — disse Zahel, verificando o ombro de Kaladin. — Você tem tenacidade. Ao ponto da estupidez. Está em boa forma e pensa bem em uma luta. Mas você mal sabe o que está fazendo contra Fractários.

— Eu...

O que ele podia dizer? Zahel estava certo. Era arrogância dizer o contrário. Duas lutas, três, contando aquela ali, não o tornavam um especialista. Ele fez uma careta quando Zahel cutucou um tendão dolorido. Mais esprenos de dor no chão. Estava dando trabalho para eles hoje.

— Nada quebrado aqui — disse Zahel com um grunhido. — Como estão suas costelas?

— Estão bem — respondeu Kaladin, deitado de costas na areia, olhando para o céu.

— Bem, não vou forçá-lo a aprender — disse Zahel, se levantando. — Não acho que *possa* forçá-lo, na verdade.

Kaladin fechou os olhos com força. Sentia-se humilhado, mas por que deveria? Já havia perdido lutas de treinamento antes. Isso acontecia o tempo todo.

— Você me lembra muito ele — comentou Zahel. — Adolin também não me deixava ensiná-lo. Não de início.

Kaladin abriu os olhos.

— Não pareço nada com ele.

Zahel soltou uma gargalhada, então se levantou e foi embora, rindo, como se houvesse escutado a piada mais engraçada do mundo. Kaladin continuou deitado na areia, olhando para cima rumo ao profundo céu azul, ouvindo os sons dos homens treinando. Por fim, Syl voou até ele e pousou no seu peito.

— O que aconteceu? — perguntou Kaladin. — A Luz das Tempestades escorreu toda. Eu *senti* ela partir.

— Quem você estava protegendo? — indagou Syl.

— Eu... Eu estava praticando luta, como pratiquei com Skar e Rocha nos abismos.

— Era *realmente* isso que estava fazendo?

Ele não sabia. Ficou ali deitado, fitando o céu, até que recuperou o fôlego e obrigou-se a se levantar com um grunhido. Ele limpou a poeira da roupa, então foi verificar como estavam Moash e os outros guardas. Durante a caminhada, inspirou um pouco de Luz das Tempestades, e dessa vez funcionou, lentamente curando seu ombro e aliviando seus ferimentos.

Os ferimentos físicos, pelo menos.

19
COISAS SEGURAS

CINCO ANOS E MEIO ATRÁS

S HALLAN NUNCA POSSUÍRA UM vestido com seda tão macia quanto a daquele novo. Ela roçava sua pele como uma brisa confortável. O punho esquerdo fechava-se sobre a mão; já era crescida o bastante para cobrir sua mão segura. Outrora, sonhara em usar um vestido de mulher. Sua mãe e ela...

Sua mãe...

A mente de Shallan se deteve. Como uma vela subitamente apagada, ela parou de pensar. Recostou-se na cadeira, as pernas encolhidas, as mãos sobre o colo. A lúgubre sala de jantar fervilhava com atividade enquanto a Mansão Davar se preparava para receber convidados. Shallan não sabia quem eram os convidados, só que seu pai queria que o lugar estivesse imaculado.

Não que ela pudesse fazer qualquer coisa para ajudar.

Duas criadas passaram apressadas.

— Ela viu — sussurrou uma baixinho para a outra, uma novata. — A coitadinha estava na sala quando aconteceu. Não fala uma palavra há cinco meses. O mestre matou a própria esposa e seu amante, mas não deixe que isso...

Elas continuaram falando, mas Shallan não ouviu.

Manteve as mãos no colo. O azul-vibrante do seu vestido era a única cor de verdade na sala. Estava sentada no estrado, ao lado da grã-mesa.

Meia dúzia de criadas de trajes marrons, usando luvas nas mãos seguras, escovavam o piso e poliam a mobília. Parshemanos carregavam mais algumas mesas para a sala. Uma criada abriu as janelas, deixando entrar o ar fresco e úmido da recente grantormenta.

Shallan novamente ouviu seu nome ser mencionado. As criadas aparentemente pensavam que, como ela não falava, também não ouvia. Às vezes ela se perguntava se não era invisível; talvez ela não fosse real. Isso seria bom...

A porta da sala abriu-se bruscamente e Nan Helaran entrou. Alto, musculoso, de queixo quadrado. Seu irmão mais velho era um homem. Os outros... eram crianças. Até mesmo Tet Balat, que havia alcançado a idade adulta. Helaran vasculhou a câmara, talvez procurando seu pai. Então ele se aproximou de Shallan, com um pequeno pacote debaixo do braço. As criadas rapidamente abriram caminho.

— Olá, Shallan — disse ele, se agachando perto de sua cadeira. — Está aqui para tomar conta das coisas?

Estava ali por estar. O pai não gostava que ela ficasse onde não pudesse ser vigiada; ele se preocupava.

— Trouxe algo para você — disse Helaran, desembrulhando o pacote. — Encomendei em Forteboreal, e o comerciante acabou de passar.

Ele mostrou uma bolsa de couro. Shallan pegou-a, hesitante. O sorriso de Helaran era tão largo que praticamente brilhava. Era difícil ficar séria em um cômodo onde ele estava sorrindo. Quando ele estava por perto, ela podia quase fingir... Quase fingir que...

Sua mente ficou vazia.

— Shallan? — chamou ele, cutucando-a.

Ela abriu a bolsa. No interior havia um maço de papel para desenho, do tipo espesso — o tipo caro —, e um conjunto de lápis de carvão. Ela levou a mão segura aos lábios.

— Senti falta dos seus desenhos — disse Helaran. — Acho que você pode ser muito boa, Shallan. Devia praticar mais.

Ela correu os dedos da mão direita sobre o papel, então pegou um lápis. Começou a desenhar. Já fazia tempo demais.

— Preciso que você volte, Shallan — disse Helaran em voz baixa.

Ela se curvou para a frente, o lápis arranhando o papel.

— Shallan?

Sem palavras. Só desenhando.

— Estarei longe muitas vezes nos próximos anos. Preciso que você tome conta dos outros para mim. Estou preocupado com Balat. Dei a ele um novo filhote de cão-machado e ele... não tratou bem o bichinho. Preciso que seja forte, Shallan. Por eles.

As criadas estavam quietas desde a chegada de Helaran. Vinhas letárgicas haviam se enrolado no caixilho externo da janela mais próxima. O lápis de Shallan continuou a se mover. Como se não estivesse fazendo o desenho; como se ele estivesse saindo da página, o carvão vazando da textura. Como sangue.

Helaran suspirou, se levantando. Então viu o que ela estava desenhando. Corpos, com os rostos para baixo, no chão onde...

Ele agarrou o papel e o amassou. Shallan se assustou, recuando, os dedos tremiam enquanto segurava o lápis com força.

— Desenhe plantas e animais. Coisas seguras, Shallan. Não pense no que aconteceu.

Lágrimas rolaram pelas bochechas dela.

— Não podemos nos vingar ainda — disse Helaran em voz baixa. — Balat não tem como liderar a casa, e eu preciso viajar. Mas em breve.

A porta se abriu subitamente. O pai deles era um homem grande, cuja barba era um desafio descuidado à moda. Suas roupas vedenas desprezavam os cortes modernos. Em vez disso, usava um traje de seda parecido com uma saia, chamado *ulatu*, e uma camisa justa com um robe por cima. Sem peles de visom, como seus avós usavam, mas, a não ser por esse detalhe, era muito, muito tradicional.

Ele era ainda mais alto que Helaran, mais alto do que qualquer pessoa na propriedade. Mais parshemanos entraram atrás dele, carregando pacotes de comida para as cozinhas. Os três tinham pele marmorizada, dois com vermelho sobre preto e um com vermelho sobre branco. O pai gostava de parshemanos. Eles não discutiam.

— Soube que você mandou o cavalariço preparar uma das minhas carruagens, Helaran! — berrou o pai. — Não quero você vagabundeando por aí de novo!

— Há coisas mais importantes nesse mundo — disse Helaran. — Mais importantes até do que você e seus crimes.

— Não fale comigo desse jeito! — respondeu o pai, avançando com o dedo apontado. — Eu sou seu pai.

As criadas se apressaram a sair do caminho, indo para o outro lado do recinto. Shallan puxou a bolsa contra o peito, tentando se esconder na cadeira.

— Você é um assassino — respondeu Helaran calmamente.

O pai se deteve, o rosto rubro debaixo da barba. Então continuou a avançar.

— Como você *ousa*?! Acha que não posso prendê-lo? Só porque você é meu herdeiro, acha que eu...

Algo se formou na mão de Helaran, uma linha de névoa que se condensou em aço prateado. Uma Espada Fractal de cerca de um metro e oitenta de comprimento, curva e grossa, com o lado que não era afiado formando chamas, ou talvez ondulações de água. Ela possuía uma gema no punho e, quando a luz se refletia no metal, as cristas pareciam se mover.

Helaran era um Fractário. Pai das Tempestades! Como? Quando?

O pai calou a boca e parou. Helaran saltou do estrado baixo, depois nivelou a Espada Fractal na direção do seu pai, a ponta tocou o peito dele.

O pai ergueu os braços, as palmas para a frente.

— Você é um veneno para esta casa — declarou Helaran. — Eu deveria trespassar seu peito. Fazer isso seria um ato de misericórdia.

— Helaran... — Seu pai parecia ter perdido toda a emoção, como a cor do rosto, que agora estava totalmente branco. — Você não sabe o que pensa que sabe. Sua mãe...

— Eu *não* vou escutar suas mentiras — disse Helaran, girando o pulso, movendo a espada na mão, a ponta ainda voltada contra o peito do pai. — Tão fácil.

— Não — sussurrou Shallan.

Helaran inclinou a cabeça, então se virou, sem mover a espada.

— Não — disse Shallan. — Por favor.

— Agora você fala? Para defender *ele*?

Helaran deu uma gargalhada, como um latido selvagem. Ele afastou a espada do peito do pai, que se sentou em uma cadeira de jantar, o rosto ainda pálido.

— Como? Uma *Espada Fractal*. Onde? — Ele olhou subitamente para cima. — Mas não. É diferente. Seus novos amigos? Eles confiam a você um tesouro desses?

— Temos um trabalho importante a fazer — disse Helaran, virando-se e andando até Shallan. Ele carinhosamente pôs a mão em seu ombro e continuou de modo mais suave: — Um dia contarei a você, irmã. É bom ouvir sua voz de novo antes de partir.

— Não vá — sussurrou ela.

As palavras pareciam gaze em sua boca. Fazia meses desde a última vez que falara.

— Preciso ir. Por favor, faça alguns desenhos para mim enquanto eu estiver fora. De coisas bonitas. De dias melhores. Pode fazer isso?

Ela assentiu.

— Adeus, pai — disse Helaran, virando-se e saindo da sala a passos largos. — Tente não estragar coisas demais enquanto eu estiver fora. *Vou voltar periodicamente para verificar.* — Sua voz ecoava no corredor externo enquanto ele ia embora.

O Luminobre Davar se levantou, rugindo. As poucas criadas que ainda restavam na sala fugiram pela porta lateral para os jardins. Shallan se encolheu, horrorizada, enquanto seu pai pegou a cadeira e a jogou contra a parede. Ele chutou uma pequena mesa de jantar, depois pegou as cadeiras uma por uma e esmagou-as contra o chão com golpes repetidos e brutais.

Respirando fundo, ele voltou os olhos para ela.

Shallan soluçava diante da raiva, da falta de humanidade nos olhos dele; enquanto a encaravam, a vida retornou àqueles olhos. O pai deixou cair uma cadeira quebrada e deu as costas para ela, como se estivesse envergonhado, antes de fugir da sala.

20

O FRIO DA CLAREZA

Forma artística a beleza e a matiz representa.
Desejadas são as músicas que ela dissemina.
Embora muito artista que a tome não a compreenda,
Vem o espreno para fundar sua sina.

— Da Canção de Listagem dos Ouvintes, 90ª estrofe

O SOL ERA UMA BRASA ardente no horizonte, afundando rumo ao vazio, enquanto Shallan e sua pequena caravana se aproximavam da fonte da fumaça diante deles. Embora a coluna houvesse definhado, podia agora observar que havia três fontes diferentes se elevando no ar e se juntando em uma só.

Ela se levantou na carroça balouçante quando subiam um último morro e depois paravam no acostamento a poucos metros de permitir que ela visse o que havia ali perto. Naturalmente, alcançar o topo da colina seria péssima ideia se bandidos esperassem abaixo.

Bluth desceu da carroça e correu adiante. Ele não era muito ágil, mas era o melhor batedor de que dispunham. Ele se agachou e removeu seu chapéu chique demais, depois contornou a colina para dar uma espiada. Um momento depois ele se levantou, sem tentar mais se esconder.

Shallan pulou do seu assentou e correu, a saia prendendo nos galhos retorcidos de crustispinhos aqui e ali. Ela chegou ao topo da colina um pouco antes de Tvlakv.

Três carroças de caravana ardiam silenciosamente abaixo, e os sinais de batalha sujavam o chão. Flechas caídas, uma pilha de cadáveres. O coração de Shallan saltou quando viu os vivos entre os mortos. Figuras cansadas e dispersas sondavam os destroços ou moviam corpos. Não estavam vestidos como bandidos, mas sim como honestos trabalhadores de caravana. Mais cinco vagões estavam aglomerados no outro lado do acampamento. Alguns estavam chamuscados, mas todos pareciam funcionais e ainda carregados com mercadorias.

Mulheres e homens armados tratavam suas feridas. Guardas. Um grupo de parshemanos assustados cuidava dos chules. Aquelas pessoas haviam sido atacadas, mas sobreviveram.

— Pelo bafo de Kelek... — disse Tvlakv. Ele se virou e fez sinal para que Bluth e Shallan recuassem. — Voltem, antes que eles nos vejam.

— O quê? — disse Bluth, embora obedecesse. — Mas é outra caravana, como esperávamos.

— Sim, e eles não precisam saber que estamos aqui. Podem querer falar conosco, e isso nos atrasaria. Vejam! — Ele apontou para trás.

Na luz fraca, Shallan pôde ver uma sombra no cume de uma colina não muito atrás deles. Os desertores. Ela acenou para que Tvlakv lhe entregasse sua luneta, o que ele fez com relutância. A lente estava rachada, mas Shallan ainda assim conseguiu dar uma boa olhada nos seus perseguidores. Os trinta e tantos homens *eram* soldados, como Bluth havia relatado. Eles não tinham estandarte, não marchavam em formação nem usavam todos o mesmo uniforme, mas pareciam bem equipados.

— Precisamos descer e pedir ajuda à outra caravana — disse Shallan.

— Não! — Tvlakv agarrou a luneta de volta. — Precisamos fugir! Os bandidos verão esse grupo mais rico, mas enfraquecido, e vão cair sobre eles em vez de nós!

— E você acha que eles não vão nos perseguir depois disso? — replicou Shallan. — Com nossos rastros tão visíveis? Acha que não vão nos alcançar nos próximos dias?

— Deve haver uma grantormenta esta noite — disse Tvlakv. — Ela pode cobrir nossos rastros, soprando as conchas das plantas que esmagamos.

— Improvável — respondeu Shallan. — Se nos juntarmos a essa nova caravana, poderemos acrescentar nossa pequena força à deles. Poderemos nos defender. Ela...

Bluth levantou a mão subitamente, se virando.

— Um barulho. — Ele girou, estendendo a mão para seu cassetete.

Havia uma figura ali perto, escondida pelas sombras. Aparentemente, a caravana abaixo tinha seu próprio batedor.

— Você os trouxe direto para nós, não foi? — perguntou uma voz feminina. — O que eles são? Mais bandidos?

Tvlakv levantou sua esfera, que revelou que o batedor era uma mulher olhos-claros de altura mediana e porte esguio. Vestia calças e um casaco longo que quase parecia um vestido, afivelado na cintura. Usava uma luva marrom-clara em sua mão segura e falava alethiano sem sotaque.

— Eu... — balbuciou Tvlakv. — Sou apenas um humilde comerciante, e...

— Os homens nos perseguindo certamente são bandidos — interrompeu Shallan. — Eles nos seguiram o dia todo.

A mulher praguejou, levantando a própria luneta.

— Bom equipamento — resmungou ela. — Desertores, imagino. Como se a situação já não estivesse ruim o suficiente. Yix!

Uma segunda figura apareceu ali perto, trajando roupas marrom-claras, da cor das pedras. Shallan deu um salto. Como não percebera? Ele estava tão perto! Tinha uma espada na cintura. Um olhos-claros? Não, um estrangeiro, a julgar pelo cabelo dourado. Ela nunca sabia ao certo o que a cor dos olhos significava em termos da posição social deles. Não havia pessoas com olhos claros na região makabakiana, embora eles tivessem reis, e praticamente todos em Iri possuíam olhos amarelo-claros.

Ele se aproximou, mão sobre a arma, vigiando Bluth e Tag com hostilidade explícita. A mulher falou com ele em uma língua que Shallan não conhecia, então o homem trotou na direção da caravana abaixo. A mulher o seguiu.

— Espere — chamou Shallan.

— Não tenho tempo para conversas — retrucou rispidamente a mulher. — Temos dois grupos de bandidos a combater.

— Dois? Vocês não derrotaram o grupo que os atacou antes?

— Nós os repelimos, mas eles voltarão em breve. — A mulher hesitou na encosta da colina. — O incêndio foi um acidente, eu acho. Eles estavam usando tochas para nos assustar. Eles recuaram e nos deixaram combater o fogo, já que não queriam perder mais mercadorias.

Dois grupos, então. Bandidos à frente e na retaguarda. Shallan percebeu que estava suando no ar frio enquanto o sol finalmente desaparecia sob o horizonte. A mulher estava olhando para o norte, na direção para onde o primeiro grupo de bandidos havia recuado.

— É, eles vão voltar — disse ela. — Vão querer acabar conosco antes que a tempestade chegue esta noite.

— Ofereço-lhe minha proteção — disse Shallan impulsivamente.

— Sua proteção? — repetiu a mulher, voltando-se para Shallan, parecendo perplexa.

— Você pode aceitar a mim e aos meus no seu acampamento. Cuidarei da sua segurança esta noite. Vou precisar do seu serviço depois disso, para me conduzir até as Planícies Quebradas.

A mulher soltou uma gargalhada.

— Você é valente, seja lá quem for. Pode se juntar ao nosso acampamento, mas vai morrer nele com o resto de nós!

Gritos vieram da caravana. Um segundo depois, uma saraivada de flechas caiu pela noite daquela direção, atingindo carroças e trabalhadores da caravana.

Berros.

Bandidos vieram em seguida, emergindo da escuridão. Eles não estavam tão bem equipados quanto os desertores, mas não precisavam. A caravana tinha menos de uma dúzia de guardas restantes. A mulher praguejou e começou a correr colina abaixo.

Shallan estremeceu, olhos arregalados diante da súbita chacina abaixo. Então se virou e caminhou até as carroças de Tvlakv. A súbita friagem lhe era familiar. O frio da clareza. Ela sabia o que devia fazer. Não sabia se ia funcionar, mas via a solução — como linhas em um desenho, se juntando e transformando rabiscos aleatórios em uma imagem completa.

— Tvlakv, vá com Tag lá para baixo e tente ajudar essas pessoas a lutar.

— O quê?! Não. Não, não vou jogar minha vida fora pela sua tolice.

Ela o olhou nos olhos na quase escuridão, e ele parou. Shallan sabia que estava brilhando suavemente; podia sentir a tempestade dentro de si.

— Obedeça. — Ela o deixou e caminhou até sua carroça. — Bluth, dê a volta com a carroça.

Ele estava parado ao lado da carroça com uma esfera, olhando para alguma coisa em sua mão. Uma folha de papel? Certamente *Bluth* não conheceria glifos.

— Bluth! — chamou Shallan rispidamente, subindo na carroça. — Precisamos partir. *Agora!*

Ele despertou, então guardou o papel e subiu rapidamente até o assento ao lado dela. Ele chicoteou o chule, virando-o.

— O que estamos fazendo? — perguntou ele.

— Seguindo para o sul.

— Rumo aos bandidos?

— Sim.

Dessa vez, ele obedeceu sem reclamações, açoitando o chule mais rápido — como se estivesse ansioso para acabar com aquilo. A carroça sacolejava e tremia enquanto eles desciam uma colina e então subiam outra.

Alcançaram o topo e olharam para baixo, para a força que estava subindo na direção deles. Os homens carregavam tochas e lanternas de esferas, então ela podia ver seus rostos. Expressões sombrias em homens severos, brandindo armas. Suas placas peitorais ou gibões de couro outrora traziam símbolos de lealdade, mas ela podia ver que eles haviam sido cortados ou raspados.

Os desertores olharam para ela, obviamente chocados. Não esperavam que sua presa fosse até eles. Sua chegada os deixou perplexos por um momento; um momento importante.

Haverá um oficial, pensou Shallan, levantando-se do seu banco. *Eles são soldados, ou já foram. Terão uma estrutura de comando.*

Ela respirou fundo. Bluth ergueu a esfera, olhando para ela, e grunhiu como se estivesse surpreso.

— Abençoado seja o Pai das Tempestades por vocês estarem aqui! — gritou Shallan para os homens. — Preciso da sua ajuda desesperadamente.

O grupo de desertores apenas a encarou.

— Bandidos — disse Shallan. — Eles estão atacando nossos amigos na caravana a apenas duas colinas daqui. É um massacre! Eu disse que vi soldados aqui atrás, seguindo rumo às Planícies Quebradas. Ninguém acreditou em mim. Por favor. Vocês precisam ajudar.

Novamente, eles apenas a olharam. *Era quase como um visom adentrando a toca de um espinha-branca e perguntando a hora do jantar...* Finalmente, os homens se remexeram, nervosos, e se voltaram para um homem perto do centro. Alto, barbudo, ele tinha braços que pareciam longos demais para seu corpo.

— Bandidos, a senhorita diz — replicou o homem, a voz desprovida de emoções.

Shallan saltou da carroça e caminhou até ele, deixando Bluth sentado como um monte silencioso. Desertores abriram caminho para ela, vestidos com roupas rasgadas e sujas, cabelos desgrenhados e rostos que não viam uma navalha — ou uma toalha — há meses. E ainda assim, sob a luz das tochas, suas armas resplandeciam sem uma mancha de ferrugem, e suas placas peitorais estavam polidas a ponto de refletirem o rosto dela.

A mulher que ela vislumbrou em uma placa peitoral parecia alta demais, imponente demais para ser a própria Shallan. Em vez do cabelo embaraçado, ela tinha longas madeixas ruivas. Em vez dos trapos de refugiada, trajava um vestido com bordados em ouro. Ela não estava usando um colar antes, e quando levantou a mão para o líder do bando, suas unhas lascadas pareciam perfeitamente manicuradas.

— Luminosa — disse o homem enquanto ela se aproximava —, não somos o que a senhorita pensa.

— Não — replicou Shallan. — Vocês não são o que *vocês* pensam.

Os homens ao redor sob a luz do fogo fitavam-na com olhares ansiosos, e ela sentiu os pelos se arrepiando por todo o corpo. Na toca do predador, de fato. Ainda assim, a tempestade dentro dela a conduzia à ação e inspirava-lhe uma confiança ainda maior.

O líder abriu a boca como se fosse dar uma ordem. Shallan cortou sua fala.

— Qual é o seu nome?

— Me chamo Vathah — respondeu o homem, voltando-se para seus aliados. Era um nome vorin, como o de Shallan. — E decidirei depois o que fazer com a senhorita. Gaz, pegue esse aí e...

— O que você faria, Vathah, para apagar o passado? — disse Shallan bem alto.

Ele a encarou, metade do rosto iluminado pela luz primitiva das tochas.

— Você protegeria, em vez de matar, se tivesse escolha? — indagou Shallan. — Resgataria, em vez de assaltar, se pudesse refazer tudo? Boas pessoas estão morrendo enquanto conversamos. Você pode impedir isso.

Aqueles olhos escuros pareciam mortos.

— Não podemos mudar o passado.

— Posso mudar seu futuro.

— Somos homens procurados.

— Sim, cheguei aqui procurando homens. Esperando encontrar *homens*. Ofereço a chance de serem soldados novamente. Venham comigo. Cuidarei para que tenham novas vidas. Essas vidas começam salvando em vez de matar.

Vathah bufou, zombeteiro. Seu rosto parecia inacabado, no escuro, tosco como um esboço.

— Luminobres já nos decepcionaram no passado.

— Escutem — disse Shallan. — Escutem os gritos.

Os sons lastimáveis os alcançaram vindos de trás. Pedidos de ajuda. Trabalhadores, homens e mulheres, da caravana. Morrendo. Sons perturbadores. Shallan ficou surpresa, apesar de tê-los apontado, com a maneira como os sons chegavam até ali, com a maneira como pareciam pedidos de ajuda.

— Deem a si mesmos outra chance — disse Shallan em voz baixa. — Se voltarem comigo, cuidarei para que seus crimes sejam esquecidos. Prometo a vocês, por tudo que tenho, pelo próprio Todo-Poderoso. Vocês *podem* recomeçar. Recomeçar como heróis.

Vathah fixou o olhar nela. Aquele homem era uma pedra. Ela viu, com o coração afundando, que ele não seria convencido. A tempestade dentro dela começou a sumir, e seus medos fervilharam. *O que* estava fazendo? Aquilo era loucura!

Vathah desviou novamente o olhar, e ela soube que havia perdido. Ele ordenou com um berro que ela fosse capturada.

Ninguém se moveu. Shallan havia se concentrado apenas nele, não nas outras dezenas de homens que haviam se aproximado com as tochas erguidas. Eles a olhavam com rostos abertos, e ela viu muito pouco da luxúria que havia percebido antes. Em vez disso, seus olhos estavam arregalados, cheios de anseio, reagindo aos gritos distantes. Homens tocaram seus uniformes nas partes onde as insígnias costumavam ficar. Outros olharam para suas lanças e machados, armas de serviço, talvez até pouco tempo atrás.

— Vocês estão *considerando a ideia*, seus idiotas? — disse Vathah.

Um homem, um sujeito baixo com uma cicatriz no rosto e um tapa-olho, assentiu.

— Não me importaria de recomeçar — murmurou ele. — Raios, seria bem bom.

— Eu salvei a vida de uma mulher, certa vez — disse outro, um homem alto e calvo que devia estar na casa dos quarenta. — Me senti como um herói por semanas. Brindes na taverna. Afeto. Danação! Nós estamos morrendo aqui.

— Nós partimos para nos livrarmos da opressão deles! — gritou Vathah.

— E o que fizemos com nossa liberdade, Vathah? — indagou um homem na retaguarda do grupo.

No silêncio que se seguiu, Shallan só podia ouvir os gritos pedindo ajuda.

— Raios, eu vou — declarou o homem baixo com o tapa-olho, correndo colina acima.

Outros deixaram o grupo e o seguiram. Shallan se virou — mãos unidas diante de si — enquanto *quase todo o grupo* saiu em uma investida. Bluth se levantou na carroça, seu rosto chocado aparecendo na luz das tochas que passavam. Então ele soltou um *grito entusiasmado*, pulando da carroça e levantando seu cassetete bem alto, e foi se unir aos desertores que avançavam rumo à batalha.

Shallan ficou com Vathah e outros dois homens, que pareciam estarrecidos com o que acabara de acontecer. Vathah cruzou os braços, deixando escapar um suspiro.

— Idiotas, todos eles.

— Eles não são idiotas por desejarem ser melhores — replicou Shallan.

Ele bufou, olhando-a de cima a baixo. Ela teve um imediato lampejo de medo. Momentos atrás, aquele homem estava pronto a roubá-la e provavelmente fazer coisa pior. Ele não fez nenhum movimento na sua direção, embora seu rosto parecesse ainda mais ameaçador agora que a maioria das tochas se fora.

— Quem é a senhorita? — perguntou ele.

— Shallan Davar.

— Bem, Luminosa Shallan, espero, pelo seu bem, que possa manter sua palavra. Venham, rapazes. Vamos ser se conseguimos manter vivos esses idiotas.

Ele partiu com os outros que haviam ficado para trás, marchando colina acima na direção do combate. Shallan ficou sozinha na noite, expirando baixinho. Não saiu nenhuma Luz; ela havia usado tudo. Seus pés agora estavam apenas ligeiramente doloridos, mas ela se sentia *exausta*, drenada como um odre de vinho furado. Caminhou até a carroça e se recostou contra ela, finalmente se ajeitando no chão. Com a cabeça recostada, ela olhou para o céu. Uns poucos esprenos de exaustão surgiram ao seu redor, pequenos vórtices de poeira girando no ar.

Salas, a primeira lua, formou um disco roxo no centro de brilhantes estrelas brancas. Os gritos e berros do combate continuavam. Seriam os desertores o bastante? Ela não sabia quantos eram os bandidos.

Ela seria inútil lá, apenas um obstáculo. Apertou bem os olhos, então subiu no banco e pegou seu caderno de desenho. Aos sons do combate e da morte, ela esboçou os glifos de uma oração de esperança.

— Eles escutaram — disse Padrão, zumbindo ao lado dela. — Você os mudou.

— Não acredito que funcionou — replicou Shallan.

— Ah... Você é boa com mentiras.

— Não, quero dizer, foi uma figura de linguagem. Parecia impossível que eles realmente me ouvissem. Criminosos, homens duros.

— Você é mentiras e verdades — disse Padrão em voz baixa. — Elas transformam.

— O que isso significa?

Era difícil desenhar apenas com a luz de Salas, mas ela fez o melhor que pôde.

— Você falou antes sobre um Fluxo — disse Padrão. — Teceluminação, o poder da luz. Mas você tem outra coisa. O poder da transformação.

— Transmutação? — disse Shallan. — Eu não Transmutei ninguém.

— Hmmm. E ainda assim você os transformou. Ainda assim. Hmmm.

Shallan terminou sua oração, então a levantou, notando que a página anterior havia sido arrancada do caderno. Quem teria feito aquilo?

Ela não podia queimar a oração, mas não achava que o Todo-Poderoso se importasse. Pressionou-a junto ao peito e fechou os olhos, esperando que os gritos se silenciassem.

21

CINZAS

> *Dizem que a forma mediadora foi feita para a paz.*
> *Forma de ensinamento e consolação.*
> *Mas, quando usada pelos deuses, virou mais*
> *A forma da mentira e da desolação.*

— Da Canção de Listagem dos Ouvintes, 33ª estrofe

SHALLAN FECHOU OS OLHOS de Bluth, sem olhar para o buraco rasgado em seu peito, as entranhas sangrentas. Ao redor dela, trabalhadores resgatavam o que podiam do acampamento. Pessoas gemiam, alguns desses gemidos interrompidos enquanto Vathah executava os bandidos um por um.

Shallan não o impediu. Ele cumpria seu dever com um ar sombrio, e ao passar por ela não a encarou. *Ele está pensando que esses bandidos poderiam facilmente ter sido ele e seus homens,* pensou Shallan, olhando de volta para Bluth, seu rosto morto iluminado pelas fogueiras. *O que separa os heróis dos vilões? Um discurso na noite?*

Bluth não foi a única baixa da investida; Vathah perdera sete soldados. Eles haviam matado o dobro de bandidos. Exausta, Shallan se levantou, mas hesitou quando viu algo despontando do casaco de Bluth. Ela se inclinou e abriu o casaco.

Ali, enfiado no bolso, estava o retrato dele que ela havia desenhado. Aquele que o representara não como era, mas como ela imaginara que ele poderia ser. Um soldado em um exército, em um uniforme bem-cuidado. Olhos para a frente, em vez de olhando para baixo o tempo todo. Um herói.

Quando ele havia arrancado a folha do seu caderno? Ela pegou o desenho e dobrou-o, alisando as partes amassadas.

— Eu estava errada — sussurrou ela. — Você foi uma bela maneira de recomeçar minha coleção, Bluth. Lute bem pelo Todo-Poderoso em seu sono, bravo soldado.

Ela se levantou e olhou ao redor do acampamento. Vários dos parshemanos da caravana puxavam cadáveres até as fogueiras para queimá-los. A intervenção de Shallan havia resgatado os mercadores, mas não sem perdas pesadas. Ela não tinha contado, mas o estrago parecia alto. Dezenas de mortos, incluindo a maioria dos guardas da caravana — entre eles o homem irialiano que vira mais cedo.

Na sua fadiga, Shallan queria se arrastar até sua carroça e se encolher para dormir. Em vez disso, ela saiu em busca dos líderes da caravana.

A batedora exausta e ensanguentada de mais cedo estava junto a uma mesa de viagem, onde conversava com um homem mais velho usando um boné de feltro. Seus olhos eram azuis, e ele cofiava a barba enquanto conferia a lista trazida pela mulher.

Ambos levantaram os olhos quando Shallan se aproximou. A mulher pousou a mão sobre a espada; o homem continuou a alisar a barba. Ali perto, trabalhadores da caravana arrumavam o conteúdo de uma carroça que havia emborcado, deixando cair fardos de tecido.

— E aqui está nossa salvadora — disse o homem mais velho. — Luminosa, nem os ventos poderiam falar da sua majestade ou do espanto da sua chegada oportuna.

Shallan não se sentia majestosa; sentia-se exausta, dolorida e imunda. Seus pés descalços, ocultos pela barra das saias, haviam recomeçado a doer, e sua habilidade de Teceluminar se esgotara. Seu vestido parecia quase tão acabado quanto o de uma mendiga, e seu cabelo, embora trançado, estava uma absoluta bagunça.

— O senhor é o proprietário da caravana? — indagou Shallan.

— Macob é meu nome — respondeu ele. Ela não conseguia identificar seu sotaque; não era thayleno nem alethiano. — A senhorita já conheceu minha sócia, Tyn. — Ele indicou a mulher com a cabeça. — Ela é a chefe dos guardas. Tanto os soldados dela quanto minhas mercadorias... minguaram devido aos encontros desta noite.

Tyn cruzou os braços. Ela ainda usava seu casaco marrom-claro e, à luz das esferas de Macob, Shallan viu que era feito de couro fino. O que pensar de uma mulher que se vestia como um soldado e que trazia uma espada na cintura?

— Estava contando a Macob sobre sua oferta — disse Tyn. — Mais cedo, na colina.

Macob deu uma risada, um som incongruente com os arredores.

— Oferta, ela diz. Minha sócia achou que na verdade fosse uma ameaça! Esses mercenários obviamente trabalham para a senhora. Estávamos nos perguntando qual é sua intenção para com essa caravana.

— Os mercenários não trabalhavam para mim antes — respondeu Shallan —, mas agora trabalham. Foi necessário um pouco de persuasão.

Tyn levantou uma sobrancelha.

— Deve ter sido uma excelente persuasão, Luminosa...

— Shallan Davar. Tudo que peço é o que disse antes a Tyn. Acompanhem-me até as Planícies Quebradas.

— Certamente seus soldados podem fazer isso — disse Macob. — A senhorita não precisa da nossa ajuda.

Quero vocês aqui para lembrar aos "soldados" do que eles fizeram, pensou Shallan. Seus instintos diziam que quanto mais lembretes da civilização os desertores tivessem, melhor para ela.

— Eles são soldados. Não têm ideia de como transportar uma olhos--claros confortavelmente. Vocês, contudo, têm ótimas carroças e muitas mercadorias. Caso não tenham percebido pelo meu humilde aspecto, estou terrivelmente necessitada de um pouco de luxo. Prefiro não chegar às Planícies Quebradas parecendo uma mendiga.

— Nós *poderíamos* aproveitar os soldados dela — opinou Tyn. — Minha própria força foi reduzida a um punhado de homens.

Ela inspecionou Shallan novamente, dessa vez com curiosidade. Não era um olhar hostil.

— Então vamos chegar a um acordo — disse Macob, sorrindo de orelha a orelha e estendendo a mão sobre a mesa na direção de Shallan. — Em gratidão pela minha vida, cuidarei para que tenha nova indumentária e boas refeições pela duração de nossa viagem juntos. A senhorita e seus homens garantirão nossa segurança pelo resto do caminho, e então nos separaremos, sem nenhuma outra dívida.

— De acordo — respondeu Shallan, segurando a mão dele. — Permitirei que se juntem a mim, a sua caravana à minha.

Ele hesitou.

— Sua caravana.

— Sim.

— E sua autoridade, então, imagino?

— Esperava que fosse diferente?

Ele suspirou, mas apertou a mão dela, concordando.

— Não, suponho que não. Suponho que não. — Ele soltou sua mão, então indicou duas pessoas ao lado das carroças. Tvlakv e Tag. — E quanto àqueles dois?

— Eles são meus — respondeu Shallan. — Vou lidar com eles.

— Só os mantenha na *retaguarda* da caravana, se possível — disse Macob, franzindo o nariz. — Negócio desagradável. Prefiro que nossa caravana não seja contaminada pelo fedor dessas mercadorias. De qualquer modo, é melhor que a senhorita recolha o seu pessoal; logo vai cair uma grantormenta. Com nossas carroças perdidas, não temos abrigos extras.

Shallan deixou-os e atravessou o vale, tentando ignorar o fedor misturado de brasas e sangue. Uma forma surgiu da escuridão, seguindo ao lado dela. Vathah não parecia menos intimidador sob a melhor iluminação dali.

— E então? — perguntou Shallan.

— Alguns dos meus homens estão mortos — disse ele em uma voz monótona.

— Eles morreram fazendo um excelente trabalho, e as famílias dos sobreviventes irão abençoá-los pelo seu sacrifício.

Vathah pegou o braço dela, forçando-a a parar. Sua pegada era firme, até mesmo dolorosa.

— Você está diferente — disse ele. Shallan não havia percebido como ele era muito mais alto do que ela. — Meus olhos me enganaram? Eu vi uma rainha na escuridão. Agora vejo uma criança.

— Talvez você tenha visto o que a sua consciência precisava que visse — replicou Shallan, tentando soltar o braço, sem sucesso. Ela enrubesceu.

Vathah se inclinou para perto dela. Seu hálito não era particularmente doce.

— Meus homens já fizeram coisas piores do que isso — sussurrou ele, acenando com a outra mão para os mortos queimando. — Soltos por aí, nós roubamos. Nós matamos. Você acha que uma noite vai nos absolver? Você acha que uma noite vai fazer com que pesadelos sumam?

Shallan sentiu um vazio no estômago.

— Se formos com você para as Planícies Quebradas, seremos homens mortos — continuou Vathah. — Seremos enforcados no instante em que voltarmos.

— Minha palavra...

— Sua palavra não significa nada, mulher! — gritou ele, sua pegada se intensificando.

— É melhor você soltá-la — disse Padrão calmamente atrás dele.

Vathah girou, olhando ao redor, mas não estavam perto de ninguém em particular. Shallan viu Padrão nas costas do uniforme dele quando o homem se virou.

— Quem disse isso? — quis saber Vathah.

— Não ouvi nada — disse Shallan, de algum modo conseguindo soar calma.

— É melhor você soltá-la — repetiu Padrão.

Vathah olhou de novo ao redor, então de volta para Shallan, que encontrou seu olhar com tranquilidade. Ela até forçou um sorriso.

Ele a soltou e limpou a mão nas calças, depois recuou. Padrão se esgueirou pelas costas e perna dele até o chão, depois deslizou até Shallan.

— Esse aí vai ser um problema — disse Shallan, esfregando o lugar onde ele a agarrara.

— Isso é uma figura de linguagem? — indagou Padrão.

— Não. Significa o que eu disse.

— Curioso — comentou Padrão, observando Vathah se afastar —, porque acho que ele já é um problema.

— Verdade.

Ela continuou o caminho até Tvlakv, que estava sentado no banco da sua carroça com as mãos unidas no colo. Ele sorriu para Shallan, embora a expressão parecesse especialmente superficial naquele dia.

— Então a senhorita sabia desde o início? — perguntou ele amigavelmente.

— Sabia do quê? — disse Shallan com voz cansada, mandando Tag embora para que pudesse falar com Tvlakv em particular.

— Do plano de Bluth.

— Por favor, explique.

— Obviamente ele estava mancomunado com os desertores. Naquela primeira noite, quando ele voltou correndo para o acampamento, deve ter encontrado com eles e prometido deixar que nos capturassem em troca de compartilhar do butim. Foi por isso que eles não mataram vocês dois imediatamente quando a senhorita foi falar com eles.

— Ah, é? E, se era esse o caso, por que Bluth voltou e nos avisou, naquela noite? Por que ele fugiu conosco, em vez de apenas deixar que seus "amigos" nos matassem ali mesmo?

— Talvez ele só tenha encontrado alguns deles — disse Tvlakv. — Sim, *eles* acenderam fogueiras naquela colina para que pensássemos que havia mais homens, e então seus amigos foram buscar o grupo maior...

E... — Ele murchou. — Raios. Isso não faz nenhum sentido. Mas como, por quê? Devíamos estar mortos.

— O Todo-Poderoso nos protegeu — disse Shallan.

— Seu Todo-Poderoso é uma farsa.

— Torça para que seja — disse Shallan, caminhando até os fundos da carroça de Tag ali perto. — Pois, se não for, então a Danação espera homens como você.

Ela inspecionou a jaula. Cinco escravos em roupas imundas estavam encolhidos ali dentro, cada um parecendo estar sozinho, embora estivessem próximos uns dos outros.

— Esses aqui agora são meus — informou Shallan.

— O quê?! — Tvlakv se levantou do banco. — Sua...

— Eu salvei sua vida, seu homenzinho seboso. Você vai me entregar esses escravos como pagamento. Uma recompensa pelos meus soldados terem protegido você e sua vida inútil.

— Isso é roubo.

— Isso é justiça. Caso se incomode, apresente uma queixa ao rei nas Planícies Quebradas, quando chegarmos lá.

— Não vou para as Planícies Quebradas — cuspiu Tvlakv. — A senhorita tem outras pessoas para conduzi-la agora, *Luminosa*. Vou para o sul, como pretendia antes.

— Então irá sem eles — disse Shallan, usando sua chave, a que recebera para entrar em sua carroça, para abrir a jaula. — Você vai me entregar os documentos de escravidão. E que o Pai das Tempestades o ajude se alguma coisa não estiver em ordem, Tvlakv. Sou muito boa em identificar falsificações.

Ela nunca vira um documento de escravidão, então, não saberia dizer se era falso ou não. Não se importava. Estava cansada, frustrada e ansiosa para concluir a noite.

Um por um, cinco escravos hesitantes desceram da carroça, com barbas desgrenhadas e sem camisas. Sua viagem com Tvlakv não fora agradável, mas havia sido luxuosa em comparação ao que aqueles homens haviam passado. Vários olharam para a escuridão ao redor, como se estivessem ansiosos.

— Vocês podem fugir, se desejarem — disse Shallan, em um tom mais suave. — Não vou caçá-los. Contudo, preciso de criados e pagarei bem a vocês. Seis marcos-de-fogo por semana, se concordarem em separar cinco deles para pagar seu débito de escravidão. Um, se não concordarem.

Um dos homens inclinou a cabeça.

— Então... recebemos a mesma quantia de qualquer modo? Que sentido faz isso?

— O melhor sentido — disse Shallan, voltando-se para Tvlakv, que estava sentado com uma cara irritada. — Você tem três carroças, mas apenas dois condutores. Pode me vender a terceira carroça?

Ela não precisaria do chule — Macob teria um sobrando, já que várias de suas carroças haviam sido queimadas.

— Vender a carroça? Bah! Por que não a rouba de mim?

— Pare de ser infantil, Tvlakv. Você quer meu dinheiro ou não?

— Cinco brons de safira — ladrou ele. — E é uma pechincha a esse preço; não venha me dizer o contrário.

Ela não sabia se era verdade ou não, mas podia pagar com as esferas que tinha, mesmo que a maioria estivesse escura.

— Não vou te dar meus parshemanos — disse Tvlakv rispidamente.

— Pode ficar com eles — replicou Shallan.

Precisaria conversar com o mestre da caravana sobre sapatos e roupas para seus criados. Enquanto se afastava para ver se podia usar um chule extra de Macob, passou por um grupo de trabalhadores de caravana esperando ao lado de uma das fogueiras. Os desertores jogaram o último corpo — um dos seus — nas chamas, então recuaram, limpando o suor das testas.

Uma das olhos-escuros da caravana se adiantou, estendendo uma folha de papel para um ex-desertor. Ele a pegou, coçando a barba. Era o homem caolho baixinho que havia falado durante o discurso de Shallan. Ele mostrou a folha para os outros. Era uma oração feita de runas familiares, mas não uma de Lamentação, como Shallan teria esperado. Era uma oração de agradecimento.

Os ex-desertores se reuniram em frente às chamas e olharam para a oração. Então se viraram e olharam adiante, vendo — como se pela primeira vez — as dezenas de pessoas assistindo. Silenciosas na noite. Algumas tinham lágrimas no rosto; outras seguravam as mãos de crianças. Shallan não havia percebido as crianças antes, mas não estava surpresa ao vê-las. Trabalhadores de caravanas passavam a vida viajando, e suas famílias viajavam com eles.

Ela parou um pouco além dos trabalhadores da caravana, quase totalmente escondida na escuridão. Os desertores não pareciam saber como reagir, cercados por aquela constelação de olhos agradecidos e apreciação chorosa. Finalmente, eles queimaram a oração. Shallan curvou a cabeça, como a maioria daqueles que estavam assistindo.

Quando se afastou, eles estavam empertigados, assistindo às cinzas da oração ascendendo rumo ao Todo-Poderoso.

Uma página de um fólio de moda de Liafor. O modelo, deve ser observado, é alethiano, já que esse fólio era direcionado para venda nos mercados alethianos e vedenos.

22

LUZES NA TEMPESTADE

*A forma tempestuosa é a causa
De muitos ventos e chuvas descerem,
Cuidado com seus poderes, cuidado com seus poderes.
Embora sua chegada traga a noite dos deuses,
De um espreno vermelho-sangue ela é serviçal.
Cuidado com seu final, cuidado com seu final.*

— Da Canção dos Ventos dos Ouvintes, 4ª estrofe

KALADIN VIGIAVA AS PERSIANAS da janela. O movimento vinha em rompantes.

Primeiro, a quietude. Sim, ouvia um uivo distante, o vento passando através de algo oco, mas nada por perto.

Um tremor. Então a madeira se sacudia com violência no batente. Tremor violento, com água vazando nas juntas. Algo estava lá fora, no caos sombrio da grantormenta. Algo que se debatia e surrava a janela, querendo entrar.

A luz relampejava no exterior, cintilando através das gotas d'água. Outro relâmpago.

Então a luz permaneceu. Contínua, como esferas brilhando, logo ali fora. Ligeiramente avermelhada. Por algum motivo que não sabia explicar, Kaladin teve a impressão de olhos.

Fascinado, ele levantou a mão até o fecho, para abri-lo e ver.

— Alguém realmente precisa consertar essa janela — disse o rei Elhokar, irritado.

A luz sumiu; o ruído cessou. Kaladin hesitou, baixando a mão.

— Alguém me lembre de pedir a Nakal que cuide disso — disse Elhokar, andando de um lado para outro atrás do seu sofá. — A persiana não devia vazar. Este é o meu palácio, não a taverna da vila!

— Vamos cuidar para que seja resolvido — garantiu Adolin.

Ele estava sentado em uma cadeira junto à lareira, folheando um livro preenchido com desenhos. Seu irmão estava em uma cadeira ao lado, as mãos juntas no colo. Ele estava provavelmente dolorido devido ao treinamento, mas não deixava transparecer. Em vez disso, havia tirado uma pequena caixa do bolso e repetidamente a abria, girando-a na mão, esfregando um lado e depois fechando-a com um clique. Fazia isso sem parar.

Ele tinha o olhar perdido enquanto repetia os movimentos; pelo visto, isso era comum.

Elhokar continuou andando de um lado para outro. Idrin — chefe da Guarda do Rei — estava junto dele, as costas retas, olhos verdes voltados para a frente. Sua pele era escura para um alethiano, talvez devido a um pouco de sangue azishiano, e tinha uma barba cheia.

Homens da Ponte Quatro estavam alternando turnos com seus homens, como Dalinar havia sugerido, e até o momento Kaladin estava impressionado com o guarda e a equipe que ele administrava. Contudo, quando soavam as trombetas para uma investida de platô, Idrin se voltava na direção delas e sua expressão traía sua nostalgia. Ele queria estar lá, no combate. A traição de Sadeas havia feito com que muitos soldados no acampamento sentissem um desejo similar — como se quisessem a oportunidade de provar como o exército de Dalinar era forte.

Mais estrondos vieram da tempestade. Era estranho não sentir frio durante uma grantormenta — a caserna sempre ficava gelada. Aquele recinto era bem aquecido, ainda que não por uma fogueira. Em vez disso, a lareira continha um rubi do tamanho do punho de Kaladin, que teria podido alimentar todos na sua cidade natal por semanas.

Kaladin deixou a janela e caminhou rumo à lareira, sob o pretexto de inspecionar a gema. Na verdade, queria dar uma olhada no que Adolin estava vendo. Muitos homens se recusavam até mesmo a olhar para livros, por considerarem isso uma atividade pouco viril. Adolin não parecia se incomodar. Curioso.

Enquanto se aproximava da lareira, Kaladin passou pela porta de uma sala lateral para onde Dalinar e Navani haviam se retirado com a chegada da tormenta. Kaladin quis colocar um guarda lá dentro, mas eles recusaram.

Bem, esta é a única maneira de entrar naquela sala. Não tem nem uma janela. Daquela vez, se palavras aparecessem na parede, ele saberia com certeza que ninguém estava entrando escondido.

Kaladin se agachou, inspecionando o rubi na lareira, que estava fixado por uma estrutura de arame. Seu calor intenso fez com que seu rosto começasse a suar; raios, aquele rubi era tão grande que a Luz que o infundia deveria cegá-lo. Em vez disso, podia fitar suas profundezas e ver a Luz se movendo lá dentro.

As pessoas pensavam que a iluminação de gemas era firme e calma, mas isso só era verdade em comparação com a luz de velas. Quem olhasse profundamente para uma pedra poderia ver a Luz se deslocando com o padrão caótico de uma tempestade. Ela não era calma, não mesmo.

— Nunca tinha visto um fabrial de aquecimento? — indagou Renarin.

Kaladin olhou para o príncipe de óculos. Ele usava um uniforme de grão-senhor alethiano, como o de Adolin. De fato, Kaladin nunca o vira vestindo qualquer outra coisa — a não ser a Armadura Fractal, naturalmente.

— Não, nunca — disse Kaladin.

— Tecnologia nova — explicou ele, ainda brincando com sua caixinha de metal. — Foi minha tia quem construiu esse aí. Sempre que me distraio um momento, parece que o mundo muda de alguma maneira.

Kaladin grunhiu. *Eu sei como é.* Parte dele desejava sugar a Luz daquela gema. Uma ação estúpida. Havia o bastante ali para fazê-lo brilhar como uma fogueira. Baixou as mãos e passou por trás da cadeira de Adolin.

Os desenhos no livro de Adolin mostravam homens em trajes finos. Eram desenhos muito bons, os rostos apresentando tantos detalhes quanto os trajes.

— Moda? — questionou Kaladin. Não pretendera falar, mas saiu de qualquer modo. — Você está passando a grantormenta procurando roupas novas?

Adolin fechou ruidosamente o livro.

— Mas você só veste uniformes — disse Kaladin, confuso.

— Você *precisa* estar aqui, carregadorzinho? Certamente ninguém virá atrás de nós logo durante uma grantormenta.

— O fato de você achar isso é o motivo por que preciso estar aqui. Que momento seria melhor para uma tentativa de assassinato? Os ventos encobririam os gritos, e o socorro demoraria a chegar, já que todo mundo precisa buscar abrigo da tempestade. Acho que esta é uma das ocasiões em que Sua Majestade mais precisa de guardas.

O rei parou de andar e apontou.

— Isso faz sentido. Por que ninguém mais me explicou isso?

Ele olhou para Idrin, que manteve uma expressão estoica. Adolin suspirou.

— Você podia pelo menos ter deixado Renarin e eu fora disso — disse ele em voz baixa para Kaladin.

— É mais fácil proteger vocês quando estão todos juntos, Luminobre — respondeu Kaladin, se afastando. — Além disso, podem defender um ao outro.

Dalinar já pretendia ficar com Navani durante a tempestade de qualquer modo. Kaladin se aproximou novamente da janela, ouvindo a tempestade passar do lado de fora. Teria realmente visto as coisas que pensara durante seu período exposto à tormenta? Um rosto tão vasto quanto o céu? O próprio Pai das Tempestades?

Eu sou um deus, Syl havia dito. Um pedaço pequenininho de um deus.

Por fim, a grantormenta passou, e Kaladin abriu a janela para um céu negro, algumas nuvens fantasmas brilhando com a luz de Nomon. A tempestade havia começado algumas horas atrás e ido noite adentro, mas ninguém conseguia dormir durante uma tormenta. Ele detestava quando uma grantormenta chegava tão tarde; frequentemente sentia-se exausto no dia seguinte.

A porta da sala lateral se abriu e Dalinar saiu, seguido por Navani. A mulher imponente carregava um caderno grande. Kaladin ouvira falar, naturalmente, sobre os ataques do grão-príncipe durante as tempestades. Alguns pensavam que Dalinar tinha medo de grantormentas e que seu terror fazia com que tivesse convulsões. Outros cochichavam que, com a idade, o Espinho Negro estava perdendo o juízo.

Kaladin queria muito saber qual era a verdade. Seu destino e o dos seus homens estavam vinculados à saúde daquele homem.

— Números, senhor? — indagou Kaladin, espiando dentro da sala, olhando as paredes.

— Não — respondeu Dalinar.

— Às vezes eles surgem logo depois da tempestade — disse Kaladin.

— Tenho homens no salão externo. Prefiro que todos permaneçam aqui por algum tempo.

Dalinar concordou.

— Como desejar, soldado.

Kaladin caminhou até a saída. Do outro lado, alguns homens da Ponte Quatro e da Guarda do Rei estavam vigiando. Kaladin acenou para Leyten, então apontou para que eles vigiassem a sacada. *Conseguiria* capturar o fantasma que marcava aqueles números. Se, de fato, tal pessoa existisse.

Atrás dele, Renarin e Adolin se aproximaram do pai.

— Algo novo? — perguntou Renarin em voz baixa.

— Não — respondeu Dalinar. — A visão foi uma repetição. Mas elas não estão vindo na mesma ordem que da última vez, e algumas são novas, então talvez haja algo a aprender que ainda não descobrimos... — Ao notar Kaladin, ele ficou em silêncio, depois mudou de assunto. — Bem, já que estamos esperando aqui, talvez eu possa me atualizar. Adolin, para quando podemos esperar mais duelos?

— Estou tentando — disse ele com uma careta. — Pensei que vencer Salinor faria com que os outros desejassem me enfrentar, mas eles estão enrolando.

— Problemático — comentou Navani. — Você não estava sempre dizendo que todo mundo queria duelar com você?

— Eles queriam! Quando eu não podia duelar, pelo menos. Agora, toda vez que faço uma oferta, as pessoas começam a arrastar os pés e desviar os olhos.

— Já tentou com alguém no acampamento de Sadeas? — perguntou o rei, ansioso.

— Não. Mas ele só tem um Fractário além de si mesmo. Amaram.

Kaladin sentiu um arrepio.

— Bem, você não vai duelar com *ele* — disse Dalinar, rindo. Ele se sentou no sofá, a Luminosa Navani se ajeitando ao lado, com a mão carinhosamente no seu joelho. — Talvez ele esteja do nosso lado. Estive falando com o Grão-senhor Amaram...

— O senhor acha que pode convencê-lo a abandonar Sadeas? — perguntou o rei.

— Isso é possível? — indagou Kaladin, surpreso.

Os olhos-claros se voltaram para ele. Navani hesitou, como se o notasse pela primeira vez.

— Sim, é possível — replicou Dalinar. — A maioria do território sob a supervisão de Amaram permaneceria com Sadeas, mas ele traria suas terras para o meu principado... junto com seus Fractais. Geralmente é necessária uma troca de terra com um principado fronteiriço àquele que um grão-senhor deseja se juntar.

— Isso não acontece há mais de uma década — disse Adolin, balançando a cabeça.

— Estamos conversando — disse Dalinar. — Mas Amaram... O que ele quer mesmo é reunir Sadeas e eu novamente. Acha que podemos fazer as pazes.

Adolin bufou.

— *Essa* possibilidade acabou no dia em que Sadeas nos traiu.

— Provavelmente muito antes disso — disse Dalinar —, ainda que eu não tenha percebido. Há mais alguém que você possa desafiar, Adolin?

— Vou tentar Talanor, e então Kalishor.

— Nenhum dos dois é Fractário pleno. — Navani franziu a testa. — O primeiro só tem a Espada, o segundo só a Armadura.

— Todos os outros Fractários plenos me recusaram. — Adolin deu de ombros. — Esses dois estão ansiosos, sedentos por notoriedade. Um deles pode concordar, já que os outros não quiseram.

Kaladin cruzou os braços, se recostando na parede.

— E se você derrotá-los, isso não fará com que os outros tenham medo de duelar?

— *Quando* eu derrotá-los — replicou Adolin, olhando de soslaio a postura relaxada de Kaladin e franzindo o cenho —, meu pai vai manipular outros a aceitarem duelar.

— Mas você vai ter que parar em algum momento, certo? — perguntou Kaladin. — Os outros grão-príncipes vão acabar percebendo o que está acontecendo. Eles vão se recusar a ser atraídos para novos duelos. Talvez a situação já seja essa; talvez seja por isso que não estão aceitando.

— Alguém vai aceitar — respondeu Adolin, se levantando. — E quando eu começar a vencer, outros passarão a me ver como um verdadeiro desafio. Eles vão querer se testar.

Para Kaladin, isso parecia muito otimista.

— O capitão Kaladin está certo — observou Dalinar.

Adolin voltou-se para o pai.

— Não há necessidade de lutar com todos os Fractários no acampamento — disse Dalinar em voz baixa. — Precisamos focar em nosso ataque, escolher duelos que nos conduzam à meta principal.

— E qual seria essa meta? — perguntou Adolin.

— Enfraquecer Sadeas. — Dalinar soou quase pesaroso. — Matá-lo em um duelo, se necessário. Todo mundo no acampamento conhece os lados nessa luta pelo poder. O plano não vai funcionar se punirmos todos igualmente. Precisamos mostrar àqueles que estão em cima do muro, àqueles que estão decidindo a quem seguir, as vantagens da confiança. Cooperação em investidas de platô. Auxílio dos Fractários aliados. Mostraremos a eles como é ser parte de um *verdadeiro* reino.

Os outros ficaram em silêncio. O rei afastou o olhar, balançando a cabeça. Ele não acreditava, pelo menos não inteiramente, nos objetivos de Dalinar.

Kaladin percebeu que estava irritado. Mas por quê? Dalinar havia concordado com ele. Pensou por um momento e entendeu que provavelmente ainda estava irritado porque alguém havia mencionado Amaram.

Até mesmo ouvir o nome daquele homem tirava Kaladin do sério. Ele não parava de pensar que alguma coisa ia acontecer, algo ia mudar, agora que tal assassino estava no acampamento. Mas tudo simplesmente prosseguia como antes. Era frustrante. Fazia com que ele quisesse explodir.

Precisava fazer alguma coisa em relação a isso.

— Acho que já esperamos o bastante, não? — disse Adolin ao pai. — Posso ir embora?

Dalinar suspirou, concordando. Adolin abriu a porta e partiu a passos largos; Renarin seguiu-o em um ritmo mais lento, carregando aquela Espada Fractal com que estava estabelecendo um laço, embainhada nas suas tiras protetoras. Ao passarem pelos guardas que Kaladin havia deixado do lado de fora, Skar e outros três se separaram do grupo para segui-los.

Kaladin foi até a porta, fazendo uma contagem rápida de quem havia sobrado. Quatro homens no total.

— Moash — chamou ele, notando que o homem estava bocejando. — Há quanto tempo você está de plantão hoje?

Moash deu de ombros.

— Um turno guardando a Luminosa Navani. Um turno com a Guarda do Rei.

Estou fazendo com que eles trabalhem demais, pensou Kaladin. *Pai das Tempestades. Eu não tenho homens o suficiente. Mesmo com o resto da Guarda Cobalto que Dalinar está me enviando.*

— Vá embora e durma um pouco. Você também, Bisig. Vi você de plantão esta manhã.

— E você? — perguntou Moash.

— Estou bem. — Ele tinha Luz das Tempestades para mantê-lo alerta. Claro, usar Luz das Tempestades daquele jeito podia ser perigoso; ela o provocava a agir, a ser mais impulsivo. Ele não sabia bem se gostava de seus efeitos quando a usava fora da batalha. Moash levantou uma sobrancelha.

— Você *tem* que estar pelo menos tão cansado quanto eu, Kal.

— Partirei daqui a pouco. Você precisa fazer uma pausa, Moash. Vai ficar desleixado se não descansar.

— Tenho que trabalhar dois turnos seguidos — disse Moash, dando de ombros. — Pelo menos se você quiser que eu treine com a Guarda do Rei, além de cumprir meu plantão regular de guarda.

Kaladin apertou os lábios. Aquilo *era* importante. Moash precisava pensar como um guarda-costas, e não havia melhor maneira de fazer isso do que servir com uma equipe já estabelecida.

— Meu turno aqui com a Guarda do Rei já está quase no fim — observou Moash. — Voltarei depois disso.

— Está bem. Mantenha Leyten com você. Natam, você e Mart cuidem da Luminosa Navani. Levarei Dalinar de volta ao acampamento e postarei guardas na porta dele.

— Aí você vai dormir um pouco? — perguntou Moash.

Os outros olharam para Kaladin. Eles também pareciam preocupados.

— Vou, podem deixar.

Voltou à sala, onde Dalinar estava ajudando Navani a se levantar. Ele caminharia com ela até a porta, como fazia na maioria das noites. Kaladin pensou por um momento, então foi até o grão-príncipe.

— Senhor, há um assunto sobre o qual preciso lhe falar.

— Pode esperar até eu terminar aqui? — perguntou Dalinar.

— Sim, senhor. Vou esperar nas portas do palácio, então serei seu guarda no caminho de volta ao acampamento.

Dalinar saiu com Navani e dois guardas carregadores. Kaladin também seguiu pelo corredor, pensando. Os servos já estavam vindo abrir as janelas dos corredores, e Syl flutuou para dentro através de uma delas como um pequeno vórtice de nevoeiro. Rindo, ela girou ao redor dele algumas vezes antes de sair por outra janela. Ela sempre se comportava mais como um espreno durante uma grantormenta.

O ar trazia um aroma úmido e fresco. O mundo inteiro parecia limpo depois de uma grantormenta, esfregado intensamente pela natureza.

Ele chegou até a frente do palácio, onde um par de Guardas do Rei estavam de vigia. Kaladin acenou para eles e recebeu saudações vigorosas de volta, então pegou uma lanterna de esfera do posto da guarda e preencheu-a com suas próprias esferas.

Da frente do palácio, Kaladin podia ver todos os dez acampamentos de guerra. Como sempre, depois de uma tempestade, a Luz das esferas renovadas cintilava por toda parte, suas gemas acesas com fragmentos capturados da tormenta passada.

Parado ali, Kaladin confrontou o que precisava dizer para Dalinar. Ele ensaiou sua fala silenciosamente mais de uma vez, mas ainda não estava pronto quando o grão-príncipe finalmente emergiu das portas do palácio. Natam fez uma saudação atrás deles, deixando Dalinar com Kaladin, então trotou de volta para unir-se a Mart à porta da Luminosa Navani.

O grão-príncipe começou a descer a rota em zigue-zague que seguia do Pináculo até os estábulos. Kaladin juntou-se a ele. Dalinar parecia profundamente distraído com alguma coisa.

Ele nunca mencionou seus ataques durante as grantormentas, pensou Kaladin. *Ele não deveria dizer alguma coisa?*

Haviam conversado sobre as visões antes. O que será que Dalinar via, ou pensava que via?

— Então, soldado — disse Dalinar enquanto caminhavam. — O que você queria discutir?

Kaladin respirou fundo.

— Um ano atrás, eu era um soldado no exército de Amaram.

— Então foi lá que você aprendeu. Eu devia ter adivinhado. Amaram é o único general no principado de Sadeas com alguma qualidade real de liderança.

— Senhor — disse Kaladin, detendo-se nos degraus. — Ele traiu a mim e aos meus homens.

Dalinar parou e virou-se para encará-lo.

— Foi uma decisão ruim em meio a uma batalha? Ninguém é perfeito, soldado. Se ele enviou seus homens para uma situação ruim, duvido que tenha sido de propósito.

Apenas continue, disse Kaladin a si mesmo, notando Syl sentada em uma pilha de casca-pétrea à direita. Ela assentiu para ele. *Ele precisa saber*. Era só que...

Ele nunca havia falado sobre isso com ninguém, não totalmente. Nem mesmo para Rocha, Teft e os outros.

— Não foi isso, senhor — disse Kaladin, encontrando o olhar de Dalinar sob a luz das esferas. — Eu sei onde Amaram conseguiu sua Espada Fractal. Eu estava lá. Eu matei o Fractário que a carregava.

— Não pode ser esse o caso — disse Dalinar lentamente. — Se você tivesse feito isso, estaria com a Armadura e a Espada.

— Amaram as tomou para si, depois matou todos que sabiam da verdade — respondeu Kaladin. — Todos, menos um soldado que, na sua culpa, Amaram marcou como escravo e vendeu, em vez de assassinar.

Dalinar ficou em silêncio. Daquele ângulo, a colina atrás dele estava completamente escura, iluminada apenas por estrelas. Umas poucas esferas brilhavam no bolso de Dalinar, cintilando através do tecido do uniforme.

— Amaram é um dos melhores homens que conheço — disse Dalinar. — Sua honra é imaculada. Nunca ouvi falar sequer de ele se aproveitar indevidamente de uma vantagem contra um oponente em um duelo, apesar de casos onde isso teria sido aceitável.

Kaladin não respondeu. Também havia acreditado nisso, no passado.

— Você tem alguma prova? Compreende que não posso aceitar a palavra de um homem em relação a algo dessa natureza.

— A palavra de um olhos-escuros, o senhor quer dizer — respondeu Kaladin, trincando os dentes.

— O problema não é a cor dos seus olhos, mas a gravidade da sua acusação. As palavras que está falando são perigosas. Você tem alguma *prova*, soldado?

— Havia outros homens presentes quando ele tomou as Fractais. Homens da sua guarda pessoal, que cometeram os assassinatos ao seu comando. E havia um guarda-tempo lá também. Meia-idade, com um rosto anguloso. Ele usava uma barba no estilo dos fervorosos. — Kaladin fez uma pausa. — Todos foram cúmplices no ato, mas talvez...

Dalinar suspirou baixinho.

— Você falou sobre essa acusação para mais alguém?

— Não — respondeu Kaladin.

— Continue a segurar sua língua. Vou conversar com Amaram. Obrigado por me contar.

— Senhor — insistiu Kaladin, dando um passo na direção de Dalinar. — Se realmente acredita em justiça...

— Por enquanto, basta, filho — cortou Dalinar, a voz calma mas fria. — Você já disse tudo, a menos que possa me oferecer algo mais que sirva de prova.

Kaladin reprimiu à força sua imediata explosão de raiva. Foi difícil.

— Apreciei sua contribuição quando estávamos falando sobre os duelos do meu filho, mais cedo — disse Dalinar. — Acredito que foi a segunda vez que você acrescentou algo importante a uma das nossas conferências.

— Obrigado, senhor.

— Mas, soldado, você está bem no limite entre ser útil e ser insubordinado, pela maneira como trata a mim e aos meus. Você é bastante arrogante. Eu ignoro isso, porque sei o que fizeram com você e posso ver o soldado por baixo. Esse é o homem que contratei para o serviço.

Kaladin cerrou os dentes e assentiu.

— Sim, senhor.

— Ótimo. Agora pode ir.

— Senhor, mas eu devo acompanhá-lo...

— Acho que vou voltar ao palácio — disse Dalinar. — Não acho que vou conseguir dormir muito esta noite, então talvez vá incomodar a rainha-viúva com meus pensamentos. Os guardas dela podem me vigiar. Levarei um comigo quando voltar ao meu acampamento.

Kaladin suspirou longamente. Então fez uma saudação. *Tudo bem*, pensou, continuando a descer o caminho escuro e úmido. Quando chegou à base, Dalinar ainda estava no mesmo lugar, agora apenas uma sombra. Parecia perdido em pensamentos.

Kaladin se virou e caminhou de volta rumo ao acampamento de guerra. Syl voou até ele e pousou no seu ombro.

— Viu? Ele escutou.

— Não escutou nada, Syl.

— O quê? Ele respondeu e disse...

— Eu disse algo que ele não queria ouvir. Mesmo que investigue o assunto, ele vai encontrar vários motivos para deixar de lado o que contei. No final, será minha palavra contra a de Amaram. Pai das Tempestades! Eu não devia ter dito nada.

— Você vai esquecer o assunto, então?

— Raios, de jeito nenhum — respondeu Kaladin. — Vou fazer justiça pessoalmente.

— Ah... — Syl se acomodou no seu ombro.

Caminharam por um bom tempo, por fim chegando ao acampamento de guerra.

— Você não é um Rompe-Céu, Kaladin — disse Syl finalmente. — Você não devia ser assim.

— Um o quê? — indagou ele, passando por crenguejos em debandada no escuro. Eles saíam em massa depois de uma tempestade, quando as plantas se desdobravam para colher água. — Essa era uma das ordens, não era?

Ele sabia um pouco sobre as ordens. Todos sabiam, devido às lendas.

— Era — disse Syl em voz baixa. — Estou preocupada com você, Kaladin. Pensei que as coisas fossem melhorar depois que você se livrasse das pontes.

— As coisas *melhoraram*. Nenhum dos meus homens morreu desde que fomos libertados.

— Mas você... — Ela não parecia saber mais o que dizer. — Pensei que você poderia ser como era antes. Me lembro de um homem em um campo de batalha... Um homem que lutava...

— Aquele homem está morto, Syl — disse Kaladin, acenando para os guardas ao entrar no acampamento. Mais uma vez foi cercado de luz e movimento, pessoas correndo para cumprir tarefas rápidas, parshemanos reparando edifícios danificados pela tempestade. — Durante meu período como carregador de pontes, eu só tinha que me preocupar com meus homens. Agora as coisas são diferentes. Eu me tornei alguém. Só não sei ainda quem.

Quando chegou à caserna da Ponte Quatro, Rocha estava distribuindo o guisado da noite. Muito mais tarde do que o normal, mas alguns dos homens estavam trabalhando em turnos de madrugada. Não estavam mais limitados a guisado, mas ainda insistiam que esse prato estivesse presente na refeição noturna. Kaladin pegou a tigela com gratidão, acenando para Bisig, que estava relaxando com vários dos outros e conversando sobre como eles até *sentiam falta* de carregar a sua ponte. Kaladin havia instilado neles um respeito por ela, similar ao respeito que um soldado tinha pela lança.

Guisado. Pontes. Eles falavam com tanto afeto sobre coisas que haviam sido emblemas do seu cativeiro. Kaladin tomou uma colherada, depois parou, notando um homem novo encostado em uma pedra junto ao fogo.

— Eu te conheço? — perguntou ele, apontando para o homem calvo e musculoso.

Ele tinha a pele bronzeada, como um alethiano, mas o formato do seu rosto era diferente. Herdaziano?

— Ah, não ligue para o Punio — disse Lopen ali de perto. — Ele é meu primo.

— Você tinha um primo nas equipes de ponte? — perguntou Kaladin.

— Não. Ele só ouviu minha mãe dizer que precisávamos de mais guardas, então veio ajudar. Consegui para ele um uniforme e outras coisas.

O novato, Punio, sorriu e levantou sua colher.

— Ponte Quatro — disse ele com um forte sotaque herdaziano.

— Você é soldado?

— Sou — respondeu o homem. — Exército do Luminobre Roion. Não se preocupe. Já prestei juramento a Kholin. Pelo meu primo. — Ele sorriu de modo afável.

— Você não pode simplesmente abandonar seu exército, Punio — disse Kaladin, esfregando a testa. — O nome disso é deserção.

— Não para nós — comentou Lopen. — Somos herdazianos... ninguém consegue nos diferenciar.

— Sim — disse Punio. — Eu visito a terra natal uma vez por ano. Quando volto para cá, ninguém se lembra de mim. — Ele deu de ombros. — Dessa vez, vim para cá.

Kaladin suspirou, mas o homem parecia saber lidar com uma lança, e Kaladin *precisava* de mais homens.

— Tudo bem. Só finja que era um dos carregadores de pontes desde o início, certo?

— Ponte Quatro! — gritou o homem com entusiasmo.

Kaladin passou por ele e sentou-se no lugar costumeiro, junto da fogueira, para relaxar e pensar. Contudo, não teve a chance, pois alguém se levantou e se agachou perto dele. Um homem com pele marmorizada e um uniforme da Ponte Quatro.

— Shen?
— Senhor.

Shen continuou a encará-lo.

— Você quer alguma coisa? — perguntou Kaladin.
— Sou realmente da Ponte Quatro? — questionou Shen.
— É claro que é.
— Onde está a minha lança?

Kaladin olhou Shen nos olhos.

— O que você acha?
— Acho que não sou da Ponte Quatro — disse Shen, pensando cuidadosamente em cada palavra. — Sou o escravo da Ponte Quatro.

Foi como um golpe no estômago de Kaladin. Ele mal ouvira dez palavras do homem durante seu tempo juntos, e agora isso?

As palavras doeram de qualquer jeito. Ali estava um homem que, ao contrário dos outros, não podia ir embora e fazer sua vida no mundo. Dalinar havia libertado o resto da Ponte Quatro, mas um parshemano... ele seria um escravo, não importava aonde fosse ou o que fizesse.

O que Kaladin podia dizer? Raios.

— Agradeço que tenha ajudado quando estávamos fazendo coletas nos abismos. Sei como era difícil para você ver o que fazíamos lá, às vezes.

Shen esperou, ainda agachado, prestando atenção. Ele fitava Kaladin com seus olhos pretos e impenetráveis.

— Não *posso* dar armas a parshemanos, Shen. Os olhos-claros mal nos aceitam do jeito que está. Se eu der a *você* uma lança, pense na tormenta que vai causar.

Shen assentiu, sem que seu rosto traísse qualquer emoção. Ele se levantou.

— Um escravo eu sou, então.

Ele se retirou.

Kaladin bateu a cabeça contra a pedra atrás dele, olhando para o céu. Homem tormentoso. Ele tinha uma boa vida, para um parshemano. Certamente tinha mais liberdade do que qualquer outro da sua espécie.

E você ficou satisfeito com isso?, perguntou uma voz dentro dele. *Ficou feliz em ser um escravo bem tratado? Ou tentou fugir, lutando para obter a liberdade?*

Que confusão. Ficou remoendo esses pensamentos enquanto comia o guisado. Conseguiu engolir duas colheradas antes que Natam — um dos homens que estavam guardando o palácio — chegasse correndo ao acampamento, suando, agitado e de rosto vermelho devido ao esforço.

— O rei! — disse Natam, ofegante. — Um assassino.

23

ASSASSINO

Forma noturna predizendo o que será,
A forma das sombras, sua razão é antecipar.
Quando os deuses partiram, a forma noturna sussurrou.
Uma nova tormenta virá, algum dia irromperá.
Uma nova tormenta um novo mundo fará.
Uma nova tormenta e um novo caminho a trilhar, a forma noturna escuta.

— Da Canção dos Segredos dos Ouvintes, 17ª estrofe

O REI ESTAVA BEM.
Com a mão no batente da porta, Kaladin ofegava devido à corrida de volta ao palácio. No interior do aposento, Elhokar, Dalinar, Navani e os dois filhos de Dalinar estavam conversando. Ninguém estava morto. Ninguém estava morto.

Pai das Tempestades, ele pensou, adentrando a sala. *Por um momento me senti de volta aos platôs, vendo meus homens avançarem para os parshendianos.* Ele mal conhecia aquelas pessoas, mas eles eram o seu dever. Não havia pensado que seu instinto protetor se aplicaria aos olhos-claros.

— Bem, pelo menos *ele* correu para cá — disse o rei, afastando com um aceno os cuidados de uma mulher que tentava colocar uma atadura em um corte em sua testa. — Está vendo, Idrin? E assim que um *bom* guarda-costas age. Aposto que ele não teria deixado isso acontecer.

O capitão da Guarda do Rei estava junto à porta, com o rosto vermelho. Ele desviou o olhar, então saiu pisando duro para o corredor. Kaladin levou a mão à cabeça, desnorteado. Comentários como aquele vindos do rei *não* iam ajudar seus homens a se darem bem com os soldados de Dalinar.

Dentro da sala, uma agitação de guardas, criados e membros da Ponte Quatro; eles pareciam confusos ou embaraçados. Leyten estava presente — ele estava de plantão com a Guarda do Rei —, assim como Moash.

— Moash — chamou Kaladin —, você devia estar no acampamento, dormindo.

— Você também — replicou Moash.

Kaladin grunhiu e se aproximou, falando mais baixo.

— Onde você estava quando aconteceu?

— Eu tinha acabado de sair — disse Moash. — Tinha terminado meu turno com a Guarda do Rei. Ouvi gritos, então voltei o mais rápido que pude. — Ele indicou a porta aberta da sacada. — Venha dar uma olhada.

Eles caminharam até a sacada, que era uma passarela circular de pedra que contornava os cômodos superiores do palácio — uma varanda entalhada na própria pedra. De tal altura, a sacada oferecia uma visão incomparável dos acampamentos de guerra e das Planícies além. Alguns membros da Guarda do Rei estavam ali, inspecionando o parapeito da sacada com lâmpadas de esferas. Uma seção da estrutura de ferro estava retorcida e pendia precariamente sobre a borda.

— Pelo que pudemos averiguar, o rei veio para cá para pensar, como gosta de fazer — disse Moash, apontando.

Kaladin concordou, caminhando com ele. O piso de pedra ainda estava úmido devido à chuva da grantormenta. Eles chegaram ao local onde o parapeito havia se rompido, vários guardas abrindo caminho. Kaladin olhou para baixo. A distância até as rochas abaixo era de pelo menos trinta metros. Syl flutuou até lá em preguiçosos círculos brilhantes.

— Danação, Kaladin! — disse Moash, segurando seu braço. — Quer me deixar em pânico?

Será que eu sobreviveria a essa queda? Já havia caído de metade daquela altura, cheio de Luz das Tempestades, e pousado sem problema. Ele deu um passo atrás para acalmar Moash, ainda que fosse fascinado por grandes alturas desde antes de ganhar suas habilidades especiais. Achava libertador estar tão alto. *Só você e o próprio ar.*

Ele se ajoelhou, olhando para os pontos onde os apoios do parapeito de ferro haviam sido cimentados em orifícios na pedra.

— O parapeito se soltou dos suportes? — perguntou, enfiando o dedo em um buraco e retirando-o cheio de pó de cimento.

— Soltou — respondeu Moash, e vários homens da Guarda do Rei concordaram.

— Pode ser apenas uma falha no projeto — especulou Kaladin.

— Capitão — disse um dos guardas. — Eu estava aqui quando aconteceu, vigiando-o na sacada. Esse pedaço caiu direto. Mal fez barulho. Eu estava parado ali, olhando para as Planícies e pensando na vida, e no momento seguinte Sua Majestade estava pendurado bem ali, agarrando-se para sobreviver e praguejando como um trabalhador de caravana. — O guarda enrubesceu. — Senhor.

Kaladin se levantou, inspecionando o metal. Então o rei havia se apoiado contra aquela seção do parapeito, que se envergara, e os suportes na parte inferior cederam. O parapeito havia se soltado quase completamente, mas por sorte uma barra continuara fixa. O rei havia se agarrado a ela e permanecera pendurado tempo o bastante para ser resgatado.

Isso não deveria ser possível. A coisa parecia ter sido construída em madeira e corda primeiro, depois Transmutada para ferro. Sacudindo outro trecho do parapeito, Kaladin viu que era incrivelmente seguro. Mesmo que alguns suportes cedessem, não fariam com que a coisa toda caísse — as peças de metal teriam que se desfazer.

Ele se moveu para a direita, inspecionando alguns dos suportes que haviam se rompido. Os dois pedaços de metal haviam se cortado em uma junta, de modo limpo e contínuo.

A porta para a câmara do rei escureceu quando Dalinar Kholin saiu para a sacada.

— Entrem — disse ele para Moash e os outros guardas. — Fechem a porta. Gostaria de falar com o capitão Kaladin.

Eles obedeceram, embora Moash tenha saído de modo relutante. Dalinar foi até Kaladin enquanto as portas se fechavam, dando-lhes privacidade. Apesar da idade, a figura do grão-príncipe era ameaçadora, com ombros largos e o porte de uma parede de tijolos.

— Senhor, eu deveria ter...

— Isso não foi culpa sua — disse Dalinar. — O rei não estava sob seus cuidados. Mesmo que estivesse, eu não o repreenderia... assim como não vou repreender Idrin. Não espero que um guarda-costas inspecione a arquitetura.

— Sim, senhor — disse Kaladin.

Dalinar se ajoelhou para inspecionar os suportes.

— Você gosta de assumir responsabilidade pelas coisas, não é? Um atributo louvável em um oficial. — Dalinar se levantou e olhou para o lugar onde o parapeito havia se rompido. — Qual é a sua avaliação?

— Alguém definitivamente lascou o cimento e sabotou o parapeito. Dalinar assentiu.

— Concordo. Foi um atentado deliberado contra a vida do rei.

— Contudo... senhor...

— Sim?

— A pessoa que fez isso é um idiota.

Dalinar o encarou, levantando uma sobrancelha sob a luz da lanterna.

— Como saberiam onde o rei se apoiaria? — disse Kaladin. — Ou mesmo que ele faria isso? Essa armadilha poderia facilmente ter apanhado outra pessoa, e então esses aspirantes a assassinos teriam se exposto por nada. Na verdade, foi *isso mesmo* que aconteceu. O rei sobreviveu, e agora estamos cientes deles.

— Já estávamos esperando assassinos — replicou Dalinar. — E não só devido ao incidente com a armadura do rei. Metade dos homens poderosos neste acampamento estão provavelmente contemplando algum tipo de tentativa de assassinato, de modo que um atentado contra a vida de Elhokar não nos diz tanto quanto você imagina. Quanto ao fato de eles saberem como pegá-lo aqui, o rei tem um lugar favorito para se recostar contra o parapeito e olhar para as Planícies Quebradas. Qualquer um que observe seus padrões de comportamento saberia onde aplicar a sabotagem.

— Mas, senhor — disse Kaladin —, é um plano tão *intricado*. Se eles têm acesso às câmaras privadas do rei, então por que não esconder um assassino aqui dentro? Ou usar veneno?

— Um veneno não seria tão eficaz quando isso — respondeu Dalinar, indicando o parapeito. — A comida e a bebida do rei são provadas. Quanto a esconder um assassino, ele poderia topar com guardas. — Ele se levantou. — Mas concordo que tais métodos provavelmente teriam mais chance de sucesso. O fato de não terem tentado essas opções nos diz algo. Supondo que são as mesmas pessoas que plantaram aquelas gemas defeituosas na armadura do rei, elas preferem métodos que evitem confrontos. Não é que sejam idiotas, elas são...

— São covardes — compreendeu Kaladin. — Querem que o assassinato pareça um acidente. São tímidos; podem ter esperado todo esse tempo para que as suspeitas diminuíssem.

— Sim. — Dalinar parecia perturbado.

— Mas dessa vez eles cometeram um grande erro.

— Que erro?

Kaladin caminhou até o trecho desmoronado que havia inspecionado antes e se ajoelhou para esfregar a seção lisa.

— O que corta ferro de maneira tão limpa?

Dalinar se abaixou, inspecionando o corte, então tirou uma esfera do bolso para obter mais luz. Ele grunhiu.

— Imagino que deveria parecer que a junta se soltou.

— E parece? — perguntou Kaladin.

— Não. Isso foi feito por uma Espada Fractal.

— Acho que isso diminui um pouco o número de suspeitos.

Dalinar concordou.

— Não diga a mais ninguém. Vamos esconder que notamos o corte de Espada Fractal, talvez isso nos dê uma vantagem. É tarde demais para fingir que pensamos que foi um acidente, mas não precisamos revelar tudo.

— Sim, senhor.

— O rei insiste que eu coloque você encarregado de sua segurança — disse Dalinar. — Talvez a gente tenha que acelerar nosso cronograma para isso.

— Não estou pronto. Meus homens estão sobrecarregados com os deveres que já temos.

— Eu sei — disse Dalinar suavemente. Ele pareceu hesitar. — Você sabe que isso foi feito por alguém de dentro.

Kaladin gelou.

— Dos próprios aposentos do rei? Isso significa um criado. Ou um dos guardas. Homens da Guarda do Rei poderiam ter acesso à armadura dele também. — Dalinar olhou para Kaladin, o rosto iluminado pela esfera em sua mão. Um rosto forte, com um nariz que já havia sido quebrado. Rude. *Real.* — Eu não sei mais em quem confiar. Posso confiar em você, Kaladin Filho da Tempestade?

— Sim. Eu juro.

Dalinar assentiu.

— Vou tirar Idrin do seu posto e designá-lo para um cargo de comando no meu exército. Isso vai satisfazer o rei, mas vou me certificar de que Idrin saiba que não está sendo punido. Suspeito que ele vá apreciar mais o novo comando, de qualquer modo.

— Sim, senhor.

— Vou pedir que ele me indique seus melhores homens e os passarei para o seu comando, por enquanto. Use-os o mínimo possível. Em algum momento, quero que o rei passe a ser guardado apenas por homens das equipes de ponte... homens da sua confiança, homens que não fazem parte da política dos acampamentos de guerra. Escolha cuidadosamente.

Não quero substituir traidores em potencial por ex-ladrões que podem ser comprados facilmente.

— Sim, senhor — disse Kaladin, sentindo um grande peso se alojar nos ombros.

Dalinar se levantou.

— Eu não sei mais o que fazer. Um homem precisa poder confiar em seus próprios guardas.

Ele caminhou de volta até a porta. O tom de sua voz revelava uma profunda preocupação.

— Senhor? — chamou Kaladin. — Essa não era a tentativa de assassinato que o senhor esperava, era?

— Não — respondeu Dalinar, a mão na maçaneta. — Concordo com sua avaliação. Isso não foi o trabalho de alguém experiente. Considerando quão inventivo foi o atentado, estou surpreso que tenha chegado tão perto de funcionar. — Ele fixou seu olhar em Kaladin. — Se Sadeas decidir atacar... ou, pior, o assassino que tomou a vida do meu irmão... as coisas não correrão tão bem para nós. A tempestade ainda está por vir.

Ele abriu a porta, deixando ecoar as reclamações do rei, até então abafadas. Elhokar vociferava que ninguém levava sua segurança a sério, que ninguém lhe dava ouvidos, que deviam estar procurando pelas coisas que ele via atrás de si no espelho, fosse lá o que isso significasse. A invectiva parecia a manha de uma criança mimada.

Kaladin olhou para o parapeito retorcido, imaginando o rei pendurado ali. Ele tinha um bom motivo para estar mal-humorado. Mas, por outro lado, o rei não deveria ser mais digno? A sua Vocação não exigia que ele fosse capaz de manter a compostura sob pressão? Kaladin achava difícil imaginar Dalinar reagindo com tantas reclamações, independentemente da situação.

Não é seu trabalho julgar, ele disse a si mesmo, acenando para Syl e se afastando da sacada. *Seu trabalho é proteger essas pessoas.*

De algum modo.

24

TYN

A forma decadente deixa a alma dos sonhos esfacelada.
Parece ser uma forma dos deuses a ser evitada.
Não busque seu toque, nem atraia seus gritos, a ela despreze.
Cuidado onde pisa, cuidado onde caminha,
Pelo leito rochoso do rio ou pela colina
Abrace os medos que enchem sua cabeça, e a ela menospreze.

— Da Canção dos Segredos dos Ouvintes, 27ª estrofe

— B**em, é o seguinte** — disse Gaz enquanto lixava a madeira da carroça de Shallan. Ela estava sentada ali perto, escutando enquanto trabalhava. — A maioria de nós se uniu à luta nas Planícies Quebradas por vingança, sabe? Aqueles mármores mataram o rei. Ia ser uma coisa grandiosa e tal. Uma luta por vingança, uma maneira de mostrar ao mundo que os alethianos não toleram traição.

— É — concordou Rubro.

O soldado magro e barbudo arrancou uma barra da carroça, deixando apenas três em cada canto para sustentar o teto. Ele deixou a barra cair com satisfação, então limpou a poeira das luvas de trabalho. Aquilo ajudaria a transformar o veículo de uma jaula sobre rodas em um meio de transporte mais adequado a uma mulher olhos-claros.

— Eu me lembro — continuou Rubro, sentado no chão da carroça, com as pernas balançando. — Fomos convocados pelo próprio Grão-príncipe Vamah, e o chamado se espalhou por Costalonge como um cheiro ruim. Um em cada dois homens adultos se juntou à causa. Se você entrasse em um bar para beber sem um emblema de recruta, as pessoas se perguntavam se você era um covarde. Eu me alistei com cinco dos meus amigos. Estão todos mortos agora, apodrecendo naqueles abismos tormentosos.

— Então, vocês só... se cansaram de lutar? — perguntou Shallan.

Ela tinha uma escrivaninha agora. Bem, uma mesa; uma peça de mobília de viagem que podia ser desmontada facilmente. Eles a haviam retirado da carroça, e Shallan estava usando-a para revisar algumas das anotações de Jasnah.

A caravana estava montando um acampamento enquanto o dia terminava; haviam avançado bastante, mas Shallan não queria pressioná-los, depois de tudo por que haviam passado. Depois de quatro dias de viagem, eles estavam se aproximando do trecho do corredor onde era bem mais improvável serem atacados por bandidos. Estavam se aproximando das Planícies Quebradas, e da segurança que elas ofereciam.

— Cansei de lutar? — disse Gaz, rindo enquanto pegava uma dobradiça e começava a pregá-la. Ocasionalmente ele olhava para o lado, um tipo de tique nervoso. — Pela Danação, não. Não fomos nós, foram os tormentosos olhos-claros! Sem querer ofender, Luminosa. Mas que raios os partam!

— Eles pararam de lutar pela vitória — acrescentou Rubro em voz baixa. — E começaram a lutar por esferas.

— Todo dia — disse Gaz. — Todo tormentoso dia, nós nos levantávamos e lutávamos naqueles platôs. E não fazíamos progresso nenhum. Quem se importava com progresso? Os grão-príncipes só estavam atrás das gemas-coração. E lá estávamos nós, praticamente escravizados pelos nossos votos militares. Sem direito de viagem, como bons cidadãos deviam ter, já que tínhamos nos alistado. Estávamos morrendo, sangrando e sofrendo para eles enriquecerem! Só isso. Então partimos. A gente tinha um grupo que bebia junto, embora servíssemos a diferentes grão-príncipes. Nós deixamos eles e sua guerra para trás.

— Ora, Gaz — disse Rubro. — Essa não é a história toda. Seja honesto com a senhorita. Você não devia algumas esferas aos agiotas? O que foi que você nos disse sobre estar a um passo de se tornar um carregador de pontes...

— Veja bem, essa era a minha vida antiga. Nada nessa vida antiga importa mais. — Ele terminou de martelar. — Além disso, a Luminosa Shallan disse que cuidaria dos nossos débitos.

— Tudo será perdoado — disse Shallan.

— Viu?

— Exceto o seu hálito — acrescentou ela.

Gaz ergueu os olhos, seu rosto marcado por cicatrizes ficou corado, mas Rubro só deu uma gargalhada. Depois de um momento, Gaz riu também. Havia algo desesperadamente afável naqueles soldados. Eles haviam aproveitado a chance de voltar a uma vida normal e estavam determinados a mantê-la. Não houvera um único problema de disciplina nos dias passados juntos, e eles eram rápidos, até mesmo ansiosos, em servi-la.

A prova disso veio quando Gaz virou a lateral da carroça de Shallan de volta para cima — depois abriu um fecho e baixou uma pequena janela para deixar a luz entrar.

— Pode não ser chique o bastante para uma dama olhos-claros, mas pelo menos a senhorita vai poder ver o lado de fora.

— Nada mau — disse Rubro, aplaudindo devagar. — Por que não nos contou que tinha treinamento de carpinteiro?

— Eu não tive — replicou Gaz, com uma expressão estranhamente solene. — Passei um tempo perto de uma marcenaria, só isso. Você acaba aprendendo algumas coisas.

— Ficou ótimo, Gaz — disse Shallan. — Agradeço profundamente.

— Não foi nada. Acho que seria bom ter uma janela no outro lado também. Vou ver se consigo filar outra dobradiça dos comerciantes.

— Já está beijando os pés da nossa nova mestra, Gaz? — Vathah se aproximou do grupo. Shallan não havia notado a sua chegada.

O líder dos ex-desertores segurava uma pequena tigela de *curry* fumegante do caldeirão de jantar. Shallan sentia o odor forte das pimentas. Embora fosse uma mudança agradável em relação ao guisado que comera com os mercadores de escravos, a caravana possuía comida apropriada para mulheres, que ela era obrigada a comer. Talvez pudesse provar o *curry* quando ninguém estivesse olhando.

— Você nunca se ofereceu para fazer essas coisas para mim, Gaz — observou Vathah, mergulhando seu pão no *curry* e arrancando um pedaço dele com os dentes. Ele falava enquanto mastigava: — Parece feliz em voltar a ser um criado dos olhos-claros. É incrível que sua camisa não esteja rasgada de tanto que você anda rastejando.

Gaz corou novamente.

— Até onde sei, Vathah, você não tinha uma carroça — respondeu Shallan. — Então onde poderia querer que Gaz colocasse uma janela? Na sua cabeça, talvez? Tenho certeza de que podemos cuidar disso.

Vathah sorriu de boca cheia, embora não fosse um sorriso particularmente agradável.

— Ele contou sobre o dinheiro que está devendo?

— Vamos cuidar desse problema quando a hora chegar.

— Esse pessoal vai dar mais problemas do que pensa, pequena olhos-claros — disse Vathah, balançando a cabeça e molhando o pão novamente. — Voltando direto para onde estavam antes.

— Dessa vez eles serão heróis por terem me socorrido.

Ele bufou.

— Eles *nunca* serão heróis. Eles são crem, Luminosa. Só isso.

Gaz baixou os olhos e Rubro virou o rosto, mas nenhum dos dois discordou daquela avaliação.

— Você está se esforçando muito para botá-los para baixo, Vathah — disse Shallan, se levantando. — Tem *tanto* medo assim de estar errado? Era de se esperar que já estivesse acostumado.

Ele grunhiu.

— Cuidado, garota. Você não gostaria de me insultar por acidente.

— A última coisa que gostaria de fazer é insultá-lo por acidente, Vathah. Imagine se não conseguiria insultá-lo de propósito, se quisesse!

Ele a encarou, então ficou vermelho e hesitou por um instante, tentando bolar uma resposta. Shallan cortou-o antes que conseguisse.

— Não estou surpresa que não saiba o que dizer, já que *também* é uma experiência com que certamente está acostumado. Deve ser assim toda vez que alguém faz uma pergunta difícil... como qual é a cor da sua camisa.

— Que gracinha. Mas palavras não vão mudar esses homens ou seus problemas.

— Pelo contrário — respondeu Shallan, encarando-o. — Na minha experiência, é nas palavras que começa a maioria das mudanças. Prometi a eles uma segunda chance. Eu *vou* manter minha promessa.

Vathah grunhiu, mas foi embora sem mais comentários. Shallan suspirou, sentando-se e voltando ao seu trabalho.

— Esse sujeito sempre anda por aí como se um demônio-do-abismo tivesse devorado a mãe dele — disse ela com uma careta. — Ou talvez o demônio-do-abismo *fosse* a mãe dele.

Rubro riu.

— Desculpa comentar, Luminosa, mas a senhorita tem uma língua afiada!

— Nunca a usei em ninguém, para ver se corta — disse Shallan, virando uma página sem erguer os olhos. — Imagino que seja uma experiência desagradável.

— Não é tão ruim assim — disse Gaz.

Os dois olharam para ele, que deu de ombros.

— Só estou dizendo. Não é...

Rubro deu uma gargalhada, dando um tapa no ombro de Gaz.

— Vou pegar um pouco de comida e depois te ajudo a achar uma dobradiça.

Gaz concordou, mas voltou a olhar para o lado — aquele mesmo tique nervoso — e não se juntou a Rubro enquanto o homem mais alto caminhava na direção do caldeirão. Em vez disso, se ajeitou para começar a lixar o piso da carroça no ponto onde a madeira havia começado a soltar farpas.

Shallan deixou de lado seu caderno, onde estivera tentando bolar maneiras de ajudar seus irmãos, que incluíam desde tentar comprar um dos Transmutadores do rei alethiano até tentar rastrear os Sanguespectros e de algum modo desviar a atenção deles. Contudo, não podia fazer nada até alcançar as Planícies Quebradas — e, mesmo então, a maioria dos seus planos exigiria que tivesse aliados poderosos.

Shallan precisava fazer com que o noivado com Adolin Kholin seguisse em frente. Não só pela sua família, mas pelo bem do mundo. Precisaria dos aliados e dos recursos que o casamento lhe daria. Mas e se não conseguisse manter o noivado? E se não conseguisse fazer com que a Luminosa Navani ficasse do seu lado? Talvez precisasse partir para encontrar Urithiru e se preparar contra os Esvaziadores por conta própria. Isso a apavorava, mas ela queria estar pronta.

Pegou um livro diferente — um dos poucos na seleção de Jasnah que não descrevia os Esvaziadores ou a lendária Urithiru. Em vez disso, ele listava os atuais grão-príncipes alethianos e discutia suas manobras e objetivos políticos.

Shallan precisava estar pronta. Precisava conhecer o cenário político da corte alethiana. Não podia se dar ao luxo de ser ignorante; devia saber quem, entre aquelas pessoas, poderia ser seu aliado em potencial, se tudo mais falhasse.

E esse tal Sadeas?, ela pensou, abrindo uma página do caderno. Ele estava listado como calculista e perigoso, mas estava anotado que tanto ele quanto sua esposa tinham mentes afiadas. Um homem inteligente talvez escutasse os argumentos de Shallan e os compreendesse.

Aladar estava listado como outro grão-príncipe que Jasnah respeitava. Poderoso, conhecido por suas brilhantes manobras políticas. Ele também apreciava jogos de azar. Talvez arriscasse uma expedição para encontrar Urithiru, se Shallan mostrasse as riquezas potenciais a serem encontradas.

Hatham estava listado como um homem de política delicada e planejamento cuidadoso. Outro aliado em potencial. Jasnah não respeitava muito Thanadal, Bethab ou Sebarial. O primeiro ela chamava de bajulador, o segundo, de simplório, e o terceiro, de extremamente grosseiro.

Ela estudou aqueles homens e suas motivações durante algum tempo. Por fim, Gaz se levantou e espanou serragem das calças. Ele a cumprimentou com a cabeça respeitosamente e partiu atrás de comida.

— Um momento, mestre Gaz — chamou ela.

— Não sou mestre — replicou ele, se aproximando. — Sexto nan apenas, Luminosa. Nunca consegui comprar uma posição melhor.

— Quão altas, exatamente, são suas dívidas? — perguntou ela, catando algumas esferas da sua bolsa-segura para colocar no cálice sobre a mesa.

— Bem, um dos meus devedores foi executado — disse Gaz, esfregando o queixo. — Mas tem mais. — Ele hesitou. — Oitenta brons de rubi, Luminosa. Mas acho que eles não aceitariam isso agora. Hoje em dia eles devem querer a minha cabeça.

— Uma dívida e tanto para um homem como você. É um jogador, então?

— Não faz diferença. Sou, sim.

— E isso é mentira — observou Shallan, inclinando a cabeça. — Gostaria de saber a verdade por você, Gaz.

— Só me entregue a eles — disse o homem, virando-se e caminhando na direção do ensopado. — Prefiro isso a estar aqui, me perguntando quando eles vão me achar, de qualquer modo.

Shallan observou-o se afastar, então balançou a cabeça, voltando aos seus estudos. *Ela diz que Urithiru não está nas Planícies Quebradas*, pensou, folheando algumas páginas. *Mas como podia ter certeza? As Planícies nunca foram totalmente exploradas, devido aos abismos. Quem sabe o que há por lá?*

Felizmente, as anotações de Jasnah eram bastante completas. Aparentemente, a maioria dos antigos registros falava que Urithiru estava localizada nas montanhas. As Planícies Quebradas preenchiam uma bacia.

Nohadon podia caminhar até lá, pensou Shallan, folheando até encontrar uma citação de *O caminho dos reis*. Jasnah questionava a validade daquela afirmação, muito embora Jasnah questionasse praticamente tudo. Depois de uma hora de estudo enquanto o sol afundava no céu, Shallan se pegou esfregando as têmporas.

— Você está bem? — perguntou a voz de Padrão, baixinho.

Ele gostava de sair quando estava mais escuro, e ela não o proibira de fazer isso. Procurou e o encontrou sobre a mesa, uma formação complexa de relevos na madeira.

— As historiadoras são um bando de mentirosas — declarou Shallan.

— Mmmmm — fez Padrão, parecendo satisfeito.

— Isso não foi um elogio.

— Ah.

Shallan fechou com força o livro atual.

— Essas mulheres deveriam ser eruditas! Em vez de registrar fatos, elas escreveram opiniões e apresentaram-nas como verdade. Parecem se esforçar muito para contradizer umas às outras, e dançam ao redor de tópicos importantes como esprenos ao redor de uma fogueira... sem fornecer calor, só se exibindo.

Padrão zumbiu.

— A verdade é individual.

— O quê? Não, não é. A verdade é... é *verdade*. Realidade.

— A sua verdade é o que você vê — disse Padrão, soando confuso.

— O que mais poderia ser? Essa é a verdade que você falou comigo, a verdade que traz poder.

Ela o encarou, seus relevos lançando sombras sob a luz das esferas. Renovara as esferas na grantormenta da última noite, enquanto estava abrigada na caixa que era sua carroça. Padrão havia começado a zumbir durante a tempestade — um som estranho, zangado. Depois disso, ele começara a vociferar em uma linguagem que ela não compreendia, apavorando Gaz e os outros soldados que Shallan havia convidado para o abrigo. Felizmente, eles achavam natural que coisas horríveis acontecessem durante grantormentas, e nenhum deles falara mais no assunto.

Tola, ela disse a si mesma, folheando até chegar a uma página vazia nas anotações. *Comece a agir como uma erudita. Jasnah ficaria desapontada.* Ela escreveu o que Padrão havia acabado de dizer.

— Padrão — chamou ela, batendo com o lápis que havia conseguido com os comerciantes, junto com papel. — Essa mesa tem quatro pernas. Você não diria que isso é uma verdade, independentemente da minha perspectiva?

Padrão zumbiu de modo hesitante.

— O que é uma perna? A definição é feita por você. Sem uma perspectiva, não existe tal coisa como uma perna, ou uma mesa. Só há madeira.

— Você me disse que a mesa vê a si mesma desse modo.

— Porque as pessoas a consideraram uma mesa por tempo o bastante — disse Padrão. — Isso se torna verdade para a mesa devido à verdade que as pessoas criam para ela.

Interessante, pensou Shallan, escrevendo no seu caderno. Ela não estava tão interessada na natureza da verdade naquele momento, mas sim na maneira como Padrão a percebia. *Será que é porque ele é do Reino Cognitivo? Os livros dizem que o Reino Espiritual é um lugar de pura verdade, enquanto o Cognitivo é mais fluido.*

— Esprenos — disse Shallan. — Se as pessoas não existissem, os esprenos teriam pensamento?

— Não aqui, neste reino. Eu não sei quanto ao outro reino.

— Você não parece preocupado — observou Shallan. — Toda a sua existência pode depender de pessoas.

— E depende — respondeu Padrão, novamente despreocupado. — Mas crianças dependem dos pais. — Ele hesitou. — Além disso, há outros que pensam.

— Esvaziadores — disse Shallan, gelada.

— Sim. Não acho que minha espécie viveria em um mundo só com eles. Eles têm os próprios esprenos.

Shallan se endireitou subitamente.

— Os *próprios* esprenos?

Padrão se encolheu na mesa, se amassando, suas bordas ficavam menos distintas à medida que se juntavam.

— E então? — perguntou Shallan.

— Nós não falamos disso.

— É melhor começar a falar. É importante.

Padrão zumbiu. Ela pensou que ele fosse se recusar, mas, depois de um momento, ele continuou, em uma voz bem baixinha:

— Esprenos são... poder... poder despedaçado. Poder dotado de pensamento devido às percepções dos homens. Honra, Cultura, e... e outro. Fragmentos que se desprenderam.

— Outro? — insistiu Shallan.

O zumbido de Padrão se tornou um gemido, tão agudo que ela mal escutava.

— Odium. — Ele pareceu precisar se forçar a dizer.

Shallan escreveu furiosamente. Odium. Ódio. Um tipo de espreno? Talvez fosse um espreno grande e único, como Cusicesh de Iri ou a Guardiã da Noite. Esprenos de ódio. Ela nunca ouvira falar de tal coisa.

Enquanto escrevia, um dos seus escravos se aproximou sob a luz fraca do anoitecer. O homem tímido vestia uma túnica simples e calças, um dos conjuntos dados a Shallan pelos comerciantes. O presente foi bem-vindo, já que as últimas esferas de Shallan estavam no cálice à sua frente e não seriam o bastante para comprar uma refeição em alguns dos melhores restaurantes de Kharbranth.

— Luminosa? — chamou o homem.

— Oi, Suna.

— Eu... hum... — Ele apontou. — A outra dama, ela pediu para falar com a senhorita...

Ele estava apontando para a tenda usada por Tyn, a mulher alta que era a líder dos poucos guardas restantes da caravana.

— Ela quer que eu a visite? — perguntou Shallan.

— Sim. — Suna olhou para baixo. — Para uma refeição, talvez?

— Obrigada, Suna — disse Shallan, liberando-o para voltar à fogueira onde ele e os outros escravos estavam ajudando a cozinhar, enquanto os parshemanos coletavam lenha.

Os escravos de Shallan eram um grupo silencioso. Eles tinham tatuagens na testa, em vez de marcas a ferro. Era uma maneira mais gentil de marcá-los, e geralmente indicava uma pessoa que havia se tornado serva voluntariamente, em oposição a ser forçada como uma punição por um crime violento ou terrível. Eram homens com dívidas ou filhos de escravos que ainda traziam o débito dos pais.

Eles estavam acostumados a trabalhar e pareciam assustados com a ideia de receberem um pagamento. Por mais que fosse uma ninharia, deixaria a maioria deles livres em menos de dois anos. Eles estavam obviamente desconfortáveis com essa ideia.

Shallan balançou a cabeça, guardando suas coisas. No caminho para a tenda de Tyn, fez uma pausa na fogueira e pediu a Rubro que levasse sua mesa de volta para a carroça e a guardasse.

Ela se preocupava com suas coisas, mas já não guardava mais qualquer esfera lá, e deixava a jaula aberta para que Rubro e Gaz pudessem dar uma olhada e ver apenas livros. Com sorte, não haveria incentivo para que alguém revirasse seus pertences.

Você dança ao redor da verdade também, pensava consigo mesma enquanto se afastava do fogo. *Exatamente como aquelas historiadoras de quem estava reclamando*. Ela fingia que aqueles homens eram heróis, mas não tinha ilusões quanto à rapidez com que virariam as casacas nas circunstâncias erradas.

A tenda de Tyn era grande e bem-iluminada. A mulher não viajava como uma simples guarda. De muitas maneiras, ela era a pessoa mais intrigante ali. Um dos poucos olhos-claros além dos próprios mercadores. Uma mulher com uma espada.

Shallan espiou pelas abas abertas e viu vários parshemanos dispondo uma refeição em uma mesa baixa de viagem, feita para as pessoas comerem sentadas no chão. Os parshemanos saíram apressadamente, e Shallan olhou para eles desconfiada.

Tyn estava de pé junto a uma janela recortada no tecido. Usava seu longo casaco marrom-claro, afivelado na cintura e quase fechado; parecia um vestido, embora fosse muito mais rígido do que qualquer um que Shallan já usara, combinando com as calças rígidas que a mulher usava por baixo.

— Perguntei aos seus homens e eles falaram que você não havia jantado ainda — disse Tyn, sem se virar. — Mandei os parshemanos trazerem o bastante para nós duas.

— Obrigada — respondeu Shallan, entrando e tentando não soar hesitante.

Entre aquelas pessoas, ela não era uma garota tímida, mas sim uma mulher poderosa. Teoricamente.

— Mandei que o meu pessoal mantivesse o perímetro vazio — disse Tyn. — Podemos falar livremente.

— Isso é ótimo.

— Isso significa que você pode me dizer quem realmente é — disse Tyn, se voltando para ela.

Pai das Tempestades! O que *isso* significava?

— Sou Shallan Davar, como já disse.

— Sim — disse Tyn, caminhando e sentando-se à mesa. — Por favor — convidou ela, gesticulando.

Shallan sentou-se cuidadosamente, usando uma postura apropriada a uma dama, com as pernas dobradas para o lado.

Tyn sentou-se com as pernas cruzadas depois de estender o casaco atrás de si. Ela começou a refeição, mergulhando pão achatado em um *curry* que parecia escuro demais — e que cheirava demais a pimenta — para ser feminino.

— Comida de homem? — indagou Shallan.

— Sempre detestei essas definições. Fui criada em Tu Bayla por pais que trabalhavam como intérpretes. Nunca soube que algumas comidas eram apenas para mulheres ou para homens até visitar a terra natal dos meus pais pela primeira vez. Ainda me parece tolice. Eu como o que eu quiser, muito obrigada.

A refeição de Shallan era mais apropriada, com um aroma doce em vez de salgado. Ela comeu, só então percebendo como estava faminta.

— Eu tenho uma telepena — disse Tyn.

Shallan ergueu os olhos, a ponta do seu pão na tigela.

— Está conectada a outra em Tashikk — continuou Tyn —, em uma das novas casas de informações. É possível alugar um intermediário lá, e eles executam serviços para você. Pesquisa, perguntas... até enviar mensagens via telepena para qualquer uma das principais cidades no mundo. É espetacular.

— Parece útil — comentou Shallan cuidadosamente.

— De fato. Você pode descobrir todo tipo de coisas. Por exemplo, pedi ao meu contato que encontrasse o que pudesse sobre a Casa Davar. Aparentemente, é uma casa pequena e remota com grandes dívidas e um líder de família errático, que pode ou não estar vivo. Ele tem uma filha, Shallan, que ninguém parece ter conhecido.

— Essa filha sou eu, então diria que "ninguém" é um exagero.

— E por que — quis saber Tyn — uma descendente desconhecida de uma pequena família vedena estaria viajando pelas Terras Geladas com um grupo de mercadores de escravos? E alegando que é esperada nas Planícies Quebradas e que seu resgate será celebrado? Que tem conexões poderosas o bastante para pagar os salários de uma tropa completa de mercenários?

— Às vezes a verdade é mais surpreendente do que uma mentira.

Tyn sorriu, então inclinou-se para a frente.

— Está tudo bem; você não precisa manter o disfarce comigo. Na verdade, está fazendo um bom trabalho. Deixei de lado minha irritação e decidi, em vez disso, ficar impressionada. Você é nova nisso, mas talentosa.

— Nisso? — perguntou Shallan.

— Na arte da enganação, naturalmente — respondeu Tyn. — O grandioso ato de fingir ser alguém que não é e então fugir com a mercadoria. Eu gosto da peça que pregou nesses desertores. Foi uma grande aposta, e deu certo. Mas agora você está em apuros. Está fingindo ser alguém vários níveis acima da sua posição, e prometendo um rico pagamento. Já apliquei esse golpe antes, e a parte mais complicada é o final. Se você não tomar muito cuidado, esses "heróis" que recrutou não terão escrúpulos em pendurá-la pelo pescoço. Já percebi que estamos avançando bem lentamente rumo às Planícies. Você está insegura, não é? Deu um passo maior que as pernas?

— Com certeza — disse Shallan em voz baixa.

— Bem — continuou Tyn, molhando o pão na comida —, estou aqui para ajudar.

— E qual é o preço?

A mulher gostava de falar. Shallan pretendia deixá-la continuar.

— Quero participar, sejam quais forem os seus planos — disse Tyn, afundando o pão na tigela como se enfiasse uma espada em um grã-carapaça. — Você percorreu todo esse caminho desde as Terras Geladas em busca de *alguma coisa*. Seu plano provavelmente não é pequeno, mas não posso deixar de pensar que você não tem a experiência necessária para executá-lo.

Shallan batia com o dedo contra a mesa. Que papel interpretaria para essa mulher? Quem ela *precisava* ser?

Ela parece uma mestra vigarista, pensou Shallan, suando. *Não consigo enganar alguém assim.*

Exceto que já enganara. Por acidente.

— Como você acabou aqui? — perguntou Shallan. — Liderando guardas em uma caravana? Isso é parte de um golpe?

Tyn riu.

— Isso aqui? Não, não valeria a pena. Posso ter exagerado minha experiência ao conversar com os líderes da caravana, mas precisava ir até as Planícies Quebradas e não tinha os recursos para ir por conta própria. Não em segurança.

— Mas como uma mulher como você acabou sem recursos? — Shallan franziu o cenho. — Não imaginaria que isso pudesse acontecer.

— Não estou — disse Tyn, gesticulando. — Como pode bem ver. Você vai ter que se acostumar a reconstruir, se pretende entrar para a profissão. As coisas vêm e vão. Fiquei empacada no sul, sem esferas, e estou seguindo caminho para países mais civilizados.

— Para as Planícies Quebradas. Também tem algum tipo de trabalho por lá? Algum... golpe que pretende dar?

Tyn sorriu.

— Não estamos falando de mim, garota. E sim de você e do que posso fazer por você. Conheço pessoas nos acampamentos de guerra. Lá é praticamente a nova capital de Alethkar; tudo de interessante no país está acontecendo ali. O dinheiro flui como rios depois de uma tempestade, mas todo mundo considera o local uma fronteira, então a leis são flexíveis. É possível se dar bem, se conhecer as pessoas certas. — Tyn se inclinou para a frente, e sua expressão tornou-se sombria. — Mas se não conhecer, pode fazer inimigos muito rápido. Confie em mim, você vai querer conhecer meus contatos e vai querer trabalhar com eles. Sem a aprovação deles, nada grande acontece nas Planícies Quebradas. Então vou perguntar novamente: o que você está querendo conseguir?

— Eu... sei uma coisa sobre Dalinar Kholin.

— Sobre o velho Espinho Negro em pessoa? — disse Tyn, surpresa. — Ele tem levado uma vida tediosa ultimamente, bancando o superior, como um herói das lendas.

— Sim, bom, ele vai considerar minha informação importante. Muito importante mesmo.

— Bem, qual é o segredo?

Shallan não respondeu.

— Não está disposta a revelar o tesouro ainda — disse Tyn. — Bem, é compreensível. Chantagem é uma coisa complicada. Você vai ficar feliz em me incluir. Você *está* me incluindo, não está?

— Estou. Acho que posso aprender algumas coisas com você.

25

MONSTROS

Forma esfumaçada para se esconder e se esgueirar entre os homens.
Uma forma de poder, como os Fluxos humanos.
Tragam-na de volta.
Embora criada pelos deuses,
Foi pela mão dos Desfeitos.
Deixem sua força ser de inimigo ou de amigo.

— Da Canção das Histórias dos Ouvintes, 127ª estrofe

KALADIN DESCOBRIU QUE ERA difícil botá-lo em uma situação que nunca vira antes. Ele havia sido escravo e cirurgião, havia servido em um campo de batalha e na sala de jantar de um olhos-claros. Havia visto um bocado durante seus vinte anos de vida. Até demais, pensava às vezes. Tinha muitas memórias que preferiria esquecer.

Mesmo assim, nunca esperara que aquele dia lhe apresentasse algo tão inteiramente desconhecido, a ponto de ser desconcertante.

— Senhor? — chamou ele, dando um passo para trás. — O senhor quer que eu faça *o quê*?

— Suba naquele cavalo — disse Dalinar Kholin, apontando para um animal que pastava ali perto.

O animal estava perfeitamente parado, esperando que a grama se esgueirasse para fora dos seus orifícios. Então ele avançava, dando uma rápida mordida, que fazia com que a grama se escondesse de novo em sua toca. Ele abocanhava um bocado de cada vez, muitas vezes arrancando a grama até as raízes.

Era um entre muitos outros animais semelhantes pastando naquela área. Kaladin nunca deixava de se surpreender com a riqueza de pessoas como Dalinar; cada cavalo valia uma fortuna em esferas. E Dalinar queria que ele subisse em um.

— Soldado, você precisa aprender a montar. Uma hora precisará guardar meus filhos no campo de batalha. Além disso, quanto tempo levou para alcançar o palácio na outra noite, quando foi conferir sobre o acidente do rei?

— Quase três quartos de hora — admitiu Kaladin.

Quatro dias haviam se passado desde aquela noite, e a partir de então Kaladin frequentemente se pegava tenso.

— Tenho estábulos perto das casernas — disse Dalinar. — Você poderia ter percorrido aquela distância em uma fração desse tempo, se soubesse cavalgar. Talvez não passe muito tempo na sela, mas é uma habilidade importante para você e seus homens.

Kaladin olhou para trás na direção dos outros membros da Ponte Quatro. Todos deram de ombros — alguns, timidamente —, exceto por Moash, que assentiu com entusiasmo.

— Suponho que sim — disse Kaladin, voltando o olhar para Dalinar. — Se acha que é importante, senhor, nós vamos tentar.

— Muito bem. Vou lhe enviar Jenet, o mestre dos estábulos.

— Vamos aguardá-lo ansiosamente, senhor — respondeu Kaladin, tentando soar sincero.

Dois dos homens de Kaladin escoltaram Dalinar na direção dos estábulos, um grupo de grandes e robustos edifícios de pedra. Pelo que Kaladin havia observado, quando os cavalos não estavam lá dentro, tinham permissão de perambular livremente dentro daquela área aberta do lado oeste do acampamento de guerra, que era cercada por um muro de pedra certamente baixo o suficiente para os cavalos saltarem.

Eles não saltavam. As criaturas perambulavam por ali, espreitando a grama ou descansando, bufando e relinchando. O lugar inteiro tinha um cheiro estranho para Kaladin. Não de estrume, só... de cavalo. Kaladin fitou um deles que comia ali perto, junto do muro. Não confiava no animal; cavalos eram um tanto *espertos* demais. Bestas de carga normais, como chules, eram lentas e dóceis. Ele montaria um chule. Uma criatura como aquela ali, contudo... quem sabia o que estava pensando?

Moash se aproximou, vendo Dalinar partir.

— Você gosta dele, não gosta? — perguntou ele em voz baixa.

— Ele é um bom comandante — replicou Kaladin, enquanto instintivamente procurou Adolin e Renarin, que estavam cavalgando ali perto.

Aparentemente, as criaturas precisavam ser exercitadas periodicamente para que funcionassem de forma adequada. Seres diabólicos.

— Não se aproxime demais dele, Kal — recomendou Moash, ainda olhando para Dalinar. — E não confie demais nele. Lembre, ele é um olhos-claros.

— Não acho que vou esquecer — disse Kaladin de modo seco. — Além disso, foi você que parecia prestes a desmaiar de alegria quando ele ofereceu nos deixar montar esses monstros.

— Você já encarou um olhos-claros montado em uma dessas coisas? — quis saber Moash. — Quero dizer, no campo de batalha?

Kaladin lembrou-se de cascos trovejantes, um homem de armadura prateada. Amigos mortos.

— Já.

— Então sabe a vantagem que eles oferecem. — concluiu Moash. — Aceitarei a oferta de Dalinar com prazer.

O mestre dos estábulos, no fim das contas, era uma mestra. Kaladin levantou uma sobrancelha enquanto a bonita e jovem mulher olhos-claros caminhava até eles, seguida por um par de cavalariços. Ela usava o tradicional vestido vorin, embora não fosse de seda, e sim de algum tecido mais grosseiro, e dividido na frente e atrás, da canela à coxa. Por baixo, ela vestia calças femininas.

A mulher tinha o cabelo escuro preso em um rabo de cavalo sem ornamentos e possuía um rosto inesperadamente tenso para uma mulher olhos-claros.

— O grão-príncipe disse que devo deixar que vocês, rufiões, encostem nos meus cavalos — disse Jenet, cruzando os braços. — Não estou feliz com isso.

— Felizmente, nós também não — respondeu Kaladin.

Ela olhou-o de cima a baixo.

— Você é o tal sujeito, não é? De quem todos estão falando?

— Talvez.

Ela fungou.

— Está precisando cortar o cabelo. Muito bem, escutem aqui, soldadinhos! Vamos fazer isso direito. Não quero que machuquem meus cavalos, certo? Prestem atenção, muita atenção.

O que veio em seguida foi uma das palestras mais tediosas e prolongadas da vida de Kaladin. A mulher se estendeu longamente sobre postura — de costas retas, mas não tensas demais; sobre como fazer os cavalos se moverem — toques com os calcanhares, nada muito brusco;

sobre como montar, como respeitar o animal, como segurar as rédeas corretamente e como se equilibrar. Tudo isso antes de terem a permissão de até mesmo *tocar* uma das criaturas.

Por fim, o tédio foi interrompido pela chegada de um homem a cavalo. Infelizmente, era Adolin Kholin, cavalgando aquele monstro branco que se passava por um cavalo. Ele era vários palmos mais alto do que o animal que Jenet estava mostrando a eles; quase parecia uma espécie completamente diferente, com aqueles cascos enormes, pelo branco brilhante e olhos insondáveis.

Adolin fitou os carregadores com um sorriso zombeteiro, então chamou a atenção da mestra dos estábulos e sorriu de maneira menos condescendente.

— Jenet. Está encantadora, como sempre. Esse vestido de montaria é novo?

A mulher se curvou sem olhar — ela agora falava sobre como conduzir os cavalos — e pegou uma pedra no chão. Então se virou e jogou-a em Adolin.

O jovem príncipe se encolheu, levantando um braço para proteger o rosto, embora a pedra tenha passado longe.

— Ora, vamos lá — disse Adolin. — Você não está ainda chateada por...

Outra pedra. Esta acertou-o no braço.

— Está bem, então — respondeu Adolin, trotando para longe, curvado para apresentar um alvo menor para as pedras.

Enfim, após demonstrar como colocar sela e freio no cavalo, Jenet terminou a palestra e considerou-os dignos de tocar alguns animais. Um bando de cavalariços e cavalariças selecionaram montarias apropriadas para os seis carregadores.

— Há um bocado de mulheres na sua equipe — observava Kaladin para Jenet enquanto os cavalariços trabalhavam.

— A equitação não é mencionada em *Artes e majestade* — respondeu ela. — Os cavalos não eram muito conhecidos naquela época. Os Radiantes tinham richádios, mas mesmo os reis tinham pouco acesso a cavalos comuns.

Ela usava uma manga sobre a mão segura, ao contrário da maioria das mulheres olhos-escuros, que usava luvas.

— E o que isso tem a ver? — indagou Kaladin.

Franzindo o cenho, ela o encarou, perplexa.

— *Artes e majestade*... O fundamento das artes masculinas e das artes femininas... Mas é claro. Eu olho para esses nós de capitão no seu ombro, mas...

— Mas eu sou só um olhos-escuros ignorante?

— Se quiser colocar dessa maneira. Como preferir. Veja só, não vou lhe dar uma palestra sobre as artes... já estou cansada de falar com vocês. Digamos apenas que qualquer pessoa pode ser um cavalariço, tudo bem?

Ela carecia do refinamento e polidez que Kaladin passara a esperar de mulheres olhos-claros, algo que considerou interessante. Era melhor uma mulher *abertamente* condescendente do que a alternativa. Os cavalariços trouxeram os cavalos do cercado para um terreno de montaria circular. Um grupo de parshemanos de olhos baixos trouxe as selas, mantas e rédeas — equipamentos que, depois da palestra de Jenet, Kaladin sabia nomear.

Ele selecionou um animal que não parecia tão maligno, uma égua mais baixa com uma crina felpuda e pelo marrom. Selou-a com a ajuda de um cavalariço. Ali perto, Moash terminou e se jogou em cima da sela. Quando o cavalariço o soltou, o cavalo de Moash saiu andando sem que ele solicitasse.

— Ei! — disse Moash. — Pare. Ôa! Como faço ele parar?

— Você soltou as rédeas — gritou Jenet atrás dele. — Idiota tormentoso! Não prestou atenção?

— Rédeas — disse Moash, procurando-as atabalhoadamente. — Não posso só bater na cabeça dele com um junco, como se faz com um chule?

Jenet esfregou a testa. Kaladin olhou nos olhos da besta que escolhera.

— Olhe só — disse ele em voz baixa —, você não quer fazer isso. Eu não quero fazer isso. Vamos ser gentis um com o outro e acabar com isso o mais rápido possível.

A égua bufou baixinho. Kaladin respirou fundo, então agarrou a sela, como fora instruído, levantando um pé até o estribo. Ele deu impulso algumas vezes, então se jogou sobre a sela. Agarrou o chifre da sela com toda força, pronto para ser lançado longe enquanto o animal fugia a galope, mas sua égua inclinou a cabeça e começou a lamber algumas pedras.

— Ei, vamos — disse Kaladin, levantando as rédeas. — Vamos lá. Em movimento.

A égua o ignorou.

Kaladin tentou cutucá-la nos flancos com os calcanhares, como havia sido instruído. A égua não se mexeu.

— Você devia ser tipo uma carroça com pernas — disse Kaladin para a coisa. — Você vale mais do que uma vila inteira. Me prove seu valor. Vamos! Avante! Avante!

A égua lambeu as pedras.

O que essa coisa está fazendo?, pensou Kaladin, inclinando-se para o lado. Surpreso, ele notou que havia grama saindo pelos orifícios da pedra. *As lambidas enganam a grama, que acha que a chuva chegou.* Frequentemente, depois de uma tempestade, as plantas se abriam para se fartar de água, mesmo sendo atacadas por insetos. *Animal inteligente. Preguiçoso mas inteligente.*

— Você precisa mostrar a ela que está no comando — disse Jenet ao passar por ele. — Estreite as rédeas, sente-se com a coluna reta, puxe a cabeça dela para cima e não a deixe comer. Ela não vai obedecer se você não mostrar firmeza.

Kaladin tentou obedecer e conseguiu — finalmente — afastar a égua da sua refeição. Ela tinha um cheiro estranho, mas não era realmente ruim. Botou-a para caminhar, e, depois disso, conduzir não foi *tão* difícil. Contudo, era estranho que outra coisa estivesse no controle de seu avanço. Sim, ele tinha as rédeas, mas a qualquer instante o cavalo podia simplesmente sair correndo e ele não poderia fazer nada quanto a isso. Metade do treinamento de Jenet havia sido sobre não assustar os cavalos — sobre permanecer parado se começassem a galopar, e nunca chegar de surpresa por trás de um.

De cima do cavalo, parecia estar mais alto do que esperara. Era uma longa queda até o chão. Ele guiou o seu cavalo de um lado a outro e, depois de algum tempo, conseguiu parar ao lado de Natam de propósito. O carregador de rosto comprido segurava suas rédeas como se fossem gemas preciosas, com medo de puxá-las ou de conduzir o cavalo.

— Raios, não acredito que as pessoas cavalgam essas coisas de propósito — disse Natam. Ele tinha um sotaque alethiano caipira, as palavras cortadas rudemente, como se as engolisse antes que terminar de falar. — Quero dizer, não estamos indo mais rápido do que andando, certo?

Novamente, Kaladin se lembrou da imagem do Fractário montado que o atacara tanto tempo atrás. Sim, entendia o motivo para usar cavalos. Estar mais no alto facilitava golpear com força, e o tamanho do cavalo — sua corpulência e ímpeto — assustava soldados a pé e fazia com que debandassem.

— Acho que a maioria dos cavalos é mais rápida do que esses — comentou Kaladin. — Aposto que nos deram cavalos velhos para praticar.

— É, pode ser — disse Natam. — É quente. Eu não esperava por isso. Já montei em chules antes. Essa coisa não deveria ser tão... quente. É difícil acreditar que valem tanto dinheiro. Me sinto montado em uma pilha de brons de esmeralda. — Ele hesitou, olhando para trás. — Só que os traseiros das esmeraldas não são tão ativos...

— Natam, você se lembra de alguma coisa do dia em que tentaram matar o rei?

— Ah, claro. Eu estava com o pessoal que correu para a sacada e encontrou o rei balançando ao vento, como as orelhas do Pai das Tempestades.

Kaladin sorriu. Outrora, aquele homem mal falava duas frases seguidas e estava sempre olhando para o chão, com ar sério. Desgastado pelo seu tempo como carregador de pontes. As últimas semanas tinham sido boas para Natam. Para todos eles.

— Antes da tempestade naquela noite — disse Kaladin —, havia alguém na sacada? Algum criado que você não reconheceu? Soldados que não fossem da Guarda do Rei?

— Nenhum criado, que eu me lembre — disse Natam, estreitando os olhos, parecendo pensativo. — Guardei o rei o dia inteiro, senhor, com a Guarda do Rei. Não vi nada de diferente. Eu... Ôa! — Seu cavalo subitamente ganhou velocidade, ultrapassando o de Kaladin.

— Pense bem! — disse Kaladin. — Veja o que consegue lembrar!

Natam assentiu, ainda segurando as rédeas como se fossem de vidro, recusando-se a puxá-las ou a conduzir o cavalo. Kaladin balançou a cabeça.

Um pequeno cavalo passou galopando diante dele. No ar. Feito de luz. Syl deu uma risadinha, mudando de forma e girando como uma fita de luz antes de se acomodar no pescoço da égua de Kaladin, bem na frente dele.

Ela se recostou, sorrindo, então franziu o cenho ao ver a expressão dele.

— Você não está se divertindo — disse Syl.

— Você está começando a soar como minha mãe.

— Cativante? Incrível, perspicaz, determinada?

— Repetitiva.

— Cativante? — disse Syl. — Incrível, perspicaz, determinada?

— Muito engraçado.

— Disse o homem que não está rindo — replicou ela, cruzando os braços. — Muito bem, o que está sem-graçando você hoje?

— Sem-graçando? — Kaladin franziu o cenho. — Essa palavra existe?

— Você não sabe?

Ele balançou a cabeça.

— Sim — disse Syl solenemente. — Sim, com certeza existe.

— Tem algo estranho — comentou ele. — Na conversa que acabei de ter com Natam. — Kaladin puxou as rédeas, impedindo a égua de tentar se curvar e mastigar a grama novamente. Aquela coisa era *muito* focada.

— Sobre o que vocês falaram?

— A tentativa de assassinato — respondeu Kaladin, estreitando os olhos. — E se ele havia visto algo antes da... — Ele fez uma pausa. — Antes da tempestade.

Ele baixou os olhos e encarou Syl.

— A própria tempestade teria derrubado o parapeito — percebeu Kaladin.

— Teria entortado! — disse Syl, se levantando e sorrindo. — Uuuuh...

— Os apoios foram cortados, o cimento removido — continuou Kaladin. — Aposto que a força do vento se iguala facilmente ao peso que o rei colocou sobre ele.

— Então a sabotagem deve ter acontecido *depois* da tempestade — concluiu Syl.

Um período de tempo muito menor. Kaladin virou seu cavalo para onde Natam estava indo. Infelizmente, alcançá-lo não era fácil. Natam estava trotando, obviamente assustado, e Kaladin não conseguia fazer com que sua montaria andasse mais rápido.

— Está com problemas, carregadorzinho? — indagou Adolin, trotando até ele.

Kaladin olhou de soslaio para o jovem príncipe. Pai das Tempestades, era difícil não se sentir minúsculo cavalgando ao lado daquele monstro de Adolin. Kaladin tentou fazer com que sua égua andasse mais rápido. Ela continuou na mesma velocidade, caminhando pela área circular que era um tipo de pista de corrida para cavalos.

— Garoa pode ter sido rápida na juventude — disse Adolin, indicando com a cabeça a montaria de Kaladin —, mas isso foi 15 anos atrás. Sinceramente, estou surpreso de que ela ainda esteja aqui, mas parece perfeitamente adequada para treinar crianças. E carregadores de pontes.

Kaladin ignorou-o, olhando para a frente, ainda tentando fazer com que o cavalo ganhasse velocidade e alcançasse Natam.

— Agora, se quiser algo com mais energia — continuou Adolin, apontando para o lado —, Borrasca, ali, pode ser mais do seu agrado.

Ele indicou um animal maior e mais esguio no seu próprio cercado, selado e amarrado a um poste firmemente cimentado a um buraco no chão. A corda longa deixava que a criatura corresse em curtas explosões, embora só ao redor de um círculo. Ela sacudiu a cabeça, bufando.

Adolin fez seu cavalo acelerar até ultrapassar Natam.

Borrasca, é?, pensou Kaladin, inspecionando a criatura. Certamente tinha mais energia que Garoa. Também parecia ter vontade de arrancar com os dentes um pedaço de qualquer um que se aproximasse demais.

Kaladin voltou Garoa naquela direção. Ao chegar perto, desacelerou — *isso* Garoa ficou feliz em fazer — e desceu do cavalo, o que se provou mais difícil do que havia esperado, mas conseguiu evitar cair de cara no chão.

Depois de descer, ele pôs as mãos na cintura e inspecionou a égua correndo dentro do seu cercado.

— Você não estava reclamando ainda agora que preferia caminhar a andar a cavalo?— disse Syl, caminhando até a cabeça de Garoa.

— Sim — admitiu Kaladin. Ele não havia percebido, mas estava contendo um pouco de Luz das Tempestades. Só um pouco. Escapou quando ele falou, invisível a menos que se olhasse de perto e detectasse uma leve distorção no ar.

— Então por que está pensando em cavalgar *aquilo*?

— Esse cavalo só serve para caminhar — disse ele, indicando Garoa. — Consigo caminhar sozinho. Aquele ali é um animal para a guerra.

Moash tinha razão. Cavalos eram uma vantagem no campo de batalha, então Kaladin deveria pelo menos se familiarizar com eles. *O mesmo argumento de Zahel em relação a aprender a lutar contra uma Espada Fractal*, pensou Kaladin, incomodado. *E eu não quis aceitar.*

— O que você pensa que está fazendo? — perguntou Jenet, cavalgando até ele.

— Vou montar *naquilo ali* — disse Kaladin, apontando para Borrasca.

Jenet bufou.

— Ela vai derrubá-lo em um piscar de olhos e você vai quebrar a cabeça, carregador de pontes. Ela não é boa com cavaleiros.

— Ela está com uma sela.

— Para que se acostume a usar uma.

A égua terminou uma volta a meio-galope e desacelerou.

— Não gosto desse seu olhar — disse Jenet, virando de lado seu próprio cavalo, que pisoteava o chão impaciente, como se estivesse ansioso para correr.

— Vou fazer uma tentativa — disse Kaladin, seguindo em frente.

— Você não vai nem conseguir montá-la — respondeu Jenet.

Ela o vigiava cuidadosamente, como se estivesse curiosa para saber o que ia fazer, embora ele tivesse a impressão de que ela estava mais preocupada com a segurança do cavalo do que com a dele.

Syl pousou no ombro de Kaladin quando ele caminhava.

— Vai ser como naquele dia na área de treinamento dos olhos-claros, não vai? — perguntou Kaladin. — Vou acabar caído no chão, olhando para o céu, me sentindo um idiota.

— Provavelmente — disse Syl despreocupadamente. — Então por que vai fazer isso? Por causa de Adolin?

— Não. O principezinho pode ir para a tormenta.

— Então por quê?

— Porque tenho medo dessas coisas.

Syl o encarou, aparentemente perplexa, mas fazia total sentido para Kaladin. À frente, Borrasca — arfante da corrida — olhou para ele, olhos nos olhos.

— Raios! — A voz de Adolin ecoou atrás dele. — Carregadorzinho, não faça isso, não era sério! Está louco?

Kaladin foi até a égua, que deu alguns passos para trás, mas deixou que ele tocasse na sela. Então ele inspirou um pouco mais de Luz das Tempestades e se lançou sobre a sela.

— Danação! Mas o que... — gritou Adolin.

Isso foi tudo que Kaladin ouviu. Seu salto incrementado pela Luz das Tempestades permitiu-o se erguer mais alto do que um homem comum conseguiria, mas a mira falhou. Ele segurou o pomo da sela e passou a perna sobre ela, mas a égua começou a se debater.

O animal era incrivelmente forte, muito diferente de Garoa. Kaladin quase foi lançado para fora da sela no primeiro pinote. Agitando a mão, Kaladin derramou Luz das Tempestades na sela e se fixou a ela. Isso só fez com que, em vez de ser jogado do dorso do cavalo como um pano mole, ele fosse sacudido para a frente e para trás como um pano mole. De algum modo, ele conseguiu se agarrar à crina da égua e, com os dentes cerrados, fez o máximo para não perder os sentidos de tanto quicar.

O terreno do estábulo era um borrão. Os únicos sons que ouvia eram seu coração batendo e os cascos trovejando. Aquela fera dos Esvaziadores se movia como uma tempestade, mas Kaladin estava fixado na sela com tanta firmeza que parecia pregado ali. Depois do que pareceu uma eternidade, o cavalo — soltando grandes expirações espumantes — se deteve.

A visão mareada de Kaladin clareou o bastante para mostrar um grupo de carregadores de pontes — a uma distância segura — torcendo por ele. Adolin e Jenet, ambos montados, fitavam-no com uma aparente mistura de horror e perplexidade. Kaladin sorriu.

Então, com um último e poderoso movimento, Borrasca lançou-o longe.

Ele não havia percebido que a Luz das Tempestades na sela se exaurira. Em uma concretização da sua previsão anterior, Kaladin viu-se tonto, caído de costas e olhando para o céu, com dificuldade de lembrar-se dos últimos segundos da sua vida. Esprenos de dor brotaram do chão ao seu lado, pequenas mãos laranja que apalpavam para um lado e para outro.

Uma cabeça equina com insondáveis olhos pretos se inclinou sobre Kaladin. A égua bufou para ele. O cheiro era de grama úmida.

— Seu monstro — disse Kaladin. — Você esperou eu relaxar e *aí* me derrubou.

A égua bufou de novo, e Kaladin começou a rir. Raios, aquilo tinha sido ótimo! Não saberia explicar o motivo, mas se agarrar desesperadamente em cima do animal havia sido realmente emocionante.

Enquanto Kaladin se levantava e limpava a poeira das roupas, Dalinar surgia do meio da multidão, a testa franzida. Kaladin não havia percebido que o grão-príncipe ainda estava por perto. Ele olhou de Borrasca para Kaladin, então levantou uma sobrancelha.

— Não se caça assassinos em uma montaria lenta, senhor — disse Kaladin, fazendo uma saudação.

— Sim, mas é costumeiro começar a treinar homens usando armas *sem* lâminas, soldado. Você está bem?

— Estou bem, senhor.

— Bem, parece que seus homens estão se adaptando ao treinamento — disse Dalinar. — Vou liberar uma requisição. Você e mais cinco homens que selecionar virão aqui praticar todos os dias pelas próximas semanas.

— Sim, senhor. — Ele encontraria tempo. De algum modo.

— Ótimo. Recebi sua proposta para as primeiras patrulhas fora dos acampamentos de guerra e achei boa. Por que não começa em duas semanas, e leva alguns dos cavalos com você para praticar no campo?

Jenet soltou um ruído estrangulado.

— Fora da cidade, Luminobre? Mas... bandidos...

— Os cavalos estão aqui para serem usados, Jenet — disse Dalinar. — Capitão, você vai levar tropas o suficiente para proteger os cavalos, não vai?

— Sim, senhor — disse Kaladin.

— Muito bem. Mas *não leve* esse aí — concluiu Dalinar, indicando Borrasca.

— Hã, sim, senhor.

Dalinar assentiu, indo embora e levantando a mão para alguém fora da vista de Kaladin. Ele esfregou o cotovelo, que havia batido. A Luz das

Tempestades restante em seu corpo havia curado primeiro a cabeça, depois se esgotara antes de chegar ao braço.

A Ponte Quatro foi até seus cavalos quando Jenet os chamou para remontar e iniciar a segunda fase do treinamento. Kaladin percebeu que estava perto de Adolin, que permanecia montado.

— Obrigado — disse Adolin, a contragosto.

— Pelo quê? — perguntou Kaladin, caminhando na direção de Garoa, que continuava a mastigar a grama, sem ligar para a agitação.

— Por não dizer ao meu pai que induzi você a fazer aquilo.

— Eu não sou idiota, Adolin — respondeu Kaladin, subindo na sela. — Sabia onde estava me metendo.

Ele afastou sua égua da refeição com certa dificuldade e recebeu algumas dicas de um cavalariço. Por fim, Kaladin trotou até Natam novamente. Ainda se movia de forma saltitante, mas pegou o jeito de seguir o ritmo do cavalo — chamavam isso de trote elevado — para impedir de se balançar tanto.

Natam observou-o se aproximar.

— Não é justo, senhor.

— O que eu fiz com Borrasca?

— Não. Cavalgar desse jeito. Parece um talento natural.

Não era a impressão que ele tinha.

— Gostaria de falar mais sobre aquela noite.

— Mas senhor... Eu não pensei em nada ainda. Andei meio distraído.

— Tenho outra pergunta — disse Kaladin, aproximando seus cavalos. — Perguntei sobre seu turno durante o dia, mas e logo depois que saí? Alguém mais além do rei foi até a sacada?

— Só os guardas, senhor — disse Natam.

— Quais guardas? Talvez eles tenham visto alguma coisa.

Natam deu de ombros.

— Eu só fiquei vigiando da porta. O rei ficou na sala de estar por algum tempo. Acho que Moash saiu para a sacada.

— Moash — disse Kaladin, franzindo a testa. — O turno dele não ia acabar dali a pouco?

— Ia. Ele ficou mais um tempo; disse que queria esperar o rei se acomodar. Enquanto esperava, Moash saiu para vigiar a sacada. O senhor geralmente pede para ter um homem lá.

— Obrigado — disse Kaladin. — Vou perguntar a ele.

Kaladin encontrou Moash escutando diligentemente Jenet explicar alguma coisa. Parecia ter aprendido a cavalgar rapidamente — parecia aprender tudo rapidamente. Com certeza era o melhor estudante entre os carregadores, em termos de combate.

Kaladin fitou-o por alguns momentos, franzindo o cenho. Então se deu conta. *O que você está pensando? Que Moash pode ter algo a ver com a tentativa de assassinato? Não seja estúpido.* Isso era ridículo. Além do mais, o homem não tinha uma Espada Fractal.

Kaladin virou sua égua. Contudo, ao fazer isso, viu a pessoa com quem Dalinar fora se encontrar. O Luminobre Amaram. Os dois estavam longe demais para que Kaladin pudesse ouvi-los, mas percebia a diversão no rosto de Dalinar. Adolin e Renarin cavalgaram até eles, sorrisos abertos quando Amaram acenou para eles.

A raiva que aflorou dentro de Kaladin — súbita, passional, quase *sufocante* na sua intensidade — fez com que ele cerrasse os punhos. Soltou o ar de forma sibilante. E ficou surpreso. Achava que o ódio estava enterrado mais fundo do que isso.

Ele virou seu cavalo para outra direção, subitamente ansioso pela chance de patrulhar com os novos recrutas. Afastar-se dos acampamentos de guerra parecia uma ótima ideia.

26

A PENA

Culpam nosso povo
Pela perda da terra, abismal.
A cidade que outrora cobria
Toda a faixa oriental.
Nos tomos do nosso clã forças foram manifestadas.
Não foram nossos deuses que deixaram estas planícies quebradas.

— Da Canção das Guerras dos Ouvintes, 55ª estrofe

ADOLIN SE CHOCOU COM a fileira parshendiana, ignorando armas, forçando o ombro contra o inimigo na frente. O parshendiano grunhiu, sua canção falhando, enquanto Adolin girava e atacava com sua Espada Fractal. Pontos de resistência na arma marcavam onde ela transpassava carne.

Adolin terminou o giro, ignorando o brilho de Luz das Tempestades saindo de uma rachadura no seu ombro. Ao redor, corpos caíam, os olhos ardendo nos crânios. O hálito de Adolin, quente e úmido, preenchia seu elmo enquanto ele inspirava e expirava.

Ali, ele pensou, levantando sua Espada Fractal e atacando, seus homens preenchendo o espaço que ele abriu. Não eram os carregadores dessa vez, mas soldados de verdade. Ele deixara os carregadores no platô de assalto. Não queria ao seu redor homens que não desejassem combater os parshendianos.

Adolin e seus soldados investiram contra os parshendianos, juntando-se a um grupo desesperado de soldados em uniformes verdes com detalhes dourados, liderados por um Fractário com as mesmas cores. O homem lutava com um enorme martelo de Fractário — ele não tinha sua própria Espada.

Adolin abriu caminho até ele.

— Jakamav? Tudo bem aí?

— Tudo bem? — devolveu Jakamav, a voz abafada pelo elmo. Ele levantou bruscamente o visor, revelando um sorriso. — Tudo maravilhoso.

Ele riu, pálidos olhos verdes acesos com a Euforia do combate. Adolin reconhecia bem aquele sentimento.

— Vocês quase foram cercados! — disse Adolin, voltando-se para encarar um grupo de parshendianos se aproximando em pares.

Adolin os respeitava por atacarem Fractários, em vez de fugir. Isso significava morte quase certa, mas, se vencessem, podiam virar a maré da batalha.

Jakamav deu uma gargalhada, soando tão satisfeito agora como quando apreciava uma cantora em alguma casa de vinhos, e a gargalhada era contagiosa. Adolin se pegou sorrindo enquanto enfrentava os parshendianos, abatendo-os golpe após golpe. Nunca apreciara o combate simples tanto quanto um bom duelo, mas no momento, apesar da falta de sofisticação, encontrou desafio e alegria na luta.

Instantes depois, com os mortos aos seus pés, ele girou e procurou outro desafio. O platô tinha um formato muito estranho; tinha sido uma colina alta antes que as Planícies fossem despedaçadas, mas metade dela havia ficado no platô adjacente. Ele não podia imaginar que tipo de força havia rachado a colina ao meio, em vez de fragmentá-la na base.

Bem, não era uma colina de formato comum, então talvez isso tivesse algo a ver com a divisão. Sua forma mais parecia uma pirâmide larga e plana, com apenas três degraus. Uma base grande, um platô com cerca de trinta metros de largura acima, e depois um terceiro pico menor acima dos outros dois, posicionado bem no centro. Quase como um bolo de três camadas cortado com uma faca grande bem no meio.

Adolin e Jakamav lutavam no segundo nível do campo de batalha. Tecnicamente, Adolin não precisava estar naquela investida. Não era a vez do seu exército no rodízio. Contudo, chegara a hora de implementar outra parte do plano de Dalinar. Adolin havia chegado com apenas uma pequena força de ataque, mas fora uma chegada fortuita. Jakamav havia sido cercado ali, no segundo nível, e o exército regular não fora capaz de se livrar do cerco.

Agora, os parshendianos haviam sido obrigados a recuar até as laterais daquele nível. Ainda defendiam o nível superior completamente;

era ali que a crisálida havia aparecido. Isso os colocava em uma posição ruim. Sim, estavam em terreno alto, mas também precisavam defender os declives entre os níveis para garantir sua retirada. Era óbvio que haviam esperado executar a coleta antes que os humanos chegassem.

Adolin chutou um soldado parshendiano da beirada do degrau, fazendo com que ele caísse por uns dez metros em cima dos que estavam lutando no nível inferior, então olhou para a direita. Ali estava o acesso ao nível superior, mas os parshendianos se avolumavam para impedir a abordagem. Ele realmente gostaria de chegar ao topo...

Olhou para a íngreme face do penhasco entre seu nível e o de cima.

— Jakamav — chamou ele, apontando.

Jakamav seguiu o gesto de Adolin, olhando para cima. Então recuou do combate.

— Isso é loucura! — disse Jakamav enquanto Adolin correu.

— É mesmo.

— Então vamos logo!

Ele entregou o martelo para Adolin, que o colocou na bainha nas costas do amigo. Então os dois correram até o paredão de rocha e começaram a escalar.

Os dedos de Adolin, revestidos pela Armadura, raspavam a rocha enquanto ele se içava para cima. Soldados abaixo gritavam para encorajá-los. Havia muitos pontos onde se segurar, embora ele nunca fosse se arriscar a fazer isso sem a Armadura para impulsionar sua escalada e protegê-lo caso caísse.

Ainda assim era loucura; eles acabariam cercados. Contudo, dois Fractários podiam fazer coisas incríveis quando davam apoio um ao outro. Além disso, caso se vissem assoberbados, sempre podiam saltar do penhasco, contanto que suas Armaduras estivessem intactas o bastante para sobreviver à queda.

Era o tipo de risco que Adolin nunca ousaria correr caso seu pai estivesse no campo de batalha. Ele parou na metade do caminho até o topo. Parshendianos se juntavam na borda do nível acima, esperando por eles.

— Você tem um plano para ganhar terreno lá em cima? — indagou Jakamav, agarrando-se às rochas ao lado de Adolin, que assentiu.

— Só esteja pronto para me apoiar.

— Claro. — Jakamav olhou para cima, o rosto oculto por trás do elmo. — Aliás, o que você está fazendo aqui?

— Achei que nenhum exército rejeitaria alguns Fractários dispostos a ajudar.

— Fractários? No plural?

— Renarin está lá embaixo.

— Espero que não esteja lutando.

— Ele está cercado por um grande esquadrão com instruções específicas para *não* deixá-lo entrar na luta. Mas meu pai quer que ele veja algumas de perto.

— Eu sei o que Dalinar está fazendo — disse Jakamav. — Está tentando mostrar espírito de cooperação, para fazer com que os grão-príncipes deixem de ser rivais. Então ele envia seus Fractários para ajudar, mesmo quando a investida não é dele.

— Você está reclamando?

— De jeito nenhum. Vamos ver se você cria uma abertura lá em cima. Vou precisar de um momento para pegar o martelo.

Adolin sorriu sob o elmo, então continuou escalando. Jakamav era um senhor de terras e um Fractário sob o comando do Grão-príncipe Roion, além de um bom amigo. Era importante que olhos-claros como Jakamav vissem Dalinar e Adolin trabalhando ativamente por um Alethkar melhor. Talvez alguns episódios como aquele mostrassem o valor de uma aliança digna de confiança, em vez da coalização temporária e traiçoeira representada por Sadeas.

Adolin subiu mais alto, Jakamav atrás dele, até que estivesse a uns quatro metros do topo. Os parshendianos estavam aglomerados ali, com martelos e maças de prontidão — armas para lutar com um homem trajando uma Armadura Fractal. Uns poucos lançavam flechas lá de baixo, que quicavam sem efeito nas Armaduras.

Tudo bem, pensou Adolin, estendendo a mão para o lado — agarrado às pedras com a outra — e invocando sua Espada. Ele a enfiou diretamente na parede de pedra com o lado chato da lâmina para cima, então subiu até ficar ao lado da espada.

Então pisou na superfície plana da espada.

Espadas Fractais não se quebravam — mal se curvavam —, então ela o sustentou. Adolin subitamente tinha um ponto de apoio e uma boa base, então quando se agachou e saltou, a Armadura o levou bem alto. Ao alcançar a beirada do nível superior, ele agarrou a pedra — bem debaixo dos pés dos parshendianos — e içou-se para se jogar sobre o inimigo à espera.

Os parshendianos interromperam sua cantoria quando ele caiu sobre os adversários com a força de um rochedo. Conseguiu se pôr de pé, chamando mentalmente sua Espada, depois jogou o ombro contra um grupo. Ele começou a lançar socos ao redor, esmagando o tórax de um parshendiano, depois a cabeça de outro. A armadura de carapaça dos soldados rachava com sons repulsivos, e os golpes lançavam-nos para trás, derrubando alguns do penhasco.

Adolin recebeu alguns golpes nos antebraços antes que a Espada finalmente se materializasse em suas mãos. Ele brandiu-a em amplos arcos, tão concentrado em manter sua posição que só notou Jakamav quando o Fractário de verde já estava ao seu lado, esmagando parshendianos com seu martelo.

— Obrigado por jogar um pelotão inteiro de parshendianos na minha cabeça — dizia Jakamav enquanto brandia o martelo. — Foi uma surpresa maravilhosa.

Adolin sorriu, apontando.

— Crisálida.

O nível superior não estava tão cheio — muito embora os parshendianos estivessem subindo em massa pelo acesso. Ele e Jakamav tinham um caminho livre até a crisálida, um rochedo enorme e oblongo, com um tom marrom levemente esverdeado. Ela estava agarrada às rochas com o mesmo material que compunha sua carapaça.

Adolin saltou sobre a forma trêmula de um parshendiano com pernas mortas e avançou rumo à crisálida, Jakamav corria atrás dele com barulhos metálicos. Alcançar uma gema-coração era difícil — as crisálidas tinham uma pele semelhante a pedra —, mas com uma Espada Fractal podia ser fácil. Eles só precisavam matar a criatura, então abrir um buraco para que pudessem arrancar o coração e...

A crisálida já estava aberta.

— Não! — disse Adolin, correndo até ela, agarrando os lados do buraco e espiando o interior roxo e gelatinoso.

Pedaços da carapaça flutuavam na gosma, e havia um vazio óbvio no lugar onde a gema-coração normalmente ficava conectada a veias e tendões. Adolin girou, procurando ao redor do topo do platô. Jakamav levantou o visor e praguejou.

— Como eles conseguiram removê-la tão rápido?

Ali. Ali perto, soldados parshendianos se espalhavam, gritando na sua linguagem rítmica e impenetrável. Atrás deles havia uma figura alta trajando uma Armadura Fractal prateada, com um manto vermelho ondulando atrás dela. A armadura possuía juntas pontudas, espinhos que despontavam como a casca de um caranguejo. A figura tinha facilmente mais de dois metros de altura, e a armadura fazia com que parecesse enorme, já que cobria um parshendiano com uma armadura de carapaça crescendo da pele.

— É ele! — disse Adolin, avançando às pressas.

Era o Fractário que seu pai havia combatido na Torre, o único que haviam visto entre os parshendianos em semanas, talvez meses.

Talvez fosse o último.

O Fractário virou-se para Adolin, segurando uma enorme gema bruta na mão. Ela pingava icor e plasma.

— Lute comigo! — desafiou Adolin.

Um grupo de soldados parshendianos passou pelo Fractário, correndo para a longa queda na parte de trás da elevação, onde a colina fora rachada ao meio. O Fractário entregou a gema-coração a um dos homens, então virou-se para vê-los saltar.

Eles voavam acima da fenda e pousavam no topo da outra metade da colina, no platô adjacente. Adolin ainda ficava impressionado com como aqueles soldados parshendianos conseguiam saltar abismos. Sentiu-se tolo ao perceber que aquela altura não era uma armadilha para eles como seria para humanos. Para eles, uma montanha rachada ao meio era só outro abismo a ser pulado.

Um número cada vez maior de parshendianos saltou, fluindo para longe dos humanos abaixo, para um local seguro. Adolin observou um que cambaleou ao saltar; o pobre sujeito gritou enquanto despencou no abismo. Era um movimento perigoso para eles, mas obviamente era mais seguro do que tentar rechaçar os humanos.

O Fractário permaneceu. Adolin ignorou os parshendianos em fuga — ignorou Jakamav, que o chamava para recuar — e correu até aquele Fractário, brandindo a Espada com toda força. O parshendiano levantou a própria Espada, desviando o golpe de Adolin para o lado.

— Você é o filho, Adolin Kholin — disse o parshendiano. — Seu pai? Onde está?

Adolin ficou paralisado. As palavras foram ditas em alethiano — com um sotaque pesado, sim, mas compreensível.

O Fractário levantou o visor do elmo e, para o choque de Adolin, não havia barba naquele rosto. Isso não fazia da criatura uma mulher? Era difícil saber a diferença com os parshendianos. O timbre vocal era rouco e baixo, embora pudesse ser feminino.

— Preciso falar com Dalinar — disse a mulher, dando um passo à frente. — Encontrei com ele uma vez, faz muito tempo.

— Vocês recusaram todos os nossos mensageiros — disse Adolin, recuando, a Espada em riste. — Agora querem falar conosco?

— Isso foi há muito tempo. As coisas mudam.

Pai das Tempestades. Algo dentro de Adolin queria que ele avançasse brandindo a espada, para surrar aquela Fractária e obter algumas respostas, conquistar alguns Fractais. Lutar! Ele estava ali para *lutar*!

A voz do seu pai, no fundo da mente, o conteve. Dalinar desejaria aquela oportunidade. Poderia mudar o curso de toda a guerra.

— Ele vai querer falar com você — disse Adolin, respirando fundo, enterrando sua Euforia de batalha. — Como?

— Mandarei um mensageiro — respondeu a Fractária. — Não o matem quando chegar.

Ela ergueu sua Espada Fractal na direção dele em uma saudação, depois a deixou cair e se desmaterializar. A parshendiana virou-se para avançar na direção do abismo e o atravessou com um salto prodigioso.

A DOLIN REMOVEU O ELMO enquanto cruzava o platô. Cirurgiões cuidavam dos feridos enquanto os saudáveis estavam sentados em grupos, bebendo água e resmungando sobre o fracasso.

Um clima raro havia tomado os exércitos de Roion e Ruthar naquele dia. Geralmente, quando os alethianos perdiam uma investida de platô, era porque os parshendianos os rechaçavam, fazendo-os recuar desesperados pelas pontes. Não era comum que uma investida terminasse com os alethianos controlando o platô, mas sem uma gema-coração como prêmio.

Ele soltou uma manopla, as presilhas se abriram automaticamente sob seu comando, então prendeu-a na cintura. Passou a mão suada pelo cabelo mais suado ainda. Agora, onde Renarin se metera?

Ali, no platô de concentração, sentado em uma pedra, cercado por guardas. Adolin atravessou uma das pontes, acenando para Jakamav, que estava removendo sua Armadura ali perto; ele queria cavalgar de volta confortavelmente.

Adolin correu até seu irmão, que estava sentado na pedra sem o elmo, olhando para o chão diante de si.

— Ei. Pronto para voltar?

Renarin assentiu.

— O que aconteceu? — perguntou Adolin.

Renarin continuou olhando para o chão. Finalmente, um dos guardas carregadores — um homem compacto, com cabelo grisalho — acenou com a cabeça para o lado. Adolin caminhou com ele a uma curta distância.

— Um grupo de cascudos tentou capturar uma das pontes, Luminobre — disse o carregador em voz baixa. — O Luminobre Renarin insistiu em ajudar. Senhor, tentamos dissuadi-lo. Então, quando ele se aproximou e invocou sua Espada, ele só meio que... ficou ali parado. Nós o tiramos de lá, senhor, mas ele está sentado naquela pedra desde então.

Um dos ataques de Renarin.

— Obrigado, soldado — disse Adolin. Ele caminhou de volta e apoiou a mão sem manopla no ombro de Renarin. — Não tem problema, Renarin. Acontece.

Renarin deu de ombros novamente. Bem, se estava de mau humor, não havia nada a fazer a não ser deixá-lo em paz. O príncipe mais jovem falaria quando quisesse.

Adolin organizou suas duzentas tropas, então foi prestar respeito aos grão-príncipes. Nenhum pareceu muito agradecido. Ruthar, na verdade, parecia convencido de que o gesto ousado de Adolin e Jakamav havia espantado os parshendianos com a gema-coração. Como se eles não fossem recuar no momento em que coletassem a gema, de qualquer maneira. Idiota.

Ainda assim, Adolin sorriu de modo afável. Esperava que seu pai tivesse razão, e a mão estendida em amizade ajudasse. Pessoalmente, Adolin só queria uma chance contra cada um deles na arena de duelo, onde poderia ensinar-lhes algum respeito.

Na volta ao seu exército, ele procurou Jakamav, que estava sentado sob um pequeno pavilhão, bebendo uma taça de vinho enquanto assistia o resto do seu exército se arrastar de volta pelas pontes. Havia muitos ombros caídos e rostos amuados.

Jakamav gesticulou para que seu criado trouxesse uma taça de um borbulhante vinho amarelo. Adolin pegou a taça com a mão sem manopla, mas não bebeu.

— Aquilo lá foi incrível — disse Jakamav, fitando o platô de batalha. Daquele ponto de vista mais baixo, ele parecia realmente imponente, com seus três níveis.

Quase parece artificial, pensou Adolin, distraído, considerando o formato.

— Bastante — concordou. — Imagine como seria um assalto com vinte ou trinta Fractários juntos no campo de batalha? Que chance os parshendianos teriam?

Jakamav grunhiu.

— Seu pai e o rei estão seriamente comprometidos com essa ideia, não estão?

— Assim como eu.

— Entendo o que você e seu pai estão fazendo, Adolin. Mas se continuar duelando, vai perder suas Fractais. Nem mesmo você pode vencer *sempre*. Uma hora vai ter um dia ruim. Então tudo estará perdido.

— Posso perder em algum momento. Mas claro que até lá já terei ganhado metade das Fractais no reino, então vou poder substituir as minhas.

Jakamav provou seu vinho e sorriu.

— Você é mesmo um desgraçado convencido.

Adolin sorriu, então se agachou ao lado da cadeira de Jakamav — ele não podia se sentar, não com a Armadura Fractal — para que pudesse olhar nos olhos do amigo.

— A verdade, Jakamav, é que não estou realmente preocupado em perder minhas Fractais... Estou mais preocupado em conseguir *algum* duelo. Não consigo convencer os Fractários a duelar comigo, pelo menos não por Fractais.

— Houve certos... incentivos sendo distribuídos por aí — admitiu Jakamav. — Promessas feitas a Fractários, se eles se recusassem a lutar com você.

— Sadeas.

Jakamav inspecionou seu vinho.

— Tente Eranniv. Ele anda se gabando de que é melhor do que sua posição leva a crer. Conhecendo-o bem, ele vai ver todos os outros se recusando e vai achar que é um oportunidade para fazer algo espetacular. Mas ele é muito bom.

— Eu também sou — disse Adolin. — Obrigado, Jak. Fico te devendo essa.

— Que história é essa que ando ouvindo por aí de que você está noivo?

Raios. Como as pessoas tinham ficado sabendo disso?

— É só um noivado causal. E talvez não vá muito longe. O navio da mulher parece estar muito atrasado.

Duas semanas, sem uma palavra. Até mesmo tia Navani estava ficando preocupada. Jasnah devia ter mandado uma mensagem.

— Nunca pensei que você fosse o tipo que aceita um casamento arranjado, Adolin. Há muitas brisas soprando por aí, sabe?

— Como eu disse, não é nada oficial.

Ele ainda não sabia bem como se sentia a respeito. Parte dele queria recusar, apenas porque não queria estar sujeito à manipulação de Jasnah. Mas a verdade era que seus últimos relacionamentos não tinham sido de sucesso. Depois do que havia acontecido com Danlan... Não era culpa dele o fato de ser um homem amigável, era? Por que todas as mulheres precisavam ser tão ciumentas?

A ideia de deixar outra pessoa cuidar de tudo isso por ele era mais tentadora do que jamais admitiria publicamente.

— Posso te contar os detalhes — disse Adolin. — Talvez na casa de vinhos, hoje à noite? Por que não leva Inkima? Você pode me dizer como estou sendo estúpido, pode me dar sua opinião.

Jakamav fitou o próprio vinho.

— O que foi?

— Ser visto com você não é bom para a reputação, hoje em dia, Adolin — disse Jakamav. — Seu pai e o rei não são particularmente populares.

— Isso vai passar.

— Tenho certeza de que vai — disse Jakamav. — Então vamos... esperar até lá, certo?

Adolin hesitou, atingido pelas palavras com mais força do que por qualquer golpe no campo de batalha.

— Claro — Adolin forçou-se a dizer.

— Bom rapaz. — Jakamav teve a audácia de sorrir e levantar sua taça de vinho.

Adolin deixou de lado sua própria taça intocada e foi embora, pisando duro. Puro-Sangue estava pronto e esperando quando ele alcançou seus homens. Adolin moveu-se para subir na sela, irritado, mas o richádio branco cutucou-o com a cabeça. Adolin suspirou, coçando as orelhas do cavalo.

— Desculpe. Não tenho te dado muita atenção, não é?

Ele coçou o cavalo por um tempo, e sentia-se um pouco melhor ao subir na sela. Acariciou o pescoço de Puro-Sangue e o cavalo saltitou de leve ao avançar. Ele frequentemente fazia isso quando Adolin estava incomodado com alguma coisa, como se estivesse tentando melhorar o humor do seu mestre.

Seus quatro guarda-costas do dia seguiam atrás dele. Haviam gentilmente levado sua antiga ponte do exército de Sadeas para que a equipe de Adolin pudesse chegar até ali. Pareceram achar muita graça no fato de Adolin ter ordenado que seus soldados se alternassem para carregar a coisa.

Tormentoso Jakamav. *Era previsível*, Adolin admitiu a si mesmo. *Quanto mais você defender seu pai, mais eles se afastarão*. Eles eram como crianças. Seu pai realmente estava certo.

Teria Adolin algum amigo verdadeiro? Alguém que permaneceria ao seu lado quando as coisas ficassem difíceis? Conhecia praticamente todas as pessoas importantes nos acampamentos de guerra. Todos o conheciam.

Quantos de fato se importavam?

— Eu não tive um ataque — disse Renarin em voz baixa.

Adolin deixou de lado o mau humor. Eles cavalgavam lado a lado, embora a montaria de Adolin fosse vários palmos mais alta. Comparado a Adolin, montado em um richádio, Renarin parecia uma criança em um pônei, mesmo com a Armadura.

Nuvens haviam encoberto o sol, atenuando a luz forte, embora o ar houvesse esfriado ultimamente e parecesse que o inverno se instalara em definitivo. Os platôs vazios se estendiam à frente, áridos e quebrados.

— Eu só fiquei parado lá... — continuou Renarin. — Eu não estava paralisado por causa da minha... moléstia. Sou um covarde, só isso.

— Você não é covarde. Já vi você agir com tanta bravura quanto qualquer outro homem. Lembra a caçada ao demônio-do-abismo?

Renarin deu de ombros.

— Você ainda não sabe lutar, Renarin. Ainda bem que ficou paralisado. Você ainda é muito novo nisso para participar de uma batalha.

— Eu não devia ser. Você começou a treinar quando tinha seis anos.

— É diferente.

— Você é diferente, é o que quer dizer — respondeu Renarin, olhos voltados para a frente.

Ele não estava usando seus óculos. Por que não? Ele não precisava deles?

Está tentando agir como se não precisasse, pensou Adolin. Renarin queria desesperadamente ser útil em um campo de batalha. Havia resistido a todas as sugestões para tornar-se um fervoroso e se dedicar à erudição, algo mais compatível com seu temperamento.

— Você só precisa de mais treinamento — disse Adolin. — Zahel vai deixá-lo em forma. É só dar tempo ao tempo, você vai ver.

— Eu preciso estar pronto — respondeu Renarin. — Algo está se aproximando.

A maneira como ele disse isso fez Adolin sentir um arrepio.

— Você está falando sobre os números na parede.

Renarin assentiu. Eles haviam encontrado outra mensagem arranhada na parede, depois da última grantormenta, do lado de fora do quarto do pai.

Quarenta e nove dias. Uma nova tempestade virá.

De acordo com os guardas, ninguém havia entrado ou saído — homens diferentes da última vez, o que tornava improvável que houvesse sido um deles. Raios. Aquilo havia sido rabiscado na parede enquanto Adolin dormia a apenas um quarto de distância. Quem, ou o que, havia feito aquilo?

— Preciso estar pronto — disse Renarin. — Para a tempestade que está vindo. Tão pouco tempo...

27
INVENÇÕES PARA DISTRAIR

CINCO ANOS ATRÁS

SHALLAN QUERIA FICAR AO ar livre. Ali, nos jardins, as pessoas não gritavam umas com as outras. Ali havia paz.

Infelizmente, era uma falsa paz — uma paz de casca-pétrea cuidadosamente plantada e de vinhas cultivadas. Uma invenção, projetada para divertir e distrair. Cada vez mais, ela desejava escapar e visitar lugares onde as plantas não fossem cuidadosamente aparadas em certos formatos, onde as pessoas não andassem com passos leves, como se temessem causar uma avalanche. Um lugar longe dos gritos.

Uma brisa fria da montanha desceu das alturas e varreu os jardins, fazendo com que as vinhas se encolhessem timidamente. Ela estava sentada longe dos canteiros de flores, e dos espirros que elas causariam, estudando em vez disso uma seção de uma robusta casca-pétrea. O crenguejo que ela desenhava se virou com o vento, suas enormes antenas tremulando, antes de voltar a se inclinar para mastigar a casca-pétrea. Havia *tantos* tipos de crenguejos. Será que alguém já contara todos?

Por sorte, seu pai possuía um livro de desenho — uma das obras de Dandos, o Ungido —, e ela o usava como instrução, deixando-o aberto ao lado.

Um grito soou de dentro da mansão próxima. A mão de Shallan enrijeceu, fazendo com que um traço errante percorresse seu esboço.

Ela respirou fundo e tentou voltar ao desenho, mas outra série de gritos deixou-a tensa. Ela baixou o lápis.

Estava quase acabando o último maço de folhas que seu irmão havia trazido. Suas voltas para casa eram imprevisíveis e nunca duravam muito tempo, e quando vinha, ele e o pai se evitavam.

Ninguém na mansão sabia aonde ia Helaran quando partia.

Ela perdeu a noção do tempo, olhando para uma folha de papel em branco; isso acontecia às vezes. Quando levantou os olhos, o céu estava escurecendo. Era quase hora do banquete do pai. Ele agora dava banquetes regularmente.

Shallan guardou suas coisas na bolsa, então tirou o chapéu de sol e caminhou até a mansão. Alto e imponente, o edifício era um exemplo do ideal vedeno. Isolado, forte, elevado. Uma obra de blocos quadrados e janelas pequenas, salpicada de líquen escuro. Alguns livros afirmavam que mansões como aquela eram a alma de Jah Keved — propriedades isoladas, cada luminobre governando de modo independente. Parecia-lhe que essas escritoras romantizavam a vida no interior. Teriam elas visitado algum dia uma das mansões, vivenciado pessoalmente a verdadeira monotonia da vida no campo, ou será que simplesmente fantasiavam a respeito, no conforto das cidades cosmopolitas?

Em casa, Shallan subiu as escadas até seus aposentos. Seu pai ia querer que estivesse arrumada para o banquete. Haveria um novo vestido para usar enquanto ficava sentada em silêncio, sem interromper a discussão. O pai nunca expressara isso em voz alta, mas Shallan suspeitava que ele achava uma pena que ela ter voltado a falar.

Talvez ele não quisesse que ela falasse sobre as coisas que havia visto. Ela parou no corredor, sua mente se esvaziando.

— Shallan?

Ela se recompôs e avistou Van Jushu, seu quarto irmão, no degrau ao lado dela. Há quanto tempo estava ali, olhando para a parede? O banquete começaria em breve!

A jaqueta de Jushu estava aberta e torta, seu cabelo bagunçado, suas bochechas vermelhas devido ao vinho. Sem abotoaduras ou cinto; eram belas peças, cada uma com uma gema brilhante. Ele as perdera no jogo.

— O que o pai estava gritando mais cedo? — perguntou ela. — Você estava aqui?

— Não — respondeu Jushu, passando a mão pelo cabelo. — Mas fiquei sabendo. Balat andou queimando coisas novamente. Quase incendiou a tormentosa casa dos criados.

Jushu passou por ela, então cambaleou, agarrando-se ao corrimão para não cair. O pai não ia gostar que ele aparecesse no banquete daquele jeito. Mais gritaria.

— Idiota tormentoso — disse Jushu enquanto Shallan o ajudava a se endireitar. — Balat está enlouquecendo de vez. Sou o único na família com algum juízo. Você estava fitando a parede de novo, não estava?

Ela não respondeu.

— Você vai ganhar um vestido novo — dizia Jushu enquanto ela o ajudava a chegar ao quarto. — E eu não ganho nada além de xingamentos. Desgraçado. Ele adorava Helaran, e nenhum de nós é ele, então não temos importância. Helaran nunca está aqui! Ele traiu nosso pai, quase o matou. E ainda assim ele é o único que importa...

Eles passaram pelos aposentos do pai. A pesada porta de cepolargo estava ligeiramente aberta enquanto uma criada arrumava o quarto, permitindo que Shallan visse a parede dos fundos.

E a brilhante caixa-forte.

Ela ficava escondida atrás de uma pintura de uma tempestade marítima que em nada amenizava a poderosa luz branca. Era possível ver através da tela a silhueta da caixa-forte, ardendo como uma chama. Ela cambaleou, parando de andar.

— O que você está olhando? — quis saber Jushu, segurando o corrimão.

— A luz.

— Que luz?

— Atrás da pintura.

Ele estreitou os olhos, avançando aos tropeços.

— Pelo amor dos Salões, do que você está falando, garota? Você perdeu mesmo a cabeça, não foi? Depois de vê-lo matar a nossa mãe? — Jushu se afastou dela, praguejando baixinho. — Sou o único nessa família que não enlouqueceu. Raios, o único...

Shallan fitou a luz. Ela escondia um monstro.

Ela escondia a alma de sua mãe.

28
BOTAS

A traição dos esprenos nos deixou nesta situação.
Eles entregaram seus Fluxos aos filhos dos homens,
Mas não àqueles que melhor os conheciam,
bem na nossa frente.
Não é surpresa que tenhamos nos afastado,
Para os deuses nossos dias voltado
E para nos tornarmos sua argila, eles
nos fizeram diferentes.

— Da Canção dos Segredos dos Ouvintes, 40ª estrofe

— Essa informação vai te custar 12 brons — disse Shallan. — De rubi, sabe? Vou conferir cada um deles.

Tyn deu uma gargalhada, jogando a cabeça para trás, seu cabelo preto como azeviche caindo livremente ao redor dos ombros. Ela estava sentada no banco do condutor da carroça. Onde Bluth costumava ficar.

— Você chama *isso* de sotaque bavo? — inquiriu Tyn.

— Só ouvi bavos falando umas três ou quatro vezes.

— Você parecia que estava com pedras na boca!

— É assim que eles falam!

— Nada, é mais como se estivessem com cascalho na boca. Mas eles falam muito devagar, com muita ênfase nos sons. Desse jeito. "Ieu olhei as pinturas que vacê me deu, e elas são moito bonitas. Moito bonitas mesmos. Nonca tive um pano tão bom para o meu traseiro."

— Você está exagerando! — protestou Shallan, mas não pôde deixar de rir.

— Um pouquinho — respondeu Tyn, se inclinando para trás e brandindo seu longo bambu de condução de chules como uma Espada Fractal.

— Não sei por que seria útil saber o sotaque bavo — disse Shallan. — Eles não são um povo muito importante.

— Garota, é *por isso* que eles são importantes.

— Eles são importantes porque não são importantes — disse Shallan. — Tudo bem, sei que às vezes não sou boa em lógica, mas algo nessa afirmação parece errado.

Tyn sorriu. Ela era tão relaxada, tão... livre. Não era o que Shallan havia esperado, depois do primeiro encontro. Mas na ocasião a mulher estava interpretando um papel. Líder da guarda. A mulher com quem Shallan falava agora parecia real.

— Olha, se você pretende enganar as pessoas, precisa aprender a agir como se fosse inferior a elas tanto quanto como se fosse superior. Você está fazendo toda essa coisa de "olhos-claros importante" direitinho. Imagino que tenha tido bons exemplos.

— Pode-se dizer que sim — replicou Shallan, pensando em Jasnah.

— Só que, em várias situações, ser uma olhos-claros importante é inútil.

— Não ser importante é importante. Ser importante é inútil. Entendi.

Tyn olhou-a de soslaio, mastigando um pouco de carne seca. Sua espada pendia de um gancho na lateral do banco, oscilando ao ritmo da marcha do chule.

— Sabe, garota, você é bem abusada quando deixa a máscara cair.

Shallan enrubesceu.

— Eu gosto disso. Prefiro pessoas que conseguem rir da vida.

— Acho que sei o que você está tentando me ensinar. Está dizendo que uma pessoa com um sotaque bavo, alguém que parece simples e humilde, pode ir a lugares onde uma olhos-claros nunca iria.

— E pode ouvir ou fazer coisas que uma olhos-claros nunca poderia. Sotaque é importante. Se acertar as pronúncias, frequentemente não fará diferença se tem pouco dinheiro. Limpe seu nariz no braço e fale como uma bava, e às vezes as pessoas não reparam nem se você está carregando uma espada.

— Mas meus olhos são azul-claros — disse Shallan. — Nunca vou passar por alguém sem berço, não importa o sotaque!

Tyn procurou algo no bolso da calça. Ela havia pendurado seu casaco em outro gancho e estava vestindo apenas as calças marrom-claras — justas, com botas altas — e uma camisa de botão. Quase a camisa de um operário, embora de tecido melhor.

— Aqui — disse Tyn, jogando algo para ela.

Shallan mal conseguiu pegar o objeto. Enrubesceu com sua falta de agilidade, então o segurou contra o sol: um pequeno frasco com um líquido escuro dentro.

— Um colírio — disse Tyn. — Ele escurece os olhos por algumas horas.

— *Sério?*

— Não é difícil de achar, se você tiver os contatos certos. É bastante útil.

Shallan baixou o frasco, subitamente sentindo um arrepio.

— Existe...

— O inverso? — interrompeu Tyn. — Algo que transforme um olhos-escuros em um olhos-claros? Não que eu saiba. A menos que você acredite nas histórias sobre Espadas Fractais.

— Faz sentido. — Shallan relaxou. — Dá para escurecer vidro com tinta, mas não acho que dê para clareá-lo sem derreter tudo.

— Enfim. Você vai precisar saber um ou dois bons sotaques de lugares distantes, bavlandês, algo assim.

— Eu provavelmente *tenho* um sotaque rural vedeno — admitiu Shallan.

— Isso não vai funcionar aqui. Jah Keved é um país sofisticado, e seus sotaques internos são todos muito parecidos para que estrangeiros os diferenciem. Os alethianos não vão identificar seu sotaque rural, como um compatriota vedeno identificaria. Eles só vão identificar o exotismo.

— Você já esteve em muitos lugares, não é? — perguntou Shallan.

— Eu vou aonde o vento me levar. É uma boa vida, contanto que você não seja apegada a objetos.

— Objetos? Mas você... perdão... você é uma *ladra*. O que é uma forma de conseguir mais objetos!

— Eu pego o que posso, mas isso só prova como *objetos* são efêmeros. Você consegue algumas coisas, depois perde. É como o trabalho que fiz no sul. Minha equipe nunca voltou da missão; chego a pensar que eles fugiram sem me pagar. — Ela deu de ombros. — Isso acontece. Não adianta se estressar.

— Que tipo de trabalho foi esse? — indagou Shallan, piscando para capturar uma Lembrança de Tyn relaxada, mexendo com o bambu como se estivesse conduzindo músicos, sem qualquer preocupação. Eles quase haviam morrido umas duas semanas atrás, mas Tyn não se deixou abalar.

— Foi um trabalho grande. Importante, para o tipo de gente que faz as coisas no mundo mudarem. Ainda não tive notícia do pessoal que nos contratou. Talvez meus homens não tenham fugido; talvez só tenham falhado. Não sei ao certo.

Shallan percebeu certa tensão no rosto de Tyn naquele instante. Um estreitamento da pele ao redor dos olhos, uma distância no olhar. Estava preocupada com o que os empregadores poderiam fazer com ela. Então a tensão sumiu, apagou-se.

— Dê uma olhada — disse Tyn, indicando à frente com a cabeça.

Shallan seguiu o gesto e notou figuras em movimento algumas colinas acima. A paisagem mudara lentamente enquanto eles se aproximavam das Planícies. As colinas tornaram-se mais íngremes, mas o ar estava um pouco mais quente, e a vida vegetal era mais abundante. Árvores se aglomeravam em alguns dos vales, por onde as águas fluíam depois das grantormentas. As árvores eram atarracadas, diferentes da majestade fluida daquelas que conhecera em Jah Keved, mas mesmo assim era agradável ver algo além de vegetação rasteira.

A grama ali era mais cheia. Ela se afastava sagazmente das carroças, afundando em suas tocas. Os petrobulbos eram maiores, e casca-pétrea surgia em alguns trechos, muitas vezes com esprenos de vida saltitando por perto como minúsculos ciscos verdes. Durante os dias de viagem, eles haviam passado por outras caravanas, com mais frequência agora que estavam mais perto das Planícies Quebradas. Então Shallan não ficou surpresa em ver alguém à frente. As figuras, contudo, estavam montadas em *cavalos*. Quem podia bancar animais como aqueles? E por que não tinham uma escolta? Parecia haver apenas quatro homens.

A caravana foi parando enquanto Macob gritava uma ordem da primeira carroça. Shallan havia aprendido, por péssima experiência própria, como *qualquer* encontro naquela região podia ser perigoso. Tudo era levado a sério pelos mestres da caravana. Ela era a autoridade ali, mas permitia que aqueles com mais experiência ordenassem paradas e escolhessem o caminho.

— Vamos — disse Tyn, parando o chule com um golpe da vara, depois saltando da carroça e retirando seu casaco e espada dos ganchos.

Shallan desceu apressada, voltando a bancar a Jasnah. Permitia-se ser ela mesma com Tyn. Com os outros, precisava ser uma líder. Rígida, séria, mas inspiradora, se possível. Com esse propósito, estava satisfeita com o vestido azul que ganhara de Macob. Com bordados de prata e feito da seda mais fina, era uma grande melhoria em relação ao seu vestido em farrapos.

Elas caminharam juntas, passando por onde Vathah e seus homens marchavam, logo atrás da carroça principal. O líder dos desertores lançou um olhar hostil na direção de Tyn. A antipatia dele pela mulher era mais um motivo para respeitá-la, apesar das inclinações criminosas dela.

— A Luminosa Davar e eu vamos cuidar disso — disse Tyn para Macob ao passarem por ele.

— Luminosa... — disse Macob, se levantando e olhando para Shallan. — Mas e se forem bandidos?

— São só quatro, Mestre Macob — disse Shallan despreocupadamente. — No dia em que não puder lidar com quatro bandidos sozinha, merecerei ser roubada.

Elas passaram pela carroça e Tyn prendeu seu cinto.

— Mas e se *forem* mesmo bandidos? — sussurrou Shallan depois que se afastaram.

— Você não disse que dava conta de quatro?

— Eu só estava imitando sua atitude!

— Isso é perigoso, garota. — Tyn sorriu. — Olha, bandidos não se deixariam avistar e *certamente* não ficariam ali parados desse jeito.

O grupo de quatro homens aguardava no alto da colina. Ao se aproximar, Shallan viu que estavam usando uniformes azuis bem-cuidados e que pareciam genuínos. No fundo da ravina entre as colinas, Shallan bateu o dedão em um petrobulbo. Ela fez uma careta — Macob lhe dera sapatos de olhos-claros que combinavam com o vestido. Eles eram luxuosos e provavelmente custavam uma fortuna, mas eram pouco mais que sapatilhas.

— Vamos esperar aqui — disse Shallan. — Eles que venham até nós.

— Gosto dessa ideia — respondeu Tyn.

De fato, os homens começaram a descer a colina quando notaram que Shallan e Tyn estavam esperando por eles. Mais dois chegaram e seguiram os outros a pé, homens que não estavam usando uniformes, mas roupas de trabalhadores. Cavalariços?

— Quem você vai ser? — perguntou Tyn em voz baixa.

— ...Eu mesma? — replicou Shallan.

— Qual é a graça disso? Como é seu sotaque de papaguampas?

— Papaguampas! Eu...

— Tarde demais — disse Tyn enquanto os homens se aproximaram. Shallan achava cavalos intimidantes. Aqueles bichos enormes e brutos não eram dóceis como chules. Cavalos estavam sempre batendo os cascos e bufando.

O líder dos cavaleiros refreou seu cavalo com visível irritação. Ele não parecia estar totalmente no controle da fera.

— Luminosa — disse ele, saudando-a com um meneio de cabeça quando viu seus olhos.

Surpreendentemente, ele era um olhos-escuros, um homem alto com o cabelo preto alethiano, que chegava aos ombros. Ele olhou para Tyn, notando a espada e o uniforme de soldado, mas não deixou transparecer reação alguma. Um homem duro, aquele ali.

— Sua Alteza — anunciou Tyn em voz alta, gesticulando na direção de Shallan. — A princesa Unulukuak'kina'autu'atai! Você está na presença da realeza, olhos-escuros!

— Uma papaguampas? — disse o homem, se inclinando para baixo e inspecionando o cabelo ruivo de Shallan. — Usando um vestido vorin. Rocha teria um ataque se visse isso.

Tyn olhou para Shallan e levantou uma sobrancelha.

Vou estrangular você, mulher, pensou Shallan, então respirou fundo.

— Isso aqui — disse Shallan, apontando para o vestido — não é roupa para uma princesa, você acha? Para mim, está bom. Tenha respeito!

Felizmente, seu rosto corado era adequado para uma papaguampas. Eles eram um povo passional. Tyn assentiu, parecendo aprovar.

— Sinto muito — respondeu o homem, embora não parecesse muito arrependido.

Por que um olhos-escuros estava cavalgando um animal tão valioso? Um dos companheiros estava inspecionando a caravana através de uma luneta. Ele também era olhos-escuros, mas parecia mais à vontade na sua montaria.

— Sete carroças, Kal — disse o homem. — Bem-guardadas.

O homem, Kal, assentiu.

— Fui enviado para procurar sinais de bandidos — disse ele a Tyn. — Tudo correu bem com sua caravana?

— Nós topamos com alguns bandidos, três semanas atrás — replicou Tyn, indicando o caminho atrás com o polegar. — O que você tem com isso?

— Nós representamos o rei. E somos da guarda pessoal de Dalinar Kholin.

Ah, *raios*. Bem, isso ia ser inconveniente.

— O Luminobre Kholin está investigando a possibilidade de estender o alcance do controle ao redor das Planícies Quebradas — continuou Kal. — Se vocês foram realmente atacadas, gostaria de saber os detalhes.

— *Se* fomos atacadas? — perguntou Shallan. — Você duvida da nossa palavra?

— Não!

— Eu estou ofensiva! — declarou Shallan, cruzando os braços.

— É melhor vocês tomarem cuidado — disse Tyn aos homens. — Sua Alteza não gosta de ser ofendida.

— Muito surpreendente — respondeu Kal. — Onde o ataque aconteceu? Vocês conseguiram rechaçá-los? Quantos bandidos eram?

Tyn forneceu-lhe os detalhes, o que deu tempo para Shallan pensar. Dalinar Kholin era seu futuro sogro, se o causal desabrochasse em um casamento. Com sorte, ela não encontraria aqueles soldados ali novamente.

Eu realmente vou estrangulá-la, Tyn...

O líder deles ouviu atentamente os detalhes do ataque com uma expressão estoica. Não parecia ser um homem muito agradável.

— Sinto muito pelas suas perdas — disse Kal. — Mas vocês estão a apenas um dia e meio de distância das Planícies Quebradas agora. Devem estar em segurança pelo resto do caminho.

— Estou curiosidade — disse Shallan. — Esses animais são cavalos? Mas vocês têm olhos escuros. Esse... Kholin confia muito em vocês.

— Eu cumpro meu dever — respondeu Kal, estudando-a. — Onde está o resto da sua gente? Essa caravana parece ser totalmente vorin. Além disso, a senhorita parece um pouco miúda para uma papaguampas.

— Você acabou de insultar o peso da princesa? — perguntou Tyn, horrorizada.

Raios! Ela era boa. Chegou a produzir esprenos de raiva com a frase. Bem, a única opção era seguir em frente.

— Eu estou ofensiva! — berrou Shallan.

— Você ofendeu Sua Alteza novamente!

— *Muito* ofensiva!

— É melhor pedir desculpas.

— Sem desculpas! — declarou Shallan. — Botas!

Kal se inclinou para trás, olhando de uma para a outra, tentando decifrar o que havia sido dito.

— Botas? — perguntou ele.

— Sim — confirmou Shallan. — Estou gostando suas botas. Você vai pedir desculpas com botas.

— Você... quer minhas botas?

— Você não ouviu Sua Alteza? — perguntou Tyn, de braços cruzados. — Os soldados do exército desse tal Dalinar Kholin são tão desrespeitosos assim?

— Eu não sou desrespeitoso. Mas não vou dar a ela minhas botas.

— Você insulta! — declarou Shallan, dando um passo à frente, apontando para ele. Pai das Tempestades, aqueles cavalos eram enormes! — Vou dizer a todos que quiserem ouvir! Quando chegar, vou dizer: "Kholin é ladrão de botas e virtude de mulheres!"

Kal gaguejou.

— Virtude!

— Sim — disse Shallan; então deu uma olhada para Tyn. — Virtude? Não, palavra errada. Vestude... Não... Vestuário. Vestuário! Rouba o vestuário das mulheres! Essa era palavra que eu queria.

O soldado olhou para seus companheiros, parecendo confuso. *Droga*, pensou Shallan. *Bons trocadilhos são desperdiçados em homens com vocabulário pobre.*

— Não tem importância — disse Shallan, erguendo a mão. — Todos vão saber que você abusou em mim. Você me desnudou, aqui no deserto. Me despiu! É um insulto à minha casa e ao meu clã. Todos vão saber que Kholin...

— Ah, pare, pare — disse Kal, se abaixando e puxando desajeitadamente sua bota, do alto do cavalo. Sua meia tinha um buraco no calcanhar. — Mulher tormentosa — sussurrou ele, e jogou a primeira bota para ela, depois removeu a segunda.

— Sua desculpa foi aceita — disse Tyn, pegando as botas.

— Pela Danação, espero que sim. Vou repassar a sua história. Talvez possamos patrulhar aquele lugar tormentoso. Vamos, homens.

Ele se virou e deixou-as sem dizer mais nada, talvez temendo outra diatribe da papaguampas. Quando estavam longe demais para ouvir, Shallan olhou para as botas e então começou a rir descontroladamente. Esprenos de alegria surgiram ao redor dela, como folhas azuis que começaram aos seus pés e subiram em um giro antes de envolvê-la como se estivessem sob um golpe de vento. Shallan fitou-os com um grande sorriso. Eles eram muito raros.

— Ah — disse Tyn com um sorriso. — Não adianta negar. Isso foi divertido.

— Eu *ainda* vou estrangular você — disse Shallan. — Ele sabia que nós estávamos brincando com ele. Deve ter sido a pior imitação de uma papaguampas que uma mulher já fez.

— Na verdade, foi muito boa. Você exagerou nas frases, mas o sotaque em si foi na mosca. Mas não era essa a questão. — Ela entregou as botas.

— Qual *era* a questão? — indagou Shallan enquanto elas caminharam de volta à caravana. — Eu fazer papel de boba?

— Em parte — admitiu Tyn.

— Isso foi sarcasmo.

— Para aprender a fazer essas coisas, você vai ter que ficar confortável em situações assim. Não pode sentir vergonha quando estiver se passando por outra pessoa. Quanto mais escandalosa a tentativa, mais convincente você terá de ser. A única maneira de melhorar é praticando... e na frente de pessoas que podem perceber tudo.

— Acho que tem razão — admitiu Shallan.

— Essas botas são grandes demais para você — observou Tyn. — Embora eu realmente tenha *adorado* a cara que ele fez quando você pediu por elas. "Sem desculpas. Botas!"

— Eu *realmente* preciso de botas. Estou cansada de caminhar em terreno rochoso descalça ou com sapatilhas. Essas aqui vão servir, com um pouco de acolchoamento. — Ela as levantou. Eram *bem* grandes. — Hã, talvez. — Shallan olhou para trás. — Espero que ele fique bem sem elas. E se ele precisar combater bandidos no caminho de volta?

Tyn revirou os olhos.

— Vamos ter que conversar em algum momento sobre esse seu excesso de bondade, garota.

— Ser bondosa não é uma coisa ruim.

— Você está treinando para ser uma vigarista. Por enquanto, vamos voltar para a caravana. Quero lhe mostrar os detalhes de um sotaque papaguampas. Com esse seu cabelo ruivo, provavelmente vai ter mais chance de usar esse do que os outros sotaques.

29
FORÇA DO SANGUE

> *Forma artística para cores que ainda não conhecemos;*
> *Pois suas canções grandiosas desejamos.*
> *Precisamos atrair os de criação, os esprenos;*
> *Estas canções servirão até que aprendamos.*
>
> — Da Canção da Revisão dos Ouvintes, 279ª estrofe

Torol Sadeas fechou os olhos e apoiou Sacramentadora no ombro, inspirando o odor adocicado e embolorado de sangue parshendiano. A Euforia da batalha assomava dentro dele, uma potência abençoada e bela.

Seu próprio sangue pulsava tão alto nos ouvidos que ele mal conseguia ouvir os gritos e gemidos de dor do campo de batalha. Por um momento, regozijou-se apenas no delicioso brilho da Euforia, a inebriante empolgação de ter passado uma hora dedicado à única coisa que ainda lhe trazia verdadeira felicidade: lutar para sobreviver e tirar a vida de inimigos mais fracos do que ele.

O sentimento se dissipou. Como sempre, a Euforia era fugidia depois do término da batalha. Ela havia se tornado cada vez menos doce durante aquelas incursões contra os parshendianos, provavelmente porque ele sabia lá no fundo que a disputa era inútil. Não o desafiava, não o fazia avançar em suas metas principais. Matar selvagens cobertos de crem em uma terra esquecida pelos Arautos havia realmente perdido seu sabor.

Ele suspirou, baixando sua Espada, abrindo os olhos. Amaram se aproximou, cruzando o campo de batalha, passando por cima dos cadáveres de homens e parshendianos. Sua Armadura Fractal estava coberta de sangue púrpura até os cotovelos, e ele carregava uma gema-coração brilhante na manopla. Ele chutou para o lado um cadáver parshendiano e se juntou a Sadeas, e sua própria guarda de honra se espalhou para se reunir com a do grão-príncipe. Sadeas, por um momento, deixou de sentir irritação com a maneira eficiente como eles se moviam, particularmente em comparação com seus próprios homens.

Amaram removeu o elmo e levantou a gema-coração, jogando-a para cima e pegando-a de volta.

— Percebeu que sua manobra aqui hoje falhou?

— Falhou? — disse Sadeas, levantando o visor. Ali perto, seus soldados acabavam com um grupo de cinquenta parshendianos que não havia conseguido sair do platô enquanto o resto recuava. — Acho que correu tudo bem.

Amaram apontou. Uma mancha havia aparecido nos platôs a oeste, na direção dos acampamentos de guerra. Os estandartes indicavam que Hatham e Roion, os dois grão-príncipes que *deviam* ter ido naquela investida de platô, haviam chegado juntos — eles usavam pontes como as de Dalinar, coisas lentas e desajeitadas que eram fáceis de ultrapassar. Uma das vantagens das equipes de ponte de Sadeas era que elas precisavam de muito pouco treinamento para funcionar. Se Dalinar havia pensado em deixá-lo mais lento com aquele truque de trocar Sacramentadora pelos carregadores, ele havia provado que era um tolo.

— Precisamos sair daqui — disse Amaram. — Pegue a gema-coração e volte antes que os outros cheguem. Então pode alegar que não sabia que não estava no rodízio de hoje. A chegada de dois outros exércitos acaba com qualquer chance de negação.

— Você não entendeu — replicou Sadeas. — Acha que ainda me importo com negar alguma coisa.

Os últimos parshendianos morriam com gritos enraivecidos; Sadeas sentiu orgulho disso. Outros diziam que os guerreiros parshendianos em campo nunca se rendiam, mas ele já os vira tentar uma vez, muito tempo atrás, no primeiro ano da guerra. Eles haviam lançado as armas no chão. Sadeas exterminara todos eles pessoalmente, com Martelo e Armadura Fractal, sob os olhares dos companheiros deles que haviam recuado para um platô próximo.

Nunca mais qualquer parshendiano negara a ele ou aos seus homens o direito de terminar uma batalha da maneira apropriada. Sadeas acenou para que a vanguarda se reunisse e o escoltasse de volta aos acampamentos de guerra, enquanto o resto do exército lambia suas feridas. Amaram juntou-se a ele, cruzando uma ponte e passando por carregadores deitados no chão, dormindo, enquanto homens melhores morriam.

— É meu dever me juntar ao senhor do campo de batalha, Vossa Alteza — dizia Amaram enquanto eles caminhavam —, mas quero que saiba que não aprovo suas ações aqui. Devíamos procurar vencer nossas diferenças com o rei e Dalinar, não tentar provocá-los ainda mais.

Sadeas bufou.

— Não me venha com essa conversa nobre. Ela funciona com os outros, mas eu sei que você é na verdade um desgraçado impiedoso.

Amaram enrijeceu o maxilar, olhando para a frente. Quando alcançaram os cavalos, ele estendeu a mão e tocou o braço de Sadeas.

— Torol — disse ele em voz baixa —, há muito mais coisa no mundo do que suas disputas. Você tem razão quanto a mim, é claro. Considere essa admissão uma prova de que sou mais honesto com você do que com qualquer outra pessoa. Alethkar precisa estar forte para encarar o que está por vir.

Sadeas subiu no bloco de montaria que o cavalariço havia posicionado. Montar em um cavalo usando uma Armadura Fractal podia ser perigoso para o animal, se não fosse feito corretamente. Além disso, certa vez um estribo se rompeu quando ele se apoiou para subir na sela. Acabou caindo de bunda no chão.

— Alethkar precisa mesmo estar forte — replicou Sadeas, estendendo a mão revestida na manopla. — Então vou fortalecê-la, usando a força do punho e do sangue.

Amaram relutantemente colocou a gema-coração na mão de Sadeas, que a agarrou, segurando as rédeas com a outra mão.

— Você não se preocupa? — perguntou Amaram. — Com o que faz? Com o que *nós* temos que fazer?

Ele indicou com a cabeça um grupo de cirurgiões que carregavam homens feridos através das pontes.

— Me preocupar? Por quê? Isso dá aos miseráveis uma chance de morrer em batalha por algo que valha a pena.

— Eu notei que você anda falando muitas coisas do tipo — observou Amaram. — Você não era assim.

— Aprendi a aceitar o mundo como ele é, Amaram — respondeu Sadeas, virando seu cavalo. — Isso é algo que poucas pessoas estão dispostas a fazer. Elas seguem aos tropeços, esperando, sonhando, fingindo. Isso não muda nada nessa vida tormentosa. Você precisa encarar o mundo de frente, em toda sua brutalidade suja. É preciso reconhecer suas depravações, viver com elas. É a única maneira de realizar algo significativo.

Pressionando os flancos do cavalo com os joelhos, Sadeas avançou, deixando Amaram para trás. O homem continuaria leal. Sadeas e Amaram tinham um entendimento. Mesmo o fato de Amaram agora ser um Fractário não mudava isso.

Enquanto Sadeas e sua vanguarda se aproximavam do exército de Hatham, ele notou um grupo de parshendianos em um platô próximo, vigiando. Aqueles batedores estavam ficando ousados. Enviou uma equipe de arqueiros para espantá-los, então cavalgou até uma figura em uma resplandecente Armadura Fractal na frente do exército de Hatham: o próprio grão-príncipe, montando um richádio. Danação. Aqueles animais eram muito superiores a qualquer outra raça de cavalo. Como conseguir um?

— Sadeas? — chamou Hatham. — O que você *fez* aqui?

Depois de um rápido momento de decisão, Sadeas ergueu o braço e jogou a gema-coração através do platô que os separava. Ela atingiu a pedra próxima a Hatham, quicou e rolou, com um brilho tênue.

— Eu estava entediado — gritou Sadeas de volta. — Achei que podia poupar-lhes o incômodo.

Então, ignorando as perguntas subsequentes, Sadeas continuou no seu caminho. Adolin Kholin tinha um duelo naquele dia, e ele havia decidido não perder o evento, caso o jovem passasse vergonha novamente.

A LGUMAS HORAS DEPOIS, SADEAS se acomodou no seu banco na arena de duelo, puxando a gravata larga ao redor do pescoço. Coisas insuportáveis — elegantes mas insuportáveis. Ele nunca diria a ninguém, nem mesmo a Ialai, que secretamente gostaria de usar um uniforme simples, como Dalinar.

Naturalmente, nunca poderia fazer isso. Não só porque não queria ser visto se curvando aos Códigos e à autoridade do rei, mas porque um uniforme militar era, na verdade, o uniforme *errado* para aqueles dias. As batalhas que lutavam por Alethkar no momento não eram com espada e escudo.

Era importante vestir-se de acordo, quando havia um papel a desempenhar. Os trajes militares de Dalinar provavam que ele estava perdido, que não compreendia o jogo que estava jogando.

Sadeas se reclinou para esperar, enquanto sussurros preenchiam a arena como água em uma bacia. Um grande público. O espetáculo de Adolin em seu último duelo havia chamado atenção, e qualquer novidade era do interesse da corte. O assento de Sadeas era cercado por um espaço vazio, para dar-lhe maior privacidade, embora na verdade fosse apenas uma cadeira simples construída nas arquibancadas de pedra daquele buraco de arena.

Ele odiava a sensação de seu corpo fora da Armadura Fractal e odiava ainda mais sua aparência. Outrora, ele virava cabeças ao passar. Seu poder preenchia o recinto; todos olhavam para ele, e muitos eram tomados de *desejo* quando o viam. Desejo pelo seu poder, pelo que ele era.

Estava perdendo isso. Ah, ainda era poderoso — talvez até mais do que antes. Mas a maneira como o olhavam era diferente. E todas as suas reações à perda da juventude faziam com que parecesse petulante.

Ele estava morrendo, passo a passo. Como todos os homens, verdade, mas ele *sentia* a morte se aproximando. Com sorte, dali a décadas, mas ela lançava uma sombra longa, longuíssima. O único caminho para a imortalidade era através da conquista.

O farfalhar de tecido anunciou a chegada de Ialai no assento ao seu lado. Sadeas estendeu a mão distraidamente, pousando-a na base das costas da mulher e acariciando aquele ponto de que ela gostava. O nome dela era simétrico; uma pequena dose de blasfêmia dos seus pais — algumas pessoas ousavam insinuar certo caráter divino a seus filhos. Sadeas gostava desse tipo de gente. De fato, havia sido o nome dela que chamara sua atenção a princípio.

— Hmmm — suspirou sua esposa. — Que delícia. Pelo visto, o duelo ainda não começou.

— Deve começar em poucos instantes.

— Ótimo. Não suporto esperar. Ouvi que você entregou a gema-coração que capturou hoje.

— Joguei-a aos pés de Hatham e fui embora, como se não me importasse.

— Inteligente. Eu devia ter considerado essa opção. Você vai minar a alegação de Dalinar de que só resistimos a ele por cobiça.

Abaixo, Adolin finalmente saiu para a arena, trajando sua Armadura Fractal azul. Alguns dos olhos-claros aplaudiram educadamente. Do outro lado da arena, Eranniv também deixou seus aposentos de preparação, sua Armadura polida na cor natural, exceto pela placa peitoral, que havia pintado de um preto profundo.

Sadeas estreitou os olhos, ainda acariciando as costas de Ialai.

— Esse duelo não deveria estar acontecendo. Todos deviam estar assustados demais, ou desdenhosos demais, para aceitar os desafios dele.

— Idiotas — disse Ialai em voz baixa. — Eles sabem, Torol, o que deviam fazer... dei as dicas e fiz as promessas certas. E ainda assim todos desejam ser o homem que vai derrubar Adolin. Duelistas não são um grupo particularmente confiável. Eles são atrevidos, esquentados e querem demais se exibir e ganhar renome.

— Não devemos permitir que o plano do pai dele funcione — disse Sadeas.

— Não vai funcionar.

Sadeas olhou de relance para o lugar onde Dalinar estava sentado. Não estavam tão distantes — poderia gritar e ser ouvido. Dalinar não olhou para ele.

— Eu construí esse reino — sussurrou Sadeas. — Sei como ele é frágil, Ialai. Não deve ser tão difícil acabar com ele.

Aquela era a única maneira apropriada de reconstruí-lo. Como reforjar uma arma; derretiam-se os restos da antiga antes de criar a arma nova.

O duelo começou abaixo, com Adolin andando a passos largos rumo a Eranniv, que brandia a antiga Espada de Gavilar, com seu formato cruel. Adolin avançava rápido demais. Estaria o rapaz tão ansioso assim?

Na plateia, os olhos-claros estavam em silêncio e os olhos-escuros gritavam, ansiosos por outra exibição como a da última vez. Contudo, a luta não recaiu no pugilismo; os dois trocaram golpes preliminares e Adolin recuou, atingido no ombro.

Descuidado, pensou Sadeas.

— Finalmente descobri a natureza daquela perturbação nos aposentos do rei há duas semanas — comentou Ialai.

Sadeas sorriu, os olhos ainda na batalha.

— É claro que descobriu.

— Tentativa de assassinato. Alguém sabotou a varanda do rei em uma tentativa primária de fazê-lo cair trinta metros até as rochas. Pelo que ouvi, quase funcionou.

— Não foi tão primária assim, se quase o matou.

— Perdão, Torol, mas *quase* faz muita diferença em assassinatos. Verdade.

Sadeas buscou dentro de si algum sinal de emoção ao ouvir que Elhokar quase morrera. Não encontrou nada além de um tênue senso de piedade. Gostava do garoto, mas para reconstruir Alethkar, todos os vestígios do reinado anterior teriam que ser apagados. Elhokar precisaria morrer. De preferência de uma maneira tranquila, depois que Dalinar fosse eliminado. Sadeas imaginava que teria que cortar pessoalmente o pescoço do garoto, em respeito ao velho Gavilar.

— Quem você acha que contratou os assassinos? — perguntou Sadeas, falando baixo o bastante para que, com a barreira mantida pelos seus guardas ao redor dos assentos, não precisasse se preocupar em ser ouvido.

— É difícil dizer — replicou Ialai, movendo-se de lado e se contorcendo para fazer com que ele coçasse uma parte diferente das suas costas. — Não acho que foi Ruthar nem Aladar.

Ambos estavam firmemente na mão de Sadeas. Aladar, com certa resignação; Ruthar, com entusiasmo. Roion era covarde demais, outros eram cuidadosos demais. Quem mais poderia ter sido?

— Thanadal — especulou Sadeas.

— Ele é o mais provável. Mas vou ver o que consigo descobrir.

— Podem ser os mesmos da armadura do rei — disse Sadeas. — Talvez possamos descobrir mais se eu exercer minha autoridade.

Sadeas era Grão-príncipe da Informação — uma das antigas designações, de séculos passados, que dividia deveres entre os grão-príncipes do reino. Tecnicamente, isso dava a Sadeas autoridade sobre investigações e policiamento.

— Talvez — Ialai hesitou.

— Mas?

Ela balançou a cabeça, assistindo a outra troca de golpes entre os duelistas lá embaixo. A investida deixou Adolin com Luz das Tempestades fluindo de uma manopla, e ouviram-se vaias de alguns dos olhos-escuros. Por que deixavam aquelas pessoas entrar? Alguns olhos-claros não conseguiram assistir à luta porque Elhokar havia reservado assentos para seus inferiores.

— Dalinar reagiu ao nosso plano de torná-lo Grão-príncipe da Informação — disse Ialai. — Usou isso como um precedente para tornar-se Grão-príncipe da Guerra. E agora todo passo que você der invocando seus direitos como Grão-príncipe da Informação cimenta a autoridade *dele* sobre este conflito.

Sadeas assentiu.

— Você tem um plano, então?

— Ainda não, mas estou trabalhando nisso. Você notou como ele começou a mandar patrulhas para fora dos acampamentos? E para os Mercados Externos. Isso não deveria ser uma atribuição sua?

— Não, isso é tarefa do Grão-príncipe do Comércio, que ainda não foi indicado pelo rei. Contudo, eu *deveria* ter autoridade sobre o policiamento de todos os dez acampamentos e sobre a indicação de juízes e magistrados. Ele deveria ter me consultado, quando houve um atentado à vida do rei. Mas não consultou. — Sadeas pensou por um momento, afastando a mão das costas de Ialai, deixando-a sentar-se com a coluna reta. — Essa é uma fraqueza que podemos explorar. Dalinar sempre teve dificuldade em abdicar da autoridade. Ele nunca confia *de verdade* que alguém vá fazer seu trabalho direito. Ele não me procurou quando deveria. Isso enfraquece sua alegação de que todas as partes do reino devem trabalhar juntas. É uma fissura em sua armadura. Você consegue enfiar uma faca nela?

Ialai assentiu. Usaria seus informantes para iniciar questionamentos na corte: se Dalinar estava tentando forjar uma Alethkar melhor, por que não estava disposto a ceder qualquer poder? Por que não havia envolvido Sadeas na proteção ao rei? Por que não abria suas portas para os juízes de Sadeas?

Que autoridade tinha realmente o Trono, se ele designava cargos como o de Sadeas só para depois fingir que eles não haviam sido atribuídos?

— Você deve renunciar à sua designação como Grão-príncipe da Informação em protesto — sugeriu Ialai.

— Não. Ainda não. Vamos esperar até que os rumores tenham fustigado o velho Dalinar, fazendo com que ele decida que precisa me deixar fazer meu trabalho. Então, quando ele estiver prestes a tentar me envolver, eu renuncio.

Isso aumentaria as rachaduras tanto em Dalinar quanto no próprio reino.

Na arena, a luta de Adolin continuava. Ele não parecia muito entusiasmado. Continuava abrindo a guarda, sendo atingido. Aquele era o garoto que tão frequentemente se gabava da sua habilidade? Ele era bom, naturalmente, mas não *tão* bom assim. Não tão bom quanto Sadeas vira o garoto ser no campo de batalha, combatendo os...

Ele estava fingindo.

Sadeas se pegou sorrindo.

— Ora, isso é quase *inteligente* — disse ele em voz baixa.

— O quê? — perguntou Ialai.

— Adolin não está dando o seu melhor — explicava Sadeas enquanto o jovem acertava um golpe, por pouco, no elmo de Eranniv. — Ele não quer mostrar sua verdadeira habilidade, pois teme que os outros fiquem com medo de duelar com ele. Se parecer *quase* incapaz de vencer esta luta, outros podem decidir se arriscar.

Ialai estreitou os olhos, assistindo à luta.

— Tem certeza? Será que ele não está só tendo um dia ruim?

— Tenho certeza.

Agora que sabia o que procurar, lia facilmente os movimentos específicos de Adolin, a maneira como ele provocava Eranniv a atacá-lo, então mal defendia os golpes. Adolin Kholin era mais esperto do que Sadeas pensara.

Também era um duelista melhor. Era preciso ser hábil para vencer uma luta — mas era preciso ser um *verdadeiro mestre* para vencer enquanto fingia que estava perdendo. Enquanto a luta progredia, a multidão se entusiasmava, e Adolin deixava que a disputa parecesse acirrada. Sadeas duvidava que muitos pudessem ver o que ele via.

Quando Adolin, movendo-se letargicamente e vazando Luz de uma dúzia de golpes — todos cuidadosamente permitidos em seções diferentes da Armadura, de modo que nenhuma delas rachasse e o colocasse em perigo real —, conseguiu derrubar Eranniv com um golpe "de sorte" no final, a multidão rugiu de empolgação. Até os olhos-claros pareceram envolvidos.

Eranniv foi embora furioso, gritando sobre a sorte de Adolin, mas Sadeas estava muito impressionado. *Esse rapaz pode ter futuro. Mais do que seu pai, pelo menos.*

— Outra Fractal conquistada — disse Ialai, insatisfeita, enquanto Adolin acenou e deixou a arena. — Vou redobrar os esforços para garantir que isso não aconteça de novo.

Sadeas tamborilou o dedo contra a lateral do seu assento.

— O que foi que você disse sobre duelistas? Que são atrevidos? Esquentados?

— Sim. O que tem?

— Adolin é essas duas coisas, e mais — disse Sadeas, baixo, meditando. — É possível provocá-lo, enfurecê-lo. Ele é passional como o pai, mas menos controlado.

Posso levá-lo à beira do precipício e depois empurrá-lo?, pensou Sadeas.

— Pare de desencorajar as pessoas a lutarem com ele — declarou Sadeas. — Também não os encoraje a lutar. Recue; quero ver no que isso vai dar.

— Me parece perigoso — replicou Ialai. — Aquele garoto é uma arma, Torol.

— É verdade — disse Sadeas, se erguendo —, mas raramente uma arma lhe atinge se é você quem a segura. — Ele ajudou a esposa a se levantar. — Também quero que você diga à esposa de Ruthar que ele pode ir comigo na próxima vez que eu decidir lutar sozinho por uma gema-coração. Ruthar está ansioso para agradar; ele pode nos ser útil.

Ela assentiu, caminhando até a saída. Sadeas a seguiu, mas hesitou, lançando um olhar para Dalinar. Como seria se aquele homem não estivesse preso ao passado? Se ele estivesse disposto a ver o mundo real, em vez de imaginá-lo?

Você provavelmente acabaria o matando de qualquer jeito, Sadeas admitiu a si mesmo. *Não tente fingir o contrário.*

Era melhor ser honesto, pelo menos consigo mesmo.

A curva superior da formação que molda o laite
mostra sinais distintos de acúmulo de crem,
resultando em grandes picos que envolvem a borda
na direção predominante dos ventos.

Muitas dessas espécies são novas para mim.
A flora aqui não é nem de longe tão rica
quanto a dos terrenos de meu pai, ou mesmo
a de Kharbranth, mas há uma determinação
frenética no modo como ela cresce.

O RUBOR DA NATUREZA

*Dizem que na terra distante era quente
Quando os Esvaziadores adentraram nossas canções.
Nós os trouxemos para casa com a gente
E então dessas casas eles se tornaram patrões,
Isso aconteceu de forma paulatina.
E nos anos vindouros ainda dirão que é essa a sina.*

— Da Canção das Histórias dos Ouvintes, 12ª estrofe

SHALLAN ESPANTOU-SE COM O súbito lampejo de cor. Ele perturbava a paisagem como um relâmpago irrompendo em um céu claro. Shallan pousou suas esferas — Tyn estava fazendo com que praticasse furtá-las — e se levantou na carroça, se apoiando com a mão livre no espaldar do seu banco. Sim, era indiscutível. Vermelho e amarelo brilhantes em uma tela embotada de marrom e verde.

— Tyn, o que é aquilo?

A outra mulher descansava com os pés descalços, um chapéu branco de aba larga inclinado sobre os olhos, apesar do fato de que deveria estar dirigindo. Shallan usava o chapéu de Bluth, que havia recuperado das coisas dele, para se proteger do sol.

Tyn virou-se para o lado, levantando o chapéu.

— Hã?

— Bem ali! A cor.

Tyn estreitou os olhos.

— Não estou vendo nada.

Como ela podia não ver aquela cor, tão vibrante em comparação com as colinas ondulantes cheias de petrobulbos, juncos e trechos cobertos de grama? Shallan pegou a luneta da mulher e levantou-a para olhar mais de perto.

— Plantas — disse Shallan. — Tem uma saliência de rocha lá, abrigando-as do leste.

— Ah, é só isso? — Tyn voltou a se acomodar, fechando os olhos. — Pensei que fosse uma tenda de caravana ou algo assim.

— Tyn, são *plantas*.

— E daí?

— Flora divergente em um sistema geralmente uniforme! — exclamou Shallan. — Vamos até lá! Vou mandar Macob conduzir a caravana naquela direção.

— Garota, você é meio esquisita — comentou Tyn enquanto Shallan gritou para que as outras carroças parassem.

Macob relutou em concordar com o desvio, mas felizmente acatou a autoridade dela. A caravana estava a cerca de um dia de distância das Planícies Quebradas. Estavam indo com calma. Shallan se esforçava para conter sua empolgação. Tantas coisas nas Terras Geladas eram uniformemente enfadonhas; algo novo para desenhar era excepcionalmente empolgante.

Aproximaram-se da encosta, que formava uma alta plataforma rochosa no ângulo perfeito para formar um quebra-vento. Versões maiores daquelas formações eram chamadas de laites. Vales protegidos onde uma cidade podia florescer. Bem, aquela ali não era tão grande, mas a vida ainda assim a encontrara. Um bosque de árvores baixas e brancas como ossos crescia ali; elas tinham folhas de um vermelho-vivo. Vinhas de numerosas variedades envolviam o paredão de pedra e o chão fervilhava com petrobulbos, uma variedade que permanecia aberta mesmo sem chuva, flores pendendo com pétalas pesadas e gavinhas semelhantes a línguas que se moviam como vermes, buscando água.

Um laguinho refletia o céu azul, alimentando os petrobulbos e as árvores. A sombra das folhas, por sua vez, dava abrigo a um musgo verde-vivo. A beleza era como veios de rubi e esmeralda na pedra cinzenta.

Shallan pulou da carroça no momento em que pararam. Assustou alguma coisa no matagal, e uns poucos cães-machados, pequenos e selvagens, saíram correndo. Ela não tinha certeza quanto à raça — na verdade, nem sabia ao certo se eram cães-machados, pois partiram rápido demais.

Bem, isso provavelmente significa que não tenho que me preocupar com nada maior, pensou ela, caminhando até o minúsculo laite. Um predador como um espinha-branca teria espantado criaturas menores.

Shallan caminhava com um sorriso. Era quase como um jardim, embora as plantas fossem obviamente selvagens, em vez de cultivadas. Elas se moviam rapidamente para retrair flores, antenas e folhas, abrindo um espaço ao seu redor. Ela abafou um espirro e abriu caminho até encontrar um lago verde-escuro.

Ali, abriu um cobertor sobre um pedregulho, então se instalou para desenhar. Outros da caravana exploravam o laite ou os arredores do topo do rochedo.

Shallan respirava a maravilhosa umidade enquanto as plantas relaxavam. Pétalas de petrobulbo se esticavam, folhas tímidas se desdobravam. A cor crescia ao redor dela como o rubor da natureza. Pai das Tempestades! Não havia percebido como sentia falta da variedade de belas plantas. Abriu o caderno e desenhou uma rápida oração em nome de Shalash, Arauta da Beleza, em homenagem a quem Shallan fora batizada.

As plantas se retraíram novamente quando alguém se moveu através delas. Gaz cambaleou sobre um grupo de petrobulbos, praguejando enquanto tentava não pisar nas suas vinhas. Ele chegou perto, então hesitou, olhando para o lago.

— Raios! São peixes?

— Enguias — adivinhou Shallan enquanto alguma coisa causava ondulações na superfície verde do lago. — Enguias laranja, aparentemente. Tinha algumas desse tipo no jardim ornamental do meu pai.

Gaz se inclinou, tentando dar uma boa olhada, até que uma das enguias irrompeu da superfície sacudindo a cauda e espirrou água nele. Shallan riu, capturando uma Lembrança do homem caolho fitando as profundezas esverdeadas, os lábios apertados, limpando a testa.

— O que você quer, Gaz?

— Bem... — Ele hesitou. — Eu estava pensando... — Gaz deu uma olhadela na prancheta de desenho.

Shallan virou uma nova folha no caderno.

— Mas é claro. Como o que eu fiz para Glurv, imagino?

Gaz tossiu, cobrindo a boca com a mão.

— Sim. Ficou bonito.

Shallan sorriu, então começou a desenhar.

— Precisa que eu faça uma pose, ou algo assim? — indagou Gaz.

— Claro — disse ela, mais para deixá-lo ocupado enquanto desenhava.

Shallan endireitou o uniforme dele, diminuindo sua barriga, tomando liberdades com seu queixo. A maior diferença, contudo, era na expressão. Olhando para cima, ao longe. Com a expressão correta, aquele tapa-olho tornou-se nobre, aquele rosto com cicatrizes tornou-se sábio, aquele uniforme tornou-se um marco de orgulho. Ela colocou alguns leves detalhes de fundo que recordavam aquela noite junto às fogueiras, quando as pessoas da caravana haviam agradecido a Gaz e aos outros pelo resgate.

Ela removeu a folha do caderno, então virou-a para ele. Gaz segurou-a com reverência, passando a mão pelo cabelo.

— Raios — sussurrou ele. — Essa é a minha aparência mesmo?

— É, sim — disse Shallan.

Sentia tenuemente a presença de Padrão, que vibrava baixinho ali perto. Uma mentira... mas também uma verdade. Era certamente assim que as pessoas que Gaz havia salvado o viram.

— Obrigado, Luminosa. Eu... obrigado.

Pelos olhos de Ash! Ele parecia estar à beira das lágrimas.

— Guarde bem esse papel — recomendou Shallan. — E não dobre até de noite. Vou laquear o desenho para que não fique manchado.

Ele assentiu e foi embora, assustando as plantas novamente enquanto passava. Era o sexto dos homens a lhe pedir um retrato. Ela encorajava os pedidos; qualquer coisa para lembrá-los do que eles podiam, e deviam, ser.

E você, Shallan? Todos parecem querer que você seja alguma coisa. Jasnah, Tyn, seu pai... O que você quer ser?

Ela folheou seu caderno, encontrando as páginas onde havia desenhado a si mesma em meia dúzia de situações diferentes. Uma erudita, uma mulher da corte, uma artista. Qual delas gostaria de ser?

Poderia ser todas?

Padrão zumbiu. Shallan olhou para o lado, notando Vathah se esgueirando pelas árvores próximas. O líder dos mercenários não comentara sobre os retratos, mas ela vira suas expressões de desprezo.

— Pare de assustar as minhas plantas, Vathah — disse Shallan.

— Macob pediu que avisasse que vamos passar a noite aqui — replicou Vathah, então foi embora.

— Problema... — zumbiu Padrão. — Sim, problema.

— Eu sei — respondeu Shallan, esperando a folhagem retornar, para depois desenhá-la.

Infelizmente, embora houvesse conseguido carvão e laquê com os comerciantes, ela não tinha giz colorido, ou teria tentado algo mais ambicioso. Ainda assim, seria uma bela série de estudos. Bem diferente do resto do caderno.

Ela fez questão de não pensar sobre o que havia perdido.

Desenhou e desenhou, apreciando a simples paz do pequeno matagal. Esprenos de vida se juntaram a ela, os pequenos ciscos verdes balançando entre folhas e flores. Padrão se moveu para a água e, para a diversão de Shallan, começou a contar baixinho as folhas de uma árvore próxima. Shallan fez uma meia dúzia de desenhos do lago e das árvores, esperando ser capaz de identificá-las em um livro no futuro. Fez questão de desenhar algumas folhas de perto com todos os detalhes, depois passou a desenhar qualquer coisa que chamasse sua atenção.

Era tão *agradável* não estar em uma carroça em movimento enquanto desenhava. O ambiente ali era simplesmente perfeito — claro o suficiente para desenhar, quieto e sereno, cercado de vida...

Ela fez uma pausa, notando o que havia desenhado: uma costa rochosa junto do oceano, com penhascos distintos mais atrás. A perspectiva era distante; na costa rochosa, várias figuras sombrias se ajudavam a sair da água. Ela podia *jurar* que uma delas era Yalb.

Uma fantasia esperançosa. Desejava muito que estivessem vivos. Provavelmente nunca saberia.

Virou a página e desenhou o que lhe veio à mente. Um esboço de uma mulher ajoelhada sobre um corpo, levantando um martelo e cinzel, como se prestes a golpear o rosto da pessoa caída, que parecia rígida, como se fosse de madeira... talvez até mesmo pedra?

Shallan balançou a cabeça ao baixar o lápis e estudar o desenho. Por que o traçara? O primeiro fazia sentido; estava preocupada com Yalb e os outros marinheiros. Mas o que seu subconsciente queria dizer ao desenhar aquela estranha imagem?

Ela ergueu os olhos, notando que as sombras haviam se tornado longas, o sol descia para descansar no horizonte. Shallan sorriu para a vista, então teve um sobressalto ao notar alguém a menos de dez passos de distância.

— Tyn! — disse Shallan, levando a mão segura ao peito. — Pai das Tempestades! Você me deu um susto.

A mulher abriu caminho entre a folhagem, que se afastava dela.

— Esses desenhos são bonitos, mas acho que você devia passar mais tempo praticando falsificação de assinaturas. Você tem um talento natural para isso, e é o tipo de trabalho que poderia fazer sem ter que se preocupar em ser pega.

— Eu pratico isso — replicou Shallan. — Mas também preciso praticar minha arte.

— Você realmente se dedica a esses desenhos, não é?

— Eu não me dedico a eles, eu os dedico aos outros.

Tyn sorriu, alcançando a pedra de Shallan.

— Sempre tem uma resposta pronta. Gosto disso. Preciso apresentá-la a alguns amigos quando chegarmos às Planícies Quebradas. Eles vão estragá-la rapidinho.

— Isso não parece muito agradável.

— Bobagem — disse Tyn, pulando para a parte seca de uma pedra próxima. — Você ainda será a mesma. Suas piadas só serão mais obscenas.

— Que adorável — disse Shallan, enrubescendo.

Pensou que o rubor faria Tyn rir, mas em vez disso ela ficou pensativa.

— Vamos ter que dar um jeito de você provar o mundo de verdade, Shallan.

— Ah, é? E esse mundo vem na forma de um tônico?

— Não, vem na forma de um soco na cara — respondeu Tyn. — Deixa boas meninas chorando, isso se elas tiverem a sorte de sobreviver.

— Pois fique sabendo que minha vida não foi feita só de flores e bolos.

— Tenho certeza de que você acha que não. Todo mundo acha. Shallan, eu gosto de você, de verdade. Acho que tem muito potencial. Mas você está treinando para algo... que vai exigir que faça algumas coisas muito difíceis. Coisas que vão machucar e dilacerar sua alma. Você vai entrar em situações em que nunca esteve.

— Você mal me conhece — disse Shallan. — Como tem tanta certeza de que nunca fiz coisas assim?

— Porque você ainda está inteira — disse Tyn, com uma expressão distante.

— Talvez eu esteja fingindo.

— Garota, você desenha criminosos para transformá-los em heróis. Você dança no meio das flores com uma prancheta de desenho e fica vermelha só de ouvir a mera *sugestão* de algo indecente. Por pior que você ache que foi sua vida, se prepare. Vai piorar. E eu honestamente não sei se você será capaz de lidar com isso.

— Por que está me dizendo essas coisas? — questionou Shallan.

— Porque em pouco mais de um dia, vamos chegar às Planícies Quebradas. Essa é sua última chance de desistir.

— Eu...

O que *ia* fazer com Tyn quando chegasse? Admitir que só não havia desmentido as suposições da mulher para aprender com ela? *Ela tem contatos*, pensou Shallan. *Pessoas nos acampamentos que podem ser muito úteis de se conhecer.*

Deveria Shallan continuar com aquele subterfúgio? Queria continuar, embora parte dela soubesse que o motivo era porque gostava de Tyn, e não queria dar a ela um motivo para deixar de lhe ensinar.

— Estou comprometida — disse Shallan por fim. — Quero levar meu plano adiante.

Uma mentira.

Tyn suspirou, então assentiu.

— Tudo bem. Você está pronta para me dizer qual é esse grande golpe?

— Dalinar Kholin. O filho dele está noivo de uma mulher de Jah Keved.

Tyn levantou uma sobrancelha.

— Ora, isso é curioso. E essa mulher não vai chegar?

— Não quando ele espera — respondeu Shallan.

— E você se parece com ela?

— Pode-se dizer que sim.

Tyn sorriu.

— Ótimo. Eu estava achando que seria alguma chantagem, que é algo muito duro. Mas esse é um golpe que talvez você consiga mesmo dar. Estou impressionada. É ousado, mas realizável.

— Obrigada.

— Então, qual é o seu plano? — indagou Tyn.

— Bem, vou me apresentar a Kholin, insinuar que sou a mulher que vai se casar com o filho dele e deixar que ele me instale em sua casa.

— Nada disso.

— Não?

Tyn balançou a cabeça enfaticamente.

— Isso vai te deixar muito em débito com Kholin. Vai fazer com que pareça necessitada, o que vai minar sua capacidade de ser respeitada. O que você está fazendo é chamado de fraude do rostinho bonito, uma tentativa de fazer um homem rico abrir mão das suas esferas. Esse tipo de trabalho é todo baseado em apresentação e imagem. É melhor se acomodar em uma estalagem em algum acampamento de guerra diferente e agir como se fosse completamente autossuficiente. Mantenha um ar de mistério. Não deixe que o filho dele a conquiste rápido demais. Aliás, qual deles? O mais velho ou o caçula?

— Adolin — disse Shallan.

— Hmmm... Não sei se é melhor ou pior que Renarin. Adolin Kholin tem uma reputação de galanteador, então dá para entender por que seu pai quer casá-lo. Mas vai ser difícil manter o interesse dele.

— É mesmo? — indagou Shallan, sentindo uma pontada real de preocupação.

— É. Ele já quase ficou noivo uma dúzia de vezes. Na verdade, acho que ele *já chegou* a ficar noivo. Que bom que você me encontrou. Vou ter que pensar um pouco para determinar qual é a abordagem correta, mas você certamente *não* vai aceitar a hospitalidade de Kholin. Adolin nunca vai se interessar se você não for inacessível de algum modo.

— É difícil ser inacessível quando já estamos em um noivado causal.

— Ainda é importante — disse Tyn, levantando um dedo. — É você que quer dar um golpe amoroso. É complicado, mas relativamente seguro. Vamos dar um jeito.

Shallan assentiu, embora suas preocupações houvessem crescido. O que *aconteceria* com o noivado? Jasnah não estava mais presente para insistir que ele acontecesse. Ela queria Shallan ligada à sua família, presumivelmente devido ao seu potencial de Manipulação de Fluxos. Shallan duvidava que o resto dos Kholin estivesse tão determinado a aceitar uma garota vedena como parte da família.

Tyn se levantou e Shallan abafou sua ansiedade. Se o noivado terminasse, paciência. Tinha preocupações mais importantes em relação a Urithiru e os Esvaziadores. *Teria* que descobrir uma maneira de lidar com Tyn, contudo — uma maneira que não envolvesse enganar a família Kholin. Só mais uma coisa para fazer malabarismos.

Curiosamente, pegou-se empolgada com a perspectiva, e decidiu fazer mais um desenho antes de procurar algo para comer.

31

A QUIETUDE QUE ANTECEDE

> *Forma enfumaçada para se esconder e entre os homens se esgueirar.*
> *Uma forma de poder — como Fluxos de esprenos a disparar.*
> *Ousaremos a esta forma retornar? Ela espiona.*
> *Forjada dos deuses, essa forma tememos.*
> *Pelo toque dos Desfeitos essa maldição sofremos,*
> *Formada de sombra — e da morte perto. Ela engana.*
>
> — Da Canção dos Segredos dos Ouvintes, 51ª estrofe

KALADIN LIDEROU SUA TROPA de homens doloridos e cansados até a caserna da Ponte Quatro, e — como solicitara em segredo — eles receberam uma rodada de felicitações e boas-vindas. Era o início da noite, e o aroma familiar do guisado era uma das coisas mais convidativas que Kaladin conseguia imaginar.

Ele ficou de lado e deixou os quarenta homens passarem na frente. Não eram membros da Ponte Quatro, mas naquela noite seriam considerados. Eles andavam de queixo erguido, e sorrisos se abriam enquanto os homens lhes entregavam tigelas de guisado. Rocha perguntou a um deles como havia sido a patrulha e, embora Kaladin não tenha ouvido a resposta do soldado, definitivamente ouviu a gargalhada sonora de Rocha.

Kaladin sorriu, recostando-se contra a parede da caserna, cruzando os braços. Então notou que estava sondando o céu. O sol ainda não havia se posto totalmente, mas no firmamento cada vez mais escuro as estrelas começaram a aparecer ao redor da Cicatriz de Taln. A Lágrima estava pouco acima do horizonte, uma estrela muito mais brilhante que as outras, que tinha esse nome devido à única lágrima que Reya teria deixado cair. Algumas das estrelas se mexeram — esprenos de estrela, nada surpreendente —, mas algo parecia estranho naquela noite. Ele respirou fundo. O ar estava estagnado?

— Senhor?

Kaladin se virou. Um dos carregadores, um homem sério com cabelo curto e escuro e traços fortes, não havia se juntado aos outros perto do caldeirão do guisado. Kaladin tentou lembrar o nome dele...

— Pitt, não é?

— Sim, senhor — replicou o homem. — Ponte Dezessete.

— Do que você precisa?

— Eu só...

O homem deu uma olhada para a convidativa fogueira, com membros da Ponte Quatro rindo e conversando com o grupo da patrulha. Ali perto, alguém havia pendurado algumas armaduras chamativas nas paredes da caserna. Elas eram compostas de elmos e placas peitorais feitos de carapaça, presos às roupas de couro dos carregadores de pontes comuns. Aquelas armaduras agora haviam sido substituídas por elmos e placas de fino aço. Kaladin se perguntou quem teria pendurado as antigas armaduras ali. Ele nem sabia que alguns dos homens tinham ido buscá-las; eram as armaduras extras que Leyten havia fabricado para os homens e escondido nos abismos, antes de serem libertados.

— Senhor, só quero dizer que sinto muito.

— Pelo quê?

— Quando éramos carregadores de pontes. — Pitt levou a mão à cabeça. — Raios, parece que foi em outra vida. Eu não conseguia pensar direito naquele tempo. Está tudo confuso. Mas lembro de ficar *feliz* quando a sua equipe era mandada em vez da minha. Lembro de torcer para que o senhor falhasse, porque ousava caminhar de queixo erguido... Eu...

— Está tudo bem, Pitt — disse Kaladin. — Não foi sua culpa. Pode culpar Sadeas.

— Acho que sim. — Uma expressão distante surgiu no rosto dele. — Ele acabou com a gente direitinho, não foi, senhor?

— Foi.

— Mas acontece que homens conseguem se reconstruir. Eu não teria apostado nisso. — Pitt olhou por sobre o ombro. — Vou ter que fazer isso pelos outros rapazes da Ponte Dezessete, não vou?

— Com a ajuda de Teft, sim, mas a esperança é essa — disse Kaladin.

— Acha que consegue?

— Vou ter que fingir ser como o senhor — respondeu Pitt.

Ele sorriu, depois seguiu em frente, pegando uma tigela de guisado e se juntando aos outros. Aqueles quarenta logo estariam prontos para serem sargentos das suas próprias equipes de carregadores. A transformação havia acontecido mais rápido do que Kaladin esperara. *Teft, homem maravilhoso*, ele pensou. *Você conseguiu.*

E onde estava Teft, afinal? Ele havia saído em patrulha também, mas agora desaparecera. Kaladin olhou por sobre o ombro, mas não o viu; talvez estivesse conferindo como estavam algumas das outras equipes de ponte. Ele pegou Rocha mandando embora um homem magricela vestido como um fervoroso.

— O que houve? — perguntou Kaladin quando o papaguampas passou por ele.

— Aquele lá fica vadiando por aqui com um caderno de desenho. Quer desenhar carregadores de pontes. Ha! Porque somos famosos, sabe?

Kaladin franziu o cenho. Ações estranhas para um fervoroso — mas também, todos os fervorosos eram meio estranhos. Ele deixou Rocha voltar ao seu guisado e se afastou da fogueira, apreciando a paz.

Estava tudo tão silencioso ali no acampamento. Como se estivesse prendendo a respiração.

— A patrulha parece ter funcionado — disse Sigzil, se aproximando de Kaladin. — Esses homens mudaram.

— É engraçado o que uns poucos dias marchando como um grupo é capaz de fazer com soldados — respondeu Kaladin. — Você viu Teft?

— Não, senhor. — Ele indicou a fogueira. — É melhor comer um pouco de guisado. Não teremos muito tempo para conversar esta noite.

— Grantormenta — lembrou-se Kaladin.

Parecia que muito pouco tempo se passara desde a última, mas elas não eram sempre regulares — não como ele pensava. Os guarda-tempos precisavam fazer cálculos matemáticos complexos para prevê-las; o pai de Kaladin fazia isso por hobby.

Talvez fosse isso lhe chamando a atenção. Estaria de repente prevendo grantormentas porque a noite parecia... alguma coisa?

Você está imaginando coisas, pensou Kaladin. Deixando de lado sua fadiga da longa cavalgada e marcha, ele foi pegar um pouco de guisado. Teria que comer rapidamente — queria juntar-se aos homens que guardavam Dalinar e o rei durante a tempestade.

Os homens da patrulha fizeram uma algazarra para saudá-lo enquanto ele encheu sua tigela.

S HALLAN ESTAVA SENTADA NA carroça sacolejante e passou a mão sobre a esfera no assento ao lado, surrupiando-a e deixando outra cair.

Tyn levantou uma sobrancelha.

— Eu ouvi o barulho da substituição.

— Redes secas! — resmungou Shallan. — Pensei que tinha conseguido.

— Redes secas?

— É um xingamento — respondeu Shallan, enrubescendo. — Ouvi de marinheiros.

— Shallan, você faz *alguma* ideia do que isso significa?

— Tem a ver... com pesca? Que as redes estão secas? Não estão pegando nenhum peixe e isso é ruim?

Tyn sorriu.

— Querida, farei o *máximo* que puder para corrompê-la. Até lá, acho melhor evitar usar xingamentos de marinheiros. Por favor.

— Tudo bem. — Shallan passou a mão sobre a esfera novamente, trocando as duas. — Sem barulho! Ouviu isso? Ou, hã, *não* ouviu isso? Não fez barulho!

— Muito bem — disse Tyn, pegando uma pitada de alguma substância semelhante a musgo. Ela começou a esfregá-la entre os dedos, e Shallan pensou ver *fumaça* surgindo do musgo. — Você *está* melhorando. Também acho que devemos descobrir alguma maneira de usar esse seu talento para o desenho.

Shallan já tinha uma ideia de como isso lhe seria útil. Outros dos ex-desertores haviam pedido retratos a ela.

— Andou praticando seus sotaques? — perguntou Tyn, seus olhos vidrados enquanto esfregava o musgo.

— Tenho, sim, minha boa senhora — disse Shallan com um sotaque thayleno.

— Ótimo. Vamos passar para roupas quando tivermos mais recursos. Eu bem que vou achar graça de ver sua cara quando você precisar sair em público com essa sua mão descoberta.

Shallan imediatamente levou a mão segura ao peito.

— O quê?!

— Eu avisei que teria coisas difíceis — respondeu Tyn, sorrindo com um ar matreiro. — A oeste de Marat, quase todas as mulheres saem com as duas mãos descobertas. Se você quiser visitar esses lugares sem chamar atenção, vai precisar fazer como elas.

— Isso é indecente! — protestou Shallan, corando furiosamente.

— É só uma mão, Shallan. Raios, vocês vorins são tão puritanos. Aquela mão é *igualzinha a essa* sua outra mão.

— Muitas mulheres têm peitos não muito maiores do que os dos homens — respondeu Shallan rispidamente. — Isso não faz com que seja certo que saiam sem camisa, como um homem sai!

— Na verdade, em partes das Ilhas Reshi e em Iri, não é incomum que mulheres andem de peito nu. Faz muito calor por lá. Ninguém se importa. Eu mesma gostei bastante.

Shallan levou as duas mãos ao rosto — uma coberta, outra não — para ocultar seu rubor.

— Você está fazendo isso só para me provocar.

— É verdade — disse Tyn, dando risada. — Estou mesmo. Essa é a garota que enganou uma tropa inteira de desertores e assumiu o controle da nossa caravana?

— Eu não precisei ficar nua para fazer *isso*.

— Ainda bem que não. Ainda se acha experiente e conhecedora do mundo? Você fica vermelha com a mera menção de expor sua mão segura. Não vê como vai ser difícil executar qualquer tipo de golpe produtivo?

Shallan respirou fundo.

— Acho que sim.

— Mostrar sua mão não vai ser a coisa mais difícil que vai precisar fazer — continuou Tyn, com um ar distante. — Não vai ser a coisa mais difícil, nem por uma brisa nem por um vento de tormenta. Eu...

— O quê? — indagou Shallan.

Tyn balançou a cabeça.

— Falamos disso mais tarde. Já está vendo os acampamentos de guerra?

Shallan se levantou no banco, protegendo os olhos contra o sol poente a oeste. Ao norte, ela viu uma névoa. Centenas de fogueiras — não, milhares — exalando escuridão para o céu. Sua respiração ficou presa na garganta.

— Chegamos.

— Mande a caravana acampar para a noite — disse Tyn, sem sair de sua pose relaxada.

— Parece que estamos a apenas algumas horas de distância — replicou Shallan. — Podemos nos apressar...

— E chegar depois do anoitecer, e sermos forçados a acampar de qualquer maneira. É melhor chegarmos descansados pela manhã. Confie em mim.

Shallan se acomodou, chamando um dos trabalhadores da caravana, um jovem que caminhava descalço — seus calos deviam ser pavorosos — acompanhando a caravana. Só os mais graduados entre eles iam nas carroças.

— Pergunte ao Mestre Comerciante Macob o que ele acha de parar aqui para passar a noite — disse Shallan ao jovem.

Ele assentiu e correu adiante da fila, passando pelos pesados chules.

— Você não confia na minha avaliação? — perguntou Tyn, aparentemente achando graça.

— O Mestre Comerciante Macob não gosta de receber ordens — explicou Shallan. — Se parar for uma boa ideia, talvez ele faça essa sugestão. Parece-me uma maneira melhor de liderar.

Tyn esfregou os olhos, erguendo o rosto para o céu. Ainda estava com a mão erguida, distraidamente esfregando musgo entre os dedos.

— Talvez eu tenha algumas informações para você hoje.

— Sobre o quê?

— Sua terra natal. — Tyn abriu um olho. Embora sua postura fosse preguiçosa, aquele olho traía curiosidade.

— Que bom — respondeu Shallan, de modo evasivo.

Tentava não contar muito sobre seu lar ou sua vida lá — também não havia contado a Tyn sobre sua viagem e sobre o naufrágio do navio. Quanto menos Shallan falasse sobre sua história, menos provável seria que Tyn percebesse a verdade sobre sua nova pupila.

A culpa é dela por tirar conclusões precipitadas sobre mim, pensou Shallan. *Além disso, é ela quem está me ensinando a fingir. Eu não devia me sentir mal por mentir para ela. Ela mente para todo mundo.*

Pensar nisso fez com que se retraísse. Tyn tinha razão; Shallan *era* ingênua. Ela não conseguia deixar de sentir culpa por mentir, mesmo para uma vigarista profissional!

— Eu esperava mais de você — disse Tyn, fechando o olho. — Levando em consideração...

Isso atiçou Shallan, e ela percebeu que estava se agitando no assento.

— Levando em consideração o quê? — perguntou finalmente.

— Então você *não* sabe. Foi o que pensei.

— Há muitas coisas que eu não sei, Tyn — disse Shallan, exasperada. — Não sei construir uma carroça, não sei falar irialiano, e *certamente* não sei como impedir que você seja irritante. Não que eu não tenha tentado aprender as três coisas.

Tyn sorriu, olhos fechados.

— Seu rei vedeno está morto.

— Hanavanar? Morto? — Ela nunca conhecera o grão-príncipe, quanto mais o rei. A monarquia era algo distante. Descobriu que isso não lhe era particularmente importante. — O filho dele vai herdar o trono, então?

— Ele herdaria, se não estivesse morto também. Junto com mais seis dos grão-príncipes de Jah Keved.

Shallan ficou boquiaberta.

— Dizem que foi o Assassino de Branco — sussurrou Tyn, os olhos ainda fechados. — O homem shino que matou o rei alethiano seis anos atrás.

Shallan conteve sua confusão. Seus irmãos. Será que estavam bem?

— Seis grão-príncipes. Quais?

Se ela soubesse, poderia descobrir qual era a situação do seu principado.

— Não sei ao certo — respondeu Tyn. — Jal Mala e Evinor com certeza, e provavelmente Abrial. Alguns morreram no ataque, outros antes disso, embora a informação seja vaga. É difícil obter qualquer tipo de informação confiável de Vedenar hoje em dia.

— Valam. Ele está vivo? — O grão-príncipe dela.

— Dizem os relatos que ele estava lutando pela sucessão. Meus informantes vão entrar em contato comigo esta noite via telepena. Então terei mais notícias.

Shallan se recostou. O rei, morto? Uma guerra de sucessão? Pai das Tempestades! Como poderia saber sobre sua família e sua propriedade? Eles estavam distantes da capital, mas se o país inteiro fosse consumido pela guerra, isso chegaria até mesmo nas áreas remotas. Não havia uma maneira fácil de alcançar seus irmãos. Ela havia perdido sua telepena quando o *Prazer do Vento* afundou.

— Apreciarei qualquer informação — disse Shallan. — Qualquer informação mesmo.

— Veremos. Vou deixar que você esteja comigo durante o relatório.

Shallan se inclinou para trás para digerir essa informação. *Ela suspeitava que eu não sabia, mas não me disse nada até agora.* Shallan gostava de Tyn, mas precisava se lembrar de que aquela mulher era uma profissional no ocultamento de informações. O que mais Tyn sabia que não estava compartilhando?

À frente, o jovem da caravana caminhou de volta pela fila de carroças em movimento. Ao alcançar Shallan, ele mudou de direção e passou a caminhar junto ao veículo dela.

— Macob disse que a senhorita foi sábia em perguntar, e que provavelmente devemos acampar aqui. Todos os acampamentos de guerra têm fronteiras protegidas, e eles não devem nos deixar entrar durante a noite. Além disso, ele não tem certeza de que daria tempo de alcançar os acampamentos antes da tempestade desta noite.

Ao lado, com os olhos ainda fechados, Tyn sorriu.

— Então vamos acampar — disse Shallan.

32

AQUELE QUE ODEIA

Sentimos que fomos traídos pelos esprenos.
Nossas mentes são próximas demais de seu reino
Que nos dá nossas formas, mas então
Os esprenos mais astutos nos exploram,
Não podemos dar a eles o que um humano dá,
Somos aperitivos, e homens são a refeição completa.

— Da Canção dos Esprenos dos Ouvintes, 9ª estrofe

No seu sonho, Kaladin era a tempestade.

Ele reclamou a terra, atravessando-a, uma fúria purificadora. Tudo era varrido diante dele, partindo-se diante dele. Na sua escuridão, a terra renascia.

Voava alto, relâmpagos em suas veias, seus lampejos de inspiração. O uivo do vento era sua voz, e o trovão, seu pulso. Estava atordoado, dominado, eclipsado e...

Já havia feito aquilo antes.

Uma certeza veio a Kaladin como água entrando por baixo de uma porta. Sim. Já havia sonhado aquele sonho.

Com esforço, ele se virou. Um rosto tão largo quanto a eternidade se estendia atrás dele, a força por trás da tormenta, o próprio Pai das Tempestades.

Filho da honra, disse uma voz que parecia o rugido do vento.

— Isso é real! — gritou Kaladin para a tempestade. Ele era o próprio vento. Espreno. Encontrou sua voz, de alguma forma. — Você é real!

Ela confia em você.

— Syl? Sim, ela confia.

Não deveria.

— Foi você que a proibiu de me procurar? É você que impede os esprenos de se aproximarem?

Você vai matá-la. A voz, tão profunda, tão *poderosa*, soou com pesar. Triste. Você vai assassinar minha filha e largar o cadáver com homens perversos.

— Não vou, *não!* — gritou Kaladin.

Já até começou.

A tempestade continuou. Kaladin via o mundo de cima. Navios em portos protegidos sacudiam nas ondas violentas. Exércitos encolhidos em vales, se preparando para a guerra em um lugar de muitas colinas e montanhas. Um vasto lago secando antes da sua chegada, a água recuando para orifícios na pedra abaixo.

— Como posso impedir? — perguntou Kaladin. — Como posso protegê-la?

Você é humano. Você será um traidor.

— Não serei!

Você vai mudar. Homens mudam. Todos eles.

O continente era tão vasto. Tantas pessoas falando em idiomas que não compreendia, todos escondidos em seus quartos, suas cavernas, seus vales.

Ah, disse o pai das tempestades. Então vai terminar.

— O quê? — gritou Kaladin para os ventos. — O que mudou? Eu sinto...

Ele vem atrás de você, traidorzinho. Sinto muito.

Algo surgiu diante de Kaladin. Uma segunda tempestade, de relâmpagos vermelhos, enorme a ponto de fazer o continente — o próprio *mundo* — parecer nada em comparação. Tudo caiu sob sua sombra.

Sinto muito, disse o pai das tempestades. Ele está vindo.

Kaladin despertou, o coração trovejando.

Quase caiu da cadeira. Onde estava? O Pináculo, a sala de conferências do rei. Kaladin havia se sentado por um minuto e...

Ele enrubesceu. Havia cochilado.

Adolin estava ali perto, conversando com Renarin.

— Não sei se essa reunião vai dar em alguma coisa, mas estou feliz que o pai tenha concordado. Já estava quase perdendo as esperanças, com todo o tempo que o mensageiro parshendiano levou para chegar.

— Tem certeza de que o parshendiano com quem falou era uma mulher? — perguntou Renarin. Ele parecia mais tranquilo agora que tinha concluído seu vínculo com a Espada, algumas semanas atrás, e já não precisava carregá-la por aí. — Uma mulher Fractária?

— O parshendianos são bem estranhos. — Adolin deu de ombros. Ele olhou de relance para Kaladin e seus lábios se curvaram em um sorriso de zombaria. — Dormindo no trabalho, carregadorzinho?

Uma persiana frouxa tremeu ali perto, água escorrendo sob a madeira. Navani e Dalinar estavam no cômodo ao lado.

O rei não estava na sala.

— Sua Majestade! — gritou Kaladin, se levantando apressadamente.

— Na privada, carregadorzinho. — Adolin indicou outra porta. — Você consegue dormir durante uma grantormenta. É impressionante, assim como o quanto você baba dormindo.

Sem tempo para provocações. Aquele sonho... Kaladin virou-se para a porta da varanda, a respiração acelerada.

Ele está vindo...

Abriu a porta. Adolin gritou e Renarin o chamou, mas Kaladin os ignorou, encarando a tempestade.

O vento ainda uivava e a chuva bombardeava a varanda de pedra com um som semelhante a galhos se quebrando. Não havia relâmpago, todavia, e o vento — embora violento — não era forte o bastante para atirar pedras ou derrubar paredes. O grosso da grantormenta havia passado.

Escuridão. Vento das profundezas do nada, golpeando seu corpo. Parecia estar diante do próprio vazio, da Danação, conhecida como Braize nas velhas canções. Lar de monstros e demônios. Saiu, hesitante, a luz da porta ainda aberta se espalhando pela varanda molhada. Ele encontrou o parapeito — uma parte que ainda estava segura — e agarrou-o com dedos frios. A chuva o atingia no rosto, escorrendo pelo uniforme, atravessando o tecido e buscando pele quente.

— Você está *louco*? — perguntou Adolin do vão da porta.

Kaladin mal ouviu sua voz através do vento e do ronco distante de trovões.

P ADRÃO SIBILAVA BAIXINHO ENQUANTO a chuva caía na carroça. Os escravos de Shallan estavam encolhidos juntos, gemendo. Ela queria silenciar o tormentoso espreno, mas Padrão não estava respondendo aos seus apelos. Pelo menos a grantormenta estava quase no fim.

Queria sair e ler o que os correspondentes de Tyn tinham a dizer sobre sua terra natal.

Os zumbidos de Padrão pareciam quase uma lamúria. Shallan franziu o cenho e se inclinou para perto dele. Eram palavras?

— Ruim... ruim... muito ruim...

S YL SURGIU DA DENSA escuridão da grantormenta, um súbito lampejo de luz no breu. Ela girou ao redor de Kaladin antes de pousar no parapeito de ferro diante dele. Seu vestido parecia mais longo e fluido do que o normal. A chuva a atravessava sem perturbar sua forma.

Syl olhou para o céu, então virou a cabeça bruscamente.

— Kaladin. Tem algo errado.

— Eu sei.

Syl voejou, virando para um lado e depois para o outro. Seus pequenos olhos se arregalaram.

— Ele está vindo.

— Quem? A tempestade?

— Aquele que odeia — sussurrou ela. — A escuridão interior. Kaladin, ele está vigiando. Alguma coisa vai acontecer. Alguma coisa ruim.

Kaladin hesitou apenas por um momento, então voltou para a sala, passando por Adolin e adentrando a luz.

— Vá buscar o rei. Vamos sair daqui. *Agora*.

— O quê? — perguntou Adolin.

Kaladin abriu bruscamente a porta do cômodo onde Dalinar e Navani esperavam. O grão-príncipe estava sentado em um sofá, com uma expressão distante, e Navani segurava sua mão. Não era o que Kaladin esperava. O grão-príncipe não parecia assustado ou louco, só pensativo. Ele estava falando baixinho.

Kaladin congelou. *Ele vê coisas durante as tempestades*.

— O que está fazendo? — questionou Navani. — Como *ousa*?

— A senhora pode despertá-lo? — perguntou Kaladin, entrando no cômodo. — Precisamos sair desta sala, deste palácio.

— Bobagem. — Era a voz do rei. Elhokar entrou no cômodo atrás dele. — Que conversa é essa?

— Vossa Majestade não está segura aqui — disse Kaladin. — Precisamos tirá-lo do palácio e levá-lo para o acampamento de guerra.

Raios. Onde seria seguro? Será que deveria ir para algum lugar inesperado?

O trovão estrondava lá fora, mas o som da chuva havia diminuído. A tempestade estava morrendo.

— Isso é ridículo — disse Adolin atrás do rei, erguendo as mãos. — Esse é o lugar mais seguro nos acampamentos de guerra. E você quer que a gente saia? Quer arrastar o rei para a tempestade?

— Precisamos despertar o grão-príncipe — insistiu Kaladin, estendendo a mão para Dalinar.

Dalinar alcançou seu braço no meio do caminho.

— O grão-príncipe está acordado — declarou ele, seu olhar se desanuviando, de volta do lugar distante onde estivera. — O que está acontecendo aqui?

— O carregadorzinho quer que evacuemos o palácio — disse Adolin.

— Soldado? — inquiriu Dalinar.

— Não é seguro aqui, senhor.

— Por que diz isso?

— Instinto, senhor.

A sala ficou em silêncio. Lá fora, a chuva suavizou-se até uma gentil garoa. A calmaria havia chegado.

— Vamos, então — disse Dalinar, se levantando.

— O quê? — rebateu o rei.

— Você colocou este homem no comando da sua guarda, Elhokar — explicou Dalinar. — Se ele acha que nossa posição não é segura, devemos fazer o que ele diz.

Havia um *por enquanto* implícito naquela frase, mas Kaladin não se importava. Passou rudemente pelo rei e Adolin, se apressando a voltar pela câmara principal até o corredor. Seu coração martelava, seus músculos estavam tensos. Syl, visível apenas aos seus olhos, zunia desesperadamente pelo recinto.

Kaladin abriu as portas com violência. Seis homens estavam de guarda no corredor, a maioria carregadores de pontes, com um membro da Guarda do Rei, um homem chamado Ralinor.

— Estamos saindo — informou Kaladin, apontando. — Beld e Hobber, vocês são o esquadrão avançado. Façam o reconhecimento do caminho até a saída do edifício... a saída dos fundos, passando pelas cozinhas... e gritem se virem algo estranho. Moash, você e Ralinor são a retaguarda. Vigiem esta sala até que eu tenha tirado o rei e o grão-príncipe de vista, depois nos sigam. Mart e Eth, vocês ficam junto do rei, não importa o que aconteça.

Os guardas entraram em ação sem perguntas. Enquanto os batedores corriam à frente, Kaladin voltou ao rei e agarrou-o pelo braço, depois o arrastou até a porta. Elhokar permitiu, parecendo atordoado.

Os outros olhos-claros o seguiram. Mart e Eth, dois irmãos, foram junto, flanqueando o rei, enquanto Moash guardava a porta. Ele segurava a lança nervosamente, apontando para uma direção, depois outra.

Kaladin guiou o rei e sua família às pressas pelo corredor, seguindo o caminho escolhido. Em vez de ir pela esquerda e descer pela rampa rumo à entrada principal do palácio, seguiriam pela direita, se aprofundando em suas entranhas. Descendo pela direita, pelas cozinhas, até saírem na noite.

Os corredores estavam em silêncio. Todos estavam abrigados em seus quartos durante a grantormenta.

Dalinar juntou-se a Kaladin na frente do grupo.

— Estou curioso para ouvir exatamente o que causou tudo isso, soldado. Quando estivermos em segurança.

Meu espreno está tendo um ataque, pensou Kaladin, vendo-a zunir sem parar pelo corredor. *Foi o que causou tudo isso.* Como poderia explicar? Que dera ouvidos a um *espreno de vento*?

Embrenharam-se ainda mais pelo palácio. Raios, aqueles corredores vazios eram perturbadores. Grande parte do palácio era na verdade apenas uma toca entalhada na rocha da colina, com janelas esculpidas nas laterais.

Kaladin parou subitamente.

As luzes à frente estavam apagadas, o corredor adiante escurecendo até ficar sombrio como uma mina.

— Espere — disse Adolin, parando também. — Por que está escuro? O que aconteceu com as esferas?

Elas foram drenadas de Luz.

Danação. E o que era aquilo na parede do corredor mais à frente? Um grande pedaço de escuridão. Kaladin procurou freneticamente uma esfera no bolso e a levantou. Era um buraco! Uma passagem havia sido cortada naquele corredor pelo lado de fora, diretamente na rocha. Uma brisa fria soprava pelo buraco.

A luz de Kaladin também iluminou algo à frente. Um corpo no chão, bem onde os corredores se cruzavam. O cadáver vestia um uniforme azul. Beld, um dos homens que Kaladin havia mandado na dianteira.

O grupo olhou para o corpo, horrorizado. O sinistro silêncio do corredor e a falta de luzes havia calado até mesmo os protestos do rei.

— Ele está aqui — sussurrou Syl.

Uma figura solene surgiu do corredor lateral, arrastando uma Espada Fractal longa e prateada que cortava uma trilha no chão de pedra. A figura vestia roupas brancas e leves: calças finas e uma camisa larga que ondulava a cada passo. Cabeça calva, pele pálida. Shino.

Kaladin reconheceu a figura. Todos os habitantes de Alethkar tinham ouvido falar daquele homem. O Assassino de Branco. Kaladin o vira uma vez em um sonho, como o que tivera mais cedo, embora não o houvesse reconhecido na época.

Luz das Tempestades fluía pelo corpo do assassino.

Ele era um Manipulador de Fluxos.

— Adolin, comigo! — gritou Dalinar. — Renarin, proteja o rei! Leve-o de volta por onde viemos!

Dito isso, Dalinar — o Espinho Negro — tomou a lança de um dos homens de Kaladin e avançou contra o assassino.

Ele vai acabar sendo morto, pensou Kaladin, correndo atrás dele.

— Vão com o príncipe Renarin! — gritou para os seus homens. — Façam o que ele mandar! Protejam o rei!

Os homens — incluindo Moash e Ralinor, que haviam alcançado o grupo — começaram uma retirada desesperada, arrastando Navani e o rei.

— Pai! — gritou Renarin. Moash o agarrou pelo ombro e o puxou de volta. — Eu posso lutar!

— Vá! — berrou Dalinar. — Proteja o rei!

Enquanto Kaladin avançava com Dalinar e Adolin, a última coisa que ouviu do grupo foi a voz lamuriosa do rei Elhokar.

— Ele voltou para me pegar. Sempre soube que ele viria. Como veio atrás do meu pai...

Kaladin inspirou o máximo de Luz das Tempestades que ousou. O Assassino de Branco aguardava calmamente no corredor, fluindo com sua própria Luz. Como ele podia ser um Manipulador de Fluxos? Que espreno havia escolhido aquele homem?

A Espada Fractal de Adolin formou-se em suas mãos.

— Tridente — disse Dalinar em voz baixa, desacelerando à medida que os três se aproximavam do assassino. — Eu sou o meio. Está familiarizado com essa manobra, Kaladin?

— Sim, senhor.

Era uma formação simples, para esquadrões pequenos no campo de batalha.

— Deixe-me cuidar disso, pai — pediu Adolin. — Ele tem uma Espada Fractal, e não gosto desse brilho...

— Não, vamos atingi-lo juntos. — Os olhos de Dalinar se estreitaram ao fitar o assassino, que ainda esperava calmamente sobre o corpo do pobre Beld. — Não estou dormindo com a cara na mesa desta vez, seu desgraçado. Você não vai tirar mais ninguém de mim!

Os três avançaram juntos. Dalinar, como a ponta do meio do tridente, tentaria chamar a atenção do assassino enquanto Kaladin e Adolin atacavam pelas laterais. Ele havia sabiamente escolhido a lança pelo seu alcance, em vez de usar sua espada curta. Avançaram juntos para confundir e atordoar.

O assassino aguardou até que estivessem perto, então saltou, deixando um rastro de Luz. Ele girou no ar enquanto Dalinar urrava e atacava com a lança.

O assassino não desceu. Em vez disso, pousou no *teto* do corredor, cerca de dois metros e meio acima.

— É verdade — disse Adolin, em um tom assombrado.

Ele se curvou para trás, levantando a Espada Fractal para atacar em um ângulo difícil. O assassino, contudo, *correu pela parede,* as roupas brancas tremulando, desviou a Espada Fractal de Adolin com a dele, depois bateu a mão no peito do príncipe.

Adolin subiu como se tivesse sido jogado. Seu corpo vazava Luz das Tempestades, e ele atingiu o teto ruidosamente. Ele grunhiu, virando o corpo, mas continuou no teto.

Pai das Tempestades!, pensou Kaladin, o coração disparado, a tempestade trovejando dentro dele. Golpeou com a lança junto com o Espinho Negro, em uma tentativa de acertar o assassino.

O homem não se desviou.

As duas lanças acertaram carne, a de Dalinar no ombro, a de Kaladin no flanco. O assassino girou, brandindo sua Espada Fractal e cortando as lanças ao meio, como se não se importasse com os ferimentos. Ele avançou, esbofeteando o rosto de Dalinar e jogando-o ao chão, depois voltou sua Espada para Kaladin.

Kaladin mal conseguiu evitar o golpe, então recuou cambaleando, a ponta de sua lança caindo no chão ao lado de Dalinar, que rolou com um grunhido, a mão no rosto onde o assassino lhe acertara. Sangue fluía de um corte na pele. O golpe de um Manipulador de Fluxos portando Luz das Tempestades não podia ser simplesmente ignorado.

O assassino parou, a postos e confiante, no centro do corredor. Luz das Tempestades redemoinhava nos cortes de suas roupas, agora manchadas de vermelho, curando sua carne.

Kaladin recuou, segurando uma lança sem ponta. As coisas que aquele homem fazia... Ele não podia ser um *Corredor dos Ventos*, podia?

Impossível.

— Pai! — gritou Adolin do alto.

O jovem se pusera de pé, mas a Luz das Tempestades fluindo dele já estava quase esgotada. Ele tentou atacar o assassino, mas soltou-se do teto e caiu no chão, bem em cima do ombro. Sua Espada Fractal desapareceu ao escapar de seus dedos.

O assassino se aproximou de Adolin, que estava se remexendo, mas sem conseguir se levantar.

— Sinto muito — disse o homem, Luz das Tempestades escapando de sua boca. — Não quero fazer isso.

— Não vou te dar a chance — grunhiu Kaladin, avançando.

Syl girava ao seu redor, e ele sentia o vento despertando. Sentia a fúria da tempestade, impulsionando-o. Partiu para cima do assassino com o resto da sua lança, segurando-a como se fosse um bastão, e *sentiu* o vento guiando sua mão.

Ataques feitos com precisão, um momento de união com a arma. Esqueceu suas preocupações, esqueceu seus fracassos, esqueceu até sua raiva. Só Kaladin e uma lança.

Como o mundo deveria ser.

O assassino recebeu um golpe no ombro, depois no flanco. Não podia ignorar todos eles — esgotaria sua Luz das Tempestades se curando. O shino praguejou, deixando escapar outro bocado de Luz, e recuou, seus olhos ligeiramente grandes, da cor de safiras pálidas, se arregalando diante da chuva contínua de golpes.

Kaladin inspirou o resto de sua Luz das Tempestades. Tão pouco. Não havia pegado novas esferas antes de partir para o plantão de guarda. Idiota. Descuidado.

O assassino virou o ombro, levantando a Espada Fractal, preparando-se para atacar. *Ali*, pensou Kaladin. Podia *sentir* o que ia acontecer. Ele se desviaria do ataque, levantando a base da sua lança. Acertaria a cabeça do assassino, um poderoso golpe que até a Luz das Tempestades não seria capaz de compensar facilmente. O homem ficaria desnorteado. Uma abertura.

Peguei ele.

De algum modo, o assassino conseguiu se desviar.

Ele se movia rápido demais, mais rápido do que Kaladin imaginava. Tão rápido quanto... o próprio Kaladin. Seu golpe encontrou apenas o ar, e ele mal conseguiu evitar ser empalado pela Espada Fractal.

Os movimentos seguintes vieram por instinto. Anos de treinamento deram aos seus músculos vontade própria. Se estivesse lutando com um inimigo comum, a maneira como automaticamente deslocou sua arma para bloquear o golpe seguinte teria sido perfeita. Mas o assassino tinha uma Espada Fractal. Os instintos de Kaladin — instilados tão diligentemente — o traíram.

A arma prateada cortou o resto da lança, então atravessou o braço direito de Kaladin abaixo do cotovelo. Um choque de dor inacreditável o percorreu, e ele arquejou, caindo de joelhos.

Então... nada. Não sentia mais o braço. O membro tornou-se cinzento e opaco, sem vida, a palma se abrindo, os dedos afrouxando enquanto metade da haste da lança caía no chão.

O assassino chutou Kaladin para fora do caminho, lançando-o contra a parede. Kaladin grunhiu, tombando.

O homem de vestes brancas se virou no corredor na direção em que o rei partira. Novamente passou por cima de Adolin.

— Kaladin! — chamou Syl, em sua forma de fita de luz.

— Não posso vencê-lo — sussurrou Kaladin, com lágrimas nos olhos. Lágrimas de dor. Lágrimas de frustração. — Ele é um de nós. Um Radiante.

— Não! — respondeu Syl com veemência. — Não. Ele é algo muito mais terrível. Não é guiado por nenhum espreno, Kaladin. Por favor, levante-se.

Dalinar estava novamente de pé no corredor entre o assassino e o caminho até o rei. A bochecha do Espinho Negro era uma massa sangrenta, mas seus olhos estavam lúcidos.

— Não vou deixar que você o mate! — berrou Dalinar. — Elhokar, não. Você levou meu irmão! Não vou deixar que leve tudo que me restou dele!

O assassino parou no corredor diante de Dalinar.

— Mas eu não vim atrás dele, grão-príncipe — sussurrou o homem, Luz das Tempestades fumegando de seus lábios. — Eu vim atrás de você.

O assassino investiu, desviando o ataque de Dalinar, e chutou o Espinho Negro na perna. Dalinar caiu sobre um joelho, seu grunhido ecoando pelo corredor enquanto soltava a lança. Um vento gélido soprou pela abertura na parede, ao lado dele.

Kaladin rosnou, forçando-se a se levantar e avançar pelo corredor, sua mão inútil e morta. Nunca mais portaria uma lança. Não podia pensar nisso. *Precisava* alcançar Dalinar.

Lento demais.

Vou fracassar.

O assassino brandiu sua terrível Espada em um golpe final de cima para baixo. Dalinar não se desviou.

Em vez disso, ele pegou a Espada.

Dalinar juntou as bases de suas palmas enquanto a Espada descia e *agarrou-a* logo antes que o atingisse.

O assassino grunhiu, surpreso.

Foi naquele momento que Kaladin o alcançou, usando seu peso e impulso para jogar assassino contra a parede; só que não havia parede ali. Eles atingiram o ponto onde o assassino havia cortado sua entrada para o corredor.

Ambos despencaram no ar.

33

FARDOS

Mas ao fim é possível realizar
A tarefa de seus Fluxos com os nossos misturar.
Foi prometido e pode virar fato.
Ou entendemos o resultado?
Não questionamos se eles nos receberiam de volta,
E sim se nós ousamos retornar a sua escolta.

— Da Canção dos Esprenos dos Ouvintes, 10ª estrofe

KALADIN CAIU COM A chuva.

Agarrado à roupa cor de osso do assassino com a mão boa. A Espada Fractal que o assassino deixou cair explodiu em neblina ao lado deles, e juntos eles despencaram rumo ao chão, trinta metros abaixo.

A tempestade dentro de Kaladin estava quase inerte. Muito pouca Luz das Tempestades!

O assassino subitamente começou a brilhar com mais intensidade.

Ele tem esferas.

Kaladin respirou fundo e Luz fluiu das esferas nas bolsas na cintura do assassino. Enquanto a Luz preenchia Kaladin, o assassino o chutou. Segurá-lo com uma mão não foi suficiente, e Kaladin foi jogado para longe.

Então bateu no chão.

Bateu com força. Sem se preparar, sem conseguir cair de pé. Ele se estatelou contra a pedra fria e molhada, e sua visão ofuscou-se com um relâmpago.

Clareou um momento depois, e ele percebeu que estava caído nas pedras na base da elevação que conduzia ao palácio do rei, salpicado por uma chuva suave. Olhou para a luz distante do buraco na parede acima. Havia sobrevivido.

Uma pergunta respondida, pensou, se esforçando para ficar de joelhos na pedra úmida. A Luz das Tempestades já estava trabalhando na pele ralada do seu flanco direito. Ele havia quebrado algo no ombro; sentia a cura como uma dor ardente que arrefecia devagar.

Mas seu braço e mão direita, fracamente iluminados pela Luz das Tempestades emanando do resto do seu corpo, ainda estavam cinzentos e opacos. Como uma vela apagada em uma fileira, aquela parte dele não brilhava. Ele não a sentia; nem mesmo conseguia mover os dedos. Eles penderam frouxamente quando segurou a mão.

Ali perto, o Assassino de Branco ergueu-se na chuva. De algum modo, ele havia pousado de pé, no controle, com graça. Aquele homem tinha um nível de experiência com seus poderes que fazia Kaladin parecer um recruta novato.

O assassino voltou-se para ele, então parou. Falou baixinho em uma linguagem que Kaladin não entendia, as palavras roucas e sibilantes, com muitos sons de "sh".

Preciso me mexer, pensou Kaladin. *Antes que ele invoque aquela Espada outra vez.* Infelizmente, não conseguia ignorar o horror de ter perdido a mão. Não haveria mais combate com lança; não haveria mais cirurgias. Os dois homens que havia aprendido a ser estavam agora perdidos.

Exceto... ele *quase sentia...*

— Eu Projetei você? — perguntou o assassino em um alethiano com sotaque. Seus olhos haviam escurecido, perdendo o tom de azul-safira. — Para o chão? Mas por que você não morreu na queda? Não. Eu devo ter Projetado você para cima. Impossível.

Ele deu um passo atrás. Um momento de surpresa. Um momento para viver. Talvez... Kaladin sentia a Luz trabalhando, a tempestade dentro dele se esforçando e pressionando. Ele rangeu os dentes e, de alguma forma, *fez força.*

A cor voltou à sua mão, e a sensação — uma dor fria — subitamente inundou seu braço, a mão, os dedos. A Luz começou a emanar de sua mão.

— Não... — disse o assassino. — Não!

A ação de Kaladin com sua mão havia consumido muito de sua Luz, e seu brilho geral diminuiu, deixando-o com uma iluminação tênue. Ainda de joelhos, trincando os dentes, ele agarrou a faca em seu cinto, mas sua pegada estava fraca. Quase deixou a arma cair enquanto a desembainhava.

Ele passou a faca para a mão esquerda. Teria que servir.

Kaladin se ergueu bruscamente e avançou contra o assassino. *Tenho que acertá-lo rapidamente para funcionar.*

O homem saltou para trás, voando uns três metros, sua roupa branca ondulando no ar noturno. Ele pousou com uma graça ágil, a Espada Fractal aparecendo em sua mão.

— O que você é? — questionou ele.

— A mesma coisa que você — respondeu Kaladin. Sentiu uma onda de náusea, mas forçou-se a parecer firme. — Corredor dos Ventos.

— Não pode ser.

Kaladin ergueu a faca, os poucos traços de Luz restante fumegando da sua pele. A chuva fina o salpicava.

O assassino cambaleou para trás, olhos arregalados como se Kaladin houvesse se transformado em um demônio-do-abismo.

— Me disseram que eu era um mentiroso! — gritou o assassino. — Me disseram que eu estava errado! Szeth-filho-filho-Vallano... Insincero. Me nomearam *Insincero*!

Kaladin deu um passo adiante da maneira mais ameaçadora que conseguiu, torcendo para que sua Luz das Tempestades durasse o bastante para torná-lo imponente. Ele exalou, deixando-a se enevoar diante de si, vagamente luminosa na escuridão.

O assassino recuou, pisando em uma poça.

— Eles voltaram? — ele inquiriu. — *Todos* eles voltaram?

— Sim — respondeu Kaladin.

Parecia a resposta certa. A resposta que o manteria vivo, pelo menos. O assassino fitou-o por mais um momento, então virou-se e fugiu. Kaladin observou a silhueta brilhante correr, depois guinar para o céu. Ele zuniu rumo ao leste como uma mancha de luz.

— Raios — disse Kaladin, então expirou o resto de sua Luz e desabou no chão.

QUANDO RECUPEROU A CONSCIÊNCIA, Syl estava ao lado dele no chão rochoso, as mãos nos quadris.

— Dormindo quando deveria estar de guarda?

Kaladin grunhiu e se sentou. Sentia-se horrivelmente fraco, mas estava vivo. Isso bastava. Levantou a mão, mas não enxergava muito na escuridão, agora que sua Luz das Tempestades havia se evaporado.

Conseguiu mover os dedos. Sua mão e antebraço doíam, mas era a dor mais maravilhosa que já sentira.

— Eu me curei — sussurrou ele, depois tossiu. — Eu me curei de uma ferida de *Espada Fractal*. Por que você não me disse que eu podia fazer isso?

— Porque eu não sabia que você podia fazer isso até você fazer, seu bobo — respondeu ela, como se fosse o fato mais óbvio do mundo. Então sua voz tornou-se mais gentil. — Há mortos. Lá em cima.

Kaladin assentiu. Será que conseguia andar? Conseguiu ficar de pé, e lentamente contornou a base do Pináculo, rumo aos degraus do outro lado. Syl voejava ansiosamente ao seu redor. Sua força começou a voltar um pouco ao alcançar os degraus e começar a subir. Teve que parar várias vezes para recuperar o fôlego e em determinado momento rasgou a manga do próprio casaco para esconder o fato de ter sido atravessado por uma Espada Fractal.

Chegou ao topo. Parte dele temia descobrir que estavam todos mortos. Os corredores estavam em silêncio. Sem gritos, sem guardas. Nada. Ele avançou, sentindo-se sozinho, até ver uma luz à frente.

— Parado! — gritou uma voz trêmula. Mart, da Ponte Quatro. — Você aí, no escuro! Identifique-se!

Kaladin continuou avançando para a luz, exausto demais para responder. Mart e Moash estavam de guarda na porta dos aposentos de Elhokar, junto com alguns dos homens da Guarda do Rei. Soltaram gritos de surpresa quando reconheceram Kaladin e conduziram-no ao calor e à luz dos aposentos do rei.

Ali, ele encontrou Dalinar e Adolin — vivos — sentados nos sofás. Eth cuidava dos seus ferimentos; Kaladin treinara alguns homens na Ponte Quatro em medicina básica de campo. Renarin estava largado em uma cadeira ao canto, sua Espada Fractal descartada aos seus pés como lixo. O rei andava de um lado para outro da sala, falando em voz baixa com a mãe.

Dalinar se levantou, livrando-se de Eth, quando Kaladin entrou.

— Pelo décimo nome do Todo-Poderoso — disse Dalinar, a voz abafada. — Você está *vivo*?

Kaladin assentiu, depois se deixou cair em uma das elegantes cadeiras reais, sem se importar se a sujaria de sangue e água. Ele grunhiu baixinho — metade de alívio de ver que todos estavam bem, metade de exaustão.

— Como? — questionou Adolin. — Você caiu. Eu estava quase apagado, mas *sei* que vi você cair.

Sou um Manipulador de Fluxos, pensou Kaladin enquanto Dalinar o encarava. *Usei Luz das Tempestades.* Queria dizer tudo isso, mas não conseguia. Não na frente de Elhokar e Adolin.

Raios. Sou um covarde.

— Eu o segurei firme — respondeu Kaladin. — Não sei. Nós despencamos e, quando atingimos o chão, ele não estava morto.

O rei assentiu.

— Você não disse que ele grudou *você* no teto? — indagou ele a Adolin. — Eles provavelmente flutuaram até o chão.

— Sim — admitiu Adolin. — Pode ser.

— Depois que pousou, você o matou? — continuou o rei, esperançoso.

— Não — respondeu Kaladin. — Ele fugiu. Acho que ficou surpreso de termos nos defendido com tanta habilidade.

— Habilidade? — perguntou Adolin. — Parecíamos três crianças atacando um demônio-do-abismo com gravetos. Pai das Tempestades! Nunca fui tão completamente derrotado em toda minha vida.

— Pelo menos fomos alertados — replicou o rei, a voz abalada. — Esse carregador... ele é um bom guarda-costas. Você será recompensado, jovem.

Dalinar se levantou e cruzou a sala. Eth havia limpado seu rosto e tampado o sangramento do nariz. Sua pele apresentava um rasgo na bochecha esquerda, o nariz estava quebrado, embora certamente não pela primeira vez na longa carreira militar de Dalinar. As duas feridas tinham uma aparência pior do que realmente eram.

— Como você soube? — perguntou Dalinar.

Kaladin encontrou seu olhar. Atrás dele, Adolin estreitou os olhos, fitou o braço de Kaladin e franziu o cenho.

Esse aí viu alguma coisa, pensou Kaladin. Como se já não tivesse problemas o bastante com Adolin.

— Eu vi uma luz se movendo no ar lá fora — respondeu Kaladin. — E segui meu instinto.

Ali perto, Syl entrou zunindo na sala e olhou expressivamente para ele, franzindo a testa. Mas não era mentira. Ele *havia* visto uma luz na noite: a dela.

— Anos atrás, eu ignorei as histórias que as testemunhas contaram sobre o assassinato do meu irmão — disse Dalinar. — De homens caminhando pelas paredes, caindo para cima em vez de para baixo... Pelo Todo-Poderoso nos céus, o que ele é?

— A Morte — sussurrou Kaladin.

Dalinar assentiu.

— Por que ele voltou agora? — indagou Navani, aproximando-se de Dalinar. — Depois de todos esses anos?

— Ele veio atrás de mim — respondeu Elhokar.

O rei estava de costas para eles, e Kaladin entreviu a taça na sua mão. Ele tragou o conteúdo, então imediatamente serviu-se novamente. Vinho violeta-escuro. A mão de Elhokar tremia enquanto vertia o líquido.

Kaladin encontrou os olhos de Dalinar. O grão-príncipe escutara. O tal de Szeth não fora atrás do rei, mas de Dalinar.

O homem nada disse para corrigir o rei, então Kaladin também ficou calado.

— O que faremos se ele voltar? — perguntou Adolin.

— Não sei — respondeu Dalinar, sentando-se de volta no sofá ao lado do filho. — Eu não sei...

Cuide das feridas dele. Era a voz do pai de Kaladin sussurrando dentro dele. O cirurgião. *Costure aquela bochecha. Realinhe o nariz.*

Ele tinha um dever mais importante. Kaladin se forçou a ficar de pé, embora se sentisse feito de chumbo, e pegou uma lança com um dos homens na porta.

— Por que os corredores estão em silêncio? — perguntou ele a Moash. — Sabe onde estão os criados?

— O grão-príncipe — disse Moash, indicando Dalinar. — O Luminobre Dalinar mandou uns dois homens até a ala dos criados para evacuar todo mundo. Ele pensou que, se o assassino voltasse, poderia começar a matar indiscriminadamente. Achou que quanto menos gente houvesse no palácio, menor o número de baixas.

Kaladin assentiu, pegando uma lâmpada de esferas e saindo pelo corredor.

— Fique aqui. Preciso fazer uma coisa.

A DOLIN DEIXOU-SE CAIR NO sofá quando o carregadorzinho partiu. Kaladin não ofereceu explicação alguma, naturalmente, e não pediu ao rei permissão para se retirar. Aquele homem tormentoso parecia se considerar superior aos olhos-claros. Não, aquele homem tormentoso parecia se considerar superior ao *rei*.

Ele lutou ao seu lado, parte dele pensou. *Quantos homens, olhos-claros ou olhos-escuros*, teriam resistido tão firmemente contra um Fractário?

Perturbado, Adolin ergueu os olhos para o teto. Não podia ter visto o que pensara ter visto. Ficara tonto devido à queda do teto. Certamente o assassino não havia *realmente* atravessado o braço de Kaladin com sua Espada Fractal. O braço parecia perfeitamente bem agora, afinal de contas.

Mas por que a manga havia sumido?

Ele caiu com o assassino, pensou Adolin. *Ele lutou e pareceu estar ferido, mas na verdade não estava.* Seria tudo aquilo um truque?

Pare. Você vai acabar tão paranoico quanto Elhokar. Ele deu uma olhada no rei, que estava fitando sua taça de vinho vazia, o rosto pálido. Ele havia realmente acabado com o conteúdo da jarra? Elhokar caminhou até seu quarto, onde haveria mais vinho à sua espera, e abriu a porta.

Navani arquejou, fazendo com que o rei parasse subitamente. Ele se virou para a porta. A face interna da madeira havia sido entalhada com uma faca, linhas tortas formando uma série de glifos.

Adolin se levantou. Vários deles eram números, não eram?

— Trinta e oito dias — leu Renarin. — O fim de todas as nações.

K ALADIN AVANÇAVA, EXAUSTO, PELOS corredores do palácio, retraçando a rota pela qual conduzira os outros pouco antes. Desceu rumo às cozinhas, até o corredor com o buraco cortado na parede. Passou pelo lugar onde o sangue de Dalinar manchava o chão, até a interseção.

Ali jazia o cadáver de Beld. Kaladin ajoelhou-se, virando o corpo do falecido. Os olhos estavam queimados. Acima dos olhos mortos jaziam as tatuagens de liberdade que Kaladin havia criado.

Kaladin fechou os próprios olhos. *Eu falhei com você.* O homem calvo e de rosto quadrado havia sobrevivido à Ponte Quatro e ao resgate dos exércitos de Dalinar. Havia sobrevivido à Danação, só para tombar ali, pelas mãos de um assassino com poderes que não deveria ter.

Kaladin grunhiu.

— Ele morreu protegendo — disse Syl.

— Eu deveria conseguir mantê-los vivos — replicou Kaladin. — Por que não os deixei serem livres? Por que os coloquei nesta posição, com mais morte?

— Alguém precisa lutar. Alguém precisa proteger.

— Eles já fizeram o bastante! Já sangraram o seu quinhão. Eu deveria mandar todos eles embora. Dalinar pode encontrar outros guarda-costas.

— Eles que escolheram — respondeu Syl. — Você não pode tirar isso deles.

Kaladin se ajoelhou, lutando contra sua dor.

Você tem que aprender quando deve se preocupar, filho. Era a voz de seu pai. *E quando deve esquecer. Você vai criar calos.*

Isso nunca acontecera. Raios, nunca acontecera. Por isso nunca havia se tornado um bom cirurgião. Não sabia perder pacientes.

E agora, agora ele matava? Agora era um soldado? Como isso fazia sentido? Odiava o fato de ser tão bom em matar.

Ele respirou fundo, recompondo-se com esforço.

— Ele sabe fazer coisas que eu não sei — disse por fim, abrindo os olhos e encarando Syl, que estava no ar diante dele. — O assassino. É por que ainda tenho que falar mais Palavras?

— Existem mais — disse Syl. — Acho que você ainda não está pronto para elas. De qualquer modo, acho que você já conseguiria fazer o que ele faz. Com prática.

— Mas como ele faz Manipulação de Fluxos? Você disse que o assassino não tem um espreno.

— Nenhum espreno de honra daria àquela criatura os meios de matar daquele jeito.

— Humanos pensam de formas bem diferentes — replicou Kaladin, tentando ocultar a emoção em sua voz enquanto virava Beld de bruços para que não precisasse ver aqueles olhos murchos e queimados. — E se o espreno de honra achar que aquele assassino está fazendo a coisa certa? Você me deu os meios para matar os parshendianos.

— Para proteger.

— E os parshendianos acham que estão protegendo o próprio povo — argumentou Kaladin. — Para eles, eu sou o agressor.

Syl sentou-se, envolvendo os joelhos com os braços.

— Eu não sei. Talvez. Mas nenhum outro espreno de honra está fazendo o que eu faço. Sou a única que desobedeceu. Mas a Espada Fractal dele...

— O que tem? — perguntou Kaladin.

— Era diferente. Muito diferente.

— Me pareceu comum. Bem, tão comum quanto uma Espada Fractal pode ser.

— Era *diferente*. Sinto que eu devia saber por quê. Tem a ver com a quantidade de Luz que ele estava consumindo...

Kaladin se levantou, então caminhou pelo corredor lateral, segurando a lâmpada. Ela portava safiras, tornando as paredes azuis. O assassino havia cortado aquele buraco com sua Espada, adentrado o corredor, e matado Beld. Mas Kaladin havia mandado *dois* homens na dianteira.

Sim, outro corpo. Hobber, um dos primeiros homens que Kaladin salvara na Ponte Quatro. Que uma tormenta levasse aquele assassino! Lembrava-se de ter salvado aquele homem depois que ele foi abandonado por todos os outros para morrer no platô.

Kaladin ajoelhou-se junto do corpo, virando-o.

E flagrou-o chorando.

— Eu... Eu sinto... muito — disse Hobber, tomado pela emoção, quase sem conseguir falar. — Sinto muito, Kaladin.

— Hobber! Você está vivo!

Então notou que as pernas do uniforme de Hobber haviam sido cortadas no meio das coxas. Por baixo do tecido, as pernas estavam cinzentas e escuras, mortas, como o braço de Kaladin estivera.

— Eu nem cheguei a vê-lo — contou Hobber. — Ele me derrubou, depois atacou Beld. Eu ouvi vocês lutando. Pensei que todos haviam morrido.

— Está tudo bem. Você está bem.

— Não sinto minhas pernas — disse Hobber. — Elas se foram. Não sou mais um soldado, senhor. Sou inútil agora. Eu...

— Não — disse Kaladin com firmeza. — Você ainda é da Ponte Quatro. Você *sempre será* da Ponte Quatro. — Ele se forçou a sorrir. — Só precisamos que Rocha ensine você a cozinhar. Como é o seu guisado?

— Horrível, senhor — respondeu Hobber. — Consigo queimar sopa.

— Então está no mesmo nível da maioria dos cozinheiros militares. Vamos, deixe-me levá-lo de volta até os outros.

Kaladin passou os braços debaixo de Hobber, fazendo força para tentar levantá-lo. Seu corpo não permitiu. Ele soltou um grunhido involuntário, colocando Hobber de volta no chão.

— Está tudo bem, senhor? — perguntou Hobber.

— Não — disse Kaladin, sugando Luz de uma das esferas na lâmpada. — Não está.

Ele fez força novamente, levantando Hobber, depois carregou-o de volta até os outros.

34

FLORES E BOLOS

Nossos deuses de uma alma são parte fina,
Uma alma que, se deixar, a tudo domina,
Que destrói todo reino que contempla, por rancor.
Eles são seus esprenos, seu dom, sua valia.
Mas a forma noturna outra vida previa,
Um campeão desafiado. Um conflito que até ele
precisa contrapor.

— Da Canção dos Segredos dos Ouvintes, estrofe final

O GRÃO-PRÍNCIPE VALAM PODE ESTAR *morto, Luminosa Tyn,* escreveu a telepena. *Nossos informantes não têm certeza. Ele nunca teve uma saúde muito boa, e agora há rumores de que sua doença finalmente o venceu. Contudo, suas forças estão se preparando para tomar Vedenar, então, se ele morreu, seu filho bastardo provavelmente está fingindo que não.*

Shallan se recostou, embora a pena continuasse escrevendo. Ela parecia mover-se por conta própria, ligada a uma pena idêntica usada pelo contato de Tyn em algum lugar de Tashikk. Haviam montado acampamento como sempre, depois da grantormenta, com Shallan se unindo a Tyn na sua magnífica tenda. O ar ainda cheirava a chuva, e o piso havia deixado passar um pouco de água, molhando o tapete de Tyn. Shallan desejou ter calçado suas enormes botas em vez das sapatilhas.

O que significaria para sua família se o grão-príncipe *estivesse* morto? Ele havia sido um dos maiores problemas de seu pai nos últimos dias de vida, e sua família se endividara obtendo aliados para conquistar o ouvido do grão-príncipe ou talvez — em vez disso — tentar destroná-lo. Uma guerra sucessória poderia pressionar as pessoas a quem sua família estava devendo, fazendo com que procurassem seus irmãos exigindo pagamentos. Ou, em vez disso, o caos poderia fazer com que os credores esquecessem os irmãos de Shallan e sua casa insignificante. E os Sanguespectros? A guerra sucessória tornaria mais ou menos provável que eles aparecessem, exigindo seu Transmutador?

Pai das Tempestades! Ela precisava de mais informações.

A pena continuou a se mover, listando o nome daqueles que estavam fazendo manobras para obter o trono de Jah Keved.

— Você conhece alguma dessas pessoas pessoalmente? — indagou Tyn, de braços cruzados e um ar contemplativo, parada junto da escrivaninha. — O que está acontecendo pode nos oferecer algumas oportunidades.

— Eu não era importante o bastante para esses tipos.

Shallan fez uma careta. Era verdade.

— Ainda assim, podemos querer partir para Jah Keved — disse Tyn. — Você conhece a cultura, as pessoas. Isso será útil.

— É uma zona de guerra!

— Guerra significa desespero, e desespero é nosso maior alimento, garota. Depois que cumprirmos seus planos nas Planícies Quebradas, e talvez conseguirmos mais um ou dois membros para nossa equipe, provavelmente vamos querer visitar sua terra natal.

Shallan sentiu uma imediata pontada de culpa. Pelo que Tyn havia dito, pelas histórias que contava, ficou claro que ela frequentemente escolhia ter alguém como Shallan sob suas asas. Um acólito, alguém para instruir. Shallan suspeitava que isso se devesse ao menos em parte a Tyn gostar de ter alguém por perto para impressionar.

Sua vida deve ser tão solitária. Sempre em movimento, sempre tomando tudo o que pode, sem oferecer nada. Exceto de vez em quando, para uma jovem ladra de quem possa cuidar...

Uma estranha sombra se moveu pela parede da tenda. Padrão, embora Shallan só o tenha notado porque já o conhecia. Ele sabia ser praticamente invisível quando queria, embora não pudesse desaparecer completamente, ao contrário de alguns esprenos.

A telepena continuou a escrever, dando a Tyn um resumo mais longo das condições em vários países. Depois disso, ela produziu um comentário curioso.

Consultei informantes nas Planícies Quebradas, escreveu a pena. *Os homens sobre quem você perguntou são, de fato, foragidos. A maioria é ex-membro do exército do Grão-príncipe Sadeas. Ele não perdoa desertores.*

— O que é isso? — indagou Shallan, erguendo-se do banco para ler mais cuidadosamente o que a pena havia escrito.

— Mais cedo eu insinuei que teríamos que tratar desse assunto — disse Tyn, trocando o papel da telepena. — Já expliquei que a vida que levamos exige que a gente tome algumas decisões difíceis.

O líder, que você chama de Vathah, vale uma recompensa de quatro brons de esmeralda, escreveu a pena. *Os outros, dois brons por cabeça.*

— Recompensa? — insistiu Shallan. — Fiz promessas a esses homens!

— Quieta! Não estamos sozinhas nesse acampamento, sua tola. Se quer nos matar, é só deixar que eles escutem esta conversa.

— Nós *não* vamos entregá-los por dinheiro — disse Shallan, mais baixo. — Tyn, eu dei a minha palavra.

— Sua palavra? — Tyn deu uma gargalhada. — Garota, o que você pensa que nós somos? Sua *palavra*?

Shallan corou. Na mesa, a telepena continuava a escrever, sem ligar para o fato de que elas não estavam prestando atenção. Dizia algo sobre um trabalho que Tyn havia feito antes.

— Tyn. Vathah e seus homens podem ser úteis.

Tyn balançou a cabeça, caminhando até um canto da tenda e servindo-se uma taça de vinho.

— Você deveria estar orgulhosa do que fez. Quase não tem experiência, mas assumiu o controle sobre *três* grupos, convencendo-os a colocar você, quase sem esferas e sem autoridade alguma, no comando. Brilhante! Mas o negócio é o seguinte: as mentiras que contamos, os sonhos que criamos, não são reais. Não podemos deixar que sejam. Essa talvez seja a lição mais difícil que você vai ter que aprender. — Ela se virou para Shallan, sua expressão subitamente dura, sem a diversão tranquila de antes. — Quando uma boa vigarista morre, geralmente é porque começou a acreditar nas próprias mentiras. Ela encontra algo bom e não quer que acabe. Mantém a farsa, achando que vai dar conta. Só mais um dia, ela diz a si mesma. Só mais um dia, e então...

Tyn deixou cair a taça, que atingiu o chão, o vinho vermelho como sangue se espalhando pelo tapete

Tapete vermelho... outrora branco...

— Seu tapete — disse Shallan, sentindo-se entorpecida.

— Você acha que posso me dar ao trabalho de levar um *tapete* quando deixar as Planícies Quebradas? — perguntou Tyn baixinho, pisando no vinho derramado e pegando Shallan pelo braço. — Acha que podemos levar *qualquer uma* dessas coisas? Não significa nada. Você mentiu para aqueles homens. Você se colocou nessa posição, e amanhã, quando entrarmos naquele acampamento de guerra, a verdade vai atingi-la como um tapa na cara. Você acha que pode *realmente* conseguir clemência para aqueles homens? De alguém como o Grão-príncipe Sadeas? Não seja idiota. Mesmo que consiga levar adiante o golpe com Dalinar, vai querer gastar a pouca credibilidade que conseguirmos para libertar assassinos do inimigo político dele? Quanto tempo você acha que vai conseguir sustentar essa mentira?

Shallan voltou a se sentar no banco, irritada — tanto com Tyn quanto consigo mesma. Não deveria estar surpresa por Tyn querer trair Vathah e seus homens; sabia como ela era, e havia deixado a mulher ensiná-la de boa vontade. Na verdade, Vathah e seus homens provavelmente *mereciam* suas punições.

Isso não significava que Shallan fosse traí-los. Dissera a eles que podiam mudar. Dera sua palavra.

Mentiras...

Só porque aprendera a mentir não significava que seria governada pelas falsidades. Mas como poderia proteger Vathah sem afastar Tyn? Será que tinha essa opção?

O que Tyn faria quando Shallan provasse ser *de fato* a noiva do filho de Dalinar Kholin?

Quanto tempo você acha que vai conseguir sustentar essa mentira?

— Ora, veja — disse Tyn, abrindo um grande sorriso. — *Essas* são boas-novas.

Shallan deixou de lado suas ruminações, olhando para o que a telepena estava escrevendo.

Quanto à sua missão em Amydlatn, nossos benfeitores escreveram dizendo que estão satisfeitos. Querem saber se você recuperou as informações, mas acho que isso é secundário para eles. Deixaram escapar que encontraram as informações de que precisavam de outra forma, algo sobre uma cidade que estavam pesquisando.

Da sua parte, não há notícias de que o alvo tenha sobrevivido. Parece que sua preocupação quanto ao fracasso da missão é infundada. Seja lá o que tenha acontecido a bordo do navio, funcionou a nosso favor. O Prazer do Vento está sendo considerado perdido com toda a tripulação. Jasnah Kholin está morta.

Jasnah Kholin está morta.

Shallan ficou de queixo caído. *Isso... isso não é...*

— Talvez aqueles idiotas *tenham* conseguido terminar o trabalho — disse Tyn, satisfeita. — Parece que serei paga, afinal.

— Sua missão em Amydlatn... — sussurrou Shallan. — Era assassinar Jasnah Kholin.

— Liderar a operação, pelo menos — respondeu Tyn, distraída. — Eu teria ido pessoalmente, mas não suporto navios. Com aqueles mares revoltos, meu estômago vira pelo avesso...

Shallan não conseguia falar. Tyn era uma assassina. Tyn estava por trás do atentado contra Jasnah Kholin.

A telepena ainda estava escrevendo.

...algumas notícias interessantes. Você perguntou sobre a Casa Davar, em Jah Keved. Parece que Jasnah, antes de deixar Kharbranth, acolheu uma nova pupila...

Shallan estendeu a mão para a telepena.

Tyn segurou seu pulso, os olhos se arregalando enquanto a pena escrevia umas poucas frases finais.

...uma garota chamada Shallan. Cabelos ruivos. Pele clara. Ninguém sabe muito sobre ela. Não pareceu uma notícia importante para nossos informantes até que insisti.

Shallan ergueu os olhos no mesmo instante que Tyn, encontrando o olhar dela.

— Ah, *Danação* — disse Tyn.

Shallan tentou se soltar. Em vez disso, foi arrancada da cadeira. Não conseguiu acompanhar os movimentos rápidos de Tyn enquanto a mulher a jogava de cara no chão. A bota dela atingiu as costas de Shallan, deixando-a sem ar e fazendo um choque percorrer seu corpo. A visão de Shallan ficou turva enquanto ela arquejava.

— Danação, *Danação*! Você é a pupila de Kholin? Onde está Jasnah? Ela sobreviveu?

— Socorro! — gritou Shallan, rouca, quase incapaz de falar enquanto tentava se arrastar até a parede da tenda.

Tyn se ajoelhou sobre as costas de Shallan, expulsando o ar dos seus pulmões outra vez.

— Fiz com que meus homens esvaziassem a área ao redor da tenda. Estava preocupada que você alertasse os desertores de que iríamos entregá-los. Pai das Tempestades! — A mulher se abaixou, aproximando a cabeça do ouvido de Shallan. Enquanto ela se debatia, Tyn agarrou-a pelo ombro e apertou com foça. — *Jasnah. Sobreviveu?*

— Não — sussurrou Shallan, com lágrimas de dor nos olhos.

— O navio, como pode ter notado — disse a voz de Jasnah, atrás delas —, tem duas excelentes cabines que aluguei para nós sem poupar despesas.

Tyn praguejou, saltando de pé e girando para ver quem havia falado. Naturalmente, foi Padrão. Shallan nem olhou para ele, apenas correu para a parede da tenda. Vathah e os outros estavam em algum lugar lá fora. Se pudesse...

Tyn agarrou sua perna, puxando-a para trás.

Não consigo fugir, pensou uma parte selvagem de sua mente. O pânico aflorou, trazendo lembranças na total impotência. A violência cada vez mais destrutiva de seu pai. Uma família se despedaçando.

Impotente.

Não posso fugir, não posso fugir, não posso fugir...

Lute.

Shallan conseguiu se soltar e girou, jogando-se contra a mulher. Não voltaria a ser impotente. *Nunca mais!*

Tyn se espantou enquanto Shallan atacava com toda a força. Uma confusão de desespero, ira e garras. Não foi eficaz. Shallan não sabia quase nada sobre luta, e momentos depois estava gemendo de dor pela segunda vez, o punho de Tyn enterrado no seu estômago.

Caiu de joelhos, com lágrimas no rosto. Tentou inspirar e não conseguiu. Tyn golpeou-a na cabeça, fazendo com que sua visão ficasse branca.

— De onde veio *isso*? — perguntou Tyn.

Shallan piscou, erguendo os olhos, a visão mareada. Estava novamente no chão. Suas unhas haviam deixado marcas sangrentas no rosto de Tyn. A mulher levantou a mão, sujando os dedos de vermelho. Com uma expressão sombria, ela estendeu a mão para a mesa, onde sua espada estava embainhada.

— Que bagunça — rosnou Tyn. — Raios! Vou ter que chamar Vathah aqui, então descobrir uma maneira de culpá-lo por isso.

Tyn desembainhou a espada. Shallan se pôs de joelhos, cambaleante, então tentou se levantar, mas seus pés não tinham firmeza e a sala girava ao redor dela, como se ainda estivesse no navio.

— Padrão? — balbuciou ela. — Padrão?

Ela ouviu algo do lado de fora. Gritos?

— Sinto muito — disse Tyn, a voz fria. — Vou ter que amarrar as coisas bem direitinho. De certo modo, estou orgulhosa. Você me enganou. Teria sido boa nisso.

Calma, disse Shallan para si mesma. *Fique calma!*

Dez batimentos cardíacos.

Mas para ela não precisavam ser dez, precisavam?

Não. Tem que ser. Tempo, preciso de tempo!

Ela tinha esferas na manga. Enquanto Tyn se aproximava, Shallan inspirou fundo. A Luz das Tempestades tornou-se uma tempestade rugindo dentro dela, e Shallan levantou a mão, emitindo um pulso de Luz. Não conseguiu moldá-la em nada — ainda não sabia como —, mas por um momento a Luz pareceu mostrar uma imagem ondulante de Shallan, com a postura orgulhosa de uma mulher da corte.

Tyn deteve-se ao ver a projeção de luz e cor, então balançou a espada diante de si. A Luz oscilou, dissipando-se em trilhas fumegantes.

— Então estou enlouquecendo — disse Tyn. — Ouvindo vozes. Vendo coisas. Acho que parte de mim não quer fazer isso. — Ela avançou, levantando a espada. — Sinto muito que você tenha que aprender a lição dessa maneira. Às vezes, temos que fazer coisas de que não gostamos, garota. Coisas difíceis.

Shallan rosnou, erguendo as mãos diante de si; névoa as envolveu e pulsou quando uma brilhante Espada prateada se formou ali, empalando Tyn no peito. A mulher mal teve tempo de arquejar, surpresa, enquanto seus olhos queimavam nas órbitas.

O cadáver de Tyn caiu para trás, livrando a arma, desabando no chão.

— Coisas difíceis — rosnou Shallan. — Sim. Acho que eu te *disse*. Já aprendi essa lição. Muito obrigada.

Ela se pôs de pé, cambaleando.

A aba da tenda se abriu bruscamente e Shallan se virou, segurando a Espada Fractal com a ponta voltada para a entrada. Vathah, Gaz e alguns outros soldados pararam ali, amontoados, brandindo armas cobertas de sangue. Eles olharam de Shallan para o cadáver no chão, com seus olhos queimados, então de volta para Shallan.

Ela se sentia embotada. Queria dispensar a Espada, escondê-la. Ela era *terrível*.

Não fez isso; enterrou essas emoções bem fundo. Naquele momento, precisava se segurar em algo forte, e a arma servia a esse propósito. Mesmo que ela a odiasse.

— Os soldados de Tyn?

Foi a voz *dela quem falou*, totalmente fria, desprovida de qualquer emoção?

— Pai das Tempestades! — disse Vathah, entrando na tenda, a mão no peito enquanto fitava a Espada Fractal. — Naquela noite, quando implorou por ajuda, poderia ter matado todos nós, e os bandidos também. Poderia ter feito tudo sozinha...

— Os homens de Tyn! — gritou Shallan.

— Mortos, Luminosa — respondeu Rubro. — Nós ouvimos... ouvimos uma voz. Mandando a gente vir atrás senhora. E eles não queriam nos deixar passar. Então ouvimos a senhora gritando e...

— Era a voz do Todo-Poderoso? — perguntou Vathah em um sussurro.

— Era meu espreno — respondeu Shallan. — Isso é tudo que vocês precisam saber. Vasculhem esta tenda. Essa mulher foi contratada para me assassinar. — Era verdade, de certo modo. — Pode haver registros de quem a contratou. Tragam-me qualquer coisa escrita que encontrarem.

Enquanto eles entravam em bando e começavam a trabalhar, Shallan sentou-se no banco ao lado da mesa. A telepena ainda esperava ali, flutuando, pausada no fim da página. Precisava de uma nova folha.

Shallan dispensou a Espada Fractal.

— Não contem a ninguém o que viram aqui — ordenou ela a Vathah e seus homens.

Eles rapidamente concordaram, mas ela duvidava que fossem se conter por muito tempo. Espadas Fractais eram objetos quase míticos, e uma *mulher* brandindo uma? Os rumores se espalhariam. Exatamente o que ela precisava.

Você está viva por causa daquela maldita coisa. De novo. Pare de reclamar.

Pegou a telepena e trocou o papel, então colocou-a com a ponta no canto. Depois de um momento, o contato de Tyn recomeçou a escrever.

Seus benfeitores do trabalho de Amydlatn desejam conhecê-la, escreveu a pena. *Parece que os Sanguespectros têm mais uma tarefa para você. Gostaria que eu marcasse uma reunião com eles nos acampamentos de guerra?*

A caneta deteve-se, esperando pela resposta. O que a telepena havia dito acima? Que aquelas pessoas — os benfeitores de Tyn, os Sanguespectros — haviam obtido a informação que procuravam... informação sobre uma cidade.

Urithiru. As pessoas que mataram Jasnah, as pessoas que ameaçavam sua família, também estavam procurando a cidade. Shallan fitou o papel e suas palavras por um longo momento, enquanto Vathah e seus homens começavam a remover as roupas do baú de Tyn, batendo nas laterais à procura de qualquer coisa escondida.

Gostaria que eu marcasse uma reunião com eles...

Shallan pegou a telepena, alterou a configuração do fabrial, depois escreveu uma única palavra.

Sim.

FIM DA
PARTE DOIS

INTERLÚDIOS

ESHONAI • ZAHEL • TALN

I-5
O CAVALEIRO DAS TEMPESTADES

Na cidade de Narak, as pessoas fechavam firmemente as janelas quando a noite se aproximava e a tempestade assomava. Enfiaram trapos sob as portas, posicionaram placas de reforço, encaixaram grandes blocos quadrados de madeira nas janelas.

Eshonai não se juntou às preparações, apenas ficou do lado de fora da habitação de Thude, ouvindo seu relatório — ele havia acabado de voltar do encontro com os alethianos, combinando uma conversa para discutir a paz. Ela queria ter mandado alguém antes, mas os Cinco haviam deliberado e reclamado até que Eshonai sentiu ganas de estrangular todos eles. Pelo menos haviam finalmente concordado em enviar um mensageiro.

— Sete dias — disse Thude. — O encontro vai acontecer em um platô neutro.

— Você o viu? — perguntou Eshonai, ansiosa. — O Espinho Negro?

Thude balançou a cabeça.

— E o outro? O Manipulador de Fluxos?

— Nenhum sinal dele também. — Thude parecia perturbado. Ele olhou para o leste. — É melhor você ir. Posso dar mais detalhes depois da tempestade.

Eshonai assentiu, pousando a mão no ombro do amigo.

— Obrigada.

— Boa sorte — disse Thude em Determinação.

— Para todos nós — respondeu ela enquanto ele fechava a porta, deixando-a sozinha em um uma cidade escura e aparentemente vazia.

Eshonai conferiu o escudo de tempestade em suas costas, então pegou do bolso a esfera com o espreno que Venli capturara e sintonizou-se com o Ritmo de Determinação.

Chegara a hora. Ela correu na direção da tempestade.

Determinação era um ritmo imponente, com um senso contínuo e crescente de importância e poder. Ela deixou Narak e, ao chegar ao primeiro abismo, saltou. Só a forma bélica tinha a força para tamanho salto; para que os trabalhadores pudessem alcançar os platôs externos e cultivar comida, eles precisavam de pontes de corda que eram desmontadas e abrigadas antes de cada tormenta.

Pousou correndo, suas passadas seguindo a batida de Determinação. O paredão surgiu ao longe, quase invisível na escuridão. Os ventos aumentaram, fazendo pressão contra ela, como se quisessem contê-la. Acima, esprenos de vento zuniam e dançavam no ar. Eram arautos do que estava por vir.

Eshonai saltou mais dois abismos, então desacelerou, andando até o topo de uma colina baixa. O paredão agora dominava o céu noturno, avançando em um ritmo terrível. A enorme barreira de trevas misturava detritos com chuva, um estandarte de água, pedra, poeira e plantas derrubadas. Eshonai soltou o grande escudo nas costas.

Para os Ouvintes, havia certo romantismo em sair durante a tempestade. Sim, elas eram terríveis — mas todo Ouvinte já tinha passado algumas noites em meio a uma tormenta, sozinho. As canções diziam que alguém buscando uma nova forma seria protegido. Ela não sabia ao certo se isso era fato ou fantasia, mas as canções não impediam que a maioria dos Ouvintes se escondesse em uma fenda na rocha para evitar o paredão, saindo depois da sua passagem.

Eshonai preferia um escudo. Sentia que assim encarava o Cavaleiro mais diretamente. Ele, a alma da tempestade, era o que os humanos chamavam de Pai das Tempestades — e não era um dos deuses do povo dela. Na verdade, as canções chamavam-no de traidor — um espreno que havia escolhido proteger os humanos em vez dos Ouvintes.

Ainda assim, seu povo o respeitava. Ele matava qualquer um que não o respeitasse.

Ela apoiou a base do escudo contra a ponta de uma rocha no chão, então voltou seu ombro contra ele, baixou a cabeça e se preparou, com um pé para trás. A outra mão segurava a pedra com o espreno. Queria estar usando sua Armadura, mas por algum motivo isso interferia no processo de transformação.

Sentia e ouvia a tempestade se aproximando. O chão tremeu, o ar rugiu. Pedaços de folhas voaram perto dela em um sopro gelado, como batedores antes de um exército marchando logo atrás, o uivo do vento como um grito de batalha.

Ela apertou os olhos com força.

A tempestade a alcançou.

Apesar da sua postura e dos músculos preparados, algo *bateu* contra o escudo e o carregou para longe. O vento o pegou e o arrancou dos seus dedos. Ela cambaleou para trás, então se jogou no chão, ombro contra o vento, a cabeça abaixada.

O trovão explodia enquanto o vento feroz tentava puxá-la do platô e lançá-la no ar. Manteve os olhos fechados, já que tudo dentro da tempestade era um breu, exceto pelos lampejos dos raios. Não lhe parecia que estivesse sendo protegida. Com o ombro contra o vento, encolhida atrás de um outeiro, parecia que o vento estava fazendo de tudo para destruí-la. Pedras caíam no platô escuro ali perto, fazendo o chão tremer. Só escutava o rugido do vento em seus ouvidos, pontuado às vezes por um trovão. Uma terrível canção sem ritmo.

Manteve a Determinação sintonizada dentro de si. Podia sentir o ritmo, pelo menos, ainda que não pudesse ouvi-lo.

A chuva atingia seu corpo como flechas, sendo rebatidas por sua placa craniana e pelo resto da armadura. Ela cerrou a mandíbula contra o frio profundo, de gelar os ossos, e continuou firme. Tinha passado por isso muitas vezes antes, fosse ao se transformar ou durante alguns ataques surpresas contra os alethianos. Podia sobreviver. *Ia* sobreviver.

Ela se concentrou no ritmo em sua cabeça, se agarrando a algumas pedras enquanto o vento tentava varrê-la do platô. Demid, o ex-consorte de Venli, havia iniciado um movimento onde pessoas que queriam se transformar esperavam dentro de edifícios até que a tempestade estivesse caindo há algum tempo. Elas só saíam quando o ímpeto inicial de fúria havia passado. Isso era arriscado, já que nunca se sabia quando o ponto de transformação viria.

Eshonai nunca tentara fazer isso. As tempestades eram violentas, eram perigosas, mas eram também cenários de descoberta. Dentro delas, o familiar tornava-se algo grandioso, majestoso e terrível. Ela não ansiava por entrar nas tormentas, mas, quando era necessário, sempre achava a experiência empolgante.

Levantou a cabeça, olhos fechados, e expôs o rosto aos ventos — sentindo-os atingi-la, sacudi-la. Sentia a chuva na pele. O Cavaleiro das

Tempestades era um traidor, sim — mas não havia traidor que não houvesse originalmente sido um amigo. As tempestades pertenciam ao povo dela. Os Ouvintes eram *das* tempestades.

Os ritmos mudaram em sua cabeça. Em um momento, todos se alinharam e se tornaram um só. Não importava qual sintonizasse, ouvia o mesmo ritmo — batidas únicas e constantes. Como um coração. O momento havia chegado.

A tempestade desapareceu. Vento, chuva, som... cessaram. Eshonai se levantou, encharcada, os músculos frios, a pele entorpecida. Sacudiu a cabeça, espalhando água, e olhou para o céu.

O rosto estava lá. Infinito, expansivo. Os humanos falavam do Pai das Tempestades, mas nunca o conheceram como um Ouvinte. Enorme como o próprio céu, com olhos cheios de incontáveis estrelas. A gema na mão de Eshonai se acendeu.

Poder, energia. Imaginava que fluía através dela, energizando-a, *avivando-a*. Eshonai jogou a gema no chão, espatifando-a e liberando o espreno. Havia se esforçado para obter a *sensação* correta, como Venli a treinara.

É REALMENTE ISSO QUE VOCÊ QUER? A voz reverberou através dela como o estrondo de um trovão.

O cavaleiro havia *falado* com ela! Isso acontecia em canções, mas não... nunca... ela sintonizou Apreciação, mas naturalmente era o mesmo ritmo agora. *Batida. Batida. Batida.*

O espreno escapou de sua prisão e girou ao redor dela, emitindo uma estranha luz vermelha. Fragmentos de relâmpago brotavam dele. Espreno de raiva?

Isso estava errado.

SUPONHO QUE DEVA SER ASSIM, disse o Cavaleiro das Tempestades. IA ACABAR ACONTECENDO.

— Não — disse Eshonai, se afastando do espreno. Em um momento de pânico, ela afastou da mente as instruções dadas por Venli. — Não!

O espreno tornou-se uma faixa de luz vermelha e atingiu-a no peito. Tentáculos rubros se espalharam.

NÃO POSSO IMPEDIR, disse o Cavaleiro das Tempestades. SE PUDESSE, EU A PROTEGERIA, PEQUENINA. SINTO MUITO.

Eshonai arquejou, os ritmos lhe fugindo da mente, e caiu de joelhos. Ela sentiu a transformação percorrendo seu corpo.

SINTO MUITO.

As chuvas voltaram, e seu corpo começou a mudar.

I-6

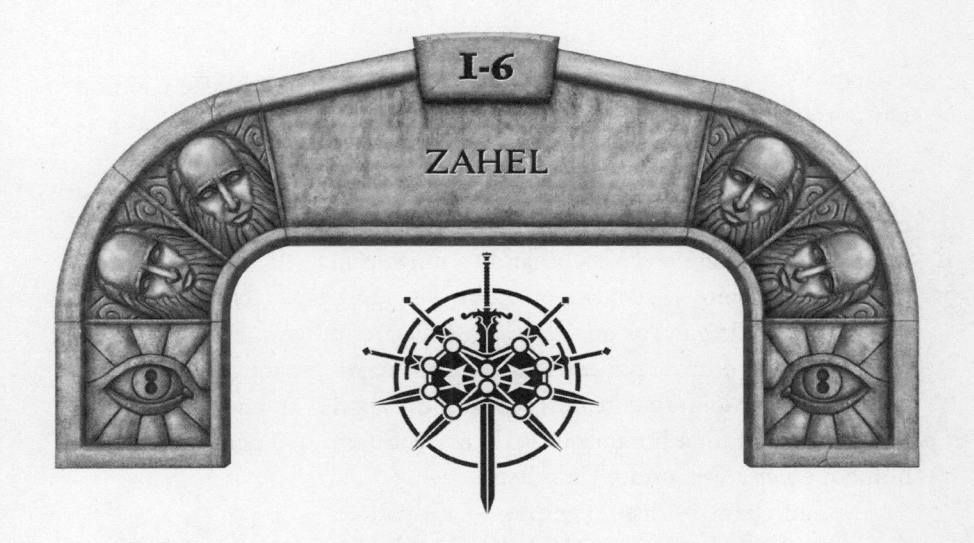

ZAHEL

HAVIA ALGUÉM ALI PERTO.

Zahel despertou, abrindo os olhos de repente, sabendo de imediato que alguém estava se aproximando do seu quarto.

Rajadas! Era o meio da noite. Se fosse outro moleque olhos-claros que ele havia recusado, voltando para implorar... Resmungou baixinho, se levantando da cama. *Estou velho, velho demais para isso.*

Abriu a porta, revelando o pátio de treinamento. O ar noturno estava úmido. Ah, claro. Uma daquelas tempestades havia chegado, Investida até a bainha e procurando um lugar para cravar tudo. Coisas malditas.

Um jovem, com a mão posicionada para bater à porta, saltou para trás quando a passagem se abriu, surpreso. Kaladin. O carregador de pontes que virara guarda-costas. Aquele com o espreno que Zahel sempre sentia girando ao seu redor.

— Você está a cara da morte — disse Zahel rispidamente para o rapaz. A roupa de Kaladin estava coberta de sangue, seu uniforme rasgado de um lado. Estava faltando a manga direita. — O que aconteceu?

— Atentado contra a vida do rei — respondeu o rapaz, baixinho. — Não faz nem duas horas.

— Hum.

— A sua oferta de me ensinar a lutar contra uma Espada Fractal ainda está valendo?

— Não.

Zahel fechou a porta com força e se virou para voltar para a cama. O rapaz abriu a porta, claro. Malditos monges. Viam-se como propriedade e não podiam possuir nada, então achavam que não precisavam de trancas nas portas.

— Por favor. Eu...

— Rapaz — disse Zahel, voltando-se para ele. — Dois homens moram neste quarto.

Kaladin franziu o cenho, olhando a única cama.

— O primeiro — continuou Zahel — é um espadachim rabugento que tem pena de garotos que estão em situações difíceis. Ele aparece durante o dia. O outro é um espadachim muito, *muito* rabugento que acha tudo e todos absolutamente desprezíveis. Ele aparece quando algum idiota o acorda em uma hora absurda da noite. Sugiro que peça ao primeiro homem e *não* ao segundo. Tudo bem?

— Tudo bem — disse o garoto. — Eu volto.

— Ótimo — respondeu Zahel, sentando-se na cama. — E não me venha todo verde.

O rapaz parou junto à porta.

— Não venha... Hã?

Linguagem idiota, pensou Zahel, se deitando. *Não tem nenhuma metáfora apropriada.*

— Só deixe de lado sua arrogância e venha aprender. Detesto bater em pessoas mais jovens do que eu. Faz com que eu me sinta um valentão.

O garoto grunhiu, fechando a porta cuidadosamente. Zahel puxou seu cobertor — os malditos monges só tinham um — e se virou na cama. Esperava que uma voz falasse em sua mente enquanto caía no sono. Naturalmente, não aconteceu.

Não acontecia havia anos.

TALN

DE FOGOS QUE QUEIMAVAM e ainda assim haviam partido. Do calor que sentia quando outros não sentiam. De gritos, seus próprios, que ninguém ouvia. De tortura sublime, pois significava vida.

— Ele só fica assim com esse olhar perdido, Vossa Majestade.

Palavras.

— Não parece ver nada. Às vezes ele murmura; às vezes, grita. Mas está sempre *olhando*.

O Dom e as palavras. Não dele. Nunca dele. Agora dele.

— Raios, é perturbador, não é? Tive que vir até aqui ao lado disso, Vossa Majestade. Ouvindo-o resmungar nos fundos da carroça durante metade do tempo, então sentindo esse olhar na minha nuca durante o resto.

— E Riso? Você falou dele.

— Começou a viagem comigo, Vossa Majestade. Mas, no segundo dia, declarou que precisava de uma pedra.

— Uma... pedra.

— Sim, Vossa Majestade. Ele pulou da carroça, pegou uma pedra qualquer e então, hã, bateu na própria cabeça com ela, Vossa Majestade. Fez isso umas três ou quatro vezes. Voltou para a carroça com um sorriso estranho e disse... hum...

— O que?

— Bem, ele disse que precisava, hã, tive que memorizar isso para o senhor. Ele disse: "Precisava de um quadro de referência objetivo pelo qual julgar a experiência da sua companhia. Algo entre quatro e cinco golpes, eu acho." Não entendi direito o que ele queria dizer, senhor. Acho que estava zombando de mim.

— É bem provável.

Por que eles não gritavam? Aquele *calor*! De morte. De morte e dos mortos e os mortos e sua conversa e nenhum grito de morte exceto a morte que não veio.

— Depois disso, Vossa Majestade, Riso apenas meio que... bem, saiu correndo. Para as colinas, como um tormentoso papaguampas.

— Não tente compreender Riso, Bordin. Só vai lhe causar sofrimento.

— Sim, Luminobre.

— Eu *gosto* desse Riso.

— Estamos bem cientes, Elhokar.

— Honestamente, Vossa Majestade, eu preferi a companhia do louco.

— Bem, é claro. Se as pessoas *gostassem* da companhia de Riso, ele não seria um Riso muito bom, não é?

Eles estavam pegando fogo. As paredes estavam pegando fogo. O chão estava pegando fogo. Queimando e o interior de um não pode onde estar e então não pode nada. Onde?

Uma viagem. Água? Rodas?

Fogo. Sim, fogo.

— Está me escutando, louco?

— Elhokar, olhe para ele. Duvido que ele compreenda.

— Sou Talenel'Elin, Arauto da Guerra. — Voz. Ele falou. Ele não pensou. As palavras vieram, como sempre vinham.

— O que disse? Fale mais alto, homem.

— O tempo do Retorno, a Desolação, está chegando. Precisamos nos preparar. Vocês terão esquecido muita coisa, depois da destruição dos tempos passados.

— Entendo parte do que ele está dizendo, Elhokar. É alethiano. Sotaque do norte. Não era o que eu esperava de alguém com uma pele tão escura.

— Onde conseguiu a Espada Fractal, louco? Diga. A maioria das Espadas é conhecida há gerações, sua linhagem e história estão registradas. Essa aqui é completamente desconhecida. De quem você a tomou?

— Kalak vai ensiná-los a Transmutar bronze, caso tenham esquecido. Vamos Transmutar blocos de metal diretamente para vocês. Gostaria que pudéssemos ensiná-los a fazer aço, mas Transmutar é muito mais fácil do que forjar, e vocês precisam de algo que possamos produzir rapidamente. Suas ferramentas de pedra não vão servir contra o que está por vir.

— Ele disse algo sobre bronze. E pedra?

— Vedel pode treinar seus cirurgiões, e Jezrien... ele vai ensinar liderança. Tanta coisa se perde entre os Retornos...

— A Espada Fractal! Onde você a conseguiu?

— Como vocês a tiraram dele, Bordin?

— Não tiramos, Luminobre. Ele só a deixou cair.

— E ela não desapareceu? Então não estão ligados, então. Ele não pode estar na posse dela há muito tempo. Os olhos dele já eram dessa cor quando você o encontrou?

— Sim, senhor. Um olhos-escuros com uma Espada Fractal. Uma coisa estranha de se ver.

— Vou treinar seus soldados. Deve dar tempo. Ishar sempre fala sobre uma maneira de impedir que as informações sejam perdidas, após as Desolações. E vocês descobriram algo inesperado. Vamos usar isso. Manipuladores de Fluxos para agir como guardiões... Cavaleiros...

— Ele já disse tudo isso antes, Vossa Majestade. Quando fica murmurando... hã, ele fala isso o tempo todo, repetindo sem parar. Acho que não sabe o que está dizendo. É sinistro como sua expressão não muda enquanto ele fala.

— *É um sotaque* alethiano.

— Com esse cabelo comprido e essas unhas quebradas, ele parece que andou vivendo no mato por um bom tempo. Talvez algum aldeão tenha se perdido de seu pai maluco.

— E a Espada, Elhokar?

— O senhor não pode mesmo achar que é *dele*, tio.

— Temos dias difíceis adiante, mas com treinamento, a humanidade *vai* sobreviver. Vocês precisam me levar aos seus líderes. Os outros Arautos devem se juntar a nós em breve.

— Estou disposto a considerar todas as possibilidades, atualmente. Vossa Majestade, sugiro que mande esse homem para os fervorosos. Talvez eles possam ajudar sua mente a se recuperar.

— O que vai fazer com a Espada Fractal?

— Tenho certeza de que podemos achar um bom uso para ela. Na verdade, acabei de ter uma ideia. Posso precisar de você, Bordin.

— O que precisar, Luminobre.

— Acho... Acho que estou atrasado... dessa vez...

Quanto tempo fazia?

Quanto tempo fazia?

Quanto tempo fazia?

Quanto tempo fazia?

Quanto tempo fazia?
Quanto tempo fazia?
Quanto tempo fazia?

Tempo demais.

I-8
UMA FORMA DE PODER

Estavam esperando por Eshonai quando ela retornou. Um grupo de milhares havia se aglomerado junto à borda do platô mais próximo de Narak. Trabalhadores, hábeis, soldados, e até mesmo alguns copuladores que haviam sido atraídos do seu hedonismo pelo prospecto de algo novo. Uma nova forma, uma forma de *poder*?

Eshonai andou a passos largos na direção deles, impressionada com a energia. Minúsculas linhas de relâmpago vermelho, quase invisíveis, brilhavam em sua mão se ela formasse um punho bruscamente. Seu tom de pele marmóreo — na maior parte preto, com um leve toque de linhas vermelhas — não havia mudado, mas ela perdera a volumosa armadura da forma bélica. Em vez disso, pequenas cristas despontavam em meio à pele dos seus braços, que estava muito esticada em alguns pontos. Ela testara a nova armadura contra algumas pedras e viu que era muito resistente.

Voltara a ter cabelo. Quanto tempo fazia desde a última vez que os tocara? O mais maravilhoso de tudo: sentia-se *concentrada*. Não havia mais preocupações sobre o destino do seu povo. Ela sabia o que fazer.

Venli abriu caminho até a frente da multidão quando Eshonai alcançou a borda do abismo. Elas se olharam através do vazio, e Eshonai leu a pergunta nos lábios da sua irmã. *Funcionou?*

Eshonai saltou sobre o abismo. Não precisou da corrida inicial usada pela forma bélica; ela se agachou, então se lançou no ar. O vento parecia tremular ao seu redor. Ela ultrapassou o abismo e pousou entre sua gente, linhas vermelhas de poder subindo pelas suas pernas enquanto se agachava, absorvendo o impacto da aterrissagem.

As pessoas recuaram. Tão claro. Tudo era tão *claro*.

— Eu retornei das tempestades — disse ela em Elogio, que também podia ser usado para exprimir verdadeira satisfação. — Trago comigo o futuro de dois povos. Nosso tempo de perda está terminando.

— Eshonai? — Era Thude, vestindo seu casaco longo. — Eshonai, seus *olhos*.

— Sim?

— Estão vermelhos.

— Eles são uma representação do que eu me tornei.

— Mas nas canções...

— Irmã! — gritou Eshonai em Determinação. — Venha ver o seu feito!

Venli se aproximou, inicialmente com timidez.

— Forma tempestuosa — sussurrou ela em Admiração. — Funciona, então? Você pode andar pelas tormentas sem perigo?

— Mais do que isso. Os ventos me obedecem. E, Venli, eu sinto algo... algo se *formando*. Uma tempestade.

— Você está sentindo uma tempestade neste momento? Nos ritmos?

— Além dos ritmos — respondeu Eshonai. Como poderia explicar? Como poderia descrever o paladar para alguém sem boca, a visão para quem nunca enxergara? — Sinto uma tempestade se formando além da nossa experiência. Uma tempestade poderosa e furiosa. Uma gran-tormenta. Se mais de nós tomarmos essa forma, poderemos invocá-la. Poderemos *curvar* as tempestades à nossa vontade e poderemos lançá-las sobre nossos inimigos.

Sussurros no Ritmo da Admiração se espalharam entre as pessoas assistindo. Como eram Ouvintes, eles sentiam o ritmo, o ouviam. Todos afinados, todos em uníssono. Perfeição.

Eshonai abriu os braços e falou bem alto:

— Livrem-se do desespero e cantem no Ritmo da Alegria! Eu olhei no fundo dos olhos do Cavaleiro das Tempestades e vi sua traição. Conheço seus pensamentos e vi sua intenção de ajudar os humanos contra nós. Mas minha irmã descobriu a salvação! Com esta forma podemos resistir sozinhos, independentes, e podemos varrer nossos inimigos desta terra como folhas diante da tempestade!

Os sussurros de Admiração aumentaram em volume, e alguns começaram a cantar. Eshonai exultou ao ouvi-los.

Ignorou decididamente a voz bem no fundo de si mesma que estava gritando de horror.

PARTE
TRÊS

Letal

SHALLAN • KALADIN • ADOLIN • NAVANI

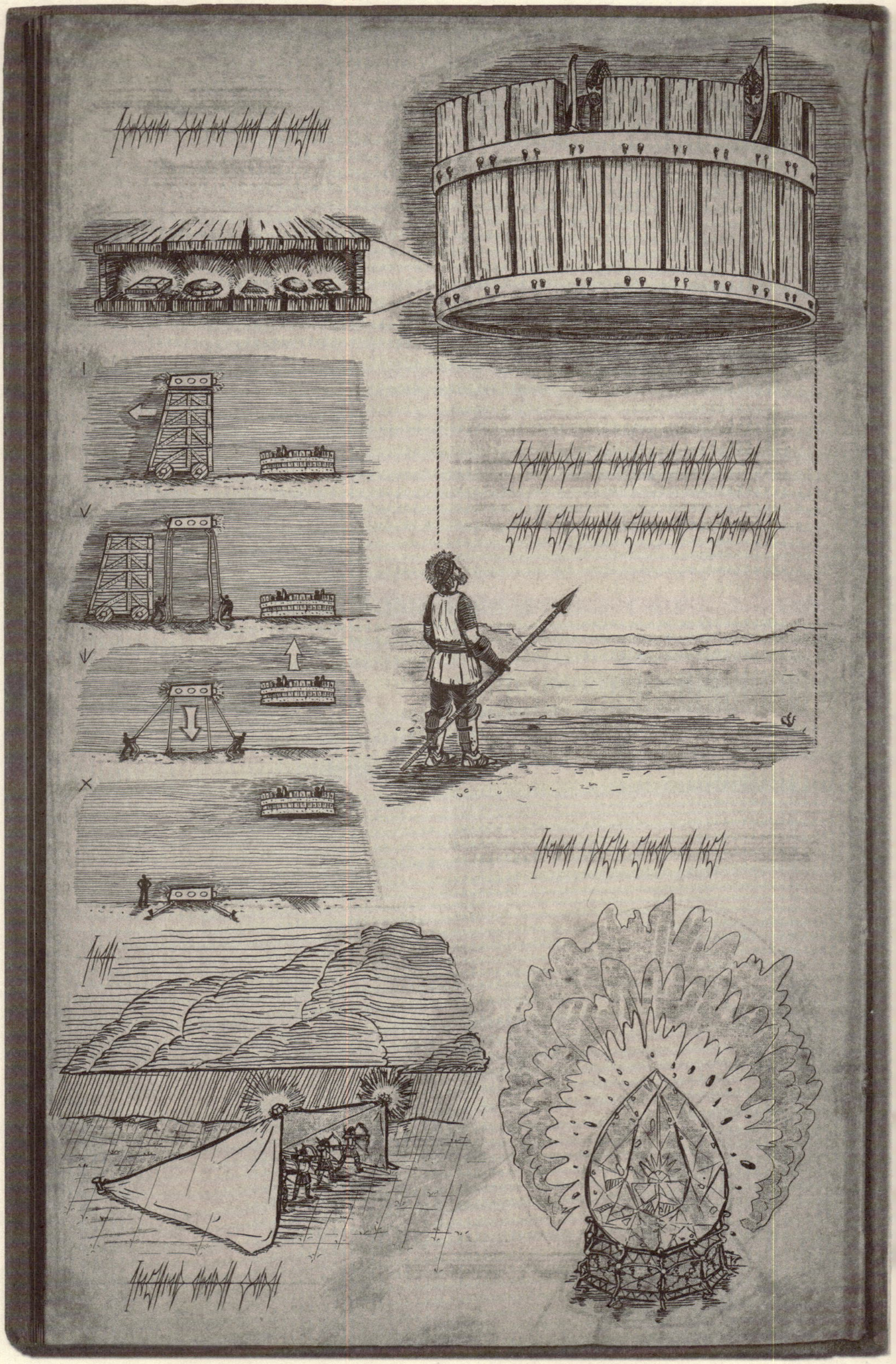

35

A TENSÃO MULTIPLICADA DA INFUSÃO SIMULTÂNEA

> *Eles também, quando haviam definido suas regras sobre a natureza do posicionamento de cada laço, nomearam-no de laço de Nahel, aludindo ao seu efeito sobre as almas capturadas em seu poder; nessa descrição, cada um foi relacionado aos laços que movem o próprio Roshar, dez Fluxos, nomeados um de cada vez e dois para cada ordem; sob essa luz, pode ser visto que cada ordem necessariamente partilharia um Fluxo com cada uma de suas vizinhas.*
>
> — De *Palavras de Radiância*, capítulo 8, página 6

Adolin soltou sua Espada Fractal.

Portar aquelas armas demandava mais do que praticar posturas e se acostumar à esgrima leve. Um mestre da Espada aprendia a fazer mais com o laço. Ele aprendia a comandá-la para que permanecesse sólida depois de largada, e a invocá-la de volta das mãos de qualquer um que a pegasse. Ele aprendia que homem e espada eram, de algumas maneiras, uma coisa só. A arma se tornava um pedaço da sua alma.

Adolin havia aprendido a controlar sua Arma dessa maneira. Geralmente. Naquele dia, a arma se desintegrou quase que no mesmo instante depois de deixar seus dedos.

A longa Espada prateada transmutou-se em vapor branco — mantendo sua forma por um curto momento, como um anel de fumaça — antes de explodir em uma lufada pálida. Adolin grunhiu, frustrado, andando para a frente e para trás no platô, a mão estendida enquanto invocava a arma novamente. Dez batidas cardíacas. Às vezes, parecia uma eternidade.

Estava usando sua Armadura sem o elmo, que jazia sobre uma rocha ali perto, e seu cabelo balançava livremente na brisa da manhã. Precisava da Armadura; seu ombro e flanco esquerdos eram uma massa roxa de machucados. Sua cabeça ainda doía pela batida no chão durante o ataque do assassino, na noite anterior. Sem a Armadura, não estaria tão ágil.

Além disso, *precisava* da sua força. Não parava de olhar sobre o ombro, esperando que o assassino aparecesse. Havia ficado acordado a noite anterior, sentado no chão diante do quarto do seu pai, trajando a Armadura, os braços cruzados sobre os joelhos, mastigando casca de sulcadeira para continuar acordado.

Ele havia sido pego sem sua Armadura uma vez. Nunca mais.

E o que você vai fazer?, pensou enquanto sua Espada reaparecia. *Usá-la o tempo todo?* A parte dele que fazia tais perguntas era racional. Ele não queria ser racional naquele momento.

Sacudiu a Espada para remover a condensação, então virou-a e arremessou-a, transmitindo o comando mental para ela se manter sólida. Mais uma vez, a arma se desfez em névoa momentos depois de deixar seus dedos. Não cruzou nem metade da distância até a formação rochosa para onde ele estava apontando.

O que havia de errado com ele? Havia aprendido a comandar a Espada anos atrás. Era verdade que não costumava praticar *jogar* sua espada — tais coisas eram proibidas em duelos, e ele nunca pensara que precisaria usar a manobra. Isso foi antes de ser fixado no *teto* de um corredor, incapaz de enfrentar um assassino direito.

Adolin caminhou até a borda do platô, fitando a vastidão irregular das Planícies Quebradas. Um grupo de três guardas o vigiava de perto. Risível. O que fariam três *carregadores de pontes* se o Assassino de Branco voltasse?

Kaladin valeu de alguma coisa no ataque, pensou Adolin. *Mais do que você. Aquele homem havia sido suspeitosamente eficaz.*

Renarin dizia que Adolin estava sendo injusto com o capitão dos carregadores, mas *havia* algo de estranho naquele homem. Mais do que sua atitude — a maneira como ele agia, como se estivesse fazendo um favor só de lhe dirigir a palavra. A maneira como parecia tão decididamente melancólico com tudo, irritado com o próprio mundo. Era impossível gostar dele, mas Adolin conhecera muita gente impossível de se gostar.

Kaladin também era estranho. De maneiras que Adolin não conseguia explicar.

Bem, apesar disso, os homens dele só estavam cumprindo seu dever. Não adiantava ser grosseiro com eles, então sorriu.

A Espada Fractal de Adolin surgiu novamente nos seus dedos, leve demais para seu tamanho. Sempre sentia certa força ao segurá-la. Nunca antes Adolin se sentira impotente com suas Fractais. Mesmo cercado pelos parshendianos, mesmo certo de que ia morrer, ele ainda sentira *poder*.

Onde estava aquela sensação agora?

Ele girou e lançou a arma, concentrando-se, como Zahel havia lhe ensinado anos antes, enviando uma *instrução* direta para a Espada — visualizando o que precisava que ela fizesse. Ela continuou sólida, girando, refulgindo no ar, então afundou até a guarda na pedra da formação rochosa. Adolin soltou o suspiro que estava contendo. Finalmente. Liberou a Espada e ela explodiu em neblina, que fluiu como um minúsculo rio do orifício que ficou para trás.

— Vamos — disse ele para seus guarda-costas, pegando o elmo da rocha e caminhando até o acampamento de guerra próximo.

Como era de se esperar, a borda da cratera que formava o acampamento de guerra era mais erodida ali, no leste. O acampamento havia se espalhado como o conteúdo de um ovo de tartaruga quebrado, e — com o passar dos anos — começara até a se arrastar para os platôs por perto.

Uma estranha procissão emergia daquele rastro de civilização. A congregação de fervorosos em túnicas cantava em uníssono, cercando parshemanos que carregavam longas varas, as ponta para cima feito lanças. Seda reluzia entre essas varas, com mais de dez metros de largura, oscilando na brisa e impedindo a visão de algo no centro.

Transmutadores? Eles não costumavam sair durante o dia.

— Esperem aqui — ordenou aos guarda-costas, então correu até os fervorosos.

Os três carregadores obedeceram. Se Kaladin estivesse com eles, teria insistido que o acompanhassem. Talvez a maneira como o sujeito agia fosse um resultado da sua estranha posição. Por que seu pai havia instalado um soldado olhos-escuros *fora* da estrutura de comando? Adolin era a favor de tratar homens com respeito e honra, independentemente da cor dos olhos, mas o Todo-Poderoso colocara alguns homens no comando e outros abaixo. Era apenas a ordem natural das coisas.

Os parshemanos carregando as varas viram-no se aproximar, então baixaram os olhos. Fervorosos próximos deixaram Adolin passar, embora parecessem incomodados. Adolin tinha permissão de ver Transmutadores, mas era impróprio que os visitasse.

Dentro do improvisado aposento de seda, Adolin encontrou Kadash — um dos principais fervorosos de Dalinar. O homem alto já fora um soldado, como as cicatrizes em sua cabeça mostravam. Ele conversava com fervorosos em trajes vermelho-sangue.

Transmutadores. Era a palavra tanto para as pessoas que desempenhavam a arte quanto para os fabriais que usavam. Kadash não era um; ele vestia os trajes cinzentos comuns, em vez dos vermelhos, sua cabeça era raspada, o rosto era delineado por uma barba quadrada. Ele notou Adolin, hesitou por um momento, então curvou a cabeça com respeito. Como todos os fervorosos, Kadash era tecnicamente um escravo.

Isso incluía os cinco Transmutadores. Todos estavam de pé com a mão direita no peito, exibindo um fabrial faiscante em seu dorso. Uma fervorosa olhou para Adolin. Pai das Tempestades... aquele olhar não era completamente humano, não mais. O uso prolongado do Transmutador havia transformado seus olhos, de modo que faiscavam como as próprias gemas. A pele da mulher havia endurecido até parecer pedra; lisa e com finas rachaduras. Era como se a pessoa fosse uma estátua viva.

Kadash se aproximou às pressas de Adolin.

— Luminobre, eu não sabia que o senhor viria para supervisionar.

— Não estou aqui para supervisionar — disse Adolin, olhando com desconforto para os Transmutadores. — Só estou surpreso. Vocês não costumam fazer isso à noite?

— Isso não é mais possível, Luminobre — replicou Kadash. — Há demanda demais pelos Transmutadores. Edifícios, comida, remoção de lixo... Para dar conta, teremos que começar a treinar vários fervorosos em cada fabrial, depois trabalhar com eles em turnos. Seu pai aprovou essa ideia no início da semana.

Isso atraiu olhares de vários dos fervorosos de túnicas vermelhas. O que eles pensavam sobre ter outros treinando com seus fabriais? Suas expressões quase alienígenas eram impossíveis de interpretar.

— Entendo — disse Adolin.

Raios, nós dependemos um bocado dessas coisas. Todos falavam sobre Espadas e Armaduras Fractais, e suas vantagens na guerra. Mas, na verdade, eram aqueles estranhos fabriais — e os grãos que eles criavam — que haviam permitido que a guerra continuasse.

— Podemos prosseguir, Luminobre? — indagou Kadash.

Adolin assentiu, e Kadash caminhou de volta até os cinco e deu-lhes alguns breves comandos. Ele falou rapidamente, nervoso. Era estranho ver Kadash assim, pois geralmente o homem era plácido e inabalável. Transmutadores tinham aquele efeito sobre todo mundo.

Os cinco começaram a entoar um cântico em voz baixa, em harmonia com as vozes dos fervorosos do lado de fora. Então se adiantaram e levantaram as mãos em uma linha, e Adolin percebeu que seu rosto estava coberto de suor, gelado pelo vento que conseguira se esgueirar pelas paredes de seda.

De início, nada aconteceu. E então *pedra*.

Adolin pensou ver por um instante névoa se condensando — como no momento em que uma Espada Fractal aparecia — enquanto uma enorme parede surgia. O vento soprou ali dentro, como que sugado pela rocha se materializando, fazendo com que o pano se agitasse violentamente, estalando e tremulando. Por que o vento fora sugado para dentro? Não devia ter sido soprado para fora pela rocha que o deslocara?

A grande barreira esticou o pano dos dois lados e no alto, fazendo com que as telas de seda se avolumassem.

— Vamos precisar de varas mais altas — murmurou Kadash consigo mesmo.

A parede de pedra tinha a mesma aparência utilitária que as casernas, mas possuía um novo formato. Plana do lado voltado para os acampamentos de guerra, mas inclinada do outro, como uma cunha. Adolin reconheceu algo que seu pai vinha deliberadamente construindo havia meses.

— Um quebra-vento! — exclamou Adolin. — Isso é maravilhoso, Kadash.

— Bem, sim, seu pai pareceu gostar da proposta. Se botarmos algumas dezenas desses aqui fora, as construções poderão se expandir por todo o platô sem medo de grantormentas.

Isso não era *totalmente* verdade. Sempre seria necessário se preocupar com grantormentas, já que elas podiam lançar pedregulhos e soprar com força o bastante para arrancar edifícios das suas fundações. Mas um bom e sólido quebra-vento seria uma bênção do Todo-Poderoso ali nas terras tempestuosas.

Os Transmutadores recuaram, sem falar com os outros fervorosos. Os parshemanos se apressaram para acompanhá-los, contornando o quebra-vento e abrindo os fundos da tenda de seda para deixar que a nova construção saísse do envoltório. Eles passaram por Adolin e Kadash, deixando-os expostos no platô, à sombra da nova e enorme estrutura de pedra.

A parede de seda ergueu-se novamente, bloqueando a visão dos Transmutadores. Pouco antes disso, Adolin notou as mãos de um dos Transmutadores. O brilho do fabrial se fora. Provavelmente uma ou mais das gemas havia se partido.

— Ainda acho incrível — comentou Kadash, olhando para a barreira de pedra. — Mesmo depois de todos esses anos. Se precisássemos de prova da mão do Todo-Poderoso em nossas vidas, certamente seria essa.

Alguns esprenos de glória apareceram ao redor dele, dourados e rodopiantes.

— Os Radiantes podiam Transmutar — disse Adolin. — Não podiam?

— Está escrito que sim — respondeu Kadash, com cuidado.

A Traição — o termo para a deslealdade que os Radiantes cometeram contra a humanidade — frequentemente era vista como um fracasso do vorinismo como religião. A maneira como a Igreja tentou tomar o poder nos séculos seguintes foi ainda mais embaraçosa.

— O que mais os Radiantes podiam fazer? — perguntou Adolin. — Eles tinham poderes estranhos, certo?

— Não li detalhadamente sobre isso, Luminobre — disse Kadash. — Talvez eu devesse ter passado mais tempo aprendendo sobre eles, ainda que apenas para me lembrar dos males do orgulho. Farei isso, Luminobre, para permanecer fiel e lembrar o lugar que ocupam todos os fervorosos.

— Kadash — disse Adolin, contemplando o recuo da procissão de seda brilhante. — Estou precisando de informações, não de humildade. O Assassino de Branco voltou.

Kadash arquejou.

— A agitação no palácio da noite passada? Os rumores são *verdadeiros*?

— São.

Não adiantava esconder o acontecido. Seu pai e o rei haviam contado aos grão-príncipes e planejavam liberar a informação para todos. Adolin encontrou os olhos do fervoroso.

— Aquele assassino caminhou pelas paredes, como se a atração da terra não significasse nada para ele. Ele caiu trinta metros sem se machucar. Era como um Esvaziador, a morte em forma de gente. Então pergunto novamente: o que os Radiantes podiam fazer? Eles tinham habilidades como essas?

— Essas e mais, Luminobre — sussurrou Kadash, o rosto perdendo a cor. — Conversei com alguns dos soldados que sobreviveram àquela primeira noite terrível, quando o antigo rei foi morto. Pensei que as coisas que eles alegavam ter visto fossem resultado do trauma...

— Eu preciso saber. Pesquise. Leia. Me diga o que essa criatura pode ser capaz de fazer. Precisamos saber como combatê-lo. Ele *vai* voltar.

— Sim — disse Kadash, visivelmente abalado. — Mas... Adolin? Se o que está dizendo é verdade... Raios! Pode significar que os Radiantes não estão mortos.

— Eu sei.

— Que o Todo-Poderoso nos proteja — sussurrou Kadash.

N AVANI KHOLIN ADORAVA ACAMPAMENTOS de guerra. Nas cidades comuns, tudo era tão *bagunçado*. Lojas em lugares impróprios, ruas que se recusavam a seguir em linha reta.

Homens e mulheres militares, contudo, valorizavam a ordem e a racionalidade — os melhores valorizavam, ao menos. Seus acampamentos refletiam isso. Casernas em fileiras regulares, lojas confinadas aos mercados, em vez de brotarem em cada esquina. Do seu ponto de vista, na torre de observação, enxergava grande parte do acampamento de Dalinar. Tão *organizado*, tão *intencional*.

Era a marca da humanidade: pegar o mundo selvagem e desorganizado e fazer dele algo lógico. Podia-se realizar muito mais quando tudo estava em seu lugar, quando podia-se achar facilmente o que fosse necessário. A criatividade exigia tais coisas.

O planejamento cuidadoso era, de fato, a água que alimentava a inovação.

Ela respirou fundo e virou-se para a área de engenharia, que dominava a seção leste do acampamento de guerra de Dalinar.

— Muito bem, pessoal! Vamos experimentar!

Aquele teste havia sido planejado muito antes do ataque do assassino, e ela decidira prosseguir com ele. O que mais podia fazer? Ficar sentada, se preocupando?

O terreno abaixo passou a fervilhar com atividade. Sua plataforma de observação elevada tinha uns sete metros de altura e dava a ela uma boa visão da área de engenharia. Estava acompanhada por uma dúzia de fervorosos e eruditas — e até mesmo Matain e alguns outros guarda-tempos. Ainda não sabia ao certo o que pensava dos sujeitos — eles passavam tempo demais falando sobre numerologia e lendo os ventos. Chamavam isso de ciência em uma tentativa de driblar as proibições vorins de prever o futuro.

Mas *ofereciam* algumas informações úteis, às vezes. Ela os convidara por esse motivo — e porque queria ficar de olho neles.

O objeto da sua atenção, e o tema do teste do dia, era uma grande plataforma circular no centro do pátio de engenharia. A estrutura de madeira parecia o topo de uma torre de cerco que havia sido cortada e disposta no chão. Era rodeada por ameias, e tinham posicionado bonecos nelas, do tipo que os soldados usavam para prática de arco e flecha. Junto da plataforma havia uma alta torre de madeira com uma treliça de andaimes nos lados. Trabalhadores subiam por ali, verificando se tudo estava operacional.

— Você realmente devia ler isso, Navani — disse Rushu, consultando um relatório.

A jovem era uma fervorosa e não tinha direito algum de ter cílios tão exuberantes ou traços tão delicados. Rushu havia se juntado ao fervor para escapar dos avanços dos homens. Uma escolha tola, a julgar pela maneira como os fervorosos homens sempre queriam trabalhar com ela. Felizmente, ela também era brilhante. E Navani sempre encontrava utilidade para alguém brilhante.

— Lerei depois — respondeu em tom de gentil censura. — Temos trabalho a fazer agora, Rushu.

— ...mudaram mesmo quando ele estava em outro recinto — murmurou Rushu, virando outra página. — Repetível e mensurável. Só com esprenos de chama até agora, mas são tantas as outras aplicações em potencial...

— Rushu — repetiu Navani, com um pouco mais de firmeza. — O teste?

— Ah! Desculpe, Luminosa. — A mulher enfiou as páginas dobradas em um bolso da túnica, então correu a mão pela cabeça raspada, franzindo o cenho. — Navani, já pensou por que o Todo-Poderoso deu barba aos homens, mas não às mulheres? Aliás, por que consideramos feminino que uma mulher tenha cabelo comprido? Mais cabelo não devia ser uma característica *masculina*? Muitos deles têm um bocado de cabelo.

— Foco, menina. Quero que esteja prestando atenção quando o teste acontecer. — Ela se virou para os outros. — O mesmo vale para todos vocês. Se essa coisa se espatifar no chão novamente, não quero perder outra semana tentando descobrir o que deu errado!

Todos assentiram, e Navani percebeu que estava ficando empolgada, parte da tensão do ataque da noite anterior finalmente escoando. Repassou os protocolos para o teste na cabeça. Pessoas afastadas da zona de perigo... Fervorosos em várias plataformas próximas, assistindo atentamente, com penas e papel para registrar... Gemas infundidas...

Tudo havia sido feito e verificado três vezes. Ela foi até a frente da plataforma — segurando o parapeito com força sob a mão livre e a mão segura enluvada — e abençoou o Todo-Poderoso pelo poder de distração de um bom projeto de fabrial. Usara aquele ali primeiro para se distrair da preocupação com Jasnah, mas depois se deu conta de que a filha ficaria bem. Era verdade que havia agora relatos de que o navio fora perdido com toda a tripulação, mas não era a primeira vez que um suposto desastre havia atingido a filha de Navani. Jasnah brincava com o perigo como uma criança brincava com um crenguejo aprisionado, e sempre conseguia se safar.

O retorno do assassino, porém... Ah, *Pai das Tempestades*. Se ele levasse Dalinar como havia levado Gavilar...

— Deem o sinal — disse ela aos fervorosos. — Já checamos tudo mais vezes do que seria útil.

Os fervorosos assentiram e escreveram, via telepena, para os trabalhadores abaixo. Navani notou, irritada, que uma figura trajando uma Armadura Fractal azul havia adentrado a área de engenharia, o elmo debaixo do braço, expondo os despenteados cabelos loiros com alguns fios pretos. Os guardas deviam ter impedido a entrada de qualquer pessoa, mas tais proibições não se aplicavam ao herdeiro do grão-príncipe. Bem, Adolin saberia manter uma distância segura. Ou assim ela esperava.

Voltou-se para a torre de madeira. Fervorosos no topo haviam ativado os fabriais lá e agora desciam pelas escadas laterais, abrindo fechos no caminho. Quando chegaram ao chão, trabalhadores cuidadosamente afastaram as paredes, que estavam sobre rodas. Eram as únicas coisas sustentando o topo da torre. Sem elas, ele deveria cair.

O topo da plataforma, contudo, permaneceu no lugar — pendendo de modo impossível no ar. Navani arquejou. A única coisa conectando-o ao chão era um conjunto de duas roldanas e cordas, mas que não oferecia suporte. Aquela seção espessa e quadrada de madeira agora flutuava totalmente sem apoio.

Os fervorosos ao redor dela murmuravam, animados. Agora, o verdadeiro teste. Navani acenou e os homens abaixo giraram as manivelas nas roldanas, puxando para baixo o pedaço flutuante da madeira. A ameia ali perto tremeu, oscilou, depois começou a se elevar no ar em um movimento exatamente oposto ao do quadrado de madeira.

— Está funcionando! — exclamou Rushu.

— Não gosto dessa oscilação — disse Falilar. O velho engenheiro coçou sua barba de fervoroso. — Deveria subir mais suavemente.

— Não está caindo — replicou Navani. — Considero aceitável.

— Se os ventos quisessem, eu estaria ali em cima — disse Rushu, levantando uma luneta. — Não vejo nem um fio de luz das gemas. E se elas estiverem se rachando?

— Então uma hora descobriremos — respondeu Navani, embora na verdade também fosse gostar de estar no parapeito que se elevava.

Dalinar teria tido um ataque cardíaco se soubesse que ela havia feito algo assim. Era um homem querido, mas um pouco superprotetor. Assim como uma grantormenta ventava um pouco.

O parapeito oscilou durante a subida. Agia como se estivesse sendo içado, embora não tivesse suporte algum. Finalmente, chegou ao ponto mais alto. O quadrado de madeira que antes estava flutuando agora havia pousado no chão e estava fixado com cordas. O parapeito redondo continuava no ar, ligeiramente torto.

Ele não caiu.

Adolin subiu os degraus da plataforma de observação, fazendo toda a estrutura tremer com aquela Armadura Fractal. Quando ele a alcançou, os outros eruditos estavam conversando animadamente e fazendo copiosas anotações. Esprenos de lógica, na forma de minúsculas nuvens de tempestade, surgiram ao redor deles.

Havia funcionado. *Finalmente*.

— Ei — disse Adolin. — Aquela plataforma está *voando*?

— E você só notou agora, querido?

Ele coçou a cabeça.

— Eu estava distraído, tia. Hum. Isso... Isso é realmente estranho. — Ele parecia perturbado.

— O que foi? — perguntou Navani.

— Parece...

Ele. O assassino, que havia de algum modo, segundo Adolin e Dalinar, manipulado esprenos de gravidade. Navani olhou para os eruditos.

— Vocês podem descer e pedir a eles para baixar a plataforma? E podem inspecionar as gemas e conferir se alguma quebrou?

Os outros entenderam a dispensa e desceram os degraus em grupo, animados, embora Rushu — a querida Rushu — tenha ficado.

— Ah! — disse a mulher. — Seria melhor ver daqui de cima, caso...

— Quero falar com meu sobrinho. Sozinha, por favor.

Às vezes, ao trabalhar com eruditos, era preciso ser um pouco direta. Rushu finalmente corou, então fez uma mesura e saiu apressadamente. Adolin foi até o parapeito. Era difícil não se sentir pequena junto de um homem usando Armadura, e, quando ele estendeu a mão para o parapeito, ela pensou ouvir a madeira grunhindo com a força da pegada. Ele poderia ter quebrado o parapeito sem pensar duas vezes.

Tenho que descobrir como fabricar mais delas. Embora não fosse uma guerreira, havia coisas que podia fazer para proteger sua família. Quanto mais compreendia os segredos da tecnologia e o poder dos esprenos presos em gemas, mais perto chegava de descobrir o que procurava.

Adolin estava olhando para a mão dela. Ah, então ele finalmente notara?

— Tia? — indagou ele, tenso. — Uma *luva*?

— Muito mais prática — respondeu ela, levantando a mão segura e agitando os dedos. — Ah, não me olhe assim. As olhos-escuros fazem isso o tempo todo.

— A senhora não é uma olhos-escuros.

— Sou a rainha-viúva. Pela Danação, ninguém se importa com o que eu faço. Poderia andar por aí completamente nua e todos só balançariam a cabeça e comentariam como sou excêntrica.

Adolin suspirou, mas deixou o assunto de lado, em vez disso indicando a plataforma.

— Como fez isso?

— Fabriais conjugados — explicou Navani. — O truque era encontrar uma maneira de vencer as fraquezas estruturais das gemas, que sucumbem facilmente à tensão multiplicada e simultânea do dreno de infusão e do estresse físico. Nós... — Ela deixou a frase morrer quando notou que os olhos de Adolin estavam ficando vidrados.

Ele era um jovem inteligente quando se tratava de interações sociais, mas não tinha uma gota de erudição. Navani sorriu, passando a usar termos leigos.

— Se você dividir uma gema fabrial de certa maneira, dá para conectar duas peças de modo que elas imitem os movimentos uma da outra. Como uma telepena?

— Ah, certo — disso Adolin.

— Bem, também podemos fazer com que duas metades se movam em direções *opostas*. Preenchemos o chão daquele parapeito com gemas desse tipo e colocamos as outras metades no quadrado de madeira. Quando ativamos todas elas, para que imitem umas às outras ao contrário, conseguimos puxar uma plataforma para baixo e fazer com que a outra suba.

— Hum. Pode fazer isso funcionar em um campo de campo de batalha?

Foi exatamente isso, naturalmente, que Dalinar havia perguntado quando ela lhe mostrara os conceitos.

— A proximidade é um problema, no momento — disse ela. — Quanto mais afastados os pares estão, mas fraca sua interação, o que faz com que rachem com mais facilidade. Algo mais leve, como uma telepena, não causa esse efeito, mas ao trabalhar com coisas mais pesadas... Bem, provavelmente vamos conseguir que funcionem nas Planícies Quebradas. Essa é nossa meta atual. Daria para levar uma dessas a campo, então ativá-la e nos notificar via telepena. Nós puxamos a plataforma aqui para baixo, e seus arqueiros são elevados quinze metros até uma perfeita posição para atirar.

Isso, finalmente, pareceu empolgar Adolin.

— E o inimigo não poderá derrubá-la ou escalá-la! Pai das Tempestades. Que vantagem tática!

— Exatamente.

— A senhora não parece entusiasmada.

— Estou, querido — disse Navani. — Mas essa não é a ideia mais ambiciosa que já tivemos para essa técnica. Nem por uma brisa ou por vento de tempestade.

Ele franziu o cenho.

— É tudo muito técnico e teórico no momento. — Navani sorriu. — Mas espere só. Quando puder ver as coisas que os fervorosos estão imaginando...

— Não é a senhora? — indagou Adolin.

— Eu sou a patrona deles, querido — respondeu Navani, dando-lhe um tapinha no braço. — Não tenho tempo de fazer todos os diagramas e cálculos, mesmo que fosse capacitada para isso. — Ela olhou para o grupo de fervorosos e cientistas que estavam inspecionando o chão da plataforma de ameias. — Eles me toleram.

— Certamente é mais que isso.

Talvez em outra vida pudesse ter sido. Ela tinha certeza de que alguns viam-na como uma colega. Muitos, contudo, só enxergavam uma mulher que os patrocinava para que pudesse ter novos fabriais para exibir em festas. Talvez ela fosse exatamente isso. Uma olhos-claros de alto posto precisava de alguns passatempos, não era?

— Suponho que esteja aqui para me escoltar até a reunião.

Os grão-príncipes, agitados com o ataque do assassino, haviam exigido que Elhokar se reunisse com eles. Adolin assentiu, retraindo-se e olhando sobre o ombro ao ouvir um ruído, instintivamente se colocando entre Navani e o que quer que fosse. O ruído, contudo, era apenas alguns trabalhadores removendo a lateral de uma das enormes pontes rolantes de Dalinar. Esse era o propósito principal daqueles terrenos; ela apenas havia se apropriado da área para seu teste.

Navani ofereceu-lhe o braço.

— Você é igualzinho ao seu pai.

— Talvez eu seja — disse ele, tomando seu braço.

Aquela mão coberta pela Armadura poderia ter deixado algumas mulheres incomodadas, mas ela convivera com Armaduras muito mais que a maioria. Começaram a descer os degraus juntos.

— Tia, a senhora já, hã, fez algo para encorajar a aproximação do meu pai? Entre vocês dois, quero dizer.

Para um garoto que passava a maior parte da vida flertando com qualquer criatura que usasse um vestido, ele corou bastante ao dizer isso.

— Encorajá-lo? Fiz mais do que isso, criança. Praticamente tive que *seduzir* o homem. Seu pai certamente é teimoso.

— É mesmo? Eu não tinha notado — replicou Adolin secamente.

— A senhora percebe o quanto dificultou a posição dele? Ele está tentando forçar os outros grão-príncipes a seguirem os Códigos usando as restrições sociais da honra, mas está nitidamente ignorando algo similar.

— Uma tradição enfadonha.

— A senhora parece contente em ignorar apenas as que considera enfadonhas, enquanto espera que sigamos todas as outras.

— Mas é claro. — Navani sorriu. — Você ainda não havia percebido?

A expressão de Adolin tornou-se severa.

— Não fique amuado. Você está livre do causal por enquanto, já que Jasnah aparentemente decidiu vaguear por aí. Não terei a oportunidade de casá-lo tão depressa, pelo menos até ela reaparecer.

Conhecendo-a bem, isso podia acontecer no dia seguinte... ou dali a meses.

— Não estou amuado — protestou Adolin.

— É claro que não — disse ela, dando um tapinha no seu braço protegido enquanto chegavam ao final dos degraus. — Vamos para o palácio. Não sei se seu pai será capaz de retardar a reunião se nos atrasarmos.

36

UMA NOVA MULHER

E, quando eram mencionados pelo povo, os Liberadores alegavam sofrer preconceito devido à terrível natureza do seu poder; e, quando lidavam com outros, sempre eram firmes na alegação de que outros epítetos, notadamente "Pulverizadores", muitas vezes ouvido na fala popular, eram substitutos inaceitáveis, particularmente devido à sua similaridade com a palavra "Esvaziadores". Eles também expressavam raiva com grande hostilidade quanto a isso, embora, para muitos que falassem, houvesse pouca diferença entre esses dois grupos.

— De *Palavras de Radiância*, capítulo 17, página 11

SHALLAN DESPERTOU COMO UMA nova mulher.

Ainda não tinha total certeza de quem era essa mulher, mas sabia quem não era. Ela não era a mesma garota assustada que havia suportado as tempestades de um lar desfeito. Não era a mesma mulher ingênua que tentara roubar de Jasnah Kholin. Não era a mesma mulher que havia sido enganada por Kabsal e depois por Tyn.

Isso não significava que não tivesse mais medo ou inocência; tinha ambos. Mas também estava cansada. Cansada de ser pressionada, cansada de ser enganada, cansada de ser ignorada. Durante a viagem com Tvlakv, fingira ser capaz de liderar e assumir o controle. Agora não sentia mais que precisava fingir.

Ela se ajoelhou junto a um dos baús de Tyn. Resistira a deixar os homens abri-lo à força — queria manter alguns baús para guardar roupas —, mas sua busca na tenda não havia encontrado a chave certa.

— Padrão, pode dar uma olhada aqui dentro? Se espremer através da fechadura?

— Mmm... — Padrão subiu pela lateral do baú, então se encolheu até o tamanho de uma unha e entrou facilmente. Ela ouviu sua voz lá de dentro. — Escuro.

— Droga — disse ela, catando uma esfera e segurando-a junto da fechadura. — Isso ajuda?

— Vejo um padrão — disse ele.

— Um padrão? Que tipo de...

Clique.

Shallan se surpreendeu, então estendeu a mão para levantar a tampa do baú. Padrão zumbiu alegremente do lado de dentro.

— Você destrancou o baú.

— Um padrão — disse ele, contente.

— Você consegue mover coisas?

— Empurrar um pouco aqui e ali. Pouquíssima força deste lado. Mmm...

O baú estava cheio de roupas e tinha um saco de esferas em uma bolsa de pano preto. As duas coisas seriam muito úteis. Shallan fez uma busca e encontrou um vestido de bordado fino e corte moderno. Tyn precisava dele, naturalmente, para as ocasiões em que fingia ter uma posição social mais elevada. Shallan vestiu-o, achando um pouco largo no busto, mas aceitável no geral, então arrumou o cabelo e o rosto usando a maquiagem e os pincéis da mulher morta.

Quando deixou a tenda naquela manhã, sentia-se — pela primeira vez em séculos — uma verdadeira olhos-claros. Isso era ótimo, porque naquele dia finalmente alcançaria as Planícies Quebradas. E, com sorte, seu destino.

Saiu para a luz da manhã. Seus homens trabalhavam com os parshemanos da caravana para desfazer o acampamento. Com os guardas de Tyn mortos, a única força armada no acampamento pertencia a Shallan. Vathah se aproximou.

— Queimamos os corpos na noite passada, como a senhora instruiu, Luminosa. E outra patrulha de guarda passou por aqui esta manhã enquanto a senhora estava se aprontando. Obviamente queriam que soubéssemos que eles pretendem manter a paz. Se alguém acampar neste lugar e encontrar os ossos de Tyn e seus soldados nas cinzas, podem surgir perguntas. Não sei se os trabalhadores da caravana guardarão seu segredo se forem interrogados.

— Obrigada — disse Shallan. — Peça aos seus homens para coletarem os ossos em um saco. Cuidarei deles.

Ela havia realmente acabado de dizer isso? Vathah assentiu, como se fosse a resposta esperada.

— Alguns dos homens estão nervosos, agora que estamos tão perto dos acampamentos de guerra.

— Ainda acha que não vou conseguir manter minha promessa?

Surpreendentemente, ele sorriu.

— Não. Acho que fui convencido, Luminosa.

— Bem, e então?

— Vou tranquilizá-los.

— Excelente.

Eles se separaram e Shallan foi procurar Macob. Quando o encontrou, o mestre comerciante maduro e barbado fez uma mesura muito mais respeitosa que as anteriores. Já tinha ouvido falar sobre a Espada Fractal.

— Preciso que um dos seus homens vá até os acampamentos de guerra e me traga um palanquim — disse Shallan. — Não posso enviar um dos meus soldados no momento.

Ela não arriscaria que eles fossem reconhecidos e aprisionados.

— Mas é claro — respondeu Macob, com a voz tensa. — O preço será...

Ela o encarou com severidade.

— ...pago do meu próprio bolso, como agradecimento à senhora por uma chegada segura. — Macob colocou uma ênfase estranha na palavra *segura*, como se fosse de um mérito questionável na sentença.

— E o preço da sua discrição? — indagou Shallan.

— Minha discrição é sempre garantida, Luminosa — assegurou o comerciante. — E não são os meus lábios que devem preocupá-la.

Era verdade.

O homem subiu na sua carroça.

— Um dos meus homens vai correr à frente, e enviaremos um palanquim de volta para a senhora. Com isso, me despeço. Espero não ofendê-la quando digo, Luminosa, que espero não vê-la nunca mais.

— Então estamos de acordo quanto a esse assunto.

Ele assentiu e tocou seu chule. A carroça se afastou.

— Fui ouvi-los ontem à noite — disse Padrão com uma voz sibilante e empolgada vinda de trás do seu vestido. — A não existência é realmente um conceito tão fascinante assim para os humanos?

— Eles falaram de morte, foi?

— Ficaram especulando se você "iria atrás deles". Percebi que a não existência não é desejada, mas eles *não paravam* de falar sobre isso. Deveras fascinante.

— Mantenha as orelhas abertas, Padrão. Suspeito que esse dia vai ficar ainda *mais* interessante.

Ela caminhou na direção da tenda.

— Mas eu não tenho orelhas — disse ele. — Ah, sim. Uma metáfora? Mentiras tão deliciosas. Vou me lembrar dessa expressão.

OS ACAMPAMENTOS DE GUERRA alethianos eram muito *mais* do que Shallan havia esperado. Dez cidades compactas enfileiradas, cada uma emitindo fumaça de milhares de fogueiras. Filas de caravanas entravam e saíam, passando pelas bordas de cratera que serviam de muralhas. Cada acampamento possuía centenas de estandartes desfraldados, proclamando a presença de olhos-claros de alta estirpe.

Enquanto o palanquim a levava por uma ladeira abaixo, ela ficou realmente *impressionada* com a magnitude da população. Pai das Tempestades! Outrora, havia considerado a feira regional das terras do seu pai uma grande reunião. Quantas bocas precisavam alimentar ali? Quanta água precisavam colher de cada grantormenta?

O palanquim deu uma guinada. Ela havia deixado a carroça para trás; os chules pertenciam a Macob. Mais tarde tentaria vender a carroça se ainda estivesse lá quando mandasse seus homens pegá-la. Por enquanto, seguia no palanquim, que era carregado por parshemanos sob os olhos vigilantes de um olhos-claros que era o dono deles e alugava o veículo. Ele andava na frente. A ironia de ser carregada nas costas de Esvaziadores enquanto adentrava os acampamentos de guerra não passava despercebida.

Atrás do veículo marchavam Vathah e seus dezoito guardas, depois seus cinco escravos, que carregavam os baús. Ela os vestira com roupas e sapatos dos mercadores, mas era impossível esconder meses de escravidão com novos trajes — e a aparência dos soldados não era muito melhor. Seus uniformes só eram lavados quando caía uma grantormenta, e isso era mais *encharcar* do que *lavar*. O ocasional odor que chegava até ela era o motivo de eles estarem marchando *atrás* do palanquim.

Esperava que não estivesse cheirando tão mal quanto eles. Tinha o perfume de Tyn, mas a elite alethiana preferia banhos frequentes e um aroma limpo — parte da sabedoria dos Arautos. *Lave com a grantormenta vindoura, tanto criado quanto luminobre, para afastar os esprenos de putrefação e purificar o corpo.*

Ela havia feito o possível com alguns baldes d'água, mas não teve o luxo de fazer uma pausa para se preparar melhor. Precisava da proteção de um grão-príncipe, e rápido. Agora que havia chegado, a imensidão das suas tarefas novamente a atingiu: descobrir o que Jasnah estivera procurando nas Planícies Quebradas. Usar essas informações para persuadir a liderança alethiana a tomar medidas contra os parshemanos. Investigar as pessoas com que Tyn andara se reunindo e... fazer o quê? Enganá-las, de algum modo? Descobrir o que sabiam sobre Urithiru, desviar a atenção delas de seus irmãos e talvez descobrir uma maneira de castigá-los pelo que fizeram com Jasnah?

Tanta coisa a fazer. Precisaria de recursos. Dalinar Kholin era sua melhor esperança em obtê-los.

— Mas será que ele vai me acolher? — sussurrou ela.

— Mmmm? — perguntou Padrão do banco ali perto.

— Vou precisar que ele seja meu patrono. Se as fontes de Tyn sabem que Jasnah está morta, então Dalinar provavelmente também sabe. Como ele vai reagir à minha chegada inesperada? Será que vai pegar os livros dela, afagar minha cabeça e me mandar de volta para Jah Keved? A casa Kholin não precisa de um vínculo com uma vedena desimportante como eu. E eu... Estou só pensando em voz alta, não estou?

— Mmmm — disse Padrão. Ele parecia sonolento, embora ela não soubesse se esprenos podiam se cansar.

Seu nervosismo cresceu à medida que a procissão se aproximava dos acampamentos de guerra. Tyn insistira que Shallan *não* pedisse a proteção de Dalinar, já que isso a deixaria em dívida com ele. Shallan a havia matado, mas ainda respeitava sua opinião. Havia mérito no que dissera sobre Dalinar?

Alguém bateu na janela do seu palanquim.

— Vamos fazer os parshemanos baixá-la um pouco — disse Vathah. — Precisamos perguntar por aí para descobrir onde está o grão-príncipe.

— Está bem.

Ela esperou, impaciente. Deviam ter mandado o proprietário do palanquim naquela tarefa — Vathah estava tão nervoso quanto ela com ideia de enviar um dos seus homens pelos acampamentos de guerra sozinho. Por fim, ouviu uma conversa abafada do lado de fora, e Vathah retornou, suas botas raspando na pedra. Ela abriu a cortina e o encarou.

— Dalinar Kholin está com o rei — disse Vathah. — Todos os grão-príncipes estão lá. — Ele parecia perturbado ao se virar para os acampamentos de guerra. — Tem alguma coisa nos ventos, Luminosa. — Ele estreitou os olhos. — Patrulhas demais. Muitos soldados por aí. O proprietário do palanquim não quis me dizer, mas parece que algo aconteceu recentemente. Algo mortífero.

— Leve-me até o rei, então — disse Shallan.

Vathah levantou uma sobrancelha. O rei de Alethkar era provavelmente o homem mais poderoso do mundo.

— A senhora não vai matá-lo, vai? — indagou ele em voz baixa, se inclinando para ela.

— *O quê?*

— Imagino que esse seja um bom motivo para uma mulher ter... a senhora sabe. — Ele não a olhou nos olhos. — Se aproximar, invocar a coisa, atravessar o peito de um homem com ela antes que alguém saiba o que está acontecendo.

— Eu não vou matar seu rei — respondeu ela, achando graça.

— Eu não me importaria se matasse — replicou Vathah baixinho. — Estou quase torcendo por isso. Ele é uma criança vestindo as roupas do pai, aquele lá. Alethkar só piorou desde que ele subiu ao trono. Mas meus homens... nós teríamos muita dificuldade de escapar se a senhora fizesse algo assim. Muita dificuldade mesmo.

— Cumprirei minha promessa.

Ele assentiu, e ela deixou as cortinas caírem de novo sobre a janela do palanquim. Pai das Tempestades. Dar uma Espada Fractal a uma mulher, deixá-la se aproximar... Será que alguém já tentara isso? Devia ter acontecido, embora pensar no assunto a deixasse enjoada.

O palanquim virou para norte. Demoraram a atravessar os acampamentos de guerra; eles eram enormes. Por fim, ela espiou lá fora e viu uma colina alta à esquerda com um edifício esculpido a partir — e dentro — da rocha no topo. Um palácio?

E se conseguisse convencer o Luminobre Dalinar a acolhê-la e a confiar a ela a pesquisa de Jasnah? Que posto teria na casa de Dalinar? Uma escriba inferior, a ser posta de lado e ignorada? Foi assim que ela passou a maior parte da vida. De repente percebeu que estava passionalmente determinada a *não* deixar que isso acontecesse outra vez. Precisava da liberdade e dos fundos para investigar Urithiru e o assassinato de Jasnah. Não aceitaria menos do que isso. Não *podia* aceitar menos do que isso.

Então faça acontecer, pensou.

Quisera que bastasse desejar. Enquanto o palanquim seguia pelas curvas do caminho até o palácio, sua nova bolsa — achada nas coisas de Tyn — balançou e caiu a seus pés. Ela a pegou e folheou as páginas ali dentro, encontrando o esboço amassado de Bluth como ela o imaginara. Um herói em vez de um mercador de escravos.

— Mmmmm... — falou Padrão do banco ao lado.
— Essa imagem é uma mentira — disse Shallan.
— Sim.
— E ao mesmo tempo não é. Foi o que ele se tornou, no final. Até certo ponto.
— Sim.
— Então o que é a mentira e o que é a verdade?

Padrão zumbiu suavemente consigo mesmo, como um cão-machado satisfeito diante da lareira. Shallan passou o dedo pelo retrato, alisando-o. Então pegou uma prancheta de desenho e um lápis e começou a desenhar. Era uma tarefa difícil no palanquim em movimento; não seria seu melhor desenho. Ainda assim, seus dedos se moviam pelo esboço com uma intensidade que não sentia havia semanas.

Linhas amplas de início, para fixar a imagem na cabeça. Dessa vez, não estava copiando uma Lembrança. Estava buscando por algo mais nebuloso: uma mentira que poderia ser real, caso a imaginasse corretamente.

Ela rabiscou freneticamente o papel, toda inclinada, e logo parou de sentir o ritmo dos passos dos carregadores. Via apenas o desenho, conhecia apenas as emoções que vazavam para a página. A determinação de Jasnah. A confiança de Tyn. Um senso de *justiça* que não podia descrever, mas que tirou do seu irmão Helaran, a melhor pessoa que já conhecera.

Tudo isso *verteu* dela para o lápis e dali para a página. Manchas e linhas que se tornaram sombras e padrões, que se tornaram figuras e rostos. Um desenho rápido, apressado, mas vivo. Ele representava Shallan como uma jovem confiante diante de um Dalinar Kholin imaginado. Colocara-o em uma Armadura Fractal, e ele, assim como os homens ao seu redor, estudavam Shallan com um assombro penetrante. Ela tinha uma postura firme, a mão erguida enquanto falava com confiança e poder. Sem tremores, sem medo de confrontos.

Eu teria sido assim se não tivesse sido criada em uma casa cheia de medo. Então é assim que serei hoje.

Não era uma mentira. Era uma verdade diferente.

Alguém bateu na porta do palanquim. O veículo parara; ela mal havia notado. Assentindo para si mesma, ela dobrou o desenho e guardou-o no bolso da mão segura. Então saiu do palanquim e pisou na pedra fria. Sentia-se revigorada e percebeu que havia sugado uma minúscula quantidade de Luz das Tempestades sem querer.

O palácio era mais belo e mundano do que esperava. Claro, estavam em um acampamento de guerra, então a morada do rei não corresponderia à majestade do palácio real de Kharbranth. Ao mesmo tempo, era impressionante que tal estrutura pudesse ter sido construída ali, longe da cultura e dos recursos de Alethkar. Uma gigantesca fortaleza de rocha entalhada, com vários andares de altura, abrigada no pináculo da colina.

— Vathah, Gaz, vocês vêm comigo. Os outros podem tomar posição aqui. Mandarei notícias.

Eles a saudaram; Shallan não sabia ao certo se isso era apropriado ou não. Ela avançou e notou, para sua diversão, que havia escolhido um dos mais altos e um dos mais baixos desertores para acompanhá-la, e assim, quando eles a ladearam, criaram um declive homogêneo de altura: Vathah, ela, Gaz. Será que havia realmente escolhido seus guardas baseadas no apelo estético?

Os portões do complexo do palácio ficavam voltados para oeste, e ali Shallan encontrou um grande grupo de guardas diante de portas abertas que levavam a um corredor profundo como um túnel que adentrava a própria colina. Dezesseis guardas na entrada? Havia lido que o rei Elhokar era paranoico, mas aquilo parecia excessivo.

— Você vai precisar me anunciar, Vathah — disse ela em voz baixa enquanto caminhavam.

— Como?

— Luminosa Shallan Davar, pupila de Jasnah Kholin e noiva causal de Adolin Kholin. Espere para dizer isso ao meu sinal.

O homem grisalho assentiu, a mão no machado. Shallan não compartilhava do desconforto dele. Na verdade, estava *empolgada*. Ela passou pelos guardas com a cabeça erguida, agindo como se pertencesse àquele local.

Deixaram-na passar.

Shallan quase tropeçou. Mais de uma dúzia de guardas na porta, e eles não a interpelaram. Vários levantaram a mão, como se fossem impedi-la — ela viu pelo canto do olho —, mas recuaram em silêncio. Vathah bufou baixinho ao lado dela enquanto adentravam o corredor além das portas.

A acústica captou sussurros ecoando enquanto os guardas na porta conversavam. Por fim, um deles a chamou.

— ...Luminosa?

Ela parou, voltando-se para eles e levantando a sobrancelha.

— Sinto muito, Luminosa — disse o guarda. — Mas a senhora é...?

Ela fez o sinal para Vathah.

— Você não reconhece a Luminosa Davar? — rosnou ele. — A *noiva* causal do Luminobre Adolin Kholin?

Os guardas se calaram e Shallan se virou para seguir em frente. A conversa atrás dela recomeçou quase imediatamente, alta o bastante para que pudesse captar algumas palavras.

— ...não dá para acompanhar todas as mulheres daquele homem...

Chegaram a uma interseção. Shallan olhou para um lado, depois para o outro.

— Para cima, imagino.

— Reis gostam de ficar no topo de tudo — comentou Vathah. — Sua atitude pode fazer com que passe pela primeira porta, Luminosa, mas não vai ser o bastante para chegar a Kholin.

— A senhora é *realmente* noiva dele? — perguntou Gaz, nervoso, coçando seu tapa-olho.

— Na última vez que conferi, sim — respondeu Shallan, seguindo na frente. — Mas, para falar a verdade, isso foi antes de o meu navio afundar.

Ela não estava preocupada em chegar até Kholin. Conseguiria no mínimo uma audiência. Continuaram subindo, perguntando o caminho aos criados que passavam em grupinhos apressados, saltando quando alguém falava com eles. Shallan reconhecia aquele tipo de timidez. Será que o rei era um mestre tão terrível quanto o pai dela?

Nos andares superiores, a estrutura parecia menos uma fortaleza e mais um palácio. Havia relevos nas paredes, mosaicos no chão, mais janelas com persianas esculpidas. Perto da câmera de conferência do rei, quase no topo, as paredes de pedra tinham molduras de madeira, com entalhes folheados a prata e a ouro. Lâmpadas portavam safiras imensas, maiores que as denominações comuns, irradiando uma brilhante luz azul. Pelo menos não careceria de Luz das Tempestades, caso precisasse.

A passagem para a sala de conferências do rei estava *abarrotada* de homens. Soldados em uma dúzia de uniformes diferentes.

— Danação — disse Gaz. — Aquelas são as cores de Sadeas.

— E de Thanadal, e Aladar, e Ruthar... — disse Vathah. — Ele está se reunindo com todos os grão-príncipes, como eu disse.

Shallan podia diferenciar facilmente as facções, lembrando-se dos seus estudos com Jasnah dos nomes e da heráldica de todos os dez grão-

-príncipes. Os soldados de Sadeas conversavam com os do Grão-príncipe Ruthar e do Grão-príncipe Aladar. Os soldados de Dalinar estavam sozinhos, e Shallan sentia hostilidade entre eles e os outros no corredor.

Entre os guardas de Dalinar havia muito poucos olhos-claros. Isso era estranho. E aquele homem na porta parecia familiar, não? O olhos-escuros alto com o casaco azul chegando aos joelhos. O homem com cabelo ondulado até os ombros... Ele estava falando em voz baixa com outro soldado, um dos homens que estivera no portão principal.

— Parece que eles chegaram antes de nós — comentou Vathah em voz baixa.

O homem se virou e olhou direto em seus olhos, depois para seus pés. *Ah, não.*

O homem — um oficial, pelo uniforme — andou na sua direção, ignorando os olhares hostis dos soldados dos outros grão-príncipes enquanto caminhava até Shallan.

— O príncipe Adolin está noivo de uma papaguampas? — perguntou ele em uma voz calma.

Ela quase esquecera o encontro de dois dias atrás, fora dos acampamentos de guerra. *Vou esganar aquela...* Ela se interrompeu, sentindo uma pontada de depressão. Acabara *mesmo* matando Tyn.

— É óbvio que não — respondeu Shallan, empinando o queixo sem usar o sotaque de papaguampas. — Eu estava viajando sozinha por uma região inóspita. Revelar minha verdadeira identidade não parecia prudente.

O homem grunhiu.

— Onde estão minhas botas?

— É assim que você se dirige a uma olhos-claros de alta estirpe?

— É assim que me dirijo a uma ladra. Eu havia acabado de ganhar aquelas botas.

— Mandarei uma dúzia de pares novos para você — disse Shallan. — Depois de conversar com o Grão-príncipe Dalinar.

— Você acha que vou deixar que o veja?

— Você acha que tem escolha?

— Eu sou o capitão da guarda dele, mulher.

Maldição, pensou ela. Isso era inconveniente. Pelo menos não estava tremendo devido ao confronto. Realmente *superara* essa questão. Finalmente.

— Bem, diga-me, *capitão*: qual é o seu nome?

— Kaladin.

Estranho. Parecia o nome de um olhos-claros.

— Excelente. Agora tenho um nome para mencionar quando contar ao grão-príncipe sobre você. Ele não vai gostar que a noiva do seu filho seja tratada desse modo.

Kaladin acenou para vários dos seus soldados. Os homens de azul cercaram ela, Vathah e...

Onde Gaz havia se metido?

Shallan se virou e encontrou-o recuando pelo corredor. Kaladin o identificou e ficou visivelmente surpreso.

— Gaz? — chamou Kaladin. — O que é isso?

— Hã... — O homem caolho gaguejou. — Sua senh... Hã, Kaladin. Você é um, ah... um oficial? Então as coisas estão indo bem para você...

— Você conhece esse homem? — perguntou Shallan a Kaladin.

— Ele tentou me matar — respondeu ele, a voz neutra. — Em várias ocasiões. É um dos ratos mais odiosos que já conheci.

Que ótimo.

— Você não é a noiva de Adolin — afirmou Kaladin, encarando-a enquanto vários dos seus homens alegremente agarravam Gaz, que havia recuado até esbarrar em outros guardas vindo dos andares de baixo. — A noiva de Adolin se afogou. *Você* é uma oportunista com um péssimo senso de oportunidade. Duvido que Dalinar Kholin fique feliz ao saber que uma vigarista tentou se aproveitar da morte da sua sobrinha.

Ela finalmente começou a se sentir nervosa. Vathah a olhou, obviamente preocupado com a possibilidade de as especulações de Kaladin estarem corretas. Shallan se acalmou e enfiou a mão na bolsa-segura, pegando um pedaço de papel que encontrara entre as anotações de Jasnah.

— A Grã-senhora Navani está naquela sala?

Kaladin não respondeu.

— Mostre isso a ela, por favor — pediu Shallan.

Kaladin hesitou, então pegou a folha. Ele olhou a página, mas obviamente não sabia que a estava segurando de cabeça para baixo. Era uma das comunicações por escrito entre Jasnah e sua mãe, combinando o causal. Comunicada via telepena, haveria duas cópias... a que fora escrita do lado de Jasnah, e a que chegara do lado da Luminosa Navani.

— Veremos — disse Kaladin.

— Vere... — Shallan se pegou gaguejando. Se não pudesse entrar para ver Dalinar, então... Então... Que as tormentas levassem aquele homem! Agarrou o braço dele com a mão livre quando ele se virou para dar ordens aos seus homens. — Isso tudo porque menti para você? — perguntou, falando mais baixo.

Ele olhou de volta para ela.

— Estou fazendo meu trabalho.

— Seu trabalho é ser ofensivo e cabeça-dura?

— Não, sou ofensivo e cabeça-dura no meu tempo livre também. Meu *trabalho* é manter pessoas como você longe de Dalinar Kholin.

— Garanto que ele vai querer me ver.

— Bem, perdoe-me por não confiar na palavra de uma princesa papaguampas. Gostaria que eu trouxesse algumas conchas para mastigar enquanto meus homens a jogam no calabouço?

Certo, já chega.

— O calabouço parece uma ótima ideia! Pelo menos lá estarei longe de *você*, seu idiota!

— Por pouco tempo. Passarei lá para interrogá-la.

— O quê? Não posso escolher uma opção mais agradável? Como ser executada?

— Você está partindo do princípio de que conseguiria encontrar um carrasco disposto a aguentar sua tagarelice por tempo o bastante para amarrar a corda.

— Bem, se quiser me matar, o seu bafo pode executar o serviço.

Kaladin enrubesceu e vários guardas por perto começaram a dar risadinhas. Eles tentaram abafar sua reação quando o capitão os encarou.

— Eu deveria invejá-la — retrucou ele, virando-se de volta para Shallan. — Meu *bafo* só pode matar de perto, enquanto essa sua cara pode matar qualquer homem de longe.

— Qualquer homem? Ora, não está funcionando em você. Acho que isso prova que não é lá muito homem.

— Falei errado. Não quis dizer *qualquer* homem, só os machos da sua espécie... mas não se preocupe, vou tomar cuidado para que nossos chules não se aproximem.

— Ah, é? Seus pais estão por perto, então?

Os olhos dele se arregalaram e, pela primeira vez, ela pareceu realmente ter tocado em um ponto fraco.

— Meus pais não têm nada a ver com isso.

— Sim, faz sentido. Era de se *esperar* que eles não quisessem nada com você.

— Pelo menos meus ancestrais tiveram o bom senso de não copular com uma esponja! — rebateu ele, provavelmente em referência ao cabelo ruivo dela.

— Pelo menos eu *sei* quem são meus ancestrais!

Eles se olharam com raiva. Parte de Shallan ficou satisfeita por fazê-lo perder a paciência, embora, pelo calor que sentia no rosto, ele também houvesse conseguido o mesmo dela. Jasnah teria ficado desapontada. Quantas vezes tentara fazer com que Shallan controlasse a própria língua? A verdadeira sagacidade era controlada. Não devia permitir que se expressasse sem freios, assim como uma flecha não devia ser disparada em uma direção aleatória.

Pela primeira vez, Shallan percebeu que o grande corredor estava em silêncio. Muitos soldados e servos olhavam para ela e o oficial.

— Bah! — Kaladin sacudiu o braço para livrar-se do toque dela; Shallan não o soltara depois de conseguir sua atenção. — Mudei de ideia em relação a você. Obviamente, é uma olhos-claros da nobreza. Só eles são capazes de ser *tão* irritantes.

Ele saiu pisando duro rumo às portas da câmara do rei. Ali perto, Vathah relaxou visivelmente.

— Se meter em uma gritaria com o chefe da guarda do Grão-príncipe Dalinar? Isso foi prudente?

— Criamos um incidente — disse ela, se acalmando. — Agora Dalinar Kholin vai ouvir a respeito, de um modo ou de outro. Aquele guarda não será capaz de esconder minha chegada.

Vathah hesitou.

— Então isso foi parte do *plano*.

— Não. Não sou tão astuta assim. Mas vai funcionar de qualquer modo.

Ela olhou para Gaz, que havia sido libertado pelos guardas de Kaladin, de modo que pôde se juntar aos dois, embora todos estivessem sendo cuidadosamente vigiados.

— Mesmo para um desertor, você é um covarde, Gaz — disse Vathah entredentes.

Gaz apenas baixou os olhos.

— Como você o conhece? — indagou Shallan.

— Ele era um escravo na serraria onde eu trabalhava. Homem tormentoso. Ele é perigoso, Luminosa. Violento, um encrenqueiro. Não sei como chegou a uma posição tão elevada em tão pouco tempo.

Kaladin não havia entrado na câmara de conferências. Contudo, as portas se entreabriram um momento depois. A reunião parecia ter sido encerrada, ou pelo menos chegado a um intervalo. Vários assistentes se apressaram em entrar para ver se seus grão-príncipes precisavam de alguma coisa, e a conversa entre os guardas começou. O capitão Kaladin olhou-a de soslaio, então relutantemente entrou, carregando a folha de papel dela.

Shallan forçou-se a manter as mãos unidas na frente do corpo — uma coberta, a outra não —, para não deixar transparecer seu nervosismo. Por fim, Kaladin saiu da sala, com um ar de resignação irritada no rosto. Ele apontou para ela, depois acenou com o polegar por sobre o ombro, indicando que podia entrar. Seus guardas deixaram-na passar, mas impediram Vathah quando ele tentou segui-la.

Ela acenou para que ele recuasse, respirou fundo, depois passou pela multidão agitada de soldados e assistentes, adentrando a câmera de conferências do rei.

37

UMA QUESTÃO DE PERSPECTIVA

> *Ora, como cada ordem foi combinada com a natureza e temperamento do Arauto que tomou como patrono, não havia nenhuma mais arquetípica disso do que os Guardiões das Pedras, que seguiam Talenelat'Elin, Tendões-de-Pedra, Arauto da Guerra: eles consideravam um ponto de virtude serem exemplos de determinação, força e confiabilidade. Infelizmente, tomavam menos cuidado com a prática imprudente da sua teimosia, mesmo diante do erro comprovado.*
>
> — De *Palavras de Radiância*, capítulo 13, página 1

A REUNIÃO FINALMENTE CHEGOU A uma pausa. Não haviam acabado ainda — Pai das Tempestades, parecia que *nunca* acabariam —, mas a discussão havia terminado por enquanto. Adolin se levantou, os ferimentos em sua perna e seu flanco protestando, e deixou o pai e a tia conversando em sussurros enquanto a grande câmara era preenchida pelo som de conversas.

Como seu pai suportava? Duas horas inteiras haviam se passado, de acordo com o relógio fabrial de Navani na parede. Duas horas de grão-príncipes e suas esposas reclamando sobre o Assassino de Branco. Ninguém conseguia concordar quanto ao que devia ser feito.

Todos ignoravam a verdade apunhalando-os na cara. Nada *podia* ser feito. Nada além de Adolin permanecer alerta e praticando, treinando para encarar o monstro quando ele voltasse.

E você acha que vai conseguir vencê-lo? Quando ele pode caminhar pelas paredes e fazer com que os próprios esprenos da natureza o obedeçam?

Era uma pergunta incômoda. Seguindo a sugestão do seu pai, Adolin relutantemente trocara sua Armadura por algo mais apropriado. *Precisamos projetar confiança nessa reunião, não medo*, dissera Dalinar.

O general Khal usava armadura em seu lugar, escondido em uma sala adjacente com uma força de ataque. Seu pai parecia considerar improvável que o assassino atacasse durante a reunião. Se ele quisesse matar os grão-príncipes, poderia fazê-lo muito mais facilmente sozinho, à noite. Atacá-los todos juntos, na companhia dos seus guardas e dezenas de Fractários, parecia uma decisão imprudente. De fato, havia várias Fractais naquela reunião. Três dos grão-príncipes vestiam suas Armaduras, e os outros estavam acompanhados por Fractários. Abrobadar, Jakamav, Resi, Relis... Adolin raramente vira tantos juntos ao mesmo tempo.

Será que isso faria diferença? Relatos estavam chegando do mundo inteiro havia semanas. Reis assassinados. Corpos de governantes decapitados por toda Roshar. Em Jah Keved, o assassino teria matado dúzias de soldados portando escudos semifractais capazes de bloquear sua Espada, assim como *três* Fractários, incluindo o rei. Era uma crise que tomava o mundo inteiro, e havia um homem por trás dela. Partindo do princípio de que fosse um homem.

Adolin arrumou uma taça de vinho doce nos fundos da sala, servida por um criado ansioso em azul e dourado. Vinho laranja, basicamente suco de fruta. Adolin bebeu a taça inteira de qualquer modo, então foi procurar Relis. Precisava fazer *alguma coisa* além de sentar e ouvir pessoas reclamarem.

Felizmente, havia feito um plano durante a reunião.

Relis, filho de Ruthar e um Fractário famoso, tinha um rosto semelhante a uma pá — largo e chato, com um nariz que parecia ter sido esmagado. Estava vestindo um traje afetado em verde e amarelo. Nem mesmo era interessante. Ele podia vestir qualquer coisa e escolhera vestir aquilo?

Era um Fractário pleno, um dos poucos nos acampamentos. Era também o atual campeão de duelos — o que, junto de sua família, tornavam-no particularmente interessante para Adolin. Ele estava conversando com seu primo Elit e um grupo de três das assistentes de Sadeas: mulheres usando o tradicional *havah* vorin. Uma das mulheres, Melali, lançou um olhar hostil a Adolin. Ela estava bela como sempre, o cabelo em tranças complicadas e preso com espetos. O que foi mesmo que ele havia feito para irritá-la? Já fazia séculos desde que a cortejara.

— Relis — disse Adolin, erguendo a taça —, só queria que você soubesse que achei muito corajoso da sua parte se oferecer para lutar com o assassino, mais cedo. É inspirador ver que está disposto a morrer pela Coroa.

Relis olhou feio para Adolin. Como era *possível* ter um rosto tão achatado? Será que deixaram-no cair quando bebê?

— Você acha que eu perderia.

— Bem, é claro que perderia — disse Adolin, com uma risadinha. — Quero dizer, vamos ser honestos, Relis. Você está sentado nos louros do seu título por quase meio ano. Não vence um duelo digno de nota desde que derrotou Epinar.

— Isso vindo de um homem que passou anos recusando a maioria dos desafios — disse Melali, olhando Adolin de alto a baixo. — Estou surpresa que seu papai tenha permitido que você viesse conversar. Ele não tem medo de que possa se machucar?

— Bom ver você também, Melali — respondeu Adolin. — Como está sua irmã?

— Fora do seu alcance.

Ah, claro. Então foi isso que ele havia feito. Um erro honesto.

— Relis — disse Adolin. — Você alega que enfrentaria esse assassino, mas está com medo de duelar *comigo*?

Relis abriu os braços, uma mão segurando um cintilante copo de vinho vermelho.

— É o protocolo, Adolin! Duelarei com você quando vencer nos níveis intermediários por um ano ou dois. Não posso simplesmente aceitar um desafiador qualquer, ainda mais em um duelo arriscando nossas Fractais!

— Um desafiador qualquer? Relis, sou um dos melhores.

— É mesmo? — perguntou Relis, sorrindo. — Depois daquela exibição com Eranniv?

— Sim, Adolin — disse Elit, o primo baixo e calvo de Relis. — Você só teve uns poucos duelos importantes nos últimos tempos... em um deles você basicamente trapaceou, e no outro, venceu por pura sorte!

Relis assentiu.

— Se eu contornar as regras e aceitar seu desafio, quebro o paredão. Então terei dezenas de espadachins inferiores me perturbando.

— Não terá nada. Porque não será mais um Fractário. Terá perdido para mim.

— Tão confiante. — Relis deu uma risadinha, voltando-se para Elit e as mulheres. — Escutem só isso. Ele ignora a classificação por meses, depois volta em um pulo e acha que pode me vencer.

— Eu aposto minha Armadura e Espada — declarou Adolin. — E a Espada e Armadura do meu irmão, junto com a Fractal que ganhei de Eranniv. Cinco Fractais contra suas duas.

Elit se sobressaltou. O homem tinha apenas a Armadura — dada a ele pelo primo. Ele virou-se para Relis, parecendo faminto. Relis hesitou. Então fechou a boca e inclinou a cabeça preguiçosamente enquanto encarava Adolin.

— Você é um tolo, Kholin.

— Estou fazendo a oferta diante de testemunhas — disse Adolin. — Se você vencer o duelo, vai ficar com todas as Fractais que minha família possui. O que é mais forte? Seu medo ou sua cobiça?

— Meu *orgulho* — respondeu Relis. — Sem duelo, Adolin.

Adolin travou os dentes. Havia esperado que o duelo com Eranniv fizesse com que os outros o subestimassem, deixando-os mais inclinados a duelar com ele. Não estava funcionando. Relis deu uma gargalhada e estendeu o braço para Melali, puxando-a para longe, seguido por suas assistentes.

Elit hesitou.

Bem, é melhor que nada, pensou Adolin, formando um plano.

— Que tal você? — perguntou ao primo.

Elit fitou-o de cima a baixo. Adolin não conhecia o homem direito. Diziam que era um duelista passável, embora estivesse frequentemente sob a sombra do primo. Mas aquela *fome*... Elit queria ser um Fractário pleno.

— Elit? — chamou Relis.

— Mesma oferta? — disse Elit, encontrando o olhar de Adolin. — Suas cinco contra a minha Armadura?

Que péssimo negócio.

— Mesma oferta.

— Estou dentro — disse Elit.

Atrás dele, o filho de Ruthar grunhiu. Ele agarrou Elit pelo ombro, arrastando-o para seu lado com um rosnado.

— Você me disse para seguir os níveis — disse Adolin para Relis. — É o que estou fazendo.

— *Não* com o meu primo.

— Tarde demais. Você ouviu. As damas ouviram. Quando lutaremos, Elit?

— Sete dias — respondeu Elit. — Em chachel.

Sete dias... uma longa espera, considerando um desafio como aquele. Então ele queria tempo para treinar, não queria?

— Que tal amanhã, em vez disso?

Relis rosnou para Adolin, uma demonstração muito não alethiana, e empurrou seu primo para mais longe.

— Não entendo por que está tão ansioso, Adolin. Não devia se concentrar em proteger seu pai? É sempre triste quando um soldado vive tempo suficiente para perder o juízo. Ele já começou a molhar as calças em público?

Calma, disse Adolin a si mesmo. Relis estava tentando provocá-lo, talvez fazer com que atacasse de modo imprudente. Isso permitiria que ele fizesse uma petição ao rei para retificação e anulação de todos os contratos com sua casa — incluindo o acordo de duelo com Elit. Mas o insulto foi longe demais. Seus companheiros arquejaram levemente, se afastando daquela grosseria indigna dos valores alethianos.

Adolin não cedeu àquela provocação desesperada. Conseguira o que queria. Não sabia bem o que podia fazer em relação ao assassino — mas aquilo ali era uma maneira de ajudar. Elit não tinha uma classificação alta, mas servia a Ruthar, que estava cada vez mais agindo como a mão direita de Sadeas. Vencê-lo deixaria Adolin um passo mais perto da verdadeira meta: um duelo com o próprio Sadeas.

Ele se virou para partir, então se deteve. Alguém estava logo atrás dele — um homem robusto com um rosto bulboso e cabelos pretos cacheados. Sua pele era corada, o nariz vermelho demais, finas veias visíveis nas bochechas. O homem tinha os braços de um soldado, apesar do traje frívolo — que era, Adolin admitiu com relutância, bastante elegante. Calças escuras com detalhes em verde-floresta, um casaco curto aberto sobre uma camisa rígida combinando, cachecol no pescoço.

Torol Sadeas, grão-príncipe, Fractário, e o homem em que Adolin estava pensando — a pessoa que mais detestava no mundo.

— Outro duelo, jovem Adolin — disse Sadeas, bebericando vinho. — Você está realmente determinado a passar vergonha. Ainda acho estranho que seu pai tenha abandonado a proibição de que você duelasse. Pensei que fosse uma questão de honra para ele.

Adolin passou por Sadeas, sem confiar em si mesmo nem ao menos para falar uma única palavra com aquela enguia em forma de homem. Vê-lo trazia memórias de puro pânico enquanto via Sadeas recuar do campo de batalha, deixando Adolin e seu pai sozinhos e cercados.

Havar, Perethom e Ilamar — bons soldados, bons amigos — haviam morrido naquele dia. Eles e mais seis mil homens. Sadeas agarrou o ombro de Adolin enquanto ele passava.

— Pense o que quiser, filho, mas eu estava tentando ser generoso com seu pai — sussurrou o homem. — Uma ponta de espada para um antigo aliado.

— *Me solte.*

— Se você perder o juízo quando envelhecer, reze ao Todo-Poderoso para que haja pessoas como eu, dispostas a lhe dar uma boa morte. Pessoas que se importam o bastante para não zombar, mas sim segurar a espada enquanto você cai sobre ela.

— Terei sua garganta em minhas mãos, Sadeas — sibilou Adolin. — Vou apertar e apertar, então vou enfiar minha adaga na sua pança e *torcer*. Uma morte rápida é boa demais para você.

— Tsc — fez Sadeas, sorrindo. — Cuidado. É uma sala cheia. E se alguém ouvi-lo ameaçando um grão-príncipe?

O jeito alethiano. Podia-se abandonar um aliado no campo de batalha, e todos saberem, mas uma ofensa ao vivo... bem, era inadmissível. Isso, a *sociedade condenaria*. Pela mão de Nalan! Seu pai tinha razão sobre todos eles.

Adolin virou-se em um movimento rápido, soltando-se da pegada de Sadeas. Seus próximos movimentos foram instintivos, seus dedos se juntando, preparando-se para plantar um punho naquele rosto sorridente e pretensioso.

Uma mão caiu sobre o ombro de Adolin, fazendo-o hesitar.

— Acho que isso não seria sábio, Luminobre Adolin — disse uma voz baixa, mas severa.

O tom lembrava o do seu pai, embora o timbre fosse diferente. Ele olhou para Amaram, que havia aparecido ao seu lado. Alto, com um rosto pétreo, o Luminobre Meridas Amaram era um dos únicos olhos-claros no recinto que estava trajando um uniforme apropriado. Por mais que Adolin desejasse poder usar algo mais elegante, ele compreendia a importância do uniforme como símbolo.

Adolin respirou fundo, baixando o punho. Amaram acenou com a cabeça para Sadeas, então virou Adolin pelo ombro e caminhou com ele para longe do grão-príncipe.

— Não deve deixar que ele o provoque, Vossa Alteza — disse Amaram em voz baixa. — Ele vai usá-lo para envergonhar seu pai se puder.

Avançaram pela sala cheia de pessoas conversando. Bebidas e petiscos haviam sido distribuídos. A curta pausa da reunião tornara-se uma festa completa. Não era de surpreender. Com todos os importantes olhos-claros ali, as pessoas iam querer fazer contatos e conspirar.

— Por que você permanece com ele, Amaram?

— Ele é meu suserano.

— Sua posição permite que escolha um novo suserano. Pai das Tempestades! Você é um Fractário agora. Ninguém o questionaria. Venha para nosso acampamento. Junte-se ao meu pai.

— Ao fazer isso, eu criaria uma divisão — sussurrou Amaram. — Enquanto permanecer com Sadeas, posso ajudar a vencer distâncias. Ele confia em mim, assim como seu pai. Minha amizade com os dois é um passo para manter este reino unido.

— Sadeas vai traí-lo.

— Não. O Grão-príncipe Sadeas e eu nos entendemos.

— *Nós* pensávamos a mesma coisa. Então ele nos traiu.

A expressão de Amaram tornou-se distante. Até a maneira como ele andava era tão cheia de decoro, costas retas, acenando respeitosamente com a cabeça para muitos enquanto passava. O perfeito general olhos-claros — brilhante e capaz, mas não arrogante. Uma espada para uso do seu grão-príncipe. Ele passara a maior parte da guerra diligentemente treinando novas tropas e enviando as melhores a Sadeas, enquanto guardava seções de Alethkar. Amaram era metade do motivo por que Sadeas havia sido tão eficaz ali nas Planícies Quebradas.

— Seu pai é um homem incapaz de ceder — disse Amaram. — E eu não mudaria isso em nada, Adolin. Mas significa que o homem que ele se tornou não conseguirá trabalhar com o Grão-príncipe Sadeas.

— E você é diferente?

— Sou.

Adolin bufou. Amaram era um dos melhores do reino, um homem com uma reputação imaculada.

— Duvido.

— Sadeas e eu concordamos que os meios escolhidos para alcançar uma meta honrada podem ser desagradáveis. Seu pai e eu concordamos na meta a alcançar... uma Alethkar melhor, um lugar sem toda essa disputa. É uma questão de perspectiva...

Ele continuou a falar, mas Adolin se pegou distraído. Já ouvira o bastante daquele discurso do seu pai. Se Amaram começasse a citar *O caminho dos reis*, provavelmente gritaria. Pelo menos...

Quem era *aquela*?

Lindos cabelos ruivos. Não havia uma única mecha preta neles. Um corpo esguio, muito diferente das alethianas cheias de curvas. Pele pálida — quase parecia uma shina — combinando com olhos azul-claros. Um leve toque de sardas sob os olhos, dando a ela um ar exótico.

A jovem parecia flutuar pelo recinto. Adolin se virou, observando-a passar. Ela parecia tão *diferente*.

— Pelos olhos de Ash! — Amaram riu. — Ainda está nessa?

Adolin desviou os olhos da garota.

— Nessa o quê?

— Distraindo-se por toda mocinha dançante que passa. Você precisa se estabelecer, filho. Escolha uma delas. Sua mãe ficaria mortificada se descobrisse que ainda está solteiro.

— Jasnah também é solteira. Ela é uma década mais velha do que eu. Isso se ainda estivesse viva, como tia Navani acreditava.

— Sua prima não é um modelo ideal nesse assunto.

O tom dele insinuava mais. *Ou em qualquer assunto.*

— *Olhe* para ela, Amaram — falou Adolin, virando-se e espiando a jovem aproximar-se de seu pai. — Aquele cabelo. Já viu um tom tão profundo de vermelho?

— Vedena, eu aposto. Sangue de papaguampas. Há linhagens que se orgulham disso.

Vedena. Não podia ser... Podia?

— Com licença — disse Adolin, se afastando de Amaram e abrindo caminho aos empurrões, educadamente, até o lugar onde a jovem conversava com seu pai e sua tia.

— A Luminobre Jasnah afundou com o navio, infelizmente — dizia a mulher. — Eu sinto muito pela sua perda...

38
A TEMPESTADE SILENCIOSA

> *Ora, enquanto os Corredores dos Ventos estavam ocupados, surgiu o evento que até aqui foi referido: a saber, aquela descoberta de alguma eminente coisa perversa, embora se era algum malfeito entre os partidários dos Radiantes ou de alguma origem externa, Avena não sugira.*
>
> — De *Palavras de Radiância*, capítulo 38, página 6

—... Sinto muito pela sua perda — disse Shallan. — Trouxe comigo as coisas de Jasnah que fui capaz de recuperar. Meus homens estão com elas, lá fora.

Foi surpreendentemente difícil falar tudo isso em um tom neutro. Lamentara a perda de Jasnah durante as semanas viajando, mas falar da morte — lembrar aquela noite terrível — trouxe as emoções de volta como ondas crescentes, ameaçando dominá-la novamente.

A imagem que desenhara de si mesma veio acudi-la. Podia ser aquela mulher hoje — e aquela mulher, ainda que não fosse indiferente, sabia encarar a perda. Concentrou sua atenção no momento e na tarefa à mão — especificamente as duas pessoas diante dela. Dalinar e Navani Kholin.

O grão-príncipe era exatamente como ela esperava: um homem de traços embrutecidos, cabelo preto e curto tornando-se grisalho nas têmporas. Seu uniforme rígido fazia com que parecesse o único no recinto que sabia algo sobre combate. Ela se perguntou se aqueles machucados em seu rosto eram resultado da campanha contra os parshendianos. Navani parecia uma versão de Jasnah, vinte anos mais velha, ainda bela, embora com um ar maternal. Shallan nunca imaginaria Jasnah sendo maternal.

Navani sorrira enquanto Shallan se aproximava, mas agora aquela leveza se fora. *Ela ainda tinha esperanças em relação à filha*, pensou Shallan enquanto a mulher se sentava em um banco. *E eu acabei de arrasá-la.*

— Agradeço por nos trazer essas notícias — disse o Luminobre Dalinar. — É... bom ter a confirmação.

Que sensação horrível. Não só ser lembrada da morte, como também lançar sobre os outros aquele fardo.

— Tenho informações para o senhor — continuou Shallan, tentando ser delicada. — Sobre as coisas que Jasnah estava pesquisando.

— Mais sobre aqueles parshemanos? — ladrou Navani. — Raios, aquela mulher era fascinada demais por eles. Desde que enfiou na cabeça que era culpada pela morte de Gavilar.

Que história era essa? Shallan não conhecia essa versão.

— A pesquisa dela que espere — declarou Navani, com um olhar feroz. — Quero saber exatamente o que aconteceu quando pensou vê-la morrer. Precisamente como se lembra, garota. Sem pular nenhum detalhe.

— Talvez depois da reunião... — disse Dalinar, pousando uma mão no ombro de Navani.

O toque foi surpreendentemente terno. Navani não era a esposa do irmão dele? Aquele olhar... era afeição familiar por sua irmã, ou algo mais?

— Não, Dalinar — respondeu Navani. — Agora. Quero ouvir agora.

Shallan respirou fundo, preparando-se para começar, armando-se contra as emoções — e, inesperadamente, descobriu que estava firme. Enquanto organizava seus pensamentos, notou um homem de cabelos loiros olhando para ela. Provavelmente era Adolin. Ele era bonito, como os rumores indicavam, e vestia um uniforme azul como o do pai. E ainda assim o de Adolin era mais... elegante? Era essa a palavra certa? Gostou de como seu cabelo meio revolto contrastava com o severo uniforme. Fazia com que ele parecesse mais real, menos pitoresco.

Ela se voltou outra vez para Navani.

— Acordei no meio da noite ouvindo gritos e sentindo o cheiro de fumaça. Abri minha porta e vi homens desconhecidos apinhados junto à porta da cabine de Jasnah, que ficava do outro lado do corredor. O corpo dela estava no chão, e... Luminosa, eu vi quando eles a apunhalaram no coração. Sinto muito.

Navani ficou tensa, recuando a cabeça como se houvesse sido esbofeteada.

Shallan continuou. Tentou ser o mais honesta possível com Navani, mas obviamente as coisas que fizera — tecer luz, Transmutar o navio —

não podiam ser partilhadas com segurança, pelo menos por enquanto. Em vez disso, deu a entender que havia feito uma barricada na sua cabine, uma mentira que já havia preparado.

— Ouvi os homens gritando acima enquanto eram executados, um por um — disse Shallan. — Percebi que a única esperança que podia dar a eles era criar uma crise para os bandidos, então usei a tocha que havia pegado e incendiei o navio.

— *Incendiou*? — indagou Navani, horrorizada. — Com minha filha inconsciente?

— Navani... — disse Dalinar, apertando o ombro dela.

— Você a condenou — afirmou Navani, fitando os olhos de Shallan. — Jasnah nunca aprendeu a nadar, como os outros. Ela...

— Navani — repetiu Dalinar, com mais firmeza. — Essa menina fez uma boa escolha. Ela não poderia ter enfrentado um bando de homens sozinha. E o que ela viu... Jasnah não estava inconsciente, Navani. Era tarde demais para fazer qualquer coisa por ela àquela altura.

A mulher respirou fundo, obviamente lutando para controlar suas emoções.

— Eu... peço desculpas — declarou ela a Shallan. — Não estou pensando direito no momento, estou caindo na irracionalidade. Obrigada... Obrigada por nos trazer notícias. — Ela se levantou. — Com licença.

Dalinar assentiu, deixando que ela partisse com alguma dignidade. Shallan deu um passo atrás, as mãos unidas diante de si, sentindo-se impotente e estranhamente envergonhada enquanto via Navani partir. Não esperara que a conversa fosse acabar particularmente bem. E de fato não acabou.

Ela aproveitou o momento para verificar como estava Padrão, que se escondera em sua saia, quase invisível. Mesmo que ele fosse notado, pensariam ser uma parte estranha do bordado — isso, naturalmente, se ele obedecesse à sua ordem e não se movesse ou falasse.

— Imagino que sua viagem até aqui tenha sido uma experiência penosa — disse Dalinar, voltando-se para Shallan. — Náufraga nas Terras Geladas?

— Sim. Felizmente, encontrei com uma caravana e viajei com eles até aqui. Topamos com alguns bandidos, sinto dizer, mas fomos salvos pela chegada oportuna de alguns soldados.

— Soldados? — indagou Dalinar, surpreso. — De qual estandarte?

— Eles não disseram — replicou Shallan. — Imagino que antes estivessem nas Planícies Quebradas.

— Desertores?

— Não pedi os detalhes, Luminobre. Mas *prometi* a eles clemência por crimes anteriores, em reconhecimento ao seu ato de nobreza. Eles salvaram dezenas de vidas. Todos na caravana a que me juntei podem atestar a bravura desses homens. Suspeito que buscassem expiação e uma chance de recomeçar.

— Cuidarei para que o rei assine perdões para todos eles — declarou Dalinar. — Prepare uma lista para mim. Enforcar soldados sempre me pareceu um desperdício.

Shallan relaxou. Um item resolvido.

— Há outro assunto delicado que devemos discutir, Luminobre.

Os dois se voltaram para Adolin, que perambulava ali perto. Ele sorriu. E *realmente* tinha um lindo sorriso.

Quando Jasnah mencionara o noivado causal pela primeira vez, o interesse de Shallan havia sido completamente abstrato. Casamento com um membro de uma poderosa família alethiana? Aliados para seus irmãos? Legitimidade, e uma maneira de continuar trabalhando com Jasnah pela salvação do mundo? Tudo isso parecera maravilhoso.

Vendo o sorriso de Adolin, contudo, ela não considerou *nenhuma* dessas vantagens. Seu sofrimento ao falar de Jasnah não se apagou completamente, mas ficou muito mais fácil ignorá-lo ao olhar para ele. Percebeu que estava corando.

Isso pode ser perigoso, pensou.

Adolin se aproximou para falar com eles, o zumbido das conversas ao redor dando a eles alguma privacidade em meio à multidão. Ele pegara uma taça de vinho laranja em algum lugar e ofereceu a ela.

— Shallan Davar? — perguntou ele.

— Hum... — Era ela? Ah, certo. Shallan pegou o vinho. — Sim?

— Adolin Kholin. Sinto muito pelas dificuldades que passou. Vamos precisar contar ao rei sobre sua irmã. Posso poupar-lhe essa tarefa se quiser que eu vá em seu lugar.

— Obrigada — respondeu Shallan. — Mas prefiro vê-lo pessoalmente.

— É claro — disse Adolin. — Quanto ao nosso... envolvimento... Ele *fazia* muito mais sentido quando você era pupila de Jasnah, não é?

— Provavelmente.

— No entanto, agora que está aqui, talvez possamos sair para caminhar e ver como as coisas ficam.

— Eu gosto de caminhar — respondeu Shallan. *Idiota! Rápido, diga algo espirituoso.* — Hum. Seu cabelo é bonito.

Parte dela — a parte treinada por Tyn — grunhiu.

— Meu cabelo? — disse Adolin, tocando-o.

— Sim — respondeu Shallan, tentando fazer com que seu cérebro de lesma voltasse a trabalhar. — Cabelo loiro não é muito comum em Jah Keved.

— Algumas pessoas consideram um sinal de que minha linhagem é impura.

— Engraçado. Eles dizem o mesmo sobre mim, devido ao meu cabelo.

Ela sorriu, o que pareceu ser o movimento correto, já que ele sorriu de volta. Não fora a conversa mais hábil da sua carreira, mas não podia estar sendo tão ruim, já que ele estava sorrindo.

Dalinar limpou a garganta. Shallan hesitou. Havia esquecido completamente a presença do grão-príncipe.

— Adolin, traga-me um pouco de vinho.

— Pai? — Adolin voltou-se para ele. — Ah. Tudo bem, então.

Ele se afastou. Pelos *olhos* de Ash, como aquele homem era bonito. Ela se virou para Dalinar que, bem, não era. Ah, ele era distinto, mas seu nariz já havia sido quebrado, e seu rosto era meio lamentável. Os ferimentos também não ajudavam.

Na verdade, ele era definitivamente intimidador.

— Gostaria de saber mais sobre você — disse ele em voz baixa. — Sobre a situação da sua família e por que está tão ansiosa em se envolver com meu filho.

— Minha família está falida — disse Shallan. A franqueza parecia a abordagem correta com aquele homem. — Meu pai está morto, muito embora nossos credores ainda não saibam. Eu não havia pensado em uma união com Adolin até que Jasnah a sugeriu, mas eu aceitaria com entusiasmo se permitido. Entrar para sua casa pelo matrimônio daria à minha família bastante proteção.

Ela ainda não sabia o que fazer em relação ao Transmutador que seus irmãos estavam devendo. Um passo de cada vez. Dalinar grunhiu. Não imaginara que ela seria tão direta.

— Então você não tem nada a oferecer — concluiu ele.

— Pelo que Jasnah me contou das suas opiniões, não imaginei que meus dotes monetários ou políticos fossem prioridades. Se uma união nesses termos fosse sua meta, o senhor teria casado o príncipe Adolin anos atrás. — Ela fez uma careta pela sua ousadia. — Com todo o respeito, Luminobre.

— Não me ofendi — respondeu Dalinar. — Gosto quando as pessoas são diretas. Só porque deixo que meu filho tenha escolha na questão, não significa que não quero que se case bem. Uma mulher de uma casa estrangeira desimportante que confessa que sua família está falida e que não traz nada para a união?

— Eu não disse que não podia oferecer nada — replicou Shallan.
— Luminobre, quantas pupilas Jasnah Kholin acolheu nos últimos dez anos?

— Nenhuma que eu saiba — admitiu ele.
— O senhor sabe quantas ela recusou?
— Tenho uma noção.
— Contudo, ela me aceitou. Isso não serviria de aval do que posso oferecer?

Dalinar assentiu lentamente.

— Vamos manter o causal por enquanto. O motivo por que concordei com ele, em primeiro lugar, ainda permanece. Quero que Adolin pareça indisponível para pessoas que queiram manipulá-lo pelo ganho político. Se você puder de algum modo persuadir a mim, à Luminosa Navani e naturalmente ao próprio rapaz, podemos progredir o causal para um noivado pleno. Enquanto isso, darei a você uma posição entre minhas escrivãs menores. Assim você poderá provar seu valor.

A oferta, embora generosa, soou como cordas se apertando ao redor dela. O salário de uma escrivã seria o bastante para sustentá-la, mas nada do que pudesse se gabar. E não tinha dúvidas de que Dalinar a vigiaria. Aqueles olhos eram assustadores e astutos. Ela não seria capaz de se mover sem que suas ações fossem relatadas a ele.

Sua caridade seria uma prisão.

— É muito generoso da sua parte, Luminobre, mas na verdade eu...
— Dalinar! — chamou um dos outros no recinto. — Vamos retomar essa reunião ainda hoje, ou vou ter que pedir um jantar de verdade?!

Dalinar voltou-se para um homem gordo e barbudo em um traje tradicional — um robe aberto na frente sobre uma camisa folgada e um saiote de guerreiro, chamado *takama*. *O Grão-príncipe Sebarial,* pensou Shallan. As anotações de Jasnah o classificavam como detestável e inútil. Ela usara palavras mais gentis até para o Grão-príncipe Sadeas, quem as anotações diziam não ser confiável.

— Está bem, está bem, Sebarial — disse Dalinar,

Afastando-se de Shallan, ele caminhou até um grupo de cadeiras no centro da sala e se sentou em uma delas, ao lado da escrivaninha. Um homem orgulhoso, com um nariz proeminente, acomodou-se junto dele. Devia ser o rei, Elhokar. Ele era mais jovem do que Shallan havia imaginado. Por que Sebarial havia chamado Dalinar para reiniciar a reunião, e não o rei?

Os momentos seguintes foram um teste da preparação de Shallan, à medida que homens e mulheres de alta estirpe se ajeitavam nas luxuosas cadeiras. Ao lado de cada um deles havia uma pequena mesa e, atrás dela, um criado-mestre para necessidades importantes. Um número de parshemanos garantia que as mesas estivessem sempre com vinho, nozes e frutas frescas e secas. Shallan sentia um arrepio sempre que um deles passava por ela.

Contou mentalmente os grão-príncipes. Sadeas foi fácil de identificar, o rosto avermelhado pelas veias visíveis sob a pele, como o pai dela ficava depois de beber. Outros o saudaram com a cabeça e deixaram que se sentasse primeiro. Parecia angariar tanto respeito quanto Dalinar. Sua esposa, Ialai, era uma mulher de pescoço esguio e lábios grossos, busto grande e boca larga. Jasnah havia anotado que ela era tão astuta quanto o marido.

Dois grão-príncipes sentaram-se um de cada lado do casal. Um deles era Aladar, um renomado duelista. O homem baixo estava listado nas anotações de Jasnah como um grão-príncipe poderoso, afeito a riscos, conhecido por jogar o tipo de jogos de azar que os devotários proibiam. Ele e Sadeas pareciam muito chegados. Não eram inimigos? Ela havia lido que eles sempre brigavam por território. Bem, aquela era obviamente uma pedra quebrada, já que pareciam unidos enquanto fitavam Dalinar.

Juntaram-se a eles o Grão-príncipe Ruthar e sua esposa. Jasnah os considerava pouco mais que ladrões, mas preveniu que o par era perigoso e oportunista.

A sala parecia orientada de tal modo que todos os olhos estavam naquelas duas facções. O rei e Dalinar contra Sadeas, Ruthar e Aladar. Obviamente, os alinhamentos políticos haviam mudado desde que Jasnah escrevera suas anotações.

A sala fez silêncio, e ninguém parecia se importar com o fato de que Shallan estava assistindo. Adolin sentou-se ao lado do pai, junto de um homem mais jovem de óculos e uma cadeira vazia, provavelmente deixada por Navani. Com cuidado, Shallan deu a volta pela sala — as periferias estavam apinhadas de guardas, atendentes e até mesmo homens em Armaduras Fractais —, saindo da linha direta de visão de Dalinar, para o caso de ele notá-la e decidir colocá-la para fora.

A Luminobre Jayla Ruthar falou primeiro, inclinando-se para a frente sobre suas mãos unidas.

— Vossa Majestade, temo que nossa conversa hoje tenha dado voltas e que nada tenha sido realizado. Sua segurança, naturalmente, é nossa maior preocupação.

Do outro lado do círculo de grão-príncipes, Sebarial bufou alto enquanto mastigava fatias de melão. Todos pareciam fazer questão de ignorar o detestável homem barbudo.

— Sim — disse Aladar. — O Assassino de Branco. Nós *precisamos* fazer alguma coisa. Não vou ficar no meu palácio esperando para ser assassinado.

— Ele está assassinando príncipes e reis por todo o mundo! — acrescentou Roion, que parecia uma tartaruga, com aqueles ombros caídos e cabeça careca.

O que Jasnah havia dito sobre ele...? *Que é um covarde*, pensou Shallan. *Ele sempre escolhe a opção mais segura.*

— Precisamos apresentar uma Alethkar unida — declarou Hatham. Shallan o reconheceu de imediato com seu pescoço longo e maneira refinada de falar. — Não podemos permitir que sejamos atacados um de cada vez e não devemos brigar.

— É precisamente por isso que vocês devem seguir meus comandos — disse o rei, franzindo o cenho para os grão-príncipes.

— Não — replicou Ruthar. — É por isso que devemos abandonar essas restrições ridículas que colocou sobre nós, Vossa Majestade! Não é hora de parecermos tolos diante do mundo.

— Escutem o que Ruthar está dizendo — comentou secamente Sebarial, se recostando na cadeira. — Ele é especialista em parecer tolo.

A discussão continuou, e Shallan criou uma percepção melhor da situação. Havia na verdade três facções: Dalinar e o rei, o grupo de Sadeas, e aqueles que apelidou de pacificadores. Liderado por Hatham — que parecia ser o político mais genuíno no recinto —, esse terceiro grupo tentava mediar.

Então a questão é essa, pensou ela, escutando enquanto Ruthar argumentava com o rei e Adolin Kholin. *Eles estão cada um tentando persuadir esses grão-príncipes neutros a se juntarem à sua facção.*

Dalinar falava pouco. O mesmo valia para Sadeas, que parecia satisfeito em deixar o Grão-príncipe Ruthar e sua esposa falarem por ele. Os dois se observavam; Dalinar com uma expressão neutra, Sadeas com um leve sorriso. Parecia inocente, até que se reparasse nos olhos deles. Travados uns nos outros, mal piscando.

Havia uma tempestade naquela sala. Uma tempestade silenciosa.

Todos pareciam cair em uma das três facções, exceto por Sebarial, que ficava revirando os olhos e às vezes fazia comentários que beiravam a obscenidade. Ele obviamente deixava os outros alethianos, com seus ares arrogantes, desconfortáveis.

Shallan lentamente analisou o subtexto da conversa. Todo o assunto de proibições e regras colocadas pelo rei... não eram as *regras em si* que pareciam importar, mas a autoridade por trás delas. Até que ponto os grão-príncipes se submeteriam ao rei e quanto de autonomia eles podiam exigir? Era fascinante.

Até o momento em que um deles a mencionou.

— Espere — disse Vamah, um dos grão-príncipes neutros. — Quem é aquela garota ali? Alguém tem uma vedena no seu séquito?

— Ela estava falando com Dalinar — observou Roion. — Há notícias de Jah Keved que está escondendo de nós, Dalinar?

— Você, garota — chamou Ialai Sadeas. — O que pode nos dizer sobre a guerra de sucessão na sua terra natal? Tem informações sobre esse assassino? Por que alguém sob o comando dos parshendianos procuraria minar o *seu* trono?

Todos os olhos na sala se voltaram para Shallan. Ela sentiu um momento de puro pânico. As pessoas mais importantes do mundo, interrogando-a, seus olhos querendo desvendá-la...

E então ela se lembrou do desenho. *Aquele era seu verdadeiro eu.*

— Infelizmente, serei de pouca serventia, Luminobres e Luminosas — respondeu Shallan. — Estava longe da minha terra natal quando esse trágico assassinato ocorreu e não tenho conhecimento da sua causa.

— Então o que está fazendo aqui? — indagou Hatham, polido, mas insistente.

— Ela está observando o zoológico, obviamente — zombou Sebarial. — Vocês todos bancando os idiotas é o melhor entretenimento gratuito que se encontra neste deserto gelado.

Provavelmente *era* melhor ignorar aquele comentário.

— Sou a pupila de Jasnah Kholin — disse Shallan, encontrando os olhos de Hatham. — Meu propósito aqui é de natureza pessoal.

— Ah — disse Aladar. — O noivado fantasma sobre o qual escutamos rumores.

— Isso mesmo — disse Ruthar.

Ele tinha uma aparência decididamente sebosa, com um cabelo preto liso, braços musculosos e uma barba ao redor da boca. Contudo, o mais perturbador era seu sorriso, que parecia predatório demais.

— Criança, o que seria necessário para que você visitasse meu acampamento de guerra e falasse com minhas escribas? Preciso saber o que está acontecendo em Jah Keved.

— Farei melhor que isso — disse Roion. — Onde está hospedada, garota? Eu a convido para visitar meu palácio. Também gostaria de ouvir sobre sua terra natal.

Mas... ela acabara de dizer que não sabia de nada...

Shallan recordou o treinamento de Jasnah. Eles não se importavam com Jah Keved. Queriam informações sobre o noivado dela — suspeitavam que houvesse algo mais na história.

Os dois que a convidaram estavam entre os que Jasnah considerava menos astutos politicamente. Os outros, como Aladar e Hatham, esperariam até um momento em particular para fazer o convite, para não revelarem seu interesse em público.

— A sua preocupação não tem fundamento, Roion — disse Dalinar. — Ela vai, naturalmente, ficar no meu acampamento de guerra e tomar uma posição entre minhas escrivãs.

— Na verdade, não tive a chance de responder à sua oferta, Luminobre Kholin — declarou Shallan. — Eu adoraria a oportunidade de estar ao seu serviço, mas infelizmente já havia aceitado uma posição em outro acampamento de guerra.

Silêncio atordoado.

Ela sabia o que *queria* dizer em seguida. Uma aposta arriscadíssima, do tipo que Jasnah nunca aprovaria. Mas decidiu falar assim mesmo, confiando em seus instintos. Funcionava na arte, afinal de contas.

— O Luminobre Sebarial foi o primeiro a me oferecer uma posição e a me convidar a ficar com ele — declarou Shallan, olhando para o homem barbado que Jasnah tanto detestava.

O homem quase se engasgou com seu vinho. Ele olhou da taça para ela, estreitando os olhos. Shallan encolheu os ombros com o que esperava ser um gesto inocente, e sorriu. *Por favor...*

— Hã, é isso mesmo — respondeu Sebarial, se recostando na cadeira. — Ela é uma parente distante da família. Eu não dormiria tranquilo se não oferecesse a ela um lugar para ficar.

— Sua oferta foi bastante generosa — continuou Shallan. — Um auxílio de três brons plenos por semana.

Os olhos de Sebarial quase pularam das órbitas.

— Eu não estava ciente disso — comentou Dalinar, olhando de Sebarial para ela.

— Sinto muito, Luminobre — disse Shallan. — Eu deveria ter dito ao senhor. Não achei apropriado me hospedar na casa de alguém que estava me cortejando. Decerto o senhor compreende.

Ele franziu o cenho.

— O que estou tendo dificuldade em compreender é por que alguém gostaria de passar mais tempo do que o necessário perto de Sebarial.

— Ah, o tio Sebarial é bem tolerável depois que a gente se acostuma com ele — explicou Shallan. — Como um ruído irritante que uma hora aprendemos a ignorar.

A maioria pareceu horrorizada com seu comentário, embora Aladar tenha sorrido. Sebarial, como ela havia esperado, soltou uma gargalhada.

— Acho que está decidido — concluiu Ruthar, insatisfeito. — Espero pelo menos que esteja disposta a me fornecer um breve relatório.

— Largue o osso, Ruthar — disse Sebarial. — Ela é jovem demais para você. Se bem que, em se tratando de você, tenho certeza de que *seria* rápido.

Ruthar gaguejou de raiva.

— E-eu não estava tentando... Seu velho imundo... Bah!

Shallan ficou feliz quando a atenção se desviou dela de volta para os tópicos à mão, porque aquele último comentário a fizera corar. Sebarial *era* inconveniente. Ainda assim, parecia estar se esforçando para ficar fora das discussões políticas, e esse parecia ser o lugar ideal para Shallan: a posição com maior liberdade. Ela *ainda* trabalharia com Dalinar e Navani nas anotações de Jasnah, mas não queria estar sujeita a eles.

Quem pode dizer que ficar sujeita a esse homem será diferente?, pensou Shallan, dando a volta na sala para se aproximar de onde Sebarial estava sentado, sem esposa ou membros da família para atendê-lo. Ele era solteiro.

— Eu quase a botei para fora pelas orelhas, garota — sussurrou Sebarial, provando seu vinho sem olhar para ela. — Manobra estúpida, colocar-se em minhas mãos. Todo mundo sabe que gosto de jogar coisas na fogueira só para vê-las queimar.

— E ainda assim o senhor *não me botou para fora*. Então não foi uma manobra estúpida; só um risco que valeu a pena.

— Ainda posso abandoná-la. Certamente não vou lhe pagar aqueles três brons. Isso é quase o que minha amante custa, e pelo menos ganho algo com esse acordo.

— O senhor vai pagar — garantiu Shallan. — Agora é uma questão de registro público. Mas não se preocupe, vou fazer por merecer a minha estadia.

— Você tem informações sobre Kholin? — indagou Sebarial, estudando seu vinho.

Então ele se importava, *sim*.

— Informações, sim. Menos sobre Kholin, e mais sobre o próprio mundo. Confie em mim, Sebarial. O senhor acabou de fechar um acordo muito lucrativo.

Ela teria que dar um jeito de tornar isso verdade.

Os outros continuaram discutindo sobre o Assassino de Branco, e ela captou que ele havia feito um ataque ali, mas fora rechaçado. Enquanto Aladar conduzia a conversa para uma reclamação de que suas gemas estavam sendo tomadas pela Coroa — Shallan não sabia o motivo disso —, Dalinar Kholin se levantou. Ele se movia como um rochedo rolando morro abaixo. Inevitável, implacável.

Aladar perdeu o fio da meada.

— Passei por uma curiosa pilha de pedras no meu caminho — disse Dalinar. — De um tipo que achei notável. O xisto fraturado havia sido erodido por grantormentas, soprado contra uma rocha de natureza mais durável. Essa pilha de fatias finas jazia como se houvesse sido empilhada por alguma mão mortal.

Os outros olharam para Dalinar como se ele fosse louco. Aquelas palavras despertaram a memória de Shallan. Eram uma citação de algo que já havia lido.

Dalinar virou-se, caminhando na direção das janelas abertas a sotavento da sala.

— Mas homem algum havia empilhado aquelas pedras. Por mais precárias que parecessem, na verdade eram bastante sólidas, uma formação de estratos anteriormente enterrados, agora expostos ao ar. Me perguntei como era possível que continuassem naquela pilha tão perfeita, com a fúria das tempestades soprando contra elas. Logo percebi sua verdadeira natureza. Descobri que a força vinda de uma direção as empurrava umas contra as outras e contra a pedra atrás. Nenhuma quantidade de pressão que eu tenha produzido daquela maneira fez com que elas se deslocassem. E ainda assim, quando removi uma pedra da base, puxando-a em vez de empurrá-la, a formação inteira desabou em uma pequena avalanche.

Os ocupantes da sala o fitaram até que Sebarial finalmente falou por todos eles:

— Dalinar, pelo décimo primeiro nome da Danação, *aonde quer chegar?*

— Nossos métodos não estão funcionando — declarou Dalinar, olhando de volta para eles. — Anos em guerra, e ainda nos encontramos na mesma posição de antes. Não somos mais capazes de combater esse assassino agora do que éramos na noite em que ele matou meu irmão. O rei de Jah Keved colocou três Fractários e metade de um exército contra a criatura, então morreu com uma Espada enfiada no peito, suas Fractais abandonadas à rapina de oportunistas. Se não podemos derrotar o assassino, então devemos acabar com sua razão para atacar. Se pudermos capturar ou eliminar seus empregadores, então talvez possamos invalidar o contrato a que ele está atado. Pelo que sabíamos, ele estava sendo empregado pelos parshendianos.

— Ótimo — disse Ruthar secamente. — Tudo que temos que fazer é vencer a guerra, algo que estamos tentando há cinco anos.

— Nós *não estamos* tentando — replicou Dalinar. — Não o suficiente. Pretendo fazer as pazes com os parshendianos. Se eles não aceitarem os nossos termos, então vou partir para as Planícies Quebradas com meu exército e qualquer um que se una a mim. Chega de jogos nos platôs, de lutar por gemas-coração. Vou investir na direção do acampamento parshendiano, encontrá-lo e derrotá-los de uma vez por todas.

O rei suspirou baixinho, se recostando atrás da sua mesa. Shallan imaginou que ele já estava esperando isso.

— Sair pelas Planícies Quebradas — disse Sadeas. — Parece algo maravilhoso de se tentar.

— Dalinar — começou Hatham, falando com óbvio cuidado. — Não vejo como nossa situação mudou. As Planícies Quebradas ainda estão na maior parte inexploradas, e o acampamento dos parshendianos pode estar literalmente *em qualquer lugar* por lá, escondido entre milhas e milhas de terreno que nosso exército não consegue atravessar sem grandes dificuldades. Concordamos que atacar o acampamento deles era imprudente, enquanto eles estivessem dispostos a vir até nós.

— A disposição deles de virem até nós, Hatham, se provou um problema, porque estabeleceu a batalha nos termos deles. Não, nossa situação não mudou. Só a nossa determinação. Esta guerra já persistiu por tempo demais. Vou acabar com ela, de um modo ou de outro.

— Parece maravilhoso — repetiu Sadeas. — Você vai partir amanhã ou vai esperar mais um dia?

Dalinar fitou-o com desdém.

— Só estou tentando estimar quando haverá outro acampamento de guerra disponível — declarou Sadeas inocentemente. — Já quase ultrapassei a capacidade do meu e não me importaria de ocupar um segundo quando os parshendianos massacrarem você e os seus. E pensar que depois de todos os problemas em que se meteu ao ser cercado por eles, você vai fazer o mesmo de novo.

Adolin se ergueu atrás do seu pai, o rosto vermelho, esprenos de raiva borbulhando aos seus pés como poças de sangue. Seu irmão o convenceu a sentar-se novamente. Havia algo ali, obviamente, que Shallan ignorava.

Entrei nessa situação sem saber o bastante do contexto, pensou ela. *Raios, tenho sorte de já não ter sido mastigada.* De repente, não estava tão orgulhosa das realizações do dia.

— Antes da grantormenta da noite passada, recebemos um mensageiro dos parshendianos. O primeiro disposto a falar conosco em muito tempo. Ele disse que seus líderes desejam discutir a possibilidade da paz.

Os grão-príncipes pareceram perplexos. *Paz?*, pensou Shallan, com o coração saltando. Isso certamente facilitaria a procura por Urithiru.

— Na mesma noite o assassino atacou. De novo. Da última vez, ele veio quando havíamos acabado de assinar um tratado de paz com os parshendianos. Agora, ele veio de novo no dia de outra oferta de paz.

— Desgraçados — disse Aladar em voz baixa. — Será algum tipo de ritual perverso deles?

— Pode ser uma coincidência — respondeu Dalinar. — O assassino está atacando no mundo todo. Certamente os parshendianos não estiveram em contato com toda essa gente. Contudo, os eventos me deixam desconfiado. Quase chego a pensar se os parshendianos não estão sendo incriminados... como se alguém estivesse usando esse assassino para garantir que Alethkar nunca fique em paz. Mas o fato é que os parshendianos *alegaram* tê-lo contratado para matar meu irmão...

— Talvez eles estejam desesperados — sugeriu Roion, encolhido em sua cadeira. — Uma facção deles deseja a paz, enquanto a outra faz o que pode para nos destruir.

— De qualquer modo, pretendo me planejar para o pior — disse Dalinar, olhando para Sadeas. — Eu *vou* abrir caminho até o centro das Planícies Quebradas. Seja para derrotar definitivamente os parshendianos, ou para aceitar a sua rendição e desarmamento. Mas tal expedição vai levar tempo para ser arranjada. Precisarei treinar meus homens para uma operação prolongada e enviar batedores mais longe, para o meio das Planícies. Além disso, precisarei escolher alguns novos Fractários.

— ...Novos Fractários? — perguntou Roion, sua cabeça de tartaruga se levantando devido à curiosidade.

— Muito em breve possuirei mais Fractais — declarou Dalinar.

— E teremos a permissão de saber a fonte desse maravilhoso tesouro? — indagou Aladar.

— Ora, Adolin vai ganhá-las de todos vocês.

Alguns dos outros riram, como se fosse uma piada. Dalinar não parecia estar brincando. Ele se sentou novamente, e os grão-príncipes entenderam isso como o fim da reunião — mais uma vez, parecia que Dalinar, e não o rei, liderava de verdade.

Todo o equilíbrio de poder mudou, pensou Shallan. *Assim como a natureza da guerra. As anotações de Jasnah sobre a corte estavam mesmo desatualizadas.*

— Bem, suponho que agora você vá me acompanhar de volta ao meu acampamento — disse Sebarial a ela, se erguendo. — O que significa que essa reunião não foi a costumeira perda de tempo de ficar ouvindo sujeitos convencidos fazendo ameaças veladas uns aos outros... essa foi uma perda de dinheiro também.

— Poderia ser pior — replicou Shallan, ajudando o homem mais velho a se levantar, já que ele não parecia ter muita firmeza nos pés. Isso passou quando ele ficou de pé e se soltou dela.

— Pior? Como?

— Eu poderia ser tediosa, além de dispendiosa.

Ele olhou para ela, depois riu.

— Suponho que isso seja verdade. Bem, vamos embora.

— Só um momento — pediu Shallan. — Vá em frente, eu o alcançarei em sua carruagem.

Ela se afastou, procurando o rei, a quem ela pessoalmente deu a notícia da morte de Jasnah. Ele reagiu bem, com uma dignidade majestosa. Dalinar provavelmente já havia lhe informado.

Tendo cumprido aquela tarefa, ela procurou os escribas do rei. Pouco tempo depois, deixou a câmara de conferência e encontrou Vathah e Gaz esperando nervosamente do lado de fora. Ela entregou uma folha de papel para Vathah.

— O que é isso? — perguntou ele, revirando-a.

— Uma ordem judicial de perdão. Com o selo do rei. É para você e seus homens. Logo receberemos ordens mais específicas, com seus nomes em cada uma, mas enquanto isso essa aí vai impedir que sejam presos.

— A senhorita realmente conseguiu? — perguntou Vathah, olhando o documento, embora obviamente não entendesse o que estava escrito. — Raios, a senhorita realmente cumpriu sua palavra?

— É claro que cumpri. Mas veja bem, isso só cobre crimes *passados*, então diga aos homens que eles precisam se comportar muito bem. Agora, vamos. Consegui um lugar para ficarmos.

39
HETEROCROMÁTICO

QUATRO ANOS ATRÁS

SEU PAI DAVA FESTAS porque queria fingir que tudo estava bem. Convidava os luminobres de vilarejos próximos, alimentava-os, dava-lhes vinho, e exibia sua filha.

Então, no dia seguinte, depois que todos haviam partido, ele se sentava à mesa e ouvia suas escribas relatarem como sua fortuna estava minguando. Shallan às vezes o via depois, a mão na testa, o olhar perdido.

Naquela noite, contudo, eles iam se banquetear e fingir.

— Já conhecem minha filha, naturalmente — disse o pai, gesticulando na direção de Shallan enquanto seus convidados se sentavam. — A joia da casa Davar, nosso maior orgulho.

Os visitantes — olhos-claros que moravam a dois vales de distância — assentiram educadamente enquanto os parshemanos traziam vinho. Tanto o vinho quanto os escravos eram uma maneira de exibir riquezas que o pai não possuía de fato. Shallan havia começado a ajudar na contabilidade, como era parte do seu dever de filha. Ela sabia do verdadeiro estado das finanças.

O frio da noite era compensado pela lareira crepitante; a sala podia ter parecido hospitaleira em algum outro lugar. Ali, não. Os criados lhe serviram vinho. Amarelo, ligeiramente inebriante. O pai bebia violeta, uma mistura bem mais forte. Ele se acomodou à grã-mesa, que ocupava toda a sala — a mesma sala onde Helaran ameaçara matá-lo há um ano e meio.

Eles haviam recebido uma curta carta de Helaran, seis meses antes, junto de um livro escrito pela famosa Jasnah Kholin, um presente para Shallan.

Shallan lera o bilhete dele para o pai em um sussurro trêmulo. Não dizia muito; na maior parte, ameaças veladas. Naquela noite, o pai surrou uma das criadas quase até a morte. Isan ainda estava mancando. Os criados já não compartilhavam mexericos sobre seu pai ter matado a esposa.

Ninguém faz nada para confrontá-lo, pensou Shallan, olhando de soslaio para o pai. *Todos temos medo demais.*

Os outros três irmãos de Shallan estavam juntos, sentados à sua própria mesa. Eles evitavam olhar para o pai ou interagir com os convidados. Vários cálices de esferas pequenas brilhavam sobre as mesas, mas a sala como um todo poderia ser melhor iluminada. Nem as esferas nem a luz da lareira eram suficientes para afastar a atmosfera lúgubre. Ela suspeitava que seu pai gostasse que fosse assim.

O visitante olhos-claros, o Luminobre Tavinar, era um homem esguio e elegante, trajando um casaco de seda de um vermelho profundo. Ele e a esposa estavam sentados juntos à grã-mesa, com a filha adolescente entre eles. Shallan não havia guardado o nome dela.

Enquanto a noite progredia, o pai tentou conversar com eles algumas vezes, mas só obteve respostas lacônicas. Por mais que a ocasião devesse ser um banquete, ninguém parecia estar se divertindo. Os visitantes aparentavam desejar não ter aceitado o convite, mas seu pai tinha uma posição política superior, e seria valioso ter um bom relacionamento com ele.

Shallan mal tocava na comida, ouvindo o pai se gabar do seu novo cão-machado reprodutor. Ele falava da prosperidade da família. Mentiras.

Ela não queria contradizê-lo; o pai a tratava bem. Sempre a tratara bem. Ainda assim, alguém não devia dizer alguma coisa?

Helaran talvez dissesse. Ele os deixara.

Está piorando cada vez mais. Alguém precisa fazer alguma coisa, dizer alguma coisa, para mudar o pai. Ele não devia estar fazendo as coisas que fazia, se embebedando, surrando os olhos-escuros...

O primeiro prato passou. Então Shallan notou uma coisa. Balat, a quem o pai havia começado a chamar de Nan Balat, como se ele fosse o mais velho, não parava de lançar olhares aos convidados. Isso era surpreendente; ele costumava ignorá-los.

A filha de Tavinar reparou no olhar dele, sorriu, depois voltou a prestar atenção na própria comida. Shallan hesitou. Balat... e uma garota? Era estranho pensar nisso.

Seu pai não pareceu reparar. Por fim, ele se levantou e ergueu a taça para a sala.

— Esta noite, vamos celebrar. Bons vizinhos, vinho forte.

Tavinar e sua esposa levantaram as taças de modo hesitante. Shallan mal havia começado a estudar decoro — era difícil, já que suas tutoras nunca ficavam muito tempo —, mas sabia que um bom luminobre vorin não devia celebrar a embriaguez. Não que eles *não* se embriagassem, mas a maneira vorin era não falar a respeito. Tais detalhes não eram o forte do seu pai.

— É uma noite importante — disse o pai, depois de bebericar o vinho. — Acabei de receber notícias do Luminobre Gevelmar, que acredito que você conheça, Tavinar. Faz muito tempo que estou sem uma esposa. O Luminobre Gevelmar vai me enviar sua filha mais jovem com escrituras matrimoniais. Meus fervorosos vão celebrar a cerimônia no fim do mês, e terei uma esposa.

Shallan sentiu frio e apertou o xale ao redor de si. Os supracitados fervorosos estavam sentados a uma mesa própria, jantando em silêncio. Eram três homens grisalhos, que os serviam havia tanto tempo que tinham conhecido o avô de Shallan na juventude. Mas eles a tratavam com gentileza, e estudar com os fervorosos trazia-lhe prazer quando todas as outras coisas pareciam estar desmoronando.

— Por que ninguém diz nada? — questionou o pai, voltando-se para a sala. — Acabei de ficar noivo! Vocês parecem um bando de alethianos tormentosos. Nós somos vedenos! Façam barulho, seus idiotas.

Os visitantes aplaudiram polidamente, embora parecessem ainda mais constrangidos. Balat e os gêmeos se entreolharam, depois bateram de leve na mesa.

— Vão para o vazio, todos vocês. — O pai desabou de volta na cadeira enquanto seus parshemanos se aproximavam da mesa baixa, cada um trazendo uma caixa. — Presentes para meus filhos, para marcar a ocasião — disse o pai com um aceno de mão. — Não sei por que ainda faço o esforço. Bah! — Ele bebeu o resto do vinho.

Os garotos ganharam adagas, peças muito finas, entalhadas como Espadas Fractais. O presente de Shallan foi um colar de grossos elos prateados. Ela o segurou em silêncio. O pai não gostava que ela falasse muito durante os banquetes, mas sempre colocava a mesa dela perto da grã-mesa.

Ele nunca gritava com ela. Não diretamente. Às vezes, Shallan desejava que ele gritasse. Talvez então Jushu não se ressentisse tanto dela. Isso...

A porta da sala de banquetes se abriu bruscamente. A luz fraca revelou um homem alto e de roupas escuras no umbral.

— O que é isso?! — vociferou o pai, levantando-se, batendo as mãos na mesa. — Quem interrompe meu banquete?

O homem adentrou o recinto. Seu rosto era tão longo e esguio que parecia ter sido espremido. Ele usava babados nos punhos do casaco grená, e a maneira como apertava os lábios fazia com que parecesse estar diante de uma latrina transbordante.

Um dos seus olhos era de um azul intenso; o outro, marrom-escuro. Tanto olhos-claros quanto olhos-escuros. Shallan sentiu um arrepio.

Um criado da casa Davar correu até a grã-mesa, então sussurrou no ouvido do pai. Shallan não compreendeu o que foi dito, mas fosse o que fosse, fez sumir o trovão da expressão de seu pai. Ele continuou de pé, mas seu queixo caiu.

Alguns criados de uniforme grená se juntaram ao redor do recém-chegado. Ele avançou com um ar resoluto, como se estivesse prestando atenção nos seus passos para evitar pisar em alguma coisa.

— Fui enviado por Sua Alteza, o Grão-príncipe Valam, governante dessas terras. Chegou à atenção dele que rumores sombrios persistem nesta área. Rumores sobre a morte de uma mulher olhos-claros. — Ele encarou seu pai nos olhos.

— Minha esposa foi morta pelo amante dela. Que então se matou.

— Algumas pessoas contam uma história diferente, Luminobre Lin Davar — replicou o recém-chegado. — Tais rumores são... perturbadores. Eles deixaram Sua Alteza insatisfeito. Se um luminobre sob sua autoridade *houvesse* assassinado uma mulher olhos-claros de boa estirpe, ele não poderia ignorar.

O pai não respondeu com o ultraje que Shallan esperava; em vez disso, ele acenou na direção de Shallan e dos visitantes.

— Fora — ordenou ele. — Preciso de espaço. Você aí, mensageiro, vamos conversar em particular. Não é preciso trazer lama para o corredor.

Os Tavinar se levantaram, parecendo ansiosos em partir. A garota olhou para Balat uma última vez enquanto partiam, sussurrando.

O pai olhou para Shallan, que percebeu que havia mais uma vez ficado paralisada ao ouvir a menção à mãe, sentada na sua mesa logo diante da grã-mesa.

— Criança — disse o pai, baixinho —, vá sentar-se com seus irmãos.

Ela se retirou, passando pelo mensageiro que avançava até a grã-mesa. Aqueles olhos... Era Redin, o filho bastardo do grão-príncipe. Dizia-se que seu pai o usava como um executor e assassino.

Como seus irmãos não haviam sido explicitamente banidos da sala, eles se sentaram em cadeiras ao redor da lareira, longe o bastante para dar privacidade ao pai. Deixaram um lugar para Shallan, e ela se acomodou, a seda fina do vestido se amarrotando. A roupa volumosa fazia com que sentisse ausente, e só o vestido importasse.

O bastardo do grão-príncipe se acomodou à mesa com seu pai. Pelo menos alguém havia decidido confrontá-lo. Mas e se o bastardo decidisse que o pai era culpado? E então? Inquérito? Ela não queria que o pai fosse condenado; queria que a escuridão que estava lentamente estrangulando todos eles acabasse. Parecia que a luz da família havia se apagado quando a mãe morreu.

Quando a mãe...

— Shallan? — chamou Balat. — Você está bem?

Ela se recompôs.

— Posso ver as adagas? Elas pareciam muito bonitas da minha mesa.

Wikim apenas encarava o fogo, mas Balat jogou sua adaga para ela. Shallan a pegou desajeitadamente, então a desembainhou, admirando a maneira como as dobras do metal refletiam a luz da lareira.

Os meninos contemplavam a dança dos esprenos de chama no fogo. Os três irmãos não conversavam mais.

Balat olhou sobre o ombro, na direção da grã-mesa.

— Queria poder escutar o que estão dizendo — sussurrou ele. — Talvez levem ele embora. Seria justo, pelo que ele fez.

— Ele não matou a nossa mãe — disse Shallan, baixinho.

— Ah, é? — Balat bufou. — Então o que aconteceu?

— Eu...

Ela não sabia. Não podia pensar. Não sobre aquele momento, aquele dia. Seria seu pai realmente culpado? Ela voltou a sentir frio, apesar do calor do fogo.

O silêncio retornou.

Alguém... alguém precisava *fazer* alguma coisa.

— Eles estão conversando sobre plantas — disse Shallan.

Balat e Jushu a encararam. Wikim continuou olhando para o fogo.

— Plantas — repetiu Balat, em uma voz inexpressiva.

— Sim. Consigo ouvi-los um pouco.

— Eu não consigo ouvir nada.

Shallan deu de ombros sob o vestido excessivamente volumoso.

— Meus ouvidos são melhores que os seus. Sim, plantas. Nosso pai está reclamando que as árvores nos jardins nunca escutam quando ele lhes dá ordens. Diz que elas "estão perdendo as folhas devido a uma doença", e que "se recusam a crescer folhas novas". O mensageiro perguntou: "Você já tentou bater nelas para castigar sua desobediência?" Nosso pai respondeu que tentou várias vezes. "Eu até quebrei seus galhos, mas nem assim me obedecem! É uma bagunça. No mínimo, elas deviam limpar a própria sujeira." "É um problema", disse o mensageiro, "já que não vale a pena manter árvores sem folhagem. Felizmente, tenho a solução. Meu primo já passou por isso, e ele descobriu que bastava cantar para elas e suas folhas cresciam de volta imediatamente." Nosso pai disse que vai tentar isso imediatamente. "Espero que funcione." "Bem, também espero, eu já estava ficando desarvorado."

Seus irmãos a encararam, estupefatos. Finalmente, Jushu inclinou a cabeça. Ele era o mais jovem dos irmãos, mais velho apenas que Shallan.

— Des... árvore... do...

Balat caiu na gargalhada; alto o bastante para que o pai olhasse com raiva na sua direção.

— Ah, essa foi *péssima* — disse Balat. — Simplesmente horrível, Shallan. Você devia se envergonhar.

Ela se encolheu no vestido, sorrindo. Mesmo Wikim, o gêmeo mais velho, sorriu também. Ela não o via sorrir havia... quanto tempo? Balat secou os olhos.

— Por um momento eu até acreditei que você estava escutando mesmo. Sua Esvaziadorazinha danada. — Ele soltou o ar longamente. — Raios, isso foi bom.

— Devíamos rir mais — comentou Shallan.

— Aqui não tem sido um lugar para risos — disse Jushu, provando seu vinho.

— Por causa do pai? Ele é um, e nós somos quatro. Só precisamos ser mais otimistas.

— Ser otimista não muda os fatos — retrucou Balat. — Gostaria que Helaran não tivesse partido. — Ele bateu o punho na lateral da cadeira.

— Não tenha inveja das viagens dele, Tet Balat — disse Shallan baixinho. — Existem muitos lugares para se ver, lugares que provavelmente nunca iremos visitar. Deixe que um de nós os conheça. Pense nas histórias que ele trará de volta. As cores.

Balat olhou para a lúgubre sala de rocha negra, com suas lareiras se apagando aos poucos, as brasas rubras.

— Cores. Eu bem que gostaria de um pouco mais de cor por aqui.

Jushu sorriu.

— Qualquer coisa seria melhor do que a cara do pai.

— Vamos, não fale mal da cara do pai — disse Shallan. — Ela cumpre muito bem sua função.

— Que função?

— Nos lembrar de que há coisas piores do que o cheiro dele. Essa é deveras uma nobre Vocação.

— Shallan! — censurou Wikim. Ele era muito diferente de Jushu. Esbelto e de olhos fundos, Wikim tinha cabelos cortados tão curtos que quase parecia um fervoroso. — Não diga essas coisas perto do pai, ele pode ouvir.

— Ele está concentrado na conversa. Mas você tem razão. Eu não devia zombar da nossa família. A Casa Davar é distinta e persistente.

Jushu ergueu sua taça. Wikim assentiu vigorosamente.

— Naturalmente, o mesmo pode ser dito de uma verruga — acrescentou ela.

Jushu quase cuspiu o vinho. Balat soltou outra ruidosa gargalhada.

— Parem com a algazarra! — vociferou o pai.

— É um banquete! — gritou Balat de volta. — Você pediu que fôssemos mais vedenos!

O pai o encarou, irritado, depois voltou a conversar com o mensageiro. Os dois estavam sentados bem próximos à grã-mesa, a postura do pai suplicante, o bastardo recostado com uma sobrancelha arqueada e uma expressão neutra.

— Raios, Shallan — disse Balat. — Quando foi que ficou tão esperta?

Esperta? Ela não se sentia esperta. Subitamente, a audácia do que dissera fez com que se encolhesse na cadeira. Essas coisas simplesmente lhe escapavam.

— São só coisas... só coisas que li em um livro.

— Bem, você devia ler mais desses livros, pequenina — disse Balat. — Ilumina um pouco este lugar.

O pai bateu a mão na mesa, fazendo com que as taças tremessem e os pratos sacudissem. Shallan o observou, preocupada enquanto ele apontava o dedo para o mensageiro e dizia algo. Foi em voz baixa demais e distante demais para que Shallan compreendesse, mas conhecia aquela expressão nos olhos do pai. Ela a vira muitas vezes antes dele pegar sua bengala — ou mesmo um atiçador de lareira — para surrar um dos criados.

O mensageiro se levantou em um movimento fluido. Seu refinamento parecia um escudo que rechaçava o temperamento de seu pai.

Shallan o invejava.

— Aparentemente, não chegarei a lugar nenhum com essa conversa — declarou o mensageiro. Ele encarava o pai de Shallan, mas seu tom dava a entender que falava para todos. — Vim preparado para essa inevitabilidade. O grão-príncipe concedeu-me autoridade e gostaria muito de saber a *verdade* do que aconteceu nesta casa. Qualquer olhos-claros de berço que possa prestar testemunho será bem-vindo.

— Eles precisam do testemunho de um olhos-claros — sussurrou Jushu para os irmãos. — Nosso pai é importante demais para que possam simplesmente levá-lo.

— Havia uma pessoa disposta a nos contar a verdade — continuou o mensageiro, ainda em voz alta. — Desde então, essa pessoa não está mais disponível. Algum de vocês teria a coragem dele? Quem virá comigo e dará testemunho para o grão-príncipe sobre os crimes cometidos nessas terras?

Ele olhou para os quatro. Shallan se encolheu na cadeira, tentando parecer minúscula. Wikim não desviou o olhar das chamas. Jushu pareceu prestes a se levantar, mas então voltou para seu vinho, praguejando, o rosto ficando vermelho.

Balat. Balat agarrou os braços da cadeira como se pretendesse se levantar, mas então fitou o pai. Aquela intensidade permanecia nos olhos dele; quando sua raiva fervia, ele gritava e atirava coisas nos criados. Mas era naquele ponto, quando sua raiva se tornava fria, que ele era realmente perigoso. Era quando ficava em silêncio; quando os gritos cessavam.

Os gritos do pai, pelo menos.

— Ele vai me matar — murmurou Balat. — Se eu disser uma palavra, ele vai me matar.

A fanfarronice de antes se evaporou. Ele não parecia mais um homem, mas um rapaz, um adolescente aterrorizado.

— Você poderia falar, Shallan — sibilou Wikim. — Nosso pai não ousará machucá-la. Além disso, você realmente *viu* o que aconteceu.

— Não vi — sussurrou ela de volta.

— Você estava presente!

— Eu não sei o que aconteceu. Não me lembro.

Não aconteceu. Não, não.

Um pedaço de lenha se deslocou na lareira. Balat olhou para o chão e não se levantou. Nenhum deles se levantaria. Um grupo de pétalas translúcidas girou entre eles, solidificando-se aos poucos. Esprenos de vergonha.

— Entendo — disse o mensageiro. — Se algum de vocês... se *lembrar* da verdade, em algum ponto no futuro, terão ouvidos dispostos em Vedenar.

— Você não vai causar discórdia nesta casa, bastardo — disse o pai, se levantando. — Nós protegemos uns aos outros.

— Exceto por aqueles que não podem mais se proteger, imagino.

— Saia desta casa!

O mensageiro lançou ao pai dela um olhar de repulsa, um riso de desprezo, que dizia *sou um bastardo, mas nem mesmo eu sou tão baixo quanto você*. Então ele partiu rapidamente, reunindo seus homens lá fora, suas ordens secas indicando que desejava voltar à estrada apesar da hora tardia, em outra missão além das terras de seu pai.

Quando ele se foi, o pai pôs as duas mãos sobre a mesa e soltou o ar.

— Saiam daqui — ordenou ele para os quatro, baixando a cabeça.

Eles hesitaram.

— Saiam! — rugiu o pai.

Eles correram da sala, Shallan tropeçando atrás dos irmãos. Ficou com a visão do pai afundando na sua cadeira, segurando a cabeça. O presente que dera a ela, o belo colar, ficou esquecido na caixa aberta sobre a mesa diante dele.

40

PALONA

> *Que eles reagiram de imediato e com grande consternação é inegável, já que estes foram os primeiros dentre aqueles que abjurariam e abandonariam seus votos. O termo Traição não foi aplicado nessa hora, mas desde então se tornou um título popular para nomear esse evento.*
>
> — De *Palavras de Radiância*, capítulo 38, página 6

SEBARIAL COMPARTILHOU SUA CARRUAGEM com Shallan ao deixarem o palácio do rei e seguirem rumo ao acampamento de guerra dele. Padrão ficou vibrando baixinho nas dobras da saia dela, e Shallan teve que chamar a atenção dele para que ficasse quieto.

O grão-príncipe estava sentado diante dela, a cabeça inclinada para trás contra a parede acolchoada, roncando baixinho enquanto a carruagem chocalhava. O chão ali havia sido raspado para remover petrobulbos e pavimentado com pedras no centro, para dividir direita da esquerda.

Os soldados dela estavam seguros e a encontrariam depois. Ela tinha uma base de operações e uma renda. Na tensão do encontro, e depois com a retirada de Navani, a Casa Kholin não havia ainda exigido que entregasse as posses de Jasnah. Ela ainda precisava abordar Navani e pedir ajuda na pesquisa, mas até o momento o dia havia corrido bastante bem.

Agora Shallan só precisava salvar o mundo.

Sebarial roncou e acordou sobressaltado de seu curto cochilo. Ele se ajeitou no seu assento, esfregando a bochecha.

— Você mudou.

— Perdão?

— Parece mais jovem. Lá no palácio, eu teria dito que você tinha vinte, talvez vinte e cinco anos. Mas agora vejo que não tem mais do que *catorze*.

— Tenho dezessete anos — replicou Shallan, seca.

— Dá no mesmo. — Sebarial grunhiu. — Eu podia jurar que seu vestido era mais vibrante, seus traços mais nítidos, mais bonitos... Deve ter sido a luz.

— Você tem o hábito de insultar a aparência de jovens damas? — perguntou Shallan. — Ou só faz isso depois de babar na frente delas?

Ele sorriu.

— Você obviamente não foi treinada na corte. Gosto disso. Mas tome cuidado... se insultar as pessoas erradas por aqui, a vingança será rápida.

Pela janela da carruagem, Shallan viu que estavam finalmente se aproximando de um acampamento de guerra com o estandarte de Sebarial, que trazia os glifos *sebes* e *laial* estilizados na forma de uma enguia celeste, dourado sobre fundo preto.

Os soldados nos portões os saudaram, e Sebarial deu ordens para que os homens de Shallan fossem conduzidos à sua mansão quando chegassem. A carruagem seguiu, e Sebarial se recostou para observá-la, como se estivesse esperando alguma coisa.

Ela não imaginava o que seria. Talvez estivesse lendo-o de modo errado. Voltou sua atenção para a janela e logo decidiu que aquele lugar era um acampamento de guerra apenas no nome. As ruas eram mais retas do que seriam em uma cidade que houvesse se expandido naturalmente, mas Shallan viu muito mais civis do que soldados.

Passaram por tavernas, mercados abertos, lojas e edifícios altos que pareciam comportar uma dúzia de famílias diferentes. Pessoas apinhavam muitas das ruas. O lugar não era tão variado e vibrante quanto Kharbranth, mas os edifícios eram de madeira e pedra sólidas, construídos apoiados uns nos outros para compartilhar o suporte.

— Tetos arredondados — disse Shallan.

— Meus engenheiros dizem que eles repelem melhor os ventos — declarou orgulhosamente Sebarial. — E edifícios com cantos e laterais arredondados também.

— Tantas pessoas!

— Quase todas são residentes permanentes. Tenho a força mais completa de alfaiates, artesãos e cozinheiros nos acampamentos. Já montei doze manufaturas: tecidos, sapatos, cerâmicas, vários moinhos. Controlo também os sopradores de vidro.

Shallan virou-se de volta para ele. Aquele orgulho em sua voz não correspondia *de modo algum* ao que Jasnah escrevera sobre o homem. Claro, a maioria das suas anotações e conhecimento sobre os grão-príncipes vinha de visitas infrequentes às Planícies Quebradas, e nenhuma delas recente.

— Pelo que ouvi, suas forças estão entre as menos bem-sucedidas na guerra contra os parshendianos — comentou Shallan.

Os olhos de Sebarial reluziram com um brilho maroto.

— Os outros caçam uma renda rápida com as gemas-coração, mas em que eles vão gastar seu dinheiro? Meus moinhos têxtis logo produzirão uniformes a um preço muito mais baixo do que os encomendados de fora, e meus agricultores fornecerão comida muito mais variada do que a fornecida pela Transmutação. Estou plantando tanto lávis quanto taleu, sem falar nas criações de porcos.

— Sua enguia astuta — disse Shallan. — Enquanto os outros lutam uma guerra, o senhor está consolidando uma economia.

— Tive que ser cuidadoso — confidenciou ele, se inclinando na direção dela. — Não quis que percebessem o que eu estava fazendo logo de cara.

— Inteligente. Mas por que está me contando?

— Você vai perceber de qualquer maneira se vai trabalhar como uma das minhas escrivãs. Além disso, o segredo não faz mais diferença. As manufaturas já estão montadas, e meus exércitos mal saem em uma investida de platô por mês. Tenho que pagar multas a Dalinar por evitá-las e forçá-lo a mandar outra pessoa, mas vale a pena. De qualquer modo, os grão-príncipes mais inteligentes já descobriram o que estou fazendo. Os outros só acham que sou um tolo preguiçoso.

— E então o senhor não é um tolo preguiçoso?

— É claro que sou! Lutar dá muito trabalho. Além disso, soldados morrem, e aí tenho que sustentar as famílias deles. É inútil de várias maneiras. — Ele olhou pela janela. — Notei o segredo três anos atrás. Todos estavam se mudando para cá, mas ninguém pensava neste lugar como algo permanente... apesar do valor dessas gemas-coração, que garantem que Alethkar nunca mais deixará estas terras... — Ele sorriu.

A carruagem enfim chegou uma discreta mansão entre edifícios de apartamentos mais altos. A casa estava decorada com casca-pétrea ornamental, um caminho de entrada pavimentado, e até mesmo algumas árvores. Era uma casa imponente, embora não fosse enorme, tinha um desenho clássico e refinado, com pilares na frente. A construção usava a fileira de edifícios mais altos atrás como um perfeito quebra-vento.

— Provavelmente teremos um quarto para você — disse Sebarial. — Talvez nos porões. Nunca parece haver espaço suficiente para todas as coisas que esperam que eu tenha. Três conjuntos de mobília de jantar. Bah! Como se eu recebesse convidados.

— O senhor realmente não gosta muito dos outros, não é?

— Eu os odeio. Mas tento odiar todo mundo. Desse modo não me arrisco a deixar de fora alguém que seja particularmente merecedor. De qualquer modo, cá estamos. Não espere que eu a ajude a descer da carruagem.

Não precisou da ajuda dele, já que um criado rapidamente chegou para auxiliá-la quando ela pisou nos degraus de pedra posicionados à entrada. Outro criado foi até Sebarial, que praguejou, mas aceitou a ajuda.

Uma mulher baixa em um rico vestido estava junto aos degraus da mansão, com as mãos nos quadris. Ela tinha cabelos escuros e encaracolados. Seria do norte de Alethkar, então?

— Ah — disse Sebarial, enquanto ele e Shallan se aproximavam. — Minha perdição. Por favor, tentem segurar o riso até nos separarmos. Meu ego frágil e idoso não suporta mais a zombaria.

Shallan fitou-o, confusa. Então a mulher falou:

— *Por favor*, diga que não a sequestrou, Turi.

Não, ela não é alethiana, pensou Shallan, tentando decifrar o sotaque. *Herdaziana*. As unhas, de um tom pétreo, eram prova disso. Ela tinha olhos escuros, mas seu belo vestido indicava que não era uma criada.

Claro. A amante.

— Ela insistiu em vir comigo, Palona — explicou Sebarial, subindo os degraus. — Não consegui dissuadi-la. Teremos que arrumar um quarto para ela ou algo assim.

— E quem é ela?

— Uma estrangeira. Quando ela disse que queria vir comigo, pareceu irritar o velho Dalinar, então eu permiti. — Ele hesitou. — Qual é seu nome? — perguntou ele, voltando-se para Shallan.

— Shallan Davar — respondeu ela, curvando-se para Palona.

A mulher podia ter olhos escuros, mas aparentemente era a chefe da casa. A herdaziana levantou uma sobrancelha.

— Bem, ela é educada, o que significa que provavelmente não vai se encaixar aqui. Honestamente, não acredito que você trouxe para casa uma garota aleatória porque achou que irritaria um dos outros grão-príncipes.

— Bah! Mulher, você faz de mim o homem mais submisso de todo Alethkar...

— Não estamos *em* Alethkar.

— ...e nem mesmo sou casado, raios!

— Não vou me casar com você, então pare de pedir — replicou Palona, cruzando os braços, olhando Shallan de cima a baixo especulativamente. — Ela é jovem demais para você.

Sebarial sorriu.

— Já usei essa frase. Com Ruthar. Foi delicioso... ele gaguejou tanto que parecia uma tempestade de perdigotos.

Palona sorriu, então acenou para que ele entrasse.

— Há vinho aquecido no seu escritório.

Ele foi até a porta.

— Comida?

— Você botou o cozinheiro para correr. Lembra?

— Ah, é mesmo. Bem, você podia ter cozinhado.

— Você também.

— Bah. Você é inútil, mulher! Só faz gastar meu dinheiro. Por que mesmo aguento você?

— Porque você me ama.

— Não pode ser isso — disse Sebarial, parando diante das portas. — Sou incapaz de amar. Rabugento demais. Bem, cuide da garota.

Ele entrou na casa. Palona chamou Shallan para que se juntasse a ela.

— O que *realmente* aconteceu, menina?

— Ele não disse nenhuma mentira — respondeu Shallan, e notou que estava enrubescendo. — Mas deixou de fora alguns fatos. Eu vim com o propósito de um casamento arranjado com Adolin Kholin. Pensei que ficar na casa dos Kholin me deixaria limitada demais, então procurei outras opções.

— Hum. Assim parece mesmo que Turi...

— Não me chame assim! — gritou uma voz lá de dentro.

— ...que aquele idiota tomou uma ação política inteligente.

— Bem, eu *meio* que o *forcei* a me acolher. E dei a entender publicamente que ele ia me pagar um generoso salário.

— Um salário alto demais! — reclamou a voz lá de dentro.

— Ele está... parado ali dentro escutando? — perguntou Shallan.

— Ele gosta de bisbilhotar — explicou Palona. — Bem, vamos, vamos acomodá-la. E pode dizer o quanto ele prometeu de salário, mesmo que tenha sido obrigado. Vou garantir que lhe pague.

Vários criados descarregaram os baús de Shallan da carruagem. Seus soldados ainda não haviam chegado. Com sorte, não teriam se metido em problemas. Ela seguiu Palona para dentro de casa, que provou ter uma decoração tão clássica quanto o exterior indicava. Muito mármore e cristal; estátuas com acabamento em ouro. Uma ampla escadaria conduzia a um mezanino com vista para o salão de entrada. Shallan não viu o grão-príncipe, bisbilhotando ou não.

Palona a conduziu a um conjunto de aposentos muito agradáveis na ala leste. Eram brancos e ricamente mobiliados, as paredes e pisos de pedra bruta suavizados por cortinas de seda e tapetes espessos. Sequer merecia uma decoração tão sofisticada.

Eu não devia pensar assim, pensou Shallan enquanto Palona conferia se o armário tinha toalhas e roupa de cama. *Estou noiva de um príncipe.* Ainda assim, tanto refinamento a lembrava do pai. Os rendados, joias e sedas com que ele a presenteara, tentando fazer com que esquecesse... outros tempos...

Shallan hesitou, voltando-se para Palona, que estava falando com ela.

— Perdão?

— Servos — repetiu Palona. — Você tem uma dama de companhia?

— Não tenho. Mas tenho dezoito soldados e cinco escravos.

— E eles vão ajudá-la a trocar de roupa?

Shallan enrubesceu.

— Quis dizer que gostaria que eles fossem acomodados se for possível.

— É possível — respondeu Palona, despreocupadamente. — Provavelmente consigo até encontrar algo produtivo para eles fazerem. Você vai pagá-los com seu salário, imagino... assim como a criada que arranjarei. A comida é servida ao segundo sino, ao meio-dia e ao décimo sino. Se quiser algo em outros horários, peça nas cozinhas. O cozinheiro pode xingá-la, partindo do princípio de que vou conseguir trazê-lo de volta. Temos uma cisterna de tempestade, então geralmente há água corrente. Se quiser aquecê-la para um banho, os rapazes vão precisar de mais ou menos uma hora.

— Água corrente? — indagou Shallan, entusiasmada. Vira isso pela primeira vez em Kharbranth.

— Como eu disse, cisterna de tempestade. — Palona apontou para cima. — Enche em toda grantormenta, e a forma da cisterna peneira o crem. Não use o sistema até meio-dia depois de uma grantormenta, ou a água sairá marrom. E você parece empolgada demais com isso.

— Desculpe. Não tínhamos esse tipo de coisa em Jah Keved.

— Bem-vinda à civilização. Espero que tenha deixado seu porrete e sua tanga na entrada. Agora vou encontrar uma criada para você.

A mulher mais baixa se voltou para sair.

— Palona? — chamou Shallan.

— Sim, menina?

— Obrigada.

Palona sorriu.

— Os ventos sabem que você não é a primeira gata de rua que ele trouxe para casa. Algumas de nós até acabam ficando.

Ela foi embora. Shallan sentou-se na elegante cama branca e afundou quase até o pescoço. Do aquela coisa era feita? De ar e desejos? Era confortável demais.

Em sua sala de estar — sua *sala de estar* —, batidas anunciaram os criados chegando com seus baús. Eles partiram um momento depois, fechando a porta. Pela primeira vez em muito tempo, Shallan não estava lutando para sobreviver ou preocupada em ser assassinada por um de seus companheiros de viagem.

Então caiu no sono.

41

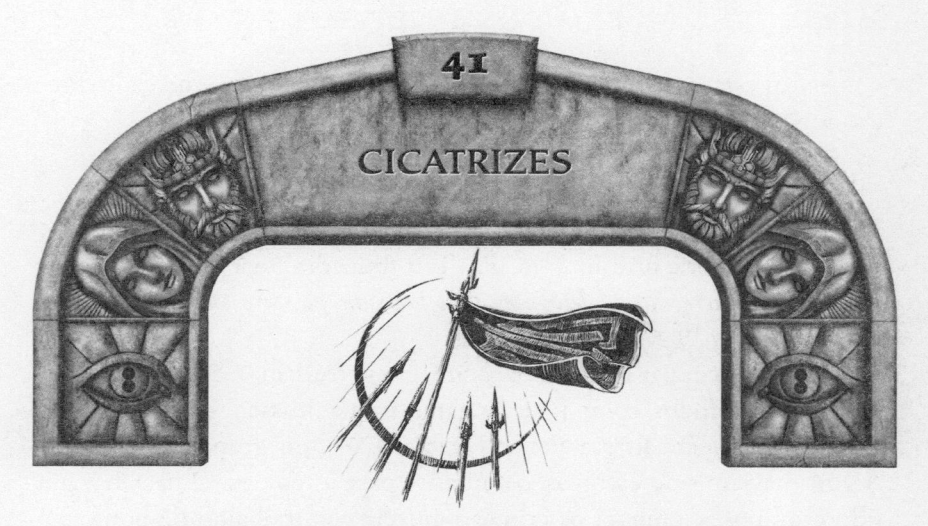

CICATRIZES

Esse ato de grande vilania foi além da impudência até então atribuída às ordens; como o combate foi particularmente atroz naquele período, muitos imputaram esse ato a um senso de traição intrínseca; e depois que eles se retiraram, cerca de dois mil os atacaram, destruindo grande parte dos seus membros; mas foram apenas nove das dez, já que uma delas disse que não abandonaria suas armas e fugiria, mas em vez disso realizou um grande subterfúgio às custas das outras nove.

— De *Palavras de Radiância*, capítulo 38, página 20

K ALADIN TOCOU A PAREDE do abismo enquanto a Ponte Dezessete entrava em formação atrás dele.

Lembrava como ficara assustado naqueles abismos na primeira vez que desceu lá. Teve medo de que as chuvas pesadas causassem um súbito dilúvio enquanto seus homens estavam coletando objetos. Ficou um pouco surpreso que Gaz não houvesse encontrado uma maneira de "acidentalmente" designar a Ponte Quatro ao plantão de abismo no dia de uma grantormenta.

A Ponte Quatro havia abraçado sua punição, tomando para si aquelas fendas. Kaladin ficou perplexo ao perceber que voltar ali parecia mais um retorno ao lar do que voltar a Larpetra e a seus pais. Os abismos eram *dele*.

— Os rapazes estão prontos, senhor — disse Teft, se aproximando.

— Onde você estava na outra noite? — perguntou Kaladin, olhando para o céu aberto acima.

— Eu estava de folga, senhor. Fui dar uma olhada no mercado. Precisa reportar tudo que faço?

— Você foi ao mercado durante uma grantormenta?

— Posso ter perdido um pouco a noção de tempo... — respondeu Teft, desviando o olhar.

Kaladin queria pressioná-lo, mas Teft tinha direito à privacidade. *Eles não são mais carregadores de pontes. Não precisam passar o tempo todo juntos. Vão recomeçar a ter vidas próprias.*

Queria encorajar isso. Ainda assim, era perturbador. Se não soubesse onde estavam todos, como poderia garantir que ficassem em segurança?

Voltou-se para fitar a Ponte Dezessete — um grupo bem diverso. Alguns haviam sido escravos, comprados para as pontes. Outros haviam sido criminosos, embora os crimes puníveis pelo trabalho de ponte, no exército de Sadeas, pudessem ser praticamente qualquer coisa; endividar-se, insultar um oficial, brigar.

— Vocês são a Ponte Dezessete, sob o comando do Sargento Pitt — disse Kaladin para os homens. — Vocês não são soldados. Podem usar os uniformes, mas ainda não se encaixam neles. Estão brincando de se fantasiar. Nós vamos mudar isso.

Os homens se remexeram e olharam ao redor. Embora Teft estivesse trabalhando com eles e as outras equipes havia semanas, aqueles ali ainda não se *viam* como soldados. Enquanto fosse assim, segurariam as lanças em ângulos desajeitados, olhariam ao redor preguiçosamente enquanto alguém falava com eles e arrastariam os pés para entrarem em formação.

— Os abismos são meus — declarou Kaladin. — Eu permito que vocês pratiquem aqui. Sargento Pitt!

— Sim, senhor! — disse Pitt, ficando em posição de sentido.

— Você tem um belo monte de lixo com o qual trabalhar aqui, mas já vi piores.

— Acho difícil de acreditar, senhor!

— Acredite — retrucou Kaladin, olhando para os homens. — Eu era da Ponte Quatro. Tenente Teft, eles são seus. Faça-os suar.

— Sim, senhor — respondeu Teft.

Ele começou a dar ordens enquanto Kaladin pegava sua lança e avançava pelos abismos. Seria um trabalho lento, colocar todas as vinte equipes em forma, mas pelo menos Teft havia treinado com sucesso os sargentos. Com a bênção dos Arautos, aquele mesmo treinamento funcionaria com os civis.

Kaladin gostaria de poder explicar, ainda que para si mesmo, porque estava tão ansioso para deixar aqueles homens prontos. Sentia-se correndo na direção de alguma coisa, mas não sabia o quê. Aqueles escritos na parede... Raios, aquilo o deixava tenso. Trinta e sete dias.

Ele passou por Syl, sentada na folha de uma floragola que brotava da parede. A flor se fechou com a aproximação de Kaladin. Ela não notou e continuou sentada no ar.

— O que você quer, Kaladin? — perguntou ela.

— Manter meus homens vivos — disse ele imediatamente.

— Não, isso era o que você *queria*.

— Está dizendo que eu não quero que eles estejam em segurança?

Ela baixou até o ombro dele, movendo-se como se uma brisa forte a houvesse soprado. Syl cruzou as pernas, sentando-se comportadamente, a saia ondulando enquanto ele caminhava.

— Na Ponte Quatro, você dedicou tudo o que tinha a salvá-los. Bem, eles estão salvos. Não pode continuar protegendo todo mundo como um... hã... como um...

— Como um kurle vigia seus ovos?

— Exato! — Ela fez uma pausa. — O que é um kurle?

— Um crustáceo do tamanho de um pequeno cão-machado. Parece um pouco uma mistura de um caranguejo e um jabuti.

— Uuuuh... Eu quero ver um!

— Eles não vivem aqui perto.

Kaladin caminhava com os olhos à frente, de modo que ela o cutucou no pescoço para fazê-lo encará-la. Então Syl revirou os olhos exageradamente.

— Então você admite que seus homens estão relativamente seguros. Isso significa que você não respondeu de verdade a minha pergunta. O que você quer?

Ele passou por pilhas de ossos e galhos cobertas de musgo. Em uma delas, esprenos de putrefação e esprenos de vida giravam ao redor uns dos outros, pontinhos de brilho vermelho e verde contornando as vinhas que brotavam incongruentemente da massa de matéria morta.

— Quero vencer aquele assassino — disse Kaladin, surpreso com a veemência do sentimento.

— Por quê?

— Porque é meu trabalho proteger Dalinar.

Syl balançou a cabeça.

— Não é isso.

— Ora, você acha que ficou tão boa assim em ler as intenções humanas?

— Não de todos os humanos. Só as suas.

Kaladin grunhiu, contornando cuidadosamente a borda de uma poça escura. Preferia não passar o resto do dia com os pés ensopados. Aquelas botas novas não eram tão impermeáveis quanto deveriam.

— Talvez eu queira vencer o assassino porque tudo isso é culpa dele. Se ele não tivesse matado Gavilar, Tien não teria sido convocado, e eu não o teria seguido. Tien não teria morrido.

— E você não acha que Roshone teria encontrado outra maneira de se vingar do seu pai?

Roshone era o senhor da cidade onde Kaladin nascera, em Alethkar. Enviar Tien para o exército havia sido um ato mesquinho de revanche da parte dele, uma maneira de se vingar do pai de Kaladin por não ser um cirurgião bom o bastante para salvar a vida de seu filho.

— Ele provavelmente teria feito alguma outra coisa — admitiu Kaladin. — Ainda assim, aquele assassino merece morrer.

Ele ouviu os outros homens antes de alcançá-los, suas vozes ecoando pelo fundo cavernoso do abismo.

— O que estou tentando explicar é que ninguém parece estar fazendo as perguntas certas — disse a voz de Sigzil, com seu forte sotaque azishiano. — Chamamos os parshendianos de selvagens, e todos dizem que eles nunca tinham visto pessoas até o dia em que encontraram a expedição alethiana. Se isso é verdade, então que tormenta levou a eles um assassino *shino*? Um assassino shino capaz de Manipular Fluxos, ainda por cima.

Kaladin adentrou a luz das esferas espalhadas pelo chão do abismo, que fora limpo de detritos desde a última vez que Kaladin estivera ali. Sigzil, Rocha e Lopen estavam sentados em pedregulhos, esperando por ele.

— Você está insinuando que o Assassino de Branco nunca trabalhou de verdade para os parshendianos? — perguntou Kaladin. — Ou está insinuando que os parshendianos mentiram sobre serem tão isolados quanto alegavam?

— Não estou insinuando nada — respondeu Sigzil, voltando-se para Kaladin. — Meu mestre me treinou para fazer perguntas, então estou perguntando. Alguma coisa não faz sentido nessa história toda. Os shinos são extremamente xenofóbicos. Eles quase nunca deixam suas terras, e jamais se encontra um deles trabalhando como mercenário. Agora esse sujeito sai por aí assassinando reis? Com uma Espada Fractal? Ele ainda está trabalhando para os parshendianos? Se for esse o caso, por que esperaram tanto tempo para mandá-lo contra nós de novo?

— E importa para quem ele está trabalhando? — indagou Kaladin, sugando Luz das Tempestades.

— É claro que importa — disse Sigzil.

— Por quê?

— Porque é uma *pergunta* — respondeu ele, como se estivesse ofendido. — Além disso, descobrir seu verdadeiro empregador nos daria uma pista do objetivo deles, e saber esse objetivo poderia nos ajudar a derrotá-lo.

Kaladin sorriu, então tentou subir a parede correndo.

Depois de se estatelar de costas no chão, ele suspirou.

A cabeça de Rocha surgiu acima dele.

— É divertido de assistir, mas isso aí... você tem certeza de que vai funcionar?

— O assassino caminhou pelo teto — disse Kaladin.

— Tem certeza de que ele não estava só fazendo o que nós fizemos? — perguntou Sigzil, cético. — Usando a Luz das Tempestades para grudar um objeto ao outro? Ele pode ter salpicado o teto com Luz das Tempestades, então saltado para se grudar lá.

— Não — respondeu Kaladin, Luz das Tempestades escapando de seus lábios. — Ele saltou e pousou no teto. Então desceu correndo pela parede e mandou *Adolin* para o teto, de algum modo. O príncipe não grudou lá, ele *caiu* naquela direção. — Kaladin viu sua Luz das Tempestades subir e se evaporar. — E, no fim, o assassino... saiu voando.

— Ha! — disse Lopen, empoleirado em uma pedra. — Eu sabia. Depois que isso tudo acabar, o rei de todo Herdaz vai vir me dizer: "Lopen, você está brilhando, e isso é impressionante. Mas você também pode voar. Por isso, pode se casar com minha filha."

— O rei de Herdaz não tem uma filha — informou Sigzil.

— Não tem? Fui enganado todo esse tempo!

— Você não conhece a família real do seu país? — perguntou Kaladin, se sentando.

— *Gon*, eu não vou a Herdaz desde que era bebê. Hoje em dia, existem tantos herdazianos em Alethkar e Jah Keved quanto na nossa terra. Faíscas me queimem, sou praticamente um alethiano! Só que não tão alto, nem tão rabugento.

Rocha estendeu a mão a Kaladin e puxou-o de pé. Syl havia se instalado na parede.

— Você sabe como isso funciona? — perguntou Kaladin a ela, que sacudiu a cabeça. — Mas o assassino *é* um Corredor dos Ventos.

— Acho que sim... — disse Syl. — Parecido com você? Talvez? — Ela deu de ombros.

Sigzil seguiu a direção para onde Kaladin estava olhando.

— Queria poder enxergá-lo — resmungou ele. — Seria uma... Ah! — Ele saltou para trás, apontando. — Ele parece uma pessoinha!

Kaladin levantou uma sobrancelha para Syl.

— Eu gosto dele. Mas, Sigzil, eu sou uma "ela" e não um "ele", muito obrigada.

— Esprenos têm gênero? — indagou Sigzil, perplexo.

— Mas é claro — respondeu Syl. — Embora, tecnicamente, isso provavelmente esteja ligado a como as pessoas nos veem. Personificação das forças da natureza ou outra coisa parecida.

— Isso não te incomoda? — perguntou Kaladin. — Que você possa ser uma criação da percepção humana?

— Você é uma criação dos seus pais. Quem se importa com como nascemos? Eu posso pensar. Já me basta.

Ela sorriu com um ar travesso, então zuniu como uma fita de luz na direção de Sigzil, que havia se acomodado em uma pedra com uma expressão atordoada. Ela parou bem diante dele, voltou à forma de uma mulher jovem, então se inclinou para frente e fez com que seu rosto ficasse exatamente igual ao dele.

— AH! — gritou Sigzil de novo, se afastado atabalhoadamente, fazendo com que ela risse e mudasse o rosto de volta. Sigzil olhou para Kaladin. — Ela fala... Ela fala como uma pessoa de verdade. — Ele levou a mão à cabeça. — As histórias dizem que a Guardiã da Noite talvez seja capaz de fazer isso... Um espreno poderoso. Um espreno imenso.

— Ele está me chamando de imensa? — indagou Syl, inclinando a cabeça. — Não sei o que pensar disso.

— Sigzil, os Corredores dos Ventos podiam voar? — perguntou Kaladin.

O homem sentou-se de volta cuidadosamente, ainda olhando para Syl.

— Histórias e mitos não são minha especialidade. Falo de lugares diferentes, para tornar o mundo menor e ajudar os homens a se compreenderem. Ouvi lendas sobre pessoas dançando nas nuvens, mas quem pode dizer o que é fantasia e o que é verdade nessas histórias tão antigas?

— Temos que descobrir — disse Kaladin. — O assassino vai voltar.

— Então pule mais um pouco na parede. Eu não vou rir muito — sugeriu Rocha.

Ele se acomodou em uma pedra, catou um pequeno caranguejo do chão ao seu lado, o inspecionou, depois o jogou na boca e começou a mastigar.

— Eca — disse Sigzil.

— É saboroso — comentou Rocha, falando com a boca cheia. — Mas fica melhor com sal e azeite.

Kaladin fitou a parede, então fechou os olhos e inspirou mais Luz das Tempestades. Sentia a Luz dentro dele, pulsando em suas veias e artérias, tentando escapar. Impulsionando-o. A saltar, se mover, *agir*.

— Então estamos pressupondo que o Assassino de Branco foi quem sabotou o parapeito do rei? — disse Sigzil.

— Bah — respondeu Rocha. — Por que ele faria isso aí? Ele consegue matar de jeitos mais fáceis.

— É mesmo — concordou Lopen. — Talvez o parapeito tenha sido obra de um dos outros grão-príncipes.

Kaladin abriu os olhos e fitou seu braço, palma contra a parede lisa do abismo, cotovelo reto. Luz das Tempestades emanava de sua pele. Fios retorcidos de Luz que sumiam no ar.

Rocha assentiu.

— Todos os grão-príncipes querem o rei morto, embora não falem disso. Um deles mandou o sabotador.

— Então como foi que esse sabotador chegou na sacada? — perguntou Sigzil. — Deve ter levado algum tempo para cortar o parapeito; era de metal. A menos... Quão liso era o corte, Kaladin?

Kaladin estreitou os olhos, vendo a Luz das Tempestades subir. Era poder bruto. Não. "Poder" era o termo errado. Era uma força, como os Fluxos que regiam o universo. Eles faziam o fogo queimar, as rochas caírem, a luz brilhar. Aqueles fios eram os Fluxos reduzidos a alguma forma primordial.

Podia usá-los. Usá-los para...

— Kal? — chamou Sigzil, embora sua voz parecesse distante, como um zumbido sem importância. — Quão liso era o corte no parapeito? Poderia ter sido feito com uma Espada Fractal?

A voz sumiu. Por um momento, Kaladin pensou ver as sombras de um mundo inexistente, sombras de outro lugar. E, naquele lugar, um céu distante com um sol que parecia confinado por um corredor de nuvens.

Ali.

Ele fez a direção da parede se tornar para baixo.

Subitamente, seu braço era seu único ponto de apoio. Ele caiu para frente na parede, grunhindo. Sua consciência dos arredores voltou bruscamente — só que agora sua perspectiva era bizarra. Ele se levantou desajeitadamente e descobriu que estava de pé *na* parede.

Recuou alguns passos — caminhando pela parede do abismo. Para ele, aquela parede era o chão, e os outros três carregadores estavam no chão de verdade, que parecia ser a parede...

Isso vai ser confuso, pensou Kaladin.

— Uau — disse Lopen, se levantando, animado. — É, isso *realmente* vai ser divertido. Corra pela parede, *gancho*!

Kaladin hesitou, então se virou e começou a correr. Era como se estivesse em uma caverna, as duas paredes do abismo como teto e chão. O espaço entre as duas foi lentamente se estreitando enquanto ele se movia em direção ao céu.

Sentindo a animação da Luz das Tempestades dentro de si, Kaladin sorriu. Syl zunia ao lado dele, rindo. Quanto mais se aproximava do topo, mas estreito se tornava o abismo. Kaladin desacelerou, então parou.

Syl voou diante dele, zunindo para fora do abismo como se estivesse saltando da boca da caverna. Correu de um lado para o outro como uma fita de luz.

— Vamos! Para fora do platô! Para a luz do dia!

— Há batedores por aí — respondeu ele. — Procurando gemas-coração.

— Venha de qualquer maneira. Pare de se esconder, Kaladin. *Seja*.

Lopen e Rocha soltavam gritos de entusiasmo lá de baixo. Kaladin fitou o céu azul.

— Eu preciso saber — sussurrou ele.

— Saber?

— Você me perguntou por que eu protejo Dalinar. Preciso saber se ele realmente é o que parece ser, Syl. Eu *tenho* que saber se algum deles faz jus à sua reputação. Isso vai me dizer...

— Te dizer? — indagou ela, tornando-se a imagem de uma jovem de tamanho normal, de pé na parede diante dele. Syl estava quase de sua altura, seu vestido se esvanecendo em névoa. — Dizer o quê?

— Se a honra está morta — sussurrou Kaladin.

— Ele está — respondeu Syl. — Mas ele vive nos homens. E em mim.

Kaladin franziu o cenho.

— Dalinar Kholin é um bom homem — disse Syl.

— Ele é amigo de Amaram. Pode ser igual a ele, por dentro.

— Você não acredita nisso.

— Eu preciso *saber*, Syl — insistiu Kaladin, dando um passo à frente. Tentou segurar o braço dela como faria com um humano, mas Syl era insubstancial demais. Sua mão a atravessou. — Não posso simplesmente acreditar. Preciso saber. Você perguntou o que eu quero. Bem, é isso. Quero saber se posso confiar em Dalinar. E se eu puder...

Ele balançou a cabeça na direção do dia claro fora do abismo.

— Se eu puder, contarei a ele sobre as minhas habilidades. Vou acreditar que pelo menos um olhos-claros não vai tentar tomar tudo de mim. Como Roshone. Como Amaram. Como Sadeas.

— E isso será o suficiente? — perguntou ela.

— Eu avisei que estava quebrado por dentro, Syl.

— Não. Você se reconstruiu. Homens conseguem fazer isso.

— Outros homens, sim — disse Kaladin, levantando a mão às cicatrizes na testa. Por que a Luz das Tempestades nunca as curava? — Ainda não tenho certeza se eu consigo. Mas vou proteger Dalinar Kholin com todas as minhas forças. Vou descobrir quem ele é, quem ele *realmente* é. Então, talvez... a gente dê a ele os Cavaleiros Radiantes que ele quer.

— E Amaram? O que vai fazer sobre ele?

Dor. Tien.

— Vou matá-lo.

— Kaladin — disse ela, mãos unidas —, não deixe que isso te destrua.

— Não tem como — disse ele, a Luz das Tempestades se esgotando. O casaco do seu uniforme começou a cair para trás, rumo ao chão, assim como seu cabelo. — Amaram já destruiu.

O chão abaixo se reajustou de vez e Kaladin caiu para trás, para longe de Syl. Sugou Luz das Tempestades, girando no ar enquanto suas veias novamente se inflamavam. Ele pousou de pé em uma torrente de poder e Luz.

Os outros três permaneceram em silêncio por alguns momentos enquanto ele se endireitava.

— Essa foi uma maneira muito rápida de descer — comentou Rocha. — Rá! Mas não incluiu cair de cara no chão, o que teria sido divertido. Então só vai receber aplausos leves.

Ele começou a aplaudir em um tom realmente suave. Lopen, contudo, gritou entusiasmado e Sigzil balançou a cabeça com um largo sorriso. Kaladin bufou, pegando um odre d'água.

— O parapeito do rei *foi* cortado por uma Espada Fractal, Sigzil. — Ele bebeu um gole. — E não, não foi o Assassino de Branco. Aquele atentado contra a vida de Elhokar foi grosseiro demais.

Sigzil concordou.

— Além disso — continuou Kaladin —, o parapeito deve ter sido cortado *depois* da grantormenta daquela noite. Se não, o vento teria deformado o metal. Então o nosso sabotador, um Fractário, de algum modo foi até a sacada depois da tempestade.

Lopen balançou a cabeça, pegando o odre que Kaladin jogou de volta.

— Então temos que acreditar que um dos Fractários do acampamento se esgueirou pelo palácio e foi até a sacada, *gon*? E ninguém percebeu?

— Mais alguém consegue fazer isso aí? — indagou Rocha, gesticulando na direção da parede. — Caminhar para cima?

— Eu duvido — respondeu Kaladin.

— Uma corda — disse Sigzil.

Os outros olharam para ele.

— Se eu quisesse fazer um Fractário entrar escondido, subornaria algum criado para jogar uma corda. — Sigzil deu de ombros. — Dá para alguém levar uma corda escondida até o parapeito facilmente, talvez enrolada por baixo do uniforme. O sabotador e talvez alguns amigos poderiam subir pela corda, cortar o parapeito e escavar o cimento, depois descer de volta. O cúmplice então cortaria a corda e voltaria para dentro.

Kaladin assentiu, balançando a cabeça lentamente.

— Então nós descobrimos quem foi na sacada depois da tempestade e encontramos nosso cúmplice — disse Rocha. — Fácil! Rá. Talvez você não seja um maluco, Sigzil. Não. Talvez só um pouco.

Kaladin ficou perturbado. Moash estivera naquela sacada entre a tempestade e a quase queda do rei.

— Vou perguntar por aí — anunciou Sigzil, se levantando.

— Não — falou Kaladin rapidamente. — Deixe comigo. Não fale desse assunto com mais ninguém. Quero ver o que consigo descobrir.

— Tudo bem — respondeu Sigzil, indicando a parede. — Consegue fazer de novo?

— Mais testes? — Kaladin suspirou.

— Temos tempo. Além disso, acho que Rocha quer ver se você vai cair de cara no chão.

— Rá!

— Tudo bem — disse Kaladin. — Mas vou ter que drenar algumas dessas esferas que estamos usando para iluminação. — Ele deu uma olhada nas esferas empilhadas pelo chão muito limpo. — Aliás, por que você limpou todos os detritos nessa área?

— Limpar? — questionou Sigzil.

— Sim. Não precisava mexer nos cadáveres, mesmo que fossem apenas esqueletos. Eles...

Deixou a frase morrer quando Sigzil pegou uma esfera e a estendeu na direção da parede, expondo algo que Kaladin não havia visto antes. Profundos sulcos onde o musgo havia sido raspado, a rocha marcada.

Demônio-do-abismo. Um dos enormes grã-carapaças havia passado pela área, e seu corpanzil havia arrastado tudo pelo caminho.

— Eu não sabia que eles chegavam tão perto dos acampamentos de guerra — comentou Kaladin. — Talvez não devêssemos treinar os rapazes aqui por algum tempo, só por via das dúvidas.

Os outros concordaram.

— Ele já foi embora — disse Rocha. — Se não, teríamos sido devorados. É óbvio. Então, de volta ao treinamento.

Kaladin assentiu, embora aquelas marcas o assombrassem enquanto praticava.

A LGUMAS HORAS DEPOIS, ELES conduziram um cansado grupo de ex-carregadores de pontes de volta às suas casernas. Por mais exaustos que parecessem, os homens da Ponte Dezessete pareciam *mais* animados do que quando desceram até o abismo. Entusiasmaram-se ainda mais quando alcançaram sua caserna e descobriram um dos cozinheiros aprendizes de Rocha preparando uma grande panela de guisado.

Estava escuro quando Kaladin e Teft voltaram à caserna da Ponte Quatro. Outro dos aprendizes de Rocha estava preparando o guisado ali, com o próprio Rocha — que chegara um pouco antes de Kaladin — provando e fornecendo críticas. Shen movia-se atrás de Rocha, empilhando tigelas.

Algo estava errado.

Kaladin parou mais afastado da luz da fogueira, e Teft congelou ao seu lado.

— Tem algo errado — disse Teft.

— Tem — concordou Kaladin, observando os homens.

Estavam todos juntos de um lado da fogueira, alguns sentados, outros em grupos de pé. A risada deles estava forçada, suas posturas, nervosas. Quando se treinava homens para a guerra, eles começavam a usar posições de combate sempre que estavam desconfortáveis. Alguma coisa do outro lado daquela fogueira era uma ameaça.

Kaladin adentrou o círculo de luz e encontrou um homem sentado ali em um belo uniforme, as mãos aos lados do corpo, a cabeça baixa. Renarin

Kholin. Estranhamente, ele estava se balançando para a frente e para trás, olhando para o chão.

Kaladin relaxou.

— Luminobre — chamou ele, se aproximando. — Precisa de alguma coisa?

Renarin se ergueu desajeitadamente e fez uma saudação.

— Gostaria de servir sob seu comando, senhor.

Kaladin grunhiu por dentro.

— Vamos conversar longe da fogueira, Luminobre. — Ele tomou o esguio príncipe pelo braço, conduzindo-o para longe dos ouvidos dos outros.

— Senhor — disse Renarin em voz baixa. — Eu quero...

— Você não deveria me chamar de senhor — sussurrou Kaladin. — Você é um olhos-claros. Raios, você é filho do homem mais poderoso de Roshar oriental.

— Quero ser da Ponte Quatro — declarou Renarin.

Kaladin esfregou a testa. Durante seu tempo como escravo, lidando com problemas muito maiores, havia se esquecido das dores de cabeça de lidar com olhos-claros de alta estirpe. Pensava já ter ouvido suas mais estranhas e ridículas exigências, mas, pelo visto, não tinha.

— Você não pode ser da Ponte Quatro. Somos guarda-costas da sua própria família. O que você vai fazer? Guardar a si mesmo?

— Não vou atrapalhar, senhor. Vou trabalhar duro.

— Não duvido, Renarin. Olhe só, *por que* você quer ser da Ponte Quatro?

— Meu pai e meu irmão são guerreiros — disse Renarin baixinho, o rosto nas sombras. — Soldados. Eu não sou se ainda não percebeu.

— Sim. Ouvi falar de...

— Enfermidades físicas — completou Renarin. — Tenho uma fraqueza no sangue.

— As pessoas dão esse nome para muitas condições — comentou Kaladin. — O que você realmente tem?

— Sou epilético. Isso significa...

— Sim, sim. É idiopática ou sintomática?

Renarin ficou totalmente imóvel na escuridão.

— Hã...

— Foi causado por algum dano cerebral específico ou só acabou acontecendo sem motivo?

— Tenho isso desde pequeno.

— Quão graves são as convulsões?

— Não são graves — disse Renarin rapidamente. — Não é tão ruim quanto todos dizem. Não caio no chão ou fico babando como todo mundo pensa. Meu braço treme um pouco, ou me contraio incontrolavelmente por alguns instantes.

— Você mantém a consciência?

— Sim.

— Mioclonia, provavelmente — disse Kaladin. — Já lhe deram ervamarga para mastigar?

— Eu... Sim. Não sei se adianta. O espasmo não é o único problema. Em várias ocasiões, quando está acontecendo, fico muito fraco. Particularmente em um lado do corpo.

— Hum. Acho que faz sentido com as convulsões. Você já sentiu algum relaxamento persistente dos músculos, uma incapacidade de sorrir de um lado da boca, por exemplo?

— Não. Como você sabe essas coisas? Não é um soldado?

— Eu conheço um pouco de medicina de campo.

— Medicina de campo... para epilepsia?

Kaladin cobriu a boca com a mão e tossiu.

— Bem, dá para entender por que eles não querem você em combate. Já vi homens com feridas que causaram sintomas similares, e os cirurgiões sempre os dispensavam do serviço ativo. Não é vergonha não ser saudável o bastante para a batalha, Luminobre. Nem todo homem é necessário para o combate.

— Claro — respondeu Renarin com amargura. — Todos me dizem isso. Depois todos voltam ao combate. Os fervorosos afirmam que toda Vocação é importante, mas então o que ensinam sobre a pós-vida? Que é uma grande guerra para retomar os Salões Tranquilinos. Que os melhores soldados nesta vida serão glorificados na próxima.

— Se o pós-vida realmente for uma grande guerra, então espero acabar na Danação. Lá, pelo menos, poderei pregar o olho. De qualquer modo, você não é soldado.

— Eu quero ser.

— Luminobre...

— Você não precisa me colocar para fazer nada importante — disse Renarin. — Procurei você, em vez de um dos outros batalhões, porque a maioria dos seus homens passa o tempo patrulhando. Se eu for patrulhar, não correrei muito perigo, e meus episódios não vão prejudicar ninguém. Mas pelo menos poderei ver, poderei *sentir* como é.

— Eu...

Ele continuou falando às pressas. Kaladin nunca ouvira tantas palavras do jovem, que normalmente era tão silencioso.

— Obedecerei aos seus comandos. Trate-me como um novo recruta. Quando estiver aqui, não serei o filho de um príncipe, não serei um olhos-claros. Serei apenas outro soldado. Por favor. Quero fazer parte de tudo isso. Quando Adolin era novo, meu pai fez com que ele servisse em um esquadrão de lanceiros por dois meses.

— É mesmo? — indagou Kaladin, genuinamente surpreso.

— Meu pai diz que todo oficial devia servir na posição de seus homens — explicou Renarin. — Eu tenho Fractais agora. Vou participar da guerra, mas nunca soube como realmente é ser um soldado. Acho que isso é o mais próximo que vou chegar disso. *Por favor.*

Kaladin cruzou os braços, olhando o rapaz de cima a baixo. Renarin parecia ansioso. *Muito* ansioso. Suas mãos haviam formado punhos, embora Kaladin não estivesse vendo a caixa que Renarin frequentemente remexia quando estava nervoso. Sua respiração ficara ofegante, mas seu maxilar estava firme, e o encarava de frente.

Procurar Kaladin, para pedir-lhe aquilo, por algum motivo *apavorava* o jovem. Ele o fizera mesmo assim. Alguém poderia exigir mais de um recruta?

Estou realmente levando essa ideia a sério? Parecia ridículo. No entanto, uma das tarefas de Kaladin era proteger Renarin. Se pudesse incutir-lhe algumas sólidas técnicas de autodefesa, já o ajudaria bastante a procurar sobreviver a tentativas de assassinato.

— Provavelmente devo observar que seria muito mais fácil me proteger se eu estivesse passando tempo treinando com seus homens — disse Renarin. — Seu soldados estão sobrecarregados, senhor. Ter uma pessoa a menos para proteger deve ajudar. Só não estarei por perto nos dias em estiver praticando com minhas Fractais com o mestre espadachim Zahel.

Kaladin suspirou.

— Você realmente quer ser um soldado?

— Sim, senhor!

— Pegue essas tigelas de guisado sujas e lave-as — ordenou Kaladin, apontando. — Depois ajude Rocha a limpar seu caldeirão e guardar os instrumentos de cozinha.

— Sim, senhor! — respondeu Renarin com um entusiasmo que Kaladin nunca ouvira em alguém designado para lavar pratos. O rapaz correu até as tigelas e começou a juntá-las alegremente.

Kaladin cruzou os braços e se recostou contra a caserna. Os homens não sabiam como reagir a Renarin. Entregaram tigelas de guisado pela metade para agradá-lo, e as conversas viravam murmúrios quando ele estava por perto. Mas eles também haviam ficado nervosos perto de Shen, antes de por fim o aceitarem. Poderiam fazer o mesmo com um olhos-claros?

Moash havia se recusado a entregar sua tigela a Renarin, lavando-a pessoalmente, como era o costume deles. Quando acabou, foi até Kaladin.

— Você realmente vai deixar que ele se junte a nós?

— Vou falar com o pai dele amanhã. Saber qual é a opinião do grão-príncipe.

— Eu não gosto disso. A Ponte Quatro, nossas conversas noturnas... essas coisas deveriam ficar longe *deles*, sabe?

— Sei. Mas ele é um bom garoto. Acho que, se algum olhos-claros puder se encaixar aqui, será ele.

Moash se virou, levantando uma sobrancelha.

— Você discorda, imagino? — perguntou Kaladin.

— Ele não é normal, Kal. A maneira como fala, como olha para as pessoas. Ele é esquisito. Mas isso não importa... ele é um olhos-claros, e isso deveria ser o bastante. Significa que não podemos confiar nele.

— Não precisamos confiar nele — replicou Kaladin. — Vamos só ficar de olho nele, talvez tentar treiná-lo para se defender.

Moash grunhiu, concordando. Pareceu aceitar que eram boas razões para deixar Renarin ficar.

Estou com Moash bem aqui, pensou Kaladin. *Não tem mais ninguém perto o bastante para ouvir. Eu deveria perguntar...*

Mas como formar as palavras? Moash, você está envolvido em um complô para matar o rei?

— Você já pensou no que vai fazer? — indagou Moash. — Quanto a Amaram, quero dizer.

— Amaram é problema meu.

— Você é da Ponte Quatro — disse Moash, pegando Kaladin pelo braço. — Seu problema *é* nosso problema. Foi ele que fez de você um escravo.

— Ele fez mais do que isso — rosnou Kaladin, baixinho, ignorando o gesto de Syl para que ele ficasse quieto. — Ele matou meus amigos, Moash. Bem diante dos meus olhos. Ele é um assassino.

— Então alguma coisa tem que ser feita.

— Tem, sim. Mas o quê? Você acha que eu deveria procurar as autoridades?

Moash deu uma gargalhada.

— O que *eles* vão fazer? Você tem que levar o homem a um duelo, Kaladin. Acabe com ele, homem contra homem. Até fazer isso, sempre vai ter algo te incomodando, lá no fundo.

— Parece que você conhece a sensação.

— Conheço. — Moash abriu um meio sorriso. — Também tenho alguns Esvaziadores no meu passado. Talvez seja por isso que eu te entendo. Talvez seja por isso que você me entende.

— Então o que...

— Não quero falar sobre isso, na verdade — declarou Moash.

— Nós somos da Ponte Quatro — replicou Kaladin — Como você disse. Seus problemas são meus.

O que o rei fez com sua família, Moash?

— Verdade, eu acho — disse Moash, se virando. — Eu só... Não esta noite. Esta noite, só quero descansar.

— Moash! — chamou Teft de perto da fogueira. — Você vem?

— Vou — respondeu Moash. — E você, Lopen? Está pronto?

Lopen sorriu, se levantando e se esticando junto à fogueira.

— Eu sou o Lopen, o que significa que estou pronto para qualquer coisa a qualquer momento. Você já devia saber disso.

Ali perto, Drehy bufou e jogou um pedaço de raiz-comprida cozida na direção de Lopen. Ela atingiu o rosto do herdaziano com um som molhado.

Lopen continuou falando:

— Como podem ver, eu estava perfeitamente pronto para isso, como demonstrado pela elegância com que exibo este gesto decididamente grosseiro.

Teft deu uma risada enquanto ele, Peet e Sigzil se aproximavam de Lopen. Moash moveu-se na direção deles, então hesitou.

— Você vem, Kal?

— Para onde? — perguntou Kaladin.

— Sair. — Moash deu de ombros. — Visitar algumas tavernas, jogar anéis, beber alguma coisa.

Sair. Os carregadores raramente faziam isso no exército de Sadeas, pelo menos não como um grupo, com amigos. De início, estavam derrotados demais para se importar com qualquer outra coisa que não enfiar a cara na bebida. Depois, a falta de fundos e o preconceito generalizado contra eles entre as tropas havia feito com que os carregadores ficassem isolados.

Não era mais o caso. Kaladin se pegou gaguejando.

— Eu... provavelmente devia ficar... hã, para dar uma olhada nas fogueiras das outras equipes...

— Vamos lá, Kal — insistiu Moash. — Você não pode trabalhar *o tempo todo*.

— Vou com vocês em outra ocasião.

— Tudo bem. — Moash correu para alcançar os outros.

Syl deixou a fogueira, onde estivera dançando com um espreno de chama, e zuniu até Kaladin. Ela pendeu no ar, contemplando o grupo se afastar noite adentro.

— Por que você não foi?

— Eu não posso mais viver aquela vida, Syl — disse Kaladin. — Eu não saberia o que fazer.

— Mas...

Kaladin se afastou dela e pegou uma tigela de guisado.

42

MERAMENTE VAPOR

> *Mas quanto a Ishi'Elin, seu papel foi o mais importante na fundação deles; ele compreendeu logo as implicações de os Fluxos terem sido concedidos aos homens e fez com que eles fossem impelidos a se organizar; quanto a possuir um poder grande demais, ele fez com que fosse sabido que destruiria cada um deles, a menos que concordassem em ser regidos por preceitos e leis.*
>
> — De *Palavras de Radiância*, capítulo 2, página 4

SHALLAN DESPERTOU OUVINDO UM zumbido. Abriu os olhos e viu que estava aconchegada na luxuosa cama na mansão de Sebarial. Não havia trocado de roupa para dormir.

O zumbido era Padrão no edredom ao lado dela. Ele quase parecia um bordado de renda. As persianas da janela haviam sido fechadas — ela não se lembrava de ter feito isso — e estava escuro do lado de fora. A noite do dia em que ela havia chegado às Planícies.

— Alguém entrou aqui? — perguntou ela a Padrão, sentando-se, afastando mechas ruivas dos olhos.

— Hmm. Alguéns. Já se foram.

Shallan se levantou e perambulou até sua sala de estar. Pelos olhos de Ash, quase não queria andar sobre o imaculado carpete branco. E se deixasse pegadas e o arruinasse?

Os "alguéns" de Padrão haviam deixado comida na mesa. Subitamente faminta, Shallan sentou-se no sofá, levantando a tampa da bandeja para encontrar pão achatado que havia sido assado com uma pasta doce no centro, junto com molhos.

— Lembre-me de agradecer a Palona, de manhã. Essa mulher é divina.

— Hmm. Não. Acho que ela é... Ah... Exagero?

— Você aprende rápido — disse Shallan enquanto Padrão se tornava uma massa tridimensional de linhas retorcidas, uma esfera pendendo do ar acima do assento ao seu lado.

— Não. Sou lento demais. Você prefere algumas comidas e não outras. Por quê?

— O gosto — respondeu Shallan.

— Eu devia compreender essa palavra — disse Padrão. — Mas não entendo, não de verdade.

Raios. Como descrever gosto?

— É como cor... você vê com sua boca. — Ela fez uma careta. — E essa foi uma metáfora horrível. Sinto muito. Tenho dificuldade em ser perspicaz com o estômago vazio.

— Você diz "com" o estômago — disse Padrão. — Mas eu sei que não quer dizer isso. O contexto me permite inferir o que realmente quer dizer. De certo modo, a própria frase é uma mentira.

— Não é mentira se todo mundo compreende e sabe o que significa.

— Hmm. Essas são algumas das melhores mentiras.

— Padrão — disse Shallan, pegando um pedaço do pão —, às vezes você é tão inteligível quanto um bavlandês tentando recitar poesia clássica vorin.

Um bilhete ao lado da comida dizia que Vathah e seus soldados haviam chegado e sido alocados em um edifício ali perto. Seus escravos haviam sido incorporados à equipe de serviçais da mansão por enquanto.

Mastigando o pão — era delicioso —, Shallan foi até seus baús com a intenção de esvaziá-los. Quando abriu o primeiro, contudo, foi confrontada por uma luz vermelha piscando. A telepena de Tyn.

Shallan a encarou. Devia ser a pessoa que passava as informações a Tyn. Imaginava que fosse uma mulher, muito embora pudesse nem mesmo ser alguém vorin, já que a estação de retransmissão ficava em Tashikk. Podia ser um homem.

Ela sabia tão pouco. Teria que ser muito cuidadosa... raios, podia acabar morta mesmo se *fosse* muito cuidadosa. Porém, Shallan estava cansada de ser manipulada.

Aquelas pessoas sabiam alguma coisa sobre Urithiru. Perigosas ou não, eram sua melhor pista. Ela tomou a telepena, preparou sua placa com papel e posicionou a pena. Quando virou o botão para indicar que estava pronta, a pena ficou de pé, imóvel, mas não começou imediatamente a escrever. A pessoa tentando entrar em contato com ela havia se afastado — a pena podia estar piscando há horas. Teria que esperar até que a pessoa do outro lado voltasse.

— Inconveniente — disse ela, então sorriu.

Estava mesmo reclamando por esperar alguns minutos por uma comunicação instantânea com o outro lado do mundo?

Preciso encontrar uma maneira de entrar em contato com meus irmãos, pensou ela. Seria terrivelmente lento, sem uma telepena. Poderia arranjar que uma mensagem fosse enviada através de uma daquelas estações de retransmissão em Tashikk usando um intermediário diferente, talvez?

Ela se ajeitou no sofá — caneta e placa de escrita junto da bandeja de comida — e folheou a pilha de comunicações anteriores que Tyn havia trocado com aquela pessoa distante. Não havia muita coisa. Tyn provavelmente as destruía periodicamente. As restantes envolviam questões sobre Jasnah, a Casa Davar e os Sanguespectros.

Algo estranho chamou a atenção de Shallan. A maneira como Tyn falava com daquele grupo não combinava com uma ladra falando de empregadores ocasionais. Tyn falava em "se dar bem" e "subir na hierarquia" com os Sanguespectros.

— Padrão — disse Padrão.

— O quê? — indagou Shallan, olhando para ele.

— Padrão. Nas palavras. Mmm.

— Dessa folha? — perguntou Shallan, segurando a página.

— Aí e em outras. Está vendo as primeiras palavras?

Shallan franziu o cenho, inspecionando as folhas. Em cada uma delas, as primeiras palavras tinham vindo do escritor remoto. Uma simples frase perguntando sobre a saúde ou a situação de Tyn. Tyn replicava de modo simples toda vez.

— Não compreendo — disse Shallan.

— Elas formam grupos de cinco — explicou Padrão. — Quinteto, as letras. Hmm. Cada mensagem segue um padrão... as primeiras três palavras começam com uma de três dos quintetos de letras. A resposta de Tyn, com as duas correspondentes.

Shallan olhou a folha, embora não compreendesse o que Padrão dizia. Ele explicou novamente, e ela *pensou* ter compreendido, mas o padrão era complexo.

— Um código — disse Shallan.

Fazia sentido; iam querer garantir que a pessoa certa estava do outro lado da telepena. Ela corou ao perceber que quase havia estragado aquela oportunidade. Se Padrão não houvesse visto isso, ou se a telepena houvesse começado a escrever imediatamente, Shallan teria se exposto.

Não ia conseguir. Não podia se infiltrar em um grupo hábil e poderoso o bastante para matar a própria Jasnah. Simplesmente *não podia*.

E ainda assim tinha que fazê-lo.

Ela pegou seu caderno e começou a desenhar, deixando que seus dedos se movessem por conta própria. Precisava ser mais velha, mas não muito mais velha. Teria de ser uma olhos-escuros. As pessoas reparariam em uma olhos-claros desconhecida andando pelo acampamento. Uma olhos-escuros seria menos visível. Para as pessoas certas, contudo, podia dar a entender que estava usando o colírio.

Cabelo escuro. Longo, como seu cabelo de verdade, mas não ruivo. Mesma altura, mesmo corpo, mas com uma face muito diferente. Traços cansados, como Tyn. Uma cicatriz no queixo, um rosto mais anguloso. Não tão bonita, mas sem ser feia. Mais... direta.

Ela sugou Luz das Tempestades da lâmpada ao lado e aquela *energia* fez com que desenhasse mais rápido. Não era empolgação. Era a necessidade de avançar.

Terminou com um floreio e viu um rosto olhando de volta para ela da página, quase vivo. Shallan expirou Luz e sentiu-a envolver seu corpo, se torcendo ao redor dela. Sua visão ficou nublada por um momento, e via apenas o brilho daquela Luz das Tempestades se esvaindo.

Então acabou. Ela não sentia nenhuma diferença. Cutucou o próprio rosto; parecia o mesmo. Será que...

A mecha de cabelo sobre seu ombro era preta. Shallan a encarou, então se levantou da cadeira, ansiosa e tímida ao mesmo tempo. Foi até o lavatório e ficou diante do espelho que havia ali, olhando para um rosto transformado, com pele bronzeada e olhos escuros. O rosto do seu desenho, que recebera cor e vida.

— Funciona... — sussurrou ela. Isso era mais do que mudar a bainha do vestido ou parecer mais velha, como havia feito antes. Era uma transformação completa. — O que podemos fazer com isso?

— Qualquer coisa que a gente imagine — respondeu Padrão de uma parede próxima. — Ou que você imagine. Não sou bom com o que *não é*. Mas gosto disso. Gosto do... gosto... disso. — Ele pareceu ficar muito satisfeito consigo mesmo pelo comentário.

Havia alguma coisa errada. Shallan franziu o cenho, segurando seu desenho, e percebeu que havia deixado um ponto inacabado na lateral do nariz. A Teceluminação ali não cobria totalmente o seu nariz, e tinha um tipo de espaço nebuloso na lateral. Era pequeno; outra pessoa simplesmente acharia que era um tipo de estranha cicatriz. Para ela, parecia gritante, e ofendia seu senso artístico.

Ela cutucou o resto do nariz. Fizera-o ligeiramente maior do que o seu nariz verdadeiro e podia passar o dedo *através* da imagem para tocar sua pele. A imagem não tinha substância. Na verdade, se movesse o dedo rapidamente através da ponta do nariz falso, ele se desfazia em Luz das Tempestades, como fumaça soprada por uma brisa.

Ela afastou os dedos e a imagem voltou ao lugar, embora ainda houvesse aquele buraco do lado. Um desenho descuidado.

— Quanto tempo a imagem vai durar? — perguntou ela.

— Ela se alimenta de Luz — respondeu Padrão.

Shallan catou as esferas de dentro da sua bolsa-segura. Estavam todas escuras — provavelmente as usara durante a conversa com os grão-príncipes. Ela pegou uma esfera das lâmpadas na parede, substituindo-a por uma esfera fosca de mesmo valor, e fechou-a no punho.

Voltou até a sala de estar. Precisaria de um traje diferente, naturalmente. Uma mulher olhos-escuros não...

A telepena começou a escrever.

Shallan foi rápido até o sofá, prendendo a respiração enquanto via as palavras aparecerem. *Acho que algumas informações que tenho hoje vão funcionar.* Uma introdução simples, mas seguia o padrão correto para o código.

— Hmm — fez Padrão.

Ela precisava que as duas primeiras palavras de sua réplica começassem com as letras certas. *Mas você disse isso da última vez,* escreveu, esperando ter completado o código.

Não se preocupe, escreveu o mensageiro. *São boas notícias, embora o tempo possa ser apertado. Eles querem conhecê-la.*

Ótimo, escreveu Shallan de volta, relaxando — e abençoando o tempo que Tyn havia passado forçando-a a praticar técnicas de falsificação. Ela havia pegado o jeito rapidamente, já que era um tipo de desenho, mas as sugestões de Tyn agora permitiam que imitasse a caligrafia mais descuidada da mulher com grande habilidade.

Eles querem uma reunião esta noite, Tyn, escreveu a pena.

Esta noite? Que horas eram? Um relógio na parede marcava meia hora depois do primeiro sino noturno. Era só a primeira lua, logo depois de escurecer. Ela pegou a telepena e começou a escrever "Não sei se estou pronta", mas se deteve. Tyn não falaria desse jeito.

Não estou pronta, escreveu em vez disso.

Eles insistiram, retornou o mensageiro. *Foi por isso que tentei entrar em contato mais cedo. Aparentemente, a pupila de Jasnah chegou hoje. O que aconteceu?*

Não é da sua conta, Shallan escreveu de volta, imitando o tom que Tyn havia usado antes naquelas conversas. A pessoa do outro lado era um criado, não um colega.

Claro, escreveu a pena. *Mas eles querem se encontrar com você esta noite. Caso recuse, pode significar um corte de relações.*

Pai das Tempestades! Esta noite? Shallan correu os dedos pelo cabelo, fitando a página. Conseguiria fazer isso naquela noite?

Esperar mudaria realmente alguma coisa?

Com o coração acelerado, ela escreveu: *Pensei que havia capturado a pupila de Jasnah, mas a garota me traiu. Não estou bem. Mas vou enviar minha aprendiz.*

Mais uma, Tyn?, escreveu a pena. *Depois do que aconteceu com Si? De qualquer modo, duvido que eles gostem de se reunir com uma aprendiz.*

Eles não têm escolha, escreveu Shallan.

Talvez pudesse criar uma Teceluminação ao redor de si que a deixasse parecida com Tyn, mas duvidava que estivesse pronta para algo assim. Fingir ser alguém que inventara já seria difícil o bastante — mas imitar uma pessoa específica? Ela certamente seria descoberta.

Vou ver, disse o mensageiro.

Shallan esperou. Na distante Tashikk, o mensageiro estava pegando outra telepena e agindo como intermediário para os Sanguespectros. Shallan passou o tempo verificando a esfera que havia trazido do lavatório.

Sua luz havia enfraquecido um pouco. Manter aquela Teceluminação tornaria necessário carregar um estoque de esferas infundidas.

A telepena começou a escrever novamente: *Eles concordaram. Pode chegar ao acampamento de guerra de Sebarial rapidamente?*

Acho que sim, escreveu Shallan. *Por que lá?*

É um dos poucos acampamentos com portões abertos a noite toda. Há um prédio de apartamentos onde seus empregadores vão encontrar sua aprendiz.

Vou desenhar um mapa. Mande sua aprendiz chegar com Salas no topo do céu. Boa sorte.

Um desenho veio em seguida, indicando o local. Salas no topo do céu? Ela teria vinte e cinco minutos e não conhecia nada do acampamento. Shallan levantou-se de um salto, depois parou. Não podia ir assim, vestida como uma olhos-claros. Ela correu até o baú de Tyn e remexeu as roupas.

Alguns minutos depois estava diante do espelho, usando calças marrons largas, uma camisa branca abotoada, e uma luva fina na mão segura. Sentia-se nua com sua mão exposta daquele jeito. As calças não eram tão ruins — já vira mulheres olhos-escuros usando-as enquanto trabalhavam na plantação, em casa, embora nunca houvesse visto uma olhos-claros usando a peça. Mas aquela luva...

Estremeceu, notando que seu rosto falso corava. O nariz se movia quando ela franzia o dela, também. Isso era bom, embora esperasse ser capaz de ocultar seu embaraço.

Ela pegou um dos casacos brancos de Tyn. A peça rígida descia até o topo das botas, e ela o prendeu na cintura com um grosso cinto de couro suíno preto de modo a deixá-lo quase todo fechado na frente, como Tyn o vestia. Terminou substituindo as esferas em seu bolso por outras infundidas das lâmpadas da sala.

Aquela falha no nariz ainda a incomodava. *Algo para sombrear o rosto*, pensou, se apressando de volta ao baú. Ali, ela pegou o chapéu branco de Bluth, aquele com as abas laterais dobradas para cima de modo enviesado. Com sorte ele cairia melhor nela do que em Bluth.

Shallan o colocou na cabeça e, quando se voltou para o espelho, ficou feliz ao ver como obscurecia seu rosto. Ficava, sim, meio bobo, mas, por outro lado, ela sentia que *tudo* em relação àquele traje parecia bobo. Uma mão enluvada? Calças? O casaco parecera imponente em Tyn; indicava experiência e um senso de estilo. Em Shallan, parecia forçado. Ela via através da ilusão a garota assustada do interior de Jah Keved.

A autoridade não é uma coisa real. Palavras de Jasnah. *É meramente vapor... uma ilusão. Eu posso criar essa ilusão... assim como você.*

Shallan se aprumou, endireitou o chapéu, então foi até o quarto e enfiou algumas coisas nos bolsos, incluindo o mapa do local de encontro. Caminhou até a janela e a abriu. Felizmente, estava no andar térreo.

— Aqui vamos nós — sussurrou ela para Padrão.

Então saiu noite adentro.

43

OS SANGUESPECTROS

> *E assim foram aquietados os distúrbios na toparquia de Revv, quando, tendo eles cessado de insistir em seus desacordos civis, Nalan'Elin finalmente dignou-se a aceitar os Rompe-Céus que haviam-no nomeado seu mestre, sendo que inicialmente rejeitara suas propostas e, em prol dos próprios interesses, recusou-se a contemplar aquilo que chamara de busca vaidosa e incômoda; este foi o último dos Arautos a admitir tal apadrinhamento.*
>
> — De *Palavras de Radiância*, capítulo 5, página 17

O ACAMPAMENTO DE GUERRA AINDA estava movimentado, apesar da hora. Shallan não ficou surpresa; seu tempo em Kharbranth havia lhe ensinado que nem todos tratavam a chegada da noite como um motivo para parar de trabalhar. Ali, havia quase tantas pessoas nas ruas agora quanto havia na primeira vez em que passara.

E quase ninguém prestou atenção nela.

Para variar, não se sentia conspícua. Mesmo em Kharbranth, as pessoas a olhavam — a notavam, a observavam. Alguns pensavam em roubá-la, outros em como usá-la. Uma jovem olhos-claros desacompanhada chamava atenção, e era uma oportunidade em potencial. Contudo, usando aquele cabelo escuro e olhos castanho-escuros, era como se fosse invisível. Era *maravilhoso*.

Shallan sorriu, enfiando as mãos nos bolsos do casaco — ainda sentia vergonha da mão segura enluvada, embora ninguém sequer *reparasse nisso*.

Chegou a uma interseção. Em uma direção, o acampamento de guerra brilhava com tochas e lâmpadas a óleo. Um mercado, agitado o suficiente para que ninguém confiasse de pôr esferas em suas lâmpadas. Shallan caminhou naquela direção; estaria mais segura nas ruas mais movimentadas. Seus dedos agarraram o papel no bolso, e ela o ergueu enquanto parava para esperar que um grupo de pessoas tagarelando passasse diante dela.

O mapa parecia fácil de ler. Ela só precisava se localizar. Esperou, então finalmente percebeu que o grupo na frente dela *não ia* se mover. Estava esperando que eles lhe dessem licença como fariam para uma olhos-claros. Balançando a cabeça pela sua tolice, ela os contornou.

O resto do caminho foi assim; ela foi forçada a se espremer entre corpos, e esbarravam nela enquanto caminhava. O mercado fluía como dois rios passando um pelo outro, com lojas de cada lado e vendedores de comida no centro. Estava até mesmo coberto em alguns lugares por toldos que se estendiam até os prédios do outro lado.

Depois de avançar apenas uns dez passos, viu-se em uma balbúrdia barulhenta e claustrofóbica. E Shallan adorou. Pegou-se querendo parar e desenhar metade das pessoas por quem passava. Eram todos tão cheios de vida, fosse discutindo ou simplesmente caminhando com um amigo e comendo um lanche. Por que ela não havia saído mais em Kharbranth?

Ela parou, sorrindo para um homem que executava um espetáculo com marionetes e uma caixa. Mais à frente, um herdaziano usava um faisqueiro e algum tipo de óleo para fazer explosões de chamas no ar. Se ela pudesse parar um pouco e fazer um esboço dele...

Não. Tinha negócios a tratar. Parte dela não queria seguir adiante com aquilo, obviamente, e sua mente estava tentando distraí-la. Estava se tornando cada vez mais consciente dessa sua autodefesa. Shallan a usava, *precisava* dela, mas não podia deixar que controlasse sua vida.

Mas parou no carrinho de uma mulher que vendia frutas caramelizadas. Elas pareciam vermelhas e suculentas, e haviam sido espetadas em uma pequena vareta antes de serem mergulhadas em um açúcar derretido de aparência vítrea. Shallan tirou uma esfera do bolso e a mostrou.

A mulher gelou, fitando a esfera. Outros ali perto pararam. Qual era o problema? Era só um marco de esmeralda. Não era como se houvesse mostrado o brom.

Ela olhou para os glifos listando os preços. Um espetinho de fruta custava uma única clareta. Não costumava pensar muito nas denominações de esferas, mas lembrava que...

Seu marco valia duzentos e cinquenta vezes o custo da guloseima. Mesmo com a família em uma situação difícil, aquilo não teria sido considerado muito dinheiro. Mas isso era para o nível de casas e propriedades, não para o nível de vendedores de rua e trabalhadores olhos-escuros.

— Hã, acho que não tenho troco para isso — disse a mulher. — Hã... cidadã.

Esse era um título dado a uma olhos-escuros rica do primeiro ou segundo nan.

Shallan enrubesceu. Quantas vezes demonstraria sua ingenuidade?

— É para pagar por um dos seus doces, e por um pouco de ajuda. Sou nova na área. Gostaria que me indicasse um lugar.

— Maneira cara de conseguir a informação, senhorita — comentou a mulher, mas embolsou a esfera com dedos ágeis mesmo assim.

— Preciso encontrar a Rua Nar.

— Ah. Está seguindo no tormentoso caminho errado, senhorita. Vai precisar seguir, hã, seis quarteirões, eu acho? É fácil de encontrar; o grão-príncipe fez com que todo mundo organizasse seus edifícios em quarteirões, como em uma cidade de verdade. Procure as tavernas e logo vai chegar. Mas acho que não é o tipo de lugar que alguém como a senhorita deveria estar visitando, se me perdoa a ousadia.

Mesmo como olhos-escuros, as pessoas a consideravam incapaz de cuidar de si mesma.

— Obrigada — disse Shallan, pegando um dos espetinhos de fruta.

Partiu apressada, cruzando o fluxo para se juntar àqueles que caminhavam na direção oposta através do mercado.

— Padrão? — sussurrou.

— Hmm. — Ele estava agarrado ao seu casaco, na altura dos joelhos.

— Fique atrás de mim e veja se alguém está me seguindo — disse Shallan. — Acha que consegue fazer isso?

— Se alguém vier, vai formar um padrão — disse ele, deixando-se cair no chão.

Por um breve momento no ar, entre o casaco e a pedra, ele foi uma massa escura de linhas se retorcendo. Então desapareceu como uma gota d'água atingindo um lago.

Shallan se apressou seguindo o fluxo, a mão segura agarrando com firmeza a bolsa de esferas no bolso do casaco, a mão livre segurando o espetinho. Lembrava-se muito bem de como a exibição deliberada de dinheiro de Jasnah, em Kharbranth, havia atraído ladrões como água de tempestade atraía gavinhas.

Shallan seguiu as instruções, seu senso de liberdade substituído pelo nervosismo. A esquina que virou ao sair do mercado a conduziu a um caminho muito menos povoado. Estaria a vendedora de frutas tentando mandar Shallan para uma armadilha onde pudesse ser roubada facilmente? Com a cabeça baixa, ela seguiu apressada. Não conseguia Transmutar para se proteger, não como Jasnah fazia. Raios! Shallan nem sequer era capaz de fazer com que gravetos pegassem fogo; duvidava que pudesse transformar corpos vivos.

Ela tinha a Teceluminação, mas já a estava usando. Poderia Teceluminar uma segunda imagem ao mesmo tempo? Como *estava* seu disfarce, aliás? Ele devia estar drenando a Luz de suas esferas. Quase as tirou do bolso para ver quanto havia gastado, mas se deteve. Idiota. Estava preocupada em ser roubada, e aí pensava em exibir um bocado de dinheiro?

Ela parou depois de dois quarteirões. Havia algumas pessoas naquela rua, um punhado de homens em roupas de trabalhadores seguindo para casa. Os edifícios certamente não eram tão bonitos quanto aqueles que deixara para trás.

— Ninguém está seguindo — informou Padrão junto dos seus pés.

Shallan quase alcançou os telhados com seu pulo. Levou a mão livre ao peito, respirando profundamente. Realmente pensara que podia se infiltrar em um grupo de assassinos? Seu próprio *espreno* frequentemente a sobressaltava.

Tyn disse que eu só poderia aprender por experiência própria. Vou ter que seguir meio atrapalhada nessas primeiras vezes e esperar pegar o jeito antes de acabar morta.

— Vamos seguir em frente — disse Shallan. — Estamos ficando sem tempo.

Ela avançou, mordendo a fruta. Era gostosa, embora seus nervos a impedissem de aproveitá-la plenamente. A rua com as tavernas estava na verdade a cinco quarteirões de distância, não seis. O papel cada vez mais amassado de Shallan apontava o local de encontro como um prédio de apartamentos em frente a uma taverna com luz azul brilhando pelas janelas.

Shallan jogou fora o espetinho enquanto acelerava na direção do edifício. Não podia ser antigo — nada naqueles acampamentos de guerra podiam ter mais que cinco ou seis anos de idade —, mas *parecia* antigo. As pedras erodidas, as persianas tortas em alguns lugares. Ficou surpresa que uma grantormenta não houvesse derrubado o local.

Ciente de que podia estar adentrando a toca de um espinha-branca na hora da janta, ela se aproximou e bateu. A porta foi aberta por um brutamontes olhos-escuros que tinha uma barba aparada como a de um papaguampas. Seu cabelo *parecia mesmo* ter alguns fios ruivos.

Ela resistiu ao impulso de se remexer enquanto ele a fitava de alto a baixo. Por fim, o homem abriu totalmente a porta, gesticulando com dedos grossos para que ela entrasse. Shallan reparou no grande machado recostado na parede ao lado, iluminado por uma única fraca lâmpada de Luz das Tempestades — que parecia ter só uma clareta em seu interior — na parede.

Respirando fundo, Shallan entrou.

O lugar cheirava a mofo. Ela ouviu água pingando de algum lugar mais adentro, água de tormenta abrindo caminho infalivelmente através de um vazamento no teto até o piso. O guarda não falou enquanto a conduzia pela sala. O chão era de *madeira*. Caminhar sobre madeira por algum motivo a fazia achar que atravessaria o assoalho. O piso parecia gemer a cada passo. Boa pedra nunca fazia algo do gênero.

O guarda indicou uma abertura na parede, e Shallan olhou para o breu lá dentro. Degraus. Descendo.

Raios, o que estou fazendo?

Não sendo tímida. Era isso que estava fazendo. Shallan olhou de soslaio para o brutamontes e levantou uma sobrancelha, forçando sua voz a soar calma.

— Vocês realmente investiram pesado na decoração. Precisaram procurar muito para achar um covil nas Planícies Quebradas com uma escadaria sinistra?

O guarda chegou a sorrir, o que não o deixou menos intimidador.

— As escadas não vão desabar com o meu peso, vão? — indagou Shallan.

— Está tudo bem — disse o guarda. Sua voz era surpreendentemente aguda. — Elas não desabaram comigo, e comi dois desjejuns hoje. — Ele deu um tapinha na barriga. — Vá. Eles estão te esperando.

Ela pegou uma esfera para servir de iluminação e começou a descer a escadaria. As paredes de pedra ali haviam sido cortadas. Quem se daria ao trabalho de escavar um porão para um decadente edifício de apartamentos? A resposta veio quando notou vários longos fios de crem nas paredes, parecendo um pouco cera derretida ao longo de uma vela, que haviam endurecido muito tempo atrás.

Este buraco já existia antes da chegada dos alethianos, pensou ela. Ao instalar o acampamento de guerra, Sebarial havia construído aquele edifício em cima de um porão já existente. As crateras do acampamento de guerra um dia deviam ter abrigado pessoas. Não havia outra explicação. Quem teriam sido? O antigo povo de Natan?

Os degraus a conduziram até uma pequena sala vazia. Era estranho encontrar um porão em um edifício tão precário; normalmente, apenas casas prósperas possuíam um, já que as precauções necessárias para evitar inundações eram dispendiosas. Shallan cruzou os braços, confusa, até que um canto do chão se abriu, banhando a sala em luz. Ela deu um passo para trás, arfando. Uma parte do chão de pedra era falsa, escondendo um alçapão.

O porão tinha um portão. Ela foi até a borda do orifício e viu uma escada descendo até um carpete vermelho e luz que parecia quase ofuscante depois da escuridão em que estivera. Aquele lugar devia ficar absolutamente inundado depois de uma tempestade.

Ela foi até a escada e desceu, feliz por estar usando calças. O alçapão fechou-se acima dela — parecia ter algum tipo de mecanismo de roldana.

Alcançou o carpete e se virou, encontrando uma sala que era incongruentemente palaciana. Havia uma longa mesa de jantar no centro, resplandecendo com cálices de vidro incrustados com gemas; seu brilho espalhava luz pela sala. Acolhedoras prateleiras tomavam as paredes, cada uma cheia de livros e ornamentos. Havia muitos estojos de vidro. Troféus de algum tipo?

Havia cerca de meia dúzia de pessoas no recinto, e uma chamou particularmente sua atenção. Empertigado, com cabelo preto como piche, ele vestia roupas brancas e parado diante da crepitante lareira. Ele a lembrava de alguém, um homem de sua infância. O mensageiro com olhos sorridentes, o enigma que sabia tantas coisas. *Dois homens cegos esperavam no final de uma era, contemplando a beleza...*

O homem se virou, revelando olhos violeta-claro e um rosto marcado por velhas feridas, incluindo um corte que corria pela sua bochecha e deformava seu lábio superior. Embora parecesse refinado — segurando um cálice de vinho na mão esquerda e ricamente vestido —, sua face e suas mãos contavam outra história. De batalhas, de morte, de dificuldade.

Aquele não era o mensageiro do passado de Shallan. O homem levantou a mão direita, onde segurava algum tipo de bambu longo, que levou aos lábios. Segurava-o como uma arma, apontada direto para Shallan.

Ela ficou paralisada, incapaz de se mover, fitando a arma do outro lado do recinto. Por fim, olhou sobre o ombro. Um alvo pendia da parede, na forma de uma tapeçaria cheia de várias criaturas. Shallan soltou um gritinho e pulou para o lado antes que o homem soprasse a arma, lançando um pequeno dardo pelo ar. Ele passou a polegadas dela antes de fixar-se em uma das figuras na tapeçaria.

Shallan levou a mão segura ao peito e respirou fundo. *Calma,* pensou. *Calma.*

— Tyn está doente? — perguntou o homem, baixando a zarabatana.

Seu tom suave deixou Shallan arrepiada. Ela não conseguia identificar seu sotaque.

— Sim — respondeu, encontrando a voz.

O homem apoiou seu cálice sobre a cornija da lareira ao lado, então pegou outro dardo do bolso da camisa. Ele o enfiou cuidadosamente na ponta da zarabatana.

— Ela não parece o tipo de mulher que deixa algo tão trivial impedi--la de ir a uma reunião importante.

Ele olhou para Shallan, a zarabatana carregada. Aqueles olhos violeta pareciam de vidro; o rosto marcado estava inexpressivo. A sala parecia estar prendendo a respiração.

Eles haviam percebido sua mentira. Shallan sentiu um suor frio.

— O senhor tem razão — disse Shallan. — Tyn está bem. Contudo, o plano não correu como ela havia prometido. Jasnah Kholin está morta, mas a implementação do assassinato foi descuidada. Tyn achou prudente trabalhar através de uma intermediária por enquanto.

O homem estreitou os olhos, então finalmente levantou seu bambu e assoprou com força. Shallan deu um pulo, mas o dardo não a acertou, voando em vez disso para atingir a tapeçaria na parede.

— Ela se revela uma covarde — declarou ele. — Você veio aqui voluntariamente, sabendo que eu poderia simplesmente matá-la pelos erros dela?

— Toda mulher começa de algum lugar, Luminobre — respondeu Shallan, a voz teimosamente trêmula. — Não posso subir sem correr alguns riscos. Se o senhor não me matar, então terei uma chance de conhecer pessoas que Tyn provavelmente nunca me apresentaria.

— Audaciosa.

O homem gesticulou com dois dedos e uma das pessoas sentadas ao lado da lareira, um olhos-claros esguio com dentes tão grandes que parecia ser descendente de ratos, avançou e jogou algo na longa mesa perto de Shallan.

Um saco de esferas. Dentro devia haver brons; o saco, embora marrom-escuro, brilhava intensamente.

— Diga-me onde ela está e pode ficar com o dinheiro — disse o homem das cicatrizes, carregando outro dardo. — Você tem ambição. Gosto disso. Não só pagarei pela localização dela como tentarei encontrar uma posição para você na minha organização.

— Perdão, Luminobre, mas sabe que não vou vendê-la ao senhor. — Certamente ele enxergava o medo dela, o suor umedecendo o forro do chapéu, escorrendo pelas têmporas. De fato, esprenos de medo se agitavam no chão ao seu lado, embora talvez a mesa os escondesse de vista. — Se eu estivesse disposta a trair Tyn por dinheiro, que utilidade eu teria para o senhor? Saberia que eu faria o mesmo com o senhor se me oferecessem uma recompensa grande o bastante.

— Honra? — indagou o homem, a expressão ainda neutra, um dardo entre dois dedos. — De uma ladra?

— Perdão novamente, Luminobre, mas não sou uma mera ladra.

— E se eu a torturasse? Poderia conseguir a informação dessa maneira, eu garanto.

— Não duvido, Luminobre — respondeu Shallan. — Mas realmente acha que Tyn me mandaria com o conhecimento da sua localização? De que adiantaria me torturar?

— Bem, seria divertido, para começar — disse o homem, olhando para baixo e inserindo o dardo.

Respire, ordenou Shallan a si mesma. *Lentamente. Normalmente.* Foi difícil.

— Eu não acho que fará isso, Luminobre.

Ele levantou a zarabatana e soprou com um movimento rápido. O dardo *estalou* ao atingir a parede.

— E por que não?

— Porque o senhor não parece o tipo que joga fora algo útil. — Ela indicou as relíquias nas caixas de vidro.

— Você ousa presumir que é útil para mim?

Shallan levantou a cabeça, encontrando o olhar dele.

— Sim.

Ele devolveu seu olhar. A lareira crepitou.

— Muito bem — disse ele finalmente, voltando-se para a lareira e pegando novamente a taça.

O homem continuou com a zarabatana em uma mão, mas bebeu com a outra, de costas para ela. Shallan sentia-se como uma marionete cujos fios haviam sido cortados. Soltou o ar, aliviada, as pernas trêmulas, e sentou-se em uma das cadeiras junto da mesa de jantar. Seus dedos tremiam ao pegar um lenço e enxugar a testa e as têmporas, empurrando o chapéu para trás.

Quando parou para guardar o lenço, percebeu que alguém havia se sentado ao seu lado. Shallan não vira movimento algum, e aquela presença a assustou. A pessoa baixa e de pele bronzeada usava algum tipo de máscara de carapaça amarrada estreitamente ao rosto. Na verdade, parecia que... que a pele tinha começado a crescer junto às bordas da máscara, de algum modo.

A combinação de pedaços de carapaça laranja-avermelhados era como um mosaico, sugerindo sobrancelhas, raiva e ira. Por trás da máscara, um par de olhos escuros a fitava, sem piscar, e uma boca e um queixo impassíveis também estavam expostos. O homem... não, a *mulher* — Shallan notou sinais de seios e a forma do torso. A mão segura exposta a iludira.

Shallan conteve seu rubor. A mulher usava roupas tom marrom-escura simples, presas na cintura por um cinto intricado, decorado com mais pedaços de carapaça. Quatro outras pessoas vestindo roupas alethianas mais tradicionais conversavam em voz baixa junto ao fogo. O homem alto que a questionara não voltou a falar.

— Hum, Luminobre? — chamou Shallan, olhando na direção dele.

— Estou pensando — respondeu o homem. — Estava esperando matar você e caçar Tyn. Você pode dizer a ela que não teria perigo em vir me encontrar; não estou zangado por ela não ter conseguido a informação de Jasnah. Contratei a caçadora que achei melhor para a tarefa e compreendia os riscos. Kholin está morta, e essa era a missão de Tyn, não importava o que custasse. Posso não ter elogiado seu trabalho, mas fiquei satisfeito. Decidir não se explicar pessoalmente, contudo... essa covardia me embrulha o estômago. Ela se esconde, como uma presa. — Ele bebericou o vinho. — Você não é uma covarde. Ela mandou alguém que sabia que eu não mataria. Tyn sempre foi esperta.

Ótimo. O que aquilo significava para Shallan? Ela se levantou, hesitante, querendo se distanciar da estranha mulherzinha com os olhos que não piscavam. Em vez disso, Shallan aproveitou a oportunidade de inspecionar a sala com maior cuidado. Para onde estava indo a fumaça da lareira? Haviam cortado uma chaminé até ali embaixo?

A parede da direita possuía um número maior de troféus, incluindo várias gemas-coração enormes. Juntas, provavelmente valiam mais do que as propriedades do seu pai. Felizmente, não estavam infundidas. Mesmo brutas como estavam, provavelmente brilhariam o bastante para cegar. Também havia conchas que Shallan reconhecia vagamente. Aquela presa era provavelmente de um espinha-branca. E aquele globo ocular era assustadoramente próximo à estrutura do crânio de um santide.

Outras curiosidades deixaram-na perplexa. Um frasco de areia branca. Um par de grossos grampos de cabelo. Uma madeixa de cabelo dourado. Um galho de árvore entalhado com uma escrita que não podia ler. Uma faca de prata. Uma flor estranha preservada em algum tipo de solução. Não havia plaquetas para explicar aqueles mementos. Aquele pedaço de cristal rosa-pálido parecia algum tipo de gema, mas por que era tão delicado? Ele parecia haver descamado dentro do estojo, como se apenas pousá-lo quase houvesse o espatifado.

Ela se aproximou, hesitante, dos fundos da sala. A fumaça do fogo se erguia, então girava e se enrolava a algo que pendia acima da lareira. Uma gema?... Não, um fabrial. Ele coletava a fumaça como um carretel coletava um fio. Nunca vira algo assim.

— Você conhece o homem chamado Amaram? — indagou o homem das cicatrizes trajado de branco.

— Não, Luminobre.

— Me chamam de Mraize. Você pode usar esse título. E você é?

— Me chamam de Véu — respondeu Shallan, usando um nome que andara considerando.

— Muito bem. Amaram é um Fractário na corte do Grão-príncipe Sadeas. Ele também é minha presa atual.

Ouvir isso dito daquele modo fez Shallan sentir um arrepio.

— E o que deseja de mim, Mraize? — Ela tentou, mas não conseguiu pronunciar o título direito. Não era um termo vorin.

— Ele possui uma mansão perto do palácio de Sadeas. Lá dentro, Amaram esconde segredos. Quero saber quais são. Diga à sua senhora para investigar e volte com informações na semana que vem, em chachel. Ela vai saber o que procuro. Se fizer isso, minha decepção com ela será esquecida.

Entrar escondida na mansão de um Fractário? Raios! Shallan não tinha ideia de como faria tal coisa. Precisava ir embora, abandonar seu disfarce e se considerar sortuda por ter escapado com vida.

Mraize pousou sua taça de vinho vazia, e ela viu que seu braço direito também tinha cicatrizes, os dedos tortos, como se houvessem sido quebrados e curados de modo incorreto. Ali, cintilando em dourado no dedo médio, estava um anel de sinete com o mesmo símbolo que Jasnah havia desenhado. O símbolo que o mordomo da casa de Shallan costumava usar, o símbolo que Kabsal havia tatuado no corpo.

Não havia como recuar. Shallan faria o que fosse necessário para descobrir o que aquelas pessoas sabiam. Sobre sua família, sobre Jasnah e sobre o fim do mundo.

— A tarefa será cumprida — declarou Shallan.

— Sem perguntas sobre o pagamento? — indagou Mraize, entretido, removendo um dardo do bolso. — Sua senhora sempre perguntava.

— Luminobre, ninguém pechincha nas melhores casas de vinho. Seu pagamento será aceito.

Pela primeira vez desde que havia entrado, ela viu Mraize sorrir, embora não estivesse olhando para ela.

— Não machuque Amaram, pequena lâmina — avisou ele. — A vida dele pertence a outro. Não alerte ninguém, nem cause suspeitas. Tyn deve investigar e retornar. Nada mais.

Ele se virou e soprou um dardo na parede. Shallan fitou as outras quatro pessoas junto à lareira e capturou Lembranças delas com uma piscadela rápida para cada uma. Então, sentindo que havia sido dispensada, ela caminhou até a escada.

Sentia os olhos de Mraize em suas costas enquanto ele levantava sua zarabatana pela última vez. O alçapão se abriu acima. Shallan sentiu o olhar seguindo-a enquanto subia a escada.

Um dardo passou bem abaixo dela, entre os degraus, e apunhalou a parede. Com a respiração acelerada, Shallan deixou a câmara oculta, voltando ao empoeirado porão superior. O alçapão se fechou, deixando-a na escuridão.

Sua postura se desfez, e ela subiu os degraus desajeitadamente para sair do edifício. Parou do lado de fora, respirando fundo. A rua havia ficado *mais* movimentada, não menos, com as tavernas atraindo uma multidão. Ela seguiu apressada pelo caminho de volta.

Percebeu então que não tinha um plano de verdade quando foi se encontrar com os Sanguespectros. O que ia fazer? Obter informações deles, de algum modo? Isso exigiria conquistar sua confiança. Mraize não parecia ser o tipo que confiava em ninguém. Como poderia descobrir o que eles sabiam sobre Urithiru? Como fazer com que deixassem seus irmãos em paz? Como poderia...

— Seguindo — disse Padrão.

Shallan se deteve.

— O quê?

— Pessoas seguindo — repetiu Padrão, com uma voz tranquila, como se não tivesse ideia de como toda a experiência havia sido desgastante para Shallan. — Você me pediu para vigiar. Eu vigiei.

Mas *claro* que Mraize mandaria alguém para segui-la. Shallan se forçou a seguir em frente, o suor frio retornando, sem olhar por sobre o ombro.

— Quantas? — perguntou a Padrão, que havia subido até a lateral do seu casaco.

— Uma. A pessoa com a máscara, embora agora esteja usando um manto preto. Devemos falar com ela? Agora vocês são amigas, certo?

— Não. Eu não diria isso.

— Hmm... — fez Padrão.

Ela suspeitava que ele estivesse tentando entender a natureza das interações humanas. Boa sorte.

O que fazer? Shallan duvidava que pudesse despistá-la. A mulher parecia ter prática naquele tipo de coisa, enquanto Shallan... bem, ela tinha muita prática em ler livros e fazer desenhos.

Teceluminação, pensou. *Posso fazer algo com isso?* Seu disfarce ainda estava funcionando — o cabelo escuro em seu ombro era a prova. Poderia mudar para uma imagem diferente?

Ela inspirou Luz das Tempestades, o que fez com que apertasse o passo. À frente, um beco fazia a curva entre dois grupos de prédios. Ignorando memórias de um similar beco sinistro em Kharbranth, Shallan virou a esquina para entrar naquele ali a passos rápidos, depois imediatamente expirou Luz das Tempestades, tentando moldá-la. Talvez a imagem de um homem grande, para cobrir seu casaco, e...

E a Luz das Tempestades apenas sumiu diante dela, sem fazer nada. Shallan entrou em pânico, mas forçou-se a continuar andando pelo beco.

Não funcionou. Por que não funcionou? Conseguira fazer funcionar nos seus aposentos!

A única diferença em que conseguia pensar era o desenho. Nos seus aposentos, ela havia desenhado uma imagem detalhada. Não tinha isso agora.

Ela enfiou a mão no bolso, tirando a folha de papel com o mapa desenhado. O verso estava em branco. Procurou no outro bolso o lápis que instintivamente havia colocado ali e tentou desenhar enquanto caminhava. Impossível. Salas já havia quase se posto, e estava escuro demais. Além disso, não conseguiria fazer bons detalhes enquanto se movia e sem nada firme para apoiar o papel. Se parasse para desenhar, não pareceria suspeito? Raios, estava tão nervosa que mal conseguia segurar o lápis.

Precisava de um lugar onde pudesse se esconder, se agachar e fazer um desenho bem-feito. Como um daqueles recantos de porta pelos quais havia passado no beco.

Ela começou a desenhar uma parede.

Isso ela conseguia fazer enquanto caminhava. Entrou em uma rua lateral, a luz de uma taverna aberta se espalhando sobre ela. Ignorou a balbúrdia de risos e gritos, embora alguns parecessem direcionados a ela, e desenhou uma parede de pedra simples em sua folha.

Não tinha ideia se ia funcionar, mas não custava tentar. Virou em outro beco — quase tropeçando em um bêbado descalço e roncando —, depois saiu correndo. A uma curta distância, ela se jogou no recesso junto a uma porta com cerca de meio metro de profundidade. Expirando sua Luz das Tempestades restante, imaginou a parede que havia desenhado cobrindo o umbral.

Tudo ficou preto.

O beco já era escuro, mas agora não se podia ver *nada*. Nem a luz fantasmagórica da lua, nem o brilho da taverna iluminada por tochas no final da viela. Isso significava que sua imagem estava funcionando? Shallan se apertou à porta atrás dela, tirando o chapéu, tentando certificar-se de que nenhuma parte sua estava atravessando a parede ilusória. Ouviu um som fraco do lado de fora, botas no chão de pedra, e algo como roupas farfalhando contra a parede do outro lado. Depois, nada.

Shallan permaneceu ali, imóvel, apurando os ouvidos, mas só escutava a batida forte do seu coração. Finalmente, ela sussurrou:

— Padrão. Você está aqui?

— Estou — respondeu ele.

— Vá e veja se a mulher está por perto.

Ele saiu sem fazer som algum e então voltou.

— Ela se foi.

Shallan deixou escapar o ar que estivera segurando. Então, se preparando, atravessou a parede. Um brilho, semelhante ao da Luz das Tempestades, preencheu sua visão. Então estava do lado de fora, no beco. A ilusão atrás dela oscilou brevemente, como fumaça soprada, depois rapidamente se reformou.

A imitação até que estava muito boa. Examinando de perto, as juntas entre suas pedras não se alinhavam perfeitamente com as pedras reais, mas era difícil ver isso à noite. Alguns momentos depois, contudo, a ilusão se desfez em Luz das Tempestades e se evaporou. Shallan não tinha mais Luz para sustentá-la.

— O seu disfarce se foi — observou Padrão.

Cabelo ruivo. Shallan arfou, depois imediatamente enfiou a mão segura no bolso. A vigarista olhos-escuros que era aprendiz de Tyn podia andar por aí semivestida, mas não Shallan em pessoa. Era simplesmente errado.

Era tolice, e ela sabia disso, mas não podia mudar seus sentimentos. Hesitou brevemente, depois tirou o casaco. Sem aquilo e sem o chapéu, e com o cabelo e o rosto mudados, ela era outra pessoa. Saiu pelo outro lado da viela de onde imaginava que a mulher mascarada se fora.

Shallan hesitou, tentando se orientar. Onde estava a mansão? Tentou retraçar sua rota mentalmente, mas teve dificuldade em se localizar. Precisava de algo que pudesse ver. Ela pegou seu papel amassado e desenhou um mapa rápido do caminho que seguira até então.

— Posso conduzi-la de volta até a mansão — ofereceu Padrão.

— Eu me viro. — Shallan segurou o mapa e assentiu.

— Hmm. É um padrão. Consegue ver esse?

— Sim.

— Mas não o padrão com as letras da telepena?

Como poderia explicar?

— Aquelas eram palavras — disse Shallan. — O acampamento de guerra é um lugar, algo que posso desenhar.

A imagem do caminho de volta agora estava clara.

— Ah... — fez Padrão.

Ela voltou à mansão sem incidentes, mas não podia ter certeza de que havia escapado totalmente da perseguidora, nem se alguém da equipe de Sebarial a vira atravessando o terreno e escalando a janela. Esse era o problema de andar escondida. Se nada parecia ter dado errado, raramente se sabia se era porque estava segura, ou se alguém a vira e nada fizera. Ainda.

Depois de baixar suas venezianas e puxar as cortinas, Shallan jogou-se na cama confortável, respirando fundo e tremendo.

Essa foi a coisa mais ridícula que eu já fiz.

E ainda assim ela percebeu que estava empolgada, tomada pela emoção da coisa. Raios! Ela se *divertira*. A tensão, o suor, escapar da morte argumentando, até mesmo a perseguição no final. O que havia de errado com ela? Quando tentara roubar o fabrial de Jasnah, cada parte da experiência a deixara mal.

Eu não sou mais aquela garota, pensou Shallan, sorrindo e olhando para o teto. *Faz semanas que não sou.*

Ela *encontraria* uma maneira de investigar o tal Luminobre Amaram e ganharia a confiança de Mraize para que pudesse descobrir o que ele sabia. *Ainda preciso de uma aliança com a família Kholin. E o caminho para isso é o príncipe Adolin.* Teria que descobrir uma maneira de interagir com ele assim que possível, mas de algum modo que não fizesse com que parecesse desesperada.

A parte que o envolvia parecia inclinada a ser a mais agradável das suas tarefas. Ainda sorrindo, ela se jogou para fora da cama e foi ver se ainda restava alguma comida na bandeja que haviam deixado para ela.

44

UMA FORMA DE JUSTIÇA

> *Mas, quanto aos Vinculadores, possuíam apenas três membros, um número que não lhes era incomum; tampouco procuravam aumentá-lo em grande quantidade, pois, durante os tempos de Madasa, só um membro da sua ordem mantinha contínuo acompanhamento de Urithiru e seus tronos. Entendia-se que seus esprenos eram peculiares, e persuadi-los a chegar à magnitude das outras ordens era visto como algo subversivo.*
>
> — De *Palavras de Radiância*, capítulo 16, página 14

KALADIN NUNCA SE SENTIA tão desconfortavelmente em destaque como quando visitava a área de treinamento de olhos-claros de Dalinar, onde todos os outros soldados eram bem-nascidos.

Dalinar ordenava que seus soldados usassem uniformes durante as horas de serviço, e eles obedeciam. No seu próprio uniforme azul, Kaladin não deveria se sentir deslocado entre eles, mas se sentia. Os uniformes dos outros eram mais extravagantes, com botões brilhantes e incrustrados com gemas nas laterais dos belos casacos. Outros ornamentavam seus uniformes com bordados. Lenços coloridos estavam cada vez mais populares.

Os olhos-claros encararam Kaladin e seus homens quando entraram. Por mais que os soldados comuns tratassem seus homens como heróis — e por mais que aqueles oficiais ali respeitassem Dalinar e suas decisões —, ainda eram hostis para com ele e os seus.

Você não é bem-vindo aqui, diziam aqueles olhares. *Todo mundo tem um lugar. Você está fora do seu, como um chule em uma sala de jantar.*

— Posso ser dispensado do serviço para o treinamento de hoje, senhor? — perguntou Renarin. O jovem usava um uniforme da Ponte Quatro.

Kaladin assentiu. Sua partida fez com que os outros carregadores relaxassem. Kaladin indicou três posições de vigia, e três dos seus homens correram para ficar de guarda. Moash, Teft e Yake permaneceram com ele.

Kaladin marchou com eles até Zahel, que estava nos fundos do pátio coberto de areia. Embora todos os outros fervorosos estivessem ocupados carregando água, toalhas ou armas de treinamento para os olhos-claros duelando, Zahel havia desenhado um círculo na areia e estava jogando pequenas pedras coloridas dentro dele.

— Estou aceitando sua oferta — disse Kaladin, se aproximando dele. — Trouxe três dos meus homens para aprender comigo.

— Eu não me ofereci para treinar quatro — replicou Zahel.

— Eu sei.

Zahel grunhiu.

— Deem quarenta voltas correndo ao redor desse edifício, depois voltem para cá. Vocês têm até a hora em que eu ficar entediado com meu jogo para voltar.

Kaladin fez um gesto brusco e todos os quatro saíram correndo.

— Esperem — chamou Zahel.

Kaladin parou, as botas esmagando a areia.

— Eu estava apenas testando sua disposição em me obedecer — continuou Zahel, jogando uma pedra no círculo. Ele grunhiu, parecendo satisfeito consigo mesmo. Finalmente, se virou para encará-los. — Imagino que não preciso fortalecê-los. Mas, rapaz, nunca vi gente com orelhas tão vermelhas.

— Eu... Orelhas vermelhas? — indagou Kaladin.

— É uma expressão da Danação. Quero dizer que vocês parecem ter algo a provar, que estão loucos por uma briga. Significa que estão bravos com tudo e todos.

— Pode nos culpar por isso? — perguntou Moash.

— Suponho que não. Mas, se vou treinar vocês, rapazes, não posso deixar que suas orelhas vermelhas atrapalhem. Vocês vão escutar e vão fazer o que eu disser.

— Sim, Mestre Zahel — respondeu Kaladin.

— Não me chamem de mestre — disse Zahel. Ele apontou com o polegar para Renarin, que estava colocando sua Armadura Fractal com a ajuda de alguns fervorosos. — Eu sou o mestre dele. Para vocês, rapazes, sou apenas alguém interessado em ajudá-los a manter vivos os meus amigos. Esperem aqui até que eu volte.

Ele se virou para ir até Renarin. Quando Yake pegou uma das pedras coloridas que Zahel havia jogado, o homem disse, sem olhar:

— E não toquem nas minhas pedras!

Yake deu um pulo e soltou a pedra.

Kaladin se acomodou, recostado em um dos pilares que sustentavam o beiral do telhado, assistindo Zahel dar instruções a Renarin. Syl desceu zunindo e começou a inspecionar as pequenas pedras com uma expressão curiosa, tentando entender o que havia de especial nelas.

Pouco depois, Zahel passou andando com Renarin, explicando ao rapaz o treino do dia. Aparentemente, ele queria que Renarin almoçasse. Kaladin sorriu enquanto alguns fervorosos traziam apressadamente uma mesa, talheres e um banco pesado capaz de aguentar um Fractário. Havia até uma toalha de mesa. Zahel deixou o perplexo Renarin, que se sentou com sua enorme Armadura Fractal com o visor levantado, fitando um almoço completo. Ele desajeitadamente pegou um garfo.

— Você quer que ele aprenda a ser delicado com sua nova força — disse Kaladin a Zahel quando o homem passou por ele de novo.

— Uma Armadura Fractal é algo poderoso — respondeu Zahel, sem olhar para Kaladin. — Controlá-la é mais do que furar paredes com um soco e pular do alto de edifícios.

— Então, quando é que nós...

— Continuem esperando. — Zahel se afastou.

Kaladin olhou para Teft, que deu de ombros.

— Eu gosto dele.

Yake deu uma risadinha.

— É porque ele é quase tão rabugento quanto você, Teft.

— Não sou rabugento — rosnou Teft. — Só tenho baixa tolerância à estupidez.

Esperaram até que Zahel voltou correndo até eles. Os homens ficaram imediatamente alertas, arregalando os olhos. Zahel trazia uma Espada Fractal.

Eles estavam torcendo por isso. Kaladin havia mencionado que talvez empunhassem uma Espada como parte do treinamento. Seus olhares seguiam aquela lâmina como seguiriam uma linda mulher despindo a luva.

Zahel se aproximou, então enfiou a espada com força no chão arenoso diante deles, tirou a mão do punho e acenou.

— Tudo bem. Venham experimentar.

Eles olharam para a arma.

— Pelo bafo de Kelek — disse Teft finalmente. — Está falando sério, não está?

Ali perto, Syl havia deixado as pedras e fitava a Espada.

— Na manhã após conversar com o seu capitão na Danação do meio da noite, procurei o Luminobre Dalinar e o rei e pedi permissão para treiná-los nas posturas da esgrima. Vocês não precisam carregar espadas nem nada, mas, se vão enfrentar um assassino com uma Espada Fractal, precisam conhecer as posturas e como reagir a elas.

Ele olhou para baixo, pousando a mão na Espada Fractal.

— O Luminobre Dalinar sugeriu deixar que vocês manuseassem uma das Espadas Fractais do rei. Homem esperto.

Zahel afastou a mão e gesticulou. Teft estendeu a mão para tocar a Espada Fractal, mas Moash a pegou primeiro, tomando-a pelo punho e arrancando-a — com força demais — do chão. Ele cambaleou para trás, e Teft recuou.

— Cuidado! — ladrou Teft. — Raios, você vai cortar o próprio braço se bancar o tolo.

— Não sou nenhum tolo — disse Moash, erguendo a espada. Um único espreno de glória surgiu junto de sua cabeça. — É mais pesada do que eu esperava.

— É mesmo? — indagou Yake. — Todo mundo diz que são leves!

— Quem diz isso são pessoas acostumadas com uma espada comum — explicou Zahel. — Se você treinou a vida toda com uma espada longa, depois pega algo que parece ter o dobro ou o triplo de aço, espera que pese mais, não menos.

Moash grunhiu, brandindo delicadamente a arma.

— Do jeito que é nas histórias, achei que não pesaria nada. Que seria leve como uma brisa. — Ele a enfiou no chão com cautela. — Também oferece mais resistência quando corta do que eu achava.

— Imagino que seja novamente uma questão de expectativa — replicou Teft, coçando a barba e acenando para que Yake tentasse a arma em seguida.

O homem robusto puxou-a com mais cuidado do que Moash.

— Pai das Tempestades, como é estranho segurar isso aqui — disse Yake.

— É só uma ferramenta — rebateu Zahel. — Valiosa, mas ainda assim uma ferramenta. Lembrem-se disso.

— É mais do que uma ferramenta — disse Yake, golpeando o ar. — Me desculpa, mas *é*. Eu poderia acreditar se você falasse isso de uma espada comum, mas isso aqui... isso é arte.

Zahel balançou a cabeça, irritado.

— O que foi? — perguntou Kaladin enquanto Yake relutantemente passava a Espada Fractal para Teft.

— Homens proibidos de usar a espada por suas origens humildes — disse Zahel. — Mesmo depois de todos esses anos, me parece uma tolice. Não há nada de sagrado em relação a espadas. Elas são melhores em algumas situações, piores em outras.

— Você é um fervoroso — observou Kaladin. — Não devia apoiar as artes e tradições vorins?

— Bem, caso não tenha percebido, não sou um fervoroso muito bom. Acontece que sou um excelente espadachim. — Ele indicou a espada. — Não vai experimentar?

Syl olhou bruscamente para Kaladin.

— Eu passo, a menos que você insista.

— Não está curioso para saber qual é a sensação?

— Essas coisas mataram muitos amigos meus. Prefiro não ter que tocá-la se você não se importar.

— Fique à vontade — disse Zahel. — A sugestão do Luminobre Dalinar foi acostumar vocês a essas armas, tirar um pouco do espanto. Metade das vezes em que um homem é morto por uma delas, é porque ficou ocupado demais olhando para a Espada, em vez de se desviar.

— Sim — concordou Kaladin em voz baixa. — Já vi acontecer. Me ataque com ela. Preciso de prática em encará-las.

— Certo. Deixe-me pegar a proteção para a lâmina.

— Não — disse Kaladin. — Sem proteção, Zahel. Preciso sentir medo.

Zahel o observou por um momento, então assentiu, indo tomar a espada de Moash — que havia iniciado um segundo turno com ela. Syl passou zunindo, dando a volta ao redor da cabeça dos homens, que não podiam vê-la.

— Obrigada — disse ela, instalando-se no ombro de Kaladin.

Zahel voltou e assumiu uma postura. Kaladin a reconheceu como uma das posturas de duelo dos olhos-claros, mas não sabia qual. Zahel avançou e atacou.

Pânico.

Não conseguiu impedir que ele viesse à tona. Em um instante, viu Dallet morrer — a Espada Fractal atravessando sua cabeça. Viu rostos com olhos queimados refletidos na superfície prateada demais da Espada.

A lâmina passou a alguns centímetros do seu rosto. Zahel deu um passo à frente e brandiu a Espada novamente em uma manobra fluida. Dessa vez ela acertaria, então Kaladin teve que recuar.

Raios, aquelas monstruosidades eram belíssimas.

Zahel brandiu a espada outra vez, e Kaladin teve que saltar para o lado para se desviar. *Está um pouco empolgado demais, Zahel*, pensou ele Desviou-se novamente, então reagiu a uma sombra que vira pelo canto do olho. Ele girou e deu de cara com Adolin Kholin.

Eles se entreolharam. Kaladin esperou por uma piada. Os olhos de Adolin fitaram Zahel e a Espada Fractal, então voltaram para Kaladin. Por fim, o príncipe fez uma saudação curta com a cabeça, então se virou e andou na direção de Renarin.

A implicação era simples. O Assassino de Branco havia derrotado os dois. Não havia motivo para zombar que ele estivesse se preparando para outro confronto.

Isso não significa que não seja um fanfarrão mimado, pensou Kaladin, voltando-se para Zahel. O homem havia chamado um colega fervoroso e estava lhe entregando a Espada Fractal.

— Preciso treinar o príncipe Renarin — disse Zahel. — Não posso deixá-lo sozinho o dia todo para ficar com tolos como vocês. Ivis aqui vai lhes ensinar alguns movimentos e deixar que cada um encare uma Espada Fractal, como fez Kaladin. Se acostumem com a visão, para não congelarem quando uma delas vier na sua direção.

Kaladin e os outros assentiram. Só depois que Zahel havia ido embora foi que Kaladin notou que o novo fervoroso, Ivis, era uma mulher. Embora fosse uma fervorosa, ela mantinha a mão enluvada, então havia algum reconhecimento do seu gênero, mesmo que as roupas largas e a cabeça raspada ocultassem alguns dos outros sinais mais óbvios.

Uma mulher com uma espada. Uma visão estranha. Por outro lado, o que era mais estranho do que homens olhos-escuros segurando uma Espada Fractal?

Ivis deu a eles pedaços de madeira que, em termos de peso e ponto de equilíbrio, eram aproximações decentes de uma Espada. Como um rabisco de criança era uma aproximação decente de uma pessoa. Então fez com que eles praticassem várias rotinas, demostrando as dez posturas de esgrima para Espadas Fractais.

Desde que pegara em uma lança pela primeira vez, o objetivo de Kaladin fora matar olhos-claros, e nos anos seguintes — antes de ser escravizado — ele ficara muito bom nisso. Mas os olhos-claros que caçara no campo de batalha não eram lá muito hábeis. A maioria dos homens verdadeiramente bons com uma espada haviam sido levados para as Planícies Quebradas. Então aquelas posturas lhe eram novidade.

Ele começou a ver e a compreender. Conhecer as posturas o ajudaria a antecipar o próximo movimento de um espadachim. Não precisava empunhar uma espada — ainda a considerava uma arma inflexível — para achar as posturas úteis.

Mais ou menos uma hora depois, Kaladin pousou sua espada de treinamento e foi até o barril d'água. Nenhum fervoroso ou parshemano levara bebidas para ele ou para os seus homens. Por ele, tudo bem; não era um garoto rico mimado. Encostou-se no barril, pegando uma concha, sentindo a boa exaustão nos músculos que lhe dizia que havia feito algo digno do esforço.

Sondou o terreno em busca de Adolin e Renarin. Ele não estava encarregado de vigiá-los — Adolin devia estar acompanhado de Mart e Eth, e Renarin estava sob a vigilância dos três que Kaladin havia designado mais cedo. Ainda assim, não conseguiu deixar de procurá-los para saber como estavam. Um acidente ali poderia ser...

Havia uma mulher na área de treinamento. Não uma fervorosa, mas uma verdadeira olhos-claros, aquela com o vibrante cabelo ruivo. Ela havia acabado de entrar e estava olhando ao redor.

Ele não guardava mágoa em relação ao incidente com suas botas. Era apenas uma amostra de como, para um olhos-claros, homens como Kaladin eram apenas brinquedos. Brincavam com os olhos-escuros, tomavam deles o necessário e não pensavam se os prejudicaram com a interação.

Roshone era assim. Sadeas era assim. Aquela mulher era assim. Ela não era má, não de verdade. Só não se importava.

Ela provavelmente é um bom par para o principezinho, pensou ele enquanto Yake e Teft se aproximaram para beber água. Moash permaneceu treinando, atento às posturas da espada.

— Nada mal — comentou Yake, seguindo o olhar de Kaladin.

— Nada mal o quê? — perguntou Kaladin, tentando entender o que a mulher estava fazendo.

— Nada mal *de se ver*, capitão — disse Yake, gargalhando. — Raios! Às vezes, parece que a única coisa que o senhor pensa é em quem vai estar no próximo plantão.

Ali perto, Syl concordou enfaticamente.

— Ela é olhos-claros — disse Kaladin.

— E daí? — replicou Yake, batendo no ombro dele. — Uma dama olhos-claros não pode ser atraente?

— Não. — Era simples assim.

— O senhor é estranho — disse Yake.

Por fim, Ivis chamou Yake e Teft para que parassem de corpo mole e voltassem ao treino. Ela não chamou Kaladin. Ele parecia intimidar muitos dos fervorosos.

Yake correu de volta, mas Teft ficou mais um momento, então gesticulou com o queixo para a garota, Shallan.

— Você acha que temos que nos preocupar com ela? Uma estrangeira sobre quem sabemos muito pouco, enviada de repente para ser a noiva de Adolin. Certamente daria uma boa assassina.

— Danação — disse Kaladin. — Eu devia ter pensado nisso. Bem notado, Teft.

Teft deu de ombros modestamente, então correu de volta para seu treinamento.

Ele havia presumido que a mulher fosse uma oportunista, mas poderia ser de fato uma assassina? Kaladin pegou a espada de treinamento e foi na direção dela, passando por Renarin, que treinava algumas das mesmas posturas que seus homens.

Enquanto caminhava na direção de Shallan, Adolin o alcançou, retinindo em sua Armadura Fractal.

— O que ela está fazendo aqui? — indagou Kaladin.

— Imagino que veio me assistir treinando — disse Adolin. — Geralmente preciso expulsar todas elas.

— Todas elas?

— Você sabe. Garotas que querem ficar me olhando lutar. Eu não ligo, mas, se começarmos a permitir isso, elas vão abarrotar a área toda vez que eu vier. Ninguém vai conseguir treinar.

Kaladin levantou uma sobrancelha.

— Que foi? — perguntou Adolin. — Nenhuma mulher vem espiar você treinando, carregadorzinho? Mocinhas olhos-escuros, faltando sete dentes e com medo de tomar banho...

Kaladin desviou o olhar de Adolin, apertando os lábios em uma linha. *Da próxima vez, vou deixar o assassino pegar esse aí.*

Adolin deu uma risada curta, que morreu de modo estranho.

— Enfim, ela ao menos tem mais motivos do que as outras para vir, considerando o nosso compromisso. Mas ainda teremos que expulsá-la. Não podemos estabelecer um mau precedente.

— Você realmente aceitou isso? — perguntou Kaladin. — Um noivado com uma mulher que nunca havia visto?

Adolin deu de ombros dentro da armadura.

— As coisas sempre vão bem de início, e aí... tudo desmorona. Nunca consigo entender onde errei. Pensei que talvez, se houvesse algo mais formal...

Ele franziu o cenho, como se houvesse lembrado com quem estava falando, e apertou o passo para se afastar de Kaladin. Adolin alcançou Shallan, que — cantarolando consigo mesma — passou direto por ele, sem nem olhar. O rapaz levantou a mão, boca aberta para falar, enquanto se virava para vê-la se afastando cada vez mais ao cruzar o pátio. Os olhos da moça estavam em Nall, fervorosa-chefe da área de treinamento. Shallan ofereceu à mulher uma mesura reverente.

Adolin fez uma expressão confusa, virando-se para sair atrás de Shallan, passando por Kaladin, que sorria zombeteiro.

— Ela veio ver você, sei — disse Kaladin. — É óbvio que está apaixonada.

— Cale a boca — rosnou Adolin.

Kaladin seguiu o príncipe, alcançando Shallan e Nall no meio de uma conversa.

— ...os registros visuais desses trajes são *patéticos*, irmã Nall — disse Shallan, passando para Nall um portfólio com encadernação de couro. — Precisamos de novos desenhos. Embora eu vá ficar bastante ocupada com meu serviço ao Luminobre Sebarial, gostaria de realizar alguns projetos durante meu tempo livre nas Planícies Quebradas. Com sua bênção, gostaria de prosseguir.

— Seu talento é admirável — elogiou Nall, folheando as páginas. — Arte é sua Vocação?

— História Natural, irmã Nall, embora desenhar seja minha prioridade nessa linha de estudo também.

— E tem razão nisso. — A fervorosa virou outra página. — Você tem minha bênção, garota. Diga-me, qual é o devotário de sua escolha?

— Esse é... um tema que me causa certa preocupação — disse Shallan, pegando o portfólio de volta. — Ah! Adolin. Não percebi que estava aqui. Céus, você *fica mesmo* assustador quando usa essa armadura, não fica?

— Vai deixar que ela fique aqui? — perguntou Adolin a Nall.

— Ela deseja atualizar o registro real de Armaduras Fractais e Espadas Fractais nos acampamentos de guerra com novos desenhos — disse Nall. — Me parece sábio. O registro atual das Fractais do rei inclui muitos esboços, mas poucos desenhos detalhados.

— Então vai precisar que eu pose para você? — perguntou Adolin, virando-se para Shallan.

— Na verdade, os desenhos da sua Armadura são bem completos, graças à sua mãe — replicou Shallan. — Vou me concentrar primeiro nas Armaduras e nas Espadas do rei, que ninguém ainda pensou em desenhar em detalhes.

— Só fique fora do caminho dos homens lutando, garota — aconselhou Nall ao ser chamada por outra pessoa, então se afastou.

— Olhe, a essa altura eu já conheço essa história... — disse Adolin, voltando-se para Shallan.

— Um metro e setenta — respondeu Shallan. — Suspeito que seja essa a altura máxima da minha história, infelizmente.

— Um metro e... — repetiu Adolin, franzindo a testa.

— Isso — disse Shallan, observando a área de treinamento. — Sempre considerei uma boa altura, mas então vim para cá. Vocês alethianos são mesmo estranhamente altos, não são? Acho que todo mundo aqui é pelo menos uns cinco centímetros mais alto do que a média dos vedenos.

— Não, não era isso... — Adolin franziu o cenho. — Você está aqui porque quer me ver lutar. Admita. Os desenhos são só uma desculpa.

— Hmmm. Alguém aqui tem uma opinião muito elevada de si mesmo. Imagino que seja uma característica da realeza. Assim como o uso de chapéus engraçados e uma inclinação a decapitações. Ah, e aqui está nosso capitão da guarda. Mandei um entregador levar suas botas para a sua caserna.

Kaladin ficou surpreso ao se dar conta de que ela estava falando com ele.

— É mesmo?

— Mandei substituir as solas — disse Shallan. — Eram terrivelmente desconfortáveis.

— Eu gostava daquelas solas!

— Então seus pés devem ser de pedra. — Ela olhou para baixo, então levantou uma sobrancelha.

— Espere — disse Adolin, com uma expressão ainda mais confusa. — Você usou as *botas* do carregadorzinho? Como foi isso?

— Foi desajeitado — replicou Shallan. — E com três pares de meias. — Ela deu um tapinha no braço de Adolin sobre a Armadura. — Se você quiser mesmo que eu te desenhe, Adolin, eu desenho. Não precisa ficar com ciúme, embora eu ainda queira aquela caminhada que você prometeu. Ah! Eu *preciso* rascunhar aquilo. Com licença.

Ela avançou até onde Renarin estava sendo golpeado por Zahel, que presumivelmente queria acostumá-lo a levar uma surra com a Armadura. O vestido verde e o cabelo vermelho de Shallan eram pontos vibrantes de cor no pátio. Kaladin a estudou, se perguntando o quanto podia confiar nela. Provavelmente não muito.

— Mulher insuportável — rosnou Adolin, e olhou Kaladin de soslaio. — Pare de olhar para a bunda dela, carregadorzinho.

— Eu *não* estava olhando. Mas que diferença faz? Você acabou de dizer que ela é insuportável.

— É — disse Adolin, olhando de volta para Shallan e sorrindo. — Ela praticamente me ignorou, não foi?

— Acho que sim.

— Insuportável — resmungou Adolin, embora parecesse pensar que a palavra significava algo completamente diferente.

Seu sorriso se alargou e ele foi atrás dela, movendo-se com a graça da Armadura Fractal que era tão discordante de seu peso aparente.

Kaladin balançou a cabeça. Olhos-claros e seus jogos. Como se colocara em uma posição em que precisava passar tanto tempo perto deles? Caminhou de volta até o barril e bebeu mais água. Logo depois, uma espada de treino caindo na areia anunciou que Moash o alcançara.

O homem agradeceu em silêncio quando Kaladin lhe passou a concha. Teft e Yake estavam se alternando para encarar a Espada Fractal.

— Ela te liberou? — perguntou Kaladin, indicando a treinadora.

Moash deu de ombros, bebendo a água.

— Eu não me encolhi.

Kaladin assentiu de modo apreciativo.

— Isso que estamos fazendo é bom — continuou Moash. — *Importante*. Depois que você nos treinou naqueles abismos, pensei que eu não tinha mais nada a aprender. O que mostra como sabia pouco.

Kaladin assentiu, cruzando os braços. Adolin demonstrava várias posturas de esgrima para Renarin, enquanto Zahel assentia em aprovação. Shallan havia se acomodado para desenhá-los. Seria tudo isso uma desculpa para se aproximar, de modo a esperar pelo momento certo para enfiar uma faca nas entranhas de Adolin?

Talvez fosse um pensamento paranoico, mas *era* o seu trabalho. Então ficou de olho em Adolin quando o rapaz se virou e começou a treinar com Zahel para fornecer a Renarin uma perspectiva de como usar as posturas.

Adolin *era* um bom espadachim, Kaladin admitia. E Zahel também, aliás.

— Foi o rei — disse Moash. — Ele mandou executar minha família.

Kaladin levou um instante para entender do que Moash estava falando. A pessoa que ele queria matar, a pessoa de quem sentia rancor. *Era* o rei.

Kaladin sentiu um choque atravessá-lo, como se houvesse sido golpeado. Ele se voltou para Moash.

— Nós somos a Ponte Quatro — continuou Moash, com o olhar perdido para o lado. Ele voltou a beber água. — Nós ficamos juntos. É seu direito saber por que... por que eu sou desse jeito. A vida inteira eu só tive meus avós. Meus pais morreram quando eu era criança. Ana e Da, eles me criaram. O rei... matou os dois.

— O que aconteceu? — perguntou Kaladin em voz baixa, conferindo se nenhum dos fervorosos estava perto o bastante para ouvir.

— Eu estava viajando, trabalhando em uma caravana a caminho daqui, deste deserto. Ana e Da eram do segundo nan. Importantes para olhos-escuros, sabe? Tinham sua própria loja. Trabalhavam com prata. Nunca aprendi a profissão. Eu gostava de caminhar ao ar livre. De passear.

"Bem, um olhos-claros possuía duas ou três lojas de artigos de prata em Kholinar, e uma delas ficava em frente à dos meus avós. Ele não gostava da competição. Isso foi mais ou menos um ano antes de o velho rei morrer, e Elhokar ficou encarregado do reino enquanto Gavilar estava nas Planícies. Enfim, Elhokar era amigo desse olhos-claros que competia com meus avós.

"Então, ele fez um favor ao seu amigo. Elhokar fez com que Ana e Da fossem presos por uma acusação qualquer. Eles eram importantes o bastante para exigir um direito a julgamento, um inquérito diante de magistradas. Acho que Elhokar ficou surpreso por não poder ignorar completamente a lei. Ele alegou falta de tempo e mandou Ana e Da para as masmorras, para esperarem até que um inquérito fosse organizado. — Moash mergulhou a concha no barril outra vez. — Eles morreram lá alguns meses depois, ainda esperando que Elhokar aprovasse sua papelada.

— Isso não é exatamente o mesmo que matá-los.

Moash fitou Kaladin.

— Você duvida que enviar um casal de 75 anos para as *masmorras* do palácio seja uma sentença de morte?

— Acho que... bem, acho que tem razão.

Moash assentiu vigorosamente, jogando a concha de volta no barril.

— Elhokar sabia que eles iam morrer lá. Desse modo, nunca haveria uma audiência diante das magistradas para expor sua corrupção. Aquele desgraçado os matou... assassinou os dois para esconder seu segredo. Eu voltei de viagem e encontrei uma casa vazia, e os vizinhos me contaram que eles já estavam mortos havia dois meses.

— Então agora você está tentando assassinar o rei Elhokar — sussurrou Kaladin, sentindo um arrepio ao falar isso em voz alta.

Não havia ninguém perto o bastante para ouvir, não com os sons de armas e gritos comuns na área de treinamento. Ainda assim, as palavras pareciam flutuar diante dele, tão altas quanto um toque de trombeta.

Moash gelou, fitando seus olhos.

— Aquela noite na sacada, você fez parecer que o parapeito foi cortado com uma Espada Fractal?

Moash pegou seu braço com força, olhando ao redor.

— Não devíamos falar sobre isso aqui.

— Pai das Tempestades, Moash! — disse Kaladin, compreendendo a gravidade da situação. — Nós fomos contratados para *proteger* o homem!

— Nosso *trabalho* é manter Dalinar vivo — respondeu Moash. — E concordo com isso. Ele não parece mau para um olhos-claros. Raios, esse reino estaria muito melhor se ele fosse o rei. Não me diga que não concorda.

— Mas matar o rei...

— Aqui, não — sibilou Moash entredentes.

— Não posso ignorar isso. Pela mão de Nalan! Terei que contar...

— Você faria isso? — indagou Moash. — Você se voltaria contra um membro do da Ponte Quatro?

Seus olhares se enfrentaram.

Kaladin virou o rosto.

— Danação. Não, não vou. Pelo menos, não se você concordar em parar. Pode odiar o rei, mas não pode simplesmente tentar... você sabe...

— E o que devo fazer, então? — perguntou Moash em voz baixa. Estava bem perto de Kaladin. — Que tipo de justiça um homem como eu pode exercer sobre um *rei*, Kaladin? Diga.

Isso não pode estar acontecendo.

— Vou parar por enquanto — disse Moash. — Se você concordar em conhecer uma pessoa.

— Quem? — indagou Kaladin, voltando a encará-lo.

— Esse plano não foi ideia minha. Tem outros envolvidos. Eu só precisava lhes jogar uma corda. Quero que você converse com eles.

— Moash...

— Ouça o que eles têm a dizer — insistiu Moash, apertando com mais força o braço de Kaladin. — Só *ouça*, Kal. Só isso. Se não concordar com o que eles disserem, eu desisto. Por favor.

— Promete não tentar mais nada contra o rei até que essa reunião aconteça?

— Pela honra dos meus avós.

Kaladin suspirou, mas assentiu.

— Tudo bem.

Moash relaxou visivelmente. Ele assentiu, pegando sua espada falsa, então correu de volta para praticar mais com a Espada Fractal. Kaladin suspirou, voltando-se para pegar sua espada, e deu de cara com Syl flutuando atrás dele. Seus olhos minúsculos estavam arregalados, as mãos formando punhos junto ao corpo.

— O que você acabou de fazer? Só ouvi a última parte.

— Moash *estava* envolvido — sussurrou Kaladin. — Preciso ver no que vai dar, Syl. Se alguém está tentando matar o rei, é meu trabalho investigar.

— Ah. — Ela franziu o cenho. — Eu senti uma coisa. Uma outra coisa. — Ela balançou a cabeça. — Kaladin, isso é perigoso. Devíamos procurar Dalinar.

— Prometi a Moash — disse ele, se ajoelhando, desamarrando as botas e removendo as meias. — Não posso falar com Dalinar até saber mais.

Syl seguiu-o como uma fita de luz quando ele pegou a falsa Espada Fractal e caminhou pela areia da área de treinamento. A areia estava fria sob seus pés descalços. Queria senti-la.

Kaladin assumiu a Postura do Vento e praticou alguns dos movimentos que Ivis lhes ensinara. Ali perto, um grupo de olhos-claros cutucava uns aos outros, olhando na sua direção. Um deles disse algo baixinho que fez os outros rirem, embora vários continuassem de cenho franzido. A imagem de um olhos-escuros com uma Espada Fractal, mesmo falsa, não era algo que achassem divertido.

É meu direito, pensou Kaladin, golpeando, ignorando-os. *Eu derrotei um Fractário. Aqui é meu lugar.*

Por que os olhos-escuros não eram encorajados a treinar daquele jeito? Os olhos-escuros na história que haviam conquistado Espadas Fractais eram louvados em canções e lendas. Evod Marcador, Lanacin, Raninor dos Campos... Esses homens eram reverenciados. Mas os olhos-escuros da atualidade, bem, eles eram ensinados a não sonhar além de suas posições. Senão...

Mas qual era o propósito da igreja vorin? Dos fervorosos, das Vocações e das artes? Aperfeiçoar a si mesmo. Ser melhor. Por que homens como ele *não deveriam* sonhar grandes sonhos? Nada parecia se encaixar. A sociedade e a religião simplesmente se contradiziam.

Soldados eram glorificados nos Salões Tranquilinos. Mas, sem fazendeiros, soldados não comeriam — então ser um fazendeiro provavelmente era bom também.

Aperfeiçoe a si mesmo tendo uma Vocação na vida. Mas não seja ambicioso *demais*, ou vamos prendê-lo.

Não se vingue do rei por ordenar a morte dos seus avós. Mas vingue-se dos parshendianos por ordenarem a morte de alguém que você nunca conheceu.

Kaladin parou o treino, suado, mas insatisfeito. Não deveria se sentir assim ao lutar ou treinar. Deveria se sentir em união com sua arma, sem todos aqueles problemas na cabeça.

— Syl, você é um espreno de honra — disse ele, tentando um golpe com a espada. — Isso significa que pode me dizer a coisa certa a fazer?

— Com certeza — respondeu ela, flutuando dali perto na forma de uma jovem, as pernas balançando de uma borda invisível.

Ela não estava zunindo ao redor dele na forma de uma fita, como frequentemente fazia enquanto ele treinava.

— É errado que Moash tente matar o rei?

— Mas é claro.

— Por quê?

— Porque matar é errado.

— E os parshendianos que eu matei?

— Já falamos sobre isso. Foi necessário.

— E se um deles fosse um Manipulador de Fluxos, com seu próprio espreno de honra?

— Parshendianos não podem se tornar Manipuladores de Flu...

— Só imagine — pediu Kaladin, grunhindo enquanto tentava outro golpe. Não estava acertando. — Imagino que, a esta altura, os parshendianos só queiram sobreviver. Raios, aqueles envolvidos na morte de Gavilar já podem até estar mortos. Seus líderes foram executados em Alethkar, afinal de contas. Então me diga, se eu for atacado por um parshendiano comum, que esteja apenas protegendo seu povo, o que o espreno de honra dele diria? Que ele está fazendo a coisa certa?

— Eu... — Syl murchou; ela detestava perguntas como aquela. — Não importa. Você disse que não vai mais matar os parshendianos.

— E Amaram? Posso matá-lo?

— Isso é justiça? — perguntou Syl.

— De certa forma.

— É diferente.

— O quê? — questionou Kaladin, golpeando.

Raios! Por que não conseguia fazer aquela arma estúpida ir para o lugar certo?

— Por causa de como você fica — disse Syl em voz baixa. — Pensar nele muda você, deforma você. Você deveria *proteger*, Kaladin. Não matar.

— É preciso matar para proteger — respondeu ele em tom ríspido. — Raios. Você está começando a soar como o meu pai.

Ele tentou mais algumas posturas, até que finalmente Ivis se aproximou e lhe deu instruções. Ela riu de sua frustração quando ele segurou a espada errado outra vez.

— Esperava aprender em um único dia?

Ele meio que esperava, sim. Conhecia a lança; havia treinado duro por muito tempo. Pensou que talvez tudo aquilo ali apenas *funcionasse*.

Não funcionou. Ele continuou tentando mesmo assim, seguindo as instruções, chutando areia fria, se misturando com os olhos-claros que treinavam e praticavam suas próprias posturas. Em dado momento, Zahel passou por ele.

— Continue — disse o homem, sem sequer inspecionar as posturas de Kaladin.

— Tive a impressão de que você ia me treinar pessoalmente — gritou Kaladin atrás dele.

— Trabalho demais — gritou Zahel de volta, pegando um cantil de um embrulho atrás de um dos pilares. Outro fervoroso havia empilhado suas pedras coloridas ali, o que fez Zahel fechar a cara.

Kaladin correu até ele.

— Eu vi Dalinar Kholin, desarmado e sem armadura, pegar uma Espada Fractal no ar com as palmas das mãos.

Zahel grunhiu.

— O velho Dalinar conseguiu realizar uma palma-final, foi? Bom para ele.

— Você pode me ensinar?

— É uma manobra estúpida — disse Zahel. — Quando funciona, é só porque a maioria dos Fractários aprende a brandir suas armas com menos força do que usariam com uma espada comum. E *não* costuma funcionar; geralmente falha, e aí você morre. É melhor concentrar seu tempo praticando coisas que vão realmente ajudá-lo.

Kaladin assentiu.

— Não vai insistir? — perguntou Zahel.

— Foi um bom argumento. Lógica firme de soldado. Faz sentido.

— Hum. Talvez haja esperança para você, afinal de contas. — Zahel tomou um gole do seu cantil. — Agora vamos voltar ao treinamento.

Tormenta de Fogo

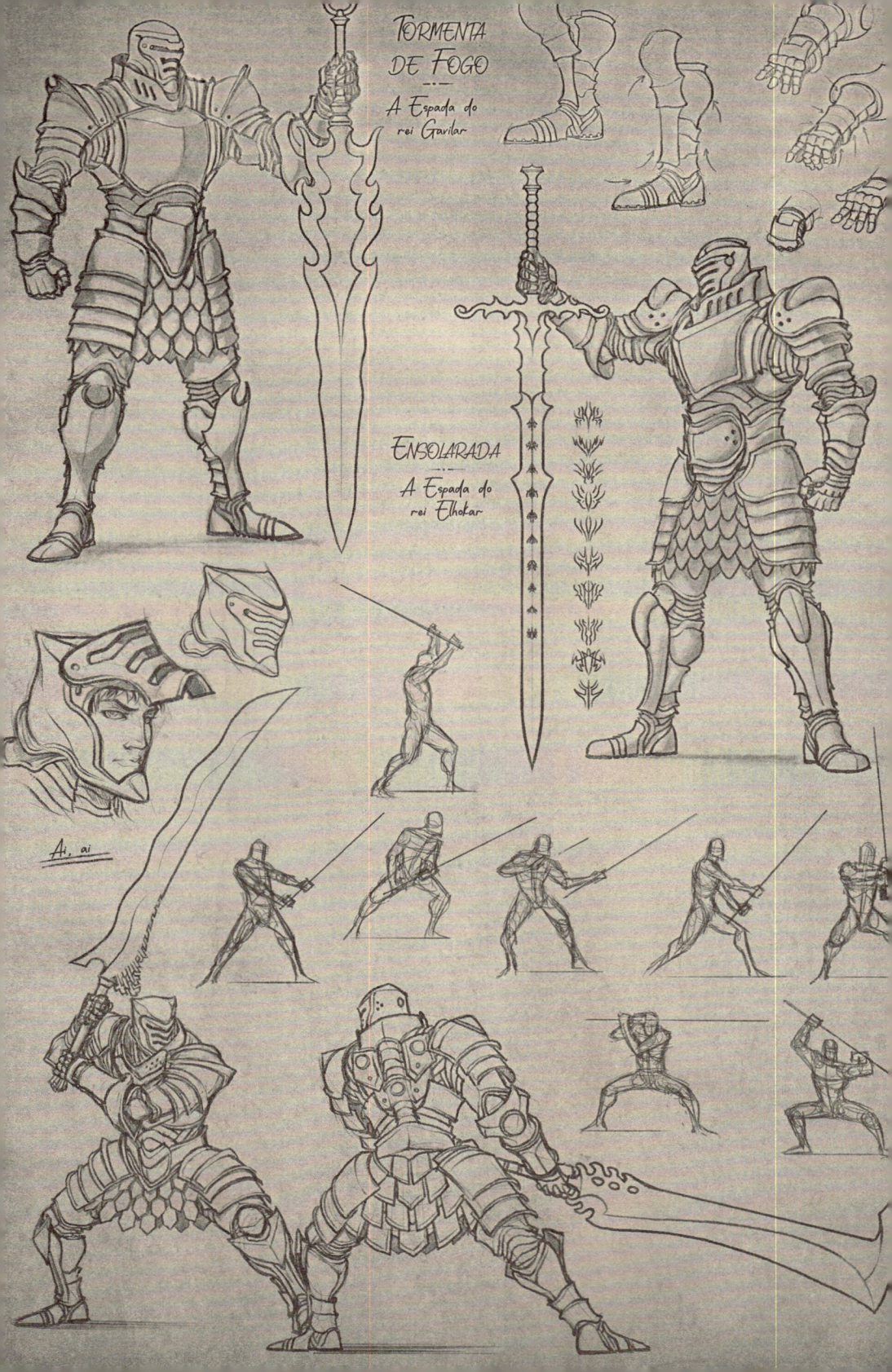

A Espada do rei Gavilar

Ensolarada

A Espada do rei Elhokar

Ai, ai

45

FESTA MEDIAL

TRÊS ANOS E MEIO ATRÁS

Shallan cutucou a gaiola e a criatura colorida lá dentro se remexeu no poleiro, inclinando a cabeça para ela.

Era a coisa mais bizarra que já havia visto. Bípede como uma pessoa, embora seus pés tivessem garras. Media apenas uns dois palmos de altura, mas a maneira como virava a cabeça ao observá-la sem dúvidas demonstrava personalidade.

A coisa tinha apenas traços de uma carapaça — no nariz e na boca —, mas a parte mais estranha era o seu pelo, que era *verde-vivo* e lhe cobria todo o corpo. Ficava bem lisinho, como se tivesse sido penteado. Shallan observou a criatura se virar e começar a remexer o próprio pelo — uma larga faixa dele se levantou, e ela viu que crescia a partir de uma espinha central.

— O que a jovem acha da minha galinha? — perguntou o mercador com orgulho, parado com as mãos às costas, sua barriga volumosa parecendo a proa de um navio.

Atrás, pessoas enchiam a feira. Havia tantas. Quinhentas pessoas no mesmo lugar, talvez até *mais*.

— Galinha — disse Shallan, tocando a gaiola timidamente. — Já comi galinha.

— Não dessa raça! — retrucou o thayleno com uma gargalhada. — As galinhas de comer são estúpidas... essa aqui é inteligente, quase tão inteligente quanto um homem! Ela fala. Escute só. Jekfilhodeninguém! Diga seu nome!

— Jekfilhodeninguém — disse a criatura.

Shallan pulou para trás. A palavra fora deformada pela voz inumana da criatura, mas era reconhecível.

— Um Esvaziador! — sibilou ela, a mão segura no peito. — Um animal que fala! Você vai atrair os olhos dos Desfeitos.

O mercador riu.

— Você encontra esses bichos por toda Shinovar, minha jovem. Se sua fala atraísse os Desfeitos, o país inteiro estaria amaldiçoado!

— Shallan!

Seu pai, acompanhado pelo guarda-costas, estava do outro lado da via, onde estivera conversando com outro mercador. Ela se apressou a voltar até ele, olhando sobre o ombro para o estranho animal. Por mais aberrante que fosse a criatura, se podia falar, Shallan lamentava que estivesse presa em uma gaiola.

A Feira da Festa Medial era o ponto alto do ano. Acontecia durante a Paz Medial — um período oposto ao Pranto, quando não havia tempestades — e atraía pessoas de aldeias e vilas das proximidades. Muitas das pessoas ali eram vassalas do seu pai, incluindo olhos-claros inferiores de famílias que regiam as mesmas vilas há séculos.

Os olhos-escuros também apareciam, naturalmente, incluindo mercadores — cidadãos do primeiro e segundo nans. Seu pai não falava muito no assunto, mas ela sabia que ele considerava a riqueza e posição deles indecorosas. O Todo-Poderoso havia escolhido os olhos-claros para governar, não aqueles mercadores.

— Venha comigo — disse seu pai.

Shallan seguiu a ele e seu guarda-costas pela feira movimentada, que estava montada na propriedade de seu pai, a cerca de meio dia de viagem da mansão. A planície era bem abrigada, as colinas próximas cobertas com jelazeiros. Seus galhos grossos tinham folhas compridas em rosa, amarelo e laranja, de modo que as árvores pareciam explosões de cores. Shallan lera em um dos livros do pai que as árvores atraíam crem, então usavam-no para endurecer sua madeira até parecer pedra.

Na planície em si, a maioria das árvores havia sido derrubada, embora algumas estivessem, em vez disso, sendo usadas para sustentar toldos enormes, amarrados bem alto. Eles passaram por um mercador praguejando enquanto um espreno de vento voava como uma flecha pela sua barraca, fazendo os objetos se grudarem. Shallan sorriu, pegando a bolsa que levava debaixo do braço. Mas não houve tempo para desenhar, já que seu pai continuou rumo à área de duelos, onde — se fosse como nos anos anteriores — ela passaria a maior parte da feira.

— Shallan — chamou ele, fazendo com que ela corresse para alcançá-lo.

Aos catorze anos, sentia-se horrivelmente desengonçada e magricela feito um garoto. Conforme se tornava uma adulta, foi aprendendo a sentir vergonha do seu cabelo vermelho e pele sardenta, já que eram marcas de uma herança impura. Eram traços vedenos clássicos, mas isso era porque suas linhagens haviam no passado se misturado com as dos Papaguampas, lá nos picos.

Algumas pessoas tinham orgulho desses traços. Não o seu pai; consequentemente, tampouco Shallan.

— Você está chegando em uma idade em que deve agir mais como uma dama — disse o pai. Os olhos-escuros abriam caminho para ele, curvando-se quando seu pai passava. Dois dos fervorosos do pai os seguiam, as mãos às costas, contemplativos. — Precisa parar de fazer essa cara de espanto com tanta frequência. Daqui a pouco vamos decidir arrumar um marido para você.

— Sim, pai.

— Talvez eu precise parar de trazer você para esses eventos — disse ele. — Tudo o que faz é correr por aí e agir feito criança. Você precisa de uma nova tutora, no mínimo.

Ele havia botado a última tutora para correr. A mulher era uma especialista em idiomas, e Shallan estava aprendendo azishiano muito bem, mas ela partira logo depois de um dos... episódios do seu pai. A madrasta de Shallan havia aparecido no dia seguinte com o rosto machucado. A Luminosa Hasheh, sua tutora, fez as malas e fugiu sem aviso prévio.

Shallan assentiu para as palavras do pai, mas secretamente esperava conseguir fugir e encontrar os irmãos. Tinha trabalho a fazer naquele dia. Ela e o pai se aproximaram da "arena de duelo", que era um termo grandioso para uma seção de terreno delimitada por cordas onde parshemanos haviam derramado uma quantidade de areia equivalente a meia praia. Mesas com toldos haviam sido erguidas para que os olhos-claros se sentassem, jantassem e conversassem.

A madrasta de Shallan, Malise, era uma jovem nem dez anos mais velha do que a própria Shallan. Baixinha e de traços delicados, ela sentava-se empertigada, o cabelo preto clareado por uns poucos fios loiros.

O pai sentou-se ao lado dela no camarote deles; ele era um dos quatro homens de sua posição, quarto dan, que estariam presentes na feira. Os duelistas seriam os olhos-claros inferiores dos arredores. Muitos deles não possuíam terras, e duelos eram uma das únicas maneiras de ganhar notoriedade.

Shallan sentou-se no banco reservado para ela e um criado ofereceu-lhe um copo de água gelada. Mal havia bebido um gole quando alguém se aproximou do camarote.

O Luminobre Revilar poderia ter sido bonito se não houvesse tido o nariz decepado em um duelo da juventude. Ele usava uma prótese de madeira, pintada de preto — uma estranha mescla de cobrir o defeito e atrair atenção para ele ao mesmo tempo. De cabelos prateados, bem-vestido em um traje de estilo moderno, ele tinha o ar distraído de alguém que deixara a lareira acesa em casa. Suas terras eram adjacentes às do pai de Shallan; eles eram dois dos dez homens de posição similar que serviam ao grão-príncipe.

Revilar se aproximou não com um, mas com dois criados-mestres ao seu lado. Seus uniformes em preto e branco eram uma distinção negada aos criados comuns, e o pai os fitou com um ar faminto. Ele havia tentado contratar criados-mestres. Todos haviam citado a sua "reputação" e recusado.

— Luminobre Davar — cumprimentou Revilar.

Ele não esperou pela permissão antes de subir os degraus até o camarote. Davar e Revilar eram da mesma posição, mas todos sabiam das alegações contra o pai de Shallan — e que o grão-príncipe as considerava críveis.

— Revilar — disse o pai dela, olhando para a frente.

— Posso me sentar? — Ele puxou o banco ao lado do pai dela, aquele que Helaran, como herdeiro, teria ocupado, se estivesse ali.

Os dois criados de Revilar assumiram lugares atrás dele. De algum modo, eles conseguiam expressar desaprovação em relação a seu pai sem dizer nada.

— O seu filho vai duelar hoje? — indagou seu pai.

— Vai, sim.

— Espero que ele consiga se manter inteiro. Não queremos que a sua experiência se torne uma tradição.

— Ora, ora, Lin — disse Revilar. — Isso não é maneira de falar com um parceiro comercial.

— Parceiro comercial? Nós temos negócios dos quais não estou ciente?

Um dos criados de Revilar, a mulher, colocou uma pequena resma de folhas na mesa diante de Davar. A madrasta de Shallan pegou-as com hesitação, então começou a lê-las em voz alta. Os termos eram para uma troca de bens, o pai de Shallan fornecendo parte do seu algodão de pau-de-greta e de shum cru para Revilar em troca de um modesto pagamento. Revilar, então, levaria os bens ao mercado para venda.

O pai interrompeu a leitura pouco depois da metade.

— Está delirando? Um marco-claro por saca? Um décimo do que vale o shum! Considerando as patrulhas das estradas e as taxas de manutenção pagas às vilas onde o material é colhido, eu *perderia* esferas nesse negócio.

— Ah, não é tão ruim assim — replicou Revilar. — Acho que vai descobrir que é um acordo bastante aprazível.

— Você está louco.

— Eu sou popular.

Davar franziu o cenho, seu rosto ficando vermelho. Shallan se lembrava de uma época quando raramente, quase nunca, o via zangado. Esses dias estavam mortos fazia muito, muito tempo.

— Popular? O que isso...

— Talvez você saiba, talvez não, que o grão-príncipe em pessoa recentemente visitou minhas terras — continuou Revilar. — Parece que ele gosta do trabalho que andei fazendo com a produção têxtil do principado. Isso, somado à destreza do meu filho nos duelos, chamou atenção à minha casa. Fui convidado a visitar o grão-príncipe em Vedenar uma semana a cada dez, começando no mês que vem.

Às vezes, seu pai não era o mais astucioso dos homens, mas ele tinha uma boa cabeça para política. Pelo menos era o que Shallan pensava, embora fosse verdade que tentava sempre pensar o melhor dele. De qualquer modo, ele compreendeu as implicações imediatamente.

— Seu rato — sussurrou ele.

— Você tem poucas opções, Lin — disse Revilar, se inclinando para ele. — Sua casa está em declínio, sua reputação, em ruínas. Você precisa de aliados. *Eu* preciso parecer um gênio financeiro para o grão-príncipe. Podemos nos ajudar.

O pai baixou a cabeça. Fora do camarote, os primeiros duelistas foram anunciados, um combate de pouca importância.

— Para onde quer que eu vá, só encontro becos sem saída. Estão me enredando aos poucos.

Revilar voltou a empurrar os papéis na direção da madrasta de Shallan.

— Pode recomeçar? Suspeito que seu marido não estava prestando atenção da primeira vez. — Ele olhou Shallan de soslaio. — E a criança precisa mesmo estar presente?

Shallan saiu sem dizer uma palavra. Era o que queria, de qualquer modo, embora se sentisse mal em abandonar o pai. Ele não costumava falar com ela, quanto mais pedir sua opinião, mas parecia ficar mais forte quando Shallan estava por perto.

Ele estava tão desconcertado que nem mesmo enviou um dos guardas com ela. Shallan saiu do camarote com a bolsa debaixo do braço e passou pelos criados da Casa Davar que estavam preparando a refeição do seu pai.

Liberdade.

Para Shallan, a liberdade era tão valiosa quanto um brom de esmeralda e tão rara quanto um larkin. Ela se afastou apressadamente, antes que seu pai percebesse que não havia dado ordens para que a acompanhassem. Um dos guardas do perímetro — Jix — deu um passo na direção dela de todo modo, mas então olhou de volta para o camarote. Decidiu ir naquela direção, talvez pretendendo perguntar o que fazer.

Era melhor ela já ter sumido de vista quando ele voltasse. Shallan deu um passo na direção da feira, com seus mercadores exóticos e vistas maravilhosas. Ali haveria jogos de adivinhação e talvez um Cantor do Mundo contando histórias de reinos distantes. Acima dos aplausos polidos dos olhos-claros assistindo ao duelo atrás dela, podia ouvir os tambores dos olhos-escuros junto com cantoria e alegria.

Primeiro o trabalho. A escuridão repousava sobre sua casa como a sombra de uma tempestade. Ela encontraria o sol. *Encontraria, sim.*

Isso significava voltar à área de duelos, por enquanto. Ela contornou os camarotes, passando entre parshemanos que lhe faziam reverências e olhos-escuros que a saudavam com um aceno de cabeça ou com mesuras, dependendo da sua posição. Por fim, encontrou um camarote onde várias famílias de olhos-claros de nível inferior compartilhavam um espaço na sombra.

Eylita, filha do Luminobre Tavinar, estava sentada na ponta, sob o facho de sol que atravessava a lateral do camarote. Ela fitava os duelistas com uma expressão enfadada, a cabeça ligeiramente inclinada, um sorriso caprichoso no rosto. Seu longo cabelo era totalmente preto.

Shallan se aproximou do camarote e sibilou para ela. A garota mais velha se virou, com a testa franzida, então levou as mãos aos lábios. Ela deu uma olhadela para os pais, então se inclinou para baixo.

— Shallan!

— Eu falei que viria — sussurrou Shallan de volta. — Você pensou no que escrevi para você?

Eylita enfiou a mão no bolso do vestido e pegou um pequeno bilhete. Ela sorriu maliciosamente e assentiu. Shallan pegou o papel.

— Você consegue escapar?

— Vou precisar levar minha criada, mas, tirando isso, posso ir aonde quiser.

Como seria viver assim?

Shallan se afastou rapidamente. Tecnicamente, ela era de uma posição superior à dos pais de Eylita, mas olhos-claros consideravam a idade de maneira peculiar. Às vezes crianças de escalão mais alto não pareciam tão importantes quando falavam com adultos de um dan inferior. Além disso, o Luminobre e a Luminosa Tavinar haviam estado lá *naquele* dia, quando o bastardo aparecera. Eles não gostavam do seu pai nem dos filhos.

Shallan se afastou dos camarotes, então voltou-se para a feira em si. Ali, ela fez uma pausa, nervosa. A Feira da Festa Medial era uma mistura intimidadora de pessoas e lugares. Ali perto, um grupo de décimos bebia em longas mesas e fazia apostas nos combates. Eram o escalão mais baixo dos olhos-claros, mal acima dos olhos-escuros. Não só precisavam trabalhar para viver, como nem mesmo eram mercadores ou mestres artesãos. Eram apenas... pessoas. Helaran dissera que havia muitos deles nas cidades. Tantos quanto havia de olhos-escuros. Para ela, a ideia era estranha.

Estranha e fascinante ao mesmo tempo. Shallan estava louca para encontrar um canto de onde assistir sem ser notada, com sua prancheta de desenho na mão e sua imaginação fervilhando. Em vez disso, forçou-se a avançar até os limites da feira. A tenda de que seus irmãos haviam falado estaria ali pela periferia, certo?

Olhos-escuros a passeio davam-lhe amplo espaço para passar, e Shallan se descobriu com medo. Seu pai sempre comentava como uma garotinha olhos-claros podia ser um alvo para a gente incivilizada das classes inferiores. Certamente ninguém lhe faria mal a céu aberto, com tantas pessoas ao redor. Ainda assim, ela agarrou a bolsa junto ao peito e percebeu que estava tremendo enquanto caminhava.

Como seria ser corajoso como Helaran? Como sua mãe havia sido? Sua mãe...

— Luminosa?

Shallan despertou. Há quanto tempo estava ali parada, no meio do caminho? O sol tinha se movido. Ela se voltou timidamente e viu Jix, o guarda, atrás dela. Embora fosse barrigudo e raramente estivesse com o cabelo penteado, Jix era forte — ela uma vez o vira puxar uma carreta para fora do caminho quando o engate do chule quebrou. Era um dos guardas do seu pai desde que ela se entendia por gente.

— Ah — disse ela, tentando esconder seu nervosismo —, você veio me acompanhar?

— Bem, eu *ia* levar você de volta...

— Meu pai mandou você me buscar?

Jix mascava raiz de yamma, chamada por alguns de erva-praga.

— Ele estava ocupado.

— Então você vai me acompanhar? — Ela tremia de nervosismo ao dizer isso.

— Acho que sim.

Ela suspirou de alívio e deu a volta pelo caminho de pedra de onde petrobulbos e casca-pétrea haviam sido raspados. Virou-se para um lado, depois para outro.

— Hum... Precisamos encontrar o pavilhão de apostas.

— Aquilo não é lugar para uma dama. — Jix olhou-a de soslaio. — Ainda mais uma da sua idade, Luminosa.

— Bem, você pode ir contar ao meu pai o que estou fazendo. — Ela alternou o peso de um pé para outro.

— E enquanto isso a senhorita vai tentar encontrá-lo sozinha, não é? Vai entrar sozinha se o encontrar?

Shallan deu de ombros, corando. Era exatamente isso que pretendia fazer.

— O que significa que eu teria deixado a senhorita perambulando sozinha em um lugar como aquele, sem proteção. — Ele grunhiu baixinho. — Por que o desafia desse jeito, Luminosa? Só vai deixá-lo zangado.

— Eu acho... Acho que ele vai ficar zangado não importa o que eu ou qualquer outra pessoa faça. O sol vai brilhar. As grantormentas vão soprar. E meu pai vai gritar. A vida é simplesmente assim. — Ela mordeu o lábio. — O pavilhão de apostas? Prometo que não vou demorar.

— Por aqui — disse Jix.

Ele não a conduzia particularmente rápido e sempre lançava olhares ferozes para os olhos-escuros que passavam. Jix era olhos-claros, mas do oitavo dan.

"Pavilhão" se mostrou um termo grandioso demais para a lona remendada e rasgada nos limites do terreno da feira. Ela o teria encontrado sozinha em pouco tempo. A lona espessa, com abas que pendiam uns poucos metros, tornava-o surpreendentemente escuro do lado de dentro.

Homens se aglomeravam lá dentro. As poucas mulheres que Shallan viu usavam luvas com dedos cortados nas mãos seguras. Escandaloso. Ela percebeu que estava corando ao parar na entrada, olhando para as silhuetas sombrias e cambiantes. Homens gritavam com vozes roucas, e qualquer senso de decoro vorin havia sido abandonado no exterior ensolarado. Aquele, de fato, não era lugar para alguém como ela. Shallan tinha dificuldade em acreditar que fosse um lugar para *qualquer pessoa*.

— Que tal eu entrar por você? — sugeriu Jix. — Se é uma aposta que deseja...

Shallan avançou. Ignorando o próprio pânico, o desconforto, ela adentrou a escuridão. Porque, se não entrasse, significaria que nenhum deles estava resistindo, que nada mudaria.

Jix permaneceu ao seu lado, abrindo espaço para ela aos empurrões. Shallan teve dificuldade de respirar ali dentro; o ar estava pesado de suor e imprecações. Homens se viraram para olhá-la. Mesuras — até acenos de cabeça — vinham a contragosto, isso quando vinham. A implicação era clara. Se ela não obedecia às convenções sociais ficando do lado de fora, eles não iam obedecer mostrando deferência.

— Está procurando algo específico? — indagou Jix. — Cartas? Jogos de adivinhação?

— Lutas de cães-machados.

Jix grunhiu.

— Você vai acabar levando uma facada, e eu vou acabar num espeto de assar. Isso é loucura...

Ela se virou, notando um grupo de homens torcendo. Aquilo parecia promissor. Ignorou o tremor crescente nas mãos e também tentou ignorar um grupo de homens bêbados sentados em um círculo no chão, fitando o que parecia ser vômito.

Os homens torcendo estavam sentados em bancos toscos, com mais homens aglomerados ao redor. Um vislumbre entre os corpos mostrou dois pequenos cães-machados. Não havia esprenos. Quando pessoas se apinhavam daquele jeito, era raro que esprenos surgissem, muito embora as emoções parecessem bem exaltadas.

Um conjunto de bancos não estava apinhado. Balat estava sentado ali, o casaco desabotoado, encostado em um poste com os braços cruzados. Seu cabelo desgrenhado e postura curvada lhe davam uma aparência indiferente, mas seus olhos... seus olhos estavam tomados pelo desejo. Ele fitava os pobres animais se matando, concentrado neles com a intensidade de uma mulher lendo um envolvente romance.

Shallan foi até ele, Jix logo atrás. Agora que vira Balat, o guarda havia relaxado.

— Balat? — chamou Shallan timidamente. — Balat!

Ele olhou para ela, então quase caiu do banco. Levantou-se atrapalhado.

— Mas o que... Shallan! Saia daqui. O que está fazendo? — Ele estendeu a mão para ela.

Shallan se retraiu involuntariamente. Ele soava como o pai. Enquanto Balat a pegava pelo ombro, ela ergueu o bilhete de Eylita. O papel lavanda, salpicado de perfume, parecia brilhar.

Balat hesitou. Ao lado, um cão-machado mordeu profundamente a perna de outro. O sangue jorrou pelo chão, roxo-escuro.

— O que é isso? — perguntou Balat. — Esse é o par de glifos da Casa Tavinar.

— É de Eylita.

— Eylita? A filha? Por que... o que...

Shallan quebrou o selo, abrindo a carta para lê-la para o irmão.

— Ela deseja passear com você junto do riacho da feira. Diz que estará esperando lá, com a criada, se você quiser comparecer.

Balat passou a mão pelo cabelo encaracolado.

— Eylita? Ela está aqui. Claro que ela está aqui; todo mundo está. Você conversou com ela? Por que... Mas...

— Eu vi como você olhou para ela — disse Shallan. — Nas poucas vezes em que estiveram próximos.

— Então você falou com ela? — quis saber Balat. — Sem minha permissão? Você disse que eu estaria interessado em algo desse... — Ele pegou a carta. — Algo desse tipo?

Shallan assentiu, passando os braços ao redor de si mesma.

Balat olhou de volta para os cão-machados brigando. Apostava porque era isso que esperavam dele, mas não por causa do dinheiro — ao contrário de Jushu. O rapaz correu a mão pelo cabelo novamente, então olhou de volta para a carta. Ele não era cruel. Ela sabia que era um pensamento estranho, considerando o que ele às vezes fazia. Shallan sabia como ele podia ser generoso, sabia a força que escondia dentro de si. Ele não havia adquirido aquela fascinação com a morte até a mãe os deixar. Ainda podia voltar, deixar de ser daquele jeito. Ele *podia*.

— Eu preciso... — Balat olhou para fora da tenda. — Eu preciso ir! Ela vai estar me esperando. Não devo fazê-la esperar. — Ele abotoou o casaco.

Shallan concordou ansiosamente, seguindo-o para fora do pavilhão. Jix foi atrás, embora alguns homens o chamassem. Ele devia ser conhecido no local.

Balat saiu para a luz do sol. De repente, parecia outro homem.

— Balat? — chamou Shallan. — Não vi Jushu lá com você.

— Ele não veio.

— O quê? Eu pensei...

— Não sei para onde ele foi. Encontrou algumas pessoas logo depois de chegarmos. — Ele olhou para o riacho distante, que corria das montanhas e passava por um canal ao redor do terreno da feira. — O que eu digo a ela?

— Como vou saber?

— Você é uma mulher também.

— Tenho catorze anos!

Ela não passaria tempo cortejando, de qualquer modo. O pai escolheria um marido para ela. Sua única filha era preciosa demais para ser desperdiçada em algo tão volúvel quanto seus próprios poderes de decisão.

— Acho... Acho que vou só falar com ela — disse Balat.

Ele saiu correndo sem mais nenhuma palavra. Shallan observou o irmão partir, depois se sentou em uma pedra e estremeceu, os braços ao redor do próprio corpo. Aquele lugar... a tenda... havia sido *horrível*.

Ficou sentada ali por muito tempo, sentindo vergonha da própria fraqueza, mas também orgulhosa. Havia conseguido. Era pouco, mas fizera alguma coisa.

Por fim, ela se levantou e acenou com a cabeça para Jix, deixando-o conduzi-la de volta para o camarote. O pai já devia ter terminado sua reunião àquela altura.

No fim, ele havia terminado aquela reunião só para iniciar outra. Um homem que Shallan não conhecia estava sentado junto ao seu pai, com um copo de água gelada em uma mão. Alto, esguio e olhos-claros, ele tinha cabelos de um preto profundo sem qualquer traço de impureza, e vestia roupas da mesma cor. Ele olhou de relance para Shallan quando ela entrou no camarote.

O homem se sobressaltou, deixando cair o copo na mesa. Ele o pegou com um gesto rápido, impedindo que entornasse, então voltou-se para fitá-la de queixo caído.

A expressão sumiu em um segundo, substituída por um ar de cultivada indiferença.

— Tolo desajeitado! — disse o pai.

O recém-chegado deu as costas a Shallan, falando em voz baixa com seu pai. A madrasta estava de pé ali perto, com os cozinheiros. Shallan foi até ela.

— Quem é esse homem?

— Ninguém muito importante — respondeu Malise. — Ele alega ter notícias do seu irmão, mas é de um dan tão baixo que nem sequer apresentou uma escritura de linhagem.

— Meu irmão? Helaran?

Malise assentiu.

Shallan se virou de volta para o recém-chegado. Ela captou, com um movimento sutil, o homem tirando algo do casaco e movendo-o na direção das bebidas. Um choque a percorreu. Ela levantou a mão. Veneno...

O recém-chegado derramou sorrateiramente o conteúdo da bolsa na *própria* bebida, então levou-a aos lábios, engolindo o pó. O que seria?

Shallan baixou a mão. O recém-chegado se levantou um momento depois. Ele não fez uma mesura para seu pai ao partir, mas sorriu para Shallan, depois desceu os degraus e saiu do camarote.

Notícias de Helaran. O que será que era? Shallan foi timidamente até a mesa.

— Pai?

Seu pai olhava o duelo no centro da arena. Dois homens com espadas, sem escudos, em homenagem aos ideais clássicos. Dizia-se que aquele método de luta com movimentos amplos era uma imitação dos combates com uma Espada Fractal.

— Notícias de Nan Helaran? — sondou Shallan.

— Não fale o nome dele.

— Eu...

— Não fale dele — ordenou o pai, lançando a ela um olhar tempestuoso. — Hoje eu o declaro deserdado. Tet Balat é agora oficialmente Nan Balat, Wikim torna-se Tet, Jushu torna-se Asha. Eu só tenho três filhos.

Ela sabia que não adiantava insistir quando ele estava com esse humor. Mas como poderia descobrir o que o mensageiro havia dito? Shallan afundou na cadeira, novamente abalada.

— Seus irmãos me evitam — disse o pai, assistindo ao duelo. — Ninguém escolhe jantar com o pai, como seria apropriado.

Shallan juntou as mãos no colo.

— Jushu provavelmente está bebendo em algum lugar. Só o Pai das Tempestades sabe onde Balat se meteu. Wikim recusa-se a sair da carruagem. — Ele engoliu o vinho na taça. — Você pode falar com ele? Hoje não foi um bom dia. Se eu for até lá, eu... tenho medo do que posso fazer.

Shallan se levantou, então pousou uma mão no ombro do pai. Ele murchou, inclinando-se para a frente, uma mão ao redor da jarra vazia de vinho. Deu um tapinha na mão de Shallan em seu ombro, os olhos distantes. Ele *tentava*. Todos eles tentavam.

Ela procurou a carruagem da família, que estava estacionada junto com algumas outras perto da colina a oeste da feira. As jelazeiras ali eram bem altas, seus troncos endurecidos coloridos com o marrom-claro do crem. As agulhas brotavam como mil línguas de fogo de cada galho, embora as mais próximas recuassem assim que ela se aproximava.

Ficou surpresa ao ver um vison se esgueirando pelas sombras; imaginava que todos na área já houvessem sido capturados. Os cocheiros jogavam cartas em um círculo ali perto; alguns precisavam ficar por perto e vigiar as carruagens, embora Shallan tivesse ouvido Ren mencionar um revezamento, para que todos tivessem uma chance de ir à feira. De fato, Ren não estava ali naquele momento, embora os outros cocheiros tenham feito mesuras quando ela passou.

Wikim estava sentado na carruagem. O jovem esguio e pálido era apenas quinze meses mais velho que Shallan. Ele tinha traços em comum com seu gêmeo, mas poucas pessoas confundiam os dois. Jushu parecia mais velho, e Wikim era tão magro que parecia doente.

Shallan subiu na carruagem para sentar-se em frente a ele, colocando sua bolsa no banco ao lado.

— O pai mandou você aqui, ou veio em outra das suas missõezinhas de caridade? — perguntou Wikim.

— As duas coisas?

Wikim virou a cara, olhando pela janela para as árvores, para longe da feira.

— Você não pode nos consertar, Shallan. Jushu vai se destruir; é questão de tempo. Balat está ficando igual ao nosso pai, passo a passo. Malise passa uma noite em cada duas chorando. O pai vai matá-la qualquer dia desses, como fez com a nossa mãe.

— E você? — indagou Shallan. Era a coisa errada a dizer, e soube disso no momento em que a frase saiu de sua boca.

— Eu? Eu não vou estar aqui para ver nada disso. Já estarei morto a essa altura.

Shallan se abraçou, encolhendo as pernas para o banco. A Luminosa Hasheh a teria censurado por tal postura indigna de uma dama.

O que podia fazer? O que podia dizer? Ele está certo, pensou. *Não posso consertar isso. Helaran conseguiria. Eu não consigo.*

Eles estavam todos lentamente se desfazendo.

— Então, o que era? — disse Wikim. — Só por curiosidade, o que você inventou para me "salvar"? Imagino que usou a garota com Balat.

Ela assentiu.

— Isso estava óbvio — disse ele. — Com as cartas que enviou para ela. Jushu? E ele?

— Tenho uma lista dos duelos do dia — sussurrou Shallan. — Ele queria tanto poder duelar. Se eu lhe mostrar as lutas, talvez ele vá assisti-las.

— Você vai ter que encontrá-lo primeiro. — Wikim bufou. — E quanto a mim? Deve saber que nem espadas, nem rostinhos bonitos vão funcionar comigo.

Sentindo-se tola, Shallan enfiou a mão na bolsa e retirou várias folhas de papel.

— Desenhos?

— Problemas de matemática.

Wikim franziu o cenho e tomou as folhas dela, coçando distraidamente o lado do rosto enquanto as estudava.

— Eu não sou um fervoroso. Me recuso a ficar preso e a ser forçado a passar meus dias convencendo as pessoas a ouvirem o Todo-Poderoso... que, de modo suspeito, não tem nada a dizer por si mesmo.

— Isso não significa que não possa estudar — replicou Shallan. — Juntei essas páginas dos livros do pai, equações para determinar a periodicidade de grantormentas. Traduzi e simplifiquei o texto em glifos, para que você pudesse lê-los. Pensei que você poderia tentar adivinhar quando as próximas virão...

Ele folheou os papéis.

— Você copiou e traduziu tudo, até mesmo os desenhos. Raios, Shallan. Quanto tempo isso levou?

Ela deu de ombros. Havia levado semanas, mas não tinha nada além de tempo. Dias sentada nos jardins, noites sentada em seu quarto, visitas ocasionais aos fervorosos para lições pacíficas sobre o Todo-Poderoso. Era bom ter coisas para fazer.

— Isso é idiotice — disse Wikim, baixando os papéis. — O que você acha que vai conseguir? Não acredito que desperdiçou seu tempo com isso.

Shallan baixou a cabeça e então, contendo lágrimas, saiu desajeitada da carruagem. Sentia-se péssima — não só pelas palavras de Wikim, mas pela maneira como suas emoções a traíram. Não conseguiu contê-las.

Ela se afastou das carruagens o mais rápido que pôde, torcendo para que os cocheiros não a vissem enxugando os olhos com a mão segura. Sentou-se em uma pedra e tentou se recompor, mas falhou, as lágrimas fluindo livremente. Ela virou a cabeça para o lado enquanto alguns parshemanos passavam às pressas, correndo com os cães-machados de seu mestre. Haveria várias caçadas como parte das festividades.

— *Cão-machado* — disse uma voz atrás dela.

Shallan pulou, a mão segura no peito, e se virou.

Ele estava empoleirado em um galho de árvore, com seu traje preto. Moveu-se quando ela o viu, e as folhas pontudas ao seu redor recuaram em uma onda fugidia de vermelho e laranja. Era o mensageiro que havia falado com seu pai mais cedo.

— Eu me pergunto se algum de vocês considera o termo estranho. Vocês sabem o que é um *machado*, mas o que é um cão?

— Por que isso importa? — indagou Shallan.

— Porque é uma palavra — replicou o mensageiro. — Uma palavra simples com um mundo embutido dentro dela, como um botão esperando para desabrochar. — Ele a observou. — Eu não esperava encontrá-la aqui.

— Eu... — Seus instintos lhe diziam para se afastar daquele homem estranho. No entanto, ele tinha notícias de Helaran, notícias que seu pai nunca compartilharia. — Onde você esperava me ver? Na arena de duelos?

O homem se balançou no galho e caiu para o chão.

Shallan deu um passo atrás.

— Não há necessidade disso — disse o homem, se acomodando sobre uma rocha. — Não precisa ter medo de mim. Sou terrivelmente ineficaz em ferir pessoas. Eu culpo minha criação.

— Você tem notícias do meu irmão Helaran.

O mensageiro assentiu.

— Ele é um jovem muito determinado.

— Onde ele está?

— Fazendo coisas que considera muito importantes. Eu o criticaria por isso, já que não há nada que eu considere mais assustador do que um homem tentando fazer o que decidiu que é importante. Pouca coisa no mundo já se extraviou, pelo menos em grande escala, porque alguém decidiu ser frívolo.

— Mas ele está *bem*?

— Bem o bastante. A mensagem para seu pai era que ele tinha olhos por perto e que está vigiando.

Não admirava que isso tivesse deixado seu pai de mau humor.

— Onde ele está? — perguntou Shallan, timidamente dando um passo à frente. — Ele pediu para você falar comigo?

— Sinto muito, jovem — disse o homem, com uma expressão mais gentil. — Ele só me deu aquela mensagem curta para seu pai, e só porque mencionei que viajaria nessa direção.

— Ah! Pensei que ele tivesse te enviado aqui. Quero dizer, que nos ver fosse seu objetivo principal.

— Acabou sendo. Diga-me, jovem: os esprenos falam com você?

As luzes se apagando, a vida delas drenada.

Símbolos retorcidos que o olho não devia ver.

A alma de sua mãe dentro de uma caixa.

— Eu... Não. Por que um espreno falaria comigo?

— Nenhuma voz? — insistiu o homem, se inclinando para a frente. — As esferas escurecem quando você está por perto?

— Desculpe, mas eu deveria voltar para o meu pai. Ele deve estar dando pela minha falta.

— Seu pai está lentamente destruindo sua família — disse o mensageiro. — Seu irmão estava certo quanto a isso. Estava errado quanto a todo o resto.

— Como, por exemplo?

— Veja.

O homem indicou as carruagens. Shallan estava no ângulo certo para ver através da janela da carruagem do seu pai; estreitou os olhos. Lá dentro, Wikim estava curvado para a frente, usando um lápis tirado de sua bolsa — que ela havia deixado para trás. Ele estava rabiscando sobre os problemas matemáticos que ela havia deixado.

Ele estava sorrindo.

Calor. O calor que ela sentiu, um brilho profundo, foi como a alegria que conhecera antes. Há muito tempo. Antes de tudo dar errado. Antes da sua mãe.

— Dois homens cegos esperavam o final de uma era, contemplando a beleza — sussurrou o mensageiro. — Eles estavam sentados no topo do penhasco mais alto do mundo, com vista para a terra e sem ver nada.

— Hã? — Shallan o encarou.

— "Pode a beleza ser tomada de um homem?", perguntou o primeiro homem ao segundo.

"'Foi tomada de mim', respondeu o segundo homem. 'Pois não consigo me lembrar dela.' Esse homem ficara cego devido a um acidente de infância. 'Rezo para o Deus Além toda noite para que me restaure a visão, para que eu possa reencontrar a beleza.'

"'A beleza é algo a ser visto, então?', perguntou o primeiro.

"'Mas é claro. Essa é sua natureza. Como é possível apreciar uma obra de arte sem vê-la?'

"'Posso ouvir uma obra musical', disse o primeiro.

"'Muito bem, você pode ouvir alguns tipos de beleza, mas não pode conhecer a beleza plena sem visão. Pode conhecer apenas uma pequena porção da beleza.'

"'Uma escultura', disse o primeiro. 'Não posso sentir suas curvas e relevos, o toque do cinzel que transformou pedra comum em uma maravilha incomum?'

"'Suponho que sim', disse o segundo. 'Dá para conhecer a beleza de uma escultura.'

"'E a beleza da comida? Não é uma obra de arte quando um cozinheiro faz uma obra-prima para deliciar os paladares?'

"Suponho que sim', disse o segundo. 'Dá para conhecer a beleza da arte de um cozinheiro.'

"'E quanto à beleza de uma mulher?', disse o primeiro. 'Não posso conhecer sua beleza na suavidade da sua carícia, na gentileza da sua voz, na perspicácia da sua mente enquanto ela lê filosofia para mim? Não posso conhecer essa beleza? Não posso conhecer a maioria dos tipos de beleza, mesmo sem meus olhos?'

"'Muito bem', disse o segundo. 'Mas e se você perdesse os ouvidos, tivesse sua audição tomada? Sua língua removida, sua boca fechada à força, seu senso de olfato destruído? E se sua pele for tão queimada que não possa mais sentir? E se tudo que restasse para você fosse a dor? Não seria possível conhecer a beleza então. Ela *pode* ser tomada de um homem.'"

O mensageiro parou, inclinando a cabeça para Shallan.

— O que foi? — perguntou ela.

— O que você acha? A beleza pode ser tomada de um homem? Se ele não puder tocar, saborear, cheirar, ouvir, ver... e se tudo que ele conhecesse fosse a dor? A beleza foi roubada desse homem?

— Eu... — Qual era o sentido daquilo? — A dor muda de um dia para outro?

— Digamos que sim — concordou o mensageiro.

— Então a beleza, para aquela pessoa, estaria nos momentos em que a dor diminui. Por que está me contando essa história?

O mensageiro sorriu.

— Ser humano é buscar a beleza, Shallan. Não se desespere, não termine a caçada porque surgem espinhos em seu caminho. Diga-me, qual é a coisa mais bela que pode imaginar?

— Meu pai deve estar se perguntando onde estou...

— Faça-me essa gentileza — disse o mensageiro. — E direi onde está seu irmão.

— Uma bela pintura, então. Essa é a coisa mais bonita.

— Mentira — replicou o mensageiro. — Diga-me a verdade. O que é, menina? A beleza, para você.

— Eu... — O que era? — Minha mãe ainda viva — sussurrou ela, encontrando os olhos dele.

— E?

— E nós nos jardins. Ela falando com meu pai, e ele rindo. Rindo e a abraçando. Estamos todos ali, incluindo Helaran. Ele nunca foi embora. As pessoas que minha mãe conhecia... Dreder... nunca foram à nossa casa. Minha mãe me ama. Ela me ensina filosofia e me mostra como desenhar.

— Ótimo — disse o mensageiro. — Mas pode fazer melhor que isso. O que é esse lugar? Como é a *sensação*?

— É primavera — respondeu Shallan, começando a ficar irritada. — E as vinhas-de-musgo florescem com um vigoroso vermelho. Elas têm um aroma doce, e o ar está úmido devido à grantormenta da manhã. Minha mãe sussurra, mas seu tom é melodioso, e o riso do meu pai não ecoa... ele se eleva no ar, banhando todos nós.

"Helaran está ensinando esgrima a Jushu, e eles treinam ali perto. Wikim ri quando Helaran é atingido na lateral da perna. Ele está estudando para ser um fervoroso, como a nossa mãe queria. Estou desenhando todos eles, o carvão arranhando o papel. Sinto-me aquecida, apesar da leve friagem no ar. Tenho um copo de cidra fumegante ao meu lado e sinto na boca a doçura do gole que acabei de tomar. É belo porque *poderia* ter sido assim. *Deveria* ter sido assim. Eu..."

Ela piscou os olhos marejados. Podia ver. Pai das Tempestades, podia mesmo *ver*. Ouviu a voz de sua mãe, viu Jushu dando esferas para Balat ao perder o duelo, mas rindo enquanto pagava, sem se preocupar com a perda. Sentia o ar, os aromas, ouvia os sons de cantarinhos no mato. Quase se tornou real.

Fios de Luz elevaram-se diante dela. O mensageiro havia pegado um punhado de esferas e as estendia na direção de Shallan enquanto olhava em seus olhos. A fumegante Luz das Tempestades ascendia entre eles.

Shallan ergueu os dedos, a imagem da sua vida ideal a envolvendo como um edredom.

Não.

Ela recuou. A luz enevoada sumiu.

— Entendo — disse o mensageiro em voz baixa. — Você ainda não compreende a natureza das mentiras. Também tive esse problema, muito tempo atrás. As Fractais aqui são muito severas. Você vai ter que ver a verdade, garota, antes que possa expandi-la. Assim como um homem deve conhecer a lei antes que possa quebrá-la.

Sombras do seu passado remexeram-se nas profundezas, indo brevemente à tona na direção da luz.

— Você pode me ajudar?

— Não. Não agora. Para começar, você não está pronta, e eu tenho trabalho a fazer. Continue tirando os espinhos do caminho, corajosa, e siga para a luz. As coisas com que você está lutando não são completamente naturais. — Ele se levantou, então lhe ofereceu uma mesura.

— Meu irmão.

— Ele está em Alethkar.

Alethkar?

— Por quê?

— Porque ele sente que é necessário lá, naturalmente. Caso eu o veja de novo, darei notícias suas.

O mensageiro foi embora a passos leves e fluidos, quase como se dançasse.

Shallan observou-o partir, as coisas em suas profundezas voltando a se assentar, retornando às partes esquecidas de sua mente. Ela percebeu que nem mesmo havia perguntado àquele homem qual era seu nome.

46

PATRIOTAS

> *Quando Simol foi informado da chegada dos Dançarinos de Precipícios, uma consternação e um terror disfarçados, como é comum em tais casos, o dominou; embora eles não fossem a mais exigente das ordens, seus movimentos graciosos e ágeis ocultavam uma letalidade que era, àquela altura, bastante renomada; além disso, eles eram os mais articulados e refinados dos Radiantes.*
>
> — De *Palavras de Radiância*, capítulo 20, página 12

KALADIN ALCANÇOU O FIM da fila dos carregadores de pontes. Eles estavam em posição de sentido, lanças nos ombros, olhos à frente. A transformação era maravilhosa. Ele balançou a cabeça sob o céu que escurecia.

— Impressionante — disse ele a Pitt, o sargento da Ponte Dezessete. — Poucas vezes vi um pelotão de lanceiros tão bom.

Era o tipo de mentira que comandantes aprendiam a dizer. Kaladin não mencionou como alguns dos carregadores ficavam se remexendo, ou como suas manobras em formação eram descuidadas. Eles estavam tentando. Dava para perceber pelas suas expressões sérias e pela maneira como haviam começado a se orgulhar dos seus uniformes, da sua identidade. Eles estavam prontos para patrulhar, pelo menos perto dos acampamentos de guerra. Kaladin fez uma anotação mental para que Teft começasse a levá-los em um rodízio com as outras duas equipes que estavam prontas.

Estava orgulhoso deles e deixou que os homens soubessem disso enquanto as horas se esticavam e a noite chegava. Então dispensou-os para a refeição noturna, que cheirava bem diferente do guisado de papaguampas de Rocha. A Ponte Dezessete considerava jantar *curry* de feijão parte da sua identidade. Individualidade através da escolha da refeição; a ideia divertiu Kaladin enquanto partia pela noite, com a lança no ombro. Ele tinha mais três equipes para inspecionar.

A seguinte, a Ponte Dezoito, estava tendo problemas. Seu sargento, embora fosse dedicado, ainda não tinha a presença necessária para ser um bom oficial. Ou, bem, nenhum dos carregadores tinha *presença*. Aquele só era particularmente fraco. Com uma tendência a implorar em vez de ordenar, desajeitado em situações sociais.

Mas a culpa não era só de Vet. Ele também recebera um grupo de homens particularmente antipático. Kaladin encontrou os soldados da Dezoito sentados em grupos isolados, comendo sua refeição noturna. Sem risadas, sem camaradagem. Eles não eram tão solitários quanto haviam sido como carregadores de pontes. Em vez disso, haviam se dividido em grupinhos que não se misturavam.

O Sargento Vet chamou-os à ordem e eles se levantaram preguiçosamente, sem se importar em formar uma linha reta ou fazer uma saudação. Kaladin via a verdade em seus olhos. O que poderia fazer com eles? Com certeza nada tão ruim quanto as vidas que haviam levado como carregadores. Então por que se esforçar?

Kaladin falou com eles sobre motivação e unidade durante algum tempo. *Vou precisar realizar outra sessão de treinamento nos abismos com esse pessoal,* pensou. E se isso também não funcionasse... bem, ele provavelmente teria que separá-los, colocando-os em outros pelotões que estavam dando certo.

Por fim, deixou a Dezoito, balançando a cabeça. Eles não pareciam querer ser soldados. Por que haviam aceitado a oferta de Dalinar, então, em vez de ir embora?

Porque não querem mais fazer escolhas. Escolhas podem ser difíceis.

Ele sabia como era. Raios, sabia bem. Lembrava-se de ficar sentado olhando para uma parede vazia, letárgico demais até para se levantar e se matar.

Kaladin estremeceu. Não queria recordar aqueles dias.

Enquanto seguia o caminho rumo à Ponte Dezenove, Syl passou flutuando por ele em uma corrente de vento, na forma de um pequeno nevoeiro. Ela se moldou em uma fita de luz e zuniu ao redor dele em círculos antes de pousar em seu ombro.

— Todos os outros estão jantando — disse Syl.

— Ótimo.

— Isso não foi um relatório informativo, Kaladin. Foi uma crítica.

— Crítica? — Ele parou no escuro perto da caserna da Ponte Dezenove, cujos homens estavam indo bem, comendo em grupo ao redor do fogo.

— Você está trabalhando. Ainda.

— Preciso preparar esses homens. — Ele virou a cabeça para ela. — Você sabe que tem alguma coisa chegando. Aquelas contagens na parede... Você viu mais daqueles esprenos vermelhos?

— Vi. Pelo menos acho que sim. Pelo canto dos olhos, me vigiando. De vez em quando, mas sim.

— Tem alguma coisa chegando — disse Kaladin. — Aquela contagem regressiva aponta direto para o Pranto. Não sei o que vai acontecer, mas deixarei os carregadores prontos para resistir.

— Bem, não vai conseguir se cair morto de exaustão primeiro! — Syl hesitou. — Isso pode mesmo acontecer, certo? Ouvi Teft dizer que ia acontecer com ele.

— Teft gosta de exagerar. É a marca de um bom sargento.

Syl franziu o cenho.

— E essa última parte... foi uma piada?

— Foi.

— Ah. — Ela olhou nos olhos dele. — Descanse mesmo assim, Kaladin. Por favor.

Ele olhou para a caserna da Ponte Quatro. Estava distante, no fim das fileiras, mas ele pensava ouvir a risada de Rocha ecoando pela noite.

Por fim, suspirou, reconhecendo sua exaustão. Podia conferir os dois últimos pelotões no dia seguinte. Com a lança na mão, ele se virou e retornou. O cair da noite significava que ainda tinha mais umas duas horas antes que os homens começassem a se recolher para dormir. Kaladin chegou e sentiu o aroma familiar do guisado de Rocha, embora fosse Hobber — sentado em um toco alto que os homens haviam feito para ele, com um cobertor sobre suas pernas cinzentas e inúteis — que estivesse servindo o jantar. Rocha estava ali perto, com os braços cruzados, parecendo orgulhoso.

Renarin estava ali, pegando e lavando os pratos daqueles que haviam terminado. Ele fazia isso toda noite, se ajoelhando silenciosamente ao lado da bacia em seu uniforme de carregador de pontes. O rapaz certamente era dedicado. Ele não exibia qualquer traço do temperamento mimado do irmão. Embora houvesse insistido em se juntar a eles, ficava sentado afastado do grupo, atrás dos carregadores, à noite. Era um jovem bem estranho.

Kaladin passou por Hobber e apertou o ombro do homem, assentindo e olhando-o nos olhos ao erguer um punho. *Continue lutando.* Kaladin foi pegar um pouco de guisado, então parou.

Sentados ali perto, em cima de um tronco, havia não um, mas *três* corpulentos herdazianos de braços musculosos. Todos usavam os uniformes da Ponte Quatro, e Kaladin só reconheceu Punio entre os três.

Kaladin encontrou Lopen ali perto, olhando para a própria mão, que por algum motivo ele mantinha erguida diante de si em um punho. Já fazia algum tempo que havia desistido de entender Lopen.

— Três? — perguntou Kaladin com severidade.

— Primos! — replicou Lopen, erguendo os olhos.

— Você tem primos demais.

— Isso é impossível! Rod, Huio, digam oi!

— Ponte Quatro — disseram os dois homens, levantando suas tigelas.

Kaladin balançou a cabeça, aceitando um pote de guisado e então passando pelo caldeirão até a área mais escura ao lado da caserna. Ele olhou para a sala de armazenamento e encontrou Shen empilhando sacos de grão de taleu, iluminado por uma única peça de diamante.

— Shen? — chamou Kaladin.

O parshemano continuou a empilhar bolsas.

— Sentido! — ladrou Kaladin.

Shen gelou, depois se levantou, as costas retas, em posição de sentido.

— Descansar, soldado — disse Kaladin em voz baixa, indo até ele. — Falei com Dalinar Kholin hoje mais cedo e perguntei se podia te dar uma arma. Ele perguntou se eu confiava em você. Eu respondi a verdade. — Kaladin estendeu sua lança para o parshemano. — Eu confio.

Shen olhou da lança para Kaladin, seus olhos escuros hesitantes.

— A Ponte Quatro não tem escravos — declarou Kaladin. — Sinto muito por ter ficado com medo, antes. — Ele estimulou o homem a pegar a lança, e Shen finalmente a aceitou. — Leyten e Natam praticam toda manhã com uns poucos homens. Eles estão dispostos a ajudá-lo a aprender, para que não tenha que treinar com os verdinhos.

Shen segurou a lança quase com reverência. Kaladin virou-se para deixar a sala de armazenamento.

— Senhor.

Kaladin parou.

— Você é... — disse Shen, falando do seu jeito lento — um bom homem.

— Passei a vida toda sendo julgado pelos meus olhos, Shen. Não vou fazer algo parecido com você por conta da sua pele.

— Senhor, eu... — O parshemano parecia perturbado.

— Kaladin! — chamou a voz de Moash do lado de fora.

— Quer me dizer alguma coisa? — perguntou Kaladin a Shen.

— Depois — respondeu o parshemano. — Depois.

Kaladin assentiu, então saiu para ver qual era o problema. Encontrou Moash procurando por ele junto do caldeirão.

— Kaladin! — disse Moash ao vê-lo. — Venha. Nós vamos sair, e você vem conosco. Até Rocha vai junto hoje.

— Rá! O guisado está em boas mãos — disse Rocha. — Eu vou fazer isso aí. Vai ser bom me afastar do fedor desses pequenos carregadores.

— Ei! — disse Drehy.

— Ah. E do fedor dos grandes carregadores também.

— Vamos lá — disse Moash, acenando para Kaladin. — Você prometeu.

Não havia prometido nada. Só queria sentar-se junto à fogueira, comer seu guisado e contemplar os esprenos de chama. Contudo, todos estavam olhando para ele. Até os homens que não iam sair com Moash.

— Eu... Está bem. Vamos lá.

Eles comemoraram e bateram palmas. Idiotas tormentosos. Ficavam felizes ao ver seu comandante sair para beber? Kaladin engoliu alguns bocados de guisado, depois passou o resto para Hobber. Com relutância, foi se juntar a Moash, assim como Lopen, Peet e Sigzil.

— Sabe, se essa fosse uma das minhas antigas equipes de lanceiros, eu pensaria que eles me querem fora do acampamento para poder aprontar alguma coisa enquanto eu não estou — grunhiu Kaladin entredentes para Syl.

— Duvido que seja isso — disse ela, franzindo a testa.

— Não, esses homens só querem me ver como um ser humano.

E era por isso que ele *precisava* ir. Já estava destacado demais dos seus homens. Não queria que começassem a pensar nele como pensavam nos olhos-claros.

— Ha! — disse Rocha, correndo para se juntar a eles. — Esses homens juram que podem beber mais do que papaguampas. Terrabaixistas malucos. Impossível.

— Uma competição de bebida? — disse Kaladin, grunhindo por dentro. No que estava se metendo?

— Nenhum de nós vai estar de plantão até o fim da manhã. — Sigzil deu de ombros.

Teft ia vigiar os Kholins durante a noite, junto com a equipe de Leyten.

— Esta noite, eu serei vitorioso — disse Lopen, o dedo em riste. — Dizem que nunca se deve apostar contra um herdaziano de um braço só em uma competição de bebida!

— Dizem? — perguntou Moash.

— Vão dizer que nunca se deve apostar contra um herdaziano de um braço só em uma competição de bebida! — emendou Lopen.

— Você é magricelo feito um cão-machado faminto, Lopen — disse Moash com ceticismo.

— Ah, mas eu tenho *foco*.

Eles seguiram, virando em um caminho que levava ao mercado. O acampamento de guerra havia sido disposto com blocos de casernas formando um grande círculo ao redor dos edifícios dos olhos-claros, mais próximos do centro. No caminho para o mercado, que ficava no perímetro externo dos seguidores de acampamento, para além dos soldados, passaram por várias outras casernas ocupadas por soldados comuns — e os homens ali estavam ocupados em tarefas que Kaladin raramente vira no exército de Sadeas. Afiando lanças, polindo armaduras, antes do chamado para jantar.

Mas os homens de Kaladin não eram os únicos que estavam de folga naquela noite. Outros grupos de soldados já haviam comido e andavam na direção do mercado, rindo. Eles estavam lentamente se recuperando da chacina que deixara o exército de Dalinar fragilizado.

O mercado estava aceso e cheio de vida; tochas e lanternas a óleo brilhavam da maioria dos edifícios. Kaladin não ficou surpreso. Um exército comum já tinha muitos seguidores de acampamento, e isso falando de um exército em movimento. Ali, vendedores exibiam suas mercadorias. Pregoeiras vendiam notícias que alegavam ter chegado via telepena, relatando eventos no mundo. Que história era aquela sobre uma guerra em Jah Keved? E um novo imperador em Azir? Kaladin só possuía uma vaga ideia de onde ficava o lugar.

Sigzil se aproximou para ouvir as notícias, pagando à pregoeira uma esfera enquanto Lopen e Rocha discutiam qual era a melhor taverna para visitar. Kaladin assistia o fluxo de vida. Soldados passando em patrulha noturna. Um grupo de mulheres olhos-escuros indo de um mercador de especiarias a outro. Uma mensageira olhos-claros postando em uma placa datas e horas de grantormentas previstas, com o marido bocejando ali perto, parecendo entediado — como se houvesse sido forçado a acompanhá-la. O Pranto chegaria em breve, o período de chuva constante sem grantormentas —, a única pausa sendo o Dia de Luz, bem no meio. Era um ano par no ciclo de mil dias de dois anos, o que significava que o Pranto seria calmo dessa vez.

— Chega de discussão — disse Moash para Rocha, Lopen e Peet. — Vamos no Chule Rabugento.

— Aaah! — fez Rocha. — Mas eles não têm cervejas papaguampas!

— Isso porque cervejas papaguampas derretem os dentes — replicou Moash. — Além do mais, é a minha vez de escolher.

Peet assentiu alegremente. Aquela taverna também havia sido sua escolha. Sigzil voltou depois de ouvir as notícias, e aparentemente havia parado em outro lugar também, já que trazia algo fumegante envolto em papel.

— Não, você também? — grunhiu Kaladin.

— É bom — defendeu-se Sigzil, depois deu uma mordida na *chouta*.

— Você nem sabe o que é.

— É claro que sei. — Sigzil hesitou. — Ei, Lopen. O que *tem* dentro disso aqui?

— Flangria — disse Lopen alegremente enquanto Rocha corria até o vendedor de rua para comprar *chouta* também.

— E o que é isso? — perguntou Kaladin.

— Carne.

— Que tipo de carne?

— O tipo carnudo.

— Transmutação — disse Kaladin, olhando para Sigzil.

— Você comia alimentos Transmutados toda noite quando era carregador de pontes — observou Sigzil, dando de ombros e mordendo a comida.

— Porque eu não tinha escolha. Olhe só. Ele está *fritando* aquele pão.

— A flangria é frita também — disse Lopen. — Faz bolinhas com ela, mistura com lávis moída, bate e frita, então enfia no pão frito e joga molho em cima. — Ele emitiu um som de satisfação, lambendo os lábios.

— É mais barato do que água — observou Peet quando Rocha voltou.

— Provavelmente porque até o trigo é Transmutado — respondeu Kaladin. — Deve ter gosto de mofo. Rocha, estou desapontado.

O papaguampas pareceu embaraçado, mas deu uma mordida. Sua *chouta* estava crocante.

— Conchas? — indagou Kaladin.

— Garras de crenguejo. — Rocha sorriu. — Fritas.

Kaladin suspirou, mas por fim retomaram o caminho através da multidão, até alcançarem um edifício de madeira construído a sotavento de uma estrutura de pedra muito maior. Tudo ali era, naturalmente, organizado de modo que o máximo de portas possível apontasse na direção contrária à Origem, ruas projetadas de modo a correrem de leste para oeste e fornecerem um caminho para os ventos soprarem.

Uma luz cálida e alaranjada vazava da taverna. Luz de fogo. Nenhuma taverna usava esferas para iluminação. Mesmo com trancas nas lanternas, o rico brilho das esferas podia ser um pouco tentador demais para os clientes inebriados. Empurrando a porta com o ombro, os carregadores entraram para encontrar um baixo rugido de conversas, gritos e cantoria.

— Nunca vamos conseguir nos sentar — disse Kaladin em meio ao ruído.

Mesmo com a população reduzida do acampamento de guerra de Dalinar, o lugar estava apinhado.

— É claro que vamos — replicou Rocha, sorrindo. — Nós temos uma arma secreta.

Ele apontou para onde Peet, com seu rosto oval e jeito quieto, estava abrindo caminho até o bar. Uma bonita mulher olhos-escuros estava ali limpando um copo e sorriu feliz ao vê-lo.

— Então, já pensou onde vai abrigar os homens casados da Ponte Quatro? — indagou Sigzil para Kaladin.

Homens casados? Olhando para a expressão de Peet enquanto se apoiava no bar, conversando com a mulher, pareceu que aquele momento não estava muito distante. Kaladin *não* havia pensado nisso, mas deveria. Sabia que Rocha era casado — o papaguampas já havia enviado cartas para sua família, muito embora os Picos fossem tão distantes que ainda não recebera notícias de volta. Teft havia sido casado, mas sua esposa morrera, assim como grande parte da sua família.

Alguns dos outros podiam ter famílias. Enquanto eram carregadores de pontes, não haviam falado muito de seus passados, mas Kaladin conseguira pistas aqui e ali. Eles lentamente estavam recuperando suas vidas normais, e as famílias fariam parte disso, particularmente ali, com o acampamento de guerra estável.

— Raios! — disse Kaladin, levando uma mão à cabeça. — Vou ter que solicitar mais espaço.

— Há muitas casernas com divisórias para incluir famílias — observou Sigzil. — E alguns dos soldados casados alugam apartamentos no mercado. Os homens podem se mudar para uma dessas opções.

— Isso aí vai separar a Ponte Quatro! — disse Rocha. — Não pode ser permitido.

Bem, homens casados tendiam a ser melhores soldados. Ele teria que encontrar uma maneira de fazer funcionar. *Havia* um bocado de casernas vazias no acampamento de Dalinar agora. Talvez devesse pedir mais algumas.

Kaladin indicou a mulher no bar.

— Ela não é a proprietária, imagino.

— Não, Ka é só uma garçonete — disse Rocha. — Peet gosta bastante dela.

— Precisamos ver se ela sabe ler — comentou Kaladin, abrindo espaço para um cliente meio bêbado que saiu para a noite. — Raios, seria bom ter alguém por perto para fazer isso.

Em um exército normal, Kaladin seria um olhos-claros, e sua esposa ou irmã serviria como escriba e escrivã do batalhão.

Peet acenou para que se aproximassem, e Ka conduziu-os até uma mesa separada. Kaladin sentou-se com as costas para a parede, perto o bastante da janela para olhar para fora se quisesse, mas de onde não veriam sua silhueta da rua. Teve pena da cadeira de Rocha quando o papaguampas se acomodou. Rocha era o único na equipe alguns centímetros mais alto que Kaladin e tinha praticamente o dobro da largura.

— Cerveja papaguampas? — pediu Rocha, esperançoso, olhando para Ka.

— Ela derrete nossos copos. Cerveja comum?

— Cerveja comum — disse Rocha com um suspiro. — Isso aí devia ser bebida para mulheres, não para homens papaguampas. Pelo menos não é vinho.

Distraído, Kaladin disse que beberia qualquer coisa. Aquele lugar não era realmente *convidativo*. Era barulhento, desagradável, cheio de fumaça e fedorento. Também era vivo. Risonho. Com fanfarronadas e gritos, canecas tilintando. Isso... era para isso que algumas pessoas viviam. Um dia de trabalho honesto, seguido por uma noite na taverna com os amigos.

Não era uma vida tão ruim.

— Está barulhento esta noite — observou Sigzil.

— É sempre barulhento — replicou Rocha. — Mas esta noite talvez mais.

— O exército venceu uma investida de platô junto com o exército de Bethab — disse Peet.

Bom para eles. Dalinar não havia participado, mas Adolin, sim, junto com três homens da Ponte Quatro. Mas eles não precisaram participar da batalha — e qualquer investida de platô que não colocasse os homens de Kaladin em risco era boa.

— É bom ter tantas pessoas — disse Rocha. — Deixa a taverna mais quente. Está frio demais lá fora.

— Frio demais? — indagou Moash. — Você é dos tormentosos Picos do Papaguampas!

— E daí? — perguntou Rocha, franzindo a testa.

— São *montanhas*. Tem que ser mais frio do que aqui.

Rocha chegou a engasgar, uma divertida mistura de indignação e incredulidade colorindo de vermelho na sua pele clara de papaguampas.

— Ar demais! É difícil para você pensar. Frio? Os Picos dos Papaguampas são quentes! Maravilhosamente quentes.

— É mesmo? — perguntou Kaladin, cético.

Podia ser uma das piadas de Rocha. Às vezes elas não faziam muito sentido para ninguém além do próprio Rocha.

— É verdade — disse Sigzil. — Os picos são aquecidos por fontes quentes.

— Ah, mas não são fontes — disse Rocha, sacudindo um dedo para Sigzil. — Essa é uma palavra de terrabaixista. Os oceanos papaguampas são águas da vida.

— Oceanos? — indagou Peet, franzindo a testa.

— Oceanos muito pequenos — respondeu Rocha. — Um para cada pico.

— O topo de cada montanha forma um tipo de cratera, que é preenchida com um grande lago de água quente — explicou Sigzil. — O calor é suficiente para criar um bolsão de terra habitável, apesar da altitude. Mas, se você se afasta demais das vilas dos papaguampas, acaba em temperaturas congelantes e em campos de gelo deixados pelas grantormentas.

— Você está contando a história do jeito errado — disse Rocha.

— São fatos, não uma história.

— Tudo é história — rebateu Rocha. — Escutem. Muito tempo atrás, os unkalakianos, meu povo, que vocês chamam de papaguampas, não vivia nos picos. Eles viviam aqui embaixo, onde o ar era espesso e pensar era difícil. Mas éramos odiados.

— Quem odiaria os papaguampas? — indagou Peet.

— Todo mundo — replicou Rocha enquanto Ka trazia as bebidas. Mais atenção especial. A maioria dos outros clientes precisava ir até o bar para pegar as bebidas. Rocha sorriu para ela e pegou sua grande caneca.

— É primeira bebida. Lopen, está tentando me vencer?

— Já comecei, *mancha* — disse Lopen, levantando sua própria caneca, que não era tão grande.

O papaguampas grandalhão sorveu um gole da bebida, que deixou espuma no seu lábio.

— Todo mundo queria matar os papaguampas — disse ele, batendo com o punho na mesa. — Tinham medo de nós. Histórias dizem que somos bons demais em batalha. Então fomos caçados e quase destruídos.

— Se vocês eram tão bons em batalha, então como foram quase destruídos? — disse Moash, apontando.

— Somos poucos — respondeu Rocha, levando orgulhosamente a mão ao peito. — E vocês são muitos. Vocês estão por toda parte, aqui nas terras baixas. Um homem não pode dar um passo sem pisar em dedos alethianos. Assim, nós unkalakianos fomos quase destruídos. Mas nosso *tana'kai*... é como um rei, só que mais... foi até os deuses para implorar por ajuda.

— Deuses — disse Kaladin. — Você quer dizer esprenos.

Ele procurou Syl, que havia escolhido um poleiro em uma viga acima, assistindo um casal de pequenos insetos escalando uma pilastra.

— Eles são deuses — disse Rocha, seguindo o olhar de Kaladin. — Sim. Alguns deuses, porém, são mais poderosos do que os outros. O *tana'kai* procurou os mais fortes de todos. Ele foi primeiro até os deuses das árvores. "Vocês podem nos esconder?", perguntou ele. Mas os deuses das árvores não podiam. "Homens nos caçam também", disse ele. "Se vocês se esconderem aqui, eles vão encontrar vocês e vão usá-los como lenha, como fazem conosco."

— Usar papaguampas como lenha — disse Sigzil, em tom ameno.

— Quieto — replicou Rocha. — Em seguida, *tana'kai* visitou deuses das águas. "Podemos viver nas suas profundezas?", implorou ele. "Deem-nos o poder de respirar como um peixe, e nós os serviremos sob os oceanos." Infelizmente, as águas não podiam nos ajudar. "Os homens alcançam nossos corações com anzóis, e extraem aqueles que protegemos. Se vocês vivessem aqui, se tornariam refeições deles." Então não podíamos viver lá. Por último, *tana'kai*, desesperado, visitou os mais poderosos dos deuses, os deuses das montanhas. "Meu povo está morrendo", implorou ele. "Por favor. Deixem-nos viver nas suas encostas e adorá-los e deixe que suas neves e gelo nos protejam." Os deuses das montanhas pensaram por muito tempo. "Vocês não podem viver nas nossas encostas, pois não há vida lá. É um lugar de espíritos, não de homens. Mas, se você puder torná-lo um lugar de homens *e* de espíritos, nós vamos protegê-lo."

E assim *tana'kai* voltou aos deuses das águas e disse: "Deem-nos sua água, para que possamos beber e viver nas montanhas." E foi atendido. *Tana'kai* foi até os deuses das árvores e disse: "Deem-nos suas frutas abundantes, para que possamos comer e viver nas montanhas." E foi atendido. Então, *tana'kai* voltou às montanhas e disse: "Deem-nos seu calor, isso aí que há em seu coração, para que possamos viver nos seus picos." E isso aí agradou aos deuses das montanhas, que viram que os unkalakianos trabalhariam duro. Eles não seriam um fardo para os deuses, mas resolveriam problemas por conta própria. E assim, os deuses das montanhas afundaram seus picos e abriram espaço para as águas da vida. Os oceanos foram criados de deuses das águas. A grama e as frutas para dar vida foram ofertados pelos deuses das árvores. E o calor no coração das montanhas nos deu um lugar para vivermos.

Ele se recostou, sorvendo um longo gole da sua caneca, então bateu com ela na mesa, sorrindo.

— Então os deuses ficaram contentes que vocês resolvessem problemas por conta própria... procurando outros deuses e pedindo ajuda a eles? — indagou Moash, provando sua própria bebida.

— Quieto — disse Rocha. — É boa história. E é verdade.

— Mas você chamou os lagos lá em cima de água — disse Sigzil. — Então eles são fontes de água quente. Como eu disse.

— É diferente — replicou Rocha, levantando a mão e acenando para Ka, então sorrindo de orelha a orelha e balançando sua caneca de modo suplicante.

— Como?

— Não é só água. É água da vida. É conexão com os deuses. Quando os unkalakianos nadam nela, às vezes veem o lugar dos deuses.

Kaladin inclinou-se para a frente ao ouvir isso. Estivera pensando em como ajudar a Ponte Dezoito com seus problemas disciplinares. Isso chamou sua atenção.

— Lugar dos deuses?

— Sim, é onde eles vivem. As águas da vida nos deixam ver o lugar. Nela, você comunga com os deuses, se tiver sorte.

— É por isso que você pode ver esprenos? — perguntou Kaladin. — Porque nadou nessas águas, e elas te transformaram?

— Não é parte da história — disse Rocha enquanto sua segunda caneca de cerveja chegava. Ele sorriu para Ka. — Você é uma mulher muito maravilhosa. Se algum dia for aos Picos, eu a tornarei parte da família.

— Só pague a conta, Rocha — disse Ka, revirando os olhos.

Enquanto ela se afastava para coletar algumas canecas vazias, Peet se levantou de um salto para ajudá-la, surpreendendo-a ao coletar alguns copos de outra mesa.

— Você consegue ver os esprenos devido ao que aconteceu com você nessas águas — pressionou Kaladin.

— Não é parte da história — replicou Rocha, olhando-o de soslaio. — Está... envolvido. Eu não vou falar mais nada sobre isso aí.

— Eu gostaria de visitar — disse Lopen. — Dar um mergulho também.

— Rá! É morte para alguém que não seja do nosso povo — contou Rocha. — Eu não poderia deixar você nadar. Mesmo que você me vencesse na bebida hoje. — Ele levantou uma sobrancelha para a cerveja de Lopen.

— Nadar nos lagos de esmeralda é morte para os estrangeiros porque vocês executam os estrangeiros que as tocam — disse Sigzil.

— Não, isso não é verdade. Escute a história. Deixe de ser chato.

— Elas são apenas fontes de água quente — resmungou Sigzil, mas voltou à sua bebida.

Rocha revirou os olhos.

— Em cima, é água. Embaixo, não é. É outra coisa. Água da vida. O lugar dos deuses. Essa coisa é verdade. Eu mesmo encontrei um deus.

— Um deus como Syl? — perguntou Kaladin. — Ou talvez um espreno de rio?

Eram um tanto raros, mas supostamente capazes de falar de modos simples, às vezes, como os esprenos de vento.

— Não — disse Rocha, se aproximando com ar conspiratório. — Eu vi Lunu'anaki.

— Hã, ótimo — disse Moash. — Maravilhoso.

— Lunu'anaki é um deus das viagens e da trapaça. Deus muito poderoso. Ele veio das profundezas do oceano do pico, do reino dos deuses.

— Como ele era? — perguntou Lopen, de olhos arregalados.

— Parecia uma pessoa — disse Rocha. — Talvez alethiano, embora a pele fosse mais clara. Rosto muito anguloso. Bonito, talvez. Com cabelos brancos.

Sigzil ergueu os olhos bruscamente.

— Cabelos brancos?

— Sim. Não grisalhos, como velho, mas brancos... só que ele é jovem. Ele falou comigo na margem. Rá! Zombou da minha barba. Perguntou qual era o ano, pelo calendário dos papaguampas. Achou meu nome engraçado. Deus muito poderoso.

— Você ficou com medo? — perguntou Lopen.

— Não, é claro que não. Lunu'anaki não pode machucar um homem. É proibido pelos outros deuses. Todo mundo sabe disso.

Rocha bebeu o resto da sua segunda caneca e levantou-a no ar, sorrindo e balançando-a para Ka *de novo* quando ela passou. Lopen apressadamente bebeu o resto da sua primeira caneca. Sigzil parecia perturbado, e só havia bebido metade da sua cerveja. Ele ficou a encarando, porém, quando Moash perguntou qual era o problema, Sigzil deu a desculpa de estar cansado.

Kaladin finalmente provou sua bebida. Cerveja de lávis, espumosa, levemente doce. Ela o lembrava de casa, embora só houvesse começado a bebê-la no exército.

Os outros haviam passado para uma conversa sobre investidas de platô. Sadeas aparentemente estava desobedecendo às ordens de atacar em equipes. Tinha partido em uma investida sozinho há algum tempo, capturando a gema-coração antes que qualquer outra pessoa chegasse, para então jogá-la fora como se nada fosse. Alguns dias atrás, contudo, Sadeas e o Grão-príncipe Ruthar haviam participado de outra investida juntos — uma em que não deveriam ter ido. Eles alegaram que não conseguiram pegar a Gema-coração, mas era sabido que haviam vencido e escondido o butim.

Esses tapas escancarados na cara de Dalinar eram o burburinho nos acampamentos de guerra. Ainda mais porque Sadeas parecia indignado por não ter a permissão de colocar investigadores no acampamento de guerra de Dalinar para procurar "fatos importantes" que afirmava estarem relacionados com a segurança do rei. Era tudo um jogo para ele.

Alguém precisa acabar com Sadeas, pensou Kaladin, bebericando a cerveja, saboreando o líquido frio na boca. *Ele é tão ruim quanto Amaram; tentou matar a mim e aos meus repetidamente. Eu não tenho razão, ou mesmo o direito de devolver o favor?*

Kaladin estava aprendendo a fazer o que o assassino fazia — correr por paredes, talvez alcançar janelas consideradas inacessíveis. Podia visitar o acampamento de Sadeas à noite. Brilhando, violento...

Kaladin podia *fazer* justiça nesse mundo.

Suas entranhas diziam-lhe que havia algo errado naquele raciocínio, mas ele estava com dificuldades de justificar isso logicamente. Bebeu um pouco mais e olhou ao redor do salão, notando novamente como todos pareciam relaxados. Aquela era a vida deles. Trabalho, depois diversão. E bastava.

Não para ele; precisava de algo mais. Pegou uma esfera brilhante — só uma peça de diamante — e começou a rolá-la distraidamente sobre a mesa.

Depois de cerca de uma hora de conversa, com participação esporádica de Kaladin, Moash cutucou-o.

— Está pronto? — sussurrou ele.

— Pronto? — Kaladin franziu o cenho.

— Sim. A reunião é na sala dos fundos. Eu vi quando eles entraram há algum tempo. Estão esperando.

— Quem... — Ele deixou a frase morrer ao compreender o que Moash pretendia. Kaladin dissera que se encontraria com os amigos dele, os homens que desejavam matar o rei. Sentiu um arrepio, o ar subitamente parecendo frio. — Foi por isso que você me chamou para vir hoje?

— Foi — disse Moash. — Pensei que você tinha entendido. Vamos.

Kaladin olhou para sua caneca de cerveja marrom-amarelada. Finalmente, bebeu o resto e se levantou. Precisava saber quem eram aqueles homens. Seu dever exigia.

Moash pediu licença, dizendo que notara um velho amigo e queria apresentá-lo a Kaladin. Rocha, que não parecia nem um pouco bêbado, riu e acenou para que fossem em frente. Ele estava na... sexta caneca? Sétima? Lopen já estava tonto depois da terceira. Sigzil mal havia terminado a segunda, e não parecia inclinado a continuar.

A competição já era, pensou Kaladin, deixando Moash guiá-lo. O lugar ainda estava movimentado, embora não tão apinhado quanto antes. Escondido na parte de trás da taverna havia um corredor com salas de jantar particulares, do tipo usado por mercadores ricos que não queriam se expor à vulgaridade do salão comum. Um homem de pele escura descansava do lado de fora de uma delas; poderia ser parte azishiano, ou só um alethiano muito bronzeado. Portava facas muito longas no seu cinto, mas não disse nada quando Moash abriu a porta.

— Kaladin... — A voz de Syl. Onde ela estava? Invisível, aparentemente, até para os seus olhos. Ela já havia feito isso antes? — Tome cuidado.

Ele adentrou a sala com Moash. Três homens e uma mulher bebiam vinho na mesa lá dentro. Outro guarda estava nos fundos, envolto em um manto, com uma espada na cintura e a cabeça baixa, como se mal estivesse prestando atenção.

Duas das pessoas sentadas, incluindo a mulher, eram olhos-claros. Kaladin devia ter imaginado, considerando que havia uma Espada Fractal envolvida, mas mesmo assim hesitou.

O homem olhos-claros se levantou imediatamente. Era talvez um pouco mais velho que Adolin e tinha cabelos alethianos pretos como piche muito bem penteados. Vestia um casaco aberto e uma camisa preta de aparência cara por baixo, bordada com vinhas brancas entre os botões, e um plastrão no pescoço.

— Então esse é o famoso Kaladin! — exclamou o homem, dando um passo à frente e estendendo a mão para apertar a dele. — Raios, mas é um prazer conhecê-lo. Constranger Sadeas enquanto salva o próprio Espinho Negro? Bom espetáculo, homem. Bom *espetáculo*.

— E quem é você? — perguntou Kaladin.

— Um patriota. Pode me chamar de Graves.

— E você é o Fractário?

— Direto ao ponto, não é? — retrucou Graves, gesticulando para que Kaladin se sentasse à mesa.

Moash sentou-se imediatamente, saudando com a cabeça o outro homem à mesa — era um olhos-escuros com cabelo curto e olhos fundos. *Mercenário*, adivinhou Kaladin, notando os trajes de couro pesado que usava e o machado ao lado da cadeira. Graves continuou a gesticular, mas Kaladin demorou-se, inspecionando a jovem à mesa. Ela estava sentada de modo empertigado e bebericava a taça de vinho que segurava com as mãos, uma delas coberta pela manga abotoada. Bonita, com lábios vermelhos franzidos, ela usava o cabelo preso em um coque com vários ornamentos metálicos.

— Eu reconheço você — disse Kaladin. — Uma das escrivãs de Dalinar.

Ela o encarou cuidadosamente, embora tentasse parecer relaxada.

— Danlan faz parte do séquito do grão-príncipe — disse Graves. — Por favor, Kaladin. Sente-se. Beba um pouco de vinho.

Kaladin sentou-se, mas não se serviu de bebida.

— Vocês estão tentando matar o rei.

— Ele *é* direto, não é? — perguntou Graves a Moash.

— Eficiente, também — disse Moash. — É por isso que gostamos dele.

Graves voltou-se para Kaladin.

— Nós somos patriotas, como disse antes. Patriotas de Alethkar. A Alethkar que *poderia* existir.

— Patriotas que desejam assassinar o governante do reino?

Graves inclinou-se para a frente, apoiando as mãos na mesa. Perdera um pouco do humor, o que era bom. Ele estava se esforçando demais, de qualquer modo.

— Muito bem, sejamos claros. Elhokar é um rei tremendamente *ruim*. Já deve ter notado.

— Não é meu papel julgar o rei.

— Ora, por favor. Está me dizendo que nunca viu como ele age? Mimado, petulante, paranoico. Briga em vez de consultar, faz exigências infantis em vez de liderar. Ele está arrasando com o reino.

— Você tem ideia dos tipos de leis que ele criou antes que Dalinar o colocasse sob controle? — indagou Danlan. — Passei os últimos três anos em Kholinar ajudando as escrivãs de lá a entender a bagunça que ele fez nos códigos reais. Houve uma época em que ele assinava praticamente *qualquer coisa* como lei, sob o estímulo certo.

— Ele é incompetente — disse o mercenário olhos-escuros, cujo nome Kaladin não sabia. — Faz com que bons homens acabem mortos. Deixa aquele bastardo, Sadeas, se safar de alta traição.

— Então vocês tentam assassiná-lo? — questionou Kaladin.

Graves o encarou.

— Sim.

— Se um rei está destruindo seu país, não é o direito, o dever do povo cuidar para que seja removido? — disse o mercenário.

— Se ele *fosse* removido, o que aconteceria? — interveio Moash. — Pense nisso, Kaladin.

— Dalinar provavelmente tomaria o trono — respondeu Kaladin.

Elhokar tinha um filho em Kholinar, uma criança, com poucos anos de idade. Mesmo que Dalinar apenas se proclamasse regente em nome do herdeiro de direito, ele reinaria.

— O reino ficaria muito melhor com ele na liderança — disse Graves.

— Ele praticamente já governa, de qualquer modo — replicou Kaladin.

— Não — contestou Danlan. — Dalinar se contém. Ele sabe que devia tomar o trono, mas hesita pelo amor que tem pelo irmão morto. Os outros grão-príncipes interpretam isso como fraqueza.

— Precisamos do Espinho Negro — disse Graves, batendo na mesa. — Se não, esse reino vai desabar. A morte de Elhokar levaria Dalinar a agir. Precisamos conseguir de volta o homem que tínhamos há vinte anos, o homem que unificou os grão-príncipes em primeiro lugar.

— Mesmo que esse homem não volte por inteiro, certamente não ficaremos pior do que estamos agora — acrescentou o mercenário.

— Então, sim — disse Graves para Kaladin. — Somos assassinos. Matadores ou pretensos matadores. Não queremos um golpe e não queremos matar guardas inocentes. Só queremos remover o rei. Discretamente. Em um acidente, de preferência.

Danlan fez uma careta, então tomou um gole de vinho.

— Infelizmente, não fomos muito eficazes até agora.

— E foi por isso que eu quis me encontrar com você — disse Graves.

— Você espera que eu o *ajude*? — perguntou Kaladin.

Graves ergueu as mãos.

— Pense no assunto. É tudo que peço. Pense nas ações do rei, veja o que ele faz. E se pergunte: "Quanto tempo mais o reino vai durar com esse homem no poder?"

— O Espinho Negro precisa tomar o trono — disse Danlan em voz baixa. — Isso *vai* acontecer em algum momento. Queremos ajudá-lo nisso, para o próprio bem dele. Poupá-lo da decisão difícil.

— Eu poderia entregar vocês — disse Kaladin, fitando Graves. Ao lado, o homem com o manto, que estava recostado contra a parede, ouvindo, se remexeu, ficando mais empertigado. — Me convidar aqui foi um risco.

— Moash disse que você foi treinado como cirurgião — disse Graves, que não parecia nem um pouco preocupado.

— Fui.

— E o que você faz se a mão está gangrenando, ameaçando o corpo inteiro? Você aguarda, na esperança de que ela melhore, ou você toma uma atitude?

Kaladin não respondeu.

— Você controla a Guarda do Rei agora, Kaladin. Nós vamos precisar de uma abertura para atacar, uma hora em que nenhum guarda seja ferido. Não queríamos ter o sangue do rei literalmente em nossas mãos, queríamos fazer com que parecesse um acidente, mas agora compreendo que isso é covardia. Eu mesmo vou cometer o ato. Tudo que preciso é de uma abertura, e o sofrimento de Alethkar chegará ao fim.

— Assim será melhor para o rei — disse Danlan. — Ele está morrendo aos poucos naquele trono, como um homem se afogando longe da costa. É melhor acabar logo com isso.

Kaladin se levantou. Moash o imitou, hesitante.

Graves olhou para Kaladin.

— Vou pensar.

— Ótimo, ótimo — disse Graves. — Pode entrar em contato conosco através de Moash. Seja o cirurgião de que este reino precisa.

— Vamos — disse Kaladin a Moash. — Os outros devem estar se perguntando onde nos metemos.

Ele saiu da sala, Moash o seguindo depois de algumas despedidas apressadas. Na verdade, esperava que um deles tentasse detê-lo. Eles não se preocupavam de serem denunciados, como havia ameaçado?

Ninguém o impediu de sair. De volta ao barulhento salão comum.

Raios, queria que os argumentos deles não fossem tão bons.

— Como você os conheceu? — perguntou Kaladin quando Moash correu para alcançá-lo.

— Rill, o sujeito que estava sentado à mesa, trabalhava de mercenário em uma das caravanas onde servi antes de acabar nas equipes de ponte. Ele me procurou quando nos livramos da escravidão. — Moash pegou Kaladin pelo braço, detendo-o antes que voltassem à mesa. — Eles têm razão. Você sabe que têm, Kal. Posso ver na sua cara.

— Eles são traidores. Não quero me envolver com eles.

— Você disse que ia pensar!

— Eu disse isso para que eles me deixassem sair — respondeu Kaladin baixinho. — Nós temos um *dever*, Moash.

— É maior do que o dever para com o próprio país?

— Você não se importa com o país — retrucou Kaladin. — Só quer se vingar.

— Tudo bem, certo. Mas, Kaladin, você reparou? Graves trata todos os homens da mesma maneira, não importa a cor dos olhos. Ele não liga de sermos olhos-escuros. Ele se casou com uma olhos-escuros.

— É mesmo?

Já ouvira falar de olhos-escuros ricos se casando com olhos-claros de baixo escalão, mas nunca alguém de um dan tão alto quanto um Fractário.

— É. Um dos filhos dele é até mesmo um olho-único. Graves não dá uma tormenta para o que outras pessoas pensam dele. Ele faz o que é certo. E, nesse caso, é... — Moash olhou ao redor; estavam agora cercados de gente. — É o que ele disse. Alguém tem que agir.

— Não fale mais desse assunto comigo — disse Kaladin, soltando seu braço e caminhando de volta à mesa. — E não volte a se encontrar com eles.

Kaladin tornou a se sentar e Moash se esgueirou de volta ao seu lugar, irritado. Kaladin tentou voltar à conversa com Rocha e Lopen, mas simplesmente não conseguiu.

Ao redor dele, pessoas riam ou gritavam.

Seja o cirurgião de que este reino precisa...

Raios, mas que confusão.

47

ARTIMANHAS FEMININAS

> *Todavia, as ordens não se desanimaram com tamanha derrota, pois os Teceluzes forneceram sustento espiritual; elas foram inspiradas por aquelas gloriosas criações a se aventurarem em um segundo assalto.*
>
> —De *Palavras de Radiância*, capítulo 21, página 10

— NÃO FAZ SENTIDO — disse Shallan. — Padrão, esses mapas são desconcertantes.

O espreno pairava ali perto em sua forma tridimensional, cheia de linhas e ângulos se retorcendo. Tentar desenhá-lo se provara difícil, já que sempre que ela olhava de perto alguma seção de seu formato, descobria que havia inúmeros detalhes que desafiavam uma representação apropriada.

— Hmm? — perguntou Padrão em sua voz murmurante.

Shallan saiu da cama e jogou o livro na escrivaninha pintada de branco. Ela se ajoelhou junto ao baú de Jasnah, vasculhando-o até encontrar um mapa de Roshar. Era antigo, e não era lá muito preciso; Alethkar estava grande demais, e o mundo como um todo estava disforme, com rotas comerciais enfatizadas. Claramente era um mapa anterior aos métodos modernos de levantamento topográfico e cartografia. Ainda assim, era importante, pois supostamente mostrava os Reinos de Prata do modo como eram durante o tempo dos Cavaleiros Radiantes.

— Urithiru — disse Shallan, apontando para uma cidade brilhante representada no mapa como o centro de tudo.

Não ficava em Alethkar, ou Alethela, como o reino era conhecido na época. O mapa a posicionava no meio das montanhas, perto de onde atualmente ficava Jah Keved. Contudo, as anotações de Jasnah diziam que outros mapas daquele período a situavam em outro local.

— Como era possível que eles não *soubessem* onde era sua capital, o centro das ordens dos cavaleiros? Por que todos os mapas discordam uns dos outros?

— Hmmmmm... — disse Padrão, pensativo. — Talvez muitos tenham ouvido falar dela, mas nunca a tenham visitado.

— Cartógrafos também? E os reis que encomendaram esses mapas? Certamente *alguns* deles visitaram o local. Por que seria tão difícil localizá-lo em Roshar?

— Talvez quisessem manter o local em segredo?

Shallan prendeu o mapa na parede usando um pouco de besoucera dos suprimentos de Jasnah, então recuou, cruzando os braços. Ainda não havia se vestido para o dia, e usava seu roupão, com as mãos descobertas.

— Se é esse o caso, eles foram bem-sucedidos demais.

Ela pegou alguns outros mapas do mesmo período, criados por outros reinos. Em cada um deles, Shallan notou, o país de origem era apresentado muito maior do que deveria. Fixou-os na parede também.

— Todos eles mostram Urithiru em um local diferente — disse Shallan. — Sempre perto de suas próprias terras, mas nunca *nas* suas próprias terras.

— Diferentes idiomas em cada — disse Padrão. — Hmm... Há padrões aqui.

Ele começou a tentar pronunciá-los. Shallan sorriu. Jasnah lhe dissera que vários deles provavelmente haviam sido escritos no Canto do Alvorecer, uma língua morta. Eruditas tentavam há anos...

— Behardan Rei... alguma coisa que eu não entendo... ordena, talvez... — disse Padrão. — Mapa? Sim, provavelmente seria mapa. Então a próxima é talvez desenhar... desenhar... algo que não entendo...

— Você está *lendo*?

— É um padrão.

— Você está *lendo o Canto do Alvorecer*.

— Não muito bem.

— Você está lendo o *Canto do Alvorecer*! — exclamou Shallan. Ela foi até o mapa ao lado do qual Padrão flutuava e pousou os seus dedos no texto da parte inferior. — Behardan, você disse? Talvez Bajerden... o próprio Nohadon.

— Bajerden? Nohadon? As pessoas precisam ter tantos nomes?
— Um deles é honorífico — explicou Shallan. — Seu nome original não era considerado simétrico o bastante. Bem, imagino que não fosse nada simétrico, então os fervorosos deram a ele um nome novo, séculos atrás.
— Mas... o novo nome também não é simétrico.
— O som *h* serve para qualquer letra — disse Shallan distraidamente. — Nós o escrevemos como uma letra simétrica, para equilibrar a palavra, mas acrescentamos uma marca diacrítica para indicar que ele soa como um *h*, de modo que a palavra seja mais fácil de dizer.
— Isso... Não se pode simplesmente *fingir* que uma palavra é simétrica quando não é!

Shallan ignorou a revolta dele, fitando em vez disso as letras estranhas que supostamente eram o Canto do Alvorecer. *Se nós realmente encontrarmos a cidade de Jasnah, e caso haja registros lá, podem estar nessa linguagem.*

— Precisamos ver quanto do Canto do Alvorecer você consegue traduzir.
— Eu não li — disse Padrão, irritado. — Eu postulei algumas palavras. O nome eu pude traduzir devido aos sons das cidades acima.
— Mas esses nomes não estão escritos no Canto do Alvorecer!
— As escrituras derivam uma da outra — replicou Padrão. — Obviamente.
— Tão óbvio que nenhum erudito humano percebeu.
— Vocês não são tão bons com padrões — disse ele em um tom presunçoso. — Vocês são abstratos. Pensam em mentiras e mentem para si mesmos. Isso é fascinante, mas não é bom para padrões.

Vocês são abstratos... Shallan contornou a cama e pegou um livro de uma pilha ali, escrito pela erudita Ali-filha-Hasweth de Shinovar. As eruditas shinas estavam entre as mais interessantes de se ler, pois suas perspectivas sobre o resto de Roshar podiam ser muito francas, muito diferentes.

Encontrou a passagem que desejava. Jasnah a sublinhara em suas anotações, então Shallan encomendara o livro inteiro. O salário que Sebarial lhe pagava — e *estava de fato* pagando — era bastante útil. Vathah e Gaz, a seu pedido, haviam passado os últimos dias visitando vendedores de livros em busca de *Palavras de Radiância*, o livro que Jasnah lhe dera pouco antes de morrer. Até então, sem sucesso, embora um mercador alegasse que podia encomendá-lo de Kholinar.

— Urithiru era a conexão entre todas as nações — leu ela da obra da escritora shina. — E, às vezes, nosso único caminho para o mundo exterior, com suas pedras não santificadas. — Ela olhou para Padrão. — O que você acha que isso significa?

— Significa o que diz — replicou Padrão, ainda flutuando junto aos mapas. — Que Urithiru era bem conectada. Estradas, talvez?

— Sempre li essa frase metaforicamente. Conexão de propósito, de pensamento e de erudição.

— Ah. Mentiras.

— E se não for uma metáfora? E se for como você disse? — Ela se levantou e cruzou a sala na direção dos mapas, pousando os dedos em Urithiru no centro. — Conectadas... mas não por estradas. Alguns desses mapas não têm estrada alguma conduzindo a Urithiru. Todos eles a localizam nas montanhas, ou pelo menos em colinas...

— Hmm.

— Como é possível alcançar uma cidade se não por estradas? — perguntou Shallan. — Nohadon ia até lá caminhando, ou pelo menos assim dizia. Mas os outros não falam de cavalgar, ou de caminhar, até Urithiru.

Era verdade que havia poucos relatos de pessoas visitando a cidade. Ela era uma lenda. A maioria das eruditas modernas a considerava um mito. Precisava de mais informações. Foi até o baú de Jasnah, pegando um dos seus cadernos.

— Ela disse que Urithiru não estava nas Planícies Quebradas, mas e se o *caminho* estiver aqui? Mas não um caminho comum. Urithiru era a cidade dos Manipuladores de Fluxos. De antigas maravilhas, como as Espadas Fractais.

— Hmm... — disse Padrão baixinho. — Espadas Fractais não são maravilhas...

Shallan encontrou a referência que estava procurando. Não era a citação que considerava curiosa, mas o fato de Jasnah tê-la anotado. *Outro conto folclórico, registrado em Entre os olhos-escuros, de Calinam. Página 102. Histórias de viagens instantâneas e Sacroportais permeiam esses contos.*

Viagens instantâneas. Sacroportais.

— Era por isso que estávamos vindo para cá — sussurrou Shallan. — Ela achava que podia encontrar uma passagem aqui, nas Planícies. Mas são desertos varridos pelas tormentas, feitos de pedras, crem e grã-carapaças. — Ela olhou para Padrão. — Nós *realmente* precisamos sair para as Planícies Quebradas.

Sua declaração foi acompanhada por um sinistro toque do relógio. Sinistro, pois significava que era muito mais tarde do que ela pensava.

Raios! Precisava se encontrar com Adolin por volta do meio-dia. Tinha que partir em meia hora se pretendia ser pontual.

Shallan deu um gritinho e correu até o lavatório, onde girou a torneira para encher a banheira. Depois de um momento cuspindo água suja de crem, água limpa e quente começou a fluir, e ela inseriu ao tampão. Pôs a mão debaixo da água, ainda maravilhada. Água quente e corrente. Sebarial dissera que os artifabrianos haviam visitado recentemente e combinado de instalar um fabrial que manteria a água na cisterna acima perpetuamente aquecida, como as de Kharbranth.

— Eu vou me permitir ficar muito, mas muito mal-acostumada com isso — disse ela, despindo o roupão.

Entrou na banheira enquanto Padrão corria pela parede acima dela. Havia decidido não ser tímida perto dele. Era verdade que ele tinha uma voz masculina, mas não era *realmente* um homem. Além disso, havia esprenos em toda parte. Provavelmente tinha um na banheira, assim como nas paredes. Já vira pessoalmente que tudo possuía uma alma, ou um espreno, ou fosse lá o que fosse. Ela se importava que as paredes a vissem? Não. Então por que se importar com Padrão?

Precisava repetir essa linha de raciocínio toda vez que ele a via tirar a roupa. Seria mais fácil se ele não fosse tão terrivelmente *curioso* sobre tudo.

— As diferenças anatômicas entre gêneros são tão pequenas — disse Padrão, murmurando para si mesmo. — Mas tão profundas. E vocês as aumentam. Cabelo comprido. Cor nas bochechas. Eu assisti Sebarial tomar banho na noite passada e...

— Por favor, me diga que não fez isso — disse Shallan, enrubescendo enquanto pegava um pouco do sabão pastoso de uma jarra ao lado da banheira de ferro.

— Mas... Eu acabei de dizer que fiz... De qualquer modo, não fui visto. Não precisaria fazer isso se você fosse mais disposta.

— *Não vou* desenhar pessoas nuas para você.

Havia cometido o erro de mencionar que muitas das grandes artistas haviam treinado dessa maneira. Depois de muito insistir, em casa, conseguira que várias das criadas posassem para ela, contanto que prometesse destruir os desenhos. E destruíra. Nunca havia desenhado homens daquela maneira. Raios, isso seria embaraçoso!

Shallan não se permitiu demorar no banho. Um quarto de hora depois — contado no relógio —, estava vestida e penteando o cabelo úmido diante do espelho.

Como poderia algum dia voltar para Jah Keved e retornar a uma plácida vida rural? A resposta era simples. Provavelmente nunca faria isso. Outrora, esse pensamento a teria horrorizado; agora, ele a empolgava — embora estivesse determinada a trazer seus irmãos para as Planícies Quebradas. Eles estariam muito mais seguros ali do que nas propriedades do pai, e o que deixariam para trás? Praticamente nada. Shallan havia começado a pensar que essa era uma solução muito melhor do que qualquer outra, e permitiria que eles evitassem a questão do Transmutador perdido, até certo ponto.

Tinha ido até um dos postos de informações conectados a Tashikk — havia um em todos os acampamentos de guerra — e pagara para que uma carta, junto com uma telepena, fosse enviada de Valath para seus irmãos. Levaria semanas para chegar, infelizmente; isso se chegasse. O comerciante com quem conversara no posto de informações avisara que estava difícil viajar por Jah Keved atualmente devido à guerra de sucessão. Por via das dúvidas, ela havia enviado uma segunda carta de Forteboreal, que ficava o mais distante possível dos campos de batalha. Com sorte, pelo menos uma delas chegaria em segurança.

Quando estabelecesse contato novamente, ofereceria um único argumento aos irmãos. Que abandonassem as propriedades da família Davar. Pegassem o dinheiro que Jasnah havia enviado e fugissem para as Planícies Quebradas. Por enquanto, ela havia feito tudo que podia.

Cruzou apressadamente a sala, pulando de um pé só enquanto calçava uma sandália, e passou pelos mapas. *Depois lido com vocês.*

Era hora de conquistar seu noivo. De algum modo. Os romances que havia lido faziam com que parecesse fácil. Bater os cílios, enrubescer nas horas certas. Bem, esse último elemento ela conseguia fazer; exceto talvez pela parte das horas certas. Shallan abotoou a manga sobre a mão segura, então parou na porta, olhava de volta para o seu caderno de desenho e o lápis pousados na mesa.

Não queria mais sair sem eles. Guardou-os na bolsa e partiu às pressas. Atravessando a casa de mármore branco, passou por Palona e Sebarial em uma sala com enorme janelas de vidro com vista para os jardins a sotavento. Palona estava deitada de bruços, recebendo uma massagem — com as costas completamente nuas —, enquanto Sebarial estava reclinado, comendo doces. Uma jovem estava em um púlpito no canto, recitando poemas para eles.

Shallan estava tendo dificuldades para entender aqueles dois. Sebarial. Seria ele um astuto planejador civil ou um glutão indolente? Ou as duas coisas? Palona certamente gostava dos luxos da riqueza, mas não parecia nem um pouco arrogante. Shallan passara os últimos três dias estudando as contas da casa de Sebarial, e estavam uma verdadeira *bagunça*. Ele parecia tão inteligente em algumas áreas. Como era possível que houvesse deixado seus livros-razão tão descuidados?

Shallan não era especialmente boa com números, não em comparação com sua arte, mas gostava de praticar matemática de vez em quando, e estava determinada a encarar aqueles livros de contabilidade.

Gaz e Vathah esperavam por ela do lado de fora e a seguiram até a carruagem de Sebarial, que a aguardava, com um dos seus escravos como lacaio. En dizia que já havia trabalhado nesse posto antes, e sorriu quando ela se aproximou. Era uma visão agradável. Ela não se lembrava de ver qualquer um dos cinco sorrindo na viagem até ali, mesmo quando ela os liberara da jaula.

— Está sendo bem tratado, En? — perguntou ela quando ele abriu a porta da carruagem.

— Sim, senhorita.

— Você me diria se não estivesse?

— Hã, sim, senhorita.

— E você, Vathah? — perguntou ela, virando-se para ele. — O que está achando das suas acomodações?

Ele grunhiu.

— Imagino que isso signifique que elas são cômodas?

Gaz deu uma risadinha; o homem baixo gostava de jogos de palavras.

— A senhorita manteve sua palavra — disse Vathah. — Tenho que admitir. Os homens estão felizes.

— E você?

— Entediado. Passamos o dia todo sentados, recebemos seu pagamento e saímos para beber.

— A maioria dos homens consideraria a profissão ideal.

Ela sorriu para En, então subiu na carruagem. Vathah fechou a porta, então olhou pela janela.

— A maioria dos homens é idiota.

— Bobagem — disse Shallan, sorrindo. — Pela lei da média, só metade é idiota.

Ele soltou um grunhido. Ela estava aprendendo a interpretá-los, o que era essencial para falar vathahês. Aquele significava aproximadamente "não vou dar ouvidos a essa piada, pois estragaria minha reputação de total e completo cabeça-fosca".

— Imagino que a gente deva ir na parte de cima.

— Obrigada pela oferta — disse Shallan, então baixou a persiana da janela.

Do lado de fora, Gaz deu outra risadinha. Os dois subiram para os postos de guarda na parte traseira superior da carruagem, e En juntou-se ao cocheiro na frente. Era uma carruagem de verdade, puxada por cavalos e tudo mais. Shallan de início sentira-se mal em pedir para usá-la, mas Palona dera uma gargalhada.

— Pegue essa coisa sempre que quiser! Eu tenho a minha, e se a carruagem de Turi não estiver disponível, ele terá uma desculpa para não aparecer quando as pessoas o chamarem para uma visita. O que ele adora.

Shallan fechou a persiana da outra janela enquanto o cocheiro colocava o veículo em movimento, então pegou seu caderno de desenho. Padrão esperava na primeira página em branco.

— Nós vamos descobrir exatamente o que podemos fazer — sussurrou Shallan.

— Empolgante! — disse Padrão.

Ela pegou sua bolsa de esferas e inspirou um pouco de Luz das Tempestades. Então soprou-a diante de si, tentando formá-la, moldá-la.

Nada.

Em seguida, tentou manter uma imagem bem específica na cabeça — ela mesma, com uma pequena diferença: cabelo preto em vez de ruivo. Soprou Luz das Tempestades, e dessa vez ela moveu-se ao seu redor, pairando por um momento. Então desapareceu também.

— Isso é uma baboseira — disse Shallan baixinho, Luz das Tempestades escapando dos seus lábios. Ela fez um rápido desenho de si mesma com cabelo escuro. — Que importa se eu desenho primeiro ou não? O lápis nem mesmo mostra a cor.

— Não deveria importar — disse Padrão. — Mas importa para você. Não sei por quê.

Shallan terminou o desenho. Era muito simples; não mostrava seus traços, somente seu cabelo, com o resto indistinto. Porém, quando usou Luz das Tempestades daquela vez, a imagem se fixou e seu cabelo escureceu até tornar-se preto.

Shallan suspirou, a Luz das Tempestades vazando de seus lábios.

— Então, como faço a ilusão desaparecer?

— Pare de alimentá-la.

— Como?

— Como eu vou saber? — indagou Padrão. — Você que é a especialista em alimentação.

Shallan coletou todas as suas esferas — várias agora estavam escuras — e colocou-as no banco à frente, fora do seu alcance. Não foi longe o bastante, pois quando sua Luz se esgotava, ela a inspirava usando instintos que não havia percebido que possuía. A Luz fluía através da carruagem e para dentro do seu corpo.

— Estou ficando boa nisso — disse Shallan em um tom azedo —, considerando meu pouco tempo de experiência.

— Pouco tempo? — questionou Padrão. — Mas a primeira vez que nós...

Ela parou de prestar atenção até ele acabar de falar.

— Realmente preciso encontrar outra cópia de *Palavras de Radiância* — disse Shallan, iniciando outro desenho. — Talvez nele diga como desfazer as ilusões.

Ela continuou a trabalhar no seu desenho seguinte, um retrato de Sebarial. Havia capturado uma Lembrança dele jantando na noite anterior, logo depois de voltar de uma sessão de patrulha do complexo de Amaram. Queria acertar os detalhes daquele desenho para sua coleção, então levou algum tempo. Felizmente, a estrada nivelada significava que não havia grande solavancos. Não era ideal, mas Shallan parecia ter cada vez menos tempo ultimamente, com sua pesquisa, seu trabalho para Sebarial, a espionagem dos Sanguespectros e os encontros com Adolin Kholin. Tinha muito mais tempo quando era mais nova. Não podia deixar de pensar que havia desperdiçado grande parte dele.

Deixou o trabalho consumi-la. O som familiar do lápis no papel, o foco da criação. Havia beleza em tudo ao redor. Criar arte não era capturá-la, mas *participar* dela.

Quando terminou, uma olhada pela janela mostrou que estavam se aproximando do Pináculo. Ela ergueu o desenho, estudando-o, então assentiu para si mesma. Satisfatório.

Em seguida tentou usar Luz das Tempestades para criar uma imagem. Expirou um bocado de Luz, e ela se formou imediatamente, coagulando-se em uma figura de Sebarial sentado em frente a ela na carruagem. Ele estava na mesma posição do desenho, mãos estendidas para fatiar uma comida que não estava incluída na imagem.

Shallan sorriu. Os detalhes eram *perfeitos*. As rugas, os cabelos. Ela não os desenhara — nenhum desenho poderia capturar todos os cabelos de uma cabeça, todos os poros na pele. Mas a ilusão tinha todas essas coisas, então não criava exatamente o que ela desenhava, mas o desenho era um ponto focal. Um modelo a partir do qual a imagem era construída.

— Hmm — disse Padrão, soando satisfeito. — Uma das suas mentiras mais verdadeiras. Maravilhoso.

— Ele não se move — disse Shallan. — Ninguém confundiria essa imagem com algo vivo, mesmo desconsiderando a pose pouco natural. Os olhos não têm vida; o peito não se move com a respiração. Os músculos não se mexem. É detalhado... mas uma estátua pode ser detalhada e ainda assim, morta.

— Uma estátua de luz.

— Eu não disse que não é impressionante — admitiu Shallan. — Mas será muito mais difícil usar as imagens se eu não puder lhes dar vida.

Era estranho que sentisse que seus desenhos estavam vivos, mas que aquela coisa — que possuía uma aparência muito mais realista — estava morta. Estendeu a mão para abanar a imagem. Se a tocasse lentamente, a perturbação era mínima. Balançar a mão a perturbava como se fosse fumaça. Ela notou outra coisa. Enquanto sua mão estava na imagem...

Sim. Ela inspirou e a imagem dissolveu-se em fumaça brilhante, atraída para sua pele. Podia recuperar Luz das Tempestades da ilusão. *Uma pergunta respondida*, pensou, se acomodando e fazendo anotações sobre a experiência no final do caderno.

Começou a guardar as coisas na bolsa quando a carruagem alcançou os Mercados Externos, onde Adolin estaria esperando por ela. Haviam saído na prometida caminhada no dia anterior, e achava que as coisas estavam indo bem. Mas também sabia que precisava impressioná-lo. Seus esforços com a Grã-senhora Navani não haviam dado frutos até então, e ela realmente *precisava* de uma aliança com a família Kholin.

Isso fez com que parasse para pensar. Seu cabelo havia secado, mas ela tendia a mantê-lo comprido e liso, com apenas sua ondulação natural para dar-lhe volume. Já as mulheres alethianas favoreciam tranças intricadas.

Sua pele era pálida e levemente salpicada de sardas, e seu corpo não era nem de longe curvilíneo o suficiente para inspirar inveja. Podia mudar tudo isso com uma ilusão. Uma amplificação. Como Adolin já a vira sem esses recursos, não poderia fazer nenhuma mudança dramática, mas podia se aprimorar. Seria como usar maquiagem.

Ela hesitou. Se Adolin viesse a concordar com o casamento, seria por causa dela, ou pelas mentiras?

Garota tola, pensou Shallan. *Mudou sua aparência para fazer com que Vathah a seguisse e para conquistar uma posição com Sebarial, mas agora não está disposta?*

Mas capturar a atenção de Adolin com ilusões a conduziria por um caminho difícil. Não poderia usar uma ilusão o tempo todo, poderia? Na vida de casada? Melhor ver o que conseguia sem isso, ela pensou enquanto descia da carruagem. No lugar, teria que contar com suas artimanhas femininas.

Bem que gostaria de saber se tinha alguma.

48

CHEGA DE FRAQUEZA

TRÊS ANOS ATRÁS

— São muito bons, Shallan — disse Balat, folheando seus esboços.

Estavam nos jardins, acompanhados por Wikim, que estava sentado no chão jogando uma bola de pano para Sakisa, seu cão-machado, pegar.

— A anatomia está errada — disse Shallan, enrubescendo. — Não consigo acertar as proporções.

Precisava de modelos que posassem para ela, de modo que pudesse praticar.

— Você é melhor do que a nossa mãe era — comentou Balat, passando para outra página, onde ela o havia desenhado no pátio de treinamento com seu tutor de esgrima. Ele virou a folha para Wikim, que levantou uma sobrancelha.

Seu irmão do meio parecia cada vez melhor nos últimos quatro meses. Menos esquelético, mais firme. Estava quase sempre de posse de problemas matemáticos. O pai certa vez o censurara por isso, dizendo que era algo feminino e indecoroso — mas, em uma rara demonstração de discordância, os fervorosos de Davar o abordaram e pediram que se acalmasse, pois o Todo-Poderoso aprovava o interesse de Wikim. Eles esperavam que o rapaz entrasse para suas fileiras.

— Ouvi dizer que recebeu outra carta de Eylita — disse Shallan, tentando distrair Balat do caderno de desenho.

Não conseguia deixar de corar enquanto ele virava uma página depois da outra. Não eram desenhos para serem expostos. Não eram bons.

— Sim — disse ele, sorrindo.

— Vai pedir a Shallan que leia para você? — perguntou Wikim, jogando a bola.

Balat tossiu.

— Pedi a Malise. Shallan estava ocupada.

— Você está com vergonha! — exclamou Wikim, apontando. — O que *tem* nessas cartas?

— Coisas que minha irmã de catorze anos não precisa saber!

— Tão picante assim, é? — perguntou Wikim. — Eu não esperava isso da garota Tavinar. Ela parece tão certinha.

— Não! — Balat corou ainda mais. — Não são picantes; são apenas íntimas.

— Íntimas como o seu...

— Wikim — cortou Shallan.

Ele ergueu os olhos e notou os esprenos de raiva se acumulando sob os pés de Balat.

— Raios, Balat. Você está ficando muito sensível em relação a essa garota.

— O amor deixa todo mundo bobo — disse Shallan, distraindo os dois.

— Amor? — indagou Balat, olhando para ela. — Shallan, você mal tem idade o bastante para esconder sua mão segura. O que sabe sobre o amor?

Ela corou.

— Eu... deixa pra lá.

— Ora, veja só isso — disse Wikim. — Ela pensou alguma resposta espirituosa. Agora vai ter que dizer, Shallan.

— Não adianta guardar uma piada para si — concordou Balat.

— Ministara diz que tenho a língua muito solta e que isso não é um atributo feminino.

Wikim soltou uma gargalhada.

— Isso nunca fez diferença para qualquer mulher que já conheci.

— Pois é, Shallan — concordou Balat. — Se você não puder dizer o que pensa para nós, então para quem vai dizer?

— Para as árvores, pedras, arbustos. Basicamente qualquer coisa que não vá me encrencar com meus tutores.

— Então não precisa se preocupar com Balat — respondeu Wikim. — Ele não conseguiria dizer algo espirituoso nem repetindo o que outra pessoa disse.

— Ei! — protestou Balat. Muito embora, infelizmente, não estivesse longe de ser verdade.

— O amor é como uma pilha de esterco de chule — declarou Shallan, ainda que em parte só para distraí-los.

— Fedorento? — perguntou Balat.

— Não. É que mesmo que a gente tente evitar as duas coisas, acabamos tropeçando nelas de qualquer maneira.

— Palavras profundas para um garota que entrou na adolescência precisamente quinze meses atrás — comentou Wikim com uma risadinha.

— O amor é como o sol — disse Balat, suspirando.

— Cegante? — indagou Shallan. — Branco, quente, poderoso, mas também capaz de queimar?

— Talvez. — Balat assentiu.

— O amor é como um cirurgião herdaziano — disse Wikim, olhando para ela.

— Como assim? — perguntou Shallan.

— Diga-me você. Quero ver o que você tira disso.

— Hum... Os dois te deixam desconfortável? Não. Aah! Porque você só vai atrás de um se tiver levado uma pancada violenta na cabeça!

— Rá! Amor é como comida estragada.

— Por um lado, necessário para viver — disse Shallan —, mas também completamente nauseante.

— Os roncos do pai.

Ela estremeceu.

— Só presenciando para acreditar como pode ser perturbador.

Wikim riu. Raios, era bom vê-lo assim.

— Parem, vocês dois — disse Balat. — Esse tipo de conversa é desrespeitosa. O amor... o amor é como uma melodia clássica.

Shallan abriu um sorriso.

— Se a apresentação acabar rápido demais, a audiência fica desapontada?

— Shallan! — exclamou Balat.

Wikim, contudo, estava rolando no chão. Depois de um momento, Balat sacudiu a cabeça e soltou uma risadinha. De sua parte, Shallan estava com o rosto vermelho. *Eu realmente disse aquilo?* A última tirada fora de fato um tanto espirituosa, muito melhor do que as outras. Também havia sido indecorosa.

Sentiu uma empolgação culpada por isso. Balat parecia envergonhado, e enrubesceu com o duplo significado, fazendo brotar esprenos de vergonha. O robusto Balat. Ele queria tanto liderá-los. Até onde Shallan sabia, ele havia abandonado seu hábito de matar crenguejos por diversão. Estar apaixonado o fortalecera, o transformara.

O som de rodas sobre pedra anunciou a chegada de uma carruagem na casa. Não eram passos de cascos — o pai possuía cavalos, mas poucas outras pessoas na área podiam dizer o mesmo. Suas carruagens eram puxadas por chules ou parshemanos.

Balat levantou-se para ver quem havia chegado, e Sakisa o seguiu-o, guinchando de empolgação. Shallan pegou sua prancheta de desenho. O pai recentemente a proibira de desenhar os parshemanos ou os olhos-escuros da mansão, pois considerava impróprio. Isso dificultava encontrar figuras para praticar.

— Shallan?

Ela se sobressaltou, percebendo que Wikim não havia seguido Balat.

— Oi?

— Eu estava errado — disse ele, entregando-lhe algo. Uma pequena bolsa. — Sobre o que você está fazendo. Eu vejo sua intenção. E... e ainda assim está funcionando. Danação, está funcionando. Obrigado.

Ela fez menção de abrir a bolsa que ele lhe dera.

— Não abra.

— O que é?

— Letanigra — contou Wikim. — Uma planta, as folhas, pelo menos. Causam paralisia, se ingeridas. Paralisa a respiração também.

Perturbada, ela fechou bem a bolsinha. Nem mesmo queria saber como Wikim conhecia uma planta mortal como aquela.

— Passei quase o ano todo carregando isso — disse Wikim, baixinho. — Em teoria, quanto mais tempo você guarda, mais potentes as folhas ficam. Acho que não preciso mais delas. Pode queimá-las, ou algo assim. Só pensei que devia entregá-las.

Ela sorriu, embora estivesse perturbada. Wikim estivera andando por aí carregando veneno? Ele achava que precisava entregá-lo a ela?

Ele correu atrás de Balat e Shallan enfiou a bolsinha em sua própria bolsa. Encontraria uma maneira de destruir a planta depois. Pegou seu lápis e voltou a desenhar.

Gritos de dentro da mansão a distraíram algum tempo depois. Ela ergueu os olhos, sem saber ao certo quanto tempo havia se passado. Levantou-se com a bolsa agarrada junto ao peito e cruzou o pátio. Vinhas tremiam e se recolhiam diante dela, embora, à medida que seu passo acelerava, ela pisasse em um número cada vez maior das plantas, sentindo-as se agitarem sob dos seus pés na tentativa recuar. Vinhas cultivadas tinham instintos fracos.

Ela alcançou a casa e ouviu mais gritos.

— Pai! — A voz de Asha Jushu. — Pai, por favor!

Shallan abriu as portas de madeira, o vestido de seda farfalhando contra o chão ao entrar e ver três homens de roupas antiquadas — *ulatus* semelhantes a saias que iam até os joelhos, camisas folgadas em cores vivas, casacos delicados que chegavam ao chão — parados diante do seu pai.

Jushu estava ajoelhado no chão, as mãos presas às costas. Com o passar dos anos, Jushu havia engordado devido aos seus períodos de excessos.

— Bah — disse o pai. — Não vou tolerar essa extorsão.

— O crédito dele é crédito seu, Luminobre — disse um dos homens em uma voz calma e suave. Era um olhos-escuros, embora não soasse como um. — Ele nos prometeu que o senhor pagaria os débitos dele.

— Ele mentiu — retrucou Davar, ladeado por Ekel e Jix, guardas da casa, que estavam com as mãos nas armas.

— Pai — sussurrou Jushu entre lágrimas. — Eles vão me levar...

— Você deveria estar patrulhando nossas propriedades mais distantes! — berrou o pai. — Deveria estar fiscalizando nossas terras, não jantando com ladrões e desperdiçando nossa riqueza e reputação na jogatina!

Jushu baixou a cabeça, murchando, amarrado.

— Ele é todo seu — declarou Davar, virando-se e deixando tempestuosamente a câmara.

Shallan arfou quando um dos homens suspirou e gesticulou na direção de Jushu. Os outros dois o agarraram. Eles não pareciam felizes em sair sem pagamento. Jushu tremia ao ser arrastado para fora, passando por Balat e Wikim, que assistiam ali de perto. Do lado de fora, Jushu gritou por piedade, implorando aos homens que o deixassem falar com o pai novamente.

— Balat — disse Shallan, caminhando até ele e pegando-o pelo braço. — Faça alguma coisa!

— Todos nós sabíamos no que a jogatina dele ia dar — replicou Balat. — Nós o avisamos, Shallan. Ele não quis ouvir.

— Mas ele é nosso irmão!

— O que você espera que eu faça? Onde vou conseguir esferas o suficiente para pagar as dívidas dele?

O choro de Jushu foi ficando mais baixo à medida que os homens deixavam a mansão. Shallan se virou e correu atrás do pai, passando por Jix, que coçava a cabeça. O pai havia entrado no escritório, a dois cômodos de distância; ela hesitou na porta, vendo-o afundado na cadeira ao lado da lareira. Entrou, passando pela mesa onde seus fervorosos — e às vezes sua esposa — faziam as contas e liam relatórios para ele.

Não havia ninguém ali agora, mas os livros-razão estavam abertos, exibindo uma verdade brutal. Ela levou a mão à boca, notando várias cartas de débito. Havia ajudado um pouco com a contabilidade, mas nunca contemplara tanto do quadro geral, e ficou abalada pelo que viu. Como a família podia dever tanto dinheiro assim?

— Eu não vou mudar de ideia, Shallan — disse o pai. — Vá embora. Jushu vai arder na pira que preparou para si mesmo.

— Mas...

— Deixe-me em paz! — rugiu ele, se levantando.

Shallan se encolheu, os olhos arregalados, o coração quase parando. Esprenos de medo brotaram ao redor dela. Ele nunca gritava com ela. *Nunca.*

O pai respirou fundo, então se voltou para a janela. De costas para ela.

— Não tenho as esferas para pagar.

— Por quê? Pai, é por causa do acordo com o Luminobre Revilar? — Ela olhou para as contas. — Não, é mais do que isso.

— Eu finalmente vou ganhar importância — disse o pai. — E esta casa também. Vou fazer com que parem de fofocar sobre nós; vou acabar com os questionamentos. A Casa Davar se tornará uma *força* neste principado.

— Ao trocar propina por favores de supostos aliados? — indagou Shallan. — Usando dinheiro que não temos?

Ele a encarou, o rosto oculto nas sombras, mas com os olhos refletindo luz, como brasas gêmeas na escuridão do seu crânio. Naquele momento, Shallan sentiu um ódio apavorante emanando do seu pai. Ele se aproximou, agarrando-a pelos braços. Sua bolsa caiu no chão.

— Fiz isso por *você* — rosnou ele, apertando-a de modo doloroso. — E você *vai* obedecer. Eu errei em algum ponto ao deixar que você aprendesse a me questionar.

Ela gemeu de dor.

— Haverá mudanças nessa casa. Chega de fraqueza. Encontrei uma maneira...

— Por favor, pare.

Ele a encarou e pareceu ver pela primeira vez as lágrimas em seus olhos.

— Pai... — sussurrou ela.

Ele ergueu os olhos, na direção dos seus aposentos. Ela sabia que ele estava olhando na direção da alma de sua mãe. Então ele a soltou, fazendo com que caísse, o cabelo ruivo cobrindo seu rosto.

— Você está confinada aos seus aposentos — disse ele rispidamente. — Vá, e não saia até eu lhe dar permissão.

Shallan levantou-se desajeitadamente, agarrando sua bolsa, e deixou a sala. No corredor, ela se recostou contra a parede, ofegante, lágrimas escorrendo pelo queixo. As coisas vinham melhorando... seu pai vinha melhorando...

Ela fechou os olhos com força. As emoções eram uma tormenta dentro dela, se retorcendo. Não conseguia controlá-las.

Jushu.

O pai realmente parecia querer me machucar, pensou Shallan, tremendo. *Ele mudou tanto.* Ela começou a afundar até o chão, os braços ao redor do corpo.

Jushu.

Continue tirando os espinhos do caminho, corajosa... E siga para a luz...

Shallan forçou-se a se levantar. Ela correu, ainda chorando, de volta ao salão de jantar. Balat e Wikim haviam se sentado, e Minara servia-lhes bebidas em silêncio. Os guardas tinham partido, talvez para seus postos no terreno da mansão.

Quando Balat viu Shallan, ele se levantou, arregalando os olhos. Correu até ela, derrubando sua taça na pressa e espalhando vinho pelo chão.

— Ele machucou você? Danação! Eu vou matá-lo! Vou até o grão-príncipe e...

— Ele não me machucou — respondeu Shallan. — Por favor. Balat, sua adaga. Aquela que o pai lhe deu.

Ele olhou para seu cinto.

— O que tem ela?

— Ela vale um bom dinheiro. Vou tentar trocá-la por Jushu.

Balat baixou a mão à faca de modo protetor.

— Jushu construiu sua própria pira, Shallan.

— Foi exatamente isso que o pai me disse — respondeu ela, secando os olhos e encarando o irmão.

— Eu... — Balat olhou por cima do ombro na direção em que Jushu havia sido levado. Ele suspirou, depois soltou a bainha do cinto e a entregou a Shallan. — Não vai ser suficiente. Disseram que ele deve quase cem brons de esmeralda.

— Também tenho meu colar — disse Shallan.

Wikim, bebendo silenciosamente seu vinho, estendeu a mão ao cinto e pegou sua adaga, colocando-a na beirada da mesa. Shallan a pegou ao passar, então saiu correndo da sala. Poderia alcançar os homens a tempo?

Lá fora, ela viu que a carruagem só havia cruzado uma pequena distância na estrada. Correu como pôde pelo caminho pavimentado com pedras, os pés calçados em chinelas, e saiu pelos portões até a estrada. Não era rápida, mas os chules também não. Ao se aproximar, viu que Jushu havia sido amarrado atrás da carruagem, para segui-la a pé. Não levantou os olhos quando Shallan passou por ele.

A carruagem parou e Jushu caiu no chão e se encolheu. O homem olhos-escuros com ar orgulhoso abriu a porta e a encarou.

— Ele enviou a menina?

— Eu vim sozinha — disse ela, mostrando as adagas. — Por favor, são de alta qualidade.

O homem levantou uma sobrancelha, então gesticulou para que um dos seus companheiros descesse e pegasse as adagas. Shallan abriu seu colar e deixou-o cair nas mãos do sujeito junto com as armas. O homem desembainhou uma das adagas, inspecionando-a enquanto Shallan esperava, apreensiva, se remexendo.

— Você andou chorando — observou o homem na carruagem. — Gosta tanto assim dele?

— Ele é meu irmão.

— E daí? Eu matei meu irmão quando ele tentou me enganar. Você não deve deixar o parentesco cegá-la.

— Eu o amo — sussurrou Shallan.

O homem que estava olhando as adagas deslizou-as de volta para suas bainhas.

— São obras-primas — admitiu ele. — Eu estimaria o valor delas em vinte brons de esmeralda.

— E o colar? — perguntou Shallan.

— Simples, mas feito de alumínio, que só pode ser criado por Transmutação — disse o homem ao seu chefe. — Dez esmeraldas.

— Tudo junto soma metade do que o seu irmão me deve — disse o homem na carruagem.

O coração de Shallan se apertou.

— Mas... o que você fará com ele? Vendê-lo como escravo não vai quitar um débito tão alto.

— Frequentemente tenho vontade de lembrar a mim mesmo que os olhos-claros sangram da mesma maneira que os olhos-escuros — respondeu o homem. — E às vezes é útil dar um exemplo aos outros, uma maneira de lembrá-los de que não devem pegar empréstimos que não podem quitar. Ele pode me economizar mais do que custou, se eu o usar com prudência.

Shallan sentiu-se pequena. Ela juntou as mãos, uma coberta, a outra não. Havia perdido, então? As mulheres nos livros de seu pai, as mulheres que estava passando a admirar, não teriam implorado para conquistar o coração daquele homem. Elas teriam tentado a lógica.

Ela não era boa nisso. Não fora treinada para isso, e certamente não tinha o temperamento, naquela situação. Mas enquanto as lágrimas voltavam a brotar, ela botou para fora a primeira coisa que lhe veio à mente.

— Talvez ele lhe economize dinheiro desse modo, mas talvez não. É uma aposta, e você não me parece o tipo de homem que faz apostas.

O homem riu.

— Por que diz isso? Foram apostas que me trouxeram aqui!

— Não — disse ela, enrubescendo por causa das lágrimas. — Você é o tipo de homem que lucra com as apostas dos outros. Sabe que elas geralmente levam à perda. Estou dando a você itens de valor verdadeiro. Leve-os. Por favor?

O homem ponderou, então estendeu a mão para as adagas e seu servo passou-as para ele, que desembainhou uma delas e a inspecionou.

— Dê-me um motivo para ter piedade desse homem. Na minha casa, ele foi um glutão arrogante, agindo sem pensar na dificuldade que causaria a vocês, à sua família.

— Nossa mãe foi assassinada — respondeu Shallan. — Naquela noite, enquanto eu chorava, Jushu me abraçou.

Era tudo que ela tinha. O homem pensou por um instante. Shallan sentia o coração batendo forte. Finalmente, ele jogou o colar de volta para ela.

— Fique com isso. — Ele acenou para seu servo. — Solte esse pequeno crenguejo. Garota, se for esperta, vai ensinar seu irmão a ser mais... conservador.

Ele fechou a porta.

Shallan deu um passo atrás enquanto o criado cortava a corda que prendia Jushu. O homem então subiu na parte traseira do veículo e bateu. A carruagem partiu.

Shallan se ajoelhou ao lado de do irmão, que piscou um olho — o outro estava machucado e começando a se fechar de tão inchado — enquanto ela desamarrava suas mãos ensanguentadas. Não fazia nem um quarto de hora desde que o pai havia declarado que os homens podiam leva-lo, e eles haviam obviamente aproveitado aquele tempo para mostrar a Jushu o que pensavam a respeito de não serem pagos.

— Shallan? — disse ele, os lábios sangrentos. — O que aconteceu?

— Você não estava ouvindo?

— Meus ouvidos estão zumbindo. Tudo está girando. Eu... estou livre?

— Balat e Wikim trocaram suas adagas por você.

— Mill aceitou tão pouco em troca?

— Obviamente, ele não sabia o quanto você realmente vale.

Jushu abriu um sorriso.

— Sempre com essa língua afiada, não é?

Ele se levantou com a ajuda de Shallan e começou a mancar de volta para casa. No meio do caminho, Balat juntou-se a eles, tomando o braço de Jushu.

— Obrigado — sussurrou Jushu. — Ela disse que você me salvou. Obrigado, irmão. — Ele começou a chorar.

— Eu... — Balat olhou para Shallan, depois de volta para Jushu. — Você é meu irmão. Vamos voltar e cuidar de você.

Satisfeita por saber que Jushu seria cuidado, Shallan deixou-os e adentrou a casa. Subiu as escadas, passou pelo quarto iluminado do pai e entrou nos seus aposentos. Deitou-se na cama.

Ali, ela esperou pela grantormenta.

Gritos vieram do andar de baixo. Shallan apertou os olhos com força. Finalmente, a porta dos seus aposentos se abriu.

Ela abriu os olhos. Seu pai estava ali fora. Shallan via uma silhueta encolhida atrás dele, caída no chão do corredor. Minara, a criada. Seu corpo não parecia certo, um braço dobrado no ângulo errado. Sua figura se mexeu, choramingando, deixando sangue na parede enquanto tentava se arrastar para longe.

O pai entrou no quarto de Shallan e fechou a porta atrás de si.

— Você sabe que eu nunca a machucaria, Shallan — disse ele em voz baixa.

Ela assentiu, lágrimas escapando dos seus olhos.

— Descobri uma maneira de me controlar. Só preciso extravasar a raiva. Essa ira não é culpa minha. Ela é causada pelos outros quando me desobedecem.

A objeção dela — de que ele não havia mandado que fosse *imediatamente* para o quarto, só que não saísse depois que estivesse lá — morreu em seus lábios. Uma desculpa tola. Ambos sabiam que ela havia desobedecido intencionalmente.

— Não quero ter que punir mais ninguém por sua causa, Shallan. Aquele monstro frio era realmente o seu pai?

— Já chegou a hora. — Ele assentiu. — Chega de indulgências. Se vamos ser importantes em Jah Keved, não podemos ser vistos como fracos. Você entendeu?

Ela assentiu, incapaz de deter as lágrimas.

— Ótimo — disse ele, pousando a mão em sua cabeça e correndo os dedos pelo seu cabelo. — Obrigado.

Ele saiu, fechando a porta.

Esta página de fólio mostra desenhos
contemporâneos vindos de Azir, usando
modelos locais. Embora esses sejam especificamente trajes masculinos de servidores públicos, os estilos influenciaram
profundamente toda a moda azishiana.

49

VENDO O MUNDO SE TRANSFORMAR

> *Esses Teceluzes, não por acaso, incluíam muitos que se dedicavam às artes; ou seja: escritores, artistas, músicos, pintores, escultores. Levando em conta o temperamento geral da ordem, as histórias de suas estranhas e variadas habilidades mnemônicas podem ter sido exageradas.*
>
> — De *Palavras de Radiância*, capítulo 21, página 10

Depois de deixar a carruagem em um estábulo nos Mercados Externos, Shallan foi levada a uma escadaria talhada na pedra de uma encosta. Ela subiu os degraus, então adentrou de modo hesitante em um terraço igualmente talhado na encosta. Olhos-claros vestindo roupas elegantes conversavam junto a taças de vinho nas numerosas mesas de ferro ornamental.

Estavam alto o bastante para ter uma vista dos acampamentos de guerra. A perspectiva era oriental, voltada para a Origem, um arranjo incomum que a fazia se sentir exposta. Shallan estava acostumada a sacadas, jardins e pátios voltados na direção oposta às tempestades. Claro, ninguém estaria por ali quando houvesse previsão de uma grantormenta, mas parecia *errado*.

Uma criada-mestra em um traje preto e branco chegou e fez uma mesura, chamando-a de Luminosa Davar sem precisar que ela se apresentasse. Shallan teria que se acostumar com isso; em Alethkar, ela era uma novidade, e facilmente reconhecível. Deixou a criada conduzi-la entre as mesas, enviando seus guardas do dia rumo a uma sala maior entalhada mais à direita na pedra, que possuía um teto e paredes, de modo que podia ser completamente fechada, e um grupo de outros guardas esperava ali à disposição de seus senhores.

Shallan atraiu olhares dos outros fregueses. Bem, ótimo. Viera para perturbar o mundo deles. Quanto mais pessoas falassem sobre ela, melhores seriam suas chances de persuadi-los, quando chegasse a hora, a ouvir o que tinha a dizer sobre os parshemanos. Estes estavam por toda parte no acampamento, até mesmo naquela luxuosa casa de vinhos. Ela identificou três a um canto, passando garrafas de prateleiras na parede para caixotes. Eles se moviam em um passo arrastado, mas inexorável.

Mais alguns passos levaram-na até a balaustrada de mármore bem na beirada do terraço. Ali, Adolin tinha uma mesa disposta isolada, com uma vista sem obstruções, dando direto para leste. Dois membros da guarda doméstica de Dalinar estavam a postos junto da parede, a uma curta distância; aparentemente, Adolin era importante o bastante para que seus guardas não precisassem esperar com os outros.

Adolin folheava um fólio de tamanho propositadamente aumentado, para que não fosse confundido com um livro de mulher. Shallan havia visto alguns fólios contendo mapas de batalhas, outros com desenhos para armaduras ou imagens arquitetônicas. Achou graça quando viu os glifos daquele ali, com uma escrita feminina abaixo para maior esclarecimento. A moda de Liafor e Azir.

Adolin estava tão bonito quanto antes. Talvez mais ainda, agora que se encontrava mais obviamente relaxado. Ela *não* deixaria que ele a distraísse; tinha um propósito para aquele encontro: uma aliança com a Casa Kholin para ajudar seus irmãos e dar a ela os recursos para expor os Esvaziadores e descobrir Urithiru.

Não podia dar-se ao luxo de parecer fraca; precisava ter controle da situação, sem agir como uma bajuladora, e não podia...

Adolin a viu, fechou o portfólio e se levantou, sorrindo.

...ah, *raios*. Aquele *sorriso*.

— Luminosa Shallan — disse ele, estendendo-lhe a mão. — Está bem instalada no acampamento de Sebarial?

— Uhum — disse ela, sorrindo de volta.

Aquele cabelo rebelde lhe dava vontade de passar os dedos pelos fios. *Nossos filhos teriam o cabelo mais estranho do mundo*, pensou ela. *As mechas alethianas dele, douradas e pretas, e as minhas ruivas, e...*

Estava realmente pensando sobre os *filhos deles*? Já? Garota tola.

— Sim — continuou ela, tentando se recompor um pouco. — Ele tem sido muito gentil comigo.

— Provavelmente isso se deve ao fato de você ser da família — disse Adolin, deixando-a se sentar, depois empurrando para dentro sua cadeira. Fez tudo pessoalmente, em vez de permitir que a criada-mestra o fizesse. Ela não teria esperado isso de alguém de estirpe tão elevada. — Sebarial só faz o que se sente forçado a fazer.

— Acho que você ficaria surpreso com ele — disse Shallan.

— Ah, já fiquei várias vezes.

— É mesmo? Quando?

— Bem — disse Adolin, sentando-se —, uma vez ele produziu um, hã, som bem alto e inapropriado em uma reunião com o rei... — Adolin sorriu, dando de ombros como se estivesse envergonhado, mas não enrubesceu como Shallan teria enrubescido em seu lugar. — Isso conta?

— Não sei. Conhecendo tio Sebarial, duvido que isso seja particularmente *surpreendente* da parte dele. É mais algo esperado.

Adolin deu uma gargalhada, jogando a cabeça para trás.

— É, acho que tem razão. Tem mesmo.

Ele parecia tão *confiante*. Não de uma maneira particularmente arrogante, não como o pai dela costumava ser. Na verdade, ocorreu-lhe que a atitude do seu pai não era causada pela confiança, mas pelo oposto.

Adolin parecia perfeitamente tranquilo tanto com sua posição quanto com aqueles ao seu redor. Quando acenou para que a criada-mestra trouxesse a lista de vinhos, ele sorriu para a mulher, muito embora fosse uma olhos-escuros. Aquele sorriso era o suficiente para fazer corar até mesmo uma criada-mestra.

Shallan devia conseguir que aquele homem a cortejasse? Raios! Havia se sentido muito mais capaz tentando enganar o líder dos *Sanguespectros*. *Aja de modo refinado*, disse Shallan a si mesma. *Adolin anda com a elite, e teve relacionamentos com as damas mais sofisticadas do mundo. Ele vai esperar isso de você.*

— Então — disse ele, folheando a lista de vinhos descrita por glifos —, esperam que a gente se *case*.

— Eu atenuaria essa frase, Luminobre — replicou Shallan, escolhendo cuidadosamente as palavras. — Nós não *esperamos* que nos casemos. Sua prima Jasnah meramente queria que considerássemos uma união, e sua tia pareceu concordar.

— Só o Todo-Poderoso pode salvar um homem quando suas parentas entram em conluio em relação ao seu futuro. — Adolin suspirou. — Claro, *Jasnah* pode chegar à meia-idade sem um esposo, mas se eu chego ao meu vigésimo terceiro aniversário sem uma noiva, pareço algum tipo de ameaça. É sexista da parte dela, não acha?

— Bem, ela também queria que eu me casasse — disse Shallan. — Então não a chamaria de sexista. Apenas... Jasnahista? — Ela fez uma pausa. — Jasnahginista? Não, droga. Teria que ser misjasnahginista, e não soa muito bem, não é?

— Você está me perguntando? — indagou Adolin, virando o cardápio para que ela pudesse vê-lo. — O que acha que devemos pedir?

— Raios — sussurrou ela. — *Todos* esses são diferentes tipos de vinho?

— Sim — respondeu Adolin. Ele se inclinou na direção dela com um ar conspiratório. — Para ser sincero, eu não presto muita atenção. Renarin sabe a diferença entre eles... fala disso por horas, se você deixar. Já eu peço algo que soe importante, mas na verdade estou só escolhendo pela cor. — Ele fez uma careta. — Estamos tecnicamente em guerra. Não posso beber nada inebriante demais, por via das dúvidas. É uma bobeira, já que não haverá nenhuma investida de platô hoje.

— Tem certeza? Pensei que elas ocorressem de modo aleatório.

— Sim, mas meu acampamento de guerra não está de plantão. De todo modo, eles quase nunca vêm tão perto de uma grantormenta. — O príncipe se inclinou para trás, sondando o cardápio, antes de apontar para um dos vinhos e piscar para a criada.

Shallan sentiu um arrepio.

— Espere. *Grantormenta?*

— Isso — confirmou Adolin, verificando o relógio no canto. Sebarial havia mencionado que elas se tornariam cada vez mais comuns na região. — Deve chegar a qualquer momento. Você não sabia?

Ela gaguejou, olhando para o leste, para a paisagem fragmentada ao longe. *Aja com compostura! Elegante!* Em vez disso, queria desesperadamente se enfiar em um buraco e se esconder. De repente, imaginou que podia sentir a pressão caindo, como se o próprio ar estivesse tentando escapar. Estaria discernindo a tempestade ao longe, começando? Não, aquilo não era nada. Ela apertou os olhos de qualquer modo.

— Eu não consultei a lista de tempestades que Sebarial mantém — Shallan se forçou a dizer. Para ser honesta, ela provavelmente estava desatualizada, conhecendo o homem. — Andei ocupada.

— Hum. Estava mesmo me perguntando por que você não perguntou sobre esse lugar. Só imaginei que já o conhecesse.

Esse lugar. A sacada aberta, voltada para o leste. Os olhos-claros bebendo vinho agora pareciam tomados pela expectativa, com um ar de nervosismo. A segunda sala — a maior, para guarda-costas, com as portas reforçadas — fazia muito mais sentido agora.

— Estamos aqui para assistir? — sussurrou Shallan.

— É a nova moda. Aparentemente, devemos ficar aqui sentados até que a tempestade esteja quase sobre nós, então correr para aquela outra sala e nos abrigarmos lá. Faz semanas que quero vir, e só agora consegui convencer meus guardiões de que estaria seguro aqui. — A última frase soou com certa amargura. — Podemos passar para a sala segura agora, se desejar.

— Não — respondeu Shallan, forçando-se a soltar a borda da mesa. — Estou bem.

— Você está pálida.

— Isso é normal.

— Por que você é vedena?

— Porque estou sempre à beira de um ataque de pânico, ultimamente. Ah, esse é o nosso vinho?

Elegante, lembrou-se mais uma vez. Decididamente não olhou para leste.

A criada havia trazido duas taças de um brilhante vinho azul. Adolin pegou uma e estudou a bebida, inspirou seu aroma, provou-a, depois assentiu satisfeito e dispensou a criada com um sorriso. Ele contemplou o traseiro da mulher enquanto ela se afastava.

Shallan arqueou a sobrancelha, mas o rapaz não pareceu notar que havia feito algo de errado. Ele devolveu o olhar de Shallan e inclinou-se novamente.

— Eu sei que se deve balançar o vinho, prová-lo e coisas assim, mas ninguém jamais me explicou o que eu deveria procurar.

— Insetos flutuando no líquido, talvez?

— Não, meu novo provador de comida teria reparado nisso. — Ele sorriu, mas Shallan percebeu que Adolin provavelmente não estava brincando. Um homem magro, sem uniforme, havia se aproximado para conversar com o guarda-costas. Provavelmente o provador de comida.

Shallan provou seu vinho. Era bom; ligeiramente doce, um pouquinho picante. Não que conseguisse prestar muita atenção no gosto, com aquela tempestade...

Pare, ordenou a si mesma, sorrindo para Adolin. Precisava garantir que aquele encontro corresse do agrado dele. *Faça com que ele fale de si mesmo.* Era um conselho de que ela se lembrava dos livros.

— Incursões de platô — disse Shallan. — *Como se* sabe quando começar uma?

— Hmm? Ah, nós temos olheiros — respondeu Adolin, se recostando na cadeira. — Homens no topo de torres com umas enormes lunetas. Eles inspecionam cada platô possível de alcançar em um tempo razoável, procurando por uma crisálida.

— Ouvi dizer que você já capturou várias.

— Bem, eu não devia falar sobre isso. Meu pai não quer mais que seja uma competição. — Ele a encarou, aguardando.

— Mas você certamente pode falar sobre o que já aconteceu — disse Shallan, sentindo que estava cumprindo um papel.

— Imagino que sim... Uns meses atrás houve uma investida em que capturei a crisálida praticamente sozinho. Sabe, meu pai e eu costumávamos saltar o abismo primeiro e abrir caminho para as pontes.

— Isso não é perigoso? — indagou Shallan, fitando-o diligentemente com olhos arregalados.

— É, mas nós somos Fractários. Temos a força e o poder concedidos pelo Todo-Poderoso. É uma grande responsabilidade, e é nosso dever usá-la para a proteção dos nossos homens. Salvamos centenas de vidas ao saltarmos primeiro. Lideramos o exército em primeira mão.

Ele fez uma pausa.

— Muito corajoso — disse Shallan, com uma voz que esperava que soasse ofegante e cheia de admiração.

— Bem, é a coisa certa a fazer. Mas *é* perigoso. Naquele dia, eu saltei, mas meu pai e eu fomos separados pelos parshendianos. Ele foi forçado a saltar de volta e sofreu um golpe na perna que fez sua greva, que é uma peça da armadura, rachar quando ele aterrissou. Por causa disso, ficou perigoso demais ele saltar de volta. Fiquei sozinho enquanto ele esperava que a ponte descesse.

Adolin fez outra pausa. Ela provavelmente deveria perguntar o que aconteceu em seguida.

— E se você precisar fazer cocô? — indagou ela, em vez disso.

— Bem, fiquei de costas para o abismo e brandi minha espada com a intenção de... Espere. O que foi que você disse?

— Cocô — repetiu Shallan. — Você está lá no campo de batalha, todo envolto em metal feito um caranguejo em sua carapaça. O que faz quando a natureza chama?

— Eu... hã... — Adolin franziu o cenho. — Nenhuma mulher nunca me perguntou isso.

— Ponto para a originalidade! — disse Shallan, mas ficou vermelha.

Jasnah não teria aprovado. Será que Shallan não conseguia controlar a língua nem em uma única conversa? Havia feito com que ele falasse sobre algo de que gostava; tudo estava indo bem. Agora isso.

— Bem — disse Adolin lentamente —, toda batalha tem pausas no fluxo, e os homens se alternam entrando e saindo das linhas de frente. Para cada cinco minutos de luta, frequentemente se tem quase o mesmo tempo para descansar. Quando um Fractário recua, homens inspecionam sua armadura em busca de rachaduras, dão-lhe algo para beber e ajudam-no com... o que você acabou de mencionar. Não acho que seja um bom tópico de conversa, Luminosa. Não falamos muito sobre isso.

— É por isso mesmo que é um bom assunto — replicou ela. — Posso aprender sobre guerras, Fractários e matanças gloriosas nos relatos oficiais. Os detalhes sujos, contudo... ninguém escreve sobre isso.

— Bem, *fica* sujo mesmo — disse Adolin com uma careta. — Não posso... Não acredito que estou dizendo isso... não dá para se limpar de verdade em uma Armadura Fractal, então alguém precisa fazer isso para você. Fico me sentindo um bebê. E às vezes não dá tempo...

— E então?

Ele a observou, estreitando os olhos.

— O que foi? — perguntou ela.

— Só estou tentando descobrir se você é secretamente o Riso usando uma peruca. Isso é algo que ele faria comigo.

— Não estou fazendo nada com você. Estou apenas curiosa. — E estava mesmo, honestamente. Já havia pensado a respeito; talvez por mais tempo do que o assunto merecesse.

— Bem — respondeu Adolin —, se quer mesmo saber, um velho ditado de campo de batalha ensina que é melhor a vergonha do que a morte. Não se pode deixar nada distrair sua atenção do combate.

— Então...

— Então, sim, eu, Adolin Kholin... primo do rei, herdeiro do principado Kholin... já caguei na minha Armadura Fractal. Três vezes, todas elas de propósito. — Ele tomou o resto do vinho. — Você é uma mulher muito estranha.

— Devo lembrá-lo de que foi você quem iniciou nossa conversa hoje com uma piada sobre a flatulência de Sebarial — observou Shallan.

— Acho que tem razão. — Ele sorriu. — Isso não está indo como o esperado, não é?

— E isso é ruim?

— Não — respondeu Adolin, seu sorriso aumentando. — Na verdade, é interessante. Sabe quantas vezes eu contei sobre salvar aquela investida de platô?

— Tenho certeza de que você foi muito corajoso.

— Muito mesmo.

— Embora provavelmente não tão corajoso quanto os pobres homens que tiveram que limpar sua armadura.

Adolin explodiu em uma gargalhada. Pela primeira vez, pareceu genuíno — uma emoção não planejada ou esperada. Ele bateu o punho na mesa, então acenou para pedir mais vinho, limpando uma lágrima do olho. O sorriso que abriu para ela quase causou outro rubor.

Espere, então isso... funcionou? Ela deveria estar agindo de modo feminino e delicado, não perguntando como era ter que defecar no meio de uma batalha.

— Tudo bem — disse Adolin, pegando a taça de vinho. Dessa vez ele nem olhou para a criada. — Que outros segredos sujos você quer saber? Estou completamente exposto. Há toneladas de coisas que as histórias oficiais não mencionam.

— As crisálidas — disse Shallan, ansiosa. — Como elas são?

— É isso que você quer saber? — rebateu Adolin, coçando a cabeça. — Tinha certeza de que ia perguntar sobre as assaduras...

Shallan pegou sua bolsa, colocando um pedaço de papel na mesa e iniciando um esboço.

— Pelo que pude determinar, ninguém nunca fez um estudo completo sobre os demônios-do-abismo. Há alguns desenhos de cadáveres, mas isso é tudo, e a anatomia nessas imagens é horrível. Eles devem ter um ciclo de vida interessante. Assombram esses abismos, mas duvido que realmente vivam neles. Não há comida o bastante para sustentar criaturas do seu tamanho. Isso significa que vêm aqui como parte de algum padrão migratório. Eles vêm aqui para *empupar*. Você já viu um filhote? Antes que eles formem a crisálida?

— Não — respondeu Adolin, movendo sua cadeira ao redor da mesa. — Costuma acontecer à noite, e só as vemos de manhã. Elas são difíceis de discernir de longe, pois têm a cor das pedras. Isso me faz pensar que os parshendianos devem estar nos vigiando. Acabamos lutando pelos platôs com muita frequência; pode ser que eles vejam nossa mobilização e usem nosso deslocamento para julgar onde vão encontrar a crisálida. Nós temos uma vantagem inicial, mas eles se movem mais rápido pelas Planícies, então chegamos mais ou menos ao mesmo tempo...

Ele perdeu o fio da meada, inclinando a cabeça para ver melhor o desenho.

— Raios! Está muito bom, Shallan.

— Obrigada.

— Não, quero dizer *muito* bom mesmo.

Ela havia feito um rascunho de vários tipos de crisálidas sobre as quais lera em seus livros, junto de representações rápidas de um homem ao lado delas, para referência de tamanho. Não estava muito bom — ela havia feito um esboço apressado. Mas Adolin parecia genuinamente impressionado.

— A forma e textura da crisálida poderiam me ajudar a situar os demônios-do-abismo em uma família de animais similares — disse ela.

— Parece-se mais com essa aqui — contou Adolin, chegando mais perto e apontando para um dos desenhos. — Nas vezes em que toquei uma, era dura como pedra. É difícil abrir um buraco nelas sem uma Espada Fractal. Homens com martelos podem levar uma eternidade para romper a casca.

— Hmm — disse Shallan, fazendo uma anotação. — Tem certeza?

— Tenho. Elas são bem assim. Por quê?

— Essa é a crisálida de um yu-nerig — explicou Shallan. — Um grã-carapaça dos mares ao redor de Marabethia. Ouvi dizer que a população lhes dá os criminosos para comer.

— Nossa.

— Pode ser um falso positivo, uma coincidência. Os yu-nerig são uma espécie aquática. A única ocasião em que eles vêm à terra é para empupar. Parece tênue presumir que haja uma relação com os demônios-do-abismo...

— Claro — disse Adolin, tomando um gole de vinho. — Se você diz.

— Isso provavelmente é importante — disse Shallan.

— Para pesquisa. Sim, eu sei. Tia Navani está sempre falando de coisas assim.

— Pode ter uma importância mais prática, até — respondeu Shallan. — Mais ou menos quantas dessas coisas, no total, são mortas pelos seus exércitos e pelos parshendianos a cada mês?

Adolin deu de ombros.

— Uma a cada dois ou três dias, eu acho. Às vezes mais, às vezes menos. Então... quinze ou mais por mês?

— Vê o problema?

— Eu... — Adolin balançou a cabeça. — Não. Desculpe. Sou meio inútil em qualquer coisa que não envolva apunhalar alguém.

Ela sorriu.

— Bobagem. Você se provou hábil na escolha do vinho.

— Foi basicamente ao acaso.

— E é delicioso — disse Shallan. — Prova empírica da sua metodologia. Ora, você provavelmente não vê o problema porque não tem os fatos necessários. Grã-carapaças, de modo geral, são lentos para se reproduzir e lentos para crescer. Isso acontece porque a maioria dos ecossistemas só pode sustentar uma pequena população de predadores desse porte.

— Já ouvi algumas dessas palavras.

Ela o encarou, levantando a sobrancelha. Adolin se aproximara bastante para olhar o desenho. Estava usando uma leve colônia, um intenso aroma amadeirado. *Ah, céus...*

— Tudo bem, tudo bem — disse ele, dando uma risadinha enquanto inspecionava os desenhos. — Não sou tão obtuso quanto pareço. Estou vendo o que quer dizer. Você realmente acha que poderíamos matar o bastante deles para causar um problema? Quero dizer, as pessoas caçam grã-carapaças há gerações, e as feras ainda estão por aí.

— Vocês não estão caçando, Adolin. Estão *colhendo*. Estão sistematicamente destruindo sua população juvenil. Têm aparecido menos pupas ultimamente?

— Sim — admitiu ele, embora soasse relutante. — Pensamos que pudesse ser a estação.

— Pode ser. Ou pode ser que, depois de cinco anos de colheita, a população esteja começando a diminuir. Animais como os demônios-do-abismo não costumam ter predadores. Perder subitamente cento ou cinquenta ou mais por ano pode ser catastrófico para sua população.

Adolin franziu o cenho.

— As gemas-coração que obtemos alimentam as pessoas dos acampamentos de guerra. Sem um fluxo constante de novas pedras de tamanho razoável, os Transmutadores acabarão rachando as que possuímos, e não seremos capazes de sustentar os exércitos aqui.

— Não estou dizendo para interromper as caçadas — disse Shallan, corando.

Não era esse o argumento que devia estar defendendo. Urithiru e os parshemanos eram o problema imediato. Ainda assim, precisava conquistar a confiança de Adolin. Se pudesse fornecer ajuda útil em relação aos demônios-do-abismo, talvez ele escutasse quando ela o abordasse com algo ainda mais revolucionário.

— Só estou dizendo que vale a pena pensar a respeito e estudar. Como seria se pudéssemos começar a criar demônios-do-abismo, deixando que crescessem até a juventude em ninhadas, como os homens criam chules? Em vez de caçar três por semana, e se pudéssemos criá-los e coletar centenas?

— Isso *seria mesmo* útil — disse Adolin, pensativo. — Do que você precisaria para colocar isso em prática?

— Bem, eu não estava dizendo... Quero dizer... — Ela se deteve. — Preciso ir até as Planícies Quebradas — respondeu com mais firmeza. — Para tentar descobrir como criá-los, preciso ver uma dessas crisálidas antes que ela seja cortada. De preferência, preciso ver um demônio-do--abismo adulto, e... idealmente... gostaria de capturar um filhote para estudá-lo.

— Uma pequena lista de impossibilidades.

— Bem, você *perguntou.*

— Posso conseguir levá-la às Planícies — disse Adolin. — Meu pai prometeu que mostraria a Jasnah um demônio-do-abismo morto, então imagino que ele estivesse planejando levá-la depois de uma caçada. Ver uma crisálida, contudo... Elas raramente aparecem perto dos acampamentos. Eu teria que levá-la perigosamente perto do território parshendiano.

— Tenho certeza de que você pode me proteger.

Ele a encarou com um ar de expectativa.

— Que foi?

— Estou esperando a piada.

— Estava falando sério — replicou Shallan. — Com você por perto, tenho certeza de que os parshendianos não ousariam se aproximar.

Adolin sorriu.

— Quero dizer, só o fedor...

— Suspeito de que nunca vai esquecer o fato de eu ter contado aquilo.

— Nunca — concordou Shallan. — Você foi honesto, detalhista e envolvente. Não esqueço esse tipo de coisa em relação a um homem.

O sorriso dele se alargou. Raios, aqueles olhos...

Cuidado, disse Shallan a si mesma. *Cuidado! Kabsal a enganou facilmente. Não repita o erro.*

— Verei o que posso fazer — prometeu Adolin. — Logo os parshendianos podem deixar de ser um problema.

— É mesmo?

Ele assentiu.

— Nem todo mundo sabe disso, embora tenhamos contado aos grão-príncipes, mas meu pai vai se reunir com alguns dos líderes parshendianos amanhã. Isso pode levar a uma negociação de paz.

— Isso é *fantástico*!

— É. Não tenho muitas esperanças. O assassino... bom, vamos ver o que acontece amanhã, embora eu também esteja ocupado com o outro trabalho que meu pai me deu.

— Os duelos — disse Shallan, se inclinando na direção dele. — Qual é a questão, Adolin?

Ele pareceu hesitar.

— Não sei o que está havendo nos acampamentos no momento — disse ela, falando mais baixo —, pois Jasnah não sabia. Sinto-me lamentavelmente ignorante sobre a política daqui, Adolin. Seu pai e o Grão-príncipe Sadeas tiveram um desentendimento, pelo que entendi. O rei mudou a natureza dessas investidas de platô, e todos estão falando sobre os seus duelos. Mas, pelo que pude apurar, você nunca *parou* de duelar.

— É diferente — replicou ele. — Agora estou duelando para vencer.

— E antes não estava?

— Não, antes eu duelava para punir. — Ele olhou ao redor, então fitou-a nos olhos. — Começou quando meu pai passou a ter visões...

Adolin continuou, revelando uma história surpreendente, com muito mais detalhes do que ela havia antecipado. Uma história de traição e de esperança. Visões do passado. Uma Alethkar unificada, pronta a sobreviver a uma tempestade vindoura.

Shallan não sabia o que pensar de tudo aquilo, embora houvesse entendido que Adolin estava lhe contando o caso porque sabia dos rumores no acampamento. Ela havia ouvido falar sobre os ataques de Dalinar, naturalmente, e tinha uma ideia do que Sadeas havia feito. Quando Adolin mencionou que seu pai desejava o retorno dos Cavaleiros Radiantes, Shallan sentiu um arrepio. Ela olhou ao redor, procurando Padrão — ele certamente estava por perto —, mas não conseguiu encontrá-lo.

O ponto central da história, pelo menos segundo Adolin, era a traição de Sadeas. Os olhos do jovem príncipe escureceram e seu rosto ficou vermelho ao contar sobre ser abandonado nas Planícies, cercado pelos inimigos. Ele pareceu ficar constrangido quando relatou como foram salvos por uma humilde equipe de ponte.

Ele realmente está confiando em mim, pensou Shallan, entusiasmada. Pousou a mão livre no braço do rapaz enquanto ele falava, um gesto inocente, mas que pareceu estimulá-lo enquanto Adolin explicava em voz baixa o plano de Dalinar. Shallan teve a impressão de que ele não deveria estar compartilhando tudo aquilo com ela. Eles mal se conheciam. Mas falar pareceu remover um peso das costas de Adolin, que ficou mais relaxado.

— Acho que isso é tudo — concluiu Adolin. — Preciso ganhar Espadas Fractais dos outros, tomando a força deles e os humilhando. Mas não sei se isso vai funcionar.

— Por que não? — indagou Shallan.

— Os homens que concordam em duelar comigo não são importantes o bastante — disse ele, formando um punho. — Se eu ganhar demais, os verdadeiros alvos... os grão-príncipes... ficarão com medo e se recusarão a duelar. Eu preciso de duelos de maior destaque. Não, o que eu *preciso* é duelar com Sadeas. Bater aquela sua cara sorridente nas pedras e recuperar a Espada do meu pai. Mas ele é escorregadio demais. Nunca vamos conseguir que ele concorde.

Shallan se pegou desejando desesperadamente fazer algo, qualquer coisa, para ajudar. Sentia-se derretendo com a intensa preocupação naqueles olhos, a paixão.

Lembre-se de Kabsal, repetiu para si mesma.

Bem, Adolin provavelmente não tentaria assassiná-la — mas isso não significa que devia deixar seu cérebro se transformar em pasta de *curry*. Pigarreou, desviando o olhar do dele e fitando seu desenho.

— Droga. Deixei você perturbado. Não sou muito boa nessa coisa de cortejar.

— Não é o que parece... — disse Adolin, pousando a mão no braço dela.

Shallan escondeu outro rubor ao baixar a cabeça e procurar algo na sua bolsa.

— Você precisa saber em que sua prima estava trabalhando antes de morrer.

— Outro volume da biografia do pai dela?

— Não — respondeu Shallan, pegando uma folha de papel. — Adolin, Jasnah achava que os Esvaziadores vão voltar.

— O quê? — disse ele, franzindo a testa. — Ela nem mesmo acreditava no Todo-Poderoso. Por que acreditaria nos Esvaziadores?

— Ela tinha evidências — respondeu Shallan, tamborilando um dedo no papel. — Temo que muitas tenham afundado no oceano, mas tenho aqui algumas das de suas anotações, e... Adolin, quão difícil você acha que seria convencer os grão-príncipes a se livrarem dos seus parshemanos?

— Se livrarem do *quê*?

— Quão difícil seria fazer com que todos parassem de usar parshemanos como escravos? Doá-los, ou... — Raios. Ela não queria iniciar um genocídio, queria? Mas eram os *Esvaziadores*. — Ou libertá-los, ou algo assim. Tirá-los dos acampamentos de guerra.

— Quão difícil seria? De cara, eu diria que é impossível. Impossível, ou *muito* impossível. Por que faríamos algo assim?

— Jasnah pensava que eles podem estar relacionados aos Esvaziadores e seu retorno.

Adolin balançou a cabeça, parecendo perplexo.

— Shallan, mal conseguimos que os grão-príncipes lutem de verdade nesta guerra. Se meu pai ou o rei exigissem que todos se livrassem dos seus parshemanos... Raios! Isso partiria o reino ao meio em um instante.

Então Jasnah também estivera certa em relação a isso. Já era de se esperar. Shallan *ficou* interessada ao ver quão violentamente o próprio Adolin se opôs à ideia. Ele tomou um grande gole de vinho, parecendo totalmente desconcertado.

Hora de recuar, então. O encontro havia corrido muito bem; ela não queria concluí-lo com um gosto amargo.

— Foi algo que Jasnah disse, mas, na verdade, eu gostaria que a Luminobre Navani julgasse a importância dessa sugestão. Ela conhecia a filha, suas anotações, melhor do que ninguém.

Adolin concordou.

— Então fale com ela.

Shallan tocou o papel com os dedos.

— Eu tentei. Ela não foi muito acolhedora.

— Tia Navani sabe ser difícil, às vezes.

— Não é isso — replicou Shallan, correndo os olhos pelas palavras na carta. Era uma resposta que recebera depois de solicitar um encontro com Navani para discutir o trabalho da filha. — Ela não quer me ver. Mal parece querer saber que eu existo.

Adolin suspirou.

— Ela não quer acreditar. No que aconteceu com Jasnah, quero dizer. Para ela, você representa... a verdade, de certo modo. Dê-lhe tempo. Ela só precisa de um período de luto.

— Não sei se esse assunto deveria esperar, Adolin.

— Vou falar com ela, que tal?

— Seria maravilhoso — respondeu ela. — Assim como você.

Ele sorriu.

— Não é nada. Quero dizer, se vamos meio-que-tipo-quase-talvez nos casar, acho que devemos cuidar dos interesses um do outro. — Ele fez uma pausa. — Mas não mencione esse negócio dos parshemanos para mais ninguém. Não será bem recebido.

Ela concordou, distraída, então percebeu que o estava encarando. Algum dia ia beijar aqueles lábios. Permitiu-se imaginar como seria.

E, pelos olhos de Ash... Adolin tinha um jeito muito amigável. Ela não havia esperado isso de alguém de tão alta estirpe. Nunca havia conhecido alguém do escalão dele antes de chegar às Planícies Quebradas, mas todos os homens mais bem-nascidos que conhecera eram rígidos ou mesmo agressivos.

Adolin, não. Raios, também poderia ficar muito, muitíssimo mal-acostumada com a companhia dele.

Pessoas começaram a se remexer pelo terraço. Shallan as ignorou por um momento, mas então muitas começaram a se levantar das cadeiras, olhando para o leste.

Grantormenta. Certo.

Shallan sentiu uma pontada de alarme ao olhar na direção da Origem das Tempestades. O vento ganhou força e folhas e detritos sopraram pelo pátio. Lá embaixo, os Mercados Externos haviam se fechado, as tendas dobradas, toldos recolhidos, janelas fechadas. Os acampamentos de guerra inteiros estavam a postos.

Shallan guardou suas coisas na bolsa, então se levantou, andando até a beirada do terraço, os dedos da mão livre no parapeito de pedra. Adolin se juntou a ela. Atrás deles, as pessoas sussurravam e se juntavam. Ela ouviu ferro roçando em pedra; os parshemanos haviam começado a guardar as mesas e cadeiras, recolhendo-as para protegê-las e abrir caminho para que os olhos-claros recuassem para um local seguro.

O horizonte mudara de claro a escuro, como um homem rubro de raiva. Shallan agarrou o parapeito, assistindo ao mundo inteiro se transformar. Vinhas se recolhiam, petrobulbos se fechavam. A grama se escondeu em seus buracos. Eles sabiam, de algum modo. Todos sabiam.

O ar foi ficando gelado e úmido, e os ventos pré-tormenta sopraram, jogando seu cabelo para trás. Abaixo e a norte, os acampamentos de guerra haviam empilhado lixo e detritos para que fossem soprados para longe com a tempestade. Era uma prática proibida na maioria das áreas civilizadas, onde o lixo seria carregado à próxima cidade. Mas ali não havia uma cidade próxima.

O horizonte escureceu ainda mais. Algumas pessoas na sacada fugiram para a segurança da sala dos fundos, vencidas pelo nervosismo. A maioria permaneceu, em silêncio. Shallan pegou Adolin pelo braço, fitando o leste. Minutos se passaram até que finalmente ela viu.

O paredão.

Uma grande cortina de água e detritos soprados antes da tempestade. Em alguns pontos, ele piscava com luz vinda de trás, revelando movimentos e sombras no interior. Como o esqueleto de uma mão quando a luz iluminava a carne, havia alguma coisa *dentro* daquela muralha de destruição.

A maioria das pessoas fugiu da sacada, muito embora o paredão ainda estivesse distante. Em alguns momentos, só sobrara um punhado, Shallan e Adolin entre eles. Ela assistiu, petrificada, enquanto a tempestade se aproximava. Levou mais tempo do que havia esperado. Estava se movendo a uma velocidade terrível, mas era tão grande que puderam identificá-la de uma distância bastante longa.

O temporal consumiu as Planícies Quebradas, um platô de cada vez. Logo, assomou sobre os acampamentos de guerra, chegando com um rugido.

— Temos que ir — disse Adolin, por fim. Ela mal o ouviu.

Vida. Alguma coisa *vivia* dentro daquela tempestade, alguma coisa que artista alguma jamais desenhara, que erudita alguma jamais descrevera.

— Shallan! — Adolin começou a puxá-la na direção da sala protegida.

Ela se agarrou ao parapeito com a mão livre, permanecendo ali, segurando a bolsa junto ao peito com a mão segura. Aquele murmúrio... era Padrão.

Shallan nunca estivera tão perto de uma grantormenta. Mesmo quando ficara a meros centímetros de distância de uma delas, separada por uma janela fechada, não estivera tão perto quanto agora. Contemplando a escuridão descer sobre os acampamentos de guerra...

Preciso desenhar.

— Shallan! — chamou Adolin, arrastando-a para longe do parapeito. — Vão fechar as portas se não formos agora!

Com um sobressalto, ela percebeu que todos os outros haviam deixado a sacada. Permitiu que Adolin a levasse e juntou-se a ele em uma corrida pelo pátio vazio. Eles alcançaram a sala lateral, cheia de olhos-claros encolhidos que assistiam apavorados. Os guardas de Adolin entraram logo depois dela, e vários parshemanos fecharam as grossas portas com um estrondo. A barra da tranca *se encaixou* com um ruído alto, isolando-os do céu lá fora, deixando-os na luz das esferas na parede.

Shallan contou. A grantormenta havia chegado — podia *sentir*. Sentir algo além do barulho na porta e do som distante do trovão.

— Seis segundos — disse ela.

— O quê? — perguntou Adolin. Sua voz estava baixa, e os outros na sala falavam em sussurros.

— Levou seis segundos depois que os criados fecharam a porta até a tempestade chegar. Nós podíamos ter ficado lá fora mais esse tempo.

Adolin fitou-a com uma expressão incrédula.

— Quando você entendeu o que estávamos fazendo naquela sacada, você pareceu *apavorada*.

— E estava mesmo.

— Agora você gostaria de ter permanecido até o último momento antes da chegada da tempestade?

— Eu... sim — respondeu Shallan, corando.

— Não sei o que pensar de você. — Adolin a encarou. — Nunca conheci ninguém assim.

— É meu ar de mística feminina.

Ele levantou uma sobrancelha.

— É um termo que usamos quando nos sentimos particularmente instáveis — explicou ela. — É considerado educado não revelar que você sabe disso. Agora, nós só... esperamos aqui?

— Nesta sala apertada? — indagou Adolin, achando graça. — Somos olhos-claros, não gado. — Ele gesticulou para o lado, onde vários criados haviam aberto portas que conduziam a lugares escavados mais fundo na montanha. — Duas salas de estar. Uma para homens, outra para mulheres.

Shallan assentiu. Às vezes, durante uma grantormenta, homens e mulheres se retiravam para salas separadas para conversar. Aparentemente, a casa de vinhos seguia essa tradição. Eles provavelmente teriam petiscos. Shallan caminhou na direção da sala indicada, mas Adolin segurou seu braço, impedindo-a.

— Vou ver o que posso fazer para levá-la às Planícies Quebradas. Amaram disse que quer explorar mais além do que as investidas de platô permitem. Acho que ele e meu pai vão jantar juntos para conversar sobre isso amanhã à noite, e vou perguntar aos dois se posso levá-la. Também vou falar com a tia Navani. Talvez possamos discutir os meus resultados no banquete da semana que vem.

— Haverá um banquete na semana que vem?

— Sempre há um banquete na semana que vem — disse Adolin. — Só temos que descobrir quem vai oferecê-lo. Mandarei chamá-la.

Ela sorriu, e então se separaram. *A semana que vem está longe demais,* pensou. *Terei que achar uma maneira de me encontrar com ele de alguma forma casual.*

Ela havia realmente prometido ajudá-lo a criar demônios-do-abismo? Como se precisasse de *mais* alguma coisa para ocupar seu tempo. Ainda assim, estava satisfeita com seu dia ao entrar na sala de estar das mulheres, seus guardas ocupando lugares na sala de estar apropriada.

Shallan passeou pela sala feminina, que estava bem iluminada com gemas coletadas em cálices — pedras polidas, mas não em esferas. Uma exibição luxuosa.

Sentia que, se suas mentoras estivessem ali, ambas teriam se decepcionado com sua conversa com Adolin. Tyn ia querer que tivesse manipulado mais o príncipe; Jasnah preferiria que Shallan fosse mais distinta, com mais controle sobre a própria língua.

Parecia que Adolin gostara dela de qualquer modo, e por isso queria celebrar.

A expressão das mulheres ao seu redor afastou aquela emoção. Algumas deram as costas a Shallan, e outras comprimiram os lábios e a fitaram de cima a baixo com um ar cético. Cortejar o melhor partido do reino não a tornaria popular, não quando ela era uma estrangeira.

Aquilo não a incomodou. Não precisava da aceitação daquelas mulheres; só precisava encontrar Urithiru e os segredos que a cidade continha. Conquistar a confiança de Adolin havia sido um grande passo naquela direção.

Decidiu se recompensar enchendo a cara de doces e pensando mais a respeito de seu plano para entrar escondida na casa do Luminobre Amaram.

50

GEMAS BRUTAS

> *Ora, se havia uma gema bruta entre os Radiantes, eram os Plasmadores; pois ainda que fossem empreendedores, eram instáveis, e Invia escreveu sobre eles: "caprichosos, frustrantes, pouco confiáveis", como se certo de que outros concordariam. Essa pode ter sido uma visão intolerante, como era frequentemente o caso com Invia, uma vez que essa ordem era considerada a mais variada e inconsistente de temperamento, salvo por um amor geral pela aventura, pela novidade ou pela estranheza.*

—De *Palavras de Radiância*, capítulo 7, página 1

ADOLIN ESTAVA SENTADO EM uma cadeira de costas altas, taça de vinho na mão, escutando a turbulência da grantormenta lá fora. Deveria se sentir seguro naquela casamata rochosa, mas havia algo nas tempestades que minava qualquer senso de segurança, independentemente do pensamento racional. Ficaria feliz com a chegada do Pranto e do final das grantormentas por algumas semanas.

Adolin levantou sua taça para Elit, que passou pisando duro. Não tinha visto o homem lá no terraço da casa de vinhos, mas aquela câmara também servia de casamata de grantormenta para várias lojas dos Mercados Externos.

— Está pronto para nosso duelo? — indagou Adolin. — Já me fez esperar uma semana inteira, Elit.

O homem baixo e calvo bebeu um gole de vinho, sem olhar para Adolin.

— Meu primo planeja matar você por me desafiar — disse ele. — Logo depois de me matar por ter concordado com o desafio. — Ele finalmente se voltou para Adolin. — Mas, quando eu esmagá-lo na areia e ganhar todos os Fractais da sua família, serei o parente rico e ele será esquecido. Se estou pronto para o nosso duelo? Eu *anseio* por ele, Adolin Kholin.

— Foi você que quis esperar — observou Adolin.

— Para ter mais tempo de saborear o que vou fazer com você. — Elit sorriu com lábios pálidos, depois seguiu em frente.

Sujeitinho repulsivo. Bem, Adolin lidaria com ele em dois dias, na data do duelo. Antes disso, contudo, havia o encontro do dia seguinte com a Fractária parshendiana. Era algo que assomava sobre ele como uma tempestade. O que significaria se eles finalmente encontrassem a paz?

Matutou esse pensamento, olhando para seu vinho e escutando meio distraído a conversa de Elit com alguém. Adolin reconhecia aquela voz, não reconhecia?

Aprumou-se na cadeira, então olhou sobre o ombro. Há quanto tempo *Sadeas* estava ali, e por que Adolin não o vira chegar?

Sadeas voltou-se para ele com um sorriso calmo.

Talvez ele só...

Sadeas se aproximou, as mãos unidas às costas, vestido com uma elegante casaca curta marrom aberta na frente e um plastrão verde bordado. Os botões na frente da casaca eram gemas; esmeraldas, para combinar com o plastrão.

Raios. Ele não queria lidar com Sadeas naquele dia.

O grão-príncipe sentou-se ao lado de Adolin, os dois de costas para uma lareira que um parshemano começara a abastecer. A sala continha um baixo murmúrio de conversas nervosas. Ninguém ficava totalmente confortável, por mais bela que fosse a decoração, quando uma grantormenta rugia do lado de fora.

— Jovem Adolin — disse Sadeas. — O que acha da minha casaca?

Adolin tomou um gole de vinho, sem confiar na sua capacidade de resposta. *Eu deveria apenas me levantar e ir embora.* Mas não fez isso. Uma pequena parte dele desejava que Sadeas o provocasse, acabasse com suas inibições, o levasse a fazer algo estúpido. Matar o homem bem ali, de imediato, provavelmente o condenaria à execução — ou pelo menos ao exílio. Talvez qualquer uma das punições valesse a pena.

— Você sempre foi tão atento em questões de estilo — continuou Sadeas. — Gostaria de saber sua opinião. Acho que a casaca é esplêndida, mas preocupa-me que o corte curto possa estar saindo de moda. Quais são as últimas tendências de Liafor?

Sadeas puxou a frente da casaca, gesticulando para exibir um anel que combinava com os botões. A esmeralda do anel, como as gemas casaca, era bruta. Elas brilhavam suavemente com Luz das Tempestades.

Esmeraldas brutas, pensou Adolin, então ergueu os olhos para fitar Sadeas, que sorriu.

— As gemas foram aquisições recentes — apontou Sadeas. — Gosto delas.

Adquiridas durante uma investida de platô com Ruthar da qual ele não deveria ter participado. Correndo à frente dos outros grão-príncipes, como se estivesse nos velhos tempos, quando cada príncipe tentava ser o primeiro e conquistar seu butim.

— Odeio você — sussurrou Adolin.

— E deveria mesmo — replicou Sadeas, soltando a casaca. Ele indicou com a cabeça os guardas carregadores de pontes de Adolin, que assistiam ali de perto com franca hostilidade. — Meus antigos escravos o tratam bem? Já vi essa gentalha patrulhando o mercado por aqui. Considero isso divertidíssimo, por motivos que duvido ser capaz de expressar adequadamente.

— Eles patrulham para criar uma Alethkar melhor — respondeu Adolin.

— É isso que Dalinar quer? Estou surpreso de ouvir. Ele fala de justiça, naturalmente, mas não permite que ela seja feita. Não da maneira adequada.

— Sei aonde quer chegar, Sadeas — disse Adolin rispidamente. — Está irritado porque não deixamos que colocasse auditores no nosso acampamento de guerra, como Grão-príncipe da Informação. Bem, fique sabendo que meu pai decidiu permitir...

— Grão-príncipe da... Informação? Não ficou sabendo? Recentemente renunciei ao título.

— *O quê?*

— Sim — continuou Sadeas. — Temo que eu não fosse uma boa escolha para a posição. Pelo meu temperamento shalashiano, talvez. Desejo boa sorte a Dalinar para encontrar um substituto... muito embora, pelo que ouvi dizer, os outros grão-príncipes tenham chegado a um acordo de que nenhum de nós é... adequado para esse tipo de posição.

Ele renuncia à autoridade do rei, pensou Adolin. *Raios, aquilo era péssimo.* Trincou os dentes e percebeu que estava estendendo a mão para invocar sua Espada. Não. Ele recolheu a mão. Encontraria uma maneira de forçar aquele homem a enfrentá-lo na arena de duelo. Matar Sadeas agora — por mais que ele merecesse — minaria as próprias leis e códigos que o pai de Adolin estava se esforçando tanto para defender.

Mas, raios... a tentação era grande.

Sadeas voltou a sorrir.

— Você acha que sou um homem mau, Adolin?

— Esse termo é muito simplório — rebateu Adolin. — Você não é só mau, é uma enguia bastarda e egoísta coberta de crem que está tentando estrangular este reino com sua mão asquerosa.

— Quanta eloquência. Tem noção de que eu *criei* este reino?

— Você só ajudou meu pai e meu tio.

— Homens que já se foram — replicou Sadeas. — O Espinho Negro está tão morto quanto o velho Gavilar. Em vez disso, dois *idiotas* regem o reino, e cada um deles é, de certo modo, uma sombra de um homem que eu adorava. — Ele se inclinou para a frente, fitando os olhos de Adolin. — Não estou estrangulando Alethkar, filho. Estou tentando com todas as minhas forças manter algumas partes do reino fortes o bastante para suportar o colapso que seu pai está causando.

— Não me chame de filho — sibilou Adolin.

— Tudo bem. — Sadeas se levantou. — Mas lhe digo uma coisa: estou feliz que tenha sobrevivido aos eventos na Torre naquele dia. Você dará um belo grão-príncipe, nos próximos meses. Tenho o pressentimento de que em mais ou menos dez anos... depois de uma prolongada guerra civil entre nós... nossa aliança será bem forte. Até lá, você compreenderá por que eu fiz o que fiz.

— Duvido muito. Já terei enfiado minha espada nas suas tripas muito antes disso, Sadeas.

Sadeas ergueu sua taça de vinho, depois foi embora, juntando-se a um grupo diferente de olhos-claros. Adolin deixou escapar um longo suspiro de exaustão, então se recostou na cadeira. Ali perto, seu atarracado guarda carregador de pontes — aquele com as têmporas grisalhas — assentiu para ele em sinal de respeito.

Adolin deixou-se ficar ali, esgotado, até muito depois da grantormenta terminar e as pessoas começarem a partir. Preferia esperar até que a chuva parasse completamente, de qualquer modo. Não gostava da aparência do seu uniforme molhado.

Por fim, ele se levantou, juntou-se aos seus dois guardas e saiu da casa de vinhos para um céu cinzento e Mercados Externos vazios. Já havia superado quase completamente a conversa com Sadeas, e continuou lembrando a si mesmo de que, até aquele ponto, o dia estava indo muito bem.

Shallan e sua carruagem já haviam partido, naturalmente. Ele podia ter mandado chamar um transporte para si mesmo, mas depois de ter ficado tanto tempo trancado, era ótimo caminhar ao ar livre; frio, úmido e fresco da tempestade.

Com as mãos nos bolsos do uniforme, ele foi seguindo caminho através dos Mercados Externos, contornando as poças. Jardineiros haviam começado a plantar casca-pétrea ornamental ladeando as ruas, mas ainda não tinha apenas alguns centímetros de altura. Um bom meio-fio de casca-pétrea podia levar anos para chegar ao tamanho adequado.

Aqueles dois insuportáveis carregadores de pontes seguiam atrás dele. Não que Adolin tivesse alguma objeção aos homens pessoalmente — pareciam sujeitos amistosos, particularmente quando estavam longe do seu comandante. Adolin só não gostava de precisar de babás. Muito embora a tempestade houvesse passado para o oeste, a tarde parecia nublada. Nuvens obscureciam o sol, que se movera do seu zênite e caía lentamente rumo ao horizonte distante. Ele não passou por muitas pessoas, então seus únicos companheiros eram os carregadores — bem, eles e uma legião de crenguejos que emergira para se alimentar das plantas que lambiam a água nas poças.

Por que as plantas passavam tanto tempo a mais nas conchas ali do que o faziam na sua terra natal? Shallan provavelmente saberia. Ele sorriu, enfiando os pensamentos sobre Sadeas no fundo da mente. Essa coisa com Shallan estava funcionando. Mas sempre funcionava no início, então ele conteve seu entusiasmo.

Ela *era* maravilhosa. Exótica, espirituosa, e não era reprimida pelo decoro alethiano. Era mais inteligente do que ele, mas não fazia com que se sentisse burro. Esse era um grande ponto ao seu favor.

Adolin saiu do mercado, então cruzou o terreno aberto além dele, por fim alcançando o acampamento de guerra de Dalinar. Os guardas deixaram-no entrar com saudações perfeitas. Ele se demorou no mercado do acampamento de guerra, comparando os produtos que via ali com aqueles do mercado próximo ao Pináculo.

O que vai acontecer com esse lugar quando a guerra acabar? Ia acabar algum dia. Talvez amanhã, com as negociações com a Fractária parshendiana.

A presença alethiana ali não se encerraria, não com os demônios-do-abismo para caçar, mas certamente uma população tão grande quanto aquela não poderia continuar, poderia? Seria possível que estivesse testemunhando um deslocamento permanente da sede do rei?

Horas depois — após passar algum tempo nas lojas de joias à procura de algo para Shallan —, Adolin e seus guardas alcançaram o complexo do seu pai. Àquela altura, os pés de Adolin estavam começando a doer, e o acampamento havia escurecido. Ele bocejou, abrindo caminho pelas entranhas cavernosas dos aposentos de seu pai, que mais parecia uma casamata. Não era hora de construírem uma mansão apropriada? Era ótimo dar um exemplo aos homens, mas havia certos padrões que uma família como a deles devia seguir. Particularmente se as Planícies Quebradas fossem manter a importância que tinham. Era...

Ele hesitou, detendo-se em uma interseção e olhando para a direita. Pensara em visitar as cozinhas para um lanche, mas um grupo de homens se movia e jogava sombras na outra direção. Sussurros abafados.

— O que houve? — questionou Adolin, marchando rumo ao grupo, seguido por seus dois guardas. — Soldados? O que vocês encontraram?

Os homens se viraram às pressas e o saudaram, as lanças nos ombros. Eram mais carregadores de pontes da unidade de Kaladin. Logo além ficavam as portas para a ala onde Dalinar, Adolin e Renarin haviam se instalado, que estavam abertas, e os homens haviam colocado esferas no chão.

O que estava acontecendo? Normalmente, dois ou até quatro homens estariam de guarda ali. Não oito. E... por que havia um *parshemano* usando um uniforme de guarda, segurando uma lança, com os outros?

— Senhor! — disse um homem magro e de braços compridos na frente dos carregadores de pontes. — Estávamos indo verificar como está o grão-príncipe, quando...

Adolin não ouviu o resto. Ele abriu caminho entre os carregadores, finalmente vendo o que as esferas iluminavam no chão da sala de estar.

Mais glifos entalhados. Adolin se ajoelhou, tentando lê-los. Infelizmente, não haviam sido desenhados com imagens ilustrativas que pudessem ajudar. Achava que fossem números...

— Trinta e dois dias — disse um dos carregadores, um azishiano baixinho. — Procure o centro.

Danação.

— Vocês contaram sobre isso para alguém? — perguntou Adolin.

— Nós acabamos de encontrar — respondeu o azishiano.

— Coloque guardas dos dois lados do corredor — disse Adolin. — E chame a minha tia.

Adolin invocou sua Espada, depois dispensou-a, então invocou-a outra vez. Um hábito nervoso. A névoa branca apareceu, manifestando-se como pequenas vinhas no ar, antes *tomar* a forma de uma Espada Fractal, que subitamente pesou em sua mão.

Ele estava na sala de estar, com aquelas marcações sinistras o encarando como um desafio silencioso. A porta fechada mantinha os carregadores do lado de fora, de modo que só ele, Dalinar e Navani participassem da discussão. Adolin queria usar a Espada para remover aqueles glifos amaldiçoados. Dalinar havia *provado* que era são. Tia Navani tinha quase um documento inteiro do Canto do Alvorecer traduzido, usando as visões de seu pai como guia!

As visões eram do Todo-Poderoso. Tudo fazia sentido.

Agora isso.

— Foram feitos com uma faca — disse Navani, se ajoelhando ao lado dos glifos.

A sala de estar era uma grande área aberta, usada para receber visitantes ou realizar reuniões. As portas levavam ao escritório e aos quartos.

— Esta faca — replicou Dalinar, segurando uma faca de cinto do estilo que a maioria dos olhos-claros usava. — A minha faca.

O fio estava cego e ainda exibia fragmentos de pedra do entalhamento. Os arranhões correspondiam ao tamanho da lâmina. Eles a encontraram bem em frente à porta do escritório de Dalinar, onde ele havia passado a grantormenta. Sozinho. A carruagem de Navani havia se atrasado, e ela fora forçada a voltar ao palácio ou se arriscar a ser pega pela tempestade.

— Alguém mais pode ter entrado e feito isso — rebateu Adolin. — Podem ter se esgueirado para o seu escritório e pegado a faca enquanto o senhor estava distraído pelas visões, então vindo até aqui...

Os outros dois olharam para ele.

— Frequentemente, a explicação mais simples é a correta — observou Navani.

Adolin suspirou, dispensando sua Espada e se deixando afundar em uma cadeira ao lado dos afrontosos glifos. Seu pai estava de pé. Na verdade, Dalinar Kholin nunca parecera tão alto quanto no momento, as mãos às costas, fitando não mais os glifos, mas a parede — rumo ao leste.

Dalinar era uma rocha, um pedregulho grande demais para ser movido até mesmo por tormentas. Ele parecia tão *seguro*. Dava para se agarrar a isso.

— Você não se lembra de nada? — perguntou Navani a Dalinar enquanto se levantava.

— Não. — Ele se voltou para Adolin. — Acho que é obvio agora que eu estava por trás de cada uma dessas mensagens. Por que fica tão incomodado com isso, filho?

— É a ideia do senhor escrevendo no chão — disse Adolin, estremecendo. — Perdido em uma dessas visões, sem controle de si mesmo.

— O caminho que o Todo-Poderoso escolheu para mim é estranho — respondeu Dalinar. — Por que eu preciso obter informações dessa maneira? Entalhes no chão ou na parede? Por que não me dizer claramente nas visões?

— Vocês percebem que isso é uma previsão, não é? — disse Adolin em voz baixa. — Ver o futuro é coisa dos Esvaziadores.

— Sim. — Dalinar estreitou os olhos. — Procure o centro. O que você acha, Navani? O centro das Planícies Quebradas? Que verdades estariam escondidas lá?

— Os parshendianos, obviamente.

Eles falavam sobre o centro das Planícies Quebradas como se conhecessem o lugar. Mas homem algum já estivera lá, apenas os parshendianos. Para os alethianos, a palavra "centro" só se refere ao vasto espaço aberto dos platôs inexplorados além das bordas conhecidas pelos batedores.

— Sim — disse o pai de Adolin. — Mas onde? Talvez eles sejam nômades? Talvez não haja uma cidade parshendiana no centro.

— Eles só seriam capazes de ficar se movendo se possuíssem Transmutadores — afirmou Navani. — E, pessoalmente, eu duvido. Eles devem estar entrincheirados em algum lugar. Não são um povo nômade, e não há motivo para que se movam.

— Se pudermos fazer as pazes, alcançar o centro seria muito mais fácil... — meditou Dalinar, então olhou para Adolin. — Peça aos carregadores para preencherem esses arranhões com crem e depois puxarem o tapete para cima daquela parte do piso.

— Pode deixar.

— Ótimo — disse Dalinar, parecendo distante. — Depois disso, vá dormir um pouco, filho. Amanhã é um grande dia.

Adolin assentiu.

— Pai, o senhor estava ciente de que há um *parshemano* entre os carregadores?

— Sim. Havia um deles na equipe de ponte desde o início, mas ele só recebeu uma arma depois que concedi permissão.

— E por que o senhor fez isso?

— Mera curiosidade — respondeu Dalinar, então se virou e indicou os glifos no chão. — Diga-me, Navani. Partindo do princípio de que esses números sejam uma contagem regressiva até uma data, é um dia em que chegará uma grantormenta?

— Trinta e dois dias? — indagou Navani. — Vai cair bem no meio do Pranto. Trinta e dois dias não vai ser nem mesmo o final exato do ano, mas sim dois dias antes. Não consigo identificar a importância.

— Ah, seria uma resposta conveniente demais, de qualquer modo. Muito bem. Vamos deixar os guardas entrarem e fazer com que jurem segredo. Não queremos inspirar pânico.

51

HERDEIROS

> *Em suma, se alguém presume que Kazilah era inocente, deve considerar os fatos e negá-los inteiramente; dizer que os Radiantes careciam de integridade devido a essa execução de um dos seus, alguém que obviamente confraternizava com elementos perniciosos, indica um raciocínio indolente; pois a sinistra influência do inimigo exige vigilância em todas as ocasiões, de guerra e de paz.*
>
> — De *Palavras de Radiância*, capítulo 32, página 17

No dia seguinte, Adolin enfiou os pés nas botas, o cabelo ainda úmido do banho matinal. Era incrível a diferença que um pouco de água quente e algum tempo para refletir podiam fazer. Ele chegara a duas decisões.

Não ia mais se preocupar com o comportamento desconcertante do pai durante as visões. Toda a situação — as visões, o comando de refundar os Cavaleiros Radiantes, a preparação para um desastre que poderia ou não chegar — era um pacote. Adolin já decidira acreditar que seu pai não estava louco. Era inútil continuar se preocupando.

A outra decisão poderia encrencá-lo. Ele saiu dos seus aposentos, adentrando a sala de estar, onde Dalinar já estava fazendo planos com Navani, com o general Khal, Teshav e com o capitão Kaladin. Renarin, para sua frustração, guardava a porta vestindo um uniforme da Ponte Quatro. Ele se recusara a desistir daquela decisão, apesar da insistência de Adolin.

— Vamos precisar dos carregadores novamente — disse Dalinar. — Se algo der errado, podemos precisar de uma retirada rápida.

— Prepararei as Pontes Cinco e Doze para esse dia, senhor — respondeu Kaladin. — Esses dois grupos parecem sentir saudades das pontes, e falam sobre as incursões com afeição.

— Mas não eram *banhos de sangue*? — perguntou Navani.

— Eram, sim, mas soldados são pessoas estranhas, Luminosa. Um desastre os une. Nunca desejariam voltar, mas ainda se identificam como carregadores de pontes.

Ali perto, o general Khal assentiu, indicando sua compreensão, embora Navani ainda parecesse perplexa.

— Assumirei minha posição aqui — apontou Dalinar, segurando um mapa das Planícies Quebradas. — Podemos primeiro explorar o platô do encontro, enquanto eu espero. Aparentemente, ele tem algumas formações rochosas estranhas.

— Parece uma boa ideia — comentou a Luminosa Teshav.

— Parece mesmo — disse Adolin, juntando-se ao grupo —, exceto por uma coisa. O senhor não estará lá, pai.

— Adolin — disse Dalinar com um tom paciente. — Eu sei que você acha que é perigoso demais, mas...

— *É* perigoso demais. O assassino ainda está à solta e, da última vez, ele nos atacou no mesmo *dia* em que o mensageiro parshendiano veio ao acampamento. Agora temos uma reunião com o inimigo nas Planícies Quebradas? Pai, o senhor não pode ir.

— Eu tenho que ir — disse Dalinar. — Adolin, isso pode significar o fim da guerra. Pode significar respostas... Saber por que eles nos atacaram, em primeiro lugar. Não vou abrir mão dessa oportunidade.

— Não vamos abrir mão dela — respondeu Adolin. — Só vamos fazer as coisas de um modo um pouco diferente.

— Como? — quis saber Dalinar, estreitando os olhos.

— Bem, para começar, eu vou no seu lugar.

— Impossível — disse Dalinar — Não vou arriscar meu filho em...

— Pai! Isso *não* está sujeito a discussão!

A sala foi tomada pelo silêncio. Dalinar baixou a mão do mapa. Adolin firmou o queixo, encarando-o de frente. Raios, era difícil negar algo a Dalinar Kholin. Será que seu pai percebia a presença que emanava, a maneira como movia as pessoas pela força bruta da expectativa?

Ninguém o contradizia. Dalinar fazia o que desejava. Felizmente, nos dias atuais esses motivos tinham um nobre propósito; mas, de muitas maneiras, ele ainda era o mesmo homem que fora há vinte anos, quando conquistara um reino. Ele era o Espinho Negro e conseguia o que queria.

A não ser por hoje.

— O senhor é importante demais — apontou Adolin. — Negue. Negue que suas visões são vitais. Negue que, se o senhor morrer, Alethkar se despedaçará. Negue que todas as outras pessoas nesta sala são menos importantes que o senhor.

Dalinar respirou fundo, então expirou lentamente.

— Não deveria ser assim. O reino precisa ser forte o bastante para sobreviver à perda de um homem, independentemente de quem seja.

— Bem, o reino ainda não chegou nesse ponto — disse Adolin. — Para que isso aconteça, vamos precisar do senhor. E isso significa que precisa deixar que cuidemos de você. Sinto muito, pai, mas de vez em quando terá que deixar que mais alguém mostre serviço. Não pode consertar todos os problemas com as próprias mãos.

— Ele está certo, senhor — disse Kaladin. — O senhor realmente não deveria se arriscar naquelas planícies. Não se existe outra opção.

— Não vejo outra opção — insistiu Dalinar em um tom frio.

— Ah, mas tem — afirmou Adolin. — Mas vou precisar pegar emprestada a Armadura Fractal de Renarin.

A PARTE MAIS ESTRANHA DAQUELA experiência, do ponto de vista de Adolin, não era usar a velha armadura do seu pai. Apesar das diferenças externas de estilo, todas as Armaduras Fractais tendiam a se encaixar do mesmo modo. A armadura se adaptava e, pouco depois de vesti-la, a Fractal tinha assumido o mesmo formato que a de Adolin.

Também não era estranho cavalgar na frente da força, o estandarte de Dalinar desfraldado sobre sua cabeça. Adolin já os liderava nas batalhas há seis semanas.

Não, a parte mais estranha era cavalgar o cavalo do seu pai.

Galante era um enorme animal preto, mais parrudo e atarracado do que Puro-Sangue, o cavalo de Adolin. Galante parecia um cavalo de batalha mesmo quando comparado com outros richádios. Até onde Adolin sabia, nenhum outro homem o cavalgara, a não ser Dalinar. Richádios eram delicados nesse aspecto. Fora necessária uma longa explicação de

Dalinar para que o cavalo sequer permitisse que Adolin lhe segurasse as rédeas, quanto mais subir na sela.

No fim, havia funcionado, mas Adolin não ousaria cavalgar Galante em batalha; tinha a firme impressão de que a besta o jogaria da sela e fugiria a galope, procurando proteger Dalinar. Era esquisito subir em um cavalo que não fosse Puro-Sangue. Ficava esperando que Galante se movesse diferente, que virasse a cabeça nas horas erradas. Quando Adolin acariciava seu pescoço, a crina do cavalo lhe parecia estranha de modos que não conseguia explicar. Ele e seu richádio eram mais do que apenas cavaleiro e cavalo, e se percebeu estranhamente melancólico por cavalgar sem Puro-Sangue.

Tolice. Precisava permanecer concentrado. A procissão se aproximava do platô do encontro, que possuía um grande monte rochoso em um formato peculiar perto do centro. Aquele platô ficava próximo do lado alethiano das Planícies, mas muito mais ao sul do que Adolin já fora. Patrulhas antigas haviam dito que demônios-do-abismo eram mais comuns naquela região, mas nunca acharam uma crisálida ali. Algum tipo de campo de caçada, mas não um local para empupar?

Os parshendianos ainda não haviam chegado. Quando os batedores relataram que o platô estava seguro, Adolin conduziu Galante através da ponte móvel. Sentia calor sob a Armadura; as estações, aparentemente, haviam decidido se arrastar primavera adentro e talvez até chegar ao verão.

Ele se aproximou do monte rochoso no centro. Era *realmente* peculiar. Adolin circulou-o, notando sua forma, seus sulcos, que pareciam quase...

— É um demônio-do-abismo — percebeu Adolin.

Ele passou pela cabeça, um pedaço de pedra cheia de furos que evocava a exata sensação da cabeça de um demônio-do-abismo. Uma estátua? Não, era natural demais. Um demônio-do-abismo havia morrido ali séculos antes e, em vez de ser carregado pelo vento, havia sido lentamente coberto de crem.

O resultado era insólito. O crem havia imitado a forma da criatura, se agarrando à carapaça, sepultando-a. A rocha colossal parecia um monstro feito de pedra, como as antigas histórias dos Esvaziadores.

Adolin sentiu um arrepio, conduzindo o cavalo para longe do cadáver rochoso e rumo ao outro lado do platô. Logo ouviu o alarme dos batedores. Parshendianos chegando. Preparou-se, pronto para invocar sua Espada Fractal. Atrás dele havia um grupo de carregadores, dez homens, incluindo o parshemano. O capitão Kaladin havia permanecido com Dalinar no acampamento de guerra, só por via das dúvidas.

Adolin era quem estava mais exposto. Parte dele *desejava* que o assassino viesse, para que tivesse outra chance. De todos os duelos que esperava lutar no futuro, esse, contra o homem que havia matado seu tio, seria o mais importante, ainda mais do que acabar com Sadeas.

O assassino não apareceu enquanto um grupo de duzentos parshendianos chegava do platô seguinte, saltando graciosamente e pousando no platô de encontro. Os soldados de Adolin se agitaram, armaduras tilintando, lanças baixando. Fazia anos desde que homens e parshendianos haviam se encontrado sem que sangue fosse derramado.

— Tudo bem — disse Adolin sob o elmo. — Tragam minha escriba.

A Luminosa Inadara foi trazida através das fileiras em um palanquim. Dalinar quis que Navani ficasse com ele — ostensivamente porque desejava ouvir os conselhos dela, mas provavelmente também para protegê-la.

— Vamos lá — disse Adolin, conduzindo Galante.

Eles cruzaram o platô, só ele e a Luminosa Inadara, que se levantou de seu palanquim para caminhar. Era uma matrona enrugada, com cabelos grisalhos de corte curto por uma questão de simplicidade. Adolin já vira gravetos mais carnudos do que ela, mas a mulher possuía uma mente aguçada e era uma escriba muito confiável.

A Fractária parshendiana emergiu das fileiras e avançou sozinha sobre as pedras. Indiferente, despreocupada. Era uma mulher confiante.

Adolin desmontou e seguiu o resto do caminho a pé, com Inadara ao seu lado. Eles se detiveram a alguns passos da parshendiana, os três sozinhos em uma vastidão rochosa, o demônio-do-abismo fossilizado fitando-os da esquerda.

— Sou Eshonai — disse a parshendiana. — Você se lembra de mim?

— Não — respondeu Adolin. Ele baixou o tom para tentar imitar a voz do pai, e torceu para que, com o elmo, isso bastasse para enganar a mulher, que não poderia conhecer muito bem como era a voz de Dalinar.

— Não me surpreende — replicou Eshonai. — Eu era jovem e sem importância quando nos conhecemos. Praticamente indigna de ser lembrada.

A princípio, Adolin havia esperado que a conversa da parshendiana parecesse uma cantilena, pelo que havia ouvido falar deles. Não era o caso. Eshonai falava ritmado, na maneira como enfatizava e fazia pausas entre as palavras. Ela mudava de tom, mas o resultado era mais parecido com um cântico do que com uma canção.

Inadara pegou uma placa de escrita e uma telepena, então começou a escrever o que Eshonai dizia.

— O que é isso? — interpelou Eshonai.

— Vim sozinho, como você solicitou — disse Adolin, tentando projetar o ar de comando do pai. — Mas *vou* gravar o que for dito e repassar aos meus generais.

Eshonai não levantou seu visor, então Adolin tinha uma boa desculpa para não levantar o próprio. Eles se encararam pelas fendas oculares. A situação não estava correndo tão bem como seu pai esperara, mas Adolin imaginara mais ou menos aquilo.

— Estamos aqui para discutir os termos de uma rendição dos parshendianos — disse ele, usando as palavras que seu pai havia sugerido para começar.

Eshonai deu uma gargalhada.

— Não é esse o motivo, nem de longe.

— Então qual é? Você parecia ansiosa para se encontrar comigo. Por quê?

— As coisas mudaram desde que falei com seu filho, Espinho Negro. Coisas importantes.

— Que coisas?

— Coisas que você não pode imaginar — disse Eshonai.

Adolin esperou, como se estivesse ponderando, mas na verdade estava dando a Inadara tempo de se corresponder com os acampamentos de guerra. Inadara inclinou-se para ele, sussurrando o que Navani e Dalinar haviam escrito para que ele dissesse.

— Estamos cansados desta guerra, parshendiana — declarou Adolin. — Os seus números estão diminuindo. Sabemos disso. Façamos uma trégua, que beneficiará ambos os lados.

— Não somos tão fracos quanto acredita — replicou Eshonai.

Adolin franziu o cenho. Quando conversaram, antes, ela parecera passional, disposta ao contato. Agora estava fria e desdenhosa. Seria isso mesmo? Ela era parshendiana. Talvez as emoções humanas não se aplicassem a ela.

Inadara sussurrou novamente para ele.

— O que vocês querem? — indagou Adolin, falando as palavras que seu pai enviara. — Como pode haver paz?

— Haverá paz, Espinho Negro, quando um de nós estiver morto. Eu vim aqui porque desejava vê-lo com meus próprios olhos, e queria avisá-lo. Nós acabamos de mudar as regras deste conflito. Disputas por gemas já não importam mais.

Não importam mais? Adolin começou a suar. *Ela faz parecer que estava jogando o próprio jogo todo esse tempo. Não aparenta nem um pouco estar desesperada. Será que os alethianos tinham interpretado tudo tão errado assim?*

Ela se virou para partir.

Não. Tudo aquilo só para que o encontro não desse em nada? Raios!

— Espere! — gritou Adolin, dando um passo à frente. — Por quê? Por que estão agindo assim? O que há de errado?

Ela olhou de volta para ele.

— Você realmente quer acabar com isso?

— Sim. Por favor. Quero a paz. Não importa o custo.

— Então vai ter que nos destruir.

— Por quê? — repetiu Adolin. — Por que vocês mataram Gavilar, lá atrás? Por que trair nosso tratado?

— O rei Gavilar — disse Eshonai, como se estivesse meditando sobre o nome. — Ele não devia ter nos revelado seus planos naquela noite. Pobre tolo. Ele não sabia. Vangloriou-se, pensando que ficaríamos contentes com o retorno dos nossos deuses.

Ela balançou a cabeça, então se virou de novo e se afastou correndo, a armadura fazendo barulho. Adolin deu um passo para trás, se sentindo inútil. Se seu pai estivesse ali, teria sido capaz de fazer mais? Inadara ainda escrevia, mandando as palavras para Dalinar.

Uma resposta dele finalmente chegou.

— Volte aos acampamentos de guerra. Não há nada que você, ou eu mesmo, poderia ter feito. Ela claramente já havia tomado sua decisão.

Adolin passou a viagem de retorno pensativo. Quando finalmente alcançou os acampamentos de guerra, algumas horas depois encontrou seu pai em conferência com Navani, Khal, Teshav e os quatro chefes de batalhão do exército.

Juntos, eles leram atentamente as palavras enviadas por Inadara. Um grupo de silenciosos criados parshemanos trouxe vinho e frutas. Teleb — vestindo a Armadura que Adolin havia conquistado no duelo com Eranniv — assistia do outro lado da sala, um Martelo Fractal às costas e o visor levantado. Seu povo já havia reinado sobre Alethkar. O que ele pensava daquilo tudo? O homem em geral guardava suas opiniões para si.

Adolin entrou na sala pisando duro, removendo o elmo do pai — bem, de Renarin.

— Eu devia ter deixado você ir — lamentou ele. — Não era uma armadilha. Talvez você tivesse conseguido fazer com que ela escutasse a razão.

— Essa é a gente que assassinou meu irmão na mesma noite em que assinaram um tratado com ele — disse Dalinar, inspecionando os mapas na mesa. — Parece que não mudaram nada desde aquele dia. Você foi perfeito, filho; sabemos tudo de que precisamos.

— Sabemos? — indagou Adolin, caminhando até a mesa, o elmo debaixo do braço.

— Sim — respondeu Dalinar, erguendo os olhos. — Sabemos que eles não vão concordar com a paz, não importa o que façamos. Minha consciência está limpa.

Adolin olhou para os mapas espalhados.

— O que é isso? — perguntou ele, notando símbolos de movimentação de tropas. Todos apontavam para além das Planícies Quebradas.

— Um plano de assalto — respondeu Dalinar em voz baixa. — Os parshendianos não querem negociar conosco, e estão planejando algo grande. Alguma coisa que vai mudar a guerra. Chegou a hora de levar a luta diretamente até eles e acabar com esse conflito, de uma maneira ou de outra.

— Pai das Tempestades — disse Adolin. — E se formos cercados enquanto estivermos por lá?

— Vamos levar todo mundo — respondeu Dalinar. — Todo o nosso exército e todos os grão-príncipes que aceitarem se juntar a mim. Transmutadores para comida. Os parshendianos não serão capazes de cercar uma força tão grande, e, mesmo que fossem, não importaria. Nós seríamos capazes de enfrentá-los.

— Podemos partir depois da última grantormenta antes do Pranto — disse Navani, escrevendo alguns números na lateral do mapa. — É o Ano de Luz, portanto teremos chuvas constantes, mas nenhuma grantormenta durante semanas. Não ficaremos expostos a uma delas enquanto estivermos nas Planícies.

Isso também os deixaria isolados nas Planícies Quebradas a dias da data que havia sido entalhada nas paredes e no chão... Adolin sentiu um calafrio na coluna.

— Precisamos passar na frente deles — sussurrou Dalinar, analisando os mapas. — Interromper o que estiverem planejando. Antes que a contagem regressiva chegue ao fim. — Ele olhou para Adolin. — Preciso que você duele mais. Lutas de alto nível, o mais alto que conseguir. Conquiste Fractais para mim, filho.

— Vou duelar com Elit amanhã. Depois, tenho um plano para o próximo alvo.

— Ótimo. Para ter sucesso nas Planícies, vamos precisar de Fractários. E vamos precisar da lealdade do máximo de todos os grão-príncipes que aceitarem me seguir. Concentre-se em duelar com os Fractários da facção leal a Sadeas, e vença-os com o máximo de barulho que puder. Vou procurar os grão-príncipes neutros e lembrá-los dos seus votos de cumprir o Pacto de Vingança. Se tomarmos as Fractais daqueles que seguem Sadeas e as usarmos para terminar esta guerra, será um grande avanço para provar o que sempre disse: que a unidade é o caminho para a grandeza alethiana.

Adolin assentiu.

— Vou cuidar disso.

52

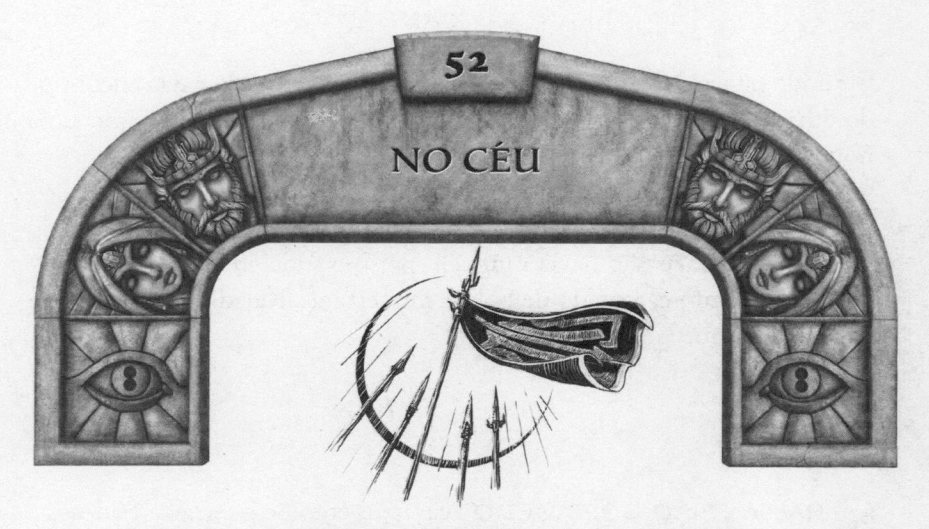

NO CÉU

Ora, como os Sentinelas da Verdade eram esotéricos por natureza, com sua ordem formada inteiramente por pessoas que nunca falavam ou escreviam sobre seu trabalho, causavam frustração àqueles que viam sua excessiva reserva de fora. Eles não eram naturalmente inclinados a explicações e, no caso dos desentendimentos de Corberon, seu silêncio não era um sinal de exagerado desdém, mas antes de um exagerado tato.

— De *Palavras de Radiância*, capítulo 11, página 6

KALADIN PASSEAVA PELAS PLANÍCIES Quebradas à noite, passando por tufos de casca-pétrea e vinhas rodeados por esprenos de vida, feito grãos de poeira. Ainda restavam poças nos pontos baixos, devido à grantormenta do dia anterior, cheias de crem para as plantas se alimentarem. À esquerda, Kaladin ouvia os sons dos acampamentos de guerra em atividades. À direita... silêncio. Só aqueles platôs sem fim.

Quando era um carregador de pontes, as tropas de Sadeas não o impediam de seguir aquele caminho. O que havia para homens como ele lá nas Planícies? Em vez disso, Sadeas havia postado guardas nos limites dos acampamentos e nas pontes, de modo que os escravos não pudessem escapar.

O que havia para os homens lá? Nada, a não ser a salvação, descoberta nas profundidades daqueles abismos.

Kaladin virou-se e andou ao longo de um dos abismos, passando por soldados de guarda nas pontes, as tochas tremulando no vento. Eles o saudaram.

Ali, pensou, seguindo junto a um platô específico. Os acampamentos de guerra à sua esquerda manchavam o ar com luz, o suficiente para ele ver onde estava. Na borda do platô, chegou ao lugar onde havia encontrado o Riso do rei naquela noite, semanas atrás. Uma noite de decisão, uma noite de mudança.

Kaladin foi até a borda do abismo, olhando para o leste.

Mudança e decisão. Ele olhou sobre o ombro. Havia passado pelo posto de guarda, e não havia ninguém perto o suficiente para vê-lo. Assim, com o cinto carregado de bolsas com esferas, Kaladin deu um passo abismo adentro.

S HALLAN NÃO GOSTAVA DO acampamento de guerra de Sadeas. O ar ali era diferente do ar no acampamento de Sebarial. Ele fedia a desespero.

Mas desespero teria um cheiro? Ela achava que podia descrevê-lo. O odor de suor, bebida barata e crem que não havia sido limpo das ruas. Tudo isso emanando de estradas mal iluminadas. No acampamento de Sebarial, as pessoas caminhavam em grupos; ali, trotavam em bandos.

O acampamento de Sebarial cheirava a temperos e indústria — couro novo e, às vezes, gado. O acampamento de Dalinar cheirava a graxa e óleo; quase em toda esquina havia alguém fazendo algo prático. Havia muito poucos soldados no acampamento de Dalinar atualmente, mas todos usavam uniforme, como se fosse um escudo contra o caos daqueles tempos.

No acampamento de Sadeas, os homens de uniforme usavam os casacos desabotoados e as calças amarrotadas. Ela passou por uma taverna atrás da outra, cada um com uma algazarra maior que a anterior. As mulheres paradas em frente a algumas delas indicavam que nem todas eram simples tavernas. Prostíbulos eram comuns em todos os acampamentos, naturalmente, mas eles pareciam mais escancarados ali.

Passou por menos parshemanos do que costumava ver no acampamento de Sebarial. Sadeas preferia escravos tradicionais: homens e mulheres com testas marcadas, se esgueirando com as costas curvadas e os ombros encolhidos.

Para ser sincera, era isso que ela havia esperado de todos os acampamentos de guerra. Lera relatos sobre homens em guerra — sobre seguidores de acampamentos e sobre problemas de disciplina; sobre temperamentos se exaltando, sobre atitudes de homens treinados para matar.

Talvez, em vez de se espantar com o abominável acampamento de Sadeas, devesse se espantar com o fato de os outros não serem iguais.

Shallan se apressou. Estava usando o rosto de um jovem olhos-escuros, seu cabelo escondido por um chapéu. Calçara um par de luvas volumosas. Mesmo disfarçada de rapaz, não ia sair por aí com sua mão segura exposta.

Antes de sair naquela noite, havia feito uma série de esboços para usar como novos rostos, se necessário. Os testes haviam provado que ela podia fazer um desenho de manhã e usá-lo como imagem à tarde. Porém, se esperasse mais do que cerca de um dia, a imagem criada ficava borrada, e às vezes parecia derretida. Para Shallan, isso fazia total sentido. O processo de criação deixava uma imagem em sua mente, que em dado momento se desvanecia.

Seu rosto atual se baseara nos jovens mensageiros que corriam pelo acampamento de Sadeas. Embora seu coração saltasse toda vez que passava por um grupo de soldados, ninguém prestou atenção nela.

Amaram era um grão-senhor — um homem do terceiro dan, o que era um posto acima do que o pai de Shallan possuíra, e dois postos acima do da própria Shallan. Isso dava a ele o direito de ter o próprio pequeno domínio dentro do acampamento de guerra do seu suserano. Sua mansão exibia estandarte próprio, e ele tinha uma força militar pessoal ocupando os edifícios próximos. Postes entalhados em pedra e listrados com suas cores — borgonha e verde-floresta — delineavam sua esfera de influência. Ela passou por eles sem hesitar.

— Ei, você!

Shallan parou, sentindo-se muito pequena na escuridão; mas não o bastante. Virou-se lentamente enquanto dois patrulheiros se aproximavam. Seus uniformes eram mais distintos do que quaisquer outros que vira naquele acampamento. Até os botões estavam polidos, embora usassem na cintura *takamas* semelhantes a saiotes, em vez de calças. Amaram era um tradicionalista, e seus uniformes refletiam isso.

Os guardas eram muito mais altos do que ela, como a maioria dos alethianos.

— Mensageiro? — perguntou um deles. — A essa hora da noite?

Era um sujeito de aparência sólida, com barba grisalha e um nariz grosso e largo.

— Ainda não deu nem a segunda lua, senhor — disse Shallan, com o que esperava ser uma voz de menino.

Ele franziu o cenho. O que dissera de errado? *Senhor*, ela compreendeu. *Ele não é um oficial.*

— Apresente-se nos postos de guarda daqui em diante quando vier visitar — disse o homem, apontando para uma pequena área iluminada mais afastada. — Vamos começar a manter um perímetro seguro.

— Sim, sargento.

— Ah, pare de perturbar o rapaz, Hav — disse o outro soltado. — Não dá para esperar que ele conheça regras que metade dos soldados ainda não sabe.

— Vá, circulando — disse Hav, acenando para que Shallan passasse.

Ela apressou-se em obedecer. Um perímetro seguro? Não invejava aqueles homens. Amaram não tinha uma muralha para manter os outros afastados, só alguns postes listrados.

A mansão de Amaram era relativamente pequena — dois andares, com um punhado de quartos em cada piso. Poderia ter sido uma taverna, antes, e era temporária, porque ele havia acabado de chegar nos acampamentos de guerra. Pilhas de tijolos de crem e pedras ali perto indicavam que um edifício muito mais grandioso estava sendo planejado. Perto das pilhas havia outros edifícios que haviam sido apropriados como casernas para a guarda pessoal de Amaram, que incluía apenas cerca de cinquenta homens. A maioria dos soldados que ele trouxera, recrutados nas terras de Sadeas e que jurados a ele, estavam aquartelados em outros locais.

Quando chegou perto da casa de Amaram, ela se escondeu atrás de um anexo e se agachou. Havia passado três noites explorando a área, cada uma delas usando um rosto diferente. Talvez houvesse sido cautelosa demais. Ela ainda não tinha certeza. Nunca fizera algo assim antes. Com os dedos tremendo, tirou o chapéu — aquela parte da fantasia era real — e deixou o cabelo cair ao redor dos ombros. Então pegou um retrato dobrado no bolso e esperou.

Minutos se passaram enquanto ela fitava a mansão. *Vamos...*, pensou. *Vamos...*

Finalmente, uma jovem olhos-escuros saiu da casa, de braços dados com um homem alto usando calças e uma camisa folgada e desabotoada. A mulher riu baixinho quando seu amigo disse algo, então saiu correndo noite afora, o homem a chamando e seguindo. A moça — Shallan *ainda* não fora capaz de descobrir o nome dela — saíra toda noite àquela hora. Duas vezes com aquele homem, uma vez com outro.

Shallan respirou fundo, inspirando Luz das Tempestades, então levantou o retrato da garota que havia desenhado mais cedo. As duas tinham mais ou menos a mesma altura, o cabelo do mesmo comprimento, um porte similar... Teria de ser o suficiente. Ela soltou o ar e tornou-se outra pessoa.

Ela ri e gargalha, pensou Shallan, tirando suas luvas masculinas e substituindo a da mão segura por uma luva feminina marrom-clara. *E frequentemente anda saltitando, caminhando na ponta dos pés. Sua voz é mais aguda do que a minha, e não tem sotaque.*

Shallan havia praticado o tom, mas com sorte não precisaria descobrir quão crível era sua voz. Tudo que precisava fazer era ir até a porta, subir as escadas e entrar na sala certa. Fácil.

Ela se levantou, prendendo a respiração e vivendo de Luz das Tempestades, e andou até o edifício.

KALADIN ATINGIU O FUNDO do abismo em uma tempestade brilhante de Luz, então saiu correndo, a lança sobre o ombro. Era difícil ficar parado com Luz das Tempestades nas suas veias.

Ele deixou cair no chão algumas das bolsas de esferas, para usar mais tarde. A Luz das Tempestades emanando da sua pele exposta era suficiente para iluminar o abismo, e lançava sombras nas paredes enquanto ele corria. As sombras pareciam se transformar em figuras, moldadas pelos ossos e galhos despontando dos monturos no chão. Corpos e almas. Seu movimento fazia com que as sombras se retorcessem, como se estivessem se virando para olhá-lo.

Ele corria com uma audiência silenciosa, então. Syl desceu voando como uma fita de luz e assumiu posição atrás da sua cabeça, acompanhando sua velocidade. Kaladin saltou obstáculos e pisou em poças, aquecendo os músculos com o exercício.

Então saltou para a parede.

Atingiu-a de modo desajeitado, tropeçando e rolando por cima de algumas floragolas. Pousou de cara para baixo na parede, resmungou e se impulsionou para ficar de pé enquanto a Luz das Tempestades fechava um pequeno corte em seu braço.

Saltar para a parede era estranho demais; quando ele pousava, levava tempo para se orientar.

Voltou a correr, inspirando mais Luz, se acostumando com a mudança de perspectiva. Quando alcançou o vão seguinte entre platôs, aos seus olhos parecia que havia alcançado uma cova profunda. As paredes do abismo eram seu chão e teto.

Ele saltou da parede, concentrado no chão do abismo, e piscou — desejando que aquela direção se transformasse em *para baixo* novamente. Mais uma vez pousou de modo desajeitado, tropeçando em uma poça.

Ele rolou até estar deitado de costas, suspirando, caído na água fria. Ao fechar as mãos em punhos, sentiu o crem que se acumulara no fundo espremido entre seus dedos.

Syl pousou no seu peito, tomando a forma de uma jovem, e pôs as mãos nos quadris.

— O que foi? — perguntou ele.

— Isso foi patético.

— Concordo.

— Talvez você esteja fazendo rápido demais. Por que não tenta saltar para a parede sem correr antes?

— O assassino conseguia fazer desse jeito — disse Kaladin. — Preciso ser capaz de lutar como ele.

— Entendo. E suponho que ele tenha começado a fazer tudo isso desde o momento em que nasceu, sem nenhuma prática.

Kaladin suspirou baixinho.

— Você parece Tukks falando.

— Ah, é? Ele era brilhante, lindo e sempre tinha razão?

— Ele era barulhento, teimoso e profundamente sarcástico — respondeu Kaladin, se levantando. — Mas, sim, ele basicamente sempre tinha razão. — Ele encarou a parede e apoiou a lança contra ela. — Szeth chamou isso de "Projeção".

— Um bom termo — concordou Syl.

— Bem, para pegar o jeito, vou ter que praticar alguns fundamentos. Exatamente como aprender a usar uma lança. O que provavelmente significava subir e descer da parede umas duzentas vezes.

Melhor do que morrer na Espada Fractal daquele assassino. Então começou.

S HALLAN ADENTROU AS COZINHAS de Amaram, tentando se mover com a graça enérgica da garota cujo rosto estava usando. O grande cômodo estava tomado pelo aroma do *curry* fervendo no fogo — a sobra da refeição noturna, aguardando caso algum olhos-claros tivesse vontade de fazer uma boquinha. A cozinheira folheava um romance no canto enquanto suas ajudantes esfregavam panelas. O local estava bem iluminado com esferas. Amaram aparentemente confiava nos seus criados.

Uma longa escadaria conduzia até o segundo andar, fornecendo acesso rápido para que os criados levassem refeições a Amaram. Shallan havia desenhado uma planta do edifício a partir de especulações baseadas nas localizações das janelas. A sala com os segredos tinha sido fácil de localizar — Amaram havia trancado as janelas e nunca as abria. Tinha adivinhado certo a existência da escadaria nas cozinhas, aparentemente. Ela avançou rumo aos degraus, cantarolando consigo mesma, como a mulher que estava imitando costumava fazer.

— Já voltou? — perguntou a cozinheira, sem levantar os olhos do romance. Ela era herdaziana, pelo sotaque. — O presente desta noite não foi bom o bastante? Ou o outro viu vocês dois juntos?

Shallan não disse nada, tentando encobrir sua ansiedade com a cantoria.

— Então você bem pode fazer algo útil — continuou a cozinheira. — Stine quer que alguém vá polir os espelhos para ele. Ele está no escritório, limpando as flautas do mestre.

Flautas? Um soldado como Amaram tinha flautas?

O que a cozinheira faria se Shallan subisse correndo as escadas e ignorasse a ordem? A mulher provavelmente era de alto escalão, para uma olhos-escuros. Um membro importante dos empregados domésticos.

A cozinheira não levantou os olhos do romance, mas continuou em voz baixa:

— Não pense que não percebemos suas fugidinhas durante o meio do dia, menina. Só porque o mestre gosta de você, não significa que pode se aproveitar. Vá trabalhar. Passar sua noite livre limpando, em vez de se divertindo, pode lembrá-la dos seus deveres.

Trincando os dentes, Shallan olhou para aqueles degraus rumo à sua meta. A cozinheira baixou seu livro lentamente. Sua expressão severa não parecia do tipo que aceitava desobediência.

Shallan assentiu, se afastando dos degraus até o corredor além. Haveria outra escadaria na sala da frente. Só teria que abrir caminho naquela direção e...

Parou bruscamente quando uma figura surgiu no corredor, vinda de uma sala lateral. Alto, com um rosto quadrado e um nariz anguloso, o homem estava trajado com modernas roupas de olhos-claros: um casaco aberto sobre uma camisa abotoada, calças rígidas, um plastrão ao redor do pescoço.

Raios! O Grão-senhor Amaram — bem-vestido ou não — *não deveria estar em casa*. Adolin havia dito que Amaram estaria jantando com Dalinar e o rei naquela noite. Por que ele estava ali?

Amaram estava olhando para um livro-razão que segurava e não pareceu notá-la. Ele deu-lhe as costas e desceu o corredor.

Fuja. Foi sua reação imediata. Escape pelas portas da frente, desapareça na noite. O problema era que havia falado com a cozinheira. Quando a mulher que Shallan estava imitando voltasse mais tarde, estaria bastante encrencada — e seria capaz de provar, com testemunhas, que não havia voltado à casa mais cedo. Não importava o que Shallan fizesse, havia uma boa chance de que Amaram descobrisse que alguém andara se esgueirando por ali, se passando por uma das suas criadas.

Pai das Tempestades! Mal havia entrado no edifício e já tinha estragado tudo.

Adiante, degraus rangeram. Amaram estava indo para seu quarto, o cômodo que Shallan deveria inspecionar.

Os Sanguespectros ficarão furiosos comigo por ter alertado Amaram, mas ficarão ainda mais zangados se eu voltar sem informações.

Precisava dar um jeito de entrar naquele quarto sozinha. Isso significava que não podia deixar que Amaram entrasse nele.

Shallan correu atrás dele, passando apressada pelo hall de entrada e contornando rápido a pilastra da escada para ganhar impulso para subir. Amaram alcançou o andar superior e virou-se para o corredor. Talvez não fosse entrar naquele quarto.

Ela não teve essa sorte. Enquanto Shallan subia apressadamente, Amaram se voltou exatamente para aquela porta e ergueu uma chave, inserindo-a na fechadura e girando-a.

— Luminobre Amaram — chamou Shallan, sem fôlego, ao chegar ao andar superior.

Ele se virou para ela, franzindo a testa.

— Telesh? Você não ia sair esta noite?

Bem, pelo menos agora sabia seu nome. Será que Amaram realmente se interessava tanto pelos seus funcionários a ponto de estar ciente dos planos noturnos de uma humilde criada?

— Eu saí, Luminobre, mas já voltei.

Preciso de uma distração. Mas não algo suspeito demais. Pense! Será que ele notaria que sua voz estava diferente?

— Telesh — disse Amaram, balançando a cabeça. — Ainda não escolheu um dos dois? Prometi ao seu bom pai que cuidaria de você. Como posso fazer isso, se você não toma juízo?

— Não é isso Luminobre — replicou Shallan rapidamente. — Hav deteve um mensageiro no perímetro que estava à sua procura. Ele me mandou para avisá-lo.

— Mensageiro? — disse Amaram, tirando a chave da fechadura. — De quem?

— Hav não disse, Luminobre. Mas ele parecia achar que era importante.

— Aquele homem... — Amaram suspirou. — Ele é protetor demais. Acha mesmo que pode manter um perímetro estrito neste acampamento bagunçado? — O grão-senhor pensou por um instante, então guardou a chave de volta no bolso. — É melhor eu ver do que se trata.

Shallan fez uma mesura enquanto ele passou por ela e trotou escada abaixo. Então contou até dez, depois que ele sumiu do seu campo de visão, e correu até a porta, que ainda estava trancada.

— Padrão! — sussurrou Shallan. — Cadê você?

Ele saiu das dobras da sua saia, movendo-se pelo chão, e então subiu pela porta até estar diante dela, como um alto-relevo na madeira.

— A fechadura? — pediu Shallan.

— É um padrão — disse ele, então se encolheu e moveu-se para dentro da fechadura.

Shallan havia feito com que ele praticasse mais algumas vezes em trancas nos seus aposentos, e ele fora capaz de abrir todas, como fizera com o baú de Tyn. A fechadura deu um clique e ela abriu a porta e se esgueirou para a sala escura. Uma esfera que pegou no bolso do vestido forneceu-lhe iluminação.

A sala secreta. A sala com cortinas sempre cerradas, trancada o tempo todo. Uma sala que os Sanguespectros queriam desesperadamente ver.

Estava cheia de mapas.

O TRUQUE PARA SALTAR ENTRE superfícies não era o pouso, descobriu Kaladin. Não tinha a ver com reflexos ou cronometragem. Nem mesmo era questão de mudar de perspectiva.

Era uma questão de medo.

Tinha a ver com o momento em que, pendendo no ar, seu corpo passava abruptamente de ser puxado *para baixo* e passava a ser puxado *de lado*. Seus instintos não estavam equipados para lidar com aquele deslocamento. Uma parte primordial dele entrava em pânico toda vez que para baixo deixava de ser para baixo.

Ele correu para a parede e saltou, jogando os pés para o lado. Não podia hesitar, não podia sentir medo, não podia se encolher. Era como se estivesse ensinando a si mesmo a mergulhar de cabeça em uma superfície de pedra sem levantar as mãos para se proteger.

Ele mudou sua perspectiva e usou Luz das Tempestades para fazer a parede se tornar para baixo. Posicionou seus pés. Ainda assim, naquele breve momento, seus instintos se rebelavam. O corpo sabia, ele *sabia*, que ia cair de volta no chão do abismo. Que quebraria ossos, bateria a cabeça.

Ele pousou na parede sem tropeçar.

Kaladin se aprumou, surpreso, e expirou profundamente, soltando Luz das Tempestades.

— Boa! — disse Syl, zunindo ao redor dele.

— Não é natural — falou Kaladin.

— É, sim. Eu nunca poderia me envolver com algo que não fosse natural. Só é... *extranatural*.

— Você quer dizer sobrenatural.

— Não quero, não. — Ela deu uma gargalhada e zuniu à frente dele.

Era antinatural, assim como caminhar não era natural para uma criança que ainda estava aprendendo. Tornava-se natural com o passar do tempo. Kaladin estava aprendendo a engatinhar — mas, infelizmente, logo precisaria correr. Como uma criança largada em uma toca de espinha-branca. Aprenda depressa ou vire uma refeição.

Ele correu pela parede, saltando uma saliência de casca-pétrea, então pulou para o lado e se deslocou para o chão do abismo. Pousou só com um ligeiro tropeço.

Melhor. Ele correu atrás de Syl e continuou.

M APAS. Shallan avançou devagar, sua esfera solitária revelando uma sala cheia de mapas e papéis espalhados. Estavam cobertos por glifos escritos rapidamente, sem a intenção de serem belos. Ela mal podia ler a maioria.

Já ouvi falar disso. A escrita dos guarda-tempos. A maneira como eles contornam as restrições sobre escrever.

Amaram era um guarda-tempo? Uma tabela de horários em uma parede, listando grantormentas e cálculos da sua próxima chegada — escritos pela mesma mão das anotações nos mapas — pareciam ser prova disso. Talvez fosse isso que os Sanguespectros estavam procurando: material para chantagem. Guarda-tempos, assim como homens eruditos, causavam incômodo à maioria das pessoas, pois a maneira como usavam glifos se parecia muito com escrever, e eles tinham uma natureza discreta... Amaram era um dos generais mais renomados de toda Alethkar. Era respeitado até por aqueles contra quem combatia. Expô-lo como um guarda-tempo poderia danificar seriamente sua reputação.

Por que ele gastaria tempo com hobbies tão estranhos? Todos aqueles mapas lembravam-na vagamente dos que havia descoberto no escritório do seu pai, depois da sua morte — embora os mapas dele fossem de Jah Keved.

— Vigie do lado de fora, Padrão. Avise-me rápido quando Amaram voltar.

— Hmmm — zumbiu ele, recuando.

Ciente de que seu tempo era curto, Shallan foi rápido até a parede, segurando sua esfera e capturando Lembranças dos mapas. As Planícies Quebradas? Aquele mapa era muito mais detalhado do que qualquer outro que já houvesse visto — o que incluía o Mapa Primordial que havia estudado na Galeria de Mapas do rei.

Como Amaram havia obtido algo tão extensivo? Ela tentou decifrar o uso dos glifos... não havia uma gramática discernível. Os glifos não haviam sido feitos para esse tipo de uso. Expressavam uma única ideia, não uma cadeia de pensamentos. Ela leu alguns em uma fileira.

Origem... direção... incerteza... O lugar no centro é incerto? O significado provavelmente era esse.

Outras anotações eram similares, e ela as traduziu mentalmente. *Talvez seguir nessa direção forneça resultados. Guerreiros identificados de vigília aqui.* Outros agrupamentos de glifos não faziam sentido para ela. Aquela escrita era bizarra. Talvez Padrão pudesse traduzi-la, mas ela certamente não podia.

Além dos mapas, as paredes estavam cobertas por longas folhas de papel preenchidas com escrita, figuras e diagramas. Amaram estava trabalhando em alguma coisa, algo grande...

Parshendianos!, compreendeu ela. *É isso que esses glifos significam. Parap-shenesh-dian*. Os três glifos individualmente significavam três coisas distintas, mas juntos seus sons formavam a palavra "parshendiano". Era por isso que alguns daqueles escritos pareciam sem sentido. Amaram estava usando alguns glifos foneticamente. Ele os sublinhava quando fazia isso, o que permitia que escrevesse em glifos coisas que nunca teriam dado certo de outro modo. Os guarda-tempos realmente *estavam* transformando glifos em uma escrita completa.

Parshendianos, traduziu ela, ainda distraída pela natureza dos caracteres, *devem saber como trazer de volta os Esvaziadores.*

O quê?

Tirar segredo deles.

Alcançar centro antes dos exércitos alethianos.

Alguns daqueles escritos eram listas de referências. Embora estivessem traduzidas para glifos, ela reconheceu algumas das citações do trabalho de Jasnah referentes aos Esvaziadores. Outras eram supostos desenhos de Esvaziadores e outras criaturas da mitologia.

Era isso, prova cabal de que os Sanguespectros estavam interessados nas mesmas coisas que Jasnah. Assim como Amaram, aparentemente. Com o coração acelerado de empolgação, Shallan virou-se, olhando pela sala. Estaria o segredo de Urithiru ali? Teria ele o encontrado?

Havia material demais para Shallan traduzir completamente naquele momento. A escrita era difícil demais, e seu coração disparado a deixava muito nervosa. Além disso, Amaram provavelmente voltaria logo. Ela capturou Lembranças para que pudesse desenhar tudo aquilo depois.

Enquanto fazia isso, os escritos que traduzia causaram-lhe uma nova espécie de horror. Parecia... parecia que o Grão-senhor Amaram — modelo da honra alethiana — estava *ativamente* tentando trazer de volta os Esvaziadores.

Tenho que permanecer parte disso, pensou Shallan. *Não posso me dar ao luxo de ser expulsa dos Sanguespectros por ter estragado esta incursão. Preciso descobrir o que mais eles sabem. E tenho que saber por que Amaram está fazendo tudo isso.*

Não podia simplesmente fugir naquela noite. Não podia se arriscar a deixar Amaram ciente de que alguém havia se infiltrado na sua sala secreta. Não podia falhar na missão.

Shallan precisava criar mentiras melhores.

Ela puxou uma folha de papel do bolso e pousou-a bruscamente na mesa, então começou a desenhar freneticamente.

KALADIN SALTOU DA PAREDE a uma velocidade calculada, movendo-se para o lado e pousando de volta ao chão sem perder o ritmo. Não estava indo muito rápido, mas pelo menos não tropeçava mais.

A cada salto, ele abafava mais o pânico visceral. Subiu, de volta para a parede. Desceu outra vez. De novo e de novo, inspirando Luz das Tempestades.

Sim, aquilo era natural. Sim, aquilo era *ele*.

Continuou a correr pelo fundo do abismo, sentindo uma súbita empolgação. Sombras acenavam para ele enquanto se desviava de pilhas de osso e musgo. Saltou sobre uma grande poça d'água, mas julgou mal o tamanho. Ele desceu... prestes a chafurdar na água rasa.

Mas, por reflexo, olhou para cima e se projetou para o céu.

Por um breve momento, Kaladin parou de cair para baixo e, em vez disso, caiu para cima. Seu impulso para a frente continuou, e ele ultrapassou a poça, depois se projetou para baixo novamente. Pousou trotando, coberto de suor.

Eu poderia me projetar para cima e cair rumo ao céu para sempre.

Mas não, era assim que uma pessoa comum pensaria. Uma enguia celeste não tinha medo de cair, tinha? Um peixe não tinha medo de se afogar.

Até começar a pensar de maneira nova, não poderia controlar aquele dom que recebera. E *era* um dom. Ele o abraçaria.

O céu agora era dele.

Kaladin gritou, disparando, então pulou e se projetou para a parede. Sem pausa, sem hesitação, sem *medo*. Pousou ainda correndo, e ali perto Syl gargalhou, feliz.

Mas aquilo, aquilo era simples. Kaladin saltou da parede e olhou para a parede oposta, diretamente acima dele. Projetou-se naquela direção e lançou seu corpo em uma cambalhota. Ele pousou, apoiando um joelho naquilo que, para ele, era o teto até um momento antes.

— Você conseguiu! — disse Syl, voejando ao redor dele. — O que foi que mudou?

— Eu mudei.

— Bem, sim, mas que parte de você mudou?

— Tudo.

Ela franziu o cenho. Ele sorriu em resposta, então saiu correndo ao longo da parede do abismo.

S HALLAN DESCEU A ESCADA nos fundos da mansão, que dava na cozinha, cada passo mais duro do que normalmente pisaria, tentando fingir ser mais pesada do que era. A cozinheira tirou os olhos do seu livro e deixou-o cair com os olhos arregalados de pânico, fazendo menção de se levantar.

— Luminobre!

— Fique sentada — disse Shallan sem som, só movendo a boca, coçando o rosto para disfarçar seus lábios. Padrão pronunciou as palavras que ela lhe mandara dizer em uma perfeita imitação da voz de Amaram.

A cozinheira permaneceu sentada, como ordenado. Com sorte, daquela posição, ela não notaria que Amaram estava muito mais baixo do que deveria. Mesmo caminhando na ponta dos pés — o que era ocultado pela ilusão —, ela era muito menor que o grão-senhor.

— Você falou com a criada Telesh mais cedo — disse Padrão enquanto Shallan formava as palavras.

— Sim, Luminobre — respondeu a cozinheira, falando baixo para acompanhar o tom de voz de Padrão. — Eu a mandei trabalhar com Stine pelo resto da noite. Achei que a garota precisava de um pouco de direcionamento.

— Não — disse Padrão. — Ela voltou por ordem minha. Eu a mandei sair novamente e disse a ela para não falar do que aconteceu esta noite.

A cozinheira franziu o cenho.

— O que... aconteceu esta noite?

— Você não deve falar a respeito. Intrometeu-se em algo que não é da sua conta. Finja que não viu Telesh. Nunca fale sobre esse evento comigo. Se falar, vou fingir que nada disso aconteceu. Compreende?

A cozinheira empalideceu e assentiu, afundando na sua cadeira.

Shallan assentiu com um gesto seco, então saiu das cozinhas para a noite. Lá fora, ela se escondeu na lateral do prédio, o coração batendo forte. Mesmo assim, um sorriso se formou em seu rosto.

Quando estava fora de vista, ela expirou Luz das Tempestades em uma nuvem, depois deu um passo à frente. Ao atravessar a névoa, a imagem de Amaram desapareceu, substituída por aquela do garoto mensageiro que havia imitado antes. Ela foi apressadamente até a frente do edifício e sentou-se nos degraus, se encolhendo e apoiando a cabeça na mão.

Amaram e Hav caminhavam no escuro, falando baixo.

— Eu não notei que a garota havia me visto falando com o mensageiro, grão-senhor — disse Hav. — Ela deve ter pensado... — Ele perdeu o fio da meada quando viu Shallan.

Ela se levantou de um salto e curvou-se para Amaram.

— Não importa mais, Hav — disse Amaram, acenando para que o soldado voltasse à sua ronda.

— Grão-senhor — disse Shallan. — Trago uma mensagem.

— Obviamente, brunato — disse o homem, andando até ela. — O que ele quer?

— Ele? — indagou Shallan. — A mensagem é de Shallan Davar.

Amaram inclinou a cabeça.

— Quem?

— A noiva de Adolin Kholin. Ela está tentando atualizar o registro de todas as Espadas Fractais em Alethkar com imagens. Gostaria de marcar uma hora para vir e desenhar a sua Espada, se o senhor não se importar.

— Ah — disse Amaram, parecendo relaxar. — Sim, bem, não há problema. Estou livre na maioria das tardes. Diga a ela para mandar alguém falar com meu mordomo para marcar uma reunião.

— Sim, grão-senhor, pode deixar. — Shallan fez menção de partir.

— Você veio tarde assim? — perguntou Amaram. — Para fazer uma pergunta tão simples.

Shallan deu de ombros.

— Eu não questiono os comandos dos olhos-claros, Grão-senhor, mas minha senhora... Bem, às vezes ela fica meio distraída. Acho que preferiu me mandar cumprir a tarefa enquanto ainda estava com ela em mente. E ela realmente está interessada em Espadas Fractais.

— Quem não está? — devolveu Amaram, virando-se e falando baixo. — São coisas maravilhosas, não são?

Estaria falando com ela, ou consigo mesmo? Shallan hesitou. Uma espada se formou na mão dele, névoa se condensando, gotículas de água sobre a superfície. Amaram a segurou, olhando para si mesmo no reflexo.

— Tamanha beleza. Tamanha arte. Por que devemos matar com nossas criações mais grandiosas? Ah, mas estou falando bobagens, atrasando você. Peço desculpas. A Espada ainda é nova para mim. Eu encontro desculpas para invocá-la.

Shallan mal estava ouvindo. Uma Espada com o fio posterior que parecia a crista de ondas. Ou talvez chamas. Com entalhes por toda a superfície. Curva, sinuosa.

Ela conhecia aquela Espada.

Pertencia ao seu irmão Helaran.

K ALADIN AVANÇOU PELO ABISMO e o vento se uniu a ele, soprando nas suas costas. Syl voava diante dele como uma fita de luz.

Ele pegou uma pedra no caminho e saltou no ar, projetando-se para cima. Subiu pelo menos quinze metros antes de se projetar para o lado e para baixo ao mesmo tempo. A Projeção para baixo diminuiu seu impulso para cima; a Projeção lateral levou-o até a parede.

Ele dispensou a Projeção para baixo e atingiu a parede com uma mão, virando-se e se pondo de pé. Continuou correndo pela parede do abismo. Quando chegou ao final do platô, saltou até o próximo e se projetou na sua parede em vez disso.

Mais rápido! Ele continha quase toda a Luz das Tempestades que havia sobrado, coletada das bolsas que havia deixado cair mais cedo. Estava contendo tanta Luz que brilhava como uma fogueira. Ela o encorajou a saltar e a se projetar adiante, para leste, o que fez com que caísse *através* do abismo. O chão passou veloz abaixo dele, as plantas como borrões nas laterais.

Ele teve que se lembrar de que estava caindo. Aquilo não era um voo, e cada segundo em que se movia, sua velocidade aumentava. Isso não impedia a sensação de liberdade suprema. Só significava que poderia ser perigoso.

Os ventos aumentaram e ele se projetou para trás no último momento, desacelerando a descida enquanto se chocava contra uma parede de abismo adiante.

Aquela direção era para baixo no momento, então ele se levantou e correu ao longo dela. Estava usando Luz das Tempestades a um ritmo intenso, mas não precisava economizar. Era pago como um oficial olhos-claros do sexto dan, e suas esferas incluíam não pequenas peças de gemas, mas brons. Um mês de pagamento era agora mais dinheiro do que já vira de uma só vez, e a Luz das Tempestades que continua era uma vasta fortuna em comparação com o que conhecia antes.

Ele gritou ao pular sobre um grupo de floragolas, suas frondes se recolhendo abaixo dele. Projetou-se até a outra parede e cruzou o abismo, pousando apoiado nas mãos. Voltou a se pôr de pé e, de algum modo, se projetou apenas *ligeiramente* para cima.

Agora muito mais leve, foi capaz de girar no ar e aterrissar de pé. Estava na parede, de frente para o chão do abismo, os punhos cerrados e Luz fluindo do seu corpo.

Syl hesitou, voejando ao redor dele.

— O que foi? — perguntou ela.

— Mais — disse ele, e se projetou para a frente outra vez, corredor abaixo.

Destemido, ele caiu. Aquele oceano ela dele, podia nadar, aqueles ventos eram dele, podia voar. Caiu de cara rumo ao platô seguinte. Pouco antes de chegar, projetou-se de lado e para trás.

Seu estômago deu uma cambalhota, como se alguém tivesse amarrado uma corda ao redor dele e o empurrado da beira de um abismo, então puxado a corda quando ele estava prestes a alcançar o chão. A Luz das Tempestades dentro dele, contudo, tornava o desconforto um detalhe. Kaladin rumou para a lateral, para outro abismo.

Projeções o levaram para leste, através de outro corredor, e ele ziguezagueou ao redor dos platôs, mantendo-se nos abismos — como uma enguia nadando pelas ondas, contornando recifes. Para a frente, mais rápido, ainda caindo...

Com os dentes cerrados devido ao espanto e às forças que o retorciam, Kaladin abandonou a cautela e se projetou para cima. Uma, duas, três vezes. Deixou tudo mais para trás e, entre a Luz que fluía, disparou dos abismos para o céu aberto.

Projetou-se de volta ao leste de modo que pudesse cair de novo naquela direção, mas agora não havia paredes de platô no seu caminho. Ele voou rumo ao horizonte, distante, perdido nas trevas. Ganhou velocidade, seu casaco tremulando, o cabelo sacudindo atrás dele. O ar golpeava seu rosto, e ele estreitou os olhos, mas não os fechou.

Abaixo, abismos escuros passavam um depois do outro. Platô. Fenda. Platô. Fenda. A sensação... voando sobre a terra... ele a sentira antes, em sonhos. O que carregadores de pontes levavam horas para cruzar, ele atravessou em minutos. Sentia como se algo o estivesse impulsionando, como se o próprio vento o carregasse. Syl o acompanhava, zunindo à sua direita.

E à esquerda? Não, eram outros esprenos de vento. Ele havia acumulado dúzias deles, que voavam ao seu redor como fitas de luz. Podia identificar Syl. Não sabia como; sua aparência não era diferente, mas ele a discernia. Assim como era possível identificar um membro da sua família em uma multidão só pelo jeito de andar.

Syl e seus primos moviam-se ao redor dele em uma espiral de luz, livre e solta, mas com um toque de coordenação.

Há quanto tempo não se sentia tão bem, tão triunfante, tão *vivo*? Desde a morte de Tien. Mesmo depois de salvar a Ponte Quatro, uma sombra assomava sobre ele.

Aquilo havia se evaporado. Kaladin viu um pico de rocha à frente nos platôs e deslocou-se na direção dele com uma cuidadosa Projeção à direita. Outras Projeções para trás desaceleraram sua queda o suficiente para que, ao atingir o topo do pico de pedra, pudesse agarrá-lo e girar ao redor dele, dedos na lisa rocha de crem.

Uma centena de esprenos de vento irromperam ao seu redor, como a crista de uma onda, se espalhando a partir de Kaladin em um leque de luz.

Ele sorriu. Então olhou para cima, na direção do céu.

O Grão-senhor Amaram continuou a fitar a Espada Fractal, segurando-a diante de si na luz que emanava da frente da mansão.

Shallan lembrou-se do terror silencioso do pai ao olhar para aquela arma, apontada na sua direção. Poderia ser uma coincidência? Duas armas que pareciam idênticas? Talvez sua memória estivesse errada.

Não. Não, ela *nunca* esqueceria a aparência daquela Espada. *Era* a lâmina de Helaran. E não havia duas Espadas iguais.

— Luminobre — disse Shallan, chamando a atenção de Amaram. Ele pareceu surpreso, como se houvesse se esquecido de sua presença.

— Sim?

— A Luminosa Shallan quer se certificar de que os registros estão todos corretos e de que as histórias das Espadas e Armaduras no exército alethiano tenham sido rastreadas adequadamente. A sua Espada não é citada nelas. Ele perguntou se o senhor se incomodaria em compartilhar a origem da sua Espada, em nome da erudição.

— Já expliquei isso a Dalinar — disse Amaram. — Não sei a história das minhas Fractais. Ambas estavam na posse de um assassino que tentou me matar. Um homem mais jovem. Vedeno, de cabelo ruivo. Não sabíamos o nome dele, e seu rosto foi arruinado pelo meu contra-ataque. Tive que atingi-lo através do visor, sabe?

Homem jovem. Cabelo ruivo.

Ela estava diante do assassino de seu irmão.

— Eu... — gaguejou Shallan, nauseada. — Obrigado. Vou passar a informação adiante.

Ela se virou, tentando não tropeçar enquanto se afastava. Finalmente sabia o que havia acontecido a Helaran.

Você estava envolvido nisso tudo, não estava, Helaran? Do mesmo modo que o nosso pai. Mas como, por quê?

Parecia que Amaram estava tentando trazer de volta os Esvaziadores. Helaran havia tentado matá-lo.

Mas por que alguém realmente *desejaria* trazer de volta os Esvaziadores? Talvez ela estivesse enganada. Precisava voltar aos seus aposentos, desenhar todos aqueles mapas a partir das Lembranças que capturara e tentar compreender tudo aquilo.

Os guardas, abençoadamente, não causaram mais problemas enquanto se afastava do acampamento de Amaram para o anonimato da escuridão. Ainda bem, pois, se houvessem prestado atenção, teriam visto que o mensageiro tinha lágrimas nos olhos. Chorando por um irmão que agora, de uma vez por todas, Shallan sabia que estava morto.

P ARA CIMA.
 Uma Projeção, depois outra, depois uma terceira. Kaladin disparou rumo ao céu. Nada a não ser uma vastidão aberta, um mar infinito para seu deleite.

O ar esfriou. Ele ainda estava subindo, buscando as nuvens. Finalmente, preocupado em esgotar a Luz das Tempestades antes de voltar ao chão — só lhe restava uma esfera infundida, carregada no bolso para uma emergência — Kaladin se projetou para baixo, relutante.

Não caiu para baixo imediatamente; seu impulso para cima apenas desacelerou. Ainda estava se projetando para o céu; não havia dispensado as Projeções para cima.

Curioso, ele se projetou para baixo para ir ainda mais devagar, depois dispensou todas as suas Projeções, exceto uma para cima e uma para baixo. Por fim, ele parou, pendendo no ar. A segunda lua havia nascido, banhando as Planícies em luz muito abaixo. Dali, elas pareciam um prato quebrado. *Não...* pensou ele, apertando os olhos. *É um padrão.* Já vira aquilo antes. Em um sonho.

O vento soprou, fazendo com que ele ficasse à deriva como uma pipa. Os esprenos de vento que havia atraído se afastaram, agora que ele não estava cavalgando os ventos. Engraçado. Nunca havia reparado que era possível atrair esprenos de vento do mesmo modo como se atraía esprenos de emoções.

Tudo que precisava fazer era cair rumo ao céu.

Syl permaneceu, girando ao redor dele em uma espiral até pousar no seu ombro. Ela se sentou, então olhou para baixo.

— Poucos homens já tiveram essa vista — observou ela.

Dali de cima, os acampamentos de guerra, círculos de fogo à sua direita, pareciam insignificantes. Estava frio o suficiente para ser desconfortável. Rocha dizia que o ar era mais fino no alto, mas Kaladin não percebia diferença alguma.

— Fazia tempo que estava tentando te convencer a fazer isso — disse Syl.

— É como a primeira vez em que peguei uma lança — sussurrou Kaladin. — Eu era só uma criança. Você estava comigo nessa época? Lá atrás?

— Não — disse Syl. — E sim.

— Não pode ser as duas coisas.

— Pode, sim. Eu sabia que precisava encontrar você. E os ventos o conheciam. Eles me levaram até você.

— Então, tudo que eu fiz... Minha habilidade com a lança, a maneira como eu luto. Não sou eu. É você.

— Somos *nós*.

— É trapaça. Não foi merecido.

— Bobagem — disse Syl. — Você pratica todos os dias.

— Eu tenho uma vantagem.

— A vantagem do talento — replicou Syl. — Quando a mestra musicista pega pela primeira vez um instrumento e encontra nele música que ninguém mais consegue, é trapaça? Essa arte não foi merecida só porque ela é naturalmente mais habilidosa? Ou é talento?

Kaladin se projetou para oeste, de volta aos acampamentos de guerra. Não queria ficar isolado no meio das Planícies Quebradas sem Luz das Tempestades. O tumulto dentro dele já se acalmara bastante desde que havia começado. Ele caiu naquela direção por algum tempo — se aproximando o máximo que ousava antes de desacelerar —, então removeu parte da Projeção para cima e começou a pairar para baixo.

— Eu aceito — disse Kaladin. — Seja o que for que me dê essa vantagem, vou usar. Preciso dela para ganhar *dele*.

Syl concordou, ainda sentada no seu ombro.

— Você não acha que ele tem um espreno — continuou Kaladin. — Mas como ele faz o que faz?

— A arma — disse Syl, de modo mais confiante do que antes. — É algo especial. Ela foi criada para fornecer habilidades aos homens, como nosso laço faz.

Kaladin assentiu, o vento leve agitando seu casaco enquanto caía pela noite.

— Syl... — Como abordar isso? — Eu não posso lutar com ele sem uma Espada Fractal.

Ela desviou os olhos, os braços cruzados firmemente, abraçando a si mesma. Gestos tão humanos.

— Eu evitei o treinamento com as Espadas que Zahel oferece — continuou Kaladin. — É difícil de justificar. *Preciso* aprender a usar uma dessas armas.

— Elas são malignas — disse ela numa voz minúscula.

— Porque são símbolos dos juramentos quebrados dos cavaleiros — disse Kaladin. — Mas de onde elas vieram, em primeiro lugar? Como foram forjadas?

Syl não respondeu.

— É possível forjar uma Espada nova? Uma sem a mácula de promessas quebradas?

— Sim.

— Como?

Ela não replicou. Eles flutuaram para baixo em silêncio por algum tempo, até pousarem gentilmente em um platô escuro. Kaladin se aprumou, então caminhou até passar da beirada, descendo para dentro dos abismos. Não voltou usando as pontes. Os batedores achariam estranho que estivesse voltando sem ter saído.

Raios. Provavelmente o viram voando, não? O que teriam pensado? Será que estavam perto o bastante para vê-lo pousar?

Bem, não podia fazer nada a respeito disso agora. Chegou ao fundo do abismo e começou a caminhar de volta aos acampamentos, sua Luz das Tempestades lentamente morrendo, deixando-o nas trevas. Sem ela, sentia-se desalentado, lerdo, cansado.

Pescou a última esfera infundida do bolso e usou-a para iluminar seu caminho.

— Há uma questão que você está evitando — disse Syl, pousando no ombro dele. — Faz dois dias. Quando você vai contar a Dalinar sobre esses homens que Moash apresentou a você?

— Ele não ouviu quando eu contei sobre Amaram.

— Isso é *obviamente* diferente — disse Syl.

Era mesmo, e ela estava certa. Então por que não havia contado a Dalinar?

— Esses homens não parecem do tipo que esperam muito tempo — disse Syl.

— Vou tomar uma atitude — respondeu Kaladin. — Só quero pensar mais um pouco. Não quero que Moash seja pego na tempestade quando os capturarmos.

Ela ficou em silêncio enquanto ele seguia pelo resto do caminho, recuperando sua lança, e subiu a escada até os platôs. O céu acima havia se tornado nebuloso, mas o clima estava se voltando para a primavera ultimamente.

Aproveite enquanto pode. O Pranto chegará logo. Semanas de chuva incessante. Sem Tien para animá-lo. Seu irmão sempre fora capaz de fazer isso.

Amaram havia tomado isso dele. Kaladin baixou a cabeça e começou a caminhar. Nos limites dos acampamentos, virou para a direita e rumou para norte.

— Kaladin? — chamou Syl, voando ao lado dele. — Por que está indo nessa direção?

Ele levantou os olhos. Era o caminho para o acampamento de Sadeas. O acampamento de Dalinar ficava na outra direção.

Kaladin continuou andando.

— Kaladin? O que você está fazendo?

Finalmente, ele parou. Amaram estaria ali, bem em frente, em algum lugar no acampamento de Sadeas. Já era tarde, Nomon ascendia lentamente até o zênite.

— Eu *posso* acabar com ele. Entrar pela janela em um lampejo de Luz das Tempestades, matá-lo e ir embora antes que alguém tenha tempo de reagir. Tão fácil. Todos culpariam o Assassino de Branco.

— Kaladin...

— É *justiça*, Syl — disse ele, subitamente furioso, voltando-se para ela. — Você me diz que eu preciso proteger. Se eu o matar, estarei fazendo isso! Protegendo pessoas, impedindo-o de acabar com elas. Como ele acabou comigo.

— Eu não gosto do jeito que você fica quando pensa nele — disse ela, parecendo muito pequena. — Você deixa de ser você. Você para de pensar. Por favor.

— Ele matou Tien. Eu *vou* acabar com ele, Syl.

— Mas hoje? Depois do que você acabou de descobrir, depois do que você acabou de fazer?

Ele respirou fundo, lembrando-se da empolgação dos abismos e da liberdade do voo. Sentira alegria de verdade pela primeira vez no que pareciam ser séculos.

Queria macular essa memória com Amaram? Não. Nem mesmo com a morte do homem, que certamente seria um dia maravilhoso.

— Tudo bem — disse ele, voltando-se para o acampamento de Dalinar. — Hoje, não.

O ensopado noturno havia acabado quando Kaladin voltou às casernas. Ele passou pela fogueira, onde ainda havia brasas ardendo, e foi para seu quarto. Syl sumiu no ar acima. Ela cavalgaria os ventos durante a noite, brincando com seus primos. Até onde sabia, ela não precisava dormir.

Ele entrou no seu quarto particular, sentindo-se cansado e esgotado, mas de uma maneira agradável. Era...

Alguém se mexeu no quarto.

Kaladin girou, nivelando sua lança, e sugou o resto de Luz da esfera que havia usado para iluminar seu caminho. A Luz que fluiu dele revelou um rosto vermelho e preto. Shen parecia sinistro e perturbador nas sombras, como um espreno maligno das histórias.

— Shen — disse Kaladin, baixando a lança. — Mas o que...

— Senhor — disse Shen. — Eu preciso partir.

Kaladin franziu o cenho.

— Sinto muito — acrescentou Shen, falando na sua maneira lenta e deliberada. — Não posso dizer por quê.

Ele parecia estar esperando por alguma coisa, suas mãos tensas na lança. A lança que Kaladin dera a ele.

— Você é um homem livre, Shen. Não vou mantê-lo aqui se acha que deve partir, mas não sei se há outro lugar onde poderá ser livre de verdade.

Shen assentiu, então se moveu para passar por Kaladin.

— Você vai partir esta noite?

— Imediatamente.

— Os guardas nos limites das Planícies podem tentar detê-lo.

Shen balançou a cabeça.

— Parshemanos não fogem do cativeiro. Eles só verão um escravo executando alguma tarefa. Vou deixar sua lança ao lado da fogueira. — Ele caminhou até a porta, mas então hesitou ao lado de Kaladin e colocou uma mão em seu ombro. — Você é um bom homem, capitão. Eu aprendi muito. Meu nome não é Shen. É Rlain.

— Que os ventos sejam bons com você, Rlain.

— Não são os ventos que me dão medo — replicou Rlain.

Ele deu um tapinha no ombro de Kaladin, então respirou fundo, como se antecipasse algo difícil, e deixou o cômodo.

53
PERFEIÇÃO

> *Quanto às outras ordens que eram inferiores nessa capacidade de visitar o reino distante dos esprenos, os Alternautas eram prodigiosamente benevolentes, permitindo que outros os acompanhassem nas visitas e interações; embora nunca abandonassem sua posição como os principais intermediários com os notáveis dos esprenos; e os Teceluzes e Plasmadores também tinham uma afinidade com isso, embora nenhum dos dois grupos fosse o verdadeiro mestre daquele reino.*
>
> — De *Palavras de Radiância*, capítulo 6, página 2

Adolin rechaçou a Espada Fractal de Elit com um golpe do antebraço. Fractários não usavam escudos — cada seção da Armadura era mais forte do que pedra.

Ele avançou, usando a Postura do Vento enquanto se movia pela areia da arena.

Conquiste Fractais para mim, filho.

Adolin percorreu os ataques da postura, uma direção depois da outra, forçando Elit a recuar. O homem cambaleou, sua Armadura vazando de uma dúzia de lugares onde havia sido atingida por Adolin.

Qualquer esperança de um final pacífico para a guerra nas Planícies Quebradas se fora. Acabara. Adolin sabia o quanto seu pai queria o fim da guerra, e a arrogância parshendiana deixou-o zangado. Frustrado.

Ele controlou esse sentimento. Não podia ser consumido por ele; moveu-se habilmente pela postura, cuidadoso, mantendo a serenidade.

Elit aparentemente esperava que Adolin fosse imprudente, como no seu primeiro duelo por Fractais. Ficava recuando, esperando um momento de descuido. Adolin não ofereceu nenhum.

Naquele dia, lutava com precisão — forma e postura exatas, nada fora do lugar. Disfarçar sua habilidade no duelo anterior não convencera ninguém poderoso a concordar com uma disputa. Adolin mal conseguira persuadir Elit.

Era hora de usar uma tática diferente.

Adolin passou pelo ponto de onde Sadeas, Aladar e Ruthar assistiam. O núcleo da coalizão contra o seu pai. Àquela altura, todos eles já haviam ido em investidas de platô ilicitamente, chegando ao local e roubando a gema-coração antes que o exército designado pudesse alcançá-los. Toda vez, eles pagaram as multas cobradas por Dalinar pela desobediência. Dalinar não podia fazer nada a eles sem arriscar guerra declarada.

Mas Adolin podia puni-los de outras formas.

Elit recuou desajeitadamente, preocupado, enquanto Adolin se aproximava. O homem testou uma investida, e Adolin golpeou para desviar sua Espada, depois fez um movimento súbito com a mão e acertou o antebraço de Elit. Ali também começou a vazar Luz das Tempestades.

A multidão murmurou, conversas soando na arena. Elit veio novamente, e Adolin desviou seus golpes, mas não fez nenhum contra-ataque.

Forma ideal. Cada passo no lugar. A Euforia surgiu dentro dele, mas rapidamente a abafou. Sentia nojo dos grão-príncipes e de suas disputas, mas hoje não mostraria a eles aquela fúria. Em vez disso, mostraria *perfeição*.

— Ele está tentando cansar você, Elit! — Soou a voz de Ruthar da arquibancada ali perto. Na sua juventude, ele mesmo fora um duelista, embora nem de longe tão bom quanto Dalinar ou Aladar. — Não permita!

Adolin sorriu dentro do elmo enquanto Elit assentia e jogava-se para frente na Postura da Fumaça, atacando com a Espada. Uma aposta. A maioria dos combates contra Armaduras era vencida com o quebrar de seções, mas ocasionalmente era possível enfiar a ponta da Espada através de uma junta entre placas, rachando-as e marcando um ponto.

Era também uma maneira de tentar ferir seu oponente, mais do que apenas derrotá-lo.

Adolin calmamente deu um passo atrás e usou os movimentos apropriados da Postura do Vento para aparar um golpe. A arma de Elit foi desviada com um tinido, e a multidão resmungou ainda mais. Primeiro, Adolin dera a eles uma exibição brutal, deixando-os irritados. Depois, encenara um combate equilibrado, causando muita empolgação.

Dessa vez, fez o oposto das duas coisas, recusando os confrontos excitantes que eram parte tão frequente de um duelo.

Ele deu um passo para o lado e golpeou pelo flanco para atingir levemente o elmo de Elit, que começou a vazar devido a uma pequena rachadura, embora não tanto quanto deveria.

Excelente.

Elit rosnou audivelmente de dentro do elmo, então veio com outra estocada. Direto na placa facial de Adolin.

Tentando me matar, hein?, pensou Adolin, tirando uma mão da própria Espada e erguendo-a sob a lâmina de Elit, deixando-a deslizar entre seu polegar e indicador.

A Espada de Elit pressionou a mão de Adolin enquanto ele a desviava para cima e para a direita. Era um movimento que nunca poderia ser executado sem uma Armadura — a pessoa terminaria com a mão cortada ao meio se tentasse a manobra com uma espada comum, pior ainda se tentasse com uma Espada Fractal.

Com a Armadura, ele guiou facilmente a investida para longe da sua cabeça, então usou a outra mão para golpear sua Espada contra o flanco de Elit.

Algumas pessoas na multidão comemoraram o golpe direto. Outras, contudo, vaiaram. O ataque clássico para a situação teria sido atingir a cabeça de Elit, tentando despedaçar o elmo.

Elit avançou tropeçando, desequilibrado pela investida perdida e pelo golpe subsequente. Adolin empurrou-o com o ombro, jogando-o no chão. Então, em vez de atacar, deu um passo para trás.

Mais vaias.

Elit se levantou, então deu um passo à frente. Ele cambaleou um pouco, depois deu outro passo. Adolin recuou e deixou a Espada com a ponta voltada para o chão, esperando. Acima, o céu trovejava. Provavelmente choveria mais tarde — não uma grantormenta, felizmente. Só uma chuvarada comum.

— Lute comigo! — gritou Elit de dentro do elmo.

— Eu lutei — replicou Adolin em voz baixa. — E eu venci.

Elit avançou tropeçando. Adolin recuou. Ao som das vaias da multidão, ele aguardou até que Elit travou completamente — a Luz da Tempestade de sua Armadura se esgotara totalmente. As dúzias de pequenas rachaduras que Adolin havia feito na armadura do homem enfim levaram ao resultado inevitável.

Então, Adolin avançou com calma, colocou uma mão contra o peito de Elit e o empurrou. Ele desabou no chão com um estrondo.

Adolin olhou para a Luminobre Istow, grã-juíza, que suspirou.

— O julgamento novamente favorece Adolin Kholin. O vencedor. Elit Ruthar abdica da sua Armadura.

A multidão não gostou muito disso. Adolin virou-se para encará-la, acenando com sua Espada algumas vezes antes de dispersá-la em névoa. Ele removeu o elmo e fez uma mesura para as vaias. Atrás dele, seus armeiros — que havia preparado para isso — entraram apressadamente e afastaram com empurrões os armeiros de Elit. Eles removeram a Armadura, que agora pertencia a Adolin.

O príncipe sorriu e, quando eles acabaram, seguiu-os até a sala de preparação atrás das arquibancadas. Renarin esperava junto à porta, vestido com a própria Armadura, e tia Navani estava sentada junto ao braseiro da sala.

Renarin espiou a multidão insatisfeita.

— Pai das Tempestades. No seu primeiro duelo por fractais, você acabou em menos de um minuto, e eles o odiaram. Hoje você levou por quase uma hora, e eles parecem odiá-lo ainda mais.

Adolin suspirou, sentando-se em um dos sofás.

— Eu venci.

— Venceu — disse Navani, se levantando, inspecionando-o como se procurasse ferimentos. Ela sempre se preocupava quando ele duelava. — Mas não devia fazer isso com grande barulho?

Renarin concordou.

— Foi o que o pai pediu.

— Isso será lembrado — replicou Adolin, aceitando um copo d'água de Peet, um dos guardas carregadores daquele dia, e assentindo em gratidão. — Barulho é fazer todo mundo prestar atenção. Isso vai funcionar.

Era o que esperava. A próxima parte era igualmente importante.

— Tia — disse Adolin enquanto ela começava a escrever uma oração de agradecimento. — A senhora já pensou no que pedi?

Navani continuou desenhando.

— O trabalho de Shallan parece realmente importante — disse Adolin. — Quero dizer...

Uma batida soou na porta da câmara.

Mas já?, pensou Adolin, se levantando. Um dos carregadores abriu a porta.

Shallan Davar entrou subitamente, trajando um vestido roxo, o cabelo ruivo flamejando enquanto cruzava a sala.

— Aquilo foi incrível!

— Shallan! — Não era a pessoa que estava esperando, mas não se incomodou ao vê-la. — Olhei para seu lugar antes da luta e não vi você lá.

— Me esqueci de queimar uma oração, então parei para fazer isso. Mas assisti à maior parte da luta.

Ela hesitou diante dele, parecendo tímida por um momento. Adolin partilhava daquela timidez. Eles só estavam cortejando oficialmente havia pouco mais de uma semana, mas com o causal celebrado... qual *era* o relacionamento deles?

Navani pigarreou. Shallan girou e levou a mão livre aos lábios, como se houvesse acabado de notar a rainha-viúva.

— Luminosa — disse ela, e fez uma mesura.

— Shallan — disse Navani. — Só ouço coisas boas de você da parte do meu sobrinho.

— Obrigada.

— Vou deixá-los a sós, então — concluiu Navani, caminhando para a porta, seu glifo-amuleto inacabado.

— Luminosa... — disse Shallan, levantando a mão na direção dela.

Navani saiu e fechou a porta.

Shallan baixou a mão, e Adolin fez uma careta.

— Sinto muito. Venho tentando conversar com ela sobre isso. Acho que minha tia precisa de mais alguns dias, Shallan, e vai mudar de ideia... Ela sabe que não deveria estar ignorando você, posso sentir. É que é uma lembrança do que aconteceu.

Shallan assentiu, parecendo desapontada. Os armeiros de Adolin vieram para ajudá-lo a remover sua Armadura, mas ele recusou com um aceno. Bastava que ela visse seu cabelo todo desarrumado, colado na cabeça devido ao elmo. As roupas que usava por baixo — um uniforme acolchoado — era horroroso.

— Então, hã, você gostou do duelo?

— Você foi *maravilhoso* — disse Shallan, voltando-se novamente para ele. — Elit ficava pulando em cima de você, e você só o afastava como se fosse um crengueijo irritante tentando subir pela sua perna.

Adolin sorriu.

— O resto da multidão não achou isso maravilhoso.

— Eles vieram para ver você levar uma surra. Foi falta de consideração da sua parte não dar isso a eles.

— Sou um tanto sovina nessa questão — admitiu Adolin.

— Você quase nunca perde, pelo que fiquei sabendo. Terrivelmente tedioso. Talvez devesse tentar empatar de vez em quando. Só para variar.

— Vou pensar no assunto — disse ele. — Podemos discutir a questão talvez esta noite, durante o jantar? No acampamento de guerra do meu pai?

Shallan fez uma careta.

— Estou ocupada esta noite. Sinto muito.

— Ah.

— Mas... — disse ela, chegando mais perto. — Posso ter um presente para você em breve. Ainda não tive muito tempo para estudar... estou trabalhando duro para arrumar as contas domésticas de Sebarial... mas posso ter topado com algo que pode ajudá-lo. Com seus duelos.

— O quê? — Ele franziu o cenho.

— Me lembrei de uma coisa da biografia do rei Gavilar. Mas vai exigir que você vença um duelo de uma maneira espetacular. Algo incrível, algo que cause espanto na multidão.

— Menos vaias, então. — Adolin coçou a cabeça.

— Acho que todo mundo apreciaria isso — observou Renarin, ao lado da porta.

— Espetacular... — disse Adolin.

— Eu explico melhor amanhã — prometeu Shallan.

— O que vai acontecer amanhã?

— Você vai me levar para jantar.

— Ah, é?

— E passear comigo — disse ela.

— É mesmo?

— Sim.

— Sou um homem de sorte. — Ele sorriu. — Tudo bem, então, nós podemos...

A porta se abriu com violência.

Os guardas carregadores de Adolin saltaram, e Renarin praguejou, se levantando. Adolin apenas se virou, gentilmente movendo Shallan para o lado de modo que pudesse ver quem chegara. Relis, o atual campeão de duelos e filho mais velho do Grão-príncipe Ruthar.

Como esperado.

— O que foi *aquilo*? — vociferou Relis, entrando subitamente no recinto. Ele estava acompanhado por um pequeno bando de outros olhos-claros, incluindo a Luminobre Istow, a grã-juíza. — Você insultou a mim e à minha casa, Kholin.

Adolin juntou as manoplas às costas enquanto Relis se aproximava até parar bem perto do seu rosto.

— Não gostou do duelo? — perguntou Adolin de modo casual.

— Aquilo *não* foi um duelo — ladrou Relis. — Você envergonhou meu primo ao se recusar a lutar direito. Eu *exijo* que essa farsa seja invalidada.

— Eu já disse, príncipe Relis — disse Istow, atrás dele. — O príncipe Adolin não quebrou qualquer...

— Você quer a Armadura do seu primo de volta? — indagou Adolin em voz baixa, encontrando o olhar de Relis. — Lute comigo por ela.

— Não vou deixar que me provoque — disse Relis, cutucando o centro da placa peitoral de Adolin. — Não vou deixar que me meta em mais um de seus duelos fajutos.

— Seis Fractais, Relis — continuou Adolin. — As minhas, as do meu irmão, a Armadura de Eranniv e a Armadura do seu primo. Aposto todas elas em um único combate. Você e eu.

— Você é um cabeça-fosca se acha que vou concordar com isso — disse Relis com rispidez.

— Está com medo demais para aceitar?

— Você não é digno de me enfrentar, Kholin. Essas duas últimas lutas provam isso. Você nem sabe mais duelar... só sabe usar truques.

— Então você deve ser capaz de me derrotar facilmente.

Relis hesitou, deslocando o peso de um pé para o outro. Finalmente, ele apontou outra vez para Adolin.

— Você é um canalha, Kholin. Sei que lutou com meu primo para envergonhar meu pai e eu. Recuso-me a ser provocado. — Ele se virou para partir.

Algo espetacular, pensou Adolin, olhando para Shallan. *Meu pai pediu que eu fizesse barulho...*

— Se está com medo — disse Adolin, olhando de volta para Relis —, não precisa duelar comigo sozinho.

Relis se deteve, olhando para trás.

— Está dizendo que lutaria comigo e com outra pessoa ao *mesmo tempo*?

— Estou. Luto com você e quem mais você trouxer, juntos.

— Você *é* um idiota — sussurrou Relis.

— Sim ou não?

— Dois dias — vociferou Relis. — Aqui na arena. — Ele olhou para a grã-juíza. — Está testemunhando isso?

— Estou — respondeu ela.

Relis saiu bufando e os outros o seguiram. A grã-juíza continuou ali, fitando Adolin.

— Você está ciente do que acabou de fazer?

— Conheço bem as convenções dos duelos. Sim. Estou ciente.

Ela suspirou, mas assentiu, saindo do recinto.

Peet fechou a porta, então olhou para Adolin, levantando a uma sobrancelha. Ótimo. Agora os carregadores estavam cheios de atitude. Adolin afundou do sofá.

— Isso vai servir para ser espetacular? — perguntou ele a Shallan.

— Você realmente acha que pode derrotar dois ao mesmo tempo?

Adolin não respondeu. Lutar com dois homens ao mesmo tempo era difícil, particularmente se ambos fossem Fractários. Eles poderiam atacá-lo juntos, cercá-lo, pegá-lo desprevenido. Era muito mais difícil do que lutar com dois homens seguidos.

— Eu não sei. Você queria algo espetacular. Então vou tentar fazer algo espetacular. Agora, espero que você *realmente* tenha um plano.

Shallan sentou-se junto dele.

— O que você sabe sobre o Grão-príncipe Yenev...?

PASSO DE UMA DAMA
da Luminosa Axeface

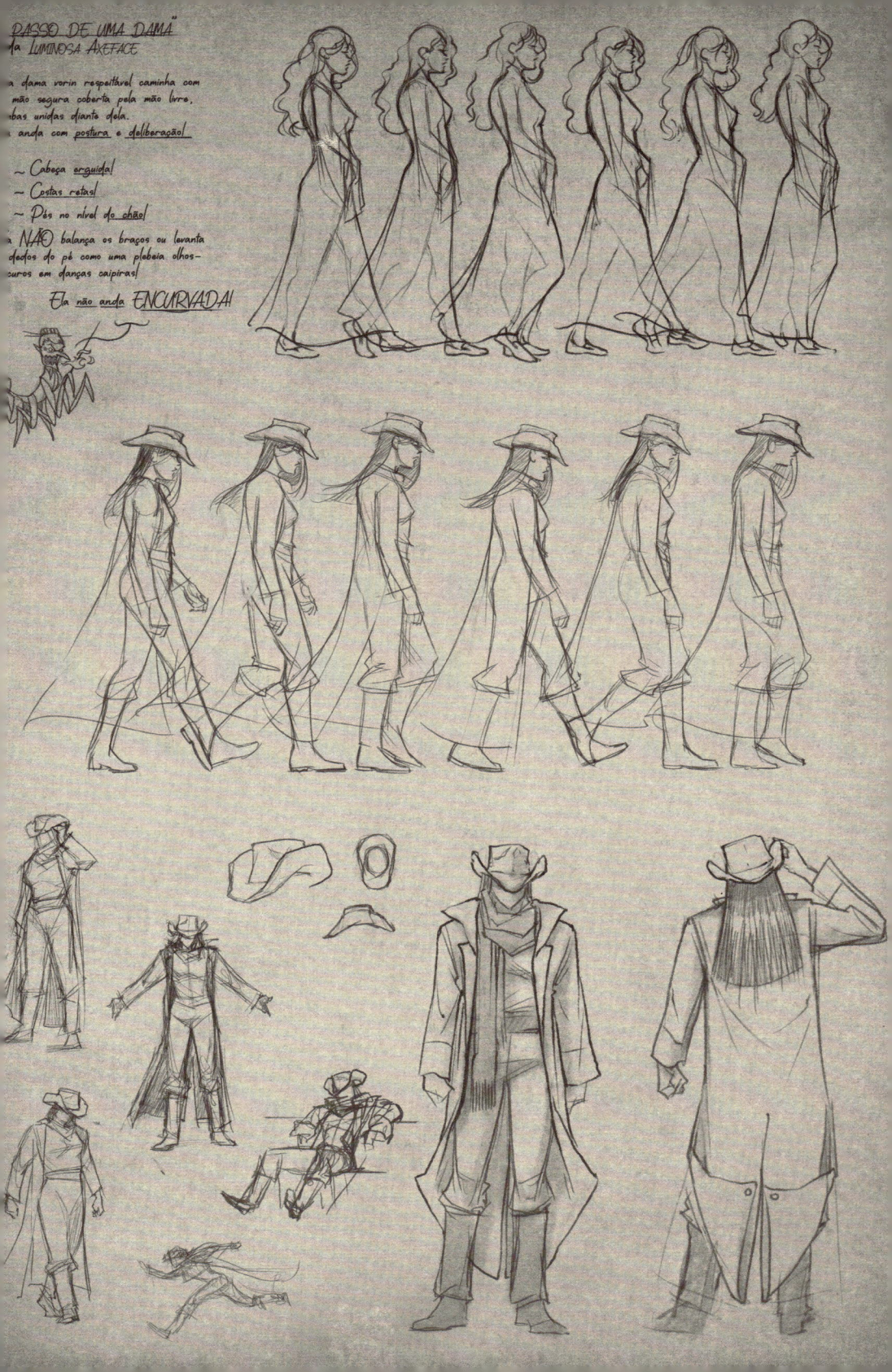

A dama vorin respeitável caminha com a mão segura coberta pela mão livre, ambas unidas diante dela. Ela anda com postura e deliberação!

- Cabeça erguida!
- Costas retas!
- Pés no nível do chão!

Ela NÃO balança os braços ou levanta dedos do pé como uma plebeia olhos-curos em danças caipiras!

Ela não anda ENCURVADA!

54

A LIÇÃO DE VÉU

> *Também vieram dezesseis da ordem dos Corredores dos Ventos, e com eles um número considerável de escudeiros, e ao encontrarem naquele lugar os Rompe-céus dividindo os inocentes dos culpados, um grande debate teve início.*
>
> — De *Palavras de Radiância*, capítulo 28, página 3

SHALLAN DESCEU DA CARRUAGEM; caía uma chuva leve. Usava o casaco e as calças brancos de sua versão olhos-escuros que nomeara de Véu. A chuva salpicava a aba do seu chapéu. Ela passara tempo demais conversando com Adolin depois do duelo e teve que correr para chegar na hora daquele compromisso, que aconteceria nas Colinas Devolutas, a uma boa hora de viagem dos acampamentos de guerra.

Mas ali estava ela, disfarçada, a tempo. Por pouco. Avançou com passos largos, escutando a batida da chuva na pedra ao redor. Sempre gostara de chuvas como aquela. Irmãs mais novas das grantormentas, elas traziam vida sem a fúria. Até as desoladas terras da tormenta ali a leste dos acampamentos de guerra floresciam com o advento da água. Petrobulbos se abriam e, embora não tivessem flores como os de sua terra natal, puseram para fora vibrantes gavinhas verdes. A grama surgia sedenta dos buracos e recusava-se a recuar até quase ser pisada. Alguns juntos produziram flores para atrair crenguejos, que se alimentariam das pétalas, se esfregando assim em esporos que dariam origem à próxima geração, depois de misturados com os esporos de outras plantas.

Se ela estivesse em casa, haveria muito mais gavinhas — tantas que seria difícil andar sem tropeçar. Avançar mais de meio metro em uma área arborizada exigiria um facão. Ali, a vegetação tornava-se colorida, mas não um impedimento.

Shallan sorriu ao ver os maravilhosos arredores, a chuva leve, a linda flora. Um pouco de umidade era um preço pequeno a pagar pelo melodioso som da chuva caindo, o ar fresco e o belo céu cheio de nuvens que variavam entre todos os tons de cinza.

Ela caminhava com uma bolsa à prova d'água debaixo do braço, o cocheiro da carruagem de aluguel — não podia usar a carruagem de Sebarial para a atividade daquele dia — esperando seu retorno como ela havia instruído. Era uma carruagem puxada por parshemanos, em vez de cavalos, mas eles eram mais rápidos do que chules e trabalhavam direitinho.

Ela avançou até uma encosta adiante, o destino indicado no mapa que havia recebido via telepena. Usava um belo par de botas resistentes. Aquelas roupas de Tyn podiam ser incomuns, mas Shallan era grata por isso. O casaco e o chapéu evitavam a chuva, e as botas lhe forneciam passos seguros na pedra lisa.

Ela contornou a colina e descobriu que estava desmoronada do outro lado, pois a pedra havia rachado e caído em uma pequena avalanche. As camadas de crem endurecido eram claramente visíveis nas bordas dos pedaços de pedra, o que significava que aquela era uma fratura mais recente. Se fosse antiga, crem fresco teria obscurecido aquela coloração.

A rachadura criou um pequeno vale na encosta — cheio de fissuras e sulcos da pedra desmoronada, que haviam capturado esporos e caules levados pelo vento, que por sua vez haviam criado uma explosão de vida. Onde quer que estivessem protegidas contra o vento, as plantas encontravam uma base e começavam a crescer.

O emaranhado verde crescia de modo aleatório — não era um laite de verdade, onde a vida estava segura da passagem do tempo, mas antes um abrigo temporário, que serviria no máximo por alguns anos. Por enquanto, as plantas cresciam com avidez, às vezes umas em cima das outras, brotando, florescendo, tremendo, se retorcendo, vivas. Era um exemplo de natureza selvagem.

Contudo, não era esse o caso do pavilhão.

Ele cobria quatro pessoas sentadas em cadeiras demasiado luxuosas para os arredores. Enquanto comiam petiscos, eram aquecidos por um braseiro no centro da tenda de abertura lateral. Shallan se aproximou, capturando Lembranças dos rostos das pessoas. Ela as desenharia depois, como havia feito com o primeiro grupo de Sanguespectros que conhecera. Duas delas estavam presentes na última vez; as outras duas, não. A mulher perturbadora com a máscara não parecia estar por ali.

Mraize, de pé com um ar imponente, inspecionava sua longa zarabatana. Ele não levantou os olhos quando Shallan adentrou o toldo.

— Eu gosto de aprender a usar as armas locais — disse Mraize. — É uma idiossincrasia, embora eu ache que é justificada. Se deseja compreender um povo, aprenda sobre suas armas. A maneira como os homens se matam diz muito mais sobre uma cultura do que a etnografia de qualquer erudito.

Ele levantou a arma na direção de Shallan, e ela gelou. Então ele se voltou para o desmoronamento e soprou, lançando um dardo na folhagem.

Shallan foi até ele. O dardo tinha acertado um crenguejo em um dos caules das plantas. A pequena criatura de muitas patas movia-se em espasmos violentos, tentando se libertar, muito embora ser atravessada por um dardo acabasse sendo fatal.

— Essa é uma zarabatana parshendiana — observou Mraize. — O que você acha que ela diz sobre eles, pequena lâmina?

— Obviamente, não serve para matar animais grandes — disse Shallan. — O que faz sentido. Os únicos animais grandes que conheço na área são os demônios-do-abismo, que os parshendianos supostamente veneram como deuses.

Ela não estava convencida de que eles fizessem isso. Relatos antigos — que lera detalhadamente devido à insistência de Jasnah — partiam do *pressuposto* de que os deuses dos parshendianos eram os demônios-do-abismo. Não era realmente certo.

— Eles provavelmente a usam para caçar pequenos animais — continuou Shallan. — O que significa que caçam por comida, em vez de prazer.

— Por que diz isso? — indagou Mraize.

— Homens que buscam glória na caçada procuram capturas grandiosas. Troféus. Essa zarabatana é a arma de um homem que simplesmente deseja alimentar sua família.

— E se ele a usasse contra outros homens?

— Não seria útil na guerra — disse Shallan. — O alcance é curto demais, imagino, e de qualquer modo os parshendianos têm arcos. Talvez isso possa ser usado em assassinatos, embora, nesse caso, eu fosse ficar muito curiosa para descobrir.

— E por que diz isso? — quis saber Mraize.

Um teste de algum tipo.

— Bem, a maioria das populações indígenas... os nativos de Silnasen, os povos reshianos, os mensageiros das planícies de Iri... não têm uma verdadeira concepção de assassinato. Pelo que sei, eles não parecem ver muita utilidade em batalhas. Caçadores são valiosos demais, então uma "guerra" nessas culturas envolve muita gritaria e poses, mas poucas mortes. Esse tipo de sociedade fanfarrona não parece ter assassinos.

E ainda assim os parshendianos haviam enviado um assassino contra os alethianos.

Mraize a observava, fitando-a com olhos inescrutáveis, a longa zarabatana pendendo levemente na ponta dos seus dedos.

— Entendo — disse ele, por fim. — Tyn escolheu uma *erudita* como aprendiz desta vez? Acho isso bastante incomum.

Shallan corou. Ocorreu-lhe que a pessoa que se tornava quando se disfarçava com o chapéu e o cabelo preto não era uma imitação de alguém, uma pessoa diferente; era só uma versão da própria Shallan.

Isso podia ser perigoso.

— Então — disse Mraize, pegando outro dardo do bolso da sua camisa —, que desculpa Tyn forneceu hoje?

— Desculpa? — indagou Shallan.

— Por falhar na sua missão. — Mraize carregou o dardo.

Falhar? Shallan começou a suar, gotas geladas em sua testa. Mas ela vigiara para conferir se algo fora do comum acontecia no acampamento de Amaram! Naquela manhã, havia voltado — o motivo real por que se atrasara para o duelo de Adolin — usando o rosto de um trabalhador. Ela escutara para ver se alguém mencionara uma invasão, ou se Amaram estava desconfiado. Não descobriu nada.

Bem, obviamente Amaram não havia tornado públicas suas suspeitas. Depois de todo o trabalho que tivera para encobrir sua incursão, ela havia falhado. Provavelmente não deveria estar surpresa, mas estava mesmo assim.

— Eu... — começou Shallan.

— Estou começando a me perguntar se Tyn está mesmo doente — disse Mraize, levantando a zarabatana e atirando outro dardo na folhagem. — Para nem mesmo tentar realizar sua tarefa.

— Nem mesmo tentar? — indagou Shallan, perplexa.

— Ah, é essa a desculpa? — perguntou Mraize. — Que ela tentou e fracassou? Coloquei pessoas vigiando a casa. Se ela houvesse...

Ele perdeu o fio da meada enquanto Shallan sacudia a água da bolsa e cuidadosamente a abria para retirar uma folha de papel. Era uma representação do cômodo trancado de Amaram, com seus mapas nas paredes.

Ela tivera que especular quanto a alguns detalhes — estava escuro, e sua única esfera não havia iluminado muito —, mas a achava bem parecida.

Mraize pegou o desenho da mão dela e levantou-o. Ele o estudou, deixando Shallan suando copiosamente.

— É raro que me provem errado — declarou Mraize. — Parabéns.

Isso era uma coisa boa?

— Tyn não tem essa habilidade — continuou ele, ainda inspecionando a folha. — Você mesma viu essa sala?

— Há um motivo para ela ter escolhido uma erudita como sua assistente. Minhas habilidades complementam as dela.

Mraize baixou a folha.

— Surpreendente. Sua mestra pode ser uma ladra brilhante, mas sua escolha de associados sempre foi pouco esclarecida.

Ele tinha um modo refinado de falar que não parecia combinar com seu rosto marcado por cicatrizes, seu lábio desalinhado e suas mãos calosas. Mraize falava como um homem que passara seus dias provando vinhos e escutando boa música, mas parecia alguém que sofrera repetidas fraturas nos ossos — e que provavelmente devolvera o favor em dobro.

— Que pena que esses mapas não estão mais detalhados — observou Mraize, inspecionando a imagem outra vez.

Shallan obsequiosamente pegou as outras cinco imagens que desenhara para ele. Quatro eram os mapas nas paredes em detalhes, a outra era uma representação mais próxima dos pergaminhos com a escrita de Amaram. Em cada uma delas, a escrita em si era indecifrável, só algumas linhas rabiscadas. Shallan fizera isso de propósito. Ninguém esperava que uma artista fosse capaz de capturar tais detalhes de memória, ainda que ela pudesse.

Ocultaria deles os detalhes da escrita. Pretendia conquistar a sua confiança, aprender o que pudesse, mas *não* os ajudaria mais do que o necessário.

Mraize passou sua zarabatana para o lado. A garota mascarada e baixinha estava ali, segurando o crenguejo que Mraize empalara junto com um visom morto, que tinha um dardo de zarabatana despontando do pescoço. Não, a pata do animal estremeceu. Ele estava só atordoado. Algum veneno no dardo, então?

Shallan sentiu um arrepio. Onde aquela mulher estivera escondida? Aqueles olhos escuros fitavam Shallan sem piscar, o resto do rosto escondido por trás da máscara de tinta e concha. Ela pegou a zarabatana.

— Impressionante — disse Mraize sobre os desenhos de Shallan. — *Como* você entrou? Nós vigiamos as janelas.

Seria assim que Tyn teria feito, se esgueirando na calada da noite através de uma das janelas? Ela não treinara Shallan nesse tipo de coisa, só em sotaques e imitação. Talvez houvesse percebido que Shallan, que às vezes tropeçava nos próprios pés, não seria a melhor em furtos acrobáticos.

— Esses desenhos são primorosos — comentou Mraize, caminhando até uma mesa e dispondo as folhas sobre ela. — Um triunfo, certamente. Que talento.

O que acontecera com o homem perigoso e frio que a confrontara no primeiro encontro com os Sanguespectros? Emocionado, ele se inclinou, estudando os desenhos um por um. Chegou a pegar uma lente de aumento para inspecionar os detalhes.

Ela não fez as perguntas que desejava. O que Amaram estava fazendo? Você sabe como ele obteve sua Espada Fractal? Como ele... matou Helaran Davar? Ainda perdia o fôlego quando pensava sobre isso, mas parte dela havia admitido anos atrás que seu irmão nunca mais voltaria.

Isso não impedia que sentisse um distinto e surpreendente ódio pelo homem Meridas Amaram.

— Bem? — perguntou Mraize, olhando para ela. — Venha se sentar, menina. Foi você que fez isso?

— Fui eu — admitiu Shallan, reprimindo suas emoções.

Mraize acabara de chamá-la de "menina"? Ela intencionalmente fizera com que aquela versão de si mesma parecesse mais velha, com um rosto mais anguloso. O que precisava fazer? Começar a acrescentar cabelos grisalhos?

Ela se instalou na cadeira ao lado da mesa. A mulher com a máscara apareceu ao seu lado, segurando um copo e uma chaleira de algo fumegante. Shallan assentiu, hesitante, e foi recompensada com um copo de vinho laranja quente. Tomou um gole — provavelmente não precisava se preocupar com veneno, já que aquelas pessoas poderiam matá-la a qualquer momento. Os outros sob o pavilhão conversavam em voz baixa, mas Shallan não conseguia entender o que diziam. Sentia-se em exibição para uma audiência.

— Copiei parte do texto para você — disse Shallan, pescando uma página escrita. Eram linhas que escolhera especificamente para mostrar a eles; não revelavam demais, mas poderiam servir como um estímulo para que Mraize falasse sobre o assunto. — Não tivemos muito tempo na sala, então só pude pegar algumas linhas.

— Você passou tanto tempo ali desenhando e tão pouco registrando o texto? — perguntou Mraize.

— Ah. Não, eu fiz essas imagens de cabeça.

Ele a encarou, o queixo levemente caído, uma expressão de surpresa genuína cruzando seu rosto antes que rapidamente restaurasse sua costumeira tranquilidade confiante.

Provavelmente... não foi sábio admitir isso, percebeu Shallan. Quantas pessoas podiam desenhar tão bem a partir da memória? Havia Shallan demonstrado publicamente sua habilidade nos acampamentos de guerra?

Até onde sabia, não. Agora teria que manter aquele aspecto do seu talento escondido, para que os Sanguespectros não fizessem uma conexão entre Shallan, a dama olhos-claros, e Véu, a vigarista olhos-escuros. Raios.

Bem, era inevitável que cometesse alguns erros. Pelo menos esse não colocaria sua vida em risco. Provavelmente.

— Jin — chamou Mraize bruscamente.

Um homem de cabelos dourados com o peito nu sob uma túnica leve levantou-se de uma das cadeiras.

— Olhe para ele — disse Mraize para Shallan.

Ela capturou uma Lembrança.

— Jin, deixe-nos. Você vai desenhá-lo, Véu.

Ela não teve escolha a não ser obedecer. Enquanto Jin se afastava, resmungando baixinho na chuva, Shallan começou a desenhar. Fez um esboço completo — não apenas seu rosto e ombros, mas um estudo do ambiente, incluindo o fundo de rochas desmoronadas. Nervosa, ela não fez um trabalho tão bom quanto poderia, mas Mraize ainda assim admirou sua obra como um pai orgulhoso. Ela terminou e pegou o verniz — havia usado carvão, e seria necessário cobrir o desenho —, mas Mraize o tomou de seus dedos.

— Incrível — disse ele, levantando a folha. — É um desperdício deixá-la com Tyn. Mas você não consegue fazer isso com texto?

— Não — mentiu Shallan.

— Uma pena. Ainda assim, isso é maravilhoso. *Maravilhoso*. Deve haver maneiras de usar isso, ah, sim. — Ele a observou. — Qual é seu objetivo, menina? Talvez eu tenha um posto para você na minha organização, caso se prove confiável.

Sim!

— Eu não teria concordado em vir no lugar de Tyn se não desejasse essa oportunidade.

Mraize estreitou os olhos enquanto fitava Shallan.

— Você a matou, não matou?

Ah, raios. Shallan corou na mesma hora, claro.

— Hã...

— Rá! — exclamou Mraize. — Ela enfim escolheu uma assistente que era capacitada demais. Que graça. Depois de toda a sua pose arrogante, foi abatida por alguém que achava ser sua aduladora.

— Senhor, eu não... Quero dizer, não foi planejado. Ela se voltou contra mim.

— Deve ser uma história e tanto — disse Mraize, sorrindo. Não foi um sorriso agradável. — Saiba que o que você fez não é proibido, mas tampouco é encorajado. Uma organização não pode ser conduzida direito se subordinados considerem que caçar seus superiores é um método primário de promoção.

— Sim, senhor.

— *Sua* superior, contudo, não era membro da nossa organização. Tyn se considerava uma caçadora, mas foi sempre uma presa. Caso se junte a nós, vai compreender. Nós não somos outras pessoas que possa ter conhecido. Nós temos um propósito maior, e nós... protegemos uns aos outros.

— Sim, senhor.

— Então, quem é você? — perguntou ele, acenando para que sua criada trouxesse de volta a zarabatana. — Quem é você *de verdade*, Véu?

— Alguém que quer fazer parte das coisas — respondeu Shallan. — Coisas mais importantes do que roubar de algum olhos-claros ou dar um golpe para ter um fim de semana de luxo.

— Então é mesmo uma caçada — disse Mraize em voz baixa, sorrindo. Ele deu as costas para ela, caminhando de volta até a borda do pavilhão. — Você receberá mais instruções. Execute a tarefa designada. Então veremos.

É mesmo uma caçada...

Que tipo de caçada? A afirmação deixou Shallan arrepiada.

Mais uma vez, sua dispensa foi confusa, mas ela pegou sua bolsa e fez menção de partir. Ao fazer isso, olhou de soslaio as pessoas que permaneciam sentadas. Suas expressões eram tão frias que chegavam a assustar.

Shallan deixou o pavilhão e descobriu que a chuva havia parado. Afastou-se, sentindo olhos nas suas costas. *Todos eles sabem que posso identificá-los perfeitamente*, compreendeu. *E posso apresentar imagens precisas deles para qualquer um que solicitar.*

Não iam gostar disso. Mraize havia deixado claro que os Sanguespectros não costumavam matar uns aos outros. Mas *também* deixara claro que ela ainda não era um deles. Dissera isso enfaticamente, como se estivesse concedendo permissão para aqueles que estavam ouvindo.

Pela mão de Talat, em que situação se metera?

Só está pensando nisso agora?, pensou enquanto contornava a encosta. Sua carruagem estava mais à frente, o cocheiro descansando no topo, de costas para ela. Shallan olhou ansiosamente por cima do ombro. Ninguém a seguira, pelo menos que pudesse ver.

— Alguém está olhando, Padrão? — perguntou ela.

— Hmm. Eu. Nenhuma pessoa.

Uma pedra. Havia desenhado um rochedo na imagem para Mraize. Sem pensar — trabalhando por instinto e com uma boa dose de pânico —, ela expirou Luz das Tempestades e formou uma imagem daquele rochedo diante dela.

Então prontamente se escondeu ali dentro.

Estava escuro. Shallan se encolheu dentro do rochedo, sentada com as pernas pressionadas contra o corpo. Era humilhante. As outras pessoas com que Mraize trabalhava provavelmente não faziam essas tolices; tinham prática, eram hábeis, capazes. Raios, provavelmente nem precisava ficar escondida ali, para começo de conversa.

Ela ficou ali de qualquer modo. O olhar dos outros... a maneira como Mraize havia falado...

Melhor ser cautelosa demais do que ingênua. Estava cansada de pessoas presumindo que ela não sabia se cuidar.

— Padrão — sussurrou ela. — Vá até o cocheiro da carruagem. Diga isso a ele, imitando minha voz: "Entrei na carruagem enquanto você estava distraído. Não olhe. Preciso sair furtivamente. Leve-me de volta à cidade. Pare nos acampamentos de guerra e espere, contando até dez. Eu sairei. Não olhe. Você tem seu pagamento, e ser discreto era parte do serviço."

Padrão zumbiu e se afastou. Pouco tempo depois, a carruagem partiu fazendo barulho, puxada pelos parshemanos. Não demorou para que cascos a seguissem. Ela não havia visto os cavalos.

Shallan esperou, nervosa. Será que algum dos Sanguespectros perceberia que aquele rochedo não deveria estar ali? Será que voltariam, procurando por ela, quando não a vissem deixar a carruagem nos acampamentos de guerra?

Talvez eles nem mesmo tivessem saído atrás dela; talvez estivesse sendo paranoica. Ela esperou, angustiada. Voltara a chover. O que isso faria com sua ilusão? A pedra que havia desenhado já estava molhada, então a secura não a entregaria — mas, pelo modo como a chuva estava caindo sobre Shallan, obviamente atravessava a imagem.

Preciso descobrir uma maneira de ver o exterior enquanto estou escondida desse jeito, pensou ela. *Orifícios para os olhos? Poderia criá-los dentro da sua ilusão? Talvez se...*

Vozes.

— Vamos precisar descobrir o quanto ele sabe. — A voz de Mraize. — Leve essas páginas ao Mestre Thaidakar. Nós estamos perto, mas parece que os comparsas de Restares também estão.

A resposta veio em uma voz rouca. Shallan não conseguiu compreendê-la.

— Não, não estou preocupado com ele. O velho tolo semeia o caos, mas não estende a mão para o poder oferecido pela oportunidade. Ele se esconde em sua cidade insignificante, escutando suas canções, achando que joga com eventos mundiais. Ele não tem ideia. Não está na posição do caçador. Essa criatura em Tukar, contudo, é outra história. Não estou convencido de que seja humano. Se for, certamente não é da espécie local...

Mraize continuou falando, mas Shallan não ouviu mais, já que eles se afastaram. Pouco tempo depois, ela escutou mais som de cascos.

Shallan esperou, a água encharcando seu casaco e calças. Estremecendo, a bolsa no colo, cerrou os dentes para impedir que batessem. O clima ultimamente estava mais quente, mas ficar sentada na chuva não ajudava. Ela esperou até que sua coluna começou a reclamar e seus músculos se rebelaram. Esperou até que, finalmente, o rochedo se desfez em fumaça luminosa e desapareceu.

Shallan se sobressaltou. O que havia acontecido?

Luz das Tempestades, ela entendeu, esticando as pernas. Verificou a bolsa guardada no bolso. Havia drenado todas as esferas, inconscientemente, enquanto mantinha a ilusão do rochedo.

Horas haviam se passado, o céu escurecendo enquanto a noite se aproximava. Manter algo tão simples como um rochedo não consumia muita luz, e ela não precisava pensar conscientemente nisso para continuar a fazê-lo. Era bom saber disso.

Ela também se provara uma tola por nem mesmo se preocupar com a quantidade de Luz que estivera usando. Suspirando, Shallan se levantou. Ela cambaleou, as pernas protestando contra o movimento súbito. Respirou fundo, então caminhou até a lateral da colina e deu uma espiada no outro lado. O pavilhão se fora, assim como todos os sinais da presença dos Sanguespectros.

— Acho que isso significa que vou ter que caminhar — disse Shallan, voltando-se para a direção dos acampamentos de guerra.

— Esperava outra coisa? — indagou Padrão, encarapitado no casaco dela, soando genuinamente curioso.

— Não, estou só falando sozinha.

— Hmm. Não, você fala comigo.

Ela caminhou noite adentro, com frio. Contudo, não era o frio mortal que suportara no sul. Era desconfortável, mas nada além disso. Se não estivesse molhada, o ar provavelmente estaria sido agradável, apesar da penumbra. Ela passou o tempo praticando seus sotaques com Padrão — ela falava, então fazia com que ele repetisse exatamente o que havia dito, na mesma voz e tom. Ser capaz de ouvir a si mesma daquela maneira ajudava um bocado.

Já dominara o sotaque alethiano, disso tinha certeza. O que era bom, já que Véu fingia ser alethiana. Mas isso era fácil, já que o idioma vedeno e o alethiano eram tão similares que era quase possível entender uma língua ao conhecer a outra.

Seu sotaque de papaguampas também era ótimo, tanto em alethiano quanto em vedeno. Estava melhorando e já não exagerava tanto, como Tyn havia sugerido. Seu sotaque bavo em vedeno e alethiano era passável, e, durante a maior parte do tempo caminhando de volta, ela praticou falar nas duas línguas com um sotaque herdaziano. Palona dera-lhe um bom exemplo disso em alethiano, e Padrão podia repetir as coisas que a mulher havia dito, o que era útil para praticar.

— O que eu preciso fazer é treinar você para falar junto com minhas imagens.

— Você deveria botar elas para falarem sozinhas — replicou Padrão.

— *Dá* para fazer isso?

— Por que não?

— Porque... bem, eu uso Luz para a ilusão, e assim elas criam uma imitação de luz. Faz sentido. Mas não uso som para criá-las.

— Isso é um Fluxo — disse Padrão. — Som é parte dele. Hmm... Primos um do outro. Muito similares. Dá para fazer.

— Como?

— Hmm. De algum modo.

— Você é muito útil.

— Fico feliz... — Ele deixou a frase morrer. — Mentira?

— Uhum.

Shallan enfiou a mão segura no bolso, que ainda estava molhado, e continuou a caminhar através de tufos de grama que se afastavam diante dela. Colinas distantes mostravam grão de lávis crescendo em organizados campos de pólipos, embora não pudesse ver quaisquer fazendeiros àquela hora.

Pelo menos havia parado de chover. Ela *ainda* gostava de chuva, embora não houvesse considerado quão desagradável podia ser ter que caminhar uma longa distância nela. E...

O que era aquilo?

Ela se deteve. Uma silhueta escura obscurecia o terreno adiante. Ela se aproximou, hesitante, e notou o cheiro de fumaça. Da fumaça molhada que surgia depois que uma fogueira de acampamento era apagada.

Sua carruagem. Podia identificá-la agora, parcialmente queimada. As chuvas haviam apagado o fogo; ela não havia queimado muito tempo. Provavelmente haviam começado o incêndio pelo lado de dentro, que estaria seco.

Certamente era a que havia alugado; reconheceu o acabamento das rodas. Aproximou-se com hesitação. Bem, estivera certa em se preocupar. Ainda bem que ficara para trás. Algo a incomodava...

O cocheiro!

Ela correu até lá, temendo o pior. O cadáver do homem jazia ali, ao lado da carruagem quebrada, olhando para o céu. Sua garganta havia sido cortada. Ao lado dele, seus carregadores parshemanos estavam mortos em uma pilha.

Shallan sentou-se nas pedras úmidas, enjoada, levando a mão à boca.

— Ah... Todo-Poderoso nos céus...

— Hmm... — zumbiu Padrão, de algum modo expressando um tom triste.

— Eles estão mortos por minha causa — sussurrou Shallan.

— Você não os matou.

— Matei, sim. É como se eu mesma tivesse segurado a faca. Eu sabia do perigo que estava correndo. O cocheiro, não.

E os parshemanos. Como se sentia em relação a isso? Esvaziadores, sim, mas era difícil não sentir náusea diante do que havia sido feito.

Você vai causar algo muito pior se provar as alegações de Jasnah.

Por um breve momento, enquanto observava a empolgação de Mraize em relação à sua arte, ela havia desejado gostar do homem. Bem, seria melhor se lembrar *deste* momento. Ele havia permitido esses assassinatos. Podia não ter cortado a garganta do cocheiro, mas praticamente havia garantido aos outros que estava tudo bem em acabar com ela, caso conseguissem.

Eles haviam queimado a carruagem para que parecesse obra de bandidos, mas bandido algum chegaria tão perto das Planícies Quebradas.

Pobre homem, pensou ela, referindo-se ao cocheiro. Mas, se não houvesse obtido transporte, não teria sido capaz de se esconder enquanto a carruagem estabelecia uma trilha falsa. Raios! Como poderia ter lidado com aquilo de maneira que ninguém houvesse morrido? Teria sido possível?

Ela enfim forçou-se a ficar de pé e, com ombros caídos, seguiu caminhando de volta rumo aos acampamentos de guerra.

55

AS REGRAS DO JOGO

> *Os talentos consideráveis dos Rompe-céus equivaliam quase a uma habilidade divina, para a qual nenhum Fluxo ou espreno específico concede capacidade, mas por qualquer meio que tivesse a ordem obtido tal aptidão, o fato permanece que era real e reconhecida mesmo pelos seus rivais.*
>
> — De *Palavras de Radiância*, capítulo 28, página 3

—AH, QUE ÓTIMO. É você quem vai fazer minha guarda hoje?

Kaladin se virou enquanto Adolin saía de seus aposentos. O príncipe vestia um uniforme elegante, como sempre. Botões com monogramas, botas que custavam mais do que algumas casas, espada no quadril. Uma escolha estranha para um Fractário, mas Adolin provavelmente a usava como ornamento. Seu cabelo loiro salpicado de preto estava uma bagunça.

— Não confio nela, príncipe — disse Kaladin. — Mulher estrangeira, noivado secreto, e a única pessoa que poderia atestar seu caráter está morta. Ela pode ser uma assassina, o que significa colocá-lo sob a vigilância do melhor homem que tenho.

— Você é humilde, né? — comentou Adolin, andando pelo corredor de pedra, acompanhado por Kaladin.

— Não.

— Foi uma piada, carregadorzinho.

— Perdão. Eu tinha a impressão de que piadas deveriam ser engraçadas.

— Só para pessoas com senso de humor.

— Ah, claro — disse Kaladin. — Eu abandonei o meu há tempos.

— E o que recebeu em troca?

— Cicatrizes — respondeu Kaladin em voz baixa.

Os olhos de Adolin pousaram por um instante nas marcas na testa de Kaladin, embora a maioria estivesse encoberta pelo cabelo.

— Que ótimo — disse Adolin entredentes. — Que maravilha. Estou tão *feliz* que você esteja vindo comigo.

No final do corredor, eles saíram para a luz do dia. Não que houvesse muita luz; o céu ainda estava nublado pelas chuvas dos últimos dias. Emergiram no acampamento de guerra.

— Vamos nos juntar a outros guardas? — perguntou Adolin. — Geralmente ando com dois.

— Hoje sou só eu.

Kaladin estava com poucos homens, com o rei sob sua vigilância e Teft levando os novos recrutas para patrulhar outra vez. Mantinha dois ou três homens com todos os outros, mas decidiu que podia proteger Adolin sozinho.

Uma carruagem esperava, puxada por dois cavalos de aparência maligna. Todos os cavalos pareciam malignos, com aqueles olhos inteligentes demais e movimentos súbitos. Infelizmente, um príncipe não podia chegar em uma carruagem puxada por chules. Um lacaio abriu a porta para Adolin, que se acomodou lá dentro. O lacaio fechou a porta, então subiu na traseira da carruagem. Kaladin preparou-se para subir até o assento ao lado do condutor da carruagem, então parou.

— Você! — disse ele, apontando para o condutor.

— Eu! — O Riso do Rei replicou lá do assento, as rédeas nas mãos.

Olhos azuis, cabelos e uniforme pretos. O que ele estava fazendo dirigindo a carruagem? Ele não era um criado, era? Kaladin escalou cuidadosamente até seu banco, e Riso sacudiu as rédeas, colocando os cavalos em movimento.

— O que está fazendo aqui? — perguntou Kaladin.

— Procurando encrenca — respondeu Riso alegremente, enquanto os cascos dos cavalos repicavam na pedra. — Você tem praticado com minha flauta?

— Hã...

— Não me diga que a deixou no acampamento de Sadeas quando se mudou.

— Bem...

— Eu falei para *não* me dizer. Nem precisa, pois eu já sei. Uma pena. Se você conhecesse a história daquela flauta, seu cérebro viraria pelo avesso. E com isso quero dizer que eu o empurraria para fora da carruagem por ter me espionado.

— Hã...

— Estou vendo que está eloquente hoje.

Kaladin *havia* deixado a flauta para trás. Quando reunira os carregadores de pontes restantes no acampamento de Sadeas, os feridos da Ponte Quatro, e os membros das outras equipes, estava concentrado nas pessoas, não em objetos. Não dera importância às suas poucas posses, esquecendo que a flauta estava entre elas.

— Sou um soldado, não um músico — disse Kaladin. — Além disso, música é coisa de mulher.

— Todo mundo é músico — devolveu Riso. — A questão é se devemos ou não compartilhar de suas canções. Quanto à música ser feminina, é interessante que a mulher que escreveu aquele tratado... aquele que vocês praticamente *veneram* em Alethkar... tenha decidido que todas as tarefas femininas envolvam ficar sentada se divertindo enquanto todas as tarefas masculinas envolvem encontrar alguém para enfiar uma lança em você. Significativo, hein?

— Acho que sim.

— Sabe, estou trabalhando duro para oferecer pontos de interesse envolventes, inteligentes e significativos para você. Não posso deixar de pensar que você não está sustentando sua parte da conversa. É como tocar música para um homem surdo. O que eu poderia experimentar, já que parece divertido, se alguém não houvesse *perdido minha flauta*.

— Sinto muito — disse Kaladin. Preferia usar o tempo pensando sobre as novas posturas de esgrima que Zahel havia lhe ensinado, mas Riso *havia* sido gentil com ele antes. O mínimo que Kaladin podia fazer era conversar. — Então, hum, você manteve seu emprego? Como Riso do Rei, quero dizer. Quando nos encontramos antes, você deu a entender que corria risco de perder seu título.

— Ainda não verifiquei — retrucou Riso.

— Você... Você ainda não... O rei sabe que você voltou?

— Que nada! Estou tentando pensar em uma maneira apropriadamente dramática de informá-lo. Talvez uma centena de demônios-do-abismo marchando em formação, cantando uma ode à minha magnificência.

— Isso parece... difícil.

— Pois é. Aquelas bestas tormentosas têm muita dificuldade em afinar seus acordes tônicos e manter a entonação certa.

— Eu não tenho ideia do que você acabou de dizer.

— Pois é. Aquelas bestas tormentosas têm muita dificuldade em afinar seus acordes tônicos e manter a entonação certa.

— Isso não ajudou, Riso.

— Ah! Então você está ficando surdo, é? Avise-me quando o processo estiver completo. Tem alguma coisa que eu quero experimentar. Se ao menos me lembrasse...

— Sim, sim. — Kaladin suspirou. — Você quer tocar flauta para um surdo.

— Não, não é isso... Ah! Sim. Eu sempre quis me aproximar de fininho e cutucar um homem surdo na nuca. Acho que vai ser *hilário*.

Kaladin suspirou outra vez. Levaria mais ou menos uma hora, mesmo indo rápido, para alcançar o acampamento de guerra de Sebarial. Uma hora muito *longa*.

— Então você só está aqui para zombar de mim?

— Bem, isso é meio o que eu *faço*. Mas vou pegar leve com você. Não quero que venha voando para cima de mim.

Kaladin teve um sobressalto.

— Você sabe — disse Riso, despreocupado. — Voar no meu pescoço, irritado. Esse tipo de coisa.

Kaladin estreitou os olhos para o homem alto de olhos claros.

— O que você sabe?

— Quase tudo. Essa parte do *quase* às vezes é um pé no saco.

— O que você quer, então?

— O que eu não posso ter. — Riso voltou-se para ele com um olhar solene. — Igual a todo mundo, Kaladin Filho da Tempestade.

Kaladin inquietou-se. Riso sabia sobre a Manipulação de Fluxos. Kaladin tinha certeza disso. Então, deveria esperar algum tipo de chantagem?

— O que você quer *de mim*? — disse Kaladin, tentando falar de modo mais preciso.

— Ah, então você está pensando. Ótimo. De você, meu amigo, eu quero uma coisa. Uma história.

— Que tipo de história?

— Você é quem decide. — Riso sorriu. — Espero que seja dinâmica. Se há uma coisa que não consigo engolir é o tédio. Por obséquio, evite ser tedioso. Se não, posso ter que me aproximar de fininho e cutucar sua nuca.

— Eu *não* estou ficando surdo.

— Também é hilário fazer isso com pessoas que não são surdas, obviamente. O quê? Você achou que eu atormentaria alguém só por ser surdo? Isso seria imoral. Não, eu atormento todo mundo igualmente, muitíssimo obrigado.

— Ótimo. — Kaladin se acomodou, esperando mais. Incrivelmente, Riso pareceu satisfeito em deixar a conversa morrer.

Kaladin contemplou o céu, tão cinzento. Detestava dias assim, que o lembravam do Pranto. Pai das Tempestades. Os céus escuros e o clima miserável faziam com que se perguntasse por que sair da cama. Por fim, a carruagem alcançou o acampamento de guerra de Sebarial, um lugar que se parecia ainda mais com uma cidade do que os outros acampamentos. Kaladin se espantou com os prédios totalmente construídos, os mercados, os...

— Fazendeiros? — questionou ele enquanto passavam por um grupo de homens andando rumo aos portões, carregando varas para minhocas e baldes de crem.

— Sebarial criou plantações de lávis nas colinas do sul — explicou Riso.

— As grantormentas aqui são poderosas demais para plantações.

— Diga isso ao povo de Natan. Eles costumavam semear toda esta área. Isso exige uma cepa de planta que não cresça tanto quanto aquelas com que você está acostumado.

— Mas por quê? — perguntou Kaladin. — Por que os fazendeiros não vão para algum lugar onde seja mais fácil? Como a própria Alethkar.

— Você não sabe muito da natureza humana, sabe, Filho da Tempestade?

— Eu... Não, não sei.

Riso sacudiu a cabeça.

— Tão franco, tão direto. Você e Dalinar certamente são parecidos. Alguém precisa ensinar aos dois como se divertir de vez em quando.

— Eu sei muito bem como me divertir.

— É mesmo?

— Sim. Envolve não estar perto de *você*.

Riso o encarou, depois riu, sacudindo as rédeas, de modo que os cavalos dançaram um pouco.

— Então você *tem* uma gota de humor.

Tinha puxado esse humor da mãe. Ela costumava dizer coisas assim, embora nunca tão ofensivas. *Ficar junto de Riso deve estar me contagiando.*

Por fim, Riso parou a carruagem perto de uma bela mansão, semelhante ao tipo que Kaladin teria esperado ver em algum belo laite, não em um acampamento de guerra. Com aqueles pilares e lindas janelas de vidro, era ainda mais refinada do que a mansão do senhor da cidade em Larpetra.

Na entrada para carruagens, Riso pediu ao lacaio que chamasse a noiva causal de Adolin, que desceu para esperá-la, endireitando o casaco, polindo os botões com uma manga. Ele olhou para cima na direção do banco do condutor, então se espantou.

— Você! — exclamou Adolin.

— Eu! — replicou Riso. Ele desceu da carruagem e fez uma mesura floreada. — Eternamente ao seu dispor, Luminobre Kholin.

— O que você fez com meu cocheiro de sempre?

— Nada.

— Riso...

— O quê? Está insinuando que eu *machuquei* o pobre coitado? Parece algo que eu faria, Adolin?

— Bem, não — admitiu ele.

— Exatamente. Além disso, tenho certeza de que ele já conseguiu se libertar a essa altura. Ah, e aí está sua adorável quase-noiva-mas-não-ainda.

Shallan Davar emergira da casa. Ela desceu os degraus saltitando, e não deslizando escada abaixo como a maioria das damas olhos-claros teria feito. *Ela certamente é entusiasmada,* pensou Kaladin distraidamente, segurando as rédeas que havia pegado depois que Riso as soltara.

Alguma coisa simplesmente parecia *errada* em relação àquela tal Shallan Davar. O que ela estava ocultando por trás daquela atitude animada e sorriso fácil? Aquela manga abotoada sobre a mão segura poderia esconder uma série de instrumentos mortais. Uma simples agulha envenenada, enfiada através do tecido, seria o bastante para dar cabo da vida de Adolin.

Infelizmente, ele não podia vigiar cada momento dela com Adolin. Precisava mostrar mais iniciativa do que isso; poderia, em vez disso, confirmar se ela era quem dizia ser? Decidir, a partir do seu passado, se ela era uma ameaça ou não?

Kaladin se levantou, planejando saltar para o chão e ficar de olho na moça enquanto ela se aproximava de Adolin. Ela de repente se sobressaltou, arregalando os olhos, e apontou para Riso com a mão livre.

— Você! — exclamou Shallan.

— Sim, sim. As pessoas realmente estão boas em me identificar hoje. Talvez eu precise vestir...

Riso foi interrompido quando Shallan se lançou sobre ele. Kaladin desceu de um pulo, estendendo a mão à sua faca de cinto, então hesitou quando Shallan agarrou Riso em um abraço, a cabeça contra o peito dele, os olhos bem fechados.

Kaladin tirou a mão da faca, levantando uma sobrancelha para Riso, que parecia completamente pasmo. Ele ficou parado com os braços junto ao corpo, como se não soubesse o que fazer com eles.

— Eu sempre quis agradecer — sussurrou Shallan. — Nunca tive a chance.

Adolin limpou a garganta. Finalmente, Shallan soltou Riso e olhou para o príncipe.

— Você abraçou Riso — disse Adolin.

— É esse o nome dele? — indagou Shallan.

— Um deles — respondeu Riso, aparentemente ainda abalado. — Na verdade, tenho nomes demais para contar. É claro que a maioria se relaciona a uma forma de praga ou outra...

— Você abraçou *Riso* — repetiu Adolin.

Shallan corou.

— Foi indecoroso?

— Não é uma questão de decoro. É uma questão de senso comum. Abraçá-lo é como abraçar um espinha-branca ou... ou uma pilha de pregos ou algo assim. Quero dizer, é o Riso. Não é para você *gostar* dele.

— Precisamos conversar — disse Shallan, olhando para Riso. — Não me lembro de tudo que conversamos, mas parte...

— Vou tentar encaixá-la na minha agenda — disse Riso. — Contudo, ando bastante ocupado. Quero dizer, só insultar Adolin vai ocupar até a semana que vem.

Adolin balançou a cabeça, afastando com um aceno o lacaio e ajudando Shallan a subir na carruagem pessoalmente. Depois disso, inclinou-se para Riso.

— Mantenha distância.

— Ela é jovem *demais* para mim, criança — disse Riso.

— Isso mesmo — respondeu Adolin, assentindo. — Fique com mulheres da sua idade.

Riso sorriu.

— Bem, isso pode ser um pouco mais difícil. Acho que só há uma dessas aqui por perto, e nós nunca nos demos bem.

— Você é tão esquisito — disse Adolin, entrando na carruagem.

Kaladin suspirou, então fez menção de entrar também.

— Você pretende viajar lá dentro? — indagou Riso, sorrindo mais ainda.

— Sim — confirmou Kaladin.

Queria vigiar Shallan. Ela provavelmente não tentaria nada abertamente, enquanto passeava na carruagem com Adolin, mas Kaladin poderia descobrir alguma coisa ao vigiá-la, e não havia como ter *absoluta* certeza de que ela não tentaria feri-lo.

— Tente não flertar com a garota — sussurrou Riso. — O jovem Adolin parece estar ficando possessivo. Ou... o que estou dizendo? Flerte com a garota, Kaladin. Isso pode fazer os olhos do príncipe saltarem das órbitas.

Kaladin bufou.

— Ela é uma olhos-claros.

— E daí? Vocês se preocupam demais com isso.

— Sem ofensas, mas preferiria flertar com um demônio-do-abismo.

Ele deixou que Riso fosse conduzir a carruagem e se moveu para entrar nela. Lá dentro, Adolin revirou os olhos.

— Você está brincando.

— É o meu trabalho — replicou Kaladin, sentando-se junto dele.

— Certamente estou em segurança aqui com minha noiva — disse Adolin entre dentes cerrados.

— Bem, talvez eu só queira me sentar em um lugar confortável, então — respondeu Kaladin, acenando com a cabeça para Shallan Davar.

Ela o ignorou, sorrindo para Adolin enquanto a carruagem partia.

— Para onde vamos hoje?

— Bem, você mencionou um jantar — disse Adolin. — Eu conheço uma nova casa de vinhos nos Mercados Externos, e ela até mesmo serve comida.

— Você sempre conhece os melhores lugares — comentou Shallan, seu sorriso crescendo.

Será que sua bajulação poderia ser mais óbvia, mulher?, pensou Kaladin. Adolin sorriu de volta.

— Eu só presto atenção.

— Ah, se você prestasse mais atenção em quais vinhos são bons...

— Eu não presto porque isso é fácil! — Ele abriu um sorrisão. — *Todos* são bons.

Shallan deu uma risadinha.

Raios, olhos-claros eram irritantes. Ainda mais quando ficavam se adulando. Continuaram conversando, e Kaladin achou bastante óbvio que aquela mulher desejava desesperadamente um relacionamento com Adolin. Bem, não era surpreendente. Olhos-claros estavam sempre procurando oportunidades de subir na vida — ou de se apunhalarem pelas costas, se estivessem nesse clima. O trabalho dele não era descobrir se ela era uma oportunista; todo olhos-claros era oportunista. Ele só precisava descobrir se ela era uma oportunista caça-dotes ou uma oportunista assassina.

A conversa prosseguiu, e Shallan voltou ao assunto da atividade do dia.

— Olha, não estou dizendo que não quero ir a outra casa de vinhos — disse Shallan. — Mas me pergunto se não é uma escolha óbvia demais.

— Eu sei — replicou Adolin. — Mas há tormentosamente pouco a se fazer aqui além disso. Não há concertos, exposições artísticas ou concursos de esculturas.

É assim que vocês passam o tempo?, pensou Kaladin. *Que o Todo-Poderoso os proteja de não poderem assistir a concursos de esculturas.*

— Tem uma exposição de animais — disse Shallan, ansiosa. — Nos Mercados Externos.

— Uma exposição de animais. Isso não é um pouco... vulgar?

— Ora, vamos. Podemos olhar todos os animais e você me diz quais já abateu bravamente em caçadas. Vai ser divertido. — Ela hesitou, e Kaladin pensou ter visto algo em seus olhos. Um lampejo de algo mais profundo. Dor? Preocupação? — E eu gostaria de um pouco de distração — acrescentou Shallan em um tom mais baixo.

— Na verdade, odeio caçadas — respondeu Adolin, como se não houvesse percebido. — Não é uma competição justa. — Ele olhou para Shallan, que forçou um sorriso e assentiu com entusiasmo. — Bem, seria agradável fazer um programa diferente. Tudo bem, vou mandar Riso nos levar até lá, em vez disso. Com sorte ele vai obedecer, em vez de nos jogar em um abismo para rir dos nossos gritos de horror.

Adolin voltou-se para abrir a portinhola que dava para o banco do condutor e deu a ordem. Kaladin observou Shallan, que se recostou com um sorriso convencido no rosto. Ela tinha um motivo oculto para ir até a exposição de animais. O que seria?

Adolin voltou-se para ela e perguntou como foi seu dia. Kaladin escutava distraído, estudando Shallan, tentando identificar facas escondidas. Ela corou devido a alguma coisa que Adolin disse, depois deu uma gargalhada. Kaladin não gostava muito de Adolin, mas pelo menos o príncipe era honesto. Ele tinha o temperamento sincero do pai, e sempre fora direto com Kaladin; desdenhoso e mimado, mas direto.

Essa mulher era diferente. Seus movimentos eram calculados. A maneira como ela ria, o modo como escolhia as palavras. Ela dava uma risadinha e corava, mas seus olhos estavam sempre avaliando, sempre vigiando. Ela exemplificava tudo que o enojava na cultura olhos-claros.

Você só está de mau humor, parte dele reconheceu. Isso acontecia ocasionalmente, com mais frequência quando o céu estava nublado. Mas eles precisavam agir com aquela alegria nauseante?

Ficou de olho em Shallan durante o passeio, e por fim decidiu que estava sendo desconfiado demais em relação a ela. A moça não era uma ameaça imediata a Adolin. Percebeu que sua mente ficava retornando à noite nos abismos. Cavalgando os ventos, Luz ardendo em seu corpo. Liberdade.

Não, não apenas liberdade. Propósito.

Você tem um propósito, pensou Kaladin, arrastando seus pensamentos de volta ao presente. *Proteger Adolin*. Era o trabalho ideal para um soldado, algo com que outros sonhavam. Excelente pagamento, comando do próprio esquadrão, uma tarefa importante. Um comandante confiável. Era perfeito.

Mas aqueles ventos...

— Ah! — disse Shallan, estendendo a mão para a bolsa para pegar alguma coisa. — Eu trouxe aquele relato para você, Adolin.

Ela hesitou, olhando de soslaio para Kaladin.

— Pode confiar nele — disse Adolin com certa relutância. — Ele salvou minha vida duas vezes, e meu pai permite que ele nos guarde mesmo nas reuniões mais importantes.

Shallan tirou várias folhas de papel com anotações feitas naquela escrita das mulheres.

— Dezoito anos atrás, o Grão-príncipe Yenev era uma potência em Alethkar, um dos mais poderosos grão-príncipes que se opunham à campanha de unificação do Rei Gavilar. Yenev não foi derrotado em batalha; ele foi morto em um duelo. Por *Sadeas*.

Adolin assentiu, inclinando-se para a frente, interessado.

— Aqui está o relato dos eventos pela mão da própria Luminosa Ialai — continuou Shallan. — "Derrubar Yenev foi um ato de inspirada simplicidade. Meu marido conversou com Gavilar sobre o Direito de Desafio e a Dádiva do Rei, antigas tradições que muitos olhos-claros conheciam, mas ignoravam nas circunstâncias modernas. Como eram tradições que compartilhavam uma relação com a coroa histórica, invocá-las ecoava nosso direito de governar. A ocasião era uma gala de poder e renome, e meu marido duelou pela primeira vez com outro homem."

— Uma o quê de poder e renome? — perguntou Kaladin.

Os dois olharam para ele, como se estivessem surpresos em ouvi-lo falar. *Esqueceram de novo que estou aqui, não é? Preferem ignorar os olhos-escuros.*

— Uma gala de poder e renome — disse Adolin. — É um termo requintado para um torneio. Eram comuns naquela época; uma maneira para os grão-príncipes que estavam em um período de paz se exibirem uns para os outros.

— Precisamos achar uma maneira de Adolin duelar com Sadeas, ou pelo menos desacreditá-lo — explicou Shallan. — Pensando sobre o assunto, lembrei-me de uma referência ao duelo de Yenev na biografia que Jasnah escreveu sobre o velho rei.

— Certo... — disse Kaladin, franzindo o cenho.

— "O propósito desse duelo preliminar era claramente impressionar e causar espanto aos grão-príncipes" — continuou Shallan, levantando o dedo enquanto lia o resto do relato. — "Embora houvéssemos planejado com antecedência, o primeiro homem a ser derrotado não sabia do seu papel em nosso plano. Sadeas o derrotou com um espetáculo calculado. Ele fez uma pausa em vários pontos e subiu a aposta, primeiro com dinheiro, depois com terras. No final, a vitória foi dramática. Com a multidão tão entusiasmada, o Rei Gavilar se levantou e ofereceu a Sadeas uma dádiva por tê-lo agradado, seguindo a antiga tradição. A resposta de Sadeas foi simples: 'Não desejo outra dádiva além do coração covarde de Yenev na ponta da minha espada, Vossa Majestade!'"

— Está brincando — disse Adolin. — O fanfarrão do Sadeas falou desse jeito?

— O evento e as palavras dele estão registrados em vários dos principais livros de história — contou Shallan. — Sadeas então duelou com Yenev, o matou, e criou uma abertura para que um aliado, Aladar, assumisse o controle daquele principado.

Adolin assentiu, pensativo.

— *Poderia* funcionar, Shallan. Posso tentar a mesma coisa... fazer com que minha luta com Relis e seu parceiro seja um espetáculo, impressionar a multidão, conquistar uma Dádiva do Rei e exigir o Direito de Desafio contra o próprio Sadeas.

— Há certo charme nisso — concordou Shallan. — Usar a manobra do próprio Sadeas contra ele.

— Ele nunca concordará — disse Kaladin. — Sadeas não se permitirá ser encurralado desse modo.

— Talvez — disse Adolin. — Mas acho que você está subestimando a posição em que ele vai ficar se fizermos tudo direito. O Direito de Desafio é uma tradição antiga... alguns dizem que foi instituída pelos Arautos. Um guerreiro olhos-claros que se provou diante do Todo-Poderoso e do rei, se voltando e exigindo justiça contra aquele que o prejudicou...

— Ele vai concordar — disse Shallan. — Ele vai *ter* que concordar. Mas você consegue ser *espetacular*, Adolin?

— A multidão espera que eu trapaceie. Por causa dos duelos recentes, não estarão com altas expectativas. Isso deve trabalhar ao meu favor. Se eu puder oferecer a eles um espetáculo *de verdade*, ficarão empolgados. Além disso, derrotar dois homens ao mesmo tempo? Só isso já vai nos conseguir a atenção que desejamos.

Kaladin olhou de um para o outro. Eles estavam levando aquilo muito a sério.

— Vocês realmente acham que pode funcionar? — perguntou Kaladin, pensativo.

— Acho — disse Shallan. — Muito embora, segundo essa tradição, Sadeas possa indicar um campeão para lutar em seu nome, então talvez Adolin não consiga duelar com ele pessoalmente. Mas ainda conquistaria as Fractais de Sadeas.

— Não seria tão satisfatório — admitiu Adolin. — Mas seria aceitável. Vencer o campeão dele em um duelo abalaria bastante Sadeas. Ele perderia imensa credibilidade.

— Mas não significaria *nada de verdade* — disse Kaladin. — Certo?

Os outros dois o encararam.

— É só um duelo — disse Kaladin. — Um jogo.

— Esse seria diferente — replicou Adolin.

— Não vejo por quê. Claro, você pode ganhar as Fractais dele, mas seu título e autoridade seriam os mesmos.

— É uma questão de percepção — explicou Shallan. — Sadeas formou uma coalizão contra o rei. Isso dá a entender que ele é mais forte do que o rei. Perder para o campeão do rei desacreditaria essa ideia.

— Mas são apenas *jogos* — protestou Kaladin.

— Sim — disse Adolin. Kaladin não esperava que ele concordasse. — Mas é um jogo que Sadeas está jogando. Essas são as regras que ele aceitou.

Kaladin se recostou, absorvendo essa ideia. *Essa tradição pode ser uma resposta. A solução que eu estava procurando...*

— Sadeas costumava ser um aliado tão forte... — disse Adolin, parecendo lamentar o fato. — Já tinha esquecido que ele derrotou Yenev.

— Então, o que mudou? — indagou Kaladin.

— Gavilar morreu — respondeu Adolin em voz baixa. — Era o velho rei que mantinha meu pai e Sadeas voltados na mesma direção. — Ele se inclinou para a frente, olhando as folhas de anotações de Shallan, muito embora obviamente não pudesse lê-las. — Nós *temos* que fazer isso acontecer, Shallan. Temos que apertar esse laço ao redor da garganta daquela enguia. Isso é brilhante. Obrigado.

Ela corou, então guardou as notas em um envelope e entregou-as a ele.

— Dê isso à sua tia; detalha tudo que descobri. Ela e seu pai saberão avaliar melhor se é uma boa ideia ou não.

Adolin aceitou o envelope, aproveitando para segurar a mão dela. Os dois compartilharam um momento, se derretendo um para o outro. Sim, Kaladin estava cada vez mais convencido de que a mulher não seria um perigo imediato. Se ela era algum tipo de vigarista, não queria acabar com a vida de Adolin. Só com a sua dignidade.

Tarde demais, pensou Kaladin, vendo Adolin recostar-se com um sorriso estúpido na cara. *Ela já morreu e foi reduzida a cinzas.*

A carruagem logo alcançou os Mercados Externos, onde passaram por vários grupos de homens patrulhando, vestidos com o azul Kholin. Carregadores de várias outras pontes que não a Quatro. Servir como guarda ali fazia parte do treinamento.

Kaladin desceu da carruagem primeiro, notando as fileiras de carroças de tempestade ali perto. Cordas em postes bloqueavam a área, ostensivamente para impedir que pessoas entrassem, embora os homens com cassetetes provavelmente fossem mais eficientes no serviço.

— Obrigado pela carona, Riso — disse Kaladin, se virando. — De novo, desculpe pela flauta que você...

Riso sumira do alto da carruagem. Outro homem estava sentado ali no lugar dele, um sujeito mais jovem, de calças marrons e camisa branca, com um chapéu na cabeça. Ele o tirou, parecendo envergonhado.

— Perdoa eu, senhor — disse o homem. Ele tinha um sotaque que Kaladin não reconheceu. — Ele me pagou bem, pagou sim. Disse exatamente onde que eu devia ficar para trocar de lugar com ele.

— O que houve? — disse Adolin, descendo da carruagem e olhando para cima. — Ah. Riso faz essas coisas, carregadorzinho.

— Essas coisas?

— Ele gosta de desaparecer misteriosamente.

— Num foi tão misterioso, senhor — disse o rapaz, se virando e apontando. — Foi mais ali atrás, onde a carruagem parou antes de virá. Era pra eu esperar ele e depois dirigir essa carruagem. Tive que pular aqui sem sacudir nada. Daí ele saiu correndo e rindo como uma criança, foi sim.

— Ele só gosta de surpreender as pessoas — disse Adolin, ajudando Shallan a descer da carruagem. — Ignore-o.

O novo condutor se encolheu como se estivesse constrangido. Kaladin não o reconheceu; não era um dos criados regulares de Adolin. *Terei que ficar lá em cima no caminho de volta para tomar conta desse homem.*

Shallan e Adolin saíram andando rumo à exposição de animais. Kaladin recuperou sua lança na parte traseira da carruagem, depois correu para alcançá-los, ficando a alguns passos atrás deles. Escutou os dois rindo e quis socá-los na cara.

— Uau — disse Syl. — Você deveria usar a força das tempestades, Kaladin, não soltar raios pelos olhos.

Ele olhou para ela, que voava e dançava ao redor dele, uma fita de luz, então colocou sua lança no ombro e continuou caminhando.

— Qual é o problema? — indagou Syl, pousando no ar diante dele.

Não importava para onde virasse a cabeça, ela automaticamente flutuava para aquele lado, como se estivesse sentada em uma estante invisível, o vestido flutuando até se tornar névoa abaixo dos joelhos.

— Problema nenhum — disse Kaladin, baixinho. — Só estou cansado de ouvir esses dois.

Syl olhou sobre o ombro para o par logo à frente. Adolin pagou a entrada deles, indicando Kaladin com o polegar e pagando sua entrada também. Um pomposo azishiano usando um chapéu de estampa esquisita e um casaco longo com um desenho intricado acenou para que avançassem, apontando para diferentes fileiras de gaiolas e indicando quais animais estavam onde.

— Shallan e Adolin parecem felizes. O que há de errado nisso?

— Nada — disse Kaladin. — Contanto que eu não tenha que escutar.

Syl franziu o nariz.

— Não são eles, é você. Está sendo azedo. Posso praticamente sentir o gosto.

— Gosto? Você não come, Syl. Duvido que tenha paladar.

— É uma metáfora. E consigo imaginar. E você tem gosto azedo. E pare de discutir, porque estou *certa*.

Ela zuniu para longe, indo pairar perto de Shallan e Adolin enquanto eles inspecionavam a primeira gaiola.

Maldita esprena, pensou Kaladin, caminhando ao lado de Shallan e Adolin. *Discutir com ela é como... bem, como discutir com o vento, imagino.*

Aquela carroça de tempestade se parecia um bocado com a jaula de mercador de escravos em que viajara até as Planícies Quebradas, embora o animal lá dentro parecesse mais bem-tratado do que os escravos. Estava sentado em uma pedra, e a gaiola fora recoberta com crem para imitar uma caverna. A criatura propriamente dita era pouco mais do que um bolo de carne com dois olhos bulbosos e quatro longos tentáculos.

— Uuuh... — fez Shallan, os olhos arregalados.

Parecia até que havia recebido uma pilha de joias — só que, em vez disso, era uma criatura que parecia um caroço pegajoso, algo que Kaladin teria esperado encontrar grudado na sola da sua bota.

— Isso aí é a coisa mais feia que eu já vi — declarou Adolin. — Parece o tronco de um háspiro, só que sem a concha.

— É um sarpenthyn — explicou Shallan.

— Pobre criatura — disse Adolin. — Foi a mãe dele que escolheu esse nome?

Shallan deu um tapinha no ombro dele.

— É uma família.

— Então a mãe *estava* por trás disso.

— Uma família de animais, seu bobo. Eles são mais frequentes a oeste, onde as tempestades não são tão fortes. Só vi alguns deles... tem uns pequenininhos em Jah Keved, mas nada desse tipo. Nem sei que espécie é essa.

Ela hesitou, então enfiou os dedos através das barras e segurou um tentáculo. A coisa imediatamente recuou, inflando para parecer maior, levantando dois tentáculos atrás da sua cabeça de maneira ameaçadora. Adolin deu um gritinho e puxou Shallan para trás.

— Ele disse para não tocar em nenhuma dessas coisas! — disse Adolin. — E se for venenosa?

Shallan ignorou-o, pegando um caderno da bolsa.

— Quente ao toque — murmurou ela para si mesma. — É sangue quente de verdade. Fascinante. Preciso desenhá-la. — Ela estreitou os olhos na direção de uma pequena placa na gaiola. — Bem, isso é inútil.

— O que está escrito? — perguntou Adolin.

— "Pedra do diabo capturada em Marabethia. Os nativos alegam que é o espírito vingativo renascido de uma criança que foi assassinada." Nenhuma menção da espécie. Que tipo de erudição é essa?

— É uma exposição de animais, Shallan. — Adolin deu uma risadinha. — Veio de longe para entreter soldados e seguidoras de acampamento.

De fato, a exposição era popular. Enquanto Shallan desenhava, Kaladin se ocupou vigiando todos que passavam por perto, garantindo que não se aproximassem. Ele viu de tudo, desde lavadeiras e décimos a oficiais, e até mesmo alguns olhos-claros de escalão superior. Atrás deles, uma olhos-claros passou carregada em um palanquim, mal olhando para as gaiolas. Era um grande contraste em relação aos desenhos entusiasmados de Shallan e as provocações carinhosas de Adolin.

Kaladin não estava dando o crédito devido àqueles dois. Podiam ignorá-lo, mas não estavam sendo ativamente *cruéis* com ele. Estavam felizes e sendo gentis. Por que isso o irritava tanto?

Por fim, Shallan e Adolin passaram para a gaiola seguinte, que continha enguias celestes e um grande tubo de água para que elas pudessem mergulhar. Elas não pareciam estar tão confortáveis quanto a "pedra do diabo". Não havia muito espaço para se moverem na gaiola, e não alçavam voo com frequência. Não era muito interessante.

Em seguida havia uma gaiola com uma criatura que parecia um pequeno chule, mas com garras maiores. Shallan quis desenhar essa também, então Kaladin ficou junto à jaula, vendo as pessoas passarem e ouvindo Adolin tentando fazer piadas para divertir sua noiva. Ele não era muito bom nisso, mas Shallan ria de qualquer modo.

— Coitadinho — disse Syl, pousando no chão da gaiola, olhando para o ocupante crustáceo. — Que tipo de vida é essa?

— Uma vida segura. — Kaladin deu de ombros. — Pelo menos ele não tem que se preocupar com predadores. É alimentado sempre. Duvido que um tipo de chule pudesse pedir mais do que isso.

— Ah, é? — indagou Syl. — E *você* gostaria de estar no lugar dela.

— Claro que não. Eu não sou um tipo de chule. Sou um soldado.

Eles seguiram em frente, passando por várias gaiolas. Algumas Shallan quis desenhar, outras ela concluiu que não precisavam de um esboço imediato. A que ela achou mais fascinante foi também a mais estranha, um tipo de galinha colorida com penas vermelhas, azuis e verdes. Ela pegou lápis coloridos para fazer aquele desenho. Aparentemente, havia perdido uma oportunidade de desenhar uma dessas há muito tempo.

Kaladin teve que admitir que a coisa *era bonita*. Mas como sobrevivia? Ela tinha um pedaço de concha bem na frente da cara, mas o resto do corpo não era esponjoso, então não podia se esconder em rachaduras, como a pedra do diabo. O que aquela galinha fazia quando chegava uma tempestade?

Syl pousou no ombro de Kaladin.

— Eu sou um soldado — repetiu Kaladin, falando bem baixinho.

— Você *foi* — replicou Syl.

— É o que eu quero voltar a ser.

— Tem certeza?

— Quase absoluta. — Ele cruzou os braços, a lança apoiada contra o ombro. — Só que... É loucura, Syl. Maluquice. Meu tempo como carregador de pontes foi a pior época da minha vida. Nós sofremos com morte, opressão, humilhação. Mas acho que nunca me senti tão vivo como naquelas últimas semanas.

Depois do trabalho que realizara com a Ponte Quatro, ser um simples soldado — ainda que altamente respeitado, como o capitão da guarda de um grão-príncipe — parecia algo mundano. Ordinário.

Mas voar entre os ventos... *aquilo* era tudo, menos ordinário.

— Você está quase pronto, não está? — sussurrou Syl.

Ele assentiu lentamente.

— Sim. Sim, acho que estou.

A gaiola seguinte estava cercada por uma grande multidão, e havia até alguns esprenos de medo saindo do chão. Kaladin avançou, embora não precisasse abrir espaço — as pessoas cediam lugar para o herdeiro de Dalinar quando percebiam quem era. Adolin passou por eles sem olhar duas vezes, obviamente acostumado a tal deferência.

Aquela gaiola era diferente das outras. As barras eram mais próximas, a madeira era reforçada. O animal lá dentro não parecia merecer o tratamento especial. A besta infeliz estava deitada diante de algumas pedras, os olhos fechados. O rosto quadrado mostrava mandíbulas afiadas — como dentes, só que de algum modo mais cruéis — e um par de longas presas despontavam da mandíbula superior. Os espinhos afiados que corriam da cabeça ao longo das costas sinuosas, junto com as pernas fortes, davam pistas do nome da fera.

— Espinha-branca — sussurrou Shallan, se aproximando da jaula.

Kaladin nunca havia visto um. Ele se lembrava de um jovem, morto na mesa de cirurgia, sangue por toda parte. Ele se lembrava de medo, frustração. E então de tristeza.

— Eu esperava — começou Kaladin, tentando expressar seus pensamentos — que essa coisa fosse... *mais*.

— Eles não se dão bem em cativeiro — comentou Shallan. — Esse aí provavelmente teria entrado em hibernação em cristal há muito tempo, se permitissem. Eles devem molhá-lo com frequência para que a concha não se forme.

— Não sinta pena dessa coisa — disse Adolin. — Eu já vi o que eles podem fazer com um homem.

— Sim — concordou Kaladin em voz baixa.

Shallan pegou seu material de desenho, porém, ao dar início à imagem, as pessoas começaram a se afastar da gaiola. A princípio, Kaladin pensou que fosse algo relacionado ao próprio animal — mas a fera continuou ali deitada, os olhos fechados, ocasionalmente bufando de uma das narinas.

Não, as pessoas estavam se aglomerando do outro lado da exposição. Kaladin chamou a atenção de Adolin, depois apontou. *Vou verificar o que está havendo ali,* indicou por meio de gestos. Adolin assentiu e pousou a mão na espada. *Estarei atento,* foi o recado.

Kaladin foi correndo investigar, a lança no ombro. Infelizmente, logo reconheceu um rosto acima da multidão. Amaram era um homem alto. Dalinar estava ao seu lado, guardado por vários homens de Kaladin, que mantinham a multidão curiosa a uma distância segura.

— ...ouvi falar que meu filho estava aqui — dizia Dalinar ao bem-vestido proprietário da exposição de animais.

— O senhor não precisa pagar, grão-príncipe! — disse o proprietário, falando com um sotaque altivo como o de Sigzil. — Sua presença é uma bênção grandiosa dos Arautos sobre minha humilde exibição. E seu distinto convidado.

Amaram. Ele estava usando um manto estranho. Dourado-amarelo e brilhante, com um glifo preto nas costas. Sacro? Kaladin não reconheceu a forma. Mas parecia familiar.

O olho duplo, percebeu. Símbolo dos...

— É verdade? — perguntou o proprietário, avaliando Amaram. — Os rumores no acampamento são bem intrigantes...

Dalinar suspirou alto.

— Nós íamos anunciar na festa desta noite, mas já que Amaram insiste em vestir o manto, suponho que deva ser declarado. Sob a direção do rei, ordenei a refundação dos Cavaleiros Radiantes. Que isso seja proclamado nos acampamentos. Os antigos votos voltarão a ser ditos, e o Luminobre Amaram foi, a meu pedido, o primeiro a dizê-los. Os Cavaleiros Radiantes foram reestabelecidos, e ele será o líder.

56

ESPINHA-BRANCA À SOLTA

> *Uma força de vinte e três seguia na retaguarda, vinda pelas contribuições do Rei de Makabakam, pois ainda que o laço entre homem e espreno fosse às vezes inexplicável, a habilidade desse espreno de se manifestar no nosso mundo, em vez de no deles, se fortalecia através do curso dos pactos celebrados.*
>
> — De *Palavras de Radiância*, capítulo 35, página 9

— A MARAM OBVIAMENTE NÃO POSSUI quaisquer capacidades de Manipulação de Fluxos — disse Sigzil em voz baixa, ao lado de Kaladin.

Dalinar, Navani, o rei e Amaram desciam da sua carruagem, logo à frente. A arena de duelos estava adiante, outra formação semelhante a uma cratera dentre as que cercavam as Planícies Quebradas. Contudo, era muito menor do que as depressões que continham os acampamentos de guerra, e possuía arquibancadas.

Com Elhokar e Dalinar presentes — sem falar em Navani e os dois filhos de Dalinar —, Kaladin havia levado todos os guardas que pôde, o que incluía alguns dos homens da Ponte Dezessete e da Ponte Dois. Eles estavam orgulhosamente a postos, com as lanças em riste, obviamente empolgados por finalmente serem considerados dignos de seu primeiro turno como guarda-costas. No total, ele tinha quarenta homens presentes.

Nenhum deles valeria uma gota de chuva se o Assassino de Branco atacasse.

— Temos certeza disso? — indagou Kaladin, indicando Amaram com um movimento da cabeça; o homem ainda usava o manto amarelo-

-dourado com o símbolo dos Cavaleiros Radiantes nas costas. — Eu não mostrei a ninguém os meus poderes. Deve haver outros treinando, como eu. Raios, Syl praticamente prometeu que *havia*.

— Ele teria exibido as habilidades, se as possuísse — disse Sigzil. — Boatos estão se espalhando pelos dez acampamentos como água de enchente. Metade das pessoas acha que o que Dalinar está fazendo é blasfêmia e estupidez; a outra metade está indecisa. Se Amaram exibisse poderes de Manipulação de Fluxos, a manobra do Luminobre Dalinar pareceria muito menos precária.

Sigzil provavelmente tinha razão. Mas... Amaram? O homem caminhava com tanto orgulho, de cabeça erguida. Kaladin sentiu o pescoço esquentar, e por um momento pareceu que tudo que via era Amaram. Manto dourado. Rosto orgulhoso.

Manchado de sangue. Aquele homem estava *manchado de sangue*. Kaladin *contara a* Dalinar sobre isso!

Dalinar não havia feito nada.

Alguém mais teria que fazer.

— Kaladin? — chamou Sigzil.

Ele percebeu que dera um passo na direção de Amaram, as mãos cerradas ao redor da lança. Respirou fundo, depois apontou.

— Coloque homens nos limites da arena, ali. Skar e Eth estão na sala de preparação com Adolin, embora não vá servir de nada com ele indo para a arena. Coloque mais alguns no fundo da arena, só por via das dúvidas. Três homens em cada porta. Vou levar seis comigo até os assentos do rei. — Kaladin fez uma pausa, então acrescentou: — Vamos colocar também dois homens guardando a noiva de Adolin, por precaução. Ela estará junto com Sebarial.

— Certo.

— Diga aos homens para manterem a concentração, Sig. Esse combate provavelmente será dramático. Quero a atenção deles na possibilidade de assassinos, não no duelo.

— Ele realmente vai combater dois homens de uma vez?

— Vai.

— Como ele pode vencer assim?

— Eu não sei, e na verdade não me importo. Nosso trabalho é guardá-los contra outras ameaças.

Sigzil assentiu e começou a se afastar, mas então hesitou, pegando Kaladin pelo braço.

— Você poderia se juntar a eles, Kal — disse ele em voz baixa. — Se o rei está refundando os Cavaleiros Radiantes, você tem uma desculpa para mostrar quem é. Dalinar está tentando, mas muita a gente pensa que os Radiantes são uma força maligna, esquecendo o bem que fizeram antes de trair a humanidade. Mas se você exibisse seus poderes, poderia mudar essas opiniões.

Juntar-se a eles. Sob o comando de Amaram. Improvável.

— Vá repassar minhas ordens — respondeu Kaladin, gesticulando, então libertou o braço e trotou na direção do rei e do seu cortejo. Pelo menos o sol estava visível hoje, no cálido ar primaveril.

Syl voou atrás de Kaladin.

— Amaram está acabando com você, Kaladin. Não deixe que ele faça isso.

Ele cerrou os dentes e não respondeu. Em vez disso, se aproximou de Moash, que estava encarregado de uma equipe que vigiaria a Luminosa Navani — ela preferia ver os duelos de baixo, nas salas de preparação.

Parte dele se perguntava se deveria deixar Moash guardar qualquer outra pessoa que não Dalinar, mas, raios, Moash havia *jurado* que não agiria mais contra o rei. Kaladin confiava nele nessa questão. Eles eram a Ponte Quatro.

Vou tirar você dessa situação, Moash, pensou Kaladin, puxando o homem para o lado. *Vamos resolver isso.*

— Moash, a partir de amanhã vou colocá-lo na patrulha — falou baixinho.

Moash franziu o cenho.

— Pensei que você sempre quisesse que eu cuidasse de... — Sua expressão endureceu. — É por causa do que aconteceu. Na taverna.

— Quero você guie uma patrulha bem abrangente — disse Kaladin. — Vá em direção a Nova Natanan. Não quero que esteja aqui quando formos atrás de Graves e sua gente.

Já havia passado tempo demais.

— Não vou partir.

— Vai, e isso não está sujeito a...

— Eles estão fazendo a coisa *certa*, Kal!

Kaladin franziu o cenho.

— Você ainda está se encontrando com eles?

Moash desviou o olhar.

— Só uma vez. Para garantir a eles que você mudaria de ideia.

— Ainda assim, desobedeceu a uma ordem! Raios, Moash!

O ruído dentro da arena estava crescendo.

— Está quase na hora do combate — disse Moash, soltando o braço da mão de Kaladin. — Podemos conversar depois.

Kaladin rangeu os dentes, mas infelizmente Moash tinha razão. Não havia tempo.

Eu devia ter falado com ele de manhã, pensou Kaladin. *Não, o que eu devia ter feito era ter tomado uma decisão em relação a isso dias atrás.* Era sua culpa.

— Você *vai* na patrulha, Moash — declarou Kaladin. — Não vai bancar o insubordinado só porque é meu amigo. Agora vá.

O homem foi embora apressado, reunindo seu esquadrão.

A DOLIN ESTAVA AJOELHADO AO lado da espada, na sala de preparação, e percebeu que não sabia o que dizer.

Olhou para seu reflexo na Espada. Dois Fractários ao mesmo tempo. Nunca havia tentado isso fora do pátio de treinamento.

Combater vários oponentes era difícil. Nas histórias, se havia um homem lutando com seis outros ao mesmo tempo ou algo assim, a verdade era que ele provavelmente os enfrentara um de cada vez, de algum modo. Dois ao mesmo tempo seria difícil, se eles estivessem preparados e fossem cuidadosos. Não era impossível, mas muito difícil.

— Então é isso — disse Adolin. Precisava dizer *alguma coisa* para a espada. Era essa a tradição. — Vamos ser espetaculares. Então vamos arrancar aquele sorriso da cara de Sadeas.

Ele se levantou, dispensando sua Espada. Deixou a pequena sala de preparação, caminhado pelo túnel entalhados e pintados com imagens de duelistas. Na sala além, Renarin estava sentado, usando seu uniforme Kholin — ele o usava em eventos oficiais como aquele, em vez daquele maldito uniforme da Ponte Quatro —, esperando ansiosamente. Tia Navani estava abrindo a tampa de uma jarra de tinta para fazer um glifo-amuleto.

— Não precisa — disse Adolin, tirando um do bolso. Pintado no azul Kholin, estava escrito "excelência".

Navani levantou uma sobrancelha.

— Foi a garota?

— Isso — confirmou Adolin.

— A caligrafia não é ruim — admitiu Navani a contragosto.

— Ela é maravilhosa, tia. Gostaria que desse a ela uma chance. E ela *quer* compartilhar sua erudição com a senhora.

— Vamos ver — disse Navani.

Ela parecia mais pensativa do que antes em relação a Shallan. Um bom sinal.

Adolin colocou o glifo-amuleto no braseiro, então inclinou a cabeça enquanto ele queimava. Uma oração ao Todo-Poderoso pedindo auxílio. Seus adversários do dia provavelmente também estavam queimando as próprias orações. Como o Todo-Poderoso decidia a quem ajudar?

Não posso acreditar que ele desejaria que homens que servem Sadeas, mesmo que indiretamente, tenham sucesso, pensou Adolin, levantando a cabeça para a oração.

— Estou preocupada — disse Navani.

— Meu pai acha que o plano pode funcionar, e Elhokar gostou muito da ideia.

— Elhokar às vezes é impulsivo — respondeu ela, cruzando os braços e observando os restos do glifo-amuleto queimarem. — Os termos mudam as coisas.

Os termos — acordados com Relis e declarados diante da grã-juíza mais cedo — indicavam que aquele duelo prosseguiria até a rendição, não até um certo número de seções de Armadura serem quebradas. Isso significava que, se Adolin conseguisse vencer um dos seus inimigos, fazendo com que o homem se rendesse, o outro poderia continuar lutando.

Também significava que Adolin não precisava parar de lutar até estar convencido de que havia sido derrotado.

Ou até que fosse incapacitado.

Renarin se aproximou, colocando uma mão no ombro de irmão.

— Acho que é um bom plano — disse ele. — Você consegue.

— Eles vão tentar exauri-lo — disse Navani. — Foi por isso que insistiram que fosse um duelo até a rendição. Eles vão aleijá-lo se puderem, Adolin.

— Não é diferente do campo de batalha. Na verdade, nesse caso, eles vão querer me deixar vivo. Serei mais útil como um exemplo, com pernas mortas pela Espada, do que eu seria como cinzas.

Navani fechou os olhos, respirando fundo. Estava pálida. Era um pouco como ter sua mãe de volta; só um pouco.

— *Garanta* que Sadeas não tenha nenhuma saída — aconselhou Renarin enquanto os armeiros entravam com a Armadura Fractal de Adolin.

— Quando o encurralar com o desafio, ele vai procurar uma maneira de escapar. Não permita. Leve-o para aquelas areias e surre-o até sangrar, irmão.

— Será um prazer.

— Agora, você comeu galinha? — quis saber Renarin.

— Dois pratos com *curry*.

— A corrente da nossa mãe?

Adolin procurou no bolso. Então procurou no outro.

— O que foi? — perguntou Renarin, os dedos apertando o ombro de Adolin.

— Eu *jurava* que a havia pegado.

Renarin praguejou.

— Pode estar nos meus aposentos — disse Adolin. — Nos acampamentos de guerra. Na minha mesa de cabeceira.

Isso se ele não a havia pegado e perdido no caminho. *Raios*. Era só um amuleto da sorte. Não significava nada. Ele começou a suar de qualquer modo enquanto Renarin se apressava em mandar um mensageiro para procurar a corrente. Ele não chegaria a tempo. Já podia ouvir a multidão do lado de fora, o rugido crescente que surgia antes de um duelo. Adolin relutantemente permitiu que seus armeiros começassem a vesti-lo com a Armadura.

Quando enfim lhe entregaram seu elmo, ele já havia recuperado a maior parte da compostura — a antecipação que era uma estranha mistura de ansiedade no estômago e relaxamento nos músculos. Não era possível lutar todo tenso; era possível lutar nervoso, mas não tenso.

Fez sinal para os criados e eles abriram as portas, permitindo que ele saísse para a areia. Podia dizer, pela saudação animada, onde estavam sentados os olhos-escuros. Já os olhos-claros baixaram a voz, em vez de levantá-la, quando ele emergiu. Era bom que Elhokar houvesse reservado espaço para os olhos-escuros. Adolin gostava do barulho; recordava-o de um campo de batalha.

Houve um tempo em que eu não gostava do campo de batalha porque não era silencioso, como em um duelo. Apesar da sua relutância inicial, havia se tornado um soldado.

Ele avançou até o centro da arena. Os outros ainda não haviam deixado sua sala de preparação. *Pegue Relis primeiro*, disse Adolin para si mesmo. *Você conhece o estilo de duelo dele.* O homem preferia a Postura da Vinha, lenta e constante, mas com investidas súbitas e rápidas. Adolin não sabia ao certo quem o homem havia trazido para lutar com ele, muito embora houvesse pegado emprestado um conjunto completo de

Espada e Armadura do Rei. Talvez seu primo quisesse tentar de novo, para se vingar?

Shallan estava ali, do outro lado da arena, seu cabelo ruivo se destacando como sangue sobre pedra. Ela estava acompanhada de dois guardas carregadores. Adolin se pegou balançando a cabeça em aprovação ao ver isso, e levantou um punho para ela, que acenou de volta.

Ficou se remexendo, deixando o poder da Armadura fluir através dele. Podia vencer, mesmo sem a corrente da mãe. O problema era que pretendia desafiar Sadeas depois disso. Então precisava guardar forças suficientes para aquele duelo.

Ele conferiu, ansioso. Sadeas estava ali? Sim; estava sentado a uma pequena distância do seu pai e do rei. Adolin estreitou os olhos, lembrando-se do momento arrasador de compreensão quando vira os exércitos de Sadeas recuando da Torre.

Isso o fortaleceu. Há muito tempo remoía aquela traição. Agora, finalmente, era a hora de fazer algo a respeito.

As portas diante dele se abriram.

Quatro homens em Armaduras Fractais adentraram a arena.

— QUATRO? — PERGUNTOU DALINAR, se levantando de um salto. Kaladin deu um passo na direção do terreno da arena. Sim, eram todos Fractários, pisando nas areias da arena de duelo abaixo. Um deles usava a Armadura do Rei; os outros três usavam as próprias, ornamentadas e pintadas.

Abaixo, a grã-juíza do duelo se virou e inclinou a cabeça de lado na direção do rei.

— O que é isso? — bradou Dalinar para Sadeas, que estava sentado a uma curta distância.

Os olhos-claros nas arquibancadas entre eles se encolheram ou fugiram, deixando uma linha direta de visão entre os grão-príncipes. Sadeas e sua esposa se viraram preguiçosamente.

— Por que me pergunta? — gritou Sadeas de volta. — Nenhum desses homens é meu. Sou apenas um observador hoje.

— Ah, não seja difícil, Sadeas — disse Elhokar. — Você sabe muito bem o que está acontecendo. Por que há quatro? Adolin deve escolher os dois com quem quer lutar?

— Dois? — perguntou Sadeas. — Quando foi dito que ele lutaria com dois?

— Foi isso que ele disse quando combinou o duelo! — gritou Dalinar. — Um duelo em desvantagem contra um par, dois contra um, de acordo com as convenções de duelo!

— Na verdade, *não* foi isso que o jovem Adolin combinou. Ora, soube de testemunha confiável que ele disse ao príncipe Relis: "Luto com você e quem mais você trouxer, juntos." Não ouvi uma especificação de um número... o que sujeita Adolin a um duelo em desvantagem *plena*, não um duelo contra um par. Relis pode trazer tantos quanto quiser. Conheço vários escribas que registraram as palavras precisas de Adolin e ouvi que a grã-juíza perguntou *especificamente* se ele compreendia o que estava fazendo, e ele respondeu que sim.

Dalinar rosnou em voz baixa. Era um som que Kaladin nunca ouvira vindo dele, o rosnado de uma fera acorrentada. Isso o surpreendeu. Porém, o grão-príncipe se conteve, sentando-se com um movimento brusco.

— Ele foi mais esperto do que nós — disse Dalinar em voz baixa para o rei. — De novo. Temos que recuar e considerar nosso próximo movimento. Alguém diga a Adolin que saia do combate.

— Tem certeza? — indagou o rei. — Sair significaria que Adolin se rende, tio. São seis Armaduras, pelo que sei. Tudo que o senhor possui.

Kaladin podia ler o conflito no rosto de Dalinar — a testa enrugada, a fúria rubra surgindo em sua face, a indecisão em seus olhos. Desistir? Sem lutar? Era provavelmente a coisa certa a fazer.

Kaladin duvidava que fosse capaz disso.

Abaixo, depois de uma pausa prolongada — congelado na areia —, Adolin levantou a mão em um sinal de concordância. A juíza deu início ao duelo.

S<small>OU UM IDIOTA</small>. S<small>OU</small> um idiota. Sou um tormentoso idiota!

Adolin recuou trotando pelo círculo coberto de areia da arena. Precisava colocar suas costas contra a parede para evitar ser completamente cercado. Isso significava que começaria o duelo sem ter para onde recuar, fechado em uma caixa. Encurralado.

Por que não fora mais específico? Podia ver os buracos em seu desafio — concordara com um duelo em desvantagem plena sem perceber.

Ele devia ter declarado, especificamente, que Relis podia trazer *um* outro participante. Mas não, fazer isso teria sido inteligente. E Adolin era um tormentoso idiota!

Ele reconheceu Relis devido à sua Armadura e Espada, completamente pintadas de um preto profundo e capa com o par de glifos do pai. O homem na Armadura do Rei — julgando pela altura e pela maneira como caminhava — devia mesmo ser Elit, o primo de Relis, de volta para uma revanche. Ele carregava um martelo colossal, em vez de uma Espada. Os dois avançaram cuidadosamente pela arena, e seus dois companheiros seguiram pelos flancos. Um de laranja, o outro de verde.

Adolin reconheceu as Armaduras. Eram Abrobadar, um Fractário pleno do acampamento de Aladar e... e Jakamav, portando a Espada do Rei que Relis havia pegado emprestado.

Jakamav. Seu amigo.

Adolin praguejou. Aqueles dois estavam entre os melhores duelistas no acampamento. Jakamav teria conquistado a própria Espada anos atrás se tivesse a permissão de arriscar sua Armadura. Aquilo havia aparentemente mudado. Teria ele e sua casa sido comprados com a promessa de uma parte dos despojos?

Com a Espada se formando na mão, Adolin recuou até a sombra fresca do muro ao redor da arena. Acima dele, olhos-escuros rugiam nas arquibancadas. Se estavam empolgados ou horrorizados com o que ele encarava, Adolin não sabia dizer. Fora até ali com a intenção de oferecer uma exibição espetacular. Em vez disso, veriam o oposto; uma rápida chacina.

Bem, ele mesmo havia preparado aquela pira; se ia queimar nela, pelo menos ia tombar lutando.

Relis e Elit se aproximaram — um com uma armadura cinza, o outro em preto — enquanto seus aliados vinham pelos flancos; ficariam para trás para tentar fazer com que Adolin se concentrasse nos dois à frente dele. Então os outros o atacariam pelas laterais.

— Um de cada vez, rapaz! — Um grito das arquibancadas pareceu se destacar dos outros. Era a voz de Zahel? — Você não está encurralado!

Relis avançou em um movimento rápido, testando Adolin, que dançou para longe na Postura do Vento — certamente a melhor contra tantos inimigos —, as duas mãos segurando a Espada diante de si e postado de lado com um pé à frente.

Você não está encurralado! O que Zahel queria dizer? Claro que ele estava encurralado! Era a única maneira de enfrentar quatro. E como poderia enfrentá-los um de cada vez? Seus oponentes nunca permitiriam isso.

Relis testou outra investida, fazendo Adolin se mover ao longo da parede, concentrado nele. No entanto, teve que se virar um pouco para encarar Relis, e isso colocou Abrobadar — vindo de outra direção, com armadura laranja — no seu ponto cego. Raios!

— Eles estão com medo de você. — A voz de Zahel, novamente soando acima da multidão. — Percebe isso? Mostre para eles *por quê*.

Adolin hesitou. Relis deu um passo à frente, atacando na Postura da Rocha. Postura da Rocha, permanecer imóvel. Elit veio em seguida, segurando o martelo de modo defensivo. Eles pressionaram Adolin ao longo da parede na direção de Abrobadar.

Não. Adolin havia insistido naquele duelo. Ele o desejara. Não ia se tornar um rato assustado.

Mostre para eles por quê.

Atacou. Saltou para a frente, lançando uma sucessão de golpes contra Relis. Elit se afastou com um pulo e praguejou. Eles pareciam homens com lanças cutucando um espinha-branca.

E aquele espinha-branca ainda não estava enjaulado.

Adolin gritou, golpeando Relis, atingindo seu elmo e avambraço esquerdo, que rachou. Luz das Tempestades vazou do antebraço de Relis. Enquanto Elit se recuperava, Adolin se virou contra ele e atacou, deixando Relis tonto da investida. Seu assalto forçou Elit a recuar com o martelo e bloquear com o antebraço, para que Adolin não cortasse o martelo ao meio e o deixasse desarmado.

Era isso que Zahel queria dizer. Ataque com fúria; não permita que eles respondam ou avaliem a situação. Quatro homens. Se pudesse intimidá-los para que hesitassem... Talvez...

Adolin parou de pensar. Deixou o fluxo do combate consumi-lo, deixou o ritmo do seu coração guiar a batida da sua espada. Elit praguejou e se afastou, vazando Luz das Tempestades do ombro e antebraço esquerdos.

Adolin se virou e jogou o ombro contra Relis, que estava retomando sua postura. O empurrão jogou o homem de Armadura preta no chão. Então, com um grito, Adolin girou outra vez e topou diretamente com Abrobadar enquanto o homem corria em socorro. Adolin adotou também a Postura da Rocha, golpeando a Espada repetidas vezes contra a arma em riste de Abrobadar até ouvir grunhidos e maldições. Até que pudesse *sentir* o medo emanando do homem de armadura laranja como um fedor e pudesse ver os esprenos de medo no chão.

Elit se aproximou, temeroso, enquanto Relis se levantava apressadamente. Adolin voltou à Postura do Vento e cortou o ar com a espada em um movimento amplo e fluido. Elit saltou para se afastar e Abrobadar recuou aos tropeços, apoiando a mão no muro da arena.

Adolin voltou-se para Relis, que havia se recuperado bem, dadas as circunstâncias. Ainda assim, Adolin conseguiu acertar um segundo ataque contra o peitoral do campeão. Se estivesse em um campo de batalha e eles fossem inimigos comuns, Relis estaria morto, e Elit, ferido. Adolin ainda estava intacto.

Mas eles não eram inimigos comuns. Eram Fractários, e um segundo ataque contra o peitoral de Relis não quebrou a armadura. Adolin foi forçado a se voltar contra Abrobadar antes do desejado, e o homem agora estava preparado para a fúria do assalto, a espada levantada para se defender. A sucessão de golpes de Adolin não o abalou dessa vez. O homem suportou-a enquanto Elit e Relis se posicionavam.

Só precisava...

Algo atingiu Adolin por trás.

Jakamav. Adolin levara tempo demais e permitira que o quarto homem — seu suposto amigo — assumisse sua posição. Adolin girou o corpo, movendo-se através de uma baforada de Luz das Tempestades que se erguia de sua placa lombar. Ele levantou a espada para conter o ataque seguinte de Jakamav, mas isso expôs seu franco esquerdo. Elit atacou, o martelo atingindo a lateral do corpo de Adolin. Sua Armadura rachou, e o golpe o desequilibrou.

Ele brandiu a espada, começando a ficar desesperado. Dessa vez, seus inimigos não recuaram. Em vez disso, Jakamav avançou, a cabeça baixa, sem se dar ao trabalho de usar a espada. Homem inteligente. Sua armadura verde estava intocada. Ainda que o movimento permitisse que Adolin golpeasse com a espada e o atingisse nas costas, ele tirou Adolin completamente da sua postura.

Adolin cambaleou para trás, mal conseguindo se impedir de ser jogado no chão enquanto Jakamav se chocava contra ele. Empurrou o homem para o lado, de algum modo conseguindo manter sua Espada Fractal nas mãos, mas os outros três avançaram. Golpes choveram sobre seus ombros, elmo, peitoral. Raios. Aquele martelo acertava com *força*.

A cabeça de Adolin zumbia devido a um golpe. Quase conseguira. Permitiu-se um sorriso enquanto eles o surravam. Quatro ao mesmo tempo. E ele quase *conseguira*.

— Eu me rendo — disse ele, a voz abafada pelo elmo.

Eles continuaram atacando. Adolin falou mais alto.

Ninguém prestou atenção.

Ele levantou o braço para sinalizar para que a juíza encerrasse o combate, mas alguém baixou seu braço com um golpe.

Não!, pensou Adolin, brandindo a espada ao seu redor em pânico.

A juíza não podia encerrar a luta. Se ele deixasse aquele duelo vivo, seria ferido.

— JÁ BASTA — DISSE Dalinar, vendo os quatro Fractários se revezando para golpear Adolin, que estava obviamente desorientado, incapaz de rechaçá-los. — As regras permitem que Adolin tenha ajuda, contanto que seu lado esteja em desvantagem... um a menos do que a equipe de Relis. Elhokar, vou precisar da sua Espada Fractal.

— Não — respondeu Elhokar.

O rei estava sentado com os braços cruzados debaixo da sombra. As pessoas ao seu redor assistiam ao duelo... não, a surra... em silêncio.

— Elhokar! — disse Dalinar, se virando. — É o meu *filho lá embaixo*.

— O senhor está sem Armadura — disse Elhokar. — Até ter vestido uma, será tarde demais. Se descer agora, não vai salvar Adolin. Só vai perder *minha* Espada, assim como todas as outras.

Dalinar trincou os dentes. Podia ver que havia uma gota de sabedoria naquilo. Adolin estava acabado. Eles precisavam encerrar a luta agora e não arriscar mais nada.

— Você poderia ajudá-lo, sabe? — disse a voz de Sadeas.

Dalinar voltou-se para ele.

— As convenções de duelo não o proíbem — disse Sadeas, falando alto o bastante para que Dalinar escutasse. — Eu conferi. O jovem Adolin pode receber a ajuda de até duas pessoas. O Espinho Negro que eu conhecia já estaria lá, lutando com uma *pedra*, se necessário. Suponho que você não seja mais o mesmo homem.

Dalinar respirou fundo, então se levantou.

— Elhokar, pagarei o preço e tomarei emprestada sua Espada pelo direito da tradição da Espada do Rei. Você não vai arriscá-la desse modo. Eu vou lutar.

Elhokar pegou-o pelo braço, ficando de pé.

— Não seja tolo, tio. Preste atenção! Não vê o que ele está fazendo? Ele obviamente *quer* que o senhor desça e lute.

Dalinar voltou-se para fitar os olhos verde-claros do rei. Iguais aos do pai.

— Tio — disse Elhokar, apertando seu braço —, *ouça* o que eu digo uma vez na vida. Seja um pouco paranoico. Por que Sadeas quer o senhor lá embaixo? É para que um "acidente" possa ocorrer! Ele quer *sumir com você*, Dalinar. Garanto que se o senhor pisar naquelas areias, todos os quatro vão atacá-lo imediatamente. Espada Fractal ou não, estará morto antes de assumir qualquer postura.

Dalinar inspirou e expirou. Elhokar estava certo. Raios o levassem, mas estava certo. Contudo, Dalinar precisava fazer *alguma* coisa.

Um murmúrio soou entre a multidão de espectadores, sussurros como arranhões sobre papel. Dalinar se virou para ver que mais alguém havia se juntado à batalha, saindo da sala de preparação, uma Espada Fractal erguida nervosamente com duas mãos, mas sem Armadura.

Renarin.

Ah, não...

U M DOS ATACANTES SE afastou, os pés revestidos com a Armadura esmagando a areia. Adolin se jogou naquela direção, abrindo caminho violentamente por entre os outros três. Ele girou e recuou. Sua Armadura estava começando a parecer pesada. Quanta Luz das Tempestades havia perdido?

Sem seções quebradas, pensou, mantendo a espada voltada na direção dos outros três homens que se espalharam para avançar contra ele. Talvez pudesse...

Não. Era hora de acabar com aquilo. Sentia-se um tolo, mas era melhor um tolo vivo do que um morto. Voltou-se para a grã-juíza para sinalizar sua rendição. Certamente ela podia vê-lo agora.

— Adolin — disse Relis, avançando lentamente, a Armadura vazando de pequenas rachaduras no peito. — Vamos, não queremos que termine cedo demais, não é mesmo?

— Que glória você acha que virá de uma luta assim? — bradou Adolin volta, brandindo cuidadosamente a espada, pronto para dar o sinal. —

Acha que as pessoas vão aplaudi-lo? Por derrotar um homem com quatro contra um?

— Não estou fazendo isso pela honra. É simplesmente uma punição.

Adolin bufou. Só então notou algo acontecendo do outro lado da arena. Renarin, vestido no azul dos Kholin, segurando uma oscilante Espada Fractal e encarando Abrobadar, que estava com a espada apoiada no ombro, como se não visse ameaça alguma.

— Renarin! — gritou Adolin. — Que raios você está fazendo?! Volte...

Abrobadar atacou e Renarin aparou o golpe desajeitadamente. Até o momento, o rapaz só havia treinado usando a Armadura Fractal, e não tivera tempo de vesti-la. O golpe de Abrobadar quase arrancou a arma das mãos de Renarin.

— Veja bem — disse Relis, dando um passo na direção de Adolin. — Abrobadar gosta do jovem Renarin e não gostaria de machucá-lo. Então ele só vai manter o rapaz ocupado, fazendo uma boa luta. Contanto que você esteja disposto a manter sua promessa e travar um bom duelo conosco. Renda-se como um covarde, ou faça com que o rei termine a luta, e a espada de Abrobadar pode escorregar.

Adolin sentiu um pânico surgindo. Olhou na direção da grã-juíza. Ela podia interromper a luta por conta própria, se achasse que havia ido longe demais.

Ela estava sentada imperiosamente em sua cadeira, olhando para ele. Adolin pensou ver algo por trás da sua expressão serena. *Ela está do lado deles. Talvez tenha sido subornada.*

Adolin apertou o punho ao redor da Espada e olhou de volta para seus três inimigos.

— Seus malditos — sussurrou ele. — Jakamav, como *ousa* fazer parte disso?

Jakamav não respondeu e Adolin não podia ver seu rosto por trás do elmo verde.

— Então — disse Relis. — Vamos continuar?

A resposta de Adolin foi atacar.

DALINAR SE APROXIMOU DA cadeira da juíza, que ficava no próprio pequeno estrado de pedra, alguns centímetros acima da área de duelo.

A Luminosa Istow era uma mulher alta e grisalha, sentada com as mãos no colo, assistindo ao duelo. Ela não se virou enquanto Dalinar a alcançou.

— Está na hora de acabar com isso, Istow — disse Dalinar. — Encerre a luta. Conceda a vitória para Relis e sua equipe.

A mulher continuou olhando para a frente, assistindo ao duelo.

— Você me *ouviu*?

Ela não disse nada.

— Está bem. Então eu vou acabar com isso.

— *Eu* sou o grão-príncipe aqui, Dalinar — disse a mulher. — Nesta arena, minha palavra é a única lei, concedida a mim pela autoridade do rei. — Ela se virou para ele. — Seu filho não se rendeu e não está incapacitado. Os termos do duelo não foram cumpridos, e eu não vou encerrá-lo até que isso aconteça. Você não tem respeito pela lei?

Dalinar trincou os dentes, então olhou de volta para a arena. Renarin lutava com um dos homens. O rapaz mal tinha qualquer treinamento com a espada. De fato, enquanto Dalinar assistia, o ombro de Renarin começou a se contrair, repuxando-se violentamente na direção da sua cabeça. Um de seus ataques.

Adolin lutava com os outros três, tendo se lançado novamente entre eles. Combatia maravilhosamente, mas não podia rechaçar a todos. Os três o cercaram e atacaram.

A ombreira esquerda de Adolin explodiu em metal derretido, fragmentos deixando um rastro de fumaça pelo ar, o pedaço maior deslizando pela areia a uma curta distância. Isso deixou a carne de Adolin exposta, vulnerável às Espadas que o encaravam.

Por favor... Todo-Poderoso...

Dalinar virou-se para as arquibancadas apinhadas de espectadores olhos-claros.

— Vocês aguentam assistir isso? — gritou para eles. — Meus filhos estão lutando sozinhos! Há Fractários entre vocês. Nenhum vai lutar ao lado deles?

Ele vasculhou a multidão. O rei estava olhando para os pés. Amaram. E Amaram? Dalinar viu-o sentado junto ao rei. Dalinar encarou os olhos do homem.

Amaram desviou o olhar.

Não...

— O que aconteceu conosco? — indagou Dalinar. — Onde está a nossa honra?

— A Honra está morta — sussurrou uma voz atrás dele.

Dalinar virou-se e fitou o capitão Kaladin. Não havia notado o carregador de pontes descendo os degraus atrás dele.

Kaladin respirou fundo, então olhou para Dalinar.

— Mas verei o que posso fazer. Se der errado, tome conta dos meus homens.

Com a lança na mão, ele agarrou a borda do muro e se jogou por cima dele, caindo nas areias da arena.

57

MATAR O VENTO

> *Malchin foi bloqueado, pois embora não fosse inferior a ninguém nas artes da guerra, não era adequado para os Teceluzes; ele desejava que seus votos fossem elementares e diretos, mas os esprenos deles eram liberais, segundo nossa compreensão, em definições relacionadas a essa questão; o processo incluía falar verdades para aproximar-se de um limiar de autoconsciência que Malchin nunca poderia obter.*
>
> — De *Palavras de Radiância*, capítulo 12, página 12

SHALLAN SE LEVANTOU DO seu assento, assistindo à surra de Adolin lá embaixo. Por que ele não se rendia? Não desistia do duelo?

Quatro homens. Ela devia ter enxergado aquela brecha. Como sua esposa, estar atenta contra intrigas como aquela seria seu dever. Agora, ainda no noivado, já falhara desastrosamente para com ele. Além disso, aquele fiasco havia sido ideia dela.

Adolin pareceu prestes a desistir, mas então, por algum motivo, jogou-se novamente na luta.

— Tolo — disse Sebarial, recostado ao lado dela, com Palona do outro lado. — Arrogante demais para perceber que já perdeu.

— Não — replicou Shallan. — Há mais alguma coisa acontecendo.

Os olhos dela se voltaram para o pobre Renarin, completamente despreparado enquanto tentava lutar com um Fractário.

Por um instante muito breve, ela pensou em descer para ajudar. Pura estupidez; seria ainda mais inútil do que Renarin lá embaixo. Por que ninguém mais ajudava? Ela olhou furiosa para o grupo de alethianos olhos-claros, incluindo o Grão-senhor Amaram, o suposto Cavaleiro Radiante.

Canalha.

Chocada com a rapidez com que aquele sentimento surgiu dentro dela, Shallan desviou os olhos. *Não pense nisso.* Bem, já que ninguém ia ajudar, os dois príncipes tinham uma boa chance de morrer.

— Padrão — sussurrou ela. — Vá e veja se consegue distrair o Fractário lutando com o príncipe Renarin.

Não interferiria com a luta de Adolin, não quando ele obviamente havia decidido continuar, por algum motivo. Mas tentaria impedir que Renarin fosse mutilado, se pudesse.

Padrão zumbiu e desceu da saia dela, movendo-se através da pedra das arquibancadas da arena. Para Shallan, ele parecia dolorosamente chamativo, movendo-se abertamente, mas todo mundo estava concentrado na luta abaixo.

Não me venha morrer, Adolin Kholin, pensou ela, olhando de volta para ele, que lutava contra seus três oponentes. *Por favor...*

Mais alguém pulou na areia.

K ALADIN DISPAROU PELO CHÃO da arena.
De novo, pensou, lembrando-se de ir ao socorro de Amaram tanto tempo atrás.

— É melhor que isso termine de modo diferente da última vez.

— Vai, sim — prometeu Syl, zunindo junto da cabeça dele, uma linha de luz. — Confie em mim.

Confiar. Ele havia confiado nela e falado com Dalinar sobre Amaram. Aquilo tinha dado muito certo.

Um dos Fractários — Relis, o da armadura preta — estava deixando um rastro de Luz das Tempestades de uma rachadura no avambraço esquerdo. Ele olhou de soslaio para Kaladin quando ele se aproximou, então deu-lhe as costas outra vez, indiferente. Relis obviamente não achava que um simples lanceiro seria uma ameaça.

Kaladin sorriu, então sugou um pouco de Luz das Tempestades. Naquele dia claro, com o sol brilhando forte sobre sua cabeça, podia se arriscar mais do que faria normalmente. Ninguém veria nada. Com sorte.

Ele acelerou, então se jogou entre dois dos Fractários, acertando a lança no avambraço rachado de Relis. O homem soltou um grito de dor e Kaladin puxou de volta a lança, girando entre os atacantes e se aproximando de Adolin. O jovem na armadura azul olhou para ele, então rapidamente voltou as costas para Kaladin.

Kaladin se pôs costa a costa com Adolin, para impedir que ambos fossem atacados por trás.

— O que está fazendo aqui, carregadorzinho? — sibilou Adolin de dentro do elmo.

— Fazendo papel de um dos dez tolos.

Adolin grunhiu.

— Bem-vindo à festa.

— Não vou conseguir atravessar as armaduras deles — disse Kaladin. — Você vai precisar rachá-las para mim.

Ali perto, Relis sacudia o braço, praguejando. A ponta da lança de Kaladin tinha sangue. Não muito, infelizmente.

— Só mantenha um deles distraído — disse Adolin. — Consigo lidar com dois.

— Eu... tudo bem. — Provavelmente era o melhor plano.

— Fique de olho no meu irmão, se puder. Se as coisas azedarem para esses três, eles podem decidir usá-lo como vantagem contra nós.

— Combinado — disse Kaladin, então se afastou e pulou para o lado enquanto o sujeito com um martelo, a quem Dalinar chamara de Elit, tentava atacar Adolin. Relis veio pelo outro lado, brandindo a espada como se desejasse cortar Kaladin ao meio e alcançar Adolin.

Seu coração disparou, mas o treinamento com Zahel fora útil. Ele conseguia olhar para aquela Espada Fractal e sentir apenas um *leve* pânico. Contorceu-se ao redor de Relis, evitando a Espada.

O Fractário de armadura preta olhou de soslaio para Adolin e deu um passo naquela direção, mas Kaladin avançou como se fosse atacá-lo no braço novamente.

Relis se virou outra vez, então relutantemente deixou Kaladin atraí-lo para longe da luta com Adolin. O homem atacava com rapidez, usando o que Kaladin agora podia identificar como a Postura da Vinha — um estilo de luta que se concentrava em posições defensivas dos pés e em flexibilidade.

Ele se tornou cada vez mais agressivo, mas Kaladin se desviava e girava, sempre saindo do caminho dos ataques no último instante. Relis começou a praguejar, então se virou de volta para Adolin.

Kaladin acertou a lateral da cabeça dele com a base da lança. Era uma péssima arma para lutar com um Fractário, mas o golpe chamou novamente a atenção do homem. Relis se virou e atacou com a Espada.

Kaladin recuou minimamente lento demais, e a Espada aparou a ponta da sua lança. Um lembrete. Sua própria carne ofereceria menos resistência do que aquilo. Morreria se sua coluna fosse decepada, e não havia quantidade de Luz das Tempestades capaz de desfazer isso.

Com cuidado, tentou conduzir Relis mais para longe da luta. Contudo, quando se afastou demais, o homem simplesmente se virou e foi na direção de Adolin.

O príncipe lutava desesperadamente contra seus oponentes, brandindo a Espada para a frente e para trás entre os dois que o cercavam. E, *raios*, ele era muito bom. Kaladin nunca vira aquele nível da habilidade de Adolin na área de treinamento — nada lá o desafiara tanto. Adolin se movia entre investidas da Espada, aparando a Fractal do homem de verde, depois evitando o homem com o martelo.

Ele frequentemente chegava a centímetros de atingir seus oponentes. Dois contra Adolin efetivamente parecia uma luta empatada.

Três, obviamente, era demais para ele. Kaladin precisava manter Relis distraído. Mas como? Não podia atravessar aquela Armadura com uma lança. Os únicos pontos fracos eram a abertura dos olhos e a pequena rachadura no avambraço.

Precisava fazer alguma coisa. O homem estava avançando rumo a Adolin com a arma levantada. Trincando os dentes, Kaladin atacou.

Cruzou as areias em uma corrida rápida e então, logo antes de alcançar Relis, saltou para virar os pés na direção do Fractário e se projetou naquela direção muitas vezes em rápida sucessão. Fez o máximo de Projeções que ousou, tantas que gastou toda sua Luz das Tempestades.

Embora Kaladin houvesse caído apenas uma curta distância — o bastante para não parecer muito incomum para aqueles que assistiam —, atingiu Relis com a força de uma distância muito maior. Seus pés se chocaram contra a Armadura em um *chute* poderoso.

A dor lhe subiu pelas pernas como o impacto de um relâmpago, e ele escutou seus ossos rachando. O chute jogou o Fractário de armadura preta para a frente como se houvesse sido atingido por um pedregulho. Relis caiu de cara no chão, a Espada escapando de suas mãos. Ela desapareceu em névoa.

Kaladin atingiu a areia, grunhindo, sua Luz das Tempestades exaurida e as Projeções encerradas. Por reflexo, ele sugou mais Luz das esferas no bolso, deixando que curasse suas pernas. Ele havia quebrado as duas, assim como os pés.

O processo de cura pareceu levar uma eternidade, e ele se forçou a rolar o corpo e olhar para Relis. Incrivelmente, o ataque de Kaladin havia *rachado* a Armadura Fractal. Não no centro da placa lombar, onde a havia atingido, mas nos ombros e flancos. Relis se ajoelhou com esforço, sacudindo a cabeça, e olhou de volta para Kaladin, aparentemente estarrecido.

Atrás do homem caído, Adolin girou e avançou contra um dos seus oponentes — Elit, aquele com o martelo —, acertando a Espada Fractal no peitoral do homem em um golpe com as duas mãos. O peitoral explodiu em luz derretida. Como consequência, Adolin levou um golpe do homem de verde na lateral do elmo.

O príncipe estava em maus lençóis. Praticamente cada peça de sua Armadura estava vazando Luz das Tempestades. Naquele ritmo, ele logo não teria mais nada, e a Armadura ficaria pesada demais para que se movesse.

Por enquanto, por sorte, ele basicamente incapacitara um dos seus adversários. Um Fractário podia lutar com o peitoral quebrado, mas em tese era tormentosamente difícil. De fato, enquanto recuava, os passos de Elit estavam mais desajeitados, como se sua Armadura estivesse de repente pesando muito mais.

Adolin precisou se virar para lutar com o outro Fractário ao seu lado. Na ponta oposta da arena, o quarto homem — o que estava "combatendo" Renarin — acenava a espada na direção do chão, por algum motivo. Ele ergueu os olhos e viu como as coisas iam mal para seus aliados, então deixou Renarin e atravessou a arena correndo.

— Espere — disse Syl. — O que é *aquilo*?

Ela zuniu na direção de Renarin, mas Kaladin não podia prestar muita atenção em seu comportamento. Quando o homem de armadura laranja alcançasse Adolin, ele estaria novamente cercado.

Kaladin se levantou, apressado. Abençoadamente, suas pernas funcionaram; os ossos haviam se remendado o suficiente para que pudesse caminhar. Ele avançou na direção de Elit, chutando areia ao correr, a lança na mão.

Elit cambaleava na direção de Adolin, na intenção de continuar lutando, apesar da Armadura incapacitada. Contudo, Kaladin o alcançou primeiro, abaixando-se para evitar o apressado ataque com o martelo.

Kaladin chegou golpeando de cima para baixo, segurando a lança quebrada com as duas mãos, dando tudo de si no ataque.

Ele atingiu o tórax exposto de Elit com um som de *craque* bem satisfatório. O homem soltou um enorme arquejo, se curvando. Kaladin levantou a lança para atacar de novo, mas o homem levantou uma mão trêmula, tentando dizer algo.

— Me rendo... — falou em uma voz fraca.

— Mais alto! — disse Kaladin com aspereza.

O homem tentou, sem fôlego. A mão levantada, contudo, foi o suficiente. A juíza se pronunciou.

— O Luminobre Elit abdica do combate — declarou ela, soando relutante.

Kaladin deu as costas ao homem encolhido, andando veloz, a Luz das Tempestades trovejando dentro dele. A multidão rugiu, mesmo vários olhos-claros fazendo barulho.

Restavam três Fractários. Relis agora havia voltado ao seu companheiro de verde, e ambos atacavam Adolin. O príncipe estava contra uma parede. O último Fractário, de armadura laranja, chegou para unir-se a eles, tendo deixado Renarin para trás.

Renarin estava sentado na areia, de cabeça baixa, a Espada Fractal no chão diante dele. Teria sido derrotado? Kaladin não ouvira nenhuma declaração da juíza.

Não havia tempo para se preocupar. Adolin mais uma vez tinha *três* oponentes. Relis acertou o elmo dele, que explodiu, expondo o rosto do príncipe. Ele não duraria muito mais tempo.

Kaladin avançou até Elit, que estava tentando manquejar para fora da arena, derrotado.

— Remova seu elmo! — gritou Kaladin para ele.

O homem se voltou para ele com uma postura chocada.

— Seu elmo! — berrou Kaladin, levantando a arma para atacar novamente.

Nas arquibancadas, as pessoas gritaram. Kaladin não tinha certeza das regras, mas suspeitava que, se atingisse aquele homem, seria desclassificado do duelo. Talvez fosse até mesmo processado criminalmente. Por sorte, não foi forçado a cumprir sua ameaça, já que Elit removeu o elmo. Kaladin arrancou-o da mão dele, então o deixou e correu na direção de Adolin.

Enquanto corria, Kaladin largou sua lança quebrada e enfiou a mão dentro do elmo. Aprendera uma coisa sobre Armaduras Fractais — elas se conectavam automaticamente ao usuário. Esperava que aquilo funcionasse com o elmo agora, e funcionou: o interior se estreitou ao redor do seu pulso. Quando ele soltou, o elmo continuou na sua mão como uma estranha luva.

Respirando fundo, Kaladin desembainhou sua faca de cinto. Tinha voltado a carregar uma faca para atirar de longe, como fazia quando era um lanceiro, antes do cativeiro, embora estivesse sem prática. Atirar a faca não funcionaria contra aquela armadura, de qualquer modo; era uma arma digna de pena contra Fractários. Contudo, não podia usar a lança com apenas uma mão. Ele avançou novamente contra Relis.

Desta vez, Relis recuou de imediato. Ele observou Kaladin, a espada erguida. Pelo menos conseguira preocupá-lo.

Kaladin avançou, fazendo com que ele recuasse. Relis se afastou sem resistência, mantendo distância. Kaladin tornou clara sua intenção, avançando e fazendo-o retroceder, como se quisesse dar aos dois espaço para lutar. O Fractário devia estar ansioso por isso; com aquela Espada, ele ia querer uma boa área aberta ao redor dos dois. Um combate mais próximo favoreceria a faca de Kaladin.

Contudo, quando havia se afastado o suficiente, Kaladin virou-se e correu de volta para Adolin e os dois homens com quem ele estava lutando. Deixou Relis sozinho em uma pose nervosa, momentaneamente perplexo pela retirada de Kaladin.

Adolin olhou para Kaladin, então assentiu.

O homem de verde se virou, surpreso, ao avanço de Kaladin. Ele atacou, e Kaladin aparou o golpe com o elmo da Armadura Fractal que carregava, desviando-o. O homem grunhiu enquanto Adolin partia com tudo para cima do outro Fractário, o de laranja, acertando-o repetidas vezes.

Por um curto período, Adolin tinha apenas um inimigo com que lutar. Com sorte faria bom uso desse tempo, embora seus passos estivessem letárgicos e o vazamento de Luz das Tempestades de sua Armadura estivesse reduzido a um fio. Suas pernas estavam quase imóveis.

O Armadura Verde atacou novamente Kaladin, que desviou o golpe com o elmo, que rachou e começou a soltar Luz das Tempestades. Relis avançou pelo outro lado, mas não se juntou à luta contra Adolin — em vez disso, ele atacou Kaladin.

O capitão cerrou os dentes e se jogou para o lado, sentindo a Espada cortando o ar. Precisava ganhar tempo para Adolin. Momentos. Ele precisava de momentos.

O vento começou a soprar ao redor dele. Syl havia retornado, zunindo pelo ar como uma fita de luz.

Kaladin se desviou de outro golpe, então acertou seu escudo improvisado contra a Espada do adversário, rechaçando-a. Areia voou quando Kaladin saltou para trás, uma Espada Fractal cortando o chão diante dele.

Vento. Movimento. Kaladin lutou com dois Fractários ao mesmo tempo, afastando suas Espadas com o elmo. Não podia atacar — não ousava *tentar* atacar. Só podia sobreviver, e nisso os ventos pareciam encorajá-lo.

Instinto... depois alguma coisa mais profunda... guiava seus passos. Ele dançou entre as Espadas, o ar frio o envolvendo. E, por um momento, sentiu... de modo impossível... que seria capaz de se desviar igualmente bem de olhos fechados.

Os Fractários praguejavam, tentando repetidas vezes acertá-lo.

Kaladin ouviu a juíza dizer alguma coisa, mas estava concentrado demais na luta para prestar atenção. A multidão estava cada vez mais barulhenta. Ele saltou para escapar de um ataque, então deu um passo para se desviar de outro bem a tempo.

Não se podia matar o vento. Não se podia detê-lo. Ele estava além do alcance dos homens. Ele era infinito...

Sua Luz das Tempestades se esgotou.

Kaladin parou desajeitadamente. Tentou sugar mais, mas todas as suas esferas haviam sido drenadas.

O elmo, compreendeu ele, notando que a peça estava *jorrando* Luz de suas várias rachaduras, mas não havia explodido. De algum modo ele se alimentara da Luz das Tempestades de Kaladin.

Relis atacou, e ele mal conseguiu sair do caminho. Suas costas atingiram o muro da arena.

O Armadura Verde viu sua oportunidade e levantou a Espada.

Alguém saltou sobre ele por trás.

Kaladin assistiu, perplexo, enquanto Adolin agarrava o Armadura Verde pelas costas. A armadura de Adolin mal vazava agora; sua Luz das Tempestades estava esgotada. Parecia que ele mal conseguia se mover — a areia ali perto exibia rastros que corriam desde o Armadura Laranja, que estava deitado na areia, derrotado.

Era isso que a juíza anunciara antes: o homem de laranja havia se rendido. Adolin derrotara seu inimigo, então caminhara lentamente — um passo difícil depois do outro — até onde Kaladin estava lutando.

Parecia que ele havia usado suas últimas forças para saltar nas costas do Armadura Verde e agarrá-lo.

O Armadura Verde praguejou, tentando se livrar de Adolin. O príncipe continuou agarrado a ele, e sua Armadura havia travado, como diziam — tornando-se pesada e quase impossível de mover.

Os dois oscilaram, então caíram.

Kaladin olhou para Relis, que olhou do Armadura Verde no chão para o homem de laranja, e depois para Kaladin.

Relis virou-se e correu na direção de Renarin.

Kaladin praguejou, correndo atrás dele e deixando o elmo de lado. Seu corpo parecia letárgico sem a Luz das Tempestades para ajudar.

— Renarin! — gritou Kaladin. — Renda-se!

O garoto ergueu os olhos. Raios, ele andara chorando. Estava ferido? Não parecia.

— Renda-se! — disse Kaladin, tentando correr mais rápido, invocando cada gota de energia de músculos que pareciam drenados, exaustos depois de serem inflados pela Luz das Tempestades.

O rapaz se concentrou em Relis, que se aproximava, mas não disse nada. Em vez disso, Renarin dispensou sua Espada.

Relis parou escorregando, levantando a Espada bem alto sobre a cabeça na direção do príncipe indefeso. Renarin fechou os olhos, rosto voltado para cima, como se estivesse expondo a garganta.

Kaladin não ia chegar a tempo. Estava lento demais, comparado a um homem de Armadura.

Felizmente, Relis hesitou, como se não quisesse atacar Renarin.

Kaladin os alcançou. Relis se virou e brandiu a espada contra ele, em vez disso.

Kaladin caiu de joelhos na areia, o impulso fazendo-o deslizar uma curta distância enquanto a Espada baixava. Ele ergueu as mãos e juntou-as bruscamente.

Pegando a Espada.

Gritos.

Por que estava ouvindo *gritos*? Dentro da cabeça? Aquela era a voz de *Syl*?

Ela reverberou pelo corpo de Kaladin. Aquele guincho horrível e pavoroso o abalou, fazendo seus músculos tremerem. Ele soltou a Espada Fractal com um arquejo, caindo para trás.

Relis soltou a Espada como se houvesse sido mordido. Ele recuou, levando as mãos à cabeça.

— O que é isso? O que é isso?! Não, eu não matei você!

Ele soltou um grito agudo, como se estivesse em agonia, então correu pela areia e abriu a porta da sala de preparação, fugindo lá para dentro. Kaladin ouviu seus gritos ecoando pelos corredores muito tempo depois de o homem ter sumido.

A arena ficou em silêncio.

— O Grão-senhor Relis Ruthar — declarou finalmente a juíza, parecendo perturbada — é desclassificado por abandonar a arena de duelo.

Kaladin levantou-se, tremendo, e se pôs de pé. Ele olhou para Renarin — o rapaz estava bem —, então lentamente cruzou a arena. Até mesmo os espectadores olhos-escuros estavam quietos. Mas Kaladin estava praticamente seguro de que eles não haviam escutado aquele estranho grito. Ele fora audível apenas para ele e para Relis.

Caminhou até Adolin e o Armadura Verde.

— Levante-se e lute comigo! — gritou o Armadura Verde.

Ele estava caído no chão com o rosto voltado para cima, Adolin enterrado debaixo dele, segurando-o com uma chave de imobilização.

Kaladin se ajoelhou. O Armadura Verde se agitou ainda mais quando Kaladin recuperou sua faca da areia, então pressionou a ponta dela na abertura da sua Armadura.

O homem ficou absolutamente imóvel.

— Você vai se render? — rosnou Kaladin. — Ou vou poder matar meu segundo Fractário?

Silêncio.

— Que os raios levem vocês dois! — finalmente gritou o Armadura Verde de dentro do elmo. — Isso não foi um duelo, foi um circo! Usar imobilizações é o caminho dos covardes!

Kaladin pressionou a faca com mais força.

— Eu me rendo! — berrou o homem, levantando a mão. — Raios os partam, eu me rendo!

— O Luminobre Jakamav se rendeu — declarou a juíza. — O vencedor é o Luminobre Adolin.

Os olhos-escuros comemoraram nas arquibancadas. Acima, Syl girava com os ventos, e Kaladin pôde sentir sua alegria. Adolin soltou o Armadura Verde, que rolou para longe dele e saiu pisando duro. Ali embaixo, o príncipe jazia em uma depressão na areia, a cabeça e ombros expostos através das peças quebradas da Armadura.

Ele estava rindo.

Kaladin sentou-se ao lado do príncipe enquanto Adolin se acabava de rir, lágrimas correndo dos olhos.

— Essa foi a coisa mais ridícula que eu já fiz — disse Adolin. — Ah, uau... Ha! Acho que acabei de ganhar três Armaduras completas e duas Espadas, carregadorzinho. Vamos, me ajude a tirar essa armadura.

— Seu armeiro pode fazer isso — respondeu Kaladin.

— Não há tempo — disse Adolin, tentando se sentar. — Raios. Completamente esgotada. Depressa, me ajude com isso. Ainda tenho que fazer mais uma coisa.

Desafiar Sadeas, entendeu Kaladin. Esse era o objetivo de tudo aquilo. Ele estendeu a mão sob a manopla de Adolin, ajudando-o a desfazer o fecho. A manopla não saiu automaticamente, como deveria. Adolin de fato esgotara totalmente a Armadura.

Eles puxaram a manopla para removê-la, então cuidaram da outra. Alguns minutos depois, Renarin se aproximou e ajudou. Kaladin não perguntou a ele o que havia acontecido. O rapaz forneceu algumas esferas e, depois que Kaladin as colocou sob o peitoral frouxo de Adolin, a armadura voltou a funcionar.

Eles trabalharam ao som do rugido da multidão até que Adolin finalmente se libertou da Armadura e se levantou. À frente, o rei havia caminhado até a juíza, um pé no parapeito que rodeava arena. Ele olhou para Adolin, que assentiu.

Essa é a chance de Adolin, mas também pode ser a minha, compreendeu Kaladin.

O rei levantou as mãos, aquietando a multidão.

— Guerreiro, mestre dos duelos — gritou o rei —, estou deveras satisfeito com o que você realizou hoje. Essa foi uma luta como não se vê em Alethkar há gerações. Você agradou muito ao seu rei.

Aplausos.

Eu poderia fazer isso, pensou Kaladin.

— Ofereço-lhe uma dádiva — proclamou o rei, apontando para Adolin quando o barulho amainou. — Diga o que deseja de mim ou desta corte, e será seu. Nenhum homem, tendo visto essa exibição, poderá negar-lhe seu pedido.

O Direito de Desafio, pensou Kaladin.

Adolin procurou Sadeas, que havia se levantado e estava abrindo caminho até os degraus para fugir. Ele havia compreendido.

À direita, mais distante, Amaram estava sentado em seu manto dourado.

— Como minha dádiva — gritou Adolin para a arena silenciosa —, exijo o Direito de Desafio. Exijo a chance de duelar com o Grão-príncipe Sadeas, aqui e agora, para que ele pague pelos crimes que cometeu contra minha casa!

Sadeas se deteve nos degraus. Um murmúrio correu pela multidão. Adolin parecia que ia dizer mais alguma coisa, mas hesitou quando Kaladin se pôs ao seu lado.

— E como minha dádiva! — gritou Kaladin — Exijo o Direito de Desafio contra o assassino Amaram! Ele roubou de mim e matou meus amigos para encobrir seu crime. Amaram me marcou como escravo! Vou duelar com ele aqui e agora. Essa é a dádiva que exijo!

O queixo do rei caiu.

A multidão ficou muito, muito silenciosa.

Ao lado dele, Adolin grunhiu.

Kaladin não ligou para nenhum dos dois. À distância, encontrou os olhos do Luminobre Amaram, o assassino.

E viu horror neles.

Amaram se levantou, depois cambaleou para trás. Ele não havia percebido, não havia reconhecido Kaladin até aquele momento.

Você devia ter me matado, pensou Kaladin. A multidão começou a gritar e barrar.

— Prendam-no! — berrou o rei acima do barulho.

Perfeito. Kaladin sorriu.

Até que notou que os soldados estavam indo na sua direção, e não na de Amaram.

58

NUNCA MAIS

> *Então Melishi retirou-se para sua tenda e resolveu destruir os Esvaziadores no dia seguinte, mas aquela noite apresentou um estratagema diferente, relacionado às habilidades únicas dos Vinculadores; e devido à pressa, ele não pôde fornecer um relato específico do seu processo; estava relacionado à própria natureza dos Arautos e dos seus deveres divinos, um atributo que só os Vinculadores podiam abordar.*
>
> — De *Palavras de Radiância*, capítulo 30, página 18

— O CAPITÃO KALADIN É UM homem honrado, Elhokar! — gritou Dalinar, gesticulando na direção de Kaladin, sentado ali perto. — Ele foi o único que ajudou os meus filhos.

— Esse é o trabalho dele! — gritou Elhokar de volta.

Kaladin ouvia, apático, acorrentado a uma cadeira dentro dos aposentos de Dalinar no acampamento de guerra. Eles não haviam ido para o palácio. Kaladin não sabia por quê.

Os três estavam sozinhos.

— Ele insultou um grão-senhor diante de *toda a corte* — disse Elhokar, andando de um lado para ouro junto da parede. — Ele *ousou* desafiar um homem tão acima da sua posição que o espaço entre eles poderia abrigar um reino.

— Ele foi tomado pelo entusiasmo do momento — disse Dalinar. — Seja razoável, Elhokar. Ele havia acabado de ajudar a derrotar quatro Fractários!

— Na arena de duelos, onde sua ajuda foi solicitada — replicou Elhokar, jogando as mãos para o ar. — Eu ainda não concordo em deixar um olhos-escuros duelar com Fractários. Se você não houvesse me contido... Bah! Não vou tolerar isso, tio. *Não vou*. Soldados comuns desafiando nossos generais mais graduados e importantes? Isso é *loucura*.

— O que eu disse era verdade — sussurrou Kaladin.

— Não ouse falar! — berrou Elhokar, parando e apontando um dedo para Kaladin. — Você arruinou tudo! Perdemos nossa chance de pegar Sadeas!

— Adolin fez seu desafio — disse Kaladin. — Certamente Sadeas não pode ignorá-lo.

— É claro que não pode — gritou Elhokar novamente. — Ele já respondeu!

Kaladin franziu o cenho.

— Adolin não teve chance de marcar uma data para o duelo — disse Dalinar, olhando para ele. — Assim que ficou livre da arena, Sadeas enviou uma mensagem concordando em duelar com Adolin... daqui a um ano.

Um *ano*? Kaladin sentiu um buraco no estômago. Dali a um ano era bem possível que o duelo não importasse mais.

— Ele escapou do laço — disse Elhokar, erguendo as mãos. — Nós *precisávamos* daquele momento na arena para pegá-lo, para envergonhá-lo a ponto de lutar! Você roubou esse momento, carregador de pontes.

Kaladin baixou a cabeça. Teria se levantado para confrontá-los, não fosse pelas correntes. Elas estavam frias ao redor de suas canelas, prendendo-o na cadeira.

Ele se lembrava de correntes como aquelas.

— É isso que acontece, tio, quando um escravo é encarregado da nossa guarda. Raios! O que o senhor estava pensando? O que *eu* estava pensando, quando permiti?

— Você o viu lutando, Elhokar — disse Dalinar em voz baixa. — Ele é bom.

— A habilidade dele não é o problema, mas sim sua disciplina! — O rei cruzou os braços. — Execução.

Kaladin ergueu os olhos bruscamente.

— Não seja ridículo — disse Dalinar, se pondo ao lado da cadeira de Kaladin.

— É a punição por difamar um grão-senhor — disse Elhokar. — É a *lei*.

— Você pode perdoar qualquer crime, como rei. Não me diga que honestamente prefere ver esse homem enforcado, depois do que ele fez hoje.

— O senhor me deteria? — perguntou Elhokar.

— Eu decerto não aceitaria.

Elhokar cruzou a sala, parando diante de Dalinar. Por um momento, Kaladin pareceu ser esquecido.

— Eu sou rei? — indagou Elhokar.

— É claro que é.

— Para o senhor, não parece. Você vai ter que decidir uma coisa, *tio*. Não vou deixar que continue reinando, fazendo de mim um fantoche.

— Eu não...

— Eu digo que o rapaz será executado. O que me diz sobre isso?

— Eu diria que, ao tentar tal coisa, você faria de mim um inimigo, Elhokar. — Dalinar agora estava tenso.

Tente só me executar, pensou Kaladin. *Tente só.*

Os dois se encararam por um longo instante. Finalmente, Elhokar desviou os olhos.

— Prisão.

— Por quanto tempo? — questionou Dalinar.

— Pelo tempo que eu quiser! — respondeu o rei, acenando uma mão e pisando duro até a saída. Ele parou ali, fitando Dalinar, um desafio nos olhos.

— Muito bem — disse Dalinar.

O rei foi embora.

— Hipócrita — sibilou Kaladin. — Foi ele que insistiu que o senhor me colocasse no comando da sua guarda. Agora ele culpa o senhor?

Dalinar suspirou, se ajoelhando ao lado de Kaladin.

— O que você fez hoje foi um milagre. Ao proteger meus filhos, justificou minha fé em você diante de toda a corte. Infelizmente, logo jogou isso fora.

— Ele me disse para pedir uma dádiva! — respondeu Kaladin bruscamente, levantando as mãos algemadas. — Parece que recebi uma.

— Ele disse a *Adolin* para pedir uma dádiva. Você sabia o que estávamos planejando, soldado. Você ouviu o plano na conferência dessa manhã e ofuscou o momento em nome da sua própria vingança mesquinha.

— Amaram...

— Eu não sei de onde você tirou essa ideia sobre Amaram, mas precisa *parar* — interrompeu Dalinar. — Verifiquei seu relato, depois que você me contou tudo. Dezessete testemunhas me disseram que Amaram ganhou sua Espada Fractal há apenas quatro meses, muito depois da data em que seu registro diz que você foi escravizado.

— Mentiras.

— Dezessete homens — repetiu Dalinar. — Olhos-claros e olhos-escuros, junto com a palavra de um homem que conheço há décadas. Você está errado sobre ele, soldado. Está simplesmente *errado*.

— Se ele é tão honrado, então por que *ele* não lutou para salvar seus filhos? — sussurrou Kaladin.

Dalinar hesitou.

— Não importa — disse Kaladin, desviando o olhar. — O senhor vai deixar que o rei me jogue na prisão.

— Vou. — Dalinar se levantou. — Elhokar tem um gênio difícil. Quando ele se acalmar, vou libertá-lo. Por enquanto, pode ser melhor que você tenha algum tempo para pensar.

— Eles vão ter dificuldade em me colocar na cadeia — disse Kaladin em voz baixa.

— Você sequer andou prestando atenção? — rugiu Dalinar subitamente.

Kaladin recuou na cadeira, arregalando os olhos, enquanto Dalinar se inclinava para baixo, o rosto vermelho, pegando Kaladin pelos ombros como se fosse sacudi-lo.

— Você não *sentiu* o que está chegando? Não viu como este reino está dividido por rixas? Nós não temos tempo para isso! Não temos tempo para jogos! Pare de ser uma criança e comece a ser um *soldado*! Você vai para a prisão, e o fará de bom grado. Isso é uma ordem. Você ainda *presta atenção* em ordens?

— Eu... — Kaladin se pegou gaguejando.

Dalinar se levantou, esfregando as mãos nas têmporas.

— Eu pensei que havíamos encurralado Sadeas. Pensei que talvez fôssemos capazes de derrubá-lo e salvar este reino. Agora não sei o que fazer. — Ele se virou e caminhou até a porta. — Obrigado por salvar os meus filhos.

Ele deixou Kaladin sozinho na fria sala de pedra.

TOROL SADEAS BATEU COM força a porta dos seus aposentos, caminhou até sua mesa e inclinou-se sobre ela, as mãos espalmadas na superfície, olhando para o corte no centro que havia feito com Sacramentadora.

Uma gota de suor atingiu a superfície bem ao lado da fenda. Contivera-se de tremer por todo o caminho de volta à segurança do seu acampamento de guerra — fora até capaz de colar um sorriso no rosto. Não mostrara preocupação, mesmo enquanto ditava à sua esposa uma resposta ao desafio.

E durante todo o tempo, no fundo da sua mente, uma voz ria dele.

Dalinar. Dalinar quase *passara a perna* nele. Se aquele desafio houvesse sido sustentado, Sadeas rapidamente estaria na arena com um homem que havia derrotado não um, mas *quatro* Fractários.

Ele se sentou. Não buscou vinho; vinho fazia um homem esquecer, e ele não queria esquecer. Nunca deveria esquecer.

Como seria satisfatório algum dia enfiar a própria espada de Dalinar no peito dele. Raios. E pensar que ele quase sentira pena do ex-amigo. Agora o homem fazia algo assim. Como ele se tornara tão hábil?

Não, disse Sadeas a si mesmo. *Isso não foi habilidade. Foi sorte, pura sorte.*

Quatro Fractários. *Como?* Mesmo levando em conta a ajuda daquele escravo, agora era óbvio que Adolin estava finalmente se tornando o homem que seu pai fora um dia. Isso apavorava Sadeas, porque o homem que Dalinar fora um dia — o Espinho Negro — era em grande parte o motivo de aquele reino ter sido conquistado.

Não era isso que você queria?, pensou Sadeas. *Voltar a despertá-lo?*

Não. A verdade mais profunda era que Sadeas *não* queria Dalinar de volta. Ele queria seu velho amigo fora do caminho, e fazia meses, não importando o que dissesse a si mesmo.

Um pouco depois, a porta do estúdio se abriu e Ialai entrou. Vendo-o perdido em pensamentos, ela parou junto à porta.

— Organize todos os seus informantes — disse Sadeas, olhando para o teto. — Todos os espiões que tiver, cada fonte que conhecer. Encontre algo, Ialai. Algo para *feri-lo*.

Ela concordou.

— E depois vai ser a hora de usar os assassinos que você infiltrou.

Ele queria garantir que Dalinar estivesse desesperado e ferido — precisava garantir que os outros o vissem como alguém em pedaços, arruinado.

Então daria fim à questão.

S OLDADOS FORAM BUSCAR KALADIN pouco tempo depois. Homens que ele não conhecia. Foram respeitosos ao soltá-lo da cadeira, embora houvessem deixado as correntes prendendo suas mãos e pés. Um deles o saudou com um punho, um sinal de respeito. *Fique firme*, dizia o gesto.

Kaladin inclinou a cabeça e foi com eles, conduzido através do acampamento diante dos olhos de soldados e escribas. Ele vislumbrou uniformes da Ponte Quatro na multidão.

Chegou à prisão do acampamento de Dalinar, onde soldados ficavam presos por brigas ou outras ofensas. Era um edifício pequeno e quase sem janelas, com paredes espessas.

Lá dentro, em uma seção isolada, Kaladin foi colocado em uma cela com paredes de pedra e porta com barras de aço. Eles deixaram as correntes ao trancá-lo.

Kaladin se sentou em um banco de pedra, esperando, até que Syl finalmente entrou flutuando.

— Isso é o que acontece quando confio em olhos-claros — disse Kaladin, olhando para ela. — Nunca mais, Syl.

— Kaladin...

Ele fechou os olhos, virando-se e se deitando no frio banco de pedra. Estava novamente em uma jaula.

FIM DA
PARTE TRÊS

INTERLÚDIOS

LIFT • SZETH • ESHONAI

I-9

LIFT

LIFT NUNCA HAVIA ROUBADO um palácio antes. Parecia algo perigoso de se tentar. Não porque pudesse ser pega, mas porque depois que se roubava um lazarento palácio, o que mais restava a fazer?

Ela escalou a muralha e olhou para o terreno. Tudo lá dentro — pedras, rochas, edifícios — refletia a luz das estrelas de uma maneira estranha. Um edifício de aparência bulbosa no centro de tudo, como uma bolha em um lago. Na verdade, a maioria dos edifícios tinha aquela mesma forma redonda, frequentemente com pequenas protrusões brotando no topo. Não havia uma linha reta naquele lugar lazarento. Só muitas e muitas curvas.

Os companheiros de Lift escalaram a muralha para espiar o outro lado. Uma gente barulhenta, desajeitada, apressada. Seis homens, supostamente ótimos ladrões. Eles nem conseguiam escalar uma muralha direito.

— O Palácio de Bronze em toda sua glória — disse Huqin, baixinho.

— Bronze? É disso que tudo isso aí é feito? — perguntou Lift, sentando-se na muralha, uma perna pendendo do outro lado. — Parece um bando de peitos.

Os homens olharam para ela, chocados. Todos eram azishianos, com pele e cabelos escuros. Ela era reshiana, das ilhas do norte. Foi o que sua mãe disse, embora Lift nunca houvesse visto o lugar.

— O quê? — interpelou Huqin.

— Peitos — repetiu Lift, apontando. — Veja só, como uma moça deitada de costas. As pontas no topo são os mamilos. O cara que construiu esse lugar devia estar solteiro há *muuuito* tempo.

Huqin se virou para um dos companheiros. Usando suas cordas, eles voltaram a descer pelo lado externo da muralha para conversar aos sussurros.

— O terreno deste lado parece vazio, como meu informante indicou — disse Huqin, que estava no comando do grupo.

Parecia que alguém o pegara pelo nariz quando criança e puxara com muita, mas *muita* força. Lift se espantava com o fato de o chefe não atingir pessoas na cara com aquela nareba ao se virar.

— Todos estão concentrados na escolha do novo Primeiro Aqasix — falou Maxin. — Podemos mesmo conseguir. Roubar o Palácio de Bronze, e bem debaixo do nariz do vizirato.

— Isso é... hã... seguro? — indagou o sobrinho de Huqin.

Era um adolescente, e a puberdade não fora gentil com ele. Não com aquele rosto, aquela voz e aquelas pernas finas.

— Quieto — censurou-o Huqin.

— Não — disse Tigzikk —, o garoto está certo em expressar cautela. Pode ser muito perigoso.

Tigzikk era considerado o mais educado do grupo devido à sua capacidade de xingar em três idiomas. Um verdadeiro erudito. Ele vestia roupas finas, enquanto a maioria dos outros estava de preto.

— Vai estar um caos com tantas pessoas passando pelo palácio esta noite, mas também haverá perigo — continuou Tigzikk. — Muitos, muitos guarda-costas e provavelmente suspeitas de todos os lados.

Tigzikk era um homem maduro, e o único do grupo que Lift conhecia bem. Ela não conseguia pronunciar o nome dele. Aquele som de "quq" no final soava como um engasgo, quando pronunciado corretamente. Ela simplesmente o chamava de Tig.

— Tigzikk — disse Huqin. Pois era mesmo um engasgo. — Foi você quem deu a ideia. Não me diga que agora está dando para trás.

— Não estou dando para trás. Estou pedindo cautela.

Lift se inclinou da muralha na direção deles.

— Menos discussão — declarou ela. — Vamos em frente. Estou com fome.

Huqin olhou para cima.

— *Por que* nós a trouxemos?

— Ela vai ser útil — respondeu Tigzikk. — Você vai ver.

— Ela é só uma criança!

— Ela é uma jovem. Tem pelo menos doze anos.

— Eu *num tenho* doze — disse Lift com rispidez, acima deles.

Eles a encararam.

— Num tenho. Doze é um número azarado. — Ela mostrou os dedos. — Só tenho isso de idade.

— Dez? — perguntou Tigzikk.

— É essa a quantidade? Então é. Dez. — Ela baixou as mãos. — Se não consigo contar nos dedos, é um número azarado. — E ela tinha aquela idade havia três anos. Era isso e pronto.

— Parece que há um monte de idades azaradas — disse Huqin, achando graça.

— Tem mesmo — concordou ela.

Lift vasculhou o terreno novamente, então olhou para trás, na direção de onde haviam vindo, rumo à cidade. Um homem caminhava por uma das ruas que levavam ao palácio. Sua roupa escura se misturava com as sombras, mas seus botões prateados reluziam toda vez que passava por um poste.

Raios, pensou ela, um arrepio correndo pela espinha. *No fim das contas, não consegui despistar ele.*

Ela olhou para baixo, dirigindo-se aos homens.

— Vocês vêm comigo ou não? Porque eu tô *indo*.

Ela passou para o outro lado e desceu para o terreno do palácio, então se agachou, sentindo o chão frio. Pois era mesmo metal. Tudo era de bronze. Gente rica adorava se agarrar a um tema, decidiu.

Enquanto os rapazes finalmente paravam de discutir e começavam a escalar, um fino e retorcido feixe de vinhas cresceu da escuridão e se aproximou de Lift. Parecia um pequeno fluxo de água derramada abrindo caminho pelo chão. Aqui e ali, pedaços de cristal transparente surgiam entre as vinhas, como lascas de quartzo na pedra escura. Eles não eram pontudos, mas lisos como vidro polido, e não brilhavam com Luz das Tempestades.

As vinhas cresceram super-rápido, se emaranhando até formarem um rosto.

— Mestra — disse o rosto. — Isso é *prudente*?

— Oi, Esvaziador — disse Lift, vasculhando os arredores.

— Eu *não* sou um Esvaziador! E você sabe disso. Só... só pare de falar isso!

Lift sorriu.

— Você é meu Esvaziador de estimação, e mentir não vai mudar isso. Eu capturei você. Nada de roubar almas mais; não estamos aqui atrás de almas. Só um roubinho, do tipo que não prejudica ninguém.

O rosto feito de vinhás — que se chamava de Wyndle — suspirou. Lift avançou pelo chão de bronze até uma árvore que era, naturalmente, também feita de bronze. Huqin havia escolhido o momento mais escuro da noite, entre luas, para que se esgueirassem até ali — mas a luz das estrelas era suficiente para enxergar em uma noite sem nuvens como aquela.

Wyndle cresceu na direção dela, deixando uma pequena trilha de vinhas que as pessoas não pareciam capazes de ver. As vinhas endureceram depois de alguns momentos paradas, parecendo por um instante se transformarem em cristal sólido, depois se desfizeram em pó. Isso, as pessoas às vezes viam, muito embora certamente não pudessem ver Wyndle em si.

— Eu sou um espreno — disse Wyndle. — Parte de uma orgulhosa e nobre...

— Quieto — disse Lift, espiando de trás de uma árvore de bronze.

Uma carruagem de teto aberto passou pelo caminho mais além, carregando alguns azishianos importantes. Dava para ver pelos casacos; casacos grandes e compridos, com mangas realmente largas e padrões descombinados. Todos pareciam crianças que haviam se enfiado no guarda-roupas dos pais. Mas os chapéus eram bem elegantes.

Os ladrões a seguiram, movendo-se razoavelmente furtivos. Eles de fato não eram *tão* ruins assim, mesmo que não soubessem escalar uma muralha direito.

Eles se reuniram ao redor dela, e Tigzikk se levantou, endireitando o casaco — que era uma imitação daqueles usados pelos escribas ricaços que trabalhavam para o governo. Ali em Azir, trabalhar para o governo era bem importante. Diziam que todo mundo mais era "discreto", fosse lá o que isso significasse.

— Pronto? — perguntou Tigzikk a Maxin, que era o outro ladrão vestindo roupas finas.

Maxin assentiu e os dois se afastaram para a direita, na direção do jardim de esculturas do palácio. As pessoas importantes supostamente estariam andando por ali, especulando sobre quem seria o próximo Primeiro.

Trabalho perigoso, aquele; os últimos dois tiveram a cabeça cortada por um cara de branco com uma Espada Fractal. O Primeiro mais recente não durara dois lazarentos dias!

Depois que Tigzikk e Maxin partiram, Lift só precisou se preocupar com os outros quatro. Huqin, seu sobrinho, e dois irmãos esguios que não falavam muito e que ficavam enfiando a mão nos casacos para tocar suas facas. Lift não gostava daquele tipo de gente. Ladrões não deviam deixar cadáveres; deixar cadáveres era fácil. Onde estava o *desafio*, se você só matava qualquer um que o visse?

— Você *consegue* nos levar para dentro — disse Huqin para Lift. — Certo?

Lift revirou os olhos enfaticamente. Então atravessou o terreno de bronze rumo à estrutura principal do palácio.

Parece mesmo um peito...

Wyndle se retorcia pelo solo ao lado dela, sua trilha de vinhas fazendo brotar pedacinhos minúsculos de cristal transparente aqui e ali. Ele era sinuoso e rápido como uma enguia, só que ele *crescia* em vez de realmente se mover. Esvaziadores eram uns bichos esquisitos.

— Você entende que *eu* não escolhi você — disse ele, um rosto aparecendo nas vinhas que se moviam. A sua fala deixava um efeito estranho, a trilha atrás dele coagulada com uma sequência de rostos congelados. A boca parecia se mover porque crescia rapidamente ao lado dela. — *Eu* queria escolher uma distinta matrona irialiana. Uma avó, uma jardineira talentosa. Mas não, o Anel disse que devíamos escolher você. "Ela visitou a Antiga Magia", eles disseram. "Nossa mãe a abençoou", disseram. "Ela é jovem, e podemos moldá-la", disseram. Bem, *eles* não têm que aguentar...

— Cala a boca, Esvaziador — sibilou Lift, parando junto da parede do palácio. — Ou vou tomar banho com água benta e ir escutar os sacerdotes. Talvez consiga um exorcismo.

Lift esgueirou-se de lado até que pudesse olhar pela curva da parede para identificar a patrulha da guarda: homens de capuzes e coletes estampados, com longas alabardas. Ela olhou para cima, para a parede que se avolumava feito um petrobulbo antes de ir se tornando cônica. Era de bronze polido, sem suportes para as mãos.

Ela esperou até que os guardas houvessem se afastado o bastante.

— Tudo bem — sussurrou ela para Wyndle. — Você tem que me obedecer.

— Não tenho, *não*.

— Claro que tem. Eu capturei você, como nas histórias.

— *Eu* que te procurei — replicou Wyndle. — Seus poderes vêm de mim! Será que você não *escuta* o que...

— Sobe a parede — mandou Lift, apontando.

Wyndle suspirou, mas obedeceu, se arrastando parede acima em um amplo padrão curvo. Lift saltou, agarrando os pequenos pontos de suporte fornecidos pelas vinhas grudadas à superfície devido a milhares de hastes ramificadas e cheias de discos aderentes. Wyndle movia-se à frente, fazendo um tipo de escada.

Não era fácil. Era lazarentamente difícil, com aquela forma abobadada, e os pontos de apoio de Wyndle não eram muito grandes. Mas ela conseguiu, subindo até perto do topo do domo, onde havia janelas com vista para o terreno.

Ela olhou para a cidade. Nenhum sinal do homem de uniforme preto. Talvez ela o houvesse despistado.

Virou-se de volta para a janela. Sua bela moldura de madeira continha um vidro bem espesso, embora estivesse voltada para o leste. Era injusta a maneira como Azimir era bem protegida contra grantormentas. Eles deviam ter que conviver com o vento, como pessoas normais.

— Precisamos Esvaziar aquilo ali — disse ela, apontando para a janela.

— Você já percebeu que, embora *alegue* ser uma ótima ladra, sou *eu* que trabalho de verdade nesse relacionamento? — comentou Wyndle.

— Você também reclama de verdade. Como passamos por isso aí?

— Você trouxe as sementes?

Ela assentiu, procurando no bolso. Depois no outro. Depois no bolso de trás. Ah, ali estavam elas. Lift pegou um punhado de sementes.

— Só consigo afetar o Reino Físico de pequenas maneiras — disse Wyndle. — Isso significa que você vai precisar usar Investidura para...

Lift bocejou.

— Usar Investidura para...

Ela bocejou *ainda mais*. Os lazarentos Esvaziadores nunca se tocavam. Wyndle suspirou.

— Espalhe as sementes no caixilho da janela.

Ela obedeceu, jogando o punhado de sementes na janela.

— Seu laço comigo concede duas classes primárias de habilidade — disse Wyndle. — A primeira, a manipulação da fricção, você já... não boceje para mim! Já descobriu. Estamos usando bem essa habilidade há várias semanas, e está na hora de aprender a segunda, o poder do Crescimento. Você não está pronta para o que outrora era conhecido como Regeneração, a cura de...

Lift pressionou a mão contra as sementes, então invocou sua genialidade.

Ela não sabia ao certo como fazia aquilo. Só *fazia*. Havia começado por volta do período em que Wyndle aparecera pela primeira vez.

Ele não falava, naquela época. Ela meio que sentia saudade disso.

Sua mão brilhou com uma suave luz branca, como vapor saindo da pele. As sementes que viram a luz começaram a crescer. Rápido. Vinhas explodiram das sementes e se enfiaram nas fendas entre a janela e seu caixilho.

As vinhas cresceram de acordo ao comando dela, fazendo sons de esforço e constrição. O vidro rachou, então o caixilho da janela *se abriu com um estalo.*

Lift sorriu.

— Muito bem — disse Wyndle. — Ainda faremos de você uma Dançarina de Precipícios.

O estômago dela resmungou. Quando fora a última vez que havia comido? Ela havia usado um bocado da sua genialidade ao praticar, mais cedo. Provavelmente deveria ter roubado algo para comer. Não era tão genial assim quando estava com fome.

Lift se esgueirou pela janela. Ter um Esvaziador era útil, embora não estivesse *completamente* certa de que os poderes vinham dele. Meio que parecia o tipo de coisa sobre a qual um Esvaziador mentiria. Ela *havia* capturado ele, sem trapaça. Usara palavras. Um Esvaziador não tinha corpo, não de verdade. Para capturar uma coisa daquelas, era preciso usar palavras. Todo mundo sabia disso. Assim como maldições botavam coisas ruins atrás das pessoas.

Precisou pegar uma esfera — um marco de diamante, sua esfera da sorte — para ver direito ali dentro. O pequeno quarto estava decorado à moda azishiana, com vários padrões intricados nos tapetes e no papel de parede, que era majoritariamente dourado e vermelho. Azishianos davam muito valor àquelas estampas. Como se fossem palavras.

Ela olhou pela janela. Certamente havia escapado de Breu, o homem vestido de preto e prata com a pálida marca em forma de lua crescente no rosto. O homem com um olhar morto, sem vida. Certamente ele não a seguira por todo o caminho desde Marabethia. Ficava a meio continente de distância! Bem, pelo menos a um quarto de continente.

Convencida, ela desenrolou a corda que trazia ao redor da cintura e dos ombros, amarrou-a à porta de um armário embutido, então lançou-a pela janela aos poucos. A corda se retesou quando os homens começaram a subir. Ali perto, Wyndle cresceu ao redor de um dos balaústres da cama, enrolado como uma enguia celeste.

Ela ouviu vozes sussurrando abaixo.

— Você *viu* aquilo? Ela escalou direto. Nenhum apoio à vista. Como é possível...?

— Silêncio. — A voz de Huqin.

Lift começou a remexer armários e gavetas enquanto os rapazes alcançavam a janela, um de cada vez. Depois que entraram, os ladrões puxaram a corda e fecharam a janela o melhor que puderam. Huqin estudou as vinhas que ela fizera crescer das sementes no caixilho.

Lift enfiou a cabeça no fundo de um guarda-roupa, apalpando para ver o que encontrava.

— Num tem nada aqui além de sapatos mofados.

— Você e meu sobrinho vão guardar este cômodo — disse Huqin. — Nós três vamos vasculhar os quartos aqui perto. Voltaremos em breve.

— Você provavelmente vai achar um *saco* de sapatos mofados... — comentou Lift, saindo do guarda-roupa.

— Criança ignorante — resmungou Huqin, apontando para o guarda-roupa. Um dos seus homens pegou os sapatos e trajes ali dentro, enfiando-os em um saco. — Dá para vender essa roupa por uma boa grana. É exatamente o que estamos procurando.

— Mas e as riquezas de verdade? Esferas, joias, arte...

Ela mesma tinha pouco interesse nessas coisas, mas havia imaginado que fosse o que Huqin estava procurando.

— Isso vai estar *muito* bem guardado — respondeu ele enquanto seus dois companheiros rapidamente coletavam as roupas do quarto. — A diferença entre um ladrão de sucesso e um ladrão morto é saber quando escapar com seus ganhos. Esse roubo vai permitir que a gente viva no luxo por um ou dois anos. É o bastante.

Um dos irmãos espiou o corredor pela porta, acenou positivamente com a cabeça, e os três se esgueiraram para fora.

— Fique atento ao aviso — disse Huqin para seu sobrinho, então encostou a porta até quase fechá-la atrás de si.

Tigzikk e seu cúmplice lá embaixo prestariam atenção a qualquer tipo de alarme. Se algo parecesse errado, eles sairiam e soprariam seus apitos. O sobrinho de Huqin ficou agachado junto à janela para ouvir, obviamente levando sua tarefa muito a sério. Ele parecia ter uns 16 anos. Uma idade azarada, aquela.

— Como você escalou a parede daquele jeito? — indagou o jovem.

— Disposição — disse Lift. — E cuspe.

Ele franziu o cenho.

— Meu cuspe é mágico.

Ele pareceu acreditar. Idiota.

— É estranho para você estar aqui? Longe da sua gente?

Lift se destacava. Cabelo preto liso, que usava solto até a cintura, pele bronzeada, traços arredondados. Tudo imediatamente a identificava como reshiana.

— Num sei — disse Lift, andando tranquilamente até a porta. — Nunca estive perto do meu povo.

— Você não é das ilhas?

— Que nada. Cresci em Rall Elorim.

— A... Cidade das Sombras?

— Pois é.

— E ela é...

— É. Exatamente como dizem.

Ela espiou pela porta. Huqin e os outros estavam bem distantes. O corredor era de bronze — paredes e tudo mais —, mas um tapete vermelho e azul, com vários padrões de pequenas vinhas, corria pelo meio. Pinturas pendiam das paredes.

Ela abriu completamente a porta e saiu do quarto.

— Lift! — O sobrinho correu até a porta. — Mandaram a gente esperar aqui!

— E daí?

— E daí que nós devemos *esperar aqui*! Não queremos que o tio Huqin tenha se meta em encrencas!

— De que adianta entrar escondido em um palácio e não se meter em encrencas? — Ela balançou a cabeça. Homens estranhos. — Deve ser um lugar interessante, com tanta gente rica aqui de bobeira.

Devia haver comida *realmente* boa ali. Ela andou em silêncio pelo corredor, Wyndle crescendo pelo chão ao lado. Curiosamente, o sobrinho a seguiu. Ela esperava que ele permanecesse no quarto.

— Não devíamos estar fazendo isso — disse ele enquanto passavam por uma porta entreaberta, de onde vinham sons de coisas sendo remexidas. Huqin e seus homens, roubando tudo que podiam.

— Então fique — sussurrou Lift, chegando a uma grande escadaria. Servos se moviam de um lado para outro, até mesmo uns poucos parshemanos, mas ela não viu ninguém usando um daqueles casacos. — Onde estão as pessoas importantes?

— Lendo formulários — respondeu o sobrinho, atrás dela.

— Formulários?

— Claro. Com o Primeiro morto, todos os vizires, escribas e árbitros receberam a oportunidade de preencher a papelada para se candidatar ao cargo dele.

— Você se *candidata* a imperador?

— Claro — confirmou o rapaz. — Há muita papelada envolvida. E uma redação. A sua redação tem que ser *muito* boa para conseguir esse trabalho.

— Raios. O seu povo é maluco.

— Outras nações fazem melhor? Com guerras de sucessão sangrentas? Desse modo, todo mundo tem uma chance. Até mesmo o mais humilde funcionário pode entregar os documentos necessários. Dá até para ser um *discreto* e acabar no trono, se for convincente o bastante. Já aconteceu.

— Maluquice.

— Disse a garota que fala sozinha.

Lift olhou para ele bruscamente.

— Não finja que não fala. Já vi você fazendo isso. Falando com o ar, como se tivesse alguém ali.

— Qual é o seu nome? — perguntou ela.

— Gawx.

— Uau. Muito bem então, Gawx. Eu não falo comigo mesma porque sou maluca.

— Não?

— Faço isso porque sou *genial*.

Ela começou a descer os degraus, esperou um hiato na passagem dos criados, então avançou até um armário do outro lado. Gawx praguejou, depois foi atrás dela.

Lift ficou tentada a usar sua genialidade para avançar rapidamente pelo piso, mas não precisava fazer isso ainda. Além do mais, Wyndle reclamava que ela usava a genialidade demais. Que ela corria risco de desnutrição, fosse lá o significado disso.

Ela foi até o armário, usando apenas suas habilidades furtivas normais, e entrou nele. Gawx também entrou apressado imediatamente antes de ela fechar a porta. Um carrinho de serviço cheio de louças tilintou atrás deles, que mal cabiam no espaço. Gawx se moveu, causando mais barulho, e ela o acotovelou. Ele ficou quieto enquanto dois parshemanos passavam, carregando grandes barris de vinho.

— É melhor você voltar para o andar de cima — sussurrou Lift. — Pode ser perigoso.

— Ah, se esgueirar pelo tormentoso *palácio real* é perigoso? Obrigado. Eu não tinha reparado.

— É sério — disse Lift, espiando fora do armário. — Volte lá para cima, vá embora quando Huqin retornar. Ele vai me abandonar rapidinho. Você também, provavelmente.

Além disso, não queria ser genial com Gawx por perto. Isso causava perguntas, assim como rumores. Ela odiava as duas coisas. Pelo menos uma vez, queria ser capaz de ficar em um lugar por algum tempo sem ser obrigada a fugir.

— Não — disse Gawx, baixo. — Se você vai roubar alguma coisa boa, eu quero uma parte. Então talvez Huqin pare de me deixar para trás, com o trabalho fácil.

Hum. Então ele tinha alguma fibra.

Um criado passou, carregando uma bandeja grande, cheia de pratos. O aroma da comida fez o estômago de Lift roncar. Comida de gente rica. Tão *deliciosa*.

Lift observou a mulher partir, então saiu do armário, indo atrás. Seria uma tarefa difícil, com Gawx de reboque. Ele havia sido bem treinado pelo tio, mas mover-se sem ser visto por um edifício habitado não era fácil.

A criada abriu uma porta escondida na parede. Passagens dos criados. Lift segurou a porta antes que se fechasse, aguardou alguns instantes, então a abriu tranquilamente e entrou. O corredor estreito era mal iluminado e cheirava à comida que havia acabado de passar.

Gawx entrou logo depois de Lift, então silenciosamente fechou a porta. A criada desapareceu em uma esquina à frente — provavelmente havia muitos corredores como aquele no palácio. Atrás de Lift, Wyndle cresceu ao redor do batente da porta, um agrupamento de vinhas verde-escuras, semelhante a fungos, que cobriu a porta, então a parede atrás dela.

Ele formou um rosto de vinhas e pedaços de cristal, então balançou a cabeça.

— Estreito demais? — perguntou Lift.

Ele assentiu.

— É escuro aqui. Difícil de ver a gente.

— Vibrações no chão, mestra. Alguém está vindo.

Ela olhou com tristeza na direção da criada com a comida, então passou de volta por Gawx e abriu a porta, voltando aos corredores principais.

Gawx praguejou.

— Você tem alguma ideia do que está fazendo?

— Não — disse ela, então virou uma esquina em um grande corredor com lâmpadas de gemas alternadamente verdes e amarelas.

Infelizmente, um criado em um rígido uniforme preto e branco estava vindo em sua direção. Gawx soltou um "ai" de preocupação, recuando pela esquina. Lift aprumou o corpo, juntou as mãos às suas costas e seguiu andando.

Ela passou pelo homem. Seu uniforme indicava que era alguém importante, para um servo.

— Você aí! — chamou o homem bruscamente. — O que é isso?

— A mestra quer bolo — disse Lift, levantando o queixo.

— Ah, pelo amor de Yaezir. A comida é servida nos jardins! Tem bolo *lá*!

— Do tipo errado — replicou Lift. — A mestra quer bolo de frutas vermelhas.

O homem jogou as mãos para o ar.

— As cozinhas ficam para o outro lado. Tente persuadir a cozinheira, embora ela provavelmente vá cortar suas mãos antes de aceitar outro pedido especial. Tormentosos escribas do interior! Dietas especiais devem ser enviadas com antecedência, com os formulários apropriados!

Ele saiu pisando duro, deixando Lift com as mãos às costas, olhando para ele. Gawx esgueirou ao redor da esquina.

— Pensei que estávamos mortos.

— Deixa de bobeira — disse Lift, andando apressada pelo corredor. — Essa ainda num é a parte perigosa.

Na outra extremidade, aquele corredor cruzava com outro — que tinha o mesmo tapete largo no centro, paredes de bronze e lamparinas de metal brilhante. Do outro lado havia uma porta sob a qual não se via luz. Lift olhou para os dois lados, então correu até lá, abriu e olhou para dentro, então acenou para que Gawx entrasse com ela.

— Devíamos seguir direto por aquele corredor lá fora — sussurrou Gawx enquanto ela encostava a porta, deixando apenas uma frestinha. — Dali vamos chegar aos aposentos dos vizires, que provavelmente estarão vazios, porque todo mundo vai estar na ala do Primeiro, deliberando.

— Você conhece a planta do palácio? — perguntou ela, agachada junto da porta na escuridão quase total. Estavam em algum tipo de pequena sala de estar, com um par de cadeiras ocultas pelas sombras e uma pequena mesa.

— Conheço. Memorizei os mapas do palácio antes de virmos. Você não?

Ela deu de ombros.

— Já estive aqui uma vez — continuou Gawx. — Eu vi o Primeiro dormindo.

— Você *o quê*?

— Ele é público, pertence a todos. Dá para participar de um sorteio para vê-lo dormindo. Eles fazem uma rotação de pessoas para cada hora.

— O quê? Em um dia especial ou algo assim?

— Não, todo dia. Dá para vê-lo comendo também, ou vê-lo executando seus rituais diários. Se ele perder um cabelo ou aparar uma unha, você pode guardá-la como uma relíquia.

— Que coisa esquisita.

— Um pouco.

— Qual é o caminho para os aposentos dele? — perguntou Lift.

— É por ali — disse Gawx, apontando para a esquerda descendo o corredor... na direção oposta dos aposentos dos vizires. — Melhor não ir para lá, Lift. É onde os vizires e todas as pessoas importantes vão para analisar as candidaturas. Na presença do Primeiro.

— Mas ele está morto.

— O novo Primeiro.

— Ele ainda num foi escolhido!

— Bem, é meio estranho — disse Gawx. Sob a luz fraca da porta entreaberta, ela o viu corar, como se soubesse como tudo aquilo era lazarentamente estranho. — Nunca *não* há um Primeiro. Nós só não sabemos ainda quem ele é. Quero dizer, ele está vivo, e já é o Primeiro... mesmo agora. Nós só estamos nos atualizando ainda. Então, aqueles são os aposentos dele, e os pósteros e vizires querem estar na sua presença enquanto decidem quem ele é. Mesmo que a pessoa que escolherem não esteja no recinto.

— Isso não faz sentido.

— Mas é claro que faz. É o governo. Isso tudo está *muito* bem detalhado nos códigos e... — Ele perdeu o fio da meada quando Lift bocejou. Azishianos podiam ser *realmente* tediosos. Pelo menos ele entendeu a dica.

— Bom, todo mundo lá nos jardins espera ser chamado para uma entrevista, mas pode não chegar a isso; os pósteros não podem ser o Primeiro, já que estão ocupados demais visitando e abençoando vilas ao redor do reino... mas um vizir pode, e eles tendem a apresentar as melhores candidaturas. Geralmente, um deles é escolhido.

— Os aposentos do Primeiro — disse Lift. — Foi para lá que seguiu a comida.

— Por que você fala tanto em comida?

— Vou comer o jantar deles — declarou ela, em um tom baixo, mas solene.

Gawx ficou perplexo.

— Você vai... *o quê?*

— Eu vou comer a comida deles. Pessoas ricas têm a melhor comida.

— Mas... pode ter esferas nos aposentos dos vizires...

— Hum. Eu só as gastaria em comida.

Roubar coisas comuns não tinha graça. Queria um *verdadeiro* desafio. Nos últimos dois anos, escolhera os lugares mais difíceis de invadir. Então entrara escondida.

E comera a comida deles.

— Vamos — disse ela, saindo e virando à esquerda, na direção dos aposentos do Primeiro.

— Você é louca *mesmo* — sussurrou Gawx.

— Que nada. Só entediada.

Ele olhou para o outro lado.

— Vou para os aposentos dos vizires.

— Você é quem sabe. Eu voltaria lá para cima, em vez disso, se fosse você. Você não praticou o suficiente para esse tipo de coisa. Se me deixar, provavelmente vai se meter em encrenca.

Ele se inquietou por um instante, depois partiu na direção dos aposentos dos vizires. Lift revirou os olhos.

— Por que você veio com eles? — perguntou Wyndle, saindo rastejando da saleta. — Por que não invadiu sozinha?

— Foi Tigzikk quem descobriu todo esse negócio de eleição. Ele me disse que hoje seria uma boa noite para vir. Estou em dívida com ele. Além disso, quero estar por perto caso ele tenha problemas. Posso precisar ajudar.

— Por que se importa com isso?

Por que, de fato?

— Alguém tem que se importar — respondeu ela, começando a descer o corredor. — Muito pouca gente se importa, hoje em dia.

— Você diz isso enquanto *rouba* pessoas.

— Claro. Num vou machucar ninguém.

— Você tem um senso de moralidade estranho, mestra.

— Não seja idiota — disse ela. — Todo senso de moralidade é estranho.

— Suponho que sim.

— Ainda mais para um Esvaziador.

— Eu não sou...

Ela sorriu e apertou o passo na direção dos aposentos do Primeiro. Soube que os encontrara quanto olhou na direção de um corredor lateral e viu guardas no final dele. Isso mesmo. Aquela porta era tão bonita que *tinha* que pertencer a um imperador. Só gente muito rica construía portas chiques. Era preciso ter dinheiro saindo pelas orelhas para gastá-lo em uma *porta*.

Os guardas eram um problema. Lift se ajoelhou, espiando do outro lado da esquina. O corredor que levava aos aposentos do imperador era estreito, como uma viela. Era difícil se esgueirar por algo assim. E aqueles dois guardas não eram do tipo entediado. Eram do tipo "temos que ficar aqui parados e parecer bem bravos". Estavam tão empertigados que parecia até que alguém havia enfiado vassouras nos seus traseiros.

Ela ergueu os olhos. O corredor era alto; pessoas ricas gostavam de coisas altas. Se fossem pobres, teriam construído outro andar ali em cima para suas tias e primos morarem. Em vez disso, pessoas ricas desperdiçavam espaço; provavam que tinham tanto dinheiro que podiam desperdiçá-lo.

Parecia perfeitamente racional roubá-las.

— Ali — sussurrou Lift, apontando para um pequeno ressalto ornamentado que corria pela parece, mais acima.

Não seria largo o bastante para caminhar, a menos se fosse Lift. O que, felizmente, ela era. Também estava escuro lá em cima. Os candelabros eram do tipo pendente, e ficavam baixos, com espelhos refletindo sua luz de esferas para o chão.

— Vamos subir — disse ela.

Wyndle suspirou.

— Você tem que fazer o que eu mando ou vou podar você.

— Você vai... me podar.

— Com certeza.

Isso parecia ameaçador, certo? Wyndle cresceu pela parede, fornecendo suportes para as mãos. O rastro de vinhas que ele deixara pelo corredor já estava desaparecendo, tornando-se cristal e se desintegrando em poeira.

— Por que eles não notam você? — perguntou Lift em um sussurro. Ela nunca havia perguntado, apesar dos meses passados juntos. — É porque só as pessoas puras de coração podem vê-lo?

— Você não está falando sério.

— Claro que tô. Isso encaixa nas lendas, histórias e coisa e tal.

— Ah, a teoria em si não é ridícula — disse Wyndle, falando a partir de um pedaço de vinha junto dela, os vários fios verdejantes se movendo como lábios. — Só a ideia de que *você* se considera pura de coração.

— Eu sou pura — sussurrou Lift, grunhindo enquanto escalava. — Sou uma criança e tal. Sou tão tormentosamente pura que praticamente arroto arco-íris.

Wyndle suspirou outra vez — ele gostava de fazer isso — enquanto alcançavam a saliência. Wyndle cresceu ao longo dela, tornando-a ligeiramente mais larga, e Lift pisou ali. Equilibrou-se com cuidado, então acenou com a cabeça para Wyndle. Ele avançou, então voltou um pouco e cresceu até um ponto da parede acima da cabeça dela. Dali, ele cresceu horizontalmente para fornecer um suporte para a mão. Com alguns centímetros extras de vinha na borda e o suporte acima, Lift conseguiu andar de lado, a barriga encostada na parede. Ela respirou fundo, então virou a esquina até o corredor com os guardas.

Ela se moveu lentamente pelo corredor, Wyndle se enrolando para a frente e para trás, fortalecendo suportes para seus pés e mãos. Os guardas não gritaram. Ela estava *conseguindo*.

— Eles não podem me ver porque existo principalmente no Reino Cognitivo, ainda que tenha movido minha consciência para este Reino — disse Wyndle, crescendo ao lado dela para criar outra linha de suportes. — Posso me tornar visível para qualquer um, caso deseje, embora não seja fácil. Alguns esprenos são mais hábeis nisso, enquanto outros têm o problema contrário. Naturalmente, não importa *como* eu me manifeste, ninguém pode me tocar, já que mal tenho substância neste Reino.

— Ninguém, a não ser eu — sussurrou Lift, avançando devagar pelo corredor.

— Você também não deveria ser capaz de fazer isso — replicou ele, parecendo perturbado. — O que você pediu quando visitou minha mãe?

Lift não precisava responder àquilo, não para um tormentoso Esvaziador. Por fim, alcançou o final do corredor. Abaixo dela estava a porta. Infelizmente, era exatamente onde estavam os guardas.

— Isso não parece estar indo muito bem, mestra — observou Wyndle. — Já tinha pensado *no que* fazer depois de chegar aqui?

Ela assentiu.

— E então?

— Espere — sussurrou ela.

Eles esperaram, Lift pressionada à parede, seus calcanhares pendendo de uma queda de uns cinco metros até os guardas. Não queria cair. Estava bastante segura de que sobreviveria, mas, se a vissem, seria o fim do jogo. Ela teria que fugir, e *nunca* conseguiria jantar.

Felizmente, havia adivinhado certo, infelizmente. Um guarda apareceu na outra ponta do corredor, parecendo sem fôlego e bastante irritado. Os outros dois guardas trotaram até ele, que se virou, apontando para outra direção.

Era sua chance. Wyndle cresceu uma vinha para baixo e Lift a agarrou. Podia sentir os cristais entre as gavinhas, mas eles eram lisos e facetados — não angulosos e afiados. Ela desceu, a vinha lisa entre seus dedos, parando logo antes do chão.

Só tinha alguns segundos.

— ...pegaram um ladrão tentando pilhar os aposentos dos vizires — disse o guarda mais novo. — Pode ter outros. Fiquem alertas. Pelo amor de Yaezir! Não acredito que eles ousaram fazer isso. Logo esta noite!

Lift entreabriu a porta para os aposentos do imperador e deu uma espiada. Sala grande. Homens e mulheres à mesa. Ninguém olhou na direção dela. Entrou.

Então se tornou genial.

Ela se abaixou, deu um impulso com os pés e, por um momento, o chão — o tapete, a madeira embaixo — não fez qualquer atrito contra seu corpo. Ela deslizou como se estivesse no gelo, sem fazer ruído enquanto cruzava um espaço de três metros. Nada podia segurá-la enquanto ficava Escorregadia daquele jeito. Mãos não podiam agarrá-la, e ela era capaz de deslizar para sempre. Achava que não pararia nunca, a menos que desligasse a genialidade. Ela deslizaria direto até o tormentoso oceano.

Naquela noite, ela parou debaixo da mesa, usando os dedos — que não estavam Escorregadios — e depois fazendo as pernas deixarem de ser Escorregadias. Seu estômago roncou, reclamando. Precisava de comida. E rápido, ou acabaria a genialidade.

— De algum modo, você está parcialmente no Reino Cognitivo — disse Wyndle, se enrolando ao lado dela e erguendo uma mistura retorcida de vinhas que podiam formar um rosto. — Essa é a única resposta que consigo imaginar para sua capacidade de tocar esprenos. E você consegue metabolizar comida *diretamente* em Luz das Tempestades.

Lift deu de ombros. Ele estava sempre dizendo coisas daquele. Tentando confundi-la, o lazarento Esvaziador. Bem, não podia responder, não agora. Os homens e mulheres ao redor da mesa a ouviriam, mesmo que não pudessem ouvir Wyndle.

Aquela comida estava ali, em algum lugar. Estava sentindo o cheiro.

— Mas *por quê?* — continuou Wyndle. — Por que ela deu a você esse talento incrível? Por que uma criança? Há soldados, grandes reis, eruditas incríveis entre os humanos. Em vez deles, Ela escolheu você.

Comida, comida, comida. O cheiro era *maravilhoso*. Lift se arrastou por baixo da longa mesa. Os homens e mulheres acima estavam conversando em vozes muito preocupadas.

— Sua candidatura foi *claramente* a melhor, Dalksi.
— O quê? Escrevi três palavras errado só no primeiro parágrafo!
— Eu não notei.
— Você não... É claro que notou! Mas isso é inútil, porque a redação de *Axikk* é obviamente superior à minha.
— Não me venha com essa de novo. Nós já me desqualificamos. Não sou digno de ser o Primeiro. Tenho problemas de coluna.
— Ashno dos Sábios tinha problemas de coluna e foi um dos maiores Primeiros emulianos.
— Bah! Minha redação foi um lixo, e você sabe.

Wyndle avançou junto com Lift.

— A Mãe desistiu da sua espécie. Posso sentir. Ela não se importa mais. Agora que Ele se foi...

— Essa discussão não nos convêm — disse uma imperiosa voz feminina. — Devemos votar. O povo está esperando.

— Deixem que o cargo vá para um dos tolos nos jardins.

— As redações deles foram *pavorosas*. Vejam só o que Pandri escreveu no início da dela.

— Céus... Eu... Eu nem sei o que significa metade disso, mas *parece* ofensivo.

Isso finalmente chamou a atenção de Lift. Ela olhou para a mesa acima. Bons xingamentos? *Vamos lá,* pensou. *Leiam alguns.*

— Nós vamos ter que escolher um deles — disse outra voz, em um tom bastante autoritário. — Kadasixes e Estrelas, que quebra-cabeça. O fazemos quando *ninguém* quer ser o Primeiro?

Ninguém queria ser o Primeiro? Será que o país inteiro havia subitamente ganhado juízo? Lift seguiu em frente. Ser rico parecia divertido e coisa e tal, mas estar no comando de tanta gente? Isso seria puro sofrimento.

— Talvez devamos escolher a *pior* candidatura — sugeriu uma das vozes. — Nesta situação, isso indicaria o candidato mais inteligente.

— Seis monarcas mortos... — disse uma nova voz. — Em apenas dois meses. Grão-príncipes assassinados no Oriente. Líderes religiosos. E então dois Primeiros em uma única semana. Raios... Quase penso que é outra Desolação sobre nós.

— Uma Desolação na forma de um único homem. Que Yaezir ajude aquele que escolhermos. É uma sentença de morte.

— Já postergamos demais. Essas semanas de espera sem um Primeiro foram danosas a Azir. Vamos apenas escolher a pior candidatura nesta pilha.

— Mas e se escolhermos alguém que é legitimamente horrível? Não é nosso *dever* cuidar do reino, apesar do risco para aquele que for escolhido?

— Mas ao escolhermos o melhor entre nós, condenamos nosso mais brilhante, nosso melhor, a morrer pela espada... Que Yaezir nos ajude. Póstero Ethid, apreciaríamos uma oração para nos guiar. Precisamos que o próprio Yaezir nos mostre sua vontade. Talvez, se escolhermos a pessoa certa, ela seja protegida pela sua mão.

Lift alcançou o fim da mesa e olhou para um banquete disposto em uma mesa menor do outro lado da sala. Aquele lugar era *muito* azishiano. Frisos bordados por toda parte; tapetes tão intrincados, que tecê-los provavelmente tinha levado alguma pobre mulher à cegueira. Cores escuras e luzes fracas; pinturas nas paredes.

Hum, alguém apagou a cara daquela ali. Quem arruinaria uma pintura como aquela, ainda mais uma tão bonita, com os Arautos todos enfileirados?

Bem, ninguém parecia estar tocando naquele banquete. Seu estômago roncava, mas ela esperou por uma distração.

Veio logo depois. A porta se abriu. Provavelmente os guardas, vindo relatar sobre o ladrão que haviam encontrado. Pobre Gawx. Ela teria que soltá-lo depois.

Naquele momento, era hora de comer. Lift se impulsionou de joelhos e usou sua genialidade para tornar as pernas Escorregadias. Deslizou pelo piso e agarrou a perna do canto da mesa do banquete. Seu impulso fez com que girasse perfeitamente ao redor e para trás da perna. Ela se agachou, a toalha da mesa escondendo-a direitinho das pessoas no centro da sala, e des-escorregou suas pernas.

Perfeito. Ela estendeu uma mão e pegou um rolinho da mesa. Deu uma mordida, depois hesitou.

Por que todo mudo havia parado de falar? Ela arriscou um olhar sobre o tampo da mesa.

Ele havia chegado.

O azishiano alto com a cicatriz branca em formato de lua crescente na bochecha. Uniforme preto com uma fileira dupla de botões prateados na frente do casaco, de onde despontava o colarinho prateado e rígido da camisa que usava por baixo. Suas luvas grossas eram compridas e se estendiam até metade dos seus antebraços.

Olhos mortos. Aquele era o Breu em pessoa.

Ah, não.

— Mas o que é isso?! — interpelou um dos vizires, uma mulher usando uma de suas enormes casacas com mangas grandes demais. Seu chapéu era de um padrão diferente e se chocava de modo espetacular com a casaca.

— Estou aqui atrás de uma ladra — declarou Breu.

— Você entende onde está? Como *ousa* interromper...

— Eu tenho os formulários apropriados — disse Breu.

Sua voz não expressava emoção alguma. Nenhuma irritação por ser questionado, nenhuma arrogância ou pomposidade; nada mesmo. Um dos seus capangas entrou atrás dele, um homem trajando um uniforme preto e prata, menos ornamentado. Ele ofereceu uma pilha bem arrumada de papéis ao seu mestre.

— É ótimo ter os formulários — disse a vizir. — Mas essa *não* é a hora, oficial, para...

Lift disparou.

Seus instintos finalmente venceram a surpresa e ela correu, saltando sobre um sofá no caminho até a porta nos fundos da sala. Wyndle seguia ao lado como uma risca.

Ela abocanhou um pedaço do rolinho; ia precisar de comida. Atrás daquela porta haveria um quarto, e um quarto teria uma janela. Abriu a porta com força, entrando a toda.

Algo surgiu das sombras do outro lado.

Um cassetete acertou-a no peito. Costelas racharam. Lift arquejou, caindo de cara no chão.

Outro dos capangas de Breu saiu das sombras dentro do quarto.

— Até o caótico pode se tornar previsível com estudo apropriado — disse Breu. Seus passos ecoavam no piso atrás dela.

Lift rangeu os dentes, encolhida no chão. *Não consegui comer o suficiente... Tanta fome.* As poucas mordidas que dera antes começaram a agir dentro dela. A sensação era familiar, como uma tempestade em suas veias. Genialidade líquida. A dor sumiu do seu peito enquanto ela se curava.

Wyndle corria ao redor dela em um círculo, um pequeno laço de vinhas brotando folhas no chão, girando ao redor dela repetidamente. Breu se aproximou.

Vai! Ela saltou para ficar de quatro. Ele a agarrou pelo ombro, mas Lift podia escapar. Ela invocou sua genialidade.

Breu estendeu alguma coisa na direção dela.

O pequeno animal era como um crenguejo, mas com *asas*. Asas presas, patas amarradas. Ele tinha um rostinho estranho, sem os traços crustáceos de um crenguejo. Era mais como um minúsculo cão-machado, com focinho, boca e olhos.

Ele parecia doente, e seus olhos cintilantes expressavam dor. Como ela sabia?

A criatura sugou a genialidade de Lift. Chegou a *vê-la* indo embora, uma brancura cintilante que fluía dela para o pequeno animal. Ele abriu a boca, bebendo-a.

Subitamente, Lift sentiu-se cansada e muito, *muito* faminta.

Breu entregou o animal a um dos seus capangas, que o enfiou em um saco preto e depois o guardou no bolso. Lift tinha certeza de que os vizires — parados em uma aglomeração ultrajada na mesa — não haviam visto nada daquilo, não com as costas de Breu e dos dois capangas no caminho.

— Mantenha todas as esferas longe dela — ordenou Breu. — Não permitam que ela Invista.

Lift foi tomada pelo terror, em pânico como não ficava havia anos, desde seus dias em Rall Elorim. Ela lutou, se debatendo, mordendo a mão que a segurava. Breu nem mesmo grunhiu. Ele a pôs de pé e outro capanga pegou-a pelos braços, forçando-os para trás até que ela arquejou de dor.

Não. Ela tinha se libertado! Não podia ser levada daquele jeito. Wyndle continuava a girar ao redor dela no chão, perturbado. Ele era um bom sujeito, para um Esvaziador.

Breu se voltou para os vizires.

— Não vou mais incomodá-los.

— Mestra! — disse Wyndle. — Aqui!

O rolinho pela metade jazia no chão. Ela o deixara cair com o golpe do cassetete. Wyndle correu até ele, mas não pôde fazer nada além de agitá-lo. Lift se debateu, tentando se soltar, mas sem aquela tempestade dentro dela, era apenas uma criança nas garras de um soldado treinado.

— Estou *extremamente* perturbada com a natureza desta incursão, oficial — disse a líder dos vizires, folheando a pilha de papéis que Breu havia entregado. — Sua papelada está em ordem, e vejo que até incluiu uma licença... concedida pelos árbitros... de revistar o palácio em busca dessa pivete. Certamente não precisava perturbar um conclave sagrado, ainda mais por uma ladra qualquer.

— A justiça não espera por ninguém — disse Breu, completamente calmo. — E essa ladra não é uma ladra qualquer. Com sua permissão, deixaremos de incomodá-los.

Ele não parecia se importar com a permissão. Andou a passos largos até a porta, seu capanga puxando Lift logo atrás. Ela estendeu o pé para o rolinho, mas só conseguiu chutá-lo para a frente, sob a longa mesa junto dos vizires.

— Essa é uma licença de *execução* — declarou a vizir, surpresa, segurando a última folha do maço. — Você vai matar a criança? Por mero roubo?

Matar? Não. Não!

— Isso, somado à invasão do palácio do Primeiro — disse Breu, estendendo a mão para a porta. — E por interromper um conclave sagrado em sessão.

A vizir encontrou seu olhar, o encarou, então *murchou*.

— Eu... Ah, naturalmente... hã... oficial.

Breu lhe deu as costas e abriu a porta. A vizir colocou uma mão na mesa e levou a outra à cabeça. O capanga arrastou Lift até a porta.

— Mestra! — disse Wyndle, se retorcendo ali perto. — Ah... Ah, céus. Tem algo muito errado com aquele homem! Ele não é normal, não é normal mesmo. Você precisa usar seus poderes.

— Tentando — disse Lift, grunhindo.

— Você se deixou ficar magra demais — disse Wyndle. — Não é nada bom. Você sempre usa toda a reserva... Baixa gordura corporal... Isso pode ser um problema. Eu não sei *como* isso funciona!

Breu hesitou ao lado da porta e olhou para os candelabros pendendo no corredor mais além, com seus espelhos e gemas faiscantes. Ele levantou a mão e gesticulou. O capanga que não estava segurando Lift moveu-se pelo corredor e encontrou as cordas dos candelabros, desamarrou-as e puxou, os elevando.

Lift precisava invocar sua genialidade. Só um pouquinho. Só precisava de um *pouquinho*.

Seu corpo estava exausto, esgotado. Ela *havia* exagerado. Lutou, o pânico crescendo. Cada vez mais desesperada.

No corredor, o capanga amarrou os candelabros bem alto. Ali perto, a líder dos vizires olhou de Breu para Lift.

— Por favor — disse Lift, sem som, só movendo a boca.

A vizir claramente *empurrou* a mesa, que atingiu o cotovelo do capanga segurando Lift. Ele praguejou, soltando-a aquela mão.

Lift mergulhou rumo ao chão, escapando da pegada dele, e rastejou para debaixo da mesa.

O capanga agarrou-a pelos tornozelos.

— O que é isso? — indagou Breu, a voz fria e sem emoção.

— Eu escorreguei — disse a vizir.

— Cuidado com o que faz.

— Isso é uma ameaça, oficial? Eu estou além do seu alcance.

— Ninguém está além do meu alcance. — Ainda sem emoção.

Lift se debateu debaixo da mesa, chutando o capanga. Ele praguejou baixinho e a puxou pelas pernas, então a colocou de pé. Breu assistia, o rosto impassível.

Ela o encarou, olhos nos olhos, um rolinho meio comido na boca. Não desviou o olhar, mastigando rapidamente e engolindo.

Pela primeira vez, ele demonstrou uma emoção. Perplexidade.

— Tudo isso por um rolinho?

Lift não disse nada.

Vamos...

Eles a conduziram pelo corredor, depois viraram a esquina. Um dos capangas correu à frente e deliberadamente removeu as esferas das lâmpadas nas paredes. Eles estavam *roubando* o lugar? Não, depois que ela passou, o capanga correu de volta e devolveu as esferas.

Vamos...

Passaram por um guarda do palácio no corredor maior mais além. Ele reparou em Breu — talvez pela corda amarrada na parte superior do seu braço, que estava trançada com uma sequência de cores azishianas — e fez uma saudação.

— Senhor oficial? O senhor encontrou mais um?

Breu parou, olhando enquanto o guarda abria a porta ao lado. Lá dentro, Gawx estava sentado em uma cadeira, encolhido entre dois outros guardas.

— Então você tinha mesmo cúmplices! — gritou um dos guardas na sala.

Ele esbofeteou Gawx no rosto. Wyndle arquejou atrás dela, indignado.

— Isso *certamente* foi desnecessário!

Vamos...

— Essa aqui não é da sua alçada — respondeu Breu para os guardas, esperando enquanto um dos seus capangas fazia a estranha sequência de mover as gemas. *Por que* eles se preocupavam com isso?

Algo vibrou dentro de Lift. Como os pequenos redemoinhos de vento na chegada de uma tempestade. Breu a encarou de repente.

— Tem alguma coisa...

A genialidade retornou.

Lift tornou-se Escorregadia, todo seu corpo, exceto pelos pés e as palmas das mãos. Puxou o braço com força — ele escorregou dos dedos do capanga —, então se impulsionou para a frente e caiu de joelhos, deslizando sob a mão estendida de Breu.

Wyndle soltou um viva, zunindo ao seu lado enquanto ela batia no chão como se estivesse nadando, usando cada movimento dos braços para se impulsionar. Deslizou pelo corredor do palácio, os joelhos escorregando pelo chão como se engraxados.

A posição não era particularmente elegante. Elegância era para gente rica que tinha tempo de inventar jogos para disputarem entre si.

Ela estava ganhando velocidade rápido — tão rápido que foi difícil se controlar quando soltou sua genialidade e tentou se colocar de pé. Em vez disso, bateu na parede no final do corredor, caindo toda atrapalhada.

Recuperou-se sorrindo. Funcionara *muito* melhor do que das últimas tentativas. A primeira fora muito embaraçosa; ela ficara tão Escorregadia, que não conseguira permanecer de joelhos.

— Lift! — chamou Wyndle. — Atrás de você.

Ela deu uma olhada para o corredor. Podia *jurar* que o homem estava brilhando de modo tênue, e certamente estava correndo rápido demais.

Breu também era genial.

— Isso não é *justo*! — gritou Lift, se levantando apressada e disparando por um corredor lateral, por onde viera quando estava se esgueirando com Gawx. Seu corpo estava começando a se sentir cansado novamente. Um rolinho não servia para muita coisa.

Ela correu pelo elegante corredor, fazendo com que uma criada saltasse para trás, gritando como se houvesse visto um rato. Lift derrapou ao virar uma esquina, disparou na direção dos odores agradáveis e entrou acelerada na cozinha.

Ela correu por entre o monte de pessoas ali dentro. A porta se abriu com um estrondo atrás dela um segundo depois. Breu.

Ignorando os cozinheiros perplexos, Lift saltou para uma longa bancada, tornando sua perna Escorregadia e apoiando-se nela de lado, derrubando panelas e frigideiras, causando estardalhaço. Desceu do outro lado da bancada enquanto Breu abria caminho a empurrões por entre os cozinheiros aglomerados, a Espada Fractal erguida.

Ele não praguejava de irritação. Um sujeito devia praguejar. As pessoas pareciam reais quando faziam isso.

Mas, naturalmente, Breu não era uma pessoa de verdade. Disso, e de pouco mais, ela tinha certeza.

Lift roubou uma linguiça de um prato fumegante, então correu para as passagens dos criados. Mastigava enquanto corria, Wyndle crescendo ao longo da parede ao lado dela, deixando uma trilha de vinhas verde-escuras.

— Para onde estamos indo? — perguntou ele.

— *Embora*.

A porta para as passagens dos criados se abriu subitamente atrás dela. Lift virou uma esquina, surpreendendo um estribeiro. Ela ficou genial e se jogou para o lado, facilmente escorregando para além dele no estreito corredor.

— O que me tornei? — indagou Wyndle. — Um ladrão na noite, perseguido por abominações. Eu era um jardineiro. Um jardineiro maravilhoso! Tanto Crípticos quanto esprenos de honra iam ver os cristais que eu fazia crescer a partir das mentes do seu mundo. Agora isso. O *que* me tornei?

— Um choramingas — disse Lift, ofegante.

— Bobagem.

— Então você sempre foi?

Ela olhou sobre o ombro. Breu empurrou casualmente o estribeiro, mal perdendo o ritmo enquanto passava por cima do homem.

Lift alcançou uma porta e jogou o ombro contra ela, saindo de novo para os ricos corredores. Precisava de uma saída. Uma janela. Sua fuga só fizera com que voltasse aos aposentos do Primeiro. Escolheu uma direção por instinto e começou a correr, mas um dos capangas de Breu surgiu, virando uma esquina à frente. Ele *também* portava uma Espada Fractal. Que sorte lazarenta, a dela.

Lift foi para o outro lado e passou por Breu saindo a passos largos dos corredores dos criados. Ela mal conseguiu se desviar de um golpe da Espada dele mergulhando, ficando Escorregadia e deslizando pelo chão. Conseguiu ficar de pé sem tropeçar dessa vez. Já era alguma coisa.

— Quem *são* esses homens? — perguntou Wyndle ao lado dela.

Lift grunhiu.

— Por que se importam tanto com você? Tem alguma coisa nessas armas que eles carregam...

— Espadas Fractais — disse Lift. — Valem um reino inteiro. Feitas para matar Esvaziadores.

E eles tinham *duas* delas. Que loucura. Feitas para matar Esvaziadores...

— Você! — disse ela, ainda correndo. — Eles estão atrás de você!

— O quê? Mas é claro que não!

— Estão, *sim*. Não se preocupe. Você é meu. Num vou deixar que te peguem.

— Que lealdade comovente — disse Wyndle. — E um tanto ofensiva. Mas eles não estão atrás...

O segundo dos capangas de Breu adentrou o corredor diante dela. Ele estava segurando Gawx. E tinha uma faca na garganta do jovem.

Lift parou desajeitadamente. Gawx, completamente fora de sua alçada, choramingava nas mãos do homem.

— Não se mexa ou vou matá-lo — ameaçou o capanga.

— Desgraçado lazarento — disse Lift, cuspindo para o lado. — Isso é sujeira.

Os passos de Breu soavam atrás dela, o outro capanga se juntando a ele. Os homens a cercaram. A entrada para os aposentos do Primeiro estava bem à frente, e os vizires e pósteros haviam se apinhado no corredor, onde discutiam em tons de ultraje.

Gawx estava chorando. Pobre tolo.

Bem. Esse tipo de coisa nunca acabava bem. Lift seguiu seu instinto — o que era basicamente o que sempre fazia — e pagou para ver o blefe do capanga, avançando. Ele era um homem da lei, não mataria um prisioneiro a sangue...

O capanga cortou a garganta de Gawx.

Sangue carmesim jorrou e manchou a roupa de Gawx. O capanga o soltou, então cambaleou para trás, como se estivesse espantado com o que havia feito.

Lift gelou. Ele não podia... Ele não...

Breu a agarrou por trás.

— Isso foi um péssimo trabalho — disse Breu para o capanga, sem expressar emoção alguma. Lift mal podia ouvi-lo. *Tanto sangue.* — Você será punido.

— Mas... — disse o capanga. — Eu precisava cumprir minha ameaça...

— Você não cumpriu a burocracia apropriada neste reino para matar aquela criança — disse Breu.

— Não estamos acima das leis deles?

Surpreendentemente, Breu a largou, andando a passos largos até o capanga para estapear seu rosto.

— Sem a lei, não há nada. Você vai se sujeitar às regras deles e aceitar os ditames da justiça. Isso é tudo que temos, a única coisa segura neste mundo.

Lift olhou para o menino moribundo, que mantinha as mãos no pescoço, como se para deter o fluxo do sangue. Aquelas lágrimas...

O outro capanga veio atrás dela.

— Corra! — disse Wyndle.

Ela se sobressaltou.

— *Corra!*

Lift correu.

Passou por Breu e abriu caminho pelos vizires, que arquejavam e gritavam diante da morte. Voou para os aposentos do Primeiro, deslizou pela mesa, agarrou outro rolinho da bandeja e adentrou o quarto. Tinha saído pela janela um segundo depois.

— Para cima — disse ela para Wyndle, então enfiou o rolinho na boca.

Ele subiu veloz pela parede, e Lift escalou, suando. No instante seguinte, um dos capangas saltou pela janela abaixo dela. Ele não olhou para cima. Avançou pelo terreno, girando o corpo, procurando, a Espada Fractal reluzindo no escuro enquanto refletia a luz das estrelas.

Lift alcançou em segurança o topo do palácio, oculta nas sombras. Ela se agachou, mãos ao redor dos joelhos, sentindo frio.

— Você mal o conhecia — observou Wyndle. — Mas ainda assim lamenta.

Ela assentiu.

— Você já viu muita morte — continuou Wyndle. — Eu sei disso. Ainda não se acostumou?

Lift balançou a cabeça.

Abaixo, o capanga se afastou, procurando cada vez mais longe. Ela estava livre. Era só atravessar o teto, descer pelo outro lado e desaparecer.

O que era aquele movimento na muralha no limite do terreno? Sim, aquelas sombras ambulantes eram homens. Os outros ladrões estavam escalando a muralha e desaparecendo na noite. Huqin havia deixado para trás seu sobrinho, como esperado.

Quem choraria por Gawx? Ninguém. Ele seria esquecido, abandonado.

Lift soltou as pernas e se arrastou pelo domo do teto na direção da janela por onde havia entrado antes. As vinhas que haviam brotado das sementes, ao contrário das que Wyndle fazia crescer, ainda estavam vivas. Elas haviam recoberto a janela, folhas tremendo ao vento.

Corra, pediam seus instintos. *Vá.*

— Você falou uma coisa, mais cedo — sussurrou ela. — Re...

— Regeneração — disse ele. — Cada laço garante poder sobre dois Fluxos. Você pode influenciar como as coisas crescem.

— Posso usar isso para ajudar Gawx?

— Se você fosse mais bem treinada? Sim. Do jeito que está, duvido. Você não é muito forte e não tem muita prática. E ele pode já estar morto.

Ela tocou uma das vinhas.

— Por que você se importa? — perguntou Wyndle novamente. Ele parecia curioso. Não era um desafio. Era uma tentativa de compreender.

— Porque alguém tem que se importar.

Daquela vez, Lift ignorou o que seu instinto lhe dizia e, em vez disso, passou pela janela. Ela cruzou o quarto como um raio.

Saiu pelo corredor do andar de cima. Até os degraus. Desceu voando, saltando a maior parte da distância. Passou pelo umbral. Virou à esquerda. Desceu o corredor. Esquerda novamente.

Uma multidão no rico corredor. Lift os alcançou, então se espremeu para passar. Não precisava de sua genialidade para isso; passava por frestas em multidões desde que começara a andar.

Gawx jazia em uma poça de sangue que havia escurecido o fino tapete. Os vizires e guardas o cercavam, falando baixinho.

Lift se arrastou até ele. Seu corpo ainda estava quente, mas o sangue parecia ter parado de fluir. Seus olhos estavam fechados.

— Tarde demais? — sussurrou ela.

— Eu não sei — respondeu Wyndle, enrolando-se ao lado dela.

— O que eu faço?

— Eu... não tenho certeza. Mestra, a transição para o seu lado foi difícil e deixou buracos na minha memória, mesmo com as precauções que meu povo tomou. Eu...

Ela deitou Gawx de costas, o rosto voltado para o céu. Ele realmente *não* significava nada para ela, isso era verdade. Mal se conheciam, e ele fora um tolo. Dissera a ele que voltasse.

Mas Lift era assim, era quem precisava ser.

Vou me lembrar daqueles que foram esquecidos.

Lift se inclinou para a frente, tocando a testa na dele, e expirou. Algo cintilante deixou os lábios dela, uma pequena nuvem de luz brilhante. Ela pairou em frente aos lábios de Gawx.

Vamos...

A névoa se mexeu, depois entrou pela boca dele.

Uma mão pegou Lift pelo ombro, afastando-a de Gawx. Ela murchou, subitamente exausta. Exausta *de verdade*, a ponto de até mesmo ficar de pé ser difícil.

Breu a puxou pelo ombro para longe da multidão.

— Venha — disse ele.

Gawx se moveu. Os vizires arquejaram, surpresos, sua atenção se voltando para o jovem enquanto ele grunhia e depois se sentava.

— Parece que você é uma Dançarina de Precipícios — comentou Breu, conduzindo-a pelo corredor enquanto a multidão se movia ao redor de Gawx, falando alto. Ela tropeçou, mas ele a manteve de pé. — Estava me perguntando qual dos dois você era.

— Milagre! — exclamou um vizir.

— Yaezir falou! — disse um dos pósteros.

— Dançarina de Precipícios — falou Lift. — Eu não sei o que é isso.

— Eles já foram uma ordem gloriosa — disse Breu, caminhando com ela pelo corredor. Todos os ignoraram, concentrados que estavam em Gawx. — Eram seres elegantes e belos, onde os outros eram desajeitados. Podiam correr pela corda mais fina em alta velocidade, dançar pelos telhados, cruzar um campo de batalha como uma fita ao vento.

— Isso parece... incrível.

— Sim. Infelizmente, estavam sempre preocupados com coisas mesquinhas, ignorando as de maior importância. Parece que você tem o mesmo temperamento. Você se tornou um deles.

— Foi sem querer — disse Lift.

— Eu sei.

— Por que... por que você está me caçando?

— Em nome da justiça.

— Tem *um monte* de gente que faz coisa errada — disse ela; teve que forçar cada palavra. Falar era difícil. *Pensar* era difícil. Tão cansada. — Você... você podia caçar chefões do crime, assassinos. Em vez disso, me escolheu. Por quê?

— Outras pessoas podem ser detestáveis, mas não mexem com as artes que podem trazer a Desolação de volta a este mundo. — As palavras dele eram tão frias. — O seu tipo deve ser detido.

Lift sentia-se entorpecida. Tentou invocar sua genialidade, mas havia usado tudo. E mais um pouco, provavelmente.

Breu se virou para ela e a empurrou contra a parede. Lift não conseguiu ficar de pé e desabou sentada. Wyndle se moveu até ficar do lado dela, espalhando uma irradiação de vinhas.

Breu se ajoelhou ao lado dela e estendeu a mão.

— Eu o *salvei* — disse Lift. — Fiz uma coisa boa, não fiz?

— Bondade é irrelevante — desdenhou Breu, a Espada Fractal surgindo nos dedos.

— Você nem se importa, não é?

— Não. Não me importo.

— Pois deveria — replicou ela, exausta. — Você deveria... deveria tentar, quero dizer. Eu já quis ser como você. Não deu certo. Nem parecia... que eu estava viva...

Breu levantou sua Espada.

Lift fechou os olhos.

— Ela está perdoada!

A pegada de Breu no seu ombro se estreitou.

Sentindo-se totalmente drenada — como se alguém a houvesse pendurado pelos pés e espremido —, Lift forçou seus olhos a se abrirem. Gawx parou cambaleante ao lado deles, respirando pesado. Atrás dele, os vizires e pósteros também se aproximaram.

Roupas sujas de sangue, olhos arregalados, Gawx trazia agarrada na mão uma folha de papel. Ele a mostrou para Breu.

— Eu perdoo essa garota. Solte ela, oficial!

— Quem é você para fazer tal coisa? — questionou Breu.

— Eu sou o Primeiro Aqasix — declarou Gawx. — Regente de Azir!

— Ridículo.

— Os Kadasixes se pronunciaram — disse um dos pósteros.

— Os Arautos? — disse Breu. — De jeito algum. Vocês estão enganados.

— Nós votamos — disse um vizir. — A candidatura desse jovem foi a melhor.

— Que candidatura? — interpelou Breu. — Ele é um ladrão!

— Ele executou o milagre da Regeneração — disse um dos pósteros mais velhos. — Ele estava morto e retornou. Que melhor candidatura poderíamos pedir?

— Um sinal foi dado — disse a líder dos vizires. — Temos um Primeiro que pode sobreviver aos ataques do Homem de Branco. Salve Yaezir, Kadasix de Reis, que ele possa liderar com sabedoria. Esse jovem é o Primeiro. Ele sempre *foi o* Primeiro. Nós só agora percebemos, e imploramos seu perdão por não termos enxergado a verdade antes.

— Como sempre foi feito — declarou o póstero idoso. — E como será feito novamente. Levante-se, oficial. Você recebeu uma ordem.

Breu estudou Lift.

Ela sorriu, cansada. Precisava mostrar os dentes para aquele homem lazarento. Era a coisa certa a fazer.

Sua Espada Fractal desapareceu em névoa. Ele havia sido vencido, mas não parecia se importar. Nem uma imprecação, nem mesmo um estreitamento dos olhos. Breu se levantou e puxou as luvas pelos punhos, primeiro uma, depois a outra.

— Salve Yaezir — disse ele. — Arauto de Reis. Que ele possa liderar com sabedoria. Se algum dia parar de babar.

Breu fez uma mesura para o novo Primeiro, então partiu com passos seguros.

— Alguém sabe o nome daquele oficial? — indagou um dos vizires. — Quando foi que começamos a deixar que agentes da lei solicitassem Espadas Fractais?

Gawx se ajoelhou ao lado de Lift.

— Então agora você é um imperador ou algo do tipo — comentou ela, fechando os olhos, se recostando.

— Pois é. Ainda estou confuso. Parece que fiz um milagre ou coisa parecida.

— Bom para você — disse Lift. — Posso comer seu jantar?

I-10

SZETH

Szeth-filho-filho-Vallano, Insincero de Shinovar, estava sentado no topo da torre mais alta do mundo e contemplava o Fim de Todas as Coisas.

As almas das pessoas que havia assassinado espreitavam nas sombras. Elas sussurravam. Quando ele se aproximava, elas gritavam.

Também gritavam quando ele fechava os olhos. Passara a piscar o mínimo possível. Seus olhos pareciam secos no crânio. Era o que... qualquer homem são faria.

A torre mais alta do mundo, escondida nos picos das montanhas, era perfeita para contemplação. Se não estivesse preso a uma Sacrapedra, se fosse um homem totalmente diferente, permaneceria ali. O único lugar no Oriente onde as pedras não eram amaldiçoadas, onde caminhar sobre elas era permitido. Aquele lugar era sagrado.

O sol forte reluzia para banir as sombras, o que diminuía aqueles gritos ao mínimo. Aqueles que gritavam tinham merecido a morte, naturalmente. Eles teriam matado Szeth. *Eu odeio você. Eu odeio... todo mundo.* Pelas glórias interiores, que emoção estranha.

Ele não ergueu os olhos. Não queria encarar o Deus dos Deuses. Mas *era* bom estar sob a luz do sol. Não havia nuvens ali para trazer escuridão. O lugar ficava acima de todas. Urithiru reinava até mesmo sobre as nuvens.

A torre colossal também estava vazia; era outro motivo por que gostava dela. Uma centena de andares, construídos em círculos, cada um abaixo maior do que o andar de cima, para fornecer uma sacada ensolarada. O lado leste, contudo, era uma borda plana e áspera, que fazia a torre parecer, de longe, ter sido fatiada por uma titânica Espada Fractal. Que forma estranha.

Ele estava sentado naquela borda, bem no topo, os pés pendendo sobre uma altura de cem enormes andares e uma queda até a encosta da montanha abaixo. Vidro cintilava na superfície lisa daquele lado.

Janelas de vidro. Voltadas para o *leste*, na direção da Origem. Na primeira vez em que visitar aquele lugar — logo depois de ser exilado da sua terra natal —, ele não havia compreendido o quão estranhas eram aquelas janelas. Na época, ainda estava acostumado com grantormentas suaves. Chuva, vento e meditação.

As coisas eram diferentes naquelas terras amaldiçoadas dos pisapedras. Terras detestáveis. Terras cobertas de sangue, morte e gritos. E... E...

Respirar. Ele forçou o ar para dentro e para fora e ficou de pé na beirada do parapeito no topo da torre.

Ele havia lutado com uma impossibilidade. Um homem com Luz das Tempestades, um homem que conhecia a tempestade interior. Aquilo significava... problemas. Anos atrás, Szeth havia sido banido por dar o alarme. O *falso* alarme, disseram.

Os Esvaziadores não existiam mais, disseram a ele.

Os próprios espíritos das pedras haviam prometido.

Os poderes da antiguidade não existem mais.

Os Cavaleiros Radiantes caíram.

Nós somos tudo que resta.

Tudo que resta... Insincero.

— Eu não fui fiel? — gritou Szeth, finalmente encarando o sol. Sua voz ecoou contra as montanhas e suas almas-espíritos. — Eu não obedeci, não mantive meu voto? Eu não cumpri o que vocês *exigiram* de mim?

A matança, os assassinatos. Ele piscou com cansaço.

GRITOS.

— O que vai acontecer se o Xamanato estiver errado? E se eles me baniram erroneamente?

Significava o Fim de Todas as Coisas. O fim da verdade. Significava que nada fazia sentido, e que seu voto era desprovido de significado.

Significava que ele havia matado sem motivo.

Pulou da beira da torre, a roupa branca — agora um símbolo de muitas coisas — tremulando ao vento. Ele se preencheu com Luz das Tempestades e se projetou para o sul. Seu corpo foi impulsionado naquela direção, caindo através do céu. Só podia viajar assim por um curto período de tempo; sua Luz das Tempestades não durava muito tempo.

Seu corpo era imperfeito demais. Os Cavaleiros Radiantes... diziam que eles... diziam que eles eram melhores nisso... como os Esvaziadores.

Ele só tinha Luz o suficiente para se livrar das montanhas e pousar em uma das vilas nos sopés. Os aldeões frequentemente deixavam esferas para ele ali, como uma oferenda, considerando-o algum tipo de deus. Alimentaria-se daquela Luz, e isso permitiria que seguisse por uma distância mais longa até encontrar outra cidade e mais Luz das Tempestades.

Levaria dias até que ele chegasse aonde estava indo, mas *encontraria* respostas. Ou, caso contrário, alguém para matar.

Por sua própria escolha, dessa vez.

I-11
NOVOS RITMOS

ESHONAI ACENOU ENQUANTO SUBIA o pináculo central de Narak, tentando espantar o minúsculo espreno. Ele dançava ao redor da sua cabeça, emanando anéis de luz de sua forma semelhante a um cometa. Coisinha horrível. Por que não a deixava em paz?

Talvez não pudesse ficar longe. Ela estava vivenciando algo maravilhosamente novo, afinal de contas. Algo inédito há séculos. Forma tempestuosa. Uma verdadeira forma de poder.

Uma forma fornecida pelos deuses.

Ela continuou a subir os degraus, os pés estalando na Armadura Fractal, que lhe causava uma boa sensação.

Já fazia 15 dias que mantinha aquela forma, 15 dias ouvindo novos ritmos. De início, se sintonizara a eles com frequência, mas isso deixara algumas pessoas muito nervosas. Ela recuou e se forçou a se sintonizar com os ritmos antigos e familiares quando estava falando.

Era difícil, pois aqueles antigos ritmos eram tão *tediosos*. Enterradas naqueles novos ritmos, cujos nomes ela havia de alguma forma intuído, podia quase ouvir vozes falando com ela, aconselhando-a. Se seu povo houvesse recebido tal orientação ao longo dos séculos, certamente não teria decaído tanto.

Eshonai chegou ao topo do pináculo, onde os outros quatro a esperavam. Mais uma vez, sua irmã Venli também estava presente, e também em sua nova forma — suas placas de armadura pontiagudas, seus olhos vermelhos, sua agilidade perigosa. Aquela reunião se desdobraria de modo muito diferente da anterior. Eshonai repetiu os novos ritmos, tomando cuidado para não os cantarolar. Os outros ainda não estavam prontos.

Sentou-se, então arquejou de espanto.

Aquele ritmo! Era como... como se sua própria voz estivesse gritando com ela. Gritando de dor. O que era *aquilo*? Sacudiu a cabeça e percebeu que havia instintivamente levado a mão ao peito, nervosa. Quando a abriu, o espreno semelhante a um cometa escapou.

Ela se sintonizou a Irritação. Os outros membros dos Cinco fitavam-na com as cabeças inclinadas, um ou dois cantarolando em Curiosidade. Por que ela havia agido daquele jeito?

Eshonai se acomodou, a Armadura Fractal raspando a pedra. Estava perto da bonança — o período chamado de Pranto pelos humanos —, e as grantormentas vinham se tornando mais raras. Isso havia criado um pequeno impedimento na sua marcha para ver todos os Ouvintes receberem a forma tempestuosa. Houvera apenas uma tempestade desde a transformação de Eshonai, durante a qual Venli e seus eruditos haviam assumido a forma tempestuosa junto com duzentos soldados escolhidos por Eshonai. Não oficiais. Soldados comuns. Do tipo que ela tinha *certeza* que obedeceria.

A próxima grantormenta estava a menos dias de distância, e Venli estava coletando seus esprenos. Já tinham milhares prontos. Era hora.

Eshonai fitou os outros membros dos Cinco. O céu limpo derramava luz solar branca, e uns poucos esprenos de vento se aproximaram em uma brisa. Eles pararam ao chegar perto, então zuniram na direção oposta.

— Por que vocês solicitaram esta reunião? — perguntou Eshonai.

— Você tem falado de um plano — disse Davim, suas grandes mãos de trabalhador juntas diante de si. — Tem contado isso a todos. Não deveria ter trazido esse assunto para os Cinco primeiro?

— Sinto muito. Estou empolgada, só isso. Acredito, contudo, que agora devemos ser Seis.

— Isso ainda não foi decidido — declarou o fraco e roliço Abronai. A forma copulatória era nojenta. — As coisas estão indo rápido demais.

— Nós *precisamos* ser rápidos — replicou Eshonai em Determinação. — Só temos duas grantormentas antes da bonança. Você sabe o que os espiões relataram. Os humanos estão planejando uma investida final contra nós, rumo a Narak.

— É uma pena que seu encontro com eles tenha ido tão mal — comentou Abronai em Consideração.

— Eles queriam me contar da destruição que planejaram causar — mentiu Eshonai. — Queriam se vangloriar. Foi o único motivo para se encontrarem comigo.

— Nós precisamos estar prontos para lutar com eles — disse Davim em Ansiedade.

Eshonai riu. Um uso descarado de emoção, mas ela realmente a sentia.

— Lutar com eles? Vocês não andaram prestando atenção? Eu posso invocar uma *grantormenta*.

— Com ajuda — disse Chivi em Curiosidade. Forma hábil. Outra forma fraca. Eles deviam eliminá-la das suas fileiras. — Você disse que não consegue fazer isso sozinha. De quantos outros precisa? Certamente os duzentos que tem agora bastam.

— Não, *nem de longe* — replicou Eshonai. — Sinto que quanto mais pessoas estiverem nessa forma, maiores nossas chances de sucesso. Gostaria, portanto, de propor que nos transformemos.

— Sim — concordou Chivi. — Mas quantos?

— Todos.

Davim cantarolou em Diversão, achando que era uma piada. Ele parou quando o resto do grupo permaneceu em silêncio.

— Nós só teremos uma chance — declarou Eshonai em Determinação. — Os humanos vão deixar seus acampamentos de guerra juntos, em um grande exército que pretende alcançar Narak durante a bonança. Eles estarão completamente expostos nos platôs, sem abrigo algum. Uma grantormenta nessa hora os *destruiria*.

— Nem mesmo sabemos se você pode invocar uma — disse Abronai em Ceticismo.

— É por isso que precisamos do maior número possível de nós na forma tempestuosa — respondeu Eshonai. — Se perdermos essa oportunidade, nossos filhos nos cantarão canções de Maldição, isso se viverem o suficiente. Essa é nossa chance, nossa única chance. Imaginem os dez exércitos dos homens, isolados nos platôs, fustigados e sobrepujados por uma tempestade que nunca poderiam ter previsto! Com a forma tempestuosa, seríamos imunes aos efeitos da tormenta. Se algum homem sobreviver, poderemos destruí-lo facilmente.

— *É* tentador — admitiu Davim.

— Eu não gosto da aparência daqueles que assumiram essa forma — disse Chivi. — Não gosto de como as pessoas clamam para recebê-la. Talvez duzentos sejam o bastante.

— Eshonai, qual é a sensação dessa forma? — questionou Davim.

A pergunta era mais profunda do que parecia. Cada forma causava as próprias transformações. A forma bélica deixava uma pessoa mais agressiva, a forma copulatória a deixava distraída, a forma hábil incentivava a concentração, e a forma laboral a tornava obediente.

Eshonai sintonizou a Paz.

Não. *Aquela* era a voz que gritava. Como havia passado semanas nessa forma sem perceber?

— Sinto-me viva — disse Eshonai em Alegria. — Sinto-me forte e poderosa. Sinto uma conexão com o mundo que devia ter experimentado desde sempre. Davim, é como mudar da forma opaca para uma das outras... é *esse o nível de aperfeiçoamento*. Agora que possuo esta força, percebo que não estava totalmente viva antes.

Ela levantou a mão e fechou-a em um punho. Podia sentir a energia percorrendo seu braço enquanto os músculos se flexionavam, embora estivesse oculta sob a Armadura Fractal.

— Olhos vermelhos — sussurrou Abronai. — Chegamos a esse ponto?

— Se decidirmos fazer isso, talvez nós quatro devamos avaliá-la primeiro, então falar se os outros devem se unir a nós — disse Chivi. Venli abriu a boca para falar, mas Chivi levantou a mão, interrompendo-a. — Você já teve sua vez, Venli. Sabemos o que deseja.

— Infelizmente, não podemos esperar — lamentou Eshonai. — Se queremos encurralar os exércitos alethianos, vamos precisar de tempo para transformar todo mundo antes que eles partam em busca de Narak.

— Estou disposto a tentar — ofereceu Abronai. — Talvez devamos propor uma transformação em massa para o nosso povo.

— Não — falou Zuln em Paz.

Ela era o membro de forma opaca dos Cincos e estava sentada encurvada, olhando para o chão adiante. Ela quase nunca falava. Eshonai se sintonizou com a Irritação.

— Como é?

— Não — repetiu Zuln. — Não está certo.

— Gostaria que todos nós concordássemos — disse Davim. — Zuln, não pode ouvir a voz da razão?

— Não está certo — repetiu a forma opaca.

— Ela é opaca — disse Eshonai. — Devíamos ignorá-la.

— Zuln representa o passado, Eshonai — cantarolou Davim em Ansiedade. — Você não devia dizer essas coisas dela.

— O passado está morto.

Abronai juntou-se a Davim no Ritmo de Ansiedade.

— Talvez seja melhor pensar mais a respeito. Eshonai, você... você não fala como antes. Eu não havia percebido que as mudanças eram tão absolutas.

Eshonai se sintonizou com um dos novos ritmos, o Ritmo de Fúria. A música tomou seu interior, e ela se pegou cantarolando. Eles eram tão cautelosos, tão fracos! Fariam com que seu povo fosse destruído.

— Vamos nos reunir mais tarde — decidiu Davim. — Tiremos um tempo para pensar. Eshonai, gostaria de falar com você a sós durante esse período, se concordar.

— Mas é claro.

Eles se levantaram dos seus lugares no topo do pináculo. Eshonai andou até a beirada e olhou para baixo enquanto os outros desciam em fila. O pináculo era alto demais para se pular, mesmo de Armadura Fractal. Ela queria tanto tentar.

Parecia que todas as pessoas na cidade haviam se reunido ao redor da base para esperar a decisão. Nas semanas desde a transformação de Eshonai, rumores sobre o que acontecera com ela — e depois com os outros — haviam permeado a cidade com certa mistura de ansiedade e esperança. Muitos a procuraram, implorando para receber a forma. Eles viam a chance que ela oferecia.

— Eles não vão concordar — disse Venli, de trás, quando os outros desceram. Ela falou em Despeito, um dos novos ritmos. — Você falou de modo agressivo demais, Eshonai.

— Davim está conosco — informou Eshonai em Confiança. — Chivi estará também, com persuasão.

— Isso não basta. Se os Cinco não chegarem a um consenso...

— Não se preocupe.

— Nosso povo *precisa* assumir aquela forma, Eshonai — disse Venli. — É inevitável.

Eshonai percebeu que estava se afinando com a nova versão de Diversão... era Zombaria. Ela se voltou para a irmã.

— Você sabia, não é? Sabia *exatamente* o que essa forma faria comigo. Você sabia disso antes de assumi-la também.

— Eu... Sim.

Eshonai agarrou a irmã pela frente da túnica, então puxou-a para a frente, segurando-a bem apertado. Com a Armadura Fractal era fácil, embora Venli resistisse mais do que deveria ser capaz, e uma pequena faísca de relâmpago vermelho correu pelos braços e pelo rosto da mulher. Eshonai não estava acostumada com tal força vinda da sua irmã erudita.

— Você podia ter nos destruído — disse Eshonai. — E se essa forma tivesse feito algo terrível?

Gritos. Em sua mente. Venli sorriu.

— Como você a descobriu? — perguntou Eshonai. — Não veio das canções. Há mais.

Venli nada disse. Ela encarou Eshonai e cantarolou em Confiança.

— Precisamos garantir que os Cinco concordem com esse plano. Para sobreviver e para derrotar os humanos, temos que estar nessa forma... todos nós. *Precisamos* invocar aquela tempestade. Ela está... esperando, Eshonai. Esperando e crescendo.

— Vou cuidar disso — garantiu Eshonai, soltando Venli. — Consegue reunir esprenos o suficiente para transformar todo o nosso povo?

— Minha equipe está trabalhando nisso há três semanas. Vamos estar prontos para transformar milhares e milhares durante as duas grantormentas antes da bonança.

— Ótimo. — Eshonai começou a descer os degraus.

— Irmã? Você está planejando alguma coisa. O que é? Como vai persuadir os Cinco?

Eshonai continuou a descer. Com o equilíbrio e a força adicionais da Armadura Fractal, não precisava das correntes para se equilibrar. À medida que se aproximou do chão, onde os outros dos Cinco estavam falando com o povo, ela parou a uma curta distância acima da multidão e respirou fundo.

Então, o mais alto que pôde, Eshonai gritou:

— Daqui a dois dias, levarei todo mundo que desejar à tempestade e darei a eles essa nova forma.

A multidão parou, seus cânticos interrompidos.

— Os Cinco querem negar a vocês esse direito — berrou Eshonai. — Não querem que vocês tenham essa forma de poder. Estão assustados, como crenguejos se escondendo em rachaduras. Eles *não podem* negar isso a vocês! É o direito de toda pessoa escolher a própria forma.

Ela ergueu as mãos acima da cabeça, cantarolando em Determinação, e invocou uma tempestade.

Era minúscula, uma mera goteira em comparação com o que esperava. A chuva cresceu entre suas mãos, um vento cortado por relâmpagos. Uma tempestade em miniatura nas suas palmas, luz e poder, vento girando em um vórtice. Fazia séculos desde que aquele poder havia sido usado, e assim — como um rio que fora represado — a energia aguardava impacientemente para ser libertada.

A tormenta cresceu tanto que fez tremular suas roupas, girando ao redor dela em um vórtice de vento, espocando relâmpagos vermelhos e uma bruma escura. Por fim, ela se dissipou. Eshonai ouviu Admiração sendo cantada por toda a multidão — canções inteiras, não murmúrios. Eles estavam emocionados.

— Com esse poder, nós seremos capazes de destruir os alethianos e proteger nosso povo — declarou Eshonai. — Já presenciei o desespero de vocês. Já ouvi vocês cantando em Lamentação. Não precisa ser assim! Venham comigo para as tempestades. É seu direito, seu *dever*, juntar-se a mim.

Nos degraus atrás dela, Venli cantarolou em Tensão.

— Isso vai nos dividir, Eshonai. Agressivo demais, abrupto demais!

— Vai funcionar — disse ela em Confiança. — Você não os conhece como eu.

Abaixo, os outros membros dos Cinco olhavam-na com raiva, com um ar traído, embora ela não pudesse ouvir suas canções.

Eshonai marchou até a base do pináculo, então abriu caminho em meio à multidão, sendo acompanhada pelos seus soldados na forma tempestuosa. As pessoas saíam da frente, muitas cantarolando em Ansiedade. A maioria dos presentes eram laborais ou hábeis. Fazia sentido. As formas bélicas eram pragmáticas demais para ficarem pasmas.

Eshonai e seus guerreiros tempestuosos deixaram o centro da cidade. Ela permitiu que Venli a seguisse, mas não lhe deu atenção. Enfim se aproximou das casernas a sotavento da cidade, um grande grupo de edifícios construídos juntos para formar uma comunidade para os soldados. Embora suas tropas não precisassem dormir ali, muitos deles dormiam.

A área de treinamento a um platô de distância estava ocupada com os sons de guerreiros aprimorando suas habilidades, ou — mais provavelmente — soldados recém-transformados sendo treinados. A segunda divisão, com cento e vinte oito soldados, estava fora, à procura de humanos adentrando os platôs intermediários. Batedores em pares de combate perambulavam pelas Planícies. Ela lhes dera essa incumbência logo depois de obter sua forma, já que sabia mesmo então que teria que mudar o funcionamento das batalhas. Queria todas as informações que pudesse obter sobre os alethianos e suas táticas atuais.

Seus soldados ignorariam crisálidas por enquanto. Não queria mais perder soldados naquele jogo mesquinho, não quando cada homem e mulher sob seu comando representava o potencial da forma tempestuosa.

As outras divisões estavam todas ali, contudo. Dezessete mil soldados no total. Uma força poderosa, de algumas maneiras, mas também muito poucos, em comparação com o que já haviam sido. Ela ergueu a mão fechada em um punho, e sua divisão tempestuosa chamou todos os soldados no exército Ouvinte para que se reunissem. Os que estavam praticando deitaram suas armas e trotaram até ali. Outros deixaram as casernas. Em pouco tempo, todos haviam se juntado a ela.

— Está na hora de acabar com a luta contra os alethianos — anunciou Eshonai. — Quais de vocês estão dispostos a me seguir para fazer isso?

Um murmúrio em Determinação espalhou-se pela multidão. Até onde podia ouvir, ninguém cantarolou em Ceticismo. Excelente.

— Para isso, será necessário que cada soldado se una a mim nessa forma — gritou Eshonai, suas palavras sendo transmitidas através das fileiras.

Mais murmúrios em Determinação.

— Sinto orgulho de vocês. Mandarei a Divisão Tempestuosa registrar as palavras de cada um sobre essa transformação. Se houver alguém aqui que não deseje mudar, saberei pessoalmente. É a sua decisão, por direito, e não vou forçá-los... mas preciso saber.

Ela olhou para suas formas tempestuosas, que fizeram uma saudação e se separaram, movendo-se em pares de combate. Eshonai deu um passo atrás, assistindo enquanto eles visitavam cada divisão por vez. Os novos ritmos vibravam em seu crânio, embora ela mantivesse distância do Ritmo de Paz, com seus estranhos gritos. Não havia como lutar contra o que se tornara. Os olhos dos deuses estavam sobre ela com demasiada atenção.

Ali perto, alguns soldados se reuniram, rostos familiares sob rígidas placas cranianas, os homens portando lascas de gemas trançados na barba. Sua própria divisão, que outrora foram seus amigos.

Ela não podia bem explicar por que não os escolhera de início para a transformação, escolhendo em vez disso duzentos soldados de várias divisões. Precisaria de soldados obedientes, mas não de famosa inteligência.

Thude e os soldados da antiga divisão de Eshonai... eles a conheciam bem demais. Eles teriam questionado.

Logo, ela recebeu a informação. Dos seus dezessete mil soldados, só um punhado recusou a transformação requerida. Aqueles que haviam declinado foram reunidos na área de treinamento.

Enquanto contemplava sua próxima ação, Thude se aproximou. Alto e de membros grossos, ele sempre usara a forma bélica, exceto pelas duas semanas como consorte de Bila. Ele cantarolou em Determinação — a maneira de um soldado para indicar uma disposição de obedecer a ordens.

— Estou preocupado com isso, Eshonai. Tantos assim precisam mudar?

— Se não nos transformarmos, estamos mortos. Os humanos vão nos arruinar.

He continuou a cantarolar em Determinação, para indicar que confiava nela. Seus olhos pareciam contar outra história.

Melu, das suas formas tempestuosas, retornou e fez uma saudação.

— A contagem acabou, senhora.

— Excelente — disse Eshonai. — Informe as tropas. Vamos fazer o mesmo com todos na cidade.

— *Todos?* — indagou Thude em Ansiedade.

— Temos pouco tempo — respondeu Eshonai. — Se não agirmos, vamos perder a oportunidade de tomar ação contra os humanos. Temos duas tormentas restantes; quero que cada pessoa disposta nesta cidade esteja pronta para assumir a forma tempestuosa antes que elas tenham passado. Quem não quiser fazer isso está no seu direito, mas quero que sejam reunidos para que eu possa saber como estamos.

— Sim, general — respondeu Melu.

— Use uma formação de batedores bem executada — disse Eshonai, apontando para partes da cidade. — Movam-se pelas ruas, contando cada pessoa. Usem também as divisões sem forma tempestuosa, para que seja mais rápido. Digam às pessoas comuns que estamos tentando determinar quantos soldados teremos para a batalha próxima, e garanta que nossos soldados estejam calmos e cantando em Paz. Coloque as pessoas que estão dispostas a se transformar no anel central. Envie aqueles que não estiverem dispostos para cá. Dê-lhes uma escolha para que não se percam.

Venli se aproximou enquanto Melu passava as instruções, enviando tropas para cumpri-las. Thude juntou-se de novo à sua divisão. A cada meio ano, eles faziam uma contagem para determinar seus números e ver se as formas estavam adequadamente balanceadas. De vez em quando, precisavam de mais voluntários para se tornarem copulatórios ou laborais. Com maior frequência, precisavam de mais formas bélicas.

Isso significava que aquela tarefa era familiar aos soldados, e eles receberam as ordens com tranquilidade. Depois de anos de guerra, estavam acostumados a fazer o que ela dizia. Muitos apresentavam a mesma depressão que as pessoas comuns expressavam — só que, para as tropas, ela se manifestava como sede de sangue. Eles só queriam lutar. Provavelmente avançariam diretamente contra os acampamentos humanos e contra tropas dez vezes maiores, se Eshonai ordenasse.

Os Cinco praticamente me deram isso de bandeja, pensou ela enquanto os primeiros dissidentes começaram a fluir da cidade, escoltados pelos soldados dela. *Durante anos fui a líder absoluta dos nossos exércitos, e cada pessoa entre nós com qualquer indício de agressividade foi-me entregue para ser um soldado.*

Trabalhadores obedeceriam; essa era sua natureza. Muitos dos hábeis que não haviam sido transformados ainda eram leais a Venli, já que a maioria aspirava ser erudita. Os copulatórios não se importariam, e os poucos opacos teriam cérebros embotados demais para se oporem.

A cidade era dela.

— Teremos que matá-los, infelizmente — comentou Venli, assistindo aos dissidentes sendo reunidos. Eles estavam todos aglomerados, com medo, apesar das canções tranquilizadoras dos soldados. — Suas tropas serão capazes de fazer isso?

— Não. — Eshonai balançou a cabeça. — Muitos resistiriam, se fizéssemos isso agora. Vamos ter que esperar que todos os meus soldados sejam transformados. Então eles não terão objeções.

— Isso é descuidado — disse Venli em Despeito. — Pensei que eles fossem leais a você.

— Não me questione — retrucou Eshonai. — Eu controlo esta cidade, não você.

Venli se calou, mas continuou cantarolando em Despeito. Ela tentaria tomar o poder de Eshonai. Era uma percepção incômoda, assim como a de quão profundamente a própria Eshonai desejava estar no controle. Ela não era assim. Nem um pouco.

Eu não faço essas coisas. Eu...

A batida dos novos ritmos cresceram na sua mente. Ela deixou de lado tais pensamentos enquanto um grupo de soldados se aproximava, arrastando uma figura que gritava. Abronai, dos Cinco. Ela deveria ter imaginado que ele causaria problemas; conseguia manter a forma copulatória com facilidade demais, evitando suas distrações.

Transformá-lo seria perigoso. Ele tem controle demais sobre si mesmo.

Enquanto os soldados da forma tempestuosa o arrastavam até Eshonai, os gritos dele a fustigavam.

— Isso é um ultraje! Os ditames dos Cinco nos governam, não a vontade de uma única pessoa! Não podem ver que essa forma, essa nova forma, a está controlando! Vocês todos perderam a cabeça! Ou... ou *pior*.

Aquilo era desconfortavelmente próximo à verdade.

— Coloque-o com os outros — disse Eshonai, gesticulando na direção dos dissidentes. — E o resto dos Cinco?

— Eles concordaram — disse Melu. — Alguns estavam relutantes, mas concordaram.

— Vá e pegue Zuln. Coloque-a com os dissidentes. Não confio que ela vá fazer o necessário.

O soldado não questionou enquanto arrastava Abronai para longe. Havia talvez mil dissidentes no grande platô que compunha a área de treinamento. Um número aceitavelmente pequeno.

— Eshonai... — A canção estava afinada em Ansiedade. Ela se virou quando Thude chegou perto. — Não gosto do que estamos fazendo.

Que estorvo. Havia se preocupado que ele dificultasse as coisas. Ela o pegou pelo braço, puxando-o de lado. Os novos ritmos se repetiam em sua mente enquanto seus pés na Armadura esmagavam as pedras. Quando estavam longe o bastante de Venli e dos outros para ter um pouco de privacidade, ela virou Thude para olhá-lo nos olhos.

— Desembuche — pediu ela em Irritação, escolhendo um dos velhos ritmos familiares para ele.

— Eshonai — disse ele em voz baixa. — Isso não está certo. Você *sabe* que não. Eu concordei em mudar, todos os soldados concordaram, mas não está certo.

— Você discorda que precisamos de táticas novas nesta guerra? — perguntou Eshonai em Determinação. — Estamos morrendo aos poucos, Thude.

— Precisamos de novas táticas, mas isso... Tem algo errado com você, Eshonai.

— Não, eu só precisava de uma desculpa para uma ação tão extrema. Thude, faz meses que penso em algo assim.

— Um golpe?

— Não um golpe. Uma mudança de foco. Estaremos *condenados* se não mudarmos nossos métodos! Minha única esperança era a pesquisa de Venli. A única coisa que ela conseguiu foi essa forma. Bem, preciso experimentar usá-la, fazer uma última tentativa de salvar nosso povo. Os Cinco tentaram me deter. Eu ouvi você reclamando sobre como eles só falavam em vez de agir.

Ele cantarolou em Consideração. Ela o conhecia bem, contudo, para sentir quando ele estava forçando um ritmo. A batida era óbvia demais, forte demais.

Eu quase o convenci. São os olhos vermelhos. Incuti nele, e em alguns dos outros da minha própria divisão, um medo excessivo dos nossos deuses.

Era uma pena, mas ela provavelmente teria que fazer com que ele e seus outros antigos amigos fossem executados.

— Vejo que não está convencido — comentou Eshonai.

— Eu só... Eu não sei, Eshonai. Parece algo ruim.

— Vou explicar melhor depois. Não tenho tempo agora.

— E o que você vai fazer com esses aí? — indagou Thude, indicando com a cabeça os dissidentes. — Parece que você está apreendendo todo mundo que não concorda com você. Eshonai... Você percebe que sua própria mãe está entre eles?

Ela se sobressaltou, procurando e encontrando sua velha mãe sendo guiada até o grupo por duas formas tempestuosas. Não tinham nem consultado Eshonai a respeito. Será que significava que eram obedientes demais, seguindo suas ordens independentemente de qualquer coisa, ou estariam preocupados que ela fraquejasse porque sua mãe se recusara a mudar?

Ouvia sua mãe cantando uma das antigas canções enquanto era guiada.

— Você pode vigiar esse grupo — disse Eshonai para Thude. — Você e seus soldados de confiança. Colocarei minha própria divisão encarregada dessas pessoas, sob sua liderança. Dessa maneira, nada acontecerá com eles sem que você concorde.

Ele hesitou, então assentiu, cantarolando em Consideração de verdade dessa vez. Ela o deixou partir e ele trotou até Bila e alguns outros da antiga divisão de Eshonai.

Pobre, crédulo Thude, pensou ela enquanto ele assumia o comando da guarda dos dissidentes. *Obrigada por se unir ao grupo tão voluntariamente.*

— Você lidou bem com isso — elogiou Venli quando Eshonai caminhou de volta até ela. — Pode controlar a cidade por tempo o bastante para a transformação?

— Facilmente — respondeu Eshonai, assentindo para os soldados que vieram entregar relatórios. — Só se certifique de que pode entregar os esprenos apropriados e nas quantidades apropriadas.

— Pode deixar — respondeu Venli em Satisfação.

Eshonai pegou os relatórios. Todo mundo que havia concordado estava reunido no centro da cidade. Era hora de falar com eles e fornecer as mentiras que havia preparado: que os Cinco seriam reintegrados depois que os humanos fossem derrotados; que não havia motivo para preocupação; que tudo estava perfeitamente bem.

Eshonai adentrou a passos largos uma cidade que agora era dela, flanqueada por soldados na nova forma. Ela invocou sua Espada para causar um impacto, a última que seu povo possuía, pousando-a no ombro.

Andou até o centro da cidade, passando por edifícios derretidos e barracos construídos com carapaças. Era um milagre que houvessem sobrevivido às tempestades. Seu povo merecia coisa melhor. Com o retorno dos deuses, eles *teriam* coisa melhor.

De modo irritante, levou algum tempo deixar todo mundo a postos para seu discurso. Um grupo de cerca de vinte mil pessoas em formas não bélicas era uma visão impressionante; olhando para elas, a população não parecia tão pequena. Ainda assim, era apenas uma fração dos seus números originais.

Os soldados fizeram com que todos se sentassem, preparam mensageiros para levar as palavras dela para os que não estavam perto o bastante para escutar. Enquanto ela esperava as preparações, ouviu os relatos sobre a população. Para sua surpresa, a maioria dos dissidentes eram trabalhadores. Eles deveriam ser obedientes. Bem, o número maior era de idosos, aqueles que não haviam lutado na guerra contra os alethianos. Aqueles que não haviam sido forçados a ver seus amigos sendo mortos.

Esperou junto da base do pináculo até que tudo estivesse pronto e subiu os degraus para iniciar seu discurso, mas parou quando notou Varanis, um de seus tenentes, correndo em sua direção. Ele era um dos que havia escolhido para a forma tempestuosa.

Subitamente alerta, Eshonai se sintonizou com o Ritmo da Destruição.

— General — chamou ele em Ansiedade. — Eles escaparam!

— Quem?

— As pessoas que a senhora havia separado, que não queriam se transformar. Eles fugiram.

— Bem, vão atrás deles — disse Eshonai em Despeito. — Não conseguirão ir muito longe. Os trabalhadores não serão capazes de saltar abismos; só chegarão até onde as pontes permitirem.

— General! Eles cortaram uma das pontes, então usaram as cordas para descer até o fundo do abismo. Fugiram pelas fendas.

— Então estão mortos de qualquer maneira — disse Eshonai. — Haverá uma tempestade em dois dias. Eles serão pegos nos abismos e morrerão. Ignore-os.

— E os guardas? — interpelou Venli em Despeito, abrindo caminho aos empurrões até ficar ao lado de Eshonai. — Por que eles não estavam sendo vigiados?

— Os guardas foram com eles — respondeu Varanis. — Eshonai, Thude estava liderando aqueles...

— Não importa — cortou Eshonai. — Você está dispensado.

Varanis recuou.

— Você não está surpresa — disse Venli em Destruição. — Quem são esses guardas que estão dispostos a *ajudar* seus prisioneiros a escapar? O que você fez, Eshonai?

— Não me desafie.

— Eu...

— *Não* me desafie — repetiu Eshonai, agarrando a irmã pelo pescoço com uma manopla.

— Se me matar, você vai arruinar tudo — disse Venli, sem uma gota de medo. — Eles nunca seguirão uma mulher que assassinou a própria irmã em público, e só eu posso fornecer os esprenos de que precisa para essa transformação.

Eshonai murmurou no Ritmo de Escárnio, mas a soltou.

— Vou fazer meu discurso.

Ela deu as costas para Venli e subiu para dirigir-se ao povo.

PARTE QUATRO

A abordagem

KALADIN • SHALLAN • DALINAR

59
VELOZ

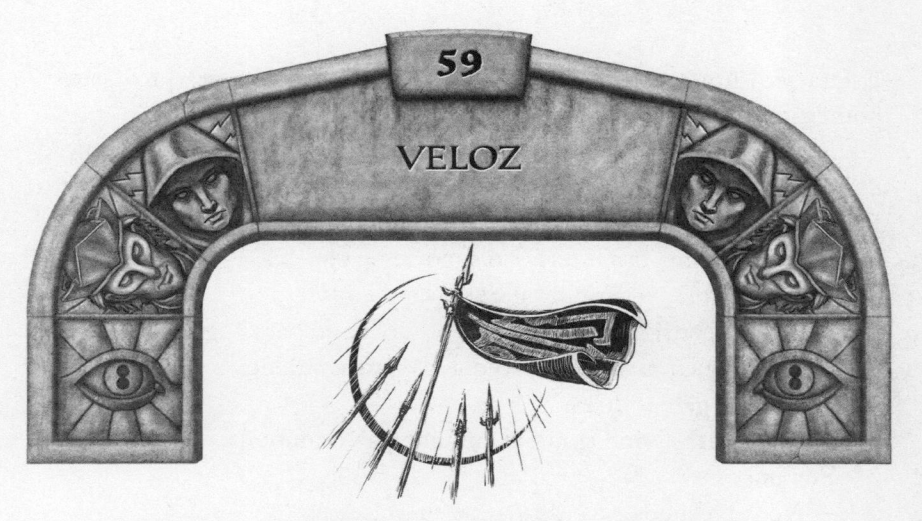

Endereçarei esta carta ao meu "velho amigo", já que não faço ideia do nome que você está usando atualmente.

K ALADIN NUNCA ESTIVERA EM uma prisão antes. Jaulas, sim. Buracos. Currais. Sob guarda em uma sala. Nunca uma prisão propriamente dita.

Talvez fosse porque prisões eram agradáveis demais. Ele tinha dois cobertores, um travesseiro e um penico que era trocado regularmente. Eles o alimentavam muito melhor do que havia sido alimentado quando escravo. A plataforma da pedra não era a cama mais confortável, mas, com os cobertores, não era tão ruim. Ele não tinha quaisquer janelas, mas pelo menos não estava exposto às tempestades.

No todo, a cela era muito agradável. E ele a detestava.

No passado, as únicas vezes em que estivera em um espaço apertado havia sido para se abrigar de uma grantormenta. Agora, ficar preso por horas a fio, sem nada para fazer a não ser deitar-se e pensar... Pegava-se inquieto, suando, sentindo falta dos espaços abertos. Sentindo falta do vento. A solidão não o incomodava. As paredes, contudo; tinha a sensação de que o esmagavam.

No terceiro dia de encarceramento, ouviu uma perturbação vinda de mais abaixo no corredor. Ele se levantou, ignorando Syl, que estava sentada em um banco invisível na parede. O que *era* aquela gritaria? Ecoava pelo corredor.

Sua pequena cela ficava em um espaço separado. As únicas pessoas que haviam entrado desde que ele fora preso tinham sido os guardas e os criados. Esferas brilhavam nas paredes, mantendo o local bem iluminado.

Esferas em um recinto para criminosos. Estariam ali para provocar os homens trancafiados? Riquezas além do alcance.

Kaladin pressionou o corpo contra as barras frias, prestando atenção nos gritos indistintos. Imaginou a Ponte Quatro vindo libertá-lo. Que o Pai das Tempestades não permitisse que tentassem algo tão tolo.

Ele espiou uma das esferas no suporte na parede.

— O que foi? — perguntou Syl.

— Talvez consiga me aproximar o suficiente para sugar aquela Luz. Está só um pouco mais longe do que os parshendianos estavam quando usei a Luz das gemas deles.

— E depois? — indagou Syl em uma voz minúscula.

Boa pergunta.

— Você me ajudaria a escapar, se eu quisesse?

— Você quer?

— Não tenho certeza. — Ele se virou, ainda de pé, e descansou as costas contra as barras. — Posso precisar fazer isso. Mas escapar seria contra a lei.

Ela levantou o queixo.

— Eu não sou um grão-espreno. Leis não importam; importa o que é *certo*.

— Quanto a isso, concordamos.

— Mas você veio voluntariamente — disse Syl. — Por que partiria agora?

— Não vou deixar que me executem.

— Não vão fazer isso — replicou Syl. — Você ouviu Dalinar.

— Quero que Dalinar apodreça. Ele permitiu que isso acontecesse.

— Ele tentou...

— Ele permitiu! — repetiu Kaladin rispidamente, se virando e batendo as mãos contra as barras. Outra *tormentosa* jaula. Ele estava de volta onde havia começado! — Ele é igual aos outros — rosnou Kaladin.

Syl zuniu até ele, pousando entre as barras, as mãos nos quadris.

— Repita isso.

— Ele... — Kaladin se virou. Mentir para ela era difícil. — Tudo bem, está certo. Ele não é. Mas o rei é. Admita, Syl. Elhokar é um péssimo rei. Primeiro ele me *louvou* por tentar protegê-lo. Agora, em um estalar de dedos, está disposto a me executar. Ele é uma criança.

— Kaladin, você está me assustando.

— Estou? Você me disse para confiar nele, Syl. Quando saltei na arena, você disse que dessa vez as coisas seriam diferentes. *Como* isso é diferente?

Ela desviou os olhos, subitamente parecendo muito pequena.

— Até Dalinar admitiu que o rei havia cometido um grande erro ao deixar Sadeas escapulir do desafio — continuou Kaladin. — Moash e seus amigos têm razão. Este reino ficaria melhor sem Elhokar.

Syl desceu até o chão, a cabeça baixa.

Kaladin caminhou de volta ao assento, mas estava agitado demais para sentar-se. Pegou-se andando de um lado para o outro. Como podiam esperar que um homem vivesse preso em uma salinha, sem ar fresco para respirar? Ele não permitiria que o deixassem ali.

É melhor cumprir sua promessa, Dalinar. Tire-me daqui. Rápido.

A perturbação, fosse ela o que fosse, se aquietou. Kaladin perguntou a respeito à criada que chegou com sua comida, empurrando-a através de uma pequena abertura na parte de baixo das barras. Ela não quis falar com ele, e escapuliu como um crenguejo diante de uma tempestade.

Kaladin suspirou, pegando a comida — verduras cozidas no vapor, cobertas com um molho preto salgado — e voltou ao seu banco. Davam-se comida que podia comer com os dedos. Nada de garfos ou facas, só por via das dúvidas.

— Que belo lugarzinho você arrumou, carregadorzinho — disse Riso. — Cheguei a pensar em me mudar para cá em várias ocasiões. O aluguel pode ser barato, mas o preço de entrada é bem alto.

Kaladin apressou-se a ficar de pé. Riso estava sentado em um banco junto da parede oposta, fora da cela e sob as esferas, afinando algum tipo de instrumento estranho no colo, feito de cordas esticadas e madeira polida. Ele não estava ali momentos atrás. Raios... o *banco* já estava ali antes?

— Como você entrou? — quis saber Kaladin.

— Bem, existem umas coisas chamadas de *portas*...

— Os guardas deixaram?

— Tecnicamente? — indagou Riso, vibrando uma corda, depois se inclinando para escutar enquanto puxava outra. — Sim.

Kaladin se recostou no leito da cela. Riso vestia seu traje preto-sobre-preto, sua fina espada prateada removida da cintura e apoiada no banco ao lado. Um saco marrom também estava largado ali. Riso se inclinou para afinar seu instrumento, uma perna cruzada sobre a outra. Ele cantarolou baixinho consigo mesmo e assentiu.

— Ter um ouvido absoluto faz com que isso seja muito mais fácil do que era antes... — comentou Riso.

Kaladin sentou-se, esperando, enquanto Riso se acomodava contra a parede. Então não fez nada.

— Bem? — perguntou Kaladin.

— Sim. Obrigado.

— Você vai tocar para mim?

— Não. Você não apreciaria.

— Então por que está aqui?

— Gosto de visitar pessoas na prisão. Posso dizer o que quiser e elas não podem fazer nada a respeito. — Ele olhou para Kaladin, então pousou as mãos no instrumento, sorrindo. — Eu vim por uma história.

— Que história?

— A que você vai me contar.

— Bah — fez Kaladin, se deitando novamente no leito. — Não estou no clima para seus jogos hoje, Riso.

Riso tocou uma nota no seu instrumento.

— Todo mundo sempre diz isso... o que, para começar, faz com que seja um clichê. E me leva a especular: alguém *já* esteve no clima para meus jogos? E se estivessem, isso não iria contra o propósito do meu tipo de jogo?

Kaladin suspirou enquanto Riso continuava a tirar notas.

— Se eu cooperar hoje, vou me livrar de você? — perguntou Kaladin.

— Irei embora assim que a história terminar.

— Está bem. Um homem foi para a cadeia. Ele detestou o lugar. Fim.

— Ah... — disse Riso. — Então é uma história sobre uma criança.

— Não, é sobre... — Kaladin se calou.

Mim.

— Talvez uma história *para* uma criança — continuou Riso. — Vou lhe contar uma, para colocá-lo no clima. Um filhotinho de coelho e um pintinho estavam brincando na grama em um dia ensolarado.

— Um pintinho... um filhote de galinha? — questionou Kaladin. — E um o quê?

— Ah, por um momento esqueci onde estava. Perdão. Vamos torná-la mais apropriada para você. Um pedaço de lodo e um crustáceo nojento com dezessete patas se arrastavam juntos pelas pedras em um dia insuportavelmente chuvoso. Melhorou?

— Suponho que sim. A história acabou?

— Ela ainda nem começou.

Riso abruptamente bateu nas cordas e começou a tocá-las com uma intenção feroz. Uma repetição enérgica e vibrante. Uma nota acentuada, então sete em uma sequência frenética.

O ritmo adentrou Kaladin. Parecia sacudir o cômodo inteiro.

— O que você está vendo? — interpelou Riso.

— Eu...

— Feche os olhos, idiota!

Kaladin fechou os olhos. *Isso é bobagem.*

— *O que* está vendo? — repetiu Riso.

Riso estava brincando com ele. Diziam que era um hábito do homem. Supostamente, ele era o antigo mentor de Sigzil. Será que Kaladin não merecia clemência por ajudar seu aprendiz?

Não havia nada humorístico naquelas notas. Eram notas poderosas. Riso acrescentou uma segunda melodia, complementando a primeira. Ele estava tocando aquilo com a outra mão? As duas ao mesmo tempo? Como podia um homem, um instrumento, produzir tanta música?

Kaladin viu... em sua mente...

Uma corrida.

— Essa é a canção de um homem correndo — falou Kaladin.

— Na hora mais seca do dia mais claro, o homem partiu do mar oriental — disse Riso, seguindo perfeitamente a batida da música, um cântico que era quase uma canção. — E para onde ele foi, ou por que corria, são respostas que você me dará no final.

— Ele correu da tempestade — sussurrou Kaladin.

— O homem era Veloz, cujo nome você conhece; ele é mencionado em contos e canções. O homem mais rápido da história. Os passos mais firmes já dados. Em tempos há muito passados, em tempos que conheci, ele correu com o Arauto Chan-a-rach. Ele venceu a corrida, como vencia todas, mas agora era chegado o tempo da derrota.

"Pois Veloz, tão seguro e tão rápido, para todos que ouviam gritou sua meta: vencer o vento e disputar com uma tempestade. Um plano tão atrevido, uma promessa tão ousada. Correr com o vento? Não pode ser. Destemido, Veloz se preparou para a corrida. Então para o leste foi nosso Veloz. Na praia estabeleceu seu ponto de partida.

"A tormenta se intensificou, a tormenta se tornou feroz. Quem era aquele homem, pronto para a disparada? Homem algum devia testar o Deus das Tempestades. Pessoa alguma já fora tão insensata."

Como Riso tocava aquela música com apenas duas mãos? Certamente outra mão havia se juntado a ele. Será que Kaladin deveria olhar?

Nos olhos da mente, ele viu a corrida. Veloz, um homem descalço. Riso alegava que todos o conheciam, mas Kaladin nunca ouvira falar de tal história. Esbelto, alto, com longos cabelos amarrados em um rabo que chegava à cintura. Veloz tomou sua posição na costa, inclinado em uma postura de corrida, esperando enquanto o paredão trovejava e desabava sobre o mar em sua direção. Kaladin saltou quando Riso tocou uma explosão de notas, indicando o início da corrida.

Veloz arrancou logo à frente de um violento e irado paredão de água, relâmpago e pedras lançadas pelo vento.

Riso não falou novamente até que Kaladin o instigou.

— De início, Veloz foi bem — disse Kaladin.

— Sobre rocha e grama, nosso Veloz disparou! Saltou sobre pedras e desviou-se de árvores, seus pés, um borrão, sua alma, um sol! A tempestade grandiosa vociferava e girava, mas para longe dela nosso Veloz acelerava! A liderança era dele, o vento atrás, será que um homem agora provara que tormentas podiam *perder*?

"Pela terra ele correu, ligeiro e seguro, e para trás ficou Alethkar. Mas agora via um teste à frente, pois montanhas teria que escalar. A tormenta avançava, soltando um uivo; ela via sua chance se aproximar.

"Até os montes mais altos e os picos mais gelados, nosso herói Veloz abriu caminho. Os declives eram íngremes e os atalhos, incertos. Conseguiria ele manter sua poderosa liderança?"

— Obviamente não — respondeu Kaladin. — Nunca dá para manter a dianteira por muito tempo.

— Não! A tempestade se aproximou, até pisar em seus calcanhares. Veloz sentia o ar gelado na nuca. Seu hálito frio o envolvia, uma boca de noite e asas de gelo. Sua voz tinha o som de pedras rachando; sua canção era a chuva despencando."

Kaladin sentia. Água gelada penetrando as suas roupas. Vento batendo na pele. Um rugido tão alto que logo ele não ouvia mais nada.

Ele estivera lá. Ele sentira.

— Então ele alcançou o topo! A ponta ele encontrou! Veloz já não escalava; havia cruzado o pico. E, ao descer a encosta, sua velocidade retornou! Fora da tempestade, Veloz encontrou o sol. As planícies de Azir agora estavam no caminho. Ele disparou para oeste, seus passos ainda mais largos.

— Mas ele estava enfraquecendo — disse Kaladin. — Homem algum pode correr tal distância sem se cansar. Nem mesmo Veloz.

— Contudo, logo a corrida cobrou seu preço. Seus pés como tijolos, suas pernas feito pano. Por arquejos respirava nosso corredor. O fim se aproximava, a tempestade superada, mas lentamente nosso herói corria.

— Mais montanhas — sussurrou Kaladin. — Shinovar.

— Um desafio final assomou, uma sombra derradeira para seu temor. A terra novamente se elevou, as Montanhas Enevoadas guardando

Shin. Para deixar os ventos tormentosos para trás, nosso Veloz recomeçou a escalar.

— A tempestade o alcançou.

— Com a tormenta outra vez às costas, os ventos de novo giraram! O tempo era curto, o fim, próximo, enquanto pelas montanhas zunia nosso Veloz.

"Ela assomava sobre ele. Mesmo descendo pelo outro lado das montanhas, era incapaz de permanecer muito à frente.

"Ele cruzou os picos, mas perdeu a dianteira. Os caminhos finais estavam diante dos seus pés, mas gastara sua força e perdera seu poder. Cada passo era um fardo, cada respiração um sofrimento. Uma terra afundada ele cruzou enlutado, a grama tão morta que não se movia.

"Mas ali a tempestade também desfaleceu, o trovão perdido e o relâmpago, gasto. As gotas caíam agora fracas e molhadas. Pois Shin não é lugar para elas.

"Adiante, o mar, o final da corrida. Veloz permaneceu à frente, seus músculos doloridos. Os olhos mal viam, as pernas mal caminhavam, mas ele prosseguia rumo ao destino. Você sabe o fim, o fim viverá, um choque para os homens você me dará."

Música, mas sem palavras. Riso aguardava a réplica de Kaladin.

Já chega, pensou Kaladin.

— Ele morreu. Ele não conseguiu. Fim.

A música parou de modo abrupto. Kaladin abriu os olhos e fitou Riso. Será que ele ficaria zangado por Kaladin dar uma conclusão tão ruim para a história?

Riso o encarou, o instrumento ainda no colo. O homem não parecia zangado.

— Então você *conhece* essa história — disse Riso.

— O quê? Pensei que você a estivesse inventando.

— Não, você estava.

— Então o que eu poderia conhecer?

Riso sorriu.

— Todas as histórias já foram contadas antes. Nós as contamos para nós mesmos, assim como todos os homens que já existiram. E todos os homens que existirão um dia. As únicas coisas novas são os nomes.

Kaladin se sentou e bateu um dedo contra o bloco de pedra que servia de banco.

— Então... Veloz. Ele existiu mesmo?

— Tanto quanto eu — disse Riso.

— E ele morreu? Antes que ele pudesse terminar a corrida?
— Ele morreu. — Riso sorriu.
— O quê?

Riso atacou o instrumento. A música rasgou o silêncio da pequena sala. Kaladin ergueu-se do banco enquanto as notas alcançavam novas alturas.

— Sobre aquela terra de poeira e húmus nosso herói tombou e ficou imóvel! — gritou Riso. — Seu corpo gasto, sua força esgotada, Veloz, o herói, não existia mais.

"A tempestade se aproximou e o encontrou ali. Ela se deteve, interrompendo seu caminho! As chuvas caíam, os ventos sopravam, mas além não podiam avançar.

"Pela glória a arder, pela vida a avivar, pelas metas inalcançadas e objetivos por que lutar. Todo homem precisam tentar, o vento viu. É esse o teste, é esse o sonho."

Kaladin andou lentamente até as barras. Mesmo com os olhos abertos, podia ver. Podia imaginar.

— Então, naquela terra de poeira e húmus, nosso herói deteve a própria tempestade. E embora a chuva caísse como lágrimas, nosso Veloz recusou-se a encerrar a corrida. Seu corpo estava morto, mas sua vontade, não, e dentro daqueles ventos sua alma *ascendeu*.

"Ela voou junto à última canção do dia, para vencer a corrida e conquistar a aurora. Além do mar e além das ondas, nosso Veloz não perdia mais o fôlego. Para sempre forte, para sempre rápido, para sempre livre para correr com o vento."

Kaladin pousou as mãos nas barras da cela. A música ressoou pelo recinto, então lentamente morreu.

Kaladin esperou um momento, enquanto Riso olhava para seu instrumento, um sorriso de orgulho nos lábios. Por fim, ele enfiou o instrumento debaixo do braço, pegou sua bolsa e espada e caminhou na direção da saída.

— O que isso significa? — sussurrou Kaladin.
— A história é sua. Você decide.
— Mas você já a conhecia.
— Eu conheço a maioria das histórias, mas nunca tinha ouvido essa ser cantada. — Riso olhou de volta para ele, sorrindo. — *O que* significa, Kaladin da Ponte Quatro? Kaladin Filho da Tempestade?

— A tempestade o pegou — respondeu Kaladin.
— A tormenta pega todo mundo, uma hora ou outra. Faz diferença?

— Eu não sei.
— Ótimo. — Riso inclinou sua espada na direção da testa, como que para expressar respeito. — Então você tem algo em que pensar.
E foi embora.

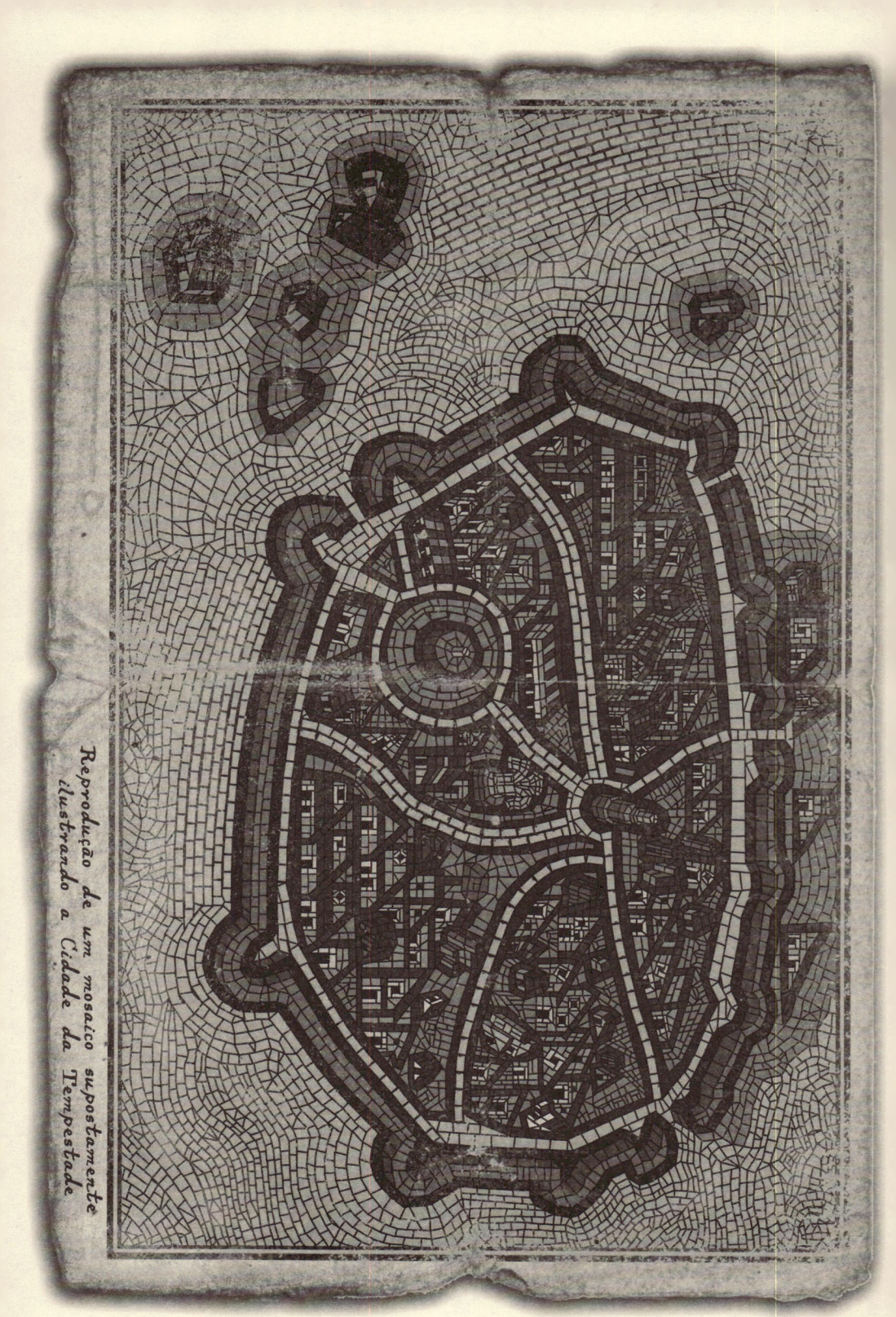

Reprodução de um mosaico supostamente ilustrando a Cidade da Tempestade

60

A CAMINHADA DE VÉU

Você desistiu da gema, agora que ela está morta? E já não se esconde mais por trás do nome do seu antigo mestre? Ouvi dizer que, na sua atual encarnação, você assumiu um nome em referência ao que presume que seja uma das suas virtudes.

— AHÁ! — DISSE SHALLAN.

Ela se moveu pela cama macia — afundando praticamente até o pescoço com cada movimento — e se inclinou precariamente sobre a beirada. Vasculhou entre as pilhas de papel no chão, jogando para o lado páginas irrelevantes.

Finalmente, recuperou a folha que desejava, segurando-a enquanto afastava o cabelo dos olhos e o colocava atrás das orelhas. A página era um mapa, um daqueles bem antigos sobre os quais Jasnah havia falado. Levara uma eternidade para encontrar um mercador nas Planícies Quebradas que possuísse uma cópia.

— Veja — disse Shallan, segurando o mapa antigo ao lado de um moderno, da mesma área, copiado pela sua própria mão da parede de Amaram.

Desgraçado, comentou consigo mesma.

Ela virou os mapas para que Padrão — que decorava a parede acima da cabeceira — pudesse vê-los.

— Mapas — disse ele.

— Um padrão! — exclamou Shallan.

— Não vejo padrão algum.

— Olhe bem aqui — disse ela, se aproximando da parede. — Neste mapa antigo, a área é...

— Natanatan — leu Padrão, então zumbiu baixinho.

— Um dos Reinos de Época. Organizados pelos próprios Arautos para propósitos divinos e blá-blá-blá. Mas *veja*. — Ela fincou o dedo na página. — A capital de Natanatan, Cidade da Tempestade. Tentando julgar onde encontraríamos as ruínas dela, comparando este antigo mapa com o de Amaram...

— Seria em algum ponto daquelas montanhas — disse Padrão. — Entre as palavras "Sombra do Alvorecer" e o *C* de "Colinas Devolutas".

— Não, não — disse Shallan. — Use um pouco de imaginação! O mapa antigo é extremamente impreciso. Cidade da Tempestade ficava *bem aqui*. Nas Planícies Quebradas.

— Não é isso que o mapa diz — contestou Padrão, zumbindo.

— É bem próximo.

— Isso *não* é um padrão — disse ele, em tom ofendido. — Humanos; vocês não compreendem padrões. Como agora mesmo. Está na segunda lua. A cada noite, você dorme durante esse período. Mas não esta noite.

— Não posso dormir esta noite.

— Mais informações, por favor — solicitou Padrão. — Por que *não* esta noite? É o dia da semana? Você sempre não dorme em Jesel? Ou é o clima? Ficou quente demais? A posição das luas em relação à...

— Não é nada disso. — Shallan deu de ombros. — Só não consigo dormir.

— Seu corpo certamente é capaz.

— Provavelmente — disse Shallan. — Mas minha cabeça, não. Ela está agitada com ideias demais, como ondas contra as pedras. Pedras que... imagino... também estão na minha cabeça. — Ela inclinou a cabeça. — Não consigo pensar em uma metáfora que me faça soar particularmente brilhante.

— Mas...

— Chega de reclamações. — Shallan levantou um dedo. — Esta noite, estou fazendo *erudição*.

Ela pousou a página na cama, depois se inclinou de lado, pescando várias outras.

— Eu *não estava* reclamando — reclamou Padrão. Ele desceu até ficar ao lado dela na cama. — Eu não lembro bem, mas Jasnah não usava uma *mesa* quando... "fazia erudição"?

— Mesas são para gente sem graça, e que não tem uma cama superfofa.

Será que o acampamento de Dalinar teria uma cama tão confortável para ela? Provavelmente a carga de trabalho teria sido menor. Ainda que, finalmente, tivesse sido capaz de terminar o levantamento das finanças pessoais de Sebarial e estivesse quase pronta para apresentar-lhe um conjunto de livros-razão relativamente organizados.

Em uma súbita inspiração, ela colocou uma cópia de uma das suas páginas de citações sobre Urithiru — suas riquezas potenciais, e sua conexão com as Planícies Quebradas — entre os outros relatórios que enviaria a Palona. Ao pé da folha, escreveu: "Entre as anotações de Jasnah Kholin há indicações de algo valioso escondido nas Planícies Quebradas. Manterei você informada sobre minhas descobertas." Se Sebarial pensasse que havia uma oportunidade além de gemas-coração nas Planícies, talvez ela pudesse convencê-lo a levá-la até lá com seus exércitos, caso as promessas de Adolin não se realizassem.

Infelizmente, preparar tudo aquilo a deixara com pouco tempo para estudar. Talvez fosse por isso que não conseguia dormir. *Seria mais fácil se Navani concordasse em se encontrar comigo.* Ela havia escrito novamente, e recebera a resposta de que Navani estava ocupada cuidando de Dalinar, que estava doente. Nada grave, aparentemente, mas ele havia se retirado por alguns dias para se recuperar.

Será que a tia de Adolin a culpava por estragar o acordo do duelo? Depois do que Adolin havia decidido fazer na semana anterior... Bem, pelo menos a agitação dele deixara Shallan com algum tempo para ler e pensar sobre Urithiru. Qualquer coisa para não pensar nos seus irmãos, que ainda não haviam respondido suas cartas implorando que deixassem Jah Keved e fossem ao encontro dela.

— Acho dormir muito estranho — disse Padrão. — Eu sei que todos os seres no Reino Físico dormem. Você acha agradável? Você tem medo da não existência, mas a inconsciência não é a mesma coisa?

— Com o sono, é apenas temporário.

— Ah. Está tudo bem, porque de manhã todos voltam à senciência.

— Bem, isso depende da pessoa — respondeu Shallan distraidamente. — Para muitos, "senciência" pode ser um termo generoso demais...

Padrão zumbiu, tentando destrinchar o significado do que ela havia dito. Finalmente, ele zumbiu em imitação de uma gargalhada.

Shallan levantou uma sobrancelha.

— Especulei que o que você disse foi engraçado — explicou Padrão. — Embora eu não saiba por quê. Não era uma piada. Conheço piadas. Um soldado voltou correndo para o acampamento depois de visitar as prostitutas. Seu rosto estava branco. Seus amigos perguntaram se ele havia se divertido. Ele respondeu que não. Eles perguntaram por quê. Ele disse que havia perguntado quanto a mulher cobrava, e ela disse um marco por cabeça. Ele disse aos amigos que ia ficar muito caro se quisesse botar tudo.

Shallan fez uma careta.

— Você ouviu isso dos homens de Vathah, não foi?

— Sim. É engraçado porque a palavra "parte" significa várias coisas. É uma maneira de contar indivíduos para os quais será cobrada ou distribuída alguma coisa, e uma parte do corpo humano. Além disso, acredito que "cabeça" significa algo na gíria dos soldados, e que o homem na piada se referia a outra parte do corpo, localizado no...

— Sim, obrigada — disse Shallan.

— Essa é uma piada — continuou Padrão. — Compreendo por que é engraçada. Ha, ha. Sarcasmo é similar. Você substitui um resultado esperado por outro grosseiramente inesperado, e o humor está na justaposição. Mas por que o seu comentário anterior é engraçado?

— A essa altura, é discutível se foi mesmo...

— Mas...

— Padrão, não há nada *menos* engraçado do que explicar humor — disse Shallan. — Nós temos coisas mais importantes a discutir.

— Hmm... Como, por exemplo, por que você esqueceu como fazer suas imagens produzirem som? Você já fez isso antes, muito tempo atrás. ...

Shallan piscou, então ergueu o mapa moderno.

— A capital de Natanatan *ficava* aqui, nas Planícies Quebradas. Os velhos mapas são enganadores. Amaram anotou que os parshendianos usam armas de excelente qualidade, muito além da sua habilidade artesanal. Onde foi que as conseguiram? Das ruínas da cidade que ficava lá.

Shallan procurou nas pilhas de papel, pegando um mapa da cidade. Ele não mostrava as áreas ao redor — era só um mapa urbano, e bastante vago, tirado de um livro que ela havia comprado. Achava que era aquele o mapa que Jasnah havia mencionado nas suas anotações.

O comerciante de quem o comprara alegava que ele era antigo — era uma cópia de uma cópia de um livro em Azir que alegava ser o desenho de uma representação em mosaico da Cidade da Tempestade. O mosaico não existia mais — muita coisa que eles possuíam sobre a era sombria vinha de fragmentos como aquele.

— Eruditas rejeitam a ideia de que Cidade da Tempestade ficava aqui nas Planícies — explicou Shallan. — Elas dizem que as crateras dos acampamentos de guerra não combinam com as descrições da cidade. Em vez disso, sugerem que as ruínas devem estar escondidas nas terras altas, onde você indicou. Mas Jasnah não concordava com elas, apontando que poucas das eruditas efetivamente vieram aqui, e que essa área em geral é mal explorada.

— Hmm — fez Padrão. — Shallan...

— Eu concordo com Jasnah — continuou Shallan, dando-lhe as costas. — Cidade da Tempestade não era uma cidade grande. Podia ficar localizada no meio das Planícies, e essas crateras serem alguma outra coisa... Amaram diz aqui que acha que podem ter sido domos. Me pergunto se isso é possível... Eles teriam que ser tão grandes... De qualquer modo, essa pode ter sido uma cidade-satélite ou algo do tipo.

Shallan sentia que estava se aproximando de alguma coisa. A maioria das anotações de Amaram falava sobre tentar encontrar os parshendianos, falar com eles sobre os Esvaziadores e como trazê-los de volta. Contudo, ele mencionava Urithiru, e parecia ter chegado à mesma conclusão que Jasnah — que a antiga Cidade da Tempestade teria contido um caminho para Urithiru. Dez estradas outrora conectavam as dez capitais dos Reinos de Época a Urithiru, onde ficava um tipo de câmara de conferência para os dez monarcas dos Reinos de Época —, com um trono para cada um.

Era por isso que nenhum dos mapas situava a cidade sagrada no mesmo local. Era absurdo caminhar até lá; em vez disso, seguia-se para a cidade mais próxima com um Sacroportal, para usá-lo.

Ele está procurando pelas informações contidas lá, pensou Shallan. *Assim como eu. Mas ele quer o retorno dos Esvaziadores, e não combatê-los. Por quê?*

Ergueu o antigo mapa da Cidade da Tempestade, a cópia do mosaico. Ele tinha um estilo artístico em vez de indicações específicas, como distância e localização. Embora apreciasse a primeira característica, a última era realmente frustrante.

Você está aí? O segredo, o Sacroportal? Você está aqui, neste estrado, como Jasnah pensava?

— As Planícies Quebradas nem sempre foram fragmentadas — sussurrou Shallan consigo mesma. — É isso que as eruditas, todas menos Jasnah, deixaram passar. Cidade da Tempestade foi destruída durante a Última Desolação, mas foi há tanto tempo, que ninguém fala sobre *como isso aconteceu*. Incêndio? Terremoto? Não. Algo ainda mais terrível. A cidade foi partida, como um pedaço de louça fina atingido por um martelo.

— Shallan — disse Padrão, chegando mais para perto dela. — Eu sei que você se esqueceu de muito do que passou. Essas mentiras me atraíram. Mas você não pode continuar assim; precisa admitir a verdade sobre mim. Sobre o que posso fazer, e sobre o que nós fizemos. Hmm... Mais que isso, você *precisa* conhecer a si mesma. E lembrar.

Sentada de pernas cruzadas na cama tão confortável, Shallan sentiu memórias tentarem com unhas e dentes se libertar de caixas em sua cabeça. Todas apontavam para uma direção, para o tapete coberto de sangue. E o tapete... não.

— Você quer ajudar — disse Padrão. — Você quer se preparar para a Tempestade Eterna, os esprenos do antinatural. Você precisa se tornar uma coisa. Eu não vim até você simplesmente para ensinar-lhe truques de luz.

— Você veio aprender — disse Shallan, fitando seu mapa. — Foi o que disse.

— Eu vim aprender. Nós mudamos para fazer algo maior.

— Você prefere que eu fique incapaz de rir? — questionou ela, subitamente contendo lágrimas. — Gostaria de me ver entrevada? É isso que essas memórias fariam comigo. Eu posso *ser* o que *sou* porque as isolei.

Uma imagem se formou diante dela, nascida de Luz das Tempestades, criada por instinto. Não havia precisado desenhá-la primeiro, pois a conhecia bem demais.

A imagem era dela mesma. Shallan, como *deveria* ser. Aninhada na cama, incapaz de chorar, pois suas lágrimas haviam se esgotado há muito tempo. Aquela garota... não uma mulher, uma garota... se retraía sempre que alguém gritava com ela. Não ria, pois o riso lhe havia sido tomado por uma infância de trevas e dor.

Aquela era a verdadeira Shallan. Tinha tanta certeza disso quanto do seu próprio nome. A pessoa que havia se tornado em vez disso era uma mentira, que fabricara em nome da sobrevivência. Lembrar-se de si mesma como uma criança, descobrindo Luz nos jardins, Padrões na cantaria, e sonhos que se tornavam reais...

...

— Hmm... Uma mentira tão profunda — sussurrou Padrão. — Uma mentira deveras arraigada. Mas, ainda assim, você precisa obter suas habilidades. Reaprender, se necessário.

— Muito bem — disse Shallan. — Mas, se já fizemos isso antes, não pode simplesmente me dizer como é feito?

— Minha memória é fraca — respondeu Padrão. — Fiquei mudo tanto tempo, quase morto. Hmm. Eu não podia falar.

— Sim — disse Shallan, lembrando-se dele girando no chão e correndo para a parede. — Mas você era meio fofinho.

Ela baniu a imagem da garota assustada, encolhida e chorosa, então pegou seu material de desenho. Bateu um lápis contra os lábios, depois fez algo simples, um desenho de Véu, a vigarista olhos-escuros.

Véu não era Shallan. Seus traços eram diferentes o bastante para que as duas fossem distintas para qualquer um que por acaso visse a ambas. Ainda assim, Véu tinha traços de Shallan. Era uma versão olhos-escuros, morena e alethiana de Shallan — uma Shallan que era alguns anos mais velha e possuía um nariz e queixo mais angulosos.

Tendo terminado o desenho, Shallan expirou Luz das Tempestades e criou a imagem. Ela estava parada ao lado da mesa, braços cruzados, parecendo tão confiante quanto um mestre duelista encarando uma criança com uma vara.

Som. Como podia fazer som? Padrão dissera que era uma força, parte do Fluxo de Iluminação — ou pelo menos similar. Ela se ajeitou na cama, sentada sobre uma perna, inspecionando Véu. Durante a hora seguinte, Shallan tentou tudo que pôde imaginar, desde se esforçar ao máximo e se concentrar, a tentar *desenhar* sons para fazê-los aparecer. Nada funcionou.

Finalmente, saiu da cama e foi pegar uma bebida da garrafa gelando no balde na sala ao lado. Quando se aproximou da mesa, contudo, sentiu um *puxão* dentro de si. Ela olhou sobre o ombro para o quarto e viu a imagem de Véu começar a perder os contornos, como linhas de lápis borradas.

Raios, aquilo era inconveniente. Sustentar a ilusão requeria que Shallan fornecesse uma fonte constante de Luz das Tempestades. Ela caminhou de volta para o quarto e colocou uma esfera no chão dentro do pé de Véu. Quando se afastou, a ilusão tornou-se indistinta, como uma bolha prestes a estourar. Shallan se virou e colocou as mãos nos quadris, fitando a versão de Véu que se tornara difusa.

— Que coisa chata! — resmungou.

Padrão zumbiu.

— Sinto muito que seus poderes místicos e divinos não funcionem instantaneamente como você gostaria.

Ela levantou uma sobrancelha.

— Pensei que você não compreendesse humor.

— Eu compreendo. Acabei de explicar... — Ele parou por um momento. — Eu fui engraçado? Sarcasmo. Eu fui *sarcástico*. Sem querer! — Ele parecia surpreso, até mesmo alegre.

— Acho que está aprendendo.

— É o laço — explicou ele. — Em Shadesmar, não me comunico dessa maneira, dessa... maneira humana. Minha conexão com você me dá os meios pelos quais posso me manifestar no Reino Físico como mais do que um brilho irracional. Hmmm. Ele me vincula a você, me ajuda a me comunicar como você. Fascinante. Hmmm.

Ele se acomodou feito um cão-machado contente, perfeitamente satisfeito. E então Shallan notou uma coisa.

— Eu não estou brilhando. Estou contendo um monte de Luz das Tempestades, mas não estou brilhando.

— Hmm... — disse Padrão. — Ilusões grandes transformam o Fluxo em outro. Se alimenta da sua Luz das Tempestades.

Ela assentiu. A Luz que continha alimentava a ilusão, que sugava o excedente que normalmente emanaria de sua pele. Isso podia ser útil. Enquanto Padrão subia à cama, o cotovelo de Véu — que estava mais perto dele — tornou-se mais distinto.

Shallan franziu o cenho.

— Padrão, chegue mais perto da imagem.

Ele obedeceu, cruzando a coberta da cama até onde estava Véu, que se tornou menos difusa; não completamente, mas a presença dele fez uma diferença perceptível.

Shallan caminhou até lá, sua proximidade fazendo com que a ilusão retornasse à clareza total.

— Você pode conter Luz das Tempestades? — perguntou Shallan a Padrão.

— Eu não... Quero dizer... A Investidura é o meio pelo qual eu...

— Aqui — disse Shallan, pressionando a mão contra ele, abafando suas palavras até que se tornassem um zumbido irritado.

A sensação era estranha, como se houvesse aprisionado um crenguejo zangado sob os lençóis. Ela forçou um pouco de Luz das Tempestades para ele. Quando levantou a mão, Padrão estava emanando uns fios de Luz, como o vapor que saía de um fabrial de aquecimento.

— Nós estamos ligados — disse ela. — Minha ilusão é sua ilusão. Vou beber alguma coisa. Veja se consegue impedir que a imagem se desfaça.

Ela voltou à sala de estar e sorriu. Padrão, ainda zumbindo com irritação, desceu da cama. Ela não podia vê-lo — a cama estava no caminho —, mas imaginava que estivesse aos pés de Véu.

Funcionou. A ilusão permaneceu.

— Ha! — disse Shallan, servindo-se de uma taça de vinho.

Ela voltou, sentou-se cuidadosamente na cama — deixar-se cair no colchão com uma taça de vinho vermelho não parecia prudente — e olhou para o chão, onde Padrão se posicionara debaixo de Véu. Dava para vê-lo por causa da Luz das Tempestades.

Vou precisar levar isso em conta. Construir ilusões de modo que ele possa se esconder nelas.

— Funcionou? — questionou Padrão. — Como você sabia que funcionaria?

— Eu não sabia. — Shallan tomou um gole de vinho. — Eu adivinhei.

Bebeu mais um gole enquanto Padrão zumbia. Jasnah não teria aprovado. *A erudição exige uma mente afiada e sentidos alertas. Isso não combina com álcool.* Shallan bebeu o resto do vinho de um gole.

— Aqui — disse ela, estendendo a mão para baixo. Fez o resto por instinto. Ela tinha uma conexão com a ilusão, e tinha uma conexão com Padrão, então...

Com um *impulso* de Luz das Tempestades, ela conectou a ilusão a Padrão como costumava conectá-las a si mesma. O brilho dele diminuiu.

— Caminhe por aí — pediu ela.

— Eu não caminho... — disse Padrão.

— Você me entendeu.

Padrão se moveu, e a imagem se moveu com ele. Ela não caminhava, infelizmente. A imagem só meio que deslizava, como luz refletida na parede por uma colher sendo virada ociosamente nas mãos. Shallan comemorou de qualquer modo. Depois de tanto tempo falhando em obter sons de uma das suas criações, aquela descoberta diferente parecia uma grande vitória.

Será que conseguiria fazer com que ela se movesse mais naturalmente? Ela se acomodou com sua prancheta e começou a desenhar.

61

OBEDIÊNCIA

UM ANO E MEIO ATRÁS

SHALLAN TORNOU-SE A FILHA perfeita.
Mantinha-se em silêncio, particularmente na presença do pai. Passava a maior parte dos dias no quarto, sentada junto à janela, lendo os mesmos livros repetidamente e desenhando os mesmos objetos de novo e de novo. Ele já havia provado várias vezes àquela altura que não a tocaria se ela o deixasse furioso.

Em vez disso, surraria outros em seu nome.

As únicas ocasiões em que ela se permitia deixar a máscara cair era quando estava com os irmãos, ocasiões em que seu pai não podia ouvir. Seus três irmãos frequentemente a persuadiam — com um toque de desespero — a contar as histórias dos seus livros. Para eles apenas ela fazia piadas, zombava dos visitantes do pai, e inventava histórias extravagantes junto da lareira.

Uma maneira tão insignificante de resistência. Sentia-se uma covarde por não fazer mais. Mas certamente... certamente as coisas melhorariam agora. De fato, quando os fervorosos começaram a envolver Shallan nas contas do lar, ela notou uma astúcia na maneira como seu pai deixou de ser maltratado pelos outros olhos-claros e começou a jogá-los uns contra os outros. Ficou impressionada, mas também assustada, com a maneira como ele buscava poder. A sorte do pai mudou ainda mais com um novo depósito de mármore que foi descoberto nas suas terras — fornecendo recursos para pagar promessas, subornos e acordos.

Certamente aquilo faria com que ele voltasse a rir. Certamente aquilo afastaria a escuridão dos olhos dele.

Mas isso não aconteceu.

—Ela é de posição baixa demais para que você se case com ela — disse o pai, pousando a caneca. — Não vou permitir, Balat. Afaste-se dessa mulher.

— Ela pertence a uma boa família!

Balat se levantou, palmas sobre a mesa. Era almoço e, portanto, esperava-se que Shallan estivesse presente, em vez de permanecer fechada no quarto. Estava sentada mais ao lado, na sua mesa particular. Balat encarava o pai por sobre a grã-mesa.

— Pai, eles são seus vassalos! — respondeu Balat bruscamente. — O senhor mesmo convidou-os a jantar conosco.

— Meus cão-machados jantam aos meus pés. Não permito que meus filhos os cortejem. A Casa Tavinar não é ambiciosa o suficiente para nós. Agora, Sudi Valam, nessa vale a pena pensar.

Balat franziu o cenho.

— A filha do grão-príncipe? Não pode estar falando sério. Ela está na casa dos cinquenta!

— Ela é solteira.

— Porque seu marido morreu em um duelo! De qualquer modo, o grão-príncipe nunca aprovaria.

— Ele vai começar a nos ver com outros olhos — disse o pai. — Somos uma família rica e muito influente.

— Mas ainda chefiada por um assassino — rebateu Balat.

Foi longe demais!, pensou Shallan. Postado do outro lado do pai, Luesh entrelaçou os dedos diante de si. O novo mordomo tinha um rosto desgastado, coriáceo e enrugado nos lugares mais usados — particularmente as linhas da testa.

O pai se levantou devagar. Essa nova raiva dele, essa raiva fria, apavorava Shallan.

— Os seus novos filhotes de cão-machado — disse ele para Balat. — Uma pena que pegaram uma doença durante a última grantormenta. Uma tragédia. Infelizmente, precisam ser sacrificados. — Ele fez um gesto e um dos seus novos guardas, um homem que Shallan não conhecia bem, saiu da sala, sacando a espada da bainha.

Shallan sentiu muito frio. Até Luesh ficou preocupado, pousando uma mão no braço do pai dela.

— Seu desgraçado. — Balat empalideceu. — Eu vou...

— Você vai *o quê*, Balat? — indagou o pai, livrando-se do toque de Luesh e se inclinando na direção de Balat. — Vamos. Diga. Vai me desafiar? Não pense que eu não o mataria, nesse caso. Wikim pode ser patético, mas vai servir tão bem quanto você para as necessidades desta casa.

— Helaran voltou — disse Balat.

O pai congelou, mãos na mesa, imóvel.

— Eu o vi dois dias atrás — continuou Balat. — Ele mandou me chamar, e cavalguei para encontrá-lo na cidade. Helaran...

— Não diga este nome nesta casa! — rugiu o Pai. — Estou falando sério, *Nan* Balat! Nunca.

Balat encarou seu pai, e Shallan contou dez ansiosos batimentos cardíacos antes que o rapaz desviasse o olhar.

O pai se sentou, parecendo exausto enquanto Balat saía do recinto pisando duro. O salão estava completamente silencioso, Shallan estava assustada demais para falar. Por fim, seu pai se levantou, empurrando a cadeira para trás e indo embora. Luesh logo o seguiu.

Assim, Shallan ficou sozinha com os criados. Ela se levantou timidamente, então foi atrás de Balat.

Ele estava no canil. A guarda havia trabalhado com rapidez. A nova ninhada de cachorrinhos jazia morta em uma poça de sangue roxo no piso de pedra.

Ela havia encorajado Balat a criá-los. Ele andara superando seus demônios, nos últimos anos; raramente feria alguma coisa maior do que um crenguejo. Agora estava sentado em uma caixa, olhando para os pequenos corpos, horrorizado. Esprenos de dor se amontoavam no chão perto dele.

O portão de metal do canil rangeu quando Shallan o abriu. Ela levou a mão segura à boca ao se aproximar dos pobres cadáveres.

— Os guardas do pai — disse Balat. — Parece até que estavam *esperando* por uma oportunidade de fazer algo assim. Não gosto desse novo grupo que ele empregou. Aquele Levrin, com os olhos raivosos, e Rin... esse me assusta. O que aconteceu com Ten e Beal? Soldados com quem se podia fazer piadas. Quase amigos...

Ela pousou uma mão no ombro dele.

— Balat. Você realmente viu Helaran?

— Vi. Ele me disse para não contar a ninguém. Avisou-me que, quando partisse dessa vez, poderia demorar para voltar. Ele mandou... me mandou cuidar da família. — Balat enterrou a cabeça nas mãos. — Eu não posso ser ele, Shallan.

— Não precisa ser.

— Ele é valente. Ele é forte.

— Ele nos abandonou.

Balat ergueu os olhos, lágrimas correndo pelo rosto.

— Talvez ele estivesse certo. Talvez essa seja a única maneira, Shallan.

— Deixar nossa casa?

— E o que tem? Você passa os dias trancada, só sai quando o pai quer exibi-la. Jushu voltou a jogar... você sabe disso, ainda que ele esteja sendo mais prudente a respeito. Wikim fala em tornar-se um fervoroso, mas não sei se o pai algum dia o deixará partir. Ele é uma garantia.

Era, infelizmente, um bom argumento.

— Para onde iríamos? — indagou Shallan. — Não temos nada.

— Também não tenho nada aqui — respondeu Balat. — Não vou desistir de Eylita, Shallan. Ela é a única coisa bela que aconteceu na minha vida. Se precisarmos viver em Vedenar como décimo dan, comigo trabalhando como guarda doméstico ou algo assim, é o que faremos. Não parece uma vida melhor do que esta? — Ele gesticulou na direção dos filhotes mortos.

— Talvez.

— Você iria comigo? Se eu partisse com Eylita? Você poderia ser uma escriba. Ganhar seu próprio sustento, ficar livre do nosso pai.

— Eu... Não. Eu preciso ficar.

— Por quê?

— Alguma coisa tomou conta do pai, algo horrível. Se todos nós partirmos, vai ser como entregá-lo a essa coisa. Alguém tem que ajudá-lo.

— Por que você o defende tanto? Você sabe o que ele fez.

— Não foi ele.

— Você não lembra — disse Balat. — Já me falou várias vezes que sua mente tem brancos. Você o viu matando-a, mas não consegue admitir o que testemunhou. Raios, Shallan. Está tão arrasada quanto Wikim e Jushu. Assim como... assim como eu fico, às vezes...

Ela se livrou do torpor.

— Não importa — disse ela. — Se você for, levará Wikim e Jushu?

— Eu não poderia arcar com isso. Ainda mais com Jushu. Teríamos que viver com pouco, e eu não poderia confiar que ele... você sabe. Mas, se você vier, pode ser mais fácil para um de nós achar trabalho. Você é melhor na escrita e em arte do que Eylita.

— Não, Balat — disse Shallan, assustada ao perceber que parte dela estava ansiosa para dizer sim. — Eu *não posso*. Ainda mais se Jushu e Wikim forem ficar.

— Entendo. Talvez... talvez haja outra saída. Vou pensar.

Ela o deixou no canil, preocupada com a possibilidade de o pai encontrá-la ali e se irritar. Adentrou a mansão, mas não pôde deixar de sentir que estava tentando manter um tapete inteiro enquanto dezenas de pessoas puxavam fios de todos os lados.

O que aconteceria se Balat partisse? Ele recuava de brigas com o pai, mas pelo menos resistia. Wikim apenas obedecia ordens, e Jushu ainda estava um caco. *Precisamos aguentar. Deixar de provocar o pai, deixá-lo relaxar. Então ele voltará...*

Ela subiu os degraus e passou pela porta do pai. Estava entreaberta; ela podia ouvi-lo lá dentro.

— ...encontre-o em Valath. Nan Balat alega tê-lo encontrado na cidade, e devia estar falando de lá.

— Como quiser, Luminobre.

Aquela voz. Era Rin, capitão dos novos guardas. Shallan recuou, espiando dentro do cômodo. O cofre do pai brilhava atrás do quadro na parede dos fundos, uma luz forte atravessando a tela. Para ela, era quase ofuscante, embora os homens não pudessem vê-la.

Rin curvou-se diante do pai, a mão na espada.

— Traga-me a cabeça dele, Rin. Quero vê-la com meus próprios olhos. Ele pode arruinar tudo. Pegue-o de surpresa, mate-o antes que ele possa invocar sua Espada Fractal. Aquela arma será sua como pagamento enquanto você servir a Casa Davar.

Shallan cambaleou para longe da porta antes que o pai pudesse vê-la. Helaran. Ele acabara de *ordenar o assassinato de Helaran.*

Tenho que fazer alguma coisa. Tenho que avisá-lo. Como? Será que Balat entraria em contato com ele novamente? Shallan...

— Como ousa — disse uma voz feminina vinda lá de dentro.

Seguiu-se um silêncio atônito. Shallan voltou cuidadosamente para espiar dentro da sala. Malise, sua madrasta, estava no umbral da porta entre o quarto e a sala de estar. A mulher pequena e roliça nunca parecera ameaçadora para Shallan, mas a tempestade em seu rosto poderia ter assustado um espinha-branca.

— Seu próprio *filho* — disse Malise. — Você não tem mais moral? Não tem compaixão?

— Ele não é mais meu filho — rosnou o pai.

— Eu acreditei na sua história sobre sua antiga esposa — disse Malise. — Eu o apoiei. Vivi com essa nuvem sobre a casa. Agora escuto *isso*? Surrar os criados é uma coisa, mas matar seu *filho*?

O pai sussurrou alguma coisa para Rin. Shallan deu um pulo, mal chegando ao seu quarto no fim do corredor antes que o homem saísse da sala, fechando a porta do pai com um *clique*.

Shallan se trancou no quarto enquanto a gritaria começava, uma altercação furiosa e violenta entre Malise e seu pai. Shallan se encolheu junto da cama, tentando usar um travesseiro para abafar os sons. Quando achou que havia terminado, ela removeu o travesseiro.

Seu pai saiu bufando para o corredor.

— Por que ninguém nesta casa *obedece*? — gritou ele, descendo as escadas a passos duros. — Isso não aconteceria se todos vocês me obedecessem.

62
AQUELE QUE MATOU AS PROMESSAS

Isso, suspeito, é um pouco como um gambá dando a si mesmo um nome em referência ao seu fedor.

NA CELA DE KALADIN, a vida seguiu. Embora as acomodações fossem agradáveis para um calabouço, ele volta e meia se pegava desejando estar de volta na carroça de escravos. Pelo menos naquela época podia contemplar a paisagem. Ar fresco, vento, um banho ocasional nas últimas águas da grantormenta. A vida certamente não havia sido boa, mas era melhor do que ser trancado e esquecido.

De noite, as esferas eram removidas, e ele ficava no breu. No escuro, se imaginava em algum lugar nas profundezas, com quilômetros de pedra acima e nenhuma saída, nenhuma esperança de resgate. Não podia conceber morte pior. Seria melhor ser eviscerado no campo de batalha, olhando o céu aberto enquanto a vida se esvaía.

A LUZ O DESPERTOU. ELE suspirou, olhando para o teto enquanto os guardas — soldados olhos-claros que não conhecia — substituíam as esferas das lâmpadas. Dia após dia, tudo era tormentosamente *igual*. Despertar com a frágil iluminação das esferas, que só faziam-no desejar o sol. A criada chegou para trazer seu desjejum. Kaladin havia deixado seu penico ao alcance da abertura ao pé das barras, e ele arranhou a pedra ao ser puxado e substituído por um limpo.

Ela partiu rapidamente; ele a assustava. Grunhindo devido aos músculos rígidos, Kaladin se sentou e olhou para sua refeição. Pão achatado recheado com pasta de feijão. Ele se levantou, acenando para afastar alguns esprenos estranhos, parecidos com fios retesados, pairando diante de si, então se obrigou a fazer uma série de flexões. Manter sua força seria difícil se o encarceramento continuasse por muito tempo. Talvez pudesse pedir algumas pedras para usar como treinamento.

Foi isso que aconteceu com os avós de Moash?, pensou Kaladin, pegando a comida. *Esperaram por um julgamento até morrerem na prisão?*

Kaladin sentou-se no leito, mordiscando o pão. Houvera uma grantormenta no dia anterior, mas ele mal fora capaz de ouvi-la, trancado como estava naquela cela.

Ouvia Syl zumbindo ali perto, mas não identificava para onde ela havia ido.

— Syl? — chamou. Ela continuou escondida.

— Havia um Críptico na luta — disse ela em voz baixa.

— Você já falou deles antes, não foi? Um tipo de espreno?

— Um tipo nojento. — Ela fez uma pausa. — Mas não maligno, acho. — Ela pareceu admitir o fato de má vontade. — Eu ia segui-lo quando ele fugiu, mas você precisou de mim. Quando voltei para procurar, ele havia se escondido.

— O que isso significa? — indagou Kaladin, franzindo o cenho.

— Crípticos gostam de planejar — disse Syl lentamente, como se estivesse recordando algo há muito esquecido. — Sim... Eu lembro. Eles debatem, observam e nunca *fazem* nada. Mas...

— O quê? — questionou Kaladin, se levantando.

— Eles estão procurando alguém — disse Syl. — Eu vi os sinais. Talvez muito em breve você não esteja mais sozinho, Kaladin.

Procurando alguém. A ser escolhido, como ele, para ser um Manipulador de Fluxos. Que tipo de Cavaleiro Radiante seria feito por um grupo de esprenos que Syl tão obviamente detestava? Não parecia ser alguém que ele gostaria de conhecer.

Ah, raios, pensou Kaladin, sentando-se novamente. *Se eles escolherem Adolin...*

O pensamento deveria preocupá-lo. Em vez disso, achou a revelação de Syl estranhamente reconfortante. Não estar sozinho, mesmo que *acabasse* sendo Adolin, fez com que se sentisse melhor e afastou um pouco seu mau humor.

Enquanto terminava sua refeição, uma batida soou do corredor. A porta se abrindo? Só olhos-claros podiam visitá-lo, embora nenhum o houvesse feito até agora. A menos que contasse Riso.

A tormenta pega todo mundo, uma hora ou outra...
Dalinar Kholin adentrou o recinto.

Apesar dos seus pensamentos amargos, a reação imediata de Kaladin — incutida com o passar dos anos — foi se levantar e fazer uma saudação, a mão no peito. Ele era seu oficial comandante. Sentiu-se um idiota assim que fez o gesto. Estava atrás das grades e saudava o homem que o colocara ali?

— Descansar — disse Dalinar, assentindo.

O homem de ombros largos estava de pé com as mãos juntas às costas. Ele tinha um ar imponente, mesmo quando estava relaxado.

Ele parece os generais das histórias, pensou Kaladin. Rosto largo e cabelos grisalhos, sólido como um tijolo. Ele não vestia um uniforme, o uniforme *o* vestia. Dalinar Kholin representava um ideal que Kaladin há muito havia decidido ser mera fantasia.

— Como estão suas acomodações? — indagou Dalinar.

— Senhor? Estou em uma tormentosa *prisão*.

Um sorriso se abriu no rosto de Dalinar.

— Estou vendo. Acalme-se, soldado. Se eu tivesse ordenado que você guardasse um quarto por uma semana, não teria obedecido?

— Sim.

— Então considere este o seu dever. Guarde esta cela.

— Vou me certificar de que ninguém sem autorização fuja com o penico, senhor.

— Elhokar está dando o braço a torcer. Ele já se acalmou, e agora só se preocupa que soltar você cedo demais faça com que ele pareça fraco. Vou precisar que você permaneça aqui mais alguns dias, então vamos traçar um perdão formal pelo seu crime e você será reintegrado ao seu posto.

— Não me parece que eu tenha alguma escolha, senhor.

Dalinar se aproximou mais das barras.

— Isso é difícil para você.

Kaladin assentiu.

— Você está sendo bem cuidado, assim como seus homens. Dois dos seus carregadores guardam a entrada deste edifício o tempo todo. Não há nada com que se preocupar, soldado. Se é a sua reputação comigo...

— Senhor, acho que simplesmente não estou convencido de que o rei vá me deixar sair algum dia. Ele tem um histórico de deixar pessoas inconvenientes apodrecerem nos calabouços até morrerem.

Kaladin não acreditou no que tinha dito assim que as palavras saíram dos seus lábios. Soaram como insubordinação, até mesmo traição. Mas tinham estado na ponta de sua língua, *exigindo* serem pronunciadas.

Dalinar permaneceu na sua postura com as mãos juntas às suas costas.

— Está falando dos prateiros, lá em Kholinar?

Então ele sabia. Pai das Tempestades... será que Dalinar estivera envolvido? Kaladin assentiu.

— Como ouviu falar desse incidente?

— De um dos meus homens — respondeu Kaladin. — Ele conhecia as pessoas aprisionadas.

— Eu tinha esperanças de que pudéssemos escapar desses rumores — disse Dalinar. — Mas, naturalmente, rumores crescem como líquen, se encrustando e se tornando impossíveis de limpar completamente. O que aconteceu com essas pessoas foi um erro, soldado. Eu admito francamente. Não vai acontecer o mesmo com você.

— Os rumores sobre eles são verdadeiros, então?

— Realmente prefiro não falar sobre o caso Roshone.

Roshone.

Kaladin se lembrou de gritos. Sangue no chão da sala de cirurgia do pai. Um garoto moribundo.

Um dia na chuva. Um dia quando um homem tentou roubar a luz de Kaladin. Ele por fim conseguiu.

— Roshone? — sussurrou Kaladin.

— Sim, um olhos-claros de baixo escalão. — Dalinar suspirou.

— Senhor, é importante que eu saiba. Para minha própria paz de espírito.

Dalinar olhou-o de cima a baixo. Kaladin olhava direto à frente, com a mente... entorpecida. Roshone. Tudo havia começado a dar errado quando Roshone chegara em Larpetra para ser o novo senhor da cidade. Antes disso, o pai de Kaladin era respeitado.

Quando aquele homem horrível chegou, arrastando inveja mesquinha atrás de si como um manto, o mundo havia se retorcido. Roshone tinha infeccionado Larpetra como um espreno de putrefação em uma ferida suja. Ele era o motivo por que Tien fora para a guerra. Ele era o motivo por que Kaladin o seguira.

— Suponho que devo isso a você — disse Dalinar. — Mas não é algo que deva ser espalhado. Roshone era um homem mesquinho que havia conquistado a confiança de Elhokar. Elhokar era então o príncipe-herdeiro, ordenado a reinar sobre Kholinar e vigiar o reino enquanto seu pai organizava os primeiros acampamentos aqui nas Planícies Quebradas. Eu estava... fora, nesse período.

"De qualquer modo, não culpe Elhokar. Ele estava seguindo os conselhos de alguém em quem confiava. Roshone, contudo, buscava os próprios interesses em vez dos interesses do Trono. Ele possuía várias lojas de artesanato de prata... bem, os detalhes não importam. Basta dizer que Roshone levou o príncipe a cometer alguns erros. Eu resolvi tudo quando voltei.

— O senhor cuidou para que esse tal Roshone fosse punido? — indagou Kaladin, a voz baixa, sentindo-se entorpecido.

— Exilado. — Dalinar assentiu. — Elhokar mandou o homem para um lugar onde não poderia causar mais danos.

Um lugar onde não poderia causar mais danos. Kaladin quase riu.

— Você tem algo a dizer?

— Não vai querer saber o que penso, senhor.

— Talvez eu não queira. Provavelmente preciso ouvir de qualquer modo.

Dalinar *era* um bom homem. Cego em alguns aspectos, mas um bom homem.

— Bem, senhor — disse Kaladin, controlando suas emoções com dificuldade. — Eu acho... perturbador que um homem como esse Roshone possa ser responsável pelas mortes de pessoas inocentes, mas escape da prisão.

— Foi complicado, soldado. Roshone era um dos vassalos jurados do Grão-príncipe Sadeas, primo de homens importantes de cujo apoio precisávamos. Eu a princípio defendi que Roshone fosse removido de sua posição e rebaixado para um décimo, forçado a viver na penúria. Mas isso teria afastado alguns aliados, e poderia enfraquecer o reino. Elhokar argumentou pela clemência, e seu pai concordou via telepena. Eu aceitei, imaginando que fosse bom encorajar a misericórdia em Elhokar.

— É claro — disse Kaladin, trincando os dentes. — Embora pareça que tal misericórdia frequentemente termine a serviço dos primos de poderosos olhos-claros, e raramente a alguém de baixo escalão. — Ele fitava, por entre as barras, o espaço entre ele e Dalinar.

— Soldado, você acha que fui injusto com você ou com seus homens? — perguntou Dalinar, com um tom frio.

— O senhor. Não, senhor. Mas isso não vem ao caso.

Dalinar soltou o ar baixinho, como se estivesse frustrado.

— Capitão, você e seus homens estão em uma posição única. Passam seus dias ao redor do rei. Vocês não veem a face que é apresentada ao mundo, vocês veem o *homem*. Sempre é assim com guarda-costas próximos. Então sua lealdade precisa ser ainda mais firme e generosa. Sim, o homem que você guarda tem suas falhas. Todo homem tem. Ele ainda é seu rei, e eu *demando* o seu respeito.

— Eu posso respeitar e respeito o Trono, senhor — disse Kaladin.

Não o homem nele, talvez. Mas respeitava o cargo. Alguém precisava reinar.

— Filho — disse Dalinar, depois de pensar por um momento —, você sabe por que o coloquei nesse cargo?

— O senhor disse que era porque precisava de alguém que não fosse um espião de Sadeas.

— Essa é a racionalização — disse Dalinar, aproximando-se das barras, a apenas centímetros de Kaladin. — Mas não é o *motivo*. Fiz isso porque me pareceu certo.

Kaladin franziu o cenho.

— Eu confio na minha intuição. Meu instinto disse que você era um homem que podia ajudar a mudar este reino. Um homem que conseguiu sobreviver à própria Danação no acampamento de Sadeas e ainda assim inspirar outros; era um homem que eu queria sob meu comando. — Sua expressão tornou-se dura. — Dei-lhe uma posição que nenhum olhos-escuros jamais teve nesse exército. Deixei que participasse de conferências com o rei, e prestei atenção quando você falou. *Não* faça que eu me arrependa dessas decisões, soldado.

— Já não se arrependeu? — perguntou Kaladin.

— Cheguei perto — respondeu Dalinar. — Mas eu compreendo. Se você realmente acredita no que me contou sobre Amaram... bem, se eu estivesse no seu lugar, teria muita dificuldade em não fazer o mesmo que você fez. Mas raios, homem, você ainda é um *olhos-escuros*.

— Isso não deveria ter importância.

— Talvez não devesse, mas *importa*. Quer mudar isso? Bem, não vai conseguir fazer isso gritando como um lunático e desafiando homens como Amaram para duelos. Vai conseguir se distinguindo na posição que eu lhe dei. Seja o tipo de homem que os outros admiram, sejam olhos-claros ou olhos-escuros. Convença Elhokar que um olhos-escuros pode liderar. *Isso* vai mudar o mundo.

Dalinar se virou e se afastou. Kaladin não pôde deixar se pensar que os ombros do homem estavam mais murchos do que quando ele havia entrado.

Depois que Dalinar saiu, Kaladin recostou-se no seu leito, deixando escapar uma longa e irritada expiração.

— Fique calmo — sussurrou ele. — Siga as ordens, Kaladin. Fique na gaiola.

— Ele está tentando ajudar — disse Syl.

Kaladin olhou para o lado. Onde ela *estava* se escondendo?

— Você ouviu sobre Roshone.

Silêncio.

— Sim — disse Syl finalmente, com uma voz minúscula.

— A pobreza da minha família, a maneira como a cidade nos ostracizou, Tien sendo forçado a se alistar no exército, tudo isso foi culpa de Roshone. Elhokar o enviou até nós.

Syl não respondeu. Kaladin pescou um pedaço de pão achatado da tigela, mastigando-o. Pai das Tempestades... Moash realmente *estava* certo. O reino ficaria melhor sem Elhokar. Dalinar tentava fazer o máximo que podia, mas tinha um enorme ponto cego em relação ao sobrinho.

Estava na hora de alguém ter a iniciativa e cortar as amarras que prendiam Dalinar. Pelo bem do reino, pelo bem do próprio Dalinar Kholin, o rei precisava morrer.

Algumas pessoas — como um dedo em putrefação ou uma perna dilacerada além da cura — simplesmente precisavam ser removidas.

63
UM MUNDO ARDENTE

Agora, olhe o que você me fez dizer. Você é sempre capaz de trazer à tona meu lado mais extremo, velho amigo. E ainda o considero um amigo, por mais que você me canse.

O QUE ESTÁ FAZENDO?, ESCREVEU a telepena para Shallan. *Nada de mais*, respondeu ela sob a luz das esferas. *Apenas trabalhando nos livros-razão de Sebarial.* Ela espiou através do buraco em sua ilusão, fitando a rua lá embaixo. As pessoas fluíam pela cidade como se estivessem marchando segundo algum ritmo estranho. Um fio, então uma onda, depois de volta para um fio. Raramente um fluxo constante. Qual seria a causa?

Quer me visitar?, escreveu a caneta. *Isso está ficando bem tedioso.*

Sinto muito, escreveu de volta a Adolin. *Realmente preciso concluir esse trabalho. Mas seria agradável ter uma conversa via telepena para me fazer companhia.*

Padrão zumbiu baixinho ao lado dela com a mentira. Shallan havia usado uma ilusão para expandir o tamanho do galpão no topo daquele prédio de apartamentos no acampamento de guerra de Sebarial, fornecendo um esconderijo onde sentar-se e vigiar a rua abaixo. Cinco horas de espera — bem confortável, com um banco e esferas para iluminação — não haviam revelado nada. Ninguém havia se aproximado da solitária árvore de casca-pétrea crescendo junto à calçada.

Ela não conhecia a espécie. Era antiga demais para ter sido plantada recentemente; devia ser anterior à chegada de Sebarial. O tronco retorcido e robusto assemelhava-se a alguma variedade de dendrólito, mas a árvore também tinha longas frondes que se elevavam como fitas, retorcendo-se e flutuando ao vento. Essas lembravam um salgueiro-do-vale. Ela já havia feito um esboço; procuraria mais tarde nos seus livros.

A árvore estava acostumada a pessoas, e não afastava suas frondes quando elas passavam. Se alguém houvesse se aproximado cuidadosamente o bastante para evitar tocar as frontes, Shallan teria visto. Se, em vez disso, alguém tivesse se movido rapidamente, as frondes teriam sentido as vibrações e recuado — o que ela também notaria. Estava razoavelmente certa de que, se alguém houvesse tentado pegar o item na árvore, ela teria sabido, mesmo se houvesse desviado o olhar por um momento.

Suponho que posso continuar fazendo-lhe companhia. Shoren não tem mais nada para fazer, escreveu a telepena.

Shoren era o fervoroso que estava escrevendo para Adolin, em visita por ordem do rapaz. O príncipe fez questão de observar que estava usando um fervoroso, em vez de uma das escribas do pai. Será que ele pensava que ela teria ciúmes se usasse outra mulher nas tarefas de escriba?

Ele pareceu se surpreender quando ela não expressou ciúme. As mulheres da corte eram tão mesquinhas assim? Ou será que Shallan era a excêntrica, relaxada demais? Ele *olhava* bastante para o lado, e ela tinha que admitir que isso não a agradava. E havia também a reputação dele a se levar em conta. Diziam que Adolin costumava trocar de relacionamentos tão frequentemente quanto outros homens trocavam de casaco.

Talvez ela devesse ser mais apegada, mas a ideia era repulsiva. Tal comportamento a recordava do pai, mantendo tamanho controle sobre as coisas que por fim tudo se despedaçou.

Sim, tenho certeza de que o bom fervoroso não tem nada melhor a fazer do que transcrever recados entre dois olhos-claros cortejando, ela escreveu de volta a Adolin, usando o conjunto pousado em uma caixa ao lado.

Ele é um fervoroso, enviou Adolin. *Ele gosta de servir. É o papel deles.*

Eu pensei que o papel deles fosse salvar almas.

Ele cansou disso, enviou Adolin. *Ele me disse que já salvou três essa manhã.*

Ela sorriu, verificando a árvore — nenhuma mudança ainda. *Ah, é mesmo?*, escreveu. *Ele as guardou no bolso para mantê-las em segurança, imagino?*

Não, os modos do pai não eram certos. Se quisesse manter Adolin, ela precisava tentar algo muito mais difícil do que simplesmente se apegar a ele. Teria de ser tão irresistível que ele não desejaria deixá-la. Infelizmente, essa era uma área onde os treinamentos de Jasnah e Tyn não ajudariam. Jasnah havia sido indiferente aos homens, e Tyn não falara sobre como mantê-los, só como distraí-los para um rápido engodo.

Seu pai está se sentindo melhor?, ela escreveu.

Até que sim. Está de pé e circulando desde ontem, tão forte quanto sempre.

Que bom ouvir isso, respondeu ela. Os dois continuaram a trocar comentários ociosos, enquanto Shallan espiava a árvore. O recado de Mraize a orientara a chegar durante a aurora e procurar suas instruções em um orifício no tronco da árvore. Ela chegara quatro horas adiantada, enquanto o céu ainda estava escuro, e se esgueirara até o topo daquele edifício para vigiar.

Aparentemente, não havia chegado cedo o bastante. Realmente queria flagrar alguém colocando as instruções.

— Não gosto disso — disse Shallan, sussurrando para Padrão e ignorando a pena, que escreveu a próxima tirada de Adolin. — Por que Mraize não me deu as instruções via telepena? Por que me fazer vir aqui?

— Hmm... — fez Padrão do chão abaixo.

O sol há muito nascera. Ela precisava ir pegar as instruções, mas ainda hesitava, batendo o dedo contra a prancheta ao seu lado.

— Eles estão vigiando — compreendeu.

— O quê? — disse Padrão.

— Eles estão fazendo exatamente o que eu fiz. Estão escondidos em algum lugar, e querem me ver pegando as instruções.

— Por quê? De que adianta?

— Isso dá a eles informações — disse Shallan. — E é o tipo de coisa que essas pessoas valorizam. — Ela se inclinou para o lado, espiando pelo buraco, que, pelo lado de fora, parecia uma fresta entre dois tijolos.

Não achava que Mraize a queria morta, apesar do nauseante incidente com o pobre condutor de carruagem. Ele havia concedido permissão para que os outros ao redor dele a matassem, caso a temessem, mas aquilo — como tantas coisas relacionadas a Mraize — havia sido um teste. *Se você realmente é forte e astuciosa o suficiente para se juntar a nós, então vai evitar ser assassinada por essas pessoas*, era o recado.

Aquele ali era outro teste. Como podia passar nele de uma maneira que não acabasse com mais alguém morto?

Eles estariam vigiando para vê-la pegar suas instruções, mas não havia muitos bons lugares para ficar de olho na árvore. Se ela fosse Mraize e seu pessoal, aonde iria para observar? Sentiu-se tola ao pensar nisso.

— Padrão, vá olhar nas janelas deste edifício que dão para a rua. Veja se alguém está sentado em uma delas, vigiando como nós — sussurrou.

— Está bem — disse ele, deslizando para fora da ilusão.

Ficou subitamente consciente de que o pessoal de Mraize podia estar escondido em algum lugar muito próximo, mas deixou de lado o nervosismo, lendo a réplica de Adolin.

Boas notícias, falando nisso. Meu pai me visitou noite passada e conversamos bastante. Ele está preparando sua expedição para as Planícies para combater os parshendianos de uma vez por todas. Parte da preparação envolve algumas missões de reconhecimento nos próximos dias. Consegui que ele concordasse em levá-la aos platôs durante uma delas.

E podemos encontrar uma crisálida?, indagou Shallan.

Bem, mesmo que os parshendianos não estejam mais lutando por elas, o pai não quer se arriscar. Não posso levar você em uma investida quando há chance de que eles venham e nos desafiem. Mas estive pensando que podemos arranjar para que a missão de reconhecimento passe por um platô com uma crisálida que tenha sido coletada um ou dois dias antes.

Shallan franziu o cenho.

Uma crisálida morta e coletada? Não sei o quanto uma dessas vai me dizer.

É melhor do que não ver nenhuma, certo?, replicou Adolin. *E você disse que queria a chance de cortar uma. É quase a mesma coisa.*

Ele tinha razão. Além disso, ir até as Planícies era a verdadeira meta. *Vamos fazer isso. Quando?*

Em alguns dias.

— Shallan!

Ela deu um pulo, mas era apenas Padrão, zumbindo de empolgação.

— Você tinha razão — disse ele. — Hmmm. Ela está vigiando abaixo. Só um andar abaixo, segundo cômodo.

— Ela?

— Hmm. Aquela com a máscara.

Shallan sentiu um arrepio. E agora? Voltar para seus aposentos, depois escrever para Mraize e dizer que não apreciava ser espionada?

Isso não seria nada útil. Olhando para o maço de papel, ela compreendeu que seu relacionamento com Mraize era similar ao seu relacionamento com Adolin. Nos dois casos, não podia simplesmente fazer o esperado. Ela precisava empolgar, se sobressair.

Preciso ir, escreveu para Adolin. *Sebarial está me chamando. Pode demorar.*

Ela desligou a telepena e guardou-a na bolsa junto com a prancheta. Não na bolsa usual, mas numa bolsa resistente com uma alça de couro que passava pelo ombro, do tipo que Véu carregaria. Então, antes de perder a coragem, ela saiu do seu esconderijo ilusório, deu as costas para a parede do galpão, voltada para longe da rua, e tocou a lateral da ilusão, sugando a Luz das Tempestades.

Isso fez com que a seção ilusória da parede desaparecesse, rapidamente se decompondo e fluindo para sua mão. Com sorte, ninguém estaria olhando para o galpão naquele momento. Se alguém estivesse, contudo, provavelmente acharia que a mudança era uma ilusão de ótica.

Em seguida, ela se ajoelhou e usou Luz das Tempestades para infundir Padrão e uni-lo com uma imagem de Véu que havia desenhado antes. Shallan gesticulou com a cabeça para que ele se movesse, e a imagem de Véu caminhou com ele.

Era uma boa imagem; passo confiante, casaco farfalhando, chapéu pontudo sombreando seu rosto contra o sol. A ilusão até piscava e virava a cabeça ocasionalmente, como prescrito pela sequência de desenhos que fizera mais cedo.

Ela assistiu, hesitante. Era assim mesmo que ficava enquanto usava o rosto e as roupas de Véu? Não se sentia tão elegante, e as roupas sempre lhe pareciam exageradas, até mesmo tolas. Naquela imagem, pareciam apropriadas.

— Desça e caminhe até a árvore — sussurrou Shallan para Padrão. — Tente se aproximar cuidadosamente, devagar, e solte um zumbido alto para fazer com que as folhas recuem. Fique parado junto do tronco por um momento, como se estivesse pegando a coisa ali dentro, então caminhe até o beco entre esse edifício e o próximo.

— Sim! — disse Padrão. Ele zuniu rumo às escadas, empolgado em fazer parte da mentira.

— Mais devagar! — disse Shallan, fazendo uma careta ao ver que o passo de Véu não correspondeu à sua velocidade. — Como nós praticamos!

Padrão desacelerou e alcançou os degraus. A imagem de Véu desceu por eles, desajeitadamente. A ilusão podia caminhar e ficar parada sobre terreno plano, mas não se encaixava em outros terrenos — como degraus. Para qualquer pessoa assistindo, pareceria que Véu estava pisando em nada e deslizando escada abaixo.

Bem, era o melhor que conseguiam fazer por enquanto. Shallan respirou fundo e vestiu o chapéu, expirando uma segunda imagem, que a cobriu e transformou-a em Véu. A que estava com Padrão permaneceria intacta enquanto ele tivesse Luz das Tempestades. Porém, a Luz se esgotava nele muito mais rápido do que em Shallan. Ela não sabia por quê.

Desceu os degraus, mas só um andar, caminhando o mais silenciosamente que podia. Ela contou duas portas no corredor escuro.

A mulher mascarada estava por trás daquela porta. Shallan manteve distância, em vez disso se escondendo em uma alcova junto à escadaria, onde não seria vista por ninguém no corredor.

Ela esperou.

Uma porta enfim se abriu, e roupas farfalharam pelo corredor. A mulher mascarada passou pelo esconderijo de Shallan, incrivelmente silenciosa enquanto descia os degraus.

— Qual é seu nome? — perguntou Shallan.

A mulher parou subitamente nos degraus. Ela girou — a mão segura enluvada tocando a faca em sua cintura — e viu Shallan de pé na alcova. Os olhos mascarados da mulher voltaram para o cômodo que deixara.

— Eu mandei uma sósia usando minhas roupas. Foi isso que você viu.

A mulher não se moveu, ainda agachada de modo ameaçador nos degraus.

— Por que ele queria que você me seguisse? — indagou Shallan. — Está tão interessado assim em descobrir onde moro?

— Não — respondeu a mulher finalmente. — As instruções na árvore mandam que você cumpra uma tarefa imediatamente, sem tempo a perder.

Shallan franziu o cenho, pensando.

— Então seu trabalho não era me seguir até em casa, mas me seguir na missão. Para ver como eu a realizava?

A mulher nada disse. Shallan avançou e sentou-se no degrau superior, cruzando os braços sobre as pernas. — Então, qual é o trabalho?

— As instruções estão na...

— Prefiro ouvir de você. Pode me chamar de preguiçosa.

— Como você me encontrou? — questionou a mulher.

— Um aliado de olhos afiados — disse Shallan. — Eu disse a ele para vigiar as janelas, então me avisar onde você estava. Eu estava esperando lá em cima. — Ela fez uma careta. — Esperava pegar um de vocês colocando as instruções.

— Fizemos isso antes mesmo de contatá-la — disse a mulher. Ela hesitou, então deu alguns passos à frente. — Iyatil.

Shallan inclinou a cabeça.

— Meu nome — explicou a mulher. — Iyatil.

— Nunca ouvi um nome como esse.

— Não me surpreende. Sua tarefa hoje era investigar um recém-chegado ao acampamento de Dalinar. Queremos saber mais sobre essa pessoa, e as alianças de Dalinar são incertas.

— Ele é leal ao rei e ao Trono.

— Aparentemente — disse a mulher. — Seu irmão tinha informações de natureza extraordinária. Não temos certeza se Dalinar sabe delas ou não, e suas interações com Amaram nos preocupam. Esse recém-chegado está relacionado.

— Amaram está fazendo mapas das Planícies Quebradas — observou Shallan. — Por quê? O que há por lá que ele deseja?
E por que ele deseja o retorno dos Esvaziadores?
Iyatil não respondeu.
— Bem. — Shallan se levantou. — Então vamos lá, certo?
— Juntas? — perguntou Iyatil.
Shallan deu de ombros.
— Você pode se esgueirar atrás de mim, ou pode simplesmente seguir comigo. — Ela estendeu a mão.
Iyatil analisou sua mão, então apertou-a com a própria mão livre enluvada, em aceitação. Contudo, manteve a outra mão na adaga do cinto o tempo todo.

S HALLAN FOLHEOU AS INSTRUÇÕES que Mraize havia deixado enquanto um palanquim extragrande balançava na direção do acampamento de guerra de Dalinar. Iyatil estava sentada em frente a Shallan, as pernas encolhidas sob o corpo, vigiando com olhos suspeitos e mascarados. A mulher usava camisa e calças simples, de tal modo que a princípio Shallan pensara que fosse um rapaz, naquela primeira vez.
A sua presença era *absolutamente* perturbadora.
— Um louco — disse Shallan, folheando a página seguinte de instruções. — Mraize está interessado em um simples louco?
— Dalinar e o rei estão interessados — replicou Iyatil. — Então, consequentemente, nós estamos.
Parecia ter havido algum tipo de encobrimento. O louco havia chegado sob a custódia de um homem chamado Bordin, um criado que Dalinar havia alocado em Kholinar anos antes. As informações de Mraize eram de que esse tal Bordin não era um simples mensageiro, mas sim um dos lacaios de maior confiança de Dalinar. Ele havia sido deixado em Alethkar para espionar a rainha, ou assim pensavam os Sanguespectros. Mas por que alguém precisava ficar de olho na rainha? O informe não explicava.
O tal Bordin havia chegado apressado às Planícies Quebradas algumas semanas atrás, trazendo o louco e outra carga misteriosa. A tarefa de Shallan era descobrir quem era esse louco e por que Dalinar o escondera

em um monastério com instruções estritas de que ninguém tivesse acesso a ele, a não ser fervorosos específicos.

— O seu mestre sabe mais sobre esse assunto do que está me dizendo.

— Meu mestre? — perguntou Iyatil.

— Mraize.

A mulher soltou uma gargalhada.

— Está enganada. Ele não é meu mestre. É meu aluno.

— Em quê? — indagou Shallan.

Iyatil fitou-a com um olhar neutro e não respondeu.

— Por que a máscara? — quis saber Shallan, se inclinando para frente. — O que ela significa? Por que você se esconde?

— Muitas vezes me perguntei por que vocês aqui saem por aí tão descaradamente, com as feições expostas para todos. Minha máscara resguarda minha individualidade. Além disso, me dá a habilidade de me adaptar.

Shallan recostou-se, pensativa.

— Você está disposta a ponderar — observou Iyatil. — Em vez de fazer uma pergunta atrás da outra. Isso é bom. Seus instintos, contudo, devem ser julgados. Você é a caçadora ou é a presa?

— Nem uma coisa nem outra — respondeu Shallan imediatamente.

— Todos são uma coisa ou a outra.

Os condutores do palanquim desaceleraram. Shallan espiou pelas cortinas e descobriu que haviam finalmente chegado à fronteira do acampamento de guerra de Dalinar. Ali, soldados nos portões detinham cada pessoa na fila à espera de entrar.

— Como você vai nos colocar para dentro? — indagou Iyatil enquanto Shallan fechava as cortinas. — O Grão-príncipe Kholin tornou-se cauteloso ultimamente, com assassinos surgindo na noite. Qual mentira nos dará acesso ao seu reino?

Que maravilha, ela pensou, revisando sua lista de tarefas. Shallan não só precisava se infiltrar no monastério e descobrir informações sobre o tal louco, como também precisava fazê-lo sem revelar demais sobre si mesma ou suas habilidades para Iyatil.

Precisava pensar rápido. Os soldados adiante mandaram o palanquim se aproximar — olhos-claros não precisavam esperar na fila comum, e os soldados presumiram que um veículo de tal qualidade tivesse alguém rico dentro. Respirando fundo, Shallan removeu seu chapéu, puxou o cabelo para frente sobre o ombro, então pôs o rosto para fora das cortinas, de modo que seu cabelo pendesse diante dela, fora do palanquim. No mesmo instante, removeu sua ilusão e fechou as cortinas bem firmemente atrás de sua cabeça, apertadas contra seu pescoço, para impedir que Iyatil visse a transformação.

Os condutores eram parshemanos, e ela duvidava que fossem comentar sobre suas ações. Seu mestre olhos-claros felizmente olhava para o outro lado. Seu palanquim balançou até a frente da fila, e os guardas se espantaram quando a viram. Eles acenaram para que passasse imediatamente. O rosto da noiva de Adolin já era bem conhecido àquela altura.

Agora, como recuperar a aparência de Véu? Havia gente ali na rua; ela não podia expirar Luz das Tempestades pendendo da janela.

— Padrão — sussurrou ela. — Vá fazer um barulho na janela do outro lado do palanquim.

Tyn havia incutido nela a necessidade de criar uma distração com uma mão enquanto surrupiava um objeto com a outra. O mesmo princípio podia funcionar ali. Um gritinho agudo soou da outra janela. Shallan voltou a cabeça para dentro do palanquim com um movimento rápido, expirando Luz das Tempestades. Balançou as cortinas como distração e obscureceu o rosto com o chapéu ao recolocá-lo.

Iyatil desviou os olhos da janela onde o gritinho havia soado e a olhou, mas Shallan era Véu novamente. Ela se recostou, encarando o olhar de Iyatil. Teria a outra mulher visto?

Seguiram em silêncio por um momento.

— Você subornou os guardas antecipadamente — arriscou Iyatil finalmente. — Gostaria de saber como fez isso. Os homens de Kholin são difíceis de subornar. Você procurou um dos supervisores, talvez?

Shallan sorriu de uma maneira que esperava que fosse frustrante.

O palanquim continuou rumo ao templo do acampamento de guerra, uma parte do acampamento de Dalinar que ela nunca visitara. Na verdade, tampouco visitara os fervorosos de Sebarial com muita frequência — muito embora, em uma das visitas, tivesse descoberto que eram surpreendentemente devotos, considerando seu dono.

Ela espiou pela janela enquanto se aproximavam. O terreno do templo de Dalinar era tão despojado quanto imaginara. Fervorosos de roupas cinzentas passavam pelo palanquim em pares ou pequenos grupos, misturando-se com pessoas de todas as classes, que tinham ido atrás de orações, instruções ou conselhos — um bom templo, adequadamente equipado, podia fornecer todas essas coisas e mais. Olhos-escuros de quase qualquer nan podiam ir aprender um ofício, exercitando seu divino Direito de Aprender, como ordenado pelos Arautos. Olhos-claros inferiores também vinham aprender profissões, e os dans superiores vinham aprender as artes ou progredir nas suas Vocações para agradar ao Todo-Poderoso.

Uma grande população de fervorosos como aquela teria verdadeiros mestres em todas as artes e profissões. Talvez devesse ir ali procurar os artistas de Dalinar para obter treinamento.

Ela fez uma careta, pensando quando encontraria tempo para isso. Entre cortejar Adolin, se infiltrar entre os Sanguespectros, pesquisar as Planícies Quebradas e cuidar das contas de Sebarial, era um espanto que ainda achasse tempo para dormir. Ainda assim, parecia-lhe ímpio da sua parte esperar o sucesso nos seus deveres enquanto ignorava o Todo-Poderoso. Precisava se preocupar mais com tais coisas.

E o que o Todo-Poderoso vai pensar de você? E as mentiras que está se tornando tão apta a produzir? A honestidade estava entre os atributos divinos do Todo-Poderoso, afinal de contas, que todos deveriam buscar.

O complexo do templo ali incluía mais de um edifício, embora a maioria da pessoas só visitasse a estrutura principal. As instruções de Mraize haviam incluído um mapa, de modo que ela sabia qual era o edifício específico a procurar — um perto dos fundos, onde os curandeiros fervorosos cuidavam dos doentes e de pessoas com moléstias crônicas.

— Não vai ser fácil entrar — disse Iyatil. — Os fervorosos são protetores com seus pacientes, e os deixam trancados nos fundos, longe dos olhos dos homens. Eles não vão apreciar uma tentativa de invasão.

— As instruções indicavam que hoje era o dia perfeito para entrar sorrateiramente — replicou Shallan. — Que eu devia me apressar para não perder a oportunidade.

— Uma vez por mês todos podem vir ao templo para fazer perguntas ou consultar um médico sem solicitação de oferenda — explicou Iyatil. — Hoje será um dia tumultuado, um dia de confusão. Isso facilita a infiltração, mas não significa que vão simplesmente deixar você perambular por aí.

Shallan assentiu.

— Se preferir fazer isso à noite, talvez eu possa persuadir Mraize de que essa questão pode esperar até lá.

Shallan balançou a cabeça; não tinha experiência se esgueirando no escuro. Acabaria fazendo papel de tola.

Mas como entrar...

— Condutor, leve-nos até aquele edifício, então deixe-nos lá — ordenou ela, botando a cabeça para fora da janela e apontando. — Mande um dos seus homens procurar os mestres curandeiros e dizer a eles que preciso de ajuda.

O décimo que conduzia os parshemanos — contratado com as esferas de Shallan — assentiu bruscamente. Décimos eram pessoas estranhas; aquele ali não era dono dos parshemanos, só trabalhava para a mulher que os alugava. Véu, com olhos escuros, estaria abaixo dele socialmente, mas também estava pagando sua remuneração, e, portanto, ele a tratava como trataria qualquer outro mestre.

O palanquim parou e um dos parshemanos se afastou para transmitir sua solicitação.

— Vai fingir que está doente? — indagou Iyatil.

— Algo assim — disse Shallan, enquanto passos soavam do lado de fora.

Ela desceu para saudar um par de fervorosos de barbas quadradas que conversavam enquanto os parshemanos os conduziam em sua direção. Eles a olharam de cima a baixo, notando seus olhos escuros e suas roupas — que eram bem-feitas, mas obviamente destinadas a uso pesado. Provavelmente situaram-na em um dos nans médios-superiores, uma cidadã, mas não particularmente importante.

— Qual é o problema, jovem? — indagou o mais velho dos fervorosos.

— É minha irmã — mentiu Shallan. — Ela colocou uma estranha máscara e se recusa a removê-la.

Um grunhido baixo soou de dentro do palanquim.

— Criança, uma irmã teimosa não é uma questão para os fervorosos — disse o fervoroso no comando, com um tom paciente.

— Compreendo, bom irmão — disse Shallan, erguendo as mãos diante de si. — Mas não é simples teimosia. Acho... Acho que um dos Esvaziadores está habitando seu corpo!

Ela abriu as cortinas do palanquim, revelando Iyatil no interior. Sua estranha máscara fez com que os fervorosos recuassem e interrompessem suas objeções. O mais jovem dos dois fitou Iyatil com olhos arregalados.

Iyatil virou-se para Shallan e, com um suspiro quase inaudível, começou a se balançar para frente e para trás.

— Devemos matá-los? — murmurou ela. — Não. Não, não devemos. Mas alguém vai ver! Não, não diga essas coisas. Não. Não vou prestar atenção. — Ela começou a cantarolar.

O fervoroso mais jovem virou-se para olhar para o mais velho.

— Isso é terrível — concordou o fervoroso. — Venha, condutor. Faça com que seus parshemanos tragam o palanquim.

Pouco tempo depois, Shallan esperava em um canto de uma pequena sala do monastério, observando Iyatil resistir aos cuidados de vários fervorosos. Ela repetidamente os avisava que, se removessem sua máscara, teria que matá-los.

Aquilo não parecia fazer parte da encenação.

Felizmente, ela desempenhava bem o papel. Suas palavras raivosas, misturadas com seu rosto oculto, arrepiavam até Shallan. Os fervorosos pareciam alternadamente fascinados e horrorizados.

Concentre-se no desenho, pensou Shallan consigo mesma. Era o esboço de um dos fervorosos, um homem gordo e com mais ou menos a altura dela. O desenho era apressado, mas eficaz. Ela pensou distraidamente em como seria ter uma barba. Será que pinicava? Mas não, o cabelo em sua cabeça não pinicava, então por que o cabelo do rosto pinicaria? Como eles não sujavam aquilo com comida?

Ela terminou com alguns poucos traços rápidos, depois se levantou em silêncio. Iyatil atraiu a atenção dos fervorosos com um novo ataque de raiva. Shallan acenou com a cabeça em agradecimento, então escapou pela porta, adentrando o corredor. Depois de olhar para os lados para conferir se estava sozinha, usou uma nuvem de Luz das Tempestades para se transformar no fervoroso. Feito isso, estendeu a mão e enfiou seu cabelo liso e ruivo — a única parte que ameaçava escapar da ilusão — por dentro das costas do casaco.

— Padrão — sussurrou ela, voltando-se e caminhando pelo corredor com um ar despreocupado.

— Hmm?

— Encontre-o — mandou ela, tirando da bolsa um desenho do louco que Mraize havia deixado na árvore. O desenho havia sido feito a distância, e não era lá muito bom. Com sorte...

— Segundo corredor à esquerda — disse Padrão.

Shallan olhou para ele, embora seu novo disfarce — um traje de fervoroso — obscurecesse o ponto no qual Padrão havia pousado no casaco dela.

— Como você sabe?

— Você estava distraída desenhando. Eu espiei por aí. Há uma mulher muito interessante a quatro portas daqui. Ela parece estar esfregando excremento na parede.

— Eca. — Shallan achava que podia sentir o cheiro.

— Padrões... — disse ele enquanto caminhavam. — Não dei uma boa olhada no que ela estava escrevendo, mas parecia muito interessante. Acho que vou...

— Não — sussurrou Shallan. — Fique comigo.

Ela sorriu, acenando com a cabeça para vários fervorosos de passagem. Eles felizmente não falaram com ela, apenas acenaram de volta.

O edifício do monastério, como tudo mais no acampamento de Dalinar, era dividido por corredores simples e sem ornamentação. Shallan seguiu as instruções de Padrão até uma porta pesada embutida na rocha. A tranca se abriu com a ajuda do espreno, e Shallan esgueirou-se para dentro silenciosamente.

Uma única janela pequena — que mais parecia uma fenda — mostrava-se incapaz de iluminar plenamente a grande figura sentada na cama. De pele negra, como um homem dos reinos makabakianos, ele tinha cabelo escuro e desgrenhado e braços enormes. Eram braços de um trabalhador ou de um soldado. O homem estava sentado encolhido, as costas curvadas, cabeça baixa, a frágil luz da janela traçando uma faixa branca nas suas costas. Era uma silhueta sinistra e poderosa.

O homem estava sussurrando. Shallan não conseguia identificar as palavras. Ela tremeu, de costas para a porta, e segurou o esboço que recebera de Mraize. Parecia ser a mesma pessoa — pelo menos, a cor da pele e o corpo robusto pareciam iguais, embora o homem fosse muito mais musculoso do que a imagem indicava. Raios... aquelas mãos pareciam capazes de esmagá-la feito um crenguejo.

O homem não se moveu. Não ergueu os olhos, não mudou de posição. Era como um pedregulho que havia rolado morro abaixo até parar ali.

— Por que está tão escuro aqui? — indagou Padrão, em um tom de voz perfeitamente alegre.

O louco não reagiu ao comentário, ou mesmo a Shallan, quando ela deu um passo à frente.

— A teoria moderna de auxílio aos loucos sugere confinamento em quartos escuros — sussurrou Shallan. — Luz demais os estimula, e pode reduzir a eficácia do tratamento.

Era isso que lembrava, pelo menos. Não havia lido muito sobre o assunto. O quarto *era* escuro. Aquela janela certamente não tinha mais do que alguns dedos de largura. O que ele estava murmurando? Shallan continuou avançando cautelosamente.

— Senhor? — chamou.

Então hesitou, percebendo que estava projetando a voz de uma mulher jovem do corpo de um fervoroso gordo e idoso. Será que isso espantaria o homem? Ele não estava olhando, então ela removeu a ilusão.

— Ele não parece zangado — comentou Padrão. — Mas você o chamou de louco.

— "Louco" é uma palavra usada em contextos diferentes — disse Shallan. — Um deles é "louco de raiva", que significa "zangado". Outro significa com problemas mentais.

— Ah — disse Padrão. — Como um espreno que perdeu seu laço.

— Não exatamente, imagino — replicou Shallan, andando até o louco. — Mas parecido.

Ela se ajoelhou junto do homem, tentando decifrar o que ele estava dizendo.

— O tempo do Retorno, a Desolação, está chegando — sussurrava ele. Estava esperando um sotaque azishiano, considerando a cor da pele, mas o homem falava alethiano perfeitamente. — Precisamos nos preparar. Vocês terão esquecido muito, depois da destruição dos tempos passados.

Ela olhou para Padrão, perdido na penumbra do outro lado da sala, então de volta para o homem. Um brilho reluzia nos seus olhos castanho-escuros, dois pontos luminosos em um rosto oculto pelas sombras. Aquela postura cabisbaixa parecia tão deprimida. Ele continuou murmurando, sobre bronze e aço, sobre preparações e treinamento.

— Quem é você? — sussurrou Shallan.

— Talenel'Elin. Aquele que vocês chamam de Tendões-de-Pedra.

Ela sentiu um arrepio. Então o louco continuou, sussurrando as mesmas coisas de antes, em uma repetição exata. Ela nem mesmo tinha certeza se seu comentário fora uma resposta à pergunta ou apenas parte da récita. Ele não respondeu a mais nada.

Shallan deu um passo para trás, cruzando os braços, bolsa sobre o ombro.

— Talenel — disse Padrão. — Eu conheço esse nome.

— Talenelat'Elin é o nome de um dos Arautos — explicou Shallan. — Esse nome é quase igual.

— Ah. — Padrão fez uma pausa. — Mentira?

— Sem dúvidas — respondeu Shallan. — Vai contra toda razão que Dalinar Kholin teria um dos *Arautos do Todo-Poderoso* trancado nos quartos dos fundos de um templo. Muitos loucos pensam que são uma pessoa diferente.

Claro, muitos diziam que o próprio Dalinar era louco. E ele *estava* tentando refundar os Cavaleiros Radiantes. Capturar um louco que pensava que era um dos Arautos era compatível com isso.

— Louco, de onde você veio? — perguntou Shallan.

Ele continuou tagarelando.

— Você sabe o que Dalinar Kholin deseja de você?

Mais ladainha.

Shallan suspirou, mas se ajoelhou e escreveu as palavras exatas para entregar a Mraize. Pegou a sequência inteira, e escutou-a por completo duas vezes para certificar-se de que ele não ia dizer nada de novo. Ele não disse seu suposto nome dessa vez, contudo; então havia esse único desvio.

Ele não podia *realmente* ser um dos Arautos, podia?

Não seja tola, ela pensou, guardando seu material de escrita. *Os Arautos brilham como o sol, possuem Espadas de Honra e falam com as vozes de mil trombetas. Eles podiam derrubar edifícios com um comando, forçar as tempestades a obedecer e curar com um toque.*

Shallan caminhou até a porta. Àquela altura, sua ausência na outra sala teria sido notada. Ela devia voltar e contar sua mentira a respeito de procurar uma bebida para sua garganta seca. Primeiro, contudo, precisava recolocar o disfarce de fervoroso. Ela sugou um pouco de Luz das Tempestades, então expirou, usando a memória ainda fresca do fervoroso para criar...

— Aaaaaaaah!

O louco levantou-se de um salto, gritando, e lançou-se sobre ela com uma velocidade incrível. Enquanto Shallan gritava de surpresa, ele a agarrou e empurrou-a para fora da sua nuvem de Luz das Tempestades. A imagem se desfez em vapor e o louco a bateu contra a parede, os olhos arregalados, a respiração ofegante. Ele estudou o rosto dela com olhos frenéticos, as pupilas correndo de um lado para outro.

Shallan tremeu, com dificuldade para respirar.

Dez batimentos cardíacos.

— Um dos Cavaleiros de Ishar — sussurrou o louco. Seus olhos se estreitaram. — Eu me lembro... Ele os fundou? Sim. Várias Desolações atrás. Deixou de ser apenas conversa. Deixou de ser conversa há milhares de anos. Mas... Quando...

Ele se afastou, cambaleando para trás, a mão na cabeça. A Espada Fractal de Shallan surgiu nas mãos dela, mas não parecia mais precisar da arma. O homem deu-lhe as costas, caminhou até sua cama, então se deitou e se encolheu.

Shallan avançou com cuidado e descobriu que ele voltara a murmurar as mesmas coisas de antes. Ela dispensou a Espada.

A alma da minha mãe...

— Shallan? — chamou Padrão. — Shallan, você está louca?

Ela estremeceu. Quanto tempo havia se passado?

— Sim — respondeu, caminhando apressadamente para a porta.

Espiou o lado de fora. Não podia se arriscar a usar Luz das Tempestades novamente naquela sala. Simplesmente teria que escapulir...

Raios. Várias pessoas se aproximavam pelo corredor. Ela teria que esperar que passassem. Só que eles pareciam estar indo direto para aquela porta.

Um dos homens era o Grão-senhor Amaram.

64
TESOUROS

Sim, estou desapontado. Perpetuamente, como você disse.

KALADIN ESTAVA DEITADO EM seu leito, ignorando a tigela da refeição da tarde, taleu temperado e cozido no vapor, que estava no chão.

Ele havia começado a se imaginar como aquele espinha-branca na exibição de animais. Um predador em uma jaula. Que as tormentas permitissem que não terminasse como aquela pobre fera. Desanimado, faminto, confuso. *Eles não se dão bem em cativeiro*, dissera Shallan.

Quantos dias já haviam passado? Kaladin percebeu que não se importava, e isso o preocupou. Durante seu tempo como escravo, também deixara de se importar com a data.

Ele não estava tão distante assim do farrapo que já fora. Sentia que estava escorregando de volta ao mesmo estado de espírito, como um homem escalando um penhasco coberto de crem e lodo. Toda vez que tentava subir, deslizava para baixo. Uma hora, cairia.

Pensamentos antigos... pensamentos de um escravo... se agitavam dentro dele. Deixar de se importar. Preocupar-se apenas com a próxima refeição, e protegê-la dos outros. Não pensar demais. Pensar é perigoso. Pensar faz com que se tenha esperança, desejos.

Kaladin berrou, se lançando para fora do leito e andando de um lado para outro na pequena cela, mãos na cabeça. Ele sempre se considerara tão forte, um lutador. Mas tudo que havia sido necessário para arrasá-lo foi metê-lo em uma caixa por algumas semanas, e a verdade retornara! Ele se jogou contra as barras e esticou a mão entre elas, na direção de uma das lâmpadas da parede. Inspirou.

Nada aconteceu. Nenhuma Luz das Tempestades. A esfera continuou a brilhar, de modo estável e contínuo.

Kaladin soltou um grito, estendendo ainda mais a mão, forçando os dedos na direção daquela luz distante. *Não deixe a escuridão me levar*, pensou. Ele... rezou. Quando fora a última vez que rezara? Ele não tinha alguém para escrever e queimar as palavras, mas o Todo-Poderoso escutava os corações, não escutava? *Por favor. De novo, não. Não posso voltar àquilo. Por favor.*

Ele se forçou para aquela esfera, inspirando. A Luz pareceu *resistir*, então fluiu gloriosamente para as pontas dos seus dedos. A tempestade pulsou nas suas veias.

Kaladin prendeu a respiração, olhos fechados, saboreando a sensação. O poder lutava dentro dele, tentando escapar. Afastou-se das barras e começou a andar de um lado para o outro novamente, olhos fechados, mas não tão freneticamente quanto antes.

— Estou preocupada com você. — A voz de Syl. — Você está escurecendo.

Kaladin abriu os olhos e finalmente a encontrou, sentada entre duas das barras como se estivesse em um balanço.

— Vou ficar bem — disse Kaladin, deixando a Luz das Tempestades se elevar dos seus lábios como fumaça. — Só preciso sair dessa gaiola.

— É pior do que isso. É a escuridão... a escuridão...

Ela olhou para o lado, então subitamente deu uma risadinha, zunindo para inspecionar alguma coisa no chão. Um pequeno crenguejo que se arrastava pelo canto do recinto. Ela pairou sobre a criaturinha, os olhos se arregalando enquanto fitava o vermelho e roxo vivos da sua couraça.

Kaladin sorriu. Ela ainda era um espreno. Pueril. O mundo era um lugar de maravilhas para Syl. Como seria isso?

Ele se sentou e comeu sua refeição, sentindo como se houvesse afastado a depressão por um tempo. Por fim, um dos guardas foi ver como ele estava e descobriu a esfera fosca. Ele a removeu, franzindo a testa, e sacudiu a cabeça antes de substituí-la e ir embora.

A MARAM ESTAVA A CAMINHO daquele quarto.
Esconda-se!

Shallan sentiu orgulho da rapidez com que cuspiu o resto da Luz das Tempestades, cobrindo-se com ela. Nem pensou na maneira como o louco havia reagido à sua Teceluminação antes, embora talvez devesse ter pensado. De qualquer modo, dessa vez ele não pareceu notar.

Ela deveria se disfarçar de fervoroso? Não. Algo muito mais simples, algo mais rápido.

Escuridão.

Sua roupa tornou-se preta; sua pele, chapéu, cabelo — tudo ficou escuro como breu. Ela recuou apressada da porta para o canto da sala que ficava mais distante da fina janela, e ficou quieta. Com a ilusão estabelecida, a Teceluminação consumia os fios de Luz das Tempestades que normalmente se elevariam da sua pele, ocultando ainda mais sua presença.

A porta se abriu. Seu coração trovejava. Gostaria de ter tido tempo para criar uma parede falsa. Amaram adentrou a sala com um jovem olhos-escuros, obviamente alethiano, com cabelo preto e curto e sobrancelhas proeminentes. Ele vestia um uniforme Kholin. Eles trancaram a porta em silêncio, com Amaram guardando uma chave no bolso.

Shallan sentiu uma raiva imediata ao ver o assassino do seu irmão ali, mas percebeu que o sentimento havia se amainado um pouco; uma repulsa em fogo lento em vez de um ódio ardente. Já fazia muito tempo desde que vira Helaran. E Balat tinha razão ao argumentar que o irmão mais velho os abandonara.

Para tentar matar aquele homem, aparentemente — ou pelo menos fora isso que conseguira deduzir do que havia lido sobre Amaram e sua Espada Fractal. Por que Helaran tentara matá-lo? E poderia realmente culpar Amaram quando, na verdade, ele provavelmente estava apenas se defendendo?

Sentia que sabia tão pouco. Mas Amaram ainda era um canalha, naturalmente.

Juntos, Amaram e o alethiano olhos-escuros se voltaram para o louco. Shallan não podia ver muito dos seus traços na sala escura.

— Eu não sei por que o senhor precisa ouvir pessoalmente, Luminobre — disse o criado. — Eu já contei o que ele falou.

— Silêncio, Bordin — respondeu Amaram, cruzando a sala. — Vigie a porta.

Shallan enrijeceu e se encolheu contra o canto. Eles a veriam, não veriam? Amaram se ajoelhou junto da cama.

— Grande Príncipe — sussurrou ele, pondo a mão no ombro do louco. — Vire-se. Deixe-me vê-lo.

O louco ergueu os olhos, ainda murmurando.

— Ah... — disse Amaram, suspirando. — Todo-Poderoso nos céus, dez nomes, é verdade. Você é uma beleza. Gavilar, nós conseguimos. Finalmente *conseguimos*.

— Luminobre? — disse Bordin junto à porta. — Não gosto de estar aqui. Se formos descobertos, as pessoas podem fazer perguntas. O tesouro...

— Ele realmente falou de Espadas Fractais?

— Sim — confirmou Bordin. — Um esconderijo cheio delas.

— As Espadas de Honra — sussurrou Amaram. — Grande Príncipe, por favor, conceda-me as mesmas palavras que falou para este homem aqui.

O louco continuou murmurando a mesma ladainha que Shallan já ouvira. Amaram permaneceu ajoelhado, mas por fim se voltou para o nervoso Bordin.

— E então?

— Ele repete essas palavras todos os dias, mas só falou das Espadas uma vez — disse Bordin.

— Gostaria de ouvi-lo falar delas pessoalmente.

— Luminobre... Poderíamos esperar aqui durante dias e não ouvi-las. Por favor, precisamos ir. Os fervorosos uma hora passarão por aqui nas suas rondas.

Amaram levantou-se com óbvia relutância.

— Grande Príncipe, recuperarei seus tesouros — declarou ele para a figura encolhida do louco. — Não fale sobre eles para mais ninguém. Farei bom uso das Espadas. — Ele se voltou para Bordin. — Venha. Vamos procurar esse lugar.

— Hoje?

— Você disse que era aqui perto.

— Bem, sim, foi por isso que trouxe ele até aqui, mas...

— Se ele acidentalmente falar sobre isso para outras pessoas, prefiro que elas encontrem o lugar vazio de tesouros. Venha, rápido. Você será recompensado.

Amaram saiu a passos largos. Bordin demorou-se na porta, olhando para o louco, então saiu e fechou a passagem com um *clique*.

Shallan suspirou longamente, deixando-se desabar no chão.

— É como aquele mar de esferas.

— Shallan? — questionou Padrão.

— Eu caí dentro dele — continuou ela. — E não é que a água esteja acima da minha cabeça... é que a coisa nem mesmo é água, e não tenho ideia de como nadar nela.

— Não compreendo essa mentira — disse Padrão.

Ela balançou a cabeça, a cor voltando lentamente à sua pele e roupas. Ela retomou a forma de Véu, então caminhou até a porta, acompanhada pelo som do discurso desconexo do louco. *Arauto da Guerra. A hora do Retorno se aproxima...*

Do lado de fora, ela voltou à sala onde estava Iyatil, então desculpou-se profusamente com os fervorosos que haviam procurado por ela. Alegou ter se perdido, mas disse que aceitaria uma escolta de volta ao seu palanquim.

Antes de sair, contudo, ela se inclinou para abraçar Iyatil, como se desejasse se despedir da irmã.

— Você consegue escapar? — sussurrou Shallan.

— Não seja estúpida. É claro que consigo.

— Leve isso — disse Shallan, colocando uma folha de papel na mão livre enluvada de Iyatil. — Eu escrevi os delírios do louco. As frases se repetem sem alterações. Vi Amaram entrar escondido na sala; ele parecia pensar que essas palavras são genuínas, e procura um tesouro que o louco mencionou anteriormente. Vou escrever um relatório completo via telepena para você e os outros esta noite.

Shallan fez menção de se afastar, mas Iyatil a segurou.

— Quem você é de verdade, Véu? — quis saber a mulher. — Você me pegou a espionando, e consegue me despistar nas ruas. Isso não é nada fácil. Seus desenhos habilidosos fascinam Mraize, outra tarefa quase impossível, considerando tudo que ele já viu. Agora, isso que você fez hoje.

Shallan se empolgou. Por que se sentia tão animada por ter o respeito dessa gente? Eles eram assassinos.

Mas, raios a levassem, ela havia *merecido* aquele respeito.

— Eu busco a verdade — respondeu Shallan. — Onde quer que esteja, não importa quem a possua. Isso é quem eu sou. — Ela saudou Iyatil com a cabeça, então se afastou e escapou do monastério.

Mais tarde naquela noite, depois de mandar um relatório completo sobre os eventos do dia — assim como desenhos promissores do louco, de Amaram e de Bordin, de quebra —, ela recebeu uma mensagem simples de Mraize.

A verdade destrói mais pessoas do que salva, Véu. Mas você provou seu valor. Não precisa mais temer nossos outros membros; eles foram instruídos a não encostar em você. Vai precisar fazer uma tatuagem específica, um símbolo da sua lealdade. Vou enviar um desenho. Você pode tatuá-la onde desejar, mas deve provar que a fez quando nos encontrarmos da próxima vez.

Bem-vinda aos Sanguespectros.

lembrança da metamorfose, e o treinamento terá que prosseguir como se fosse um animal novo. Não há garantia de que uma larva dócil vá se transformar na pupa

Para encorajar a pupação de larvas maduras, alimente-as com uma dieta consistente de folhas de petrolírio. Para desencorajar a pupação dos seus chules adultos, acrescente gotas de óleo de casca-pétrea à água deles, e alimente os chules com cascarrapatos amassados antes de uma tempestade. Abrigar seu rebanho antes de uma granformenta continua sendo o método mais seguro de impedir a pupação dos chules.

Fig. 38. Metamorfose do chule: larva (o crenguejo de chule), primeira pupação, chule adulto, segunda pupação, senescência.

65

A MERECEDORA

UM ANO E MEIO ATRÁS

QUAL É O LUGAR de uma mulher neste mundo moderno?, diziam as palavras de Jasnah Kholin. *Rebelo-me contra essa pergunta, embora seja feita por tantas das minhas pares. O preconceito inerente no questionamento parece invisível para a maioria delas. Elas se consideram progressistas porque estão dispostas a desafiar muitos dos pressupostos do passado.*

Elas ignoram o pressuposto maior — de que um "lugar" para as mulheres deve ser definido e estabelecido, para começar. Metade da população deve de algum modo ser reduzida ao papel definido em uma única conversa. Não importa quão amplo seja esse papel, ele será — por natureza — uma redução da variedade infinita que é o ser mulher.

Afirmo que não há papel para as mulheres — existe, em vez disso, um papel para cada mulher, e ela deve criá-lo para si mesma. Para algumas, será o papel de erudita; para outras, será o papel de esposa. Para outras, serão ambos. E para outras ainda, não será nenhum deles.

Não cometam o erro de pensar que valorizo o papel de uma mulher mais do que outro. Meu propósito não é estratificar nossa sociedade — já fizemos isso bem demais —, meu propósito é diversificar nosso discurso.

A força de uma mulher não deve estar no seu papel, seja qual for sua escolha, mas no poder de escolhê-lo. Surpreende-me que seja efetivamente necessário defender esse ponto, pois o considero o fundamento básico da nossa conversa.

Shallan fechou o livro. Nem duas horas haviam se passado desde que o pai havia ordenado o assassinato de Helaran. Depois de Shallan recuar até seu quarto, um par de guardas do pai apareceu no corredor. Provavelmente não para vigiá-la — duvidava que o patriarca soubesse que havia entreouvido sua ordem de matar Helaran. Os guardas estavam ali para evitar que Malise, a madrasta de Shallan, tentasse fugir.

Esse pressuposto podia estar incorreto. Shallan nem mesmo sabia se Malise ainda estava viva, depois dos seus gritos e dos brados raivosos do pai.

Shallan queria se esconder, se enrolar nos lençóis com os olhos bem fechados. As palavras no livro de Jasnah Kholin a fortaleceram, embora em alguns aspectos parecesse risível que Shallan sequer as lesse. A Grã-senhora Kholin falava sobre a nobreza da escolha, como se toda mulher tivesse tal oportunidade. A decisão entre ser uma mãe ou uma erudita parecia difícil, segundo a estimativa de Jasnah. Mas não era uma escolha difícil, de modo algum! Parecia ser uma posição *grandiosa*! Qualquer uma das opções seria adorável, comparada a uma vida de medo em uma casa fervilhando com raiva, depressão e desesperança.

Ela imaginava como seria a Grã-senhora Kholin, uma mulher capaz que não fazia o que os outros insistiam que devia fazer. Uma mulher com poder, autoridade; uma mulher que podia se dar ao luxo de seguir seus sonhos.

Como seria isso?

Shallan se levantou. Ela caminhou até a porta, então a entreabriu. Embora já fosse tarde, os dois guardas continuavam na outra ponta do corredor. O coração de Shallan bateu forte, e ela amaldiçoou sua timidez. Por que não podia ser como mulheres que agiam, em vez de ser alguém que se escondia no quarto com um travesseiro sobre a cabeça?

Tremendo, ela se esgueirou para fora do quarto. Andou devagar na direção dos soldados, sentindo os olhos deles sobre ela. Um levantou a mão. Ela não sabia o nome do homem. Outrora, conhecia todos os guardas. Aqueles homens, com quem havia crescido, haviam sido substituídos.

— Meu pai precisa de mim — disse ela, sem se deter com o gesto do guarda.

Embora ele fosse olhos-claros, não precisava obedecê-lo; podia passar a maior parte dos dias nos seus aposentos, mas ainda era de uma posição muito superior à dele. Ela passou pelos homens, as mãos trêmulas bem fechadas. Eles não a impediram. Quando passou pela porta do pai, ouviu um choro baixo. Felizmente, Malise ainda estava viva.

Ela encontrou o pai no salão de banquetes, sentado sozinho com as duas fogueiras rugindo com chamas. Estava jogado na grã-mesa, iluminado pela luz forte, fitando o tampo da mesa.

Shallan entrou discretamente na cozinha antes que ele a notasse, e preparou a bebida favorita dele. Vinho roxo-escuro, temperado com canela e aquecido contra o dia gelado. Ele ergueu os olhos quando ela voltou ao salão e pousou o copo diante dele, fitando-o nos olhos. Não havia escuridão ali hoje; só ele. Isso era raro ultimamente.

— Eles não me *escutam*, Shallan — sussurrou ele. — Ninguém me escuta. Odeio ter que lutar contra minha própria casa. Eles deviam me apoiar. — Ele aceitou a bebida. — Wikim passa metade dos dias só olhando para a parede. Jushu não vale nada, e Balat luta comigo a cada passo. Agora Malise, também.

— Vou falar com eles — prometeu Shallan.

Ele bebeu o vinho, então assentiu.

— Sim. Sim, isso seria bom. Balat ainda está lá fora com aqueles malditos cadáveres de cão-machado. Estou feliz que estejam mortos. Aquela ninhada estava cheia de animais franzinos. Ele não precisava mesmo deles...

Shallan saiu para o ar gelado. O sol já havia se posto, mas lâmpadas pendiam dos beirais da mansão. Ela raramente via os jardins à noite, e eles assumiam um misterioso aspecto na escuridão. As vinhas pareciam dedos se estendendo para o vazio, procurando algo para agarrar e arrastar noite adentro.

Balat estava deitado em um dos bancos. Os pés de Shallan esmagaram alguma coisa enquanto andava até ele. Garras de crenguejos, arrancadas dos seus corpos uma após a outra, então jogadas no chão. Ela sentiu um arrepio.

— Você devia ir embora — disse ela a Balat.

Ele aprumou o corpo.

— O quê?

— O pai já não consegue se controlar — explicou Shallan em voz baixa. — Você precisa partir enquanto pode. Quero que leve Malise com você.

Balat correu a mão pelos cabelos escuros, encaracolados e despenteados.

— Malise? O pai nunca vai permitir. Ele vai nos caçar.

— Ele vai caçar você de qualquer maneira — disse Shallan. — Ele está caçando Helaran. Mais cedo, ele ordenou que um dos seus homens encontrasse nosso irmão e o matasse.

— O quê?! — Balat se levantou. — Aquele desgraçado! Eu vou... Eu...

Ele olhou para Shallan nas trevas, o rosto iluminado pelas estrelas. Então desabou, sentando-se novamente, segurando a cabeça com as mãos.

— Eu sou um covarde, Shallan — sussurrou. — Ah, Pai das Tempestades, sou um covarde. Não vou enfrentá-lo. Não consigo.

— Procure Helaran — sugeriu Shallan. — Você consegue encontrá-lo, se precisar?

— Ele... Sim, ele me deixou o nome de um intermediário em Valath que poderia me colocar em contato com ele.

— Leve Malise e Eylita. Vá atrás de Helaran.

— Não terei tempo de encontrar Helaran antes que o pai me alcance.

— Então vamos entrar em contato com Helaran — disse Shallan. — Vamos fazer planos para que vocês se encontrem, e você pode agendar sua fuga durante um período em que o pai esteja longe. Ele está planejando outra viagem para Vedenar daqui a alguns meses. Vá embora quando ele partir, para ter uma vantagem.

Balat assentiu.

— Sim... Sim, boa ideia.

— Vou escrever uma carta para Helaran — declarou Shallan. — Precisamos avisá-lo sobre os assassinos do pai, e podemos pedir que ele acolha vocês três.

— Você não devia ter que fazer isso, pequena — disse Balat de cabeça baixa. — Sou o mais velho, depois de Helaran. Eu devia ter conseguido deter nosso pai, a essa altura. De algum modo.

— Leve Malise embora — disse Shallan. — Isso será o bastante.

Ele assentiu.

Shallan voltou para a casa, passando pelo pai que ruminava sobre sua família desobediente, e foi pegar algumas coisas na cozinha. Então voltou para os degraus e olhou para cima. Respirando fundo algumas vezes, repetiu consigo mesma o que diria aos guardas se eles a detivessem. Então correu até eles e abriu a porta para a sala de estar do seu pai.

— Espere — disse o guarda do corredor. — Ele deixou ordens. Ninguém entra ou sai.

A garganta de Shallan embargou e, mesmo tendo se preparado, ela gaguejou ao falar:

— Acabei de conversar com ele. Meu pai quer que eu fale com ela.

O guarda a observou, mastigando alguma coisa. Shallan sentiu sua confiança fenecer, o coração em disparada. Confronto. Ela era tão covarde quanto Balat.

Ele gesticulou para o outro guarda, que desceu as escadas para verificar. O homem por fim retornou, assentindo, e o outro relutantemente acenou para que ela seguisse. Shallan entrou.

No Lugar.

Ela não entrava naquela sala há anos. Não desde...

Não desde...

Ela levantou a mão, protegendo os olhos contra a luz que vinha de trás da pintura. Como seu pai conseguia dormir ali? Como era possível que ninguém mais olhasse, ninguém mais se importasse? Aquela luz era *ofuscante*.

Felizmente, Malise estava encolhida em uma poltrona voltada para aquela parede, então Shallan pôde dar as costas para a pintura e obstruir a luz. Ela pousou a mão no braço da madrasta.

Não achava que conhecesse bem Malise, apesar dos anos vivendo juntas. Quem era aquela mulher que havia se casado com um homem que todos comentavam que havia matado a esposa anterior? Malise supervisionava a educação de Shallan — o que significava que procurava novas tutoras toda vez que as mulheres fugiam —, mas ela mesma não tinha muito para ensinar; não era possível ensinar o que não se sabia.

— Mãe? — chamou Shallan. Usou a palavra.

Malise a olhou. Apesar da luz cegante na sala, Shallan viu que o lábio da mulher estava rachado e sangrando. Ela segurava o braço esquerdo. Sim, estava quebrado.

Shallan pegou a gaze e os panos que havia trazido da cozinha, então começou a limpar as feridas. Teria que encontrar alguma coisa para servir de tala para aquele braço.

— Por que ele não odeia você? — disse Malise em tom áspero. — Ele odeia todo mundo, menos você.

Shallan limpou cuidadosamente o lábio da mulher.

— Pai das Tempestades, por que vim para esta casa maldita? — Malise tremeu. — Ele vai nos matar a todos. Um por um, ele vai nos arrasar e matar. Há uma escuridão dentro dele. Eu a vi, por trás dos seus olhos. Uma fera...

— Você vai partir — disse Shallan em voz baixa.

Malise riu bruscamente.

— Ele nunca me deixará partir. Ele nunca se desfaz de nada.

— Você não vai pedir — sussurrou Shallan. — Balat vai fugir e se juntar a Helaran, que possui amigos poderosos. Ele é um Fractário. Ele vai proteger vocês dois.

— Nunca o alcançaremos — replicou Malise. — E, mesmo se alcançarmos, por que Helaran nos acolheria? Não temos nada.

— Helaran é um bom homem.

Malise retorceu-se na cadeira, desviando os olhos de Shallan, que continuou a cuidar dela. A mulher gemeu quando Shallan atou seu braço, mas não respondeu a perguntas. Finalmente, Shallan recolheu os panos ensanguentados para jogá-los fora.

— Se eu partir, e Balat for comigo, quem ele vai odiar? — murmurou Malise. — Em quem ele vai bater? Talvez em você, finalmente? A verdadeira merecedora?

— Talvez — sussurrou Shallan, então foi embora.

66

BÊNÇÃOS DA TEMPESTADE

> *A destruição que semeamos não é suficiente? Os mundos onde você pisa agora trazem o toque e o desígnio de Adonalsium. Nossa interferência até agora não trouxe nada além de sofrimento.*

PÉS SE ARRASTAVAM PELA pedra fora da cela de Kaladin. Um dos seus carcereiros vindo conferir como ele estava. Kaladin continuou deitado e imóvel com olhos fechados, e não olhou naquela direção.

Para manter a escuridão afastada, começara a planejar. O que faria quando saísse? *Quando* saísse. Precisava insistir nesse pensamento. Não era que não confiasse em Dalinar. Sua mente, contudo... sua mente o traía, e sussurrava coisas que não eram verdade.

Distorções. Nesse estado, podia acreditar que Dalinar mentira. Podia crer que o grão-príncipe secretamente queria Kaladin na prisão. Era um péssimo guarda, afinal de contas. Ele não conseguira fazer nada contra as misteriosas contagens regressivas nas paredes e fracassara em deter o Assassino de Branco.

Com sua mente sussurrando mentiras, Kaladin conseguia acreditar que a Ponte Quatro estava contente em se livrar dele — que tinham fingido querer ser guardas só para deixá-lo feliz. Eles secretamente queriam seguir com suas vidas, vidas que apreciariam, sem Kaladin para estragá-las.

Essas inverdades *deveriam* parecer ridículas, mas não pareciam.

Clink.

Kaladin abriu os olhos subitamente, ficando tenso. Teriam vindo levá-lo para executá-lo, como o rei desejava? Ele se levantou de um salto, pousando em uma postura de batalha e segurando a tigela vazia da refeição como se fosse arremessá-la.

O carcereiro na porta da cela deu um passo para trás, arregalando os olhos.

— Raios, homem — disse ele. — Pensei que estivesse dormindo. Bem, sua sentença chegou ao fim. O rei assinou um perdão hoje. Eles nem mesmo tiraram seu cargo ou posição. — O homem coçou o queixo, então abriu a porta da cela. — Acho que você tem sorte.

Sorte. As pessoas sempre diziam isso a respeito de Kaladin. Ainda assim, a perspectiva de liberdade afastou a escuridão dentro dele, que se aproximou da porta. Cautelosamente. Ele saiu enquanto o guarda recuava.

— Você é bem desconfiado, não é? — comentou o carcereiro, um olhos-claros de baixo escalão. — Imagino que isso faça de você um bom guarda-costas.

O homem gesticulou para que Kaladin seguisse na frente. Kaladin esperou. Finalmente, o guarda suspirou.

— Então está bem. — Ele saiu pela porta para o corredor mais além.

Kaladin o seguiu, e com cada passo sentiu que estava voltando alguns dias no tempo. Fechando as portas para a escuridão. Ele não era um escravo. Era um soldado. Capitão Kaladin. Ele havia sobrevivido a essas... quanto tempo havia sido? Duas, três semanas? Esse curto período de tempo em uma jaula.

Estava livre agora. Ele podia voltar à sua vida como guarda-costas. Mas uma coisa... uma coisa havia mudado.

Ninguém, nunca, nunca mesmo, fará isso comigo de novo. Nem rei nem general, nem qualquer luminobre.

Ele preferia morrer.

Passaram por uma janela de sotavento e Kaladin parou para inspirar o aroma frio e fresco do ar aberto. A janela fornecia uma visão ordinária e mundana do acampamento do lado de fora, mas parecia gloriosa. Uma leve brisa mexeu seu cabelo, e ele se permitiu um sorriso, levando a mão ao queixo. Barba de várias semanas. Ele deixaria Rocha raspá-la.

— Pronto — disse o carcereiro. — Ele está livre. Agora podemos finalmente acabar com essa farsa, Vossa Alteza?

"Vossa Alteza"? Kaladin virou-se para o corredor, onde o guarda havia parado diante de outra cela — uma das maiores, situada no corredor em si. Kaladin havia sido colocado na cela mais profunda, longe das janelas.

O carcereiro girou uma chave na fechadura da porta de madeira, então abriu-a. Adolin Kholin — vestindo um simples uniforme justo —

saiu. Ele também tinha uma barba de várias semanas, embora fosse loira com pontos pretos. O jovem príncipe respirou fundo, então se virou para Kaladin e acenou com a cabeça.

— Ele prendeu *você*? — disse Kaladin, perplexo. — Como...? O quê...?

Adolin se voltou para o carcereiro.

— Minhas ordens foram cumpridas?

— Eles aguardam na sala logo adiante, Luminobre — respondeu o carcereiro, parecendo nervoso.

Adolin assentiu, movendo-se naquela direção. Kaladin alcançou o carcereiro, tomando-o pelo braço.

— O que está acontecendo? O rei colocou o *herdeiro* de Dalinar aqui?

— O rei não teve nada a ver com isso. O Luminobre Adolin insistiu. Se recusou a partir enquanto você estivesse aqui. Nós tentamos impedi-lo, mas o homem é um príncipe. Raios, não podíamos obrigá-lo a nada, nem mesmo a ir embora. Ele se trancou na cela e nós só tivemos que aceitar.

Impossível. Kaladin olhou de soslaio para Adolin, que caminhava lentamente rumo ao corredor. O príncipe parecia muito melhor do que Kaladin se sentia — Adolin obviamente tomara alguns banhos, e sua cela de prisão era muito maior, com mais privacidade.

Ainda assim, era uma cela.

Foi essa a confusão que ouvi naquele dia, depois de ter sido aprisionado, pensou Kaladin. *Adolin veio e se trancou aqui.*

Kaladin trotou até ele.

— Por quê?

— Não parecia certo você estar aqui — respondeu Adolin, olhando para a frente.

— Arruinei sua chance de duelar com Sadeas.

— Eu estaria aleijado ou morto sem você. Então não teria a chance de lutar com Sadeas de qualquer modo. — O príncipe parou no corredor e olhou para Kaladin. — Além disso, você salvou Renarin.

— É o meu trabalho — respondeu Kaladin.

— Então temos que aumentar seu salário, carregadorzinho — replicou Adolin. — Porque não sei se já encontrei outro homem que saltaria, sem armadura, para uma luta entre seis Fractários.

Kaladin franziu o cenho.

— Espere aí. Você está usando colônia? Na *prisão*?

— Bem, não havia necessidade de viver como um bárbaro só porque eu estava encarcerado.

— Raios, como você é mimado. — Kaladin sorriu.

— Eu sou refinado, seu fazendeiro insolente — disse Adolin. Então sorriu. — Além disso, fique sabendo que tive que usar água *fria* para meus banhos enquanto estava aqui.

— Coitadinho.

— Eu sei. — Adolin hesitou, então estendeu a mão. Kaladin a apertou.

— Sinto muito. Por arruinar o plano.

— Bah, você não o arruinou — respondeu Adolin. — Foi o Elhokar. Não acha que ele podia ter simplesmente ignorado seu pedido e continuado, deixando que eu detalhasse meu desafio a Sadeas? Ele fez um escândalo, em vez de assumir o controle da multidão e seguir em frente. Homem tormentoso.

Kaladin hesitou diante do tom audacioso, então deu uma olhadela no carcereiro, que os seguia a certa distância, obviamente tentando não chamar atenção.

— As coisas que você disse sobre Amaram... é verdade?

— Tudo verdade.

Adolin assentiu.

— Sempre me perguntei o que aquele homem estava escondendo. — Ele continuou andando.

— Espere — disse Kaladin, apressando-se para alcançá-lo. — Você *acredita* em mim?

— Meu pai é o melhor homem que conheço, talvez o melhor homem *vivo*. Mesmo ele perde a paciência, faz escolhas erradas, e teve um passado conturbado. Amaram parece nunca ter feito nada errado. Se escutar as histórias sobre ele, parece que todo mundo pensa que ele brilha no escuro e mija néctar. Para mim, isso cheira a alguém se esforçando demais para manter sua reputação.

— Seu pai disse que eu não devia ter tentado duelar com ele.

— É — concordou Adolin, alcançando a porta no final do corredor. — Acho que você não compreende a organização dos duelos. Um olhos-escuros não pode desafiar um homem como Amaram, e você certamente não deveria ter feito isso do jeito que fez. Constrangeu o rei, como se houvesse cuspido em um presente concedido por ele. — Adolin hesitou. — Você não deve se importar mais com isso, claro. Não depois de hoje.

Adolin abriu a porta. Atrás dela, a maioria dos homens da Ponte Quatro estavam apinhados em uma sala pequena, onde os carcereiros obviamente passavam seus dias. Uma mesa e cadeiras haviam sido empurradas para o canto a fim de dar espaço a vinte poucos homens que saudaram Kaladin imediatamente quando a porta se abriu. Suas saudações se dissolveram imediatamente quando começaram a gritar de alegria.

Aquele som... aquele som esmagou a escuridão até que desaparecesse por completo. Kaladin percebeu que estava sorrindo quando foi ao encontro deles, apertando suas mãos, escutando Rocha fazer troça da sua barba. Renarin estava ali, usando o seu uniforme da Ponte Quatro, e imediatamente juntou-se ao irmão, falando com ele em voz baixa de modo jovial, embora estivesse segurando a caixinha que gostava de remexer.

Kaladin olhou para o lado. Quem eram aqueles homens junto à parede? Membros do séquito de Adolin. Aquele era um dos armeiros de Adolin? Eles estavam carregando itens envoltos em lençóis. Adolin adentrou a sala e bateu palmas bem alto, silenciando a Ponte Quatro.

— Parece que agora possuo não uma, mas *duas* novas Espadas Fractais e *três* Armaduras. O principado Kholin agora possui um quarto das Fractais de toda Alethkar, e fui nomeado campeão de duelos. Não é surpresa, já que Relis estava em uma caravana de volta a Alethkar na noite após nosso duelo, mandado pelo pai em uma tentativa de esconder a vergonha de ter levado tamanha surra. Um desses conjuntos completos de Fractais vai para o general Khal, e ordenei que dois dos conjuntos de Armadura fossem dados a olhos-claros de posição apropriada no exército do meu pai. — Adolin indicou os lençóis. — Isso deixa um conjunto completo. Pessoalmente, estou curioso para saber se as histórias são verdadeiras. Se um olhos-escuros se conectar a uma Espada Fractal, seus olhos mudam de cor?

Kaladin viveu um momento de puro pânico. De novo. Estava acontecendo de novo.

Os armeiros removeram os lençóis, revelando uma resplandecente Espada prateada. De fio duplo, com um padrão de vinhas retorcidas no centro. Aos seus pés, os armeiros descobriram um conjunto de Armadura pintado de laranja, tomado de um dos homens que Kaladin havia ajudado a derrotar.

Se aceitasse aquelas Fractais, tudo mudaria. Kaladin imediatamente sentiu uma náusea que quase o paralisou. Voltou-se para Adolin.

— Eu posso fazer com elas o que quiser?

— Pegue-as — disse Adolin, assentindo. — Elas são suas.

— Não são mais — replicou Kaladin, apontando para um dos membros da Ponte Quatro. — Moash. Pegue-as. Agora você é um Fractário.

A cor se esvaiu do rosto de Moash. Kaladin se preparou. Da última vez... Ele se retraiu quando Adolin o pegou pelo ombro, mas a tragédia do exército de Amaram não se repetiu. Em vez disso, Adolin puxou Kaladin de volta ao corredor, levantando uma mão para impedir que os carregadores falassem.

— Só um segundo — disse Adolin. — Ninguém se mova. — Então, em uma voz mais baixa, ele sibilou para Kaladin: — Estou *dando* a você uma *Espada Fractal* e uma *Armadura Fractal*.

— Obrigado. Moash vai usá-las bem. Ele andou treinando com Zahel.

— Eu não dei as Fractais para ele, e sim para você.

— Se elas são realmente minhas, então posso fazer com elas o que quiser. Ou não são realmente minhas?

— Qual é o seu *problema*? — quis saber Adolin. — Esse é o sonho de todo soldado, olhos-escuros ou olhos-claros. É por despeito? Ou... é por... — Adolin parecia absolutamente perplexo.

— Não é por despeito — respondeu Kaladin, em um tom suave. — Adolin, essas Espadas mataram gente demais que eu amava. Não consigo olhar para elas, não posso *tocá-las*, sem ver sangue.

— Você seria um olhos-claros — sussurrou Adolin. — Mesmo que a cor dos seus olhos não mude, você seria considerado um. Fractários são imediatamente do quarto dan. Você poderia desafiar Amaram. Toda sua vida mudaria.

— Não quero que minha vida mude porque me tornei um olhos-claros — disse Kaladin. — Quero que as vidas de pessoas como eu... como sou agora... mudem. Esse presente não é para mim, Adolin. Não estou tentando ofendê-lo, nem qualquer outra pessoa. Eu só não quero uma Espada Fractal.

— Aquele assassino vai voltar — insistiu Adolin. — Nós dois sabemos disso. Prefiro que você esteja lá com Fractais para me apoiar.

— Serei mais útil sem elas.

Adolin franziu o cenho.

— Deixe-me dar as Fractais para Moash. Você viu, naquela arena, que posso me virar perfeitamente sem uma Espada e uma Armadura. Se dermos Fractais para um dos meus melhores homens, então haverá três de nós para lutar com ele, e não apenas dois.

Adolin olhou de volta para a sala, depois para Kaladin, com um ar cético.

— Você *é* louco, sabe?

— Eu aceito isso.

— Está bem — disse Adolin, andando de volta para a sala. — Você. Moash, não é? Parece que essas Fractais são suas agora. Parabéns. Agora você tem uma posição superior a 90% da população de Alethkar. Escolha um sobrenome e peça para se juntar a uma das casas sob o estandarte de Dalinar, ou crie a sua, se preferir.

Moash olhou para Kaladin em busca de confirmação. Kaladin assentiu.

O alto carregador de pontes atravessou a sala, estendendo a mão para tocar a Espada Fractal. Ele correu os dedos por todo o comprimento até o cabo, depois agarrou-o, levantando a Espada com reverência. Como a maioria dessas lâminas, era enorme, mas Moash segurou-a facilmente em uma das mãos. O heliodoro encrustado no pomo refulgiu com uma súbita luz.

Moash olhou para os outros da Ponte Quatro, um mar de olhos arregalados e bocas mudas. Esprenos de glória surgiram ao redor dele, uma massa giratória de pelo menos vinte esferas de luz.

— Seus olhos — disse Lopen. — Eles não deviam estar mudando?

— Se isso acontecer, talvez seja só depois que ele se ligar à coisa — disse Adolin. — Isso leva uma semana.

— Coloquem a Armadura em mim — disse Moash para os armeiros; com urgência, como se temesse que ela lhe fosse tomada.

— Chega disso! — disse Rocha enquanto os armeiros começavam a trabalhar, sua voz preenchendo o recinto como um trovão aprisionado. — Temos uma festa a dar! Grande capitão Kaladin, Filho da Tempestade e habitante de prisões, você vai comer meu guisado agora. Ha! Ele está cozinhando há tanto tempo quanto você ficou trancado.

Kaladin deixou os carregadores o conduzirem até a luz do sol, onde uma multidão de soldados esperava — incluindo muitos dos carregadores das outras equipes. Eles comemoraram, e Kaladin vislumbrou Dalinar esperando ali perto. Adolin moveu-se para se juntar ao seu pai, mas Dalinar olhava para Kaladin. O que significava aquela expressão? Estava tão pensativo. Kaladin desviou o olhar, aceitando os cumprimentos dos carregadores enquanto eles apertavam sua mão e davam-lhe tapas nas costas.

— O que foi que você disse, Rocha? — perguntou Kaladin. — Você cozinhou um guisado para cada dia em que fiquei preso na cadeia?

— Não. — Teft coçou a barba. — O tormentoso papaguampas preparou um único caldeirão, que está fervendo há semanas. Ele não deixa a gente experimentar e insiste em levantar à noite para cuidar dele.

— É um guisado de celebração — disse Rocha, cruzando os braços. — Precisa ferver por muito tempo.

— Bem, então vamos a ele — disse Kaladin. — Eu certamente estou precisando de coisa melhor do que a comida da prisão.

Os homens comemoraram, partindo em direção à caserna. Quando eles se afastaram, Kaladin pegou Teft pelo braço.

— Como os homens lidaram com isso? Meu encarceramento?

— Houve muita conversa sobre tirá-lo da cadeia — admitiu Teft em voz baixa. — Botei juízo neles à força. Todo bom soldado já passou um dia ou dois no xadrez. Faz parte do trabalho. Eles não o rebaixaram, então só queriam te dar uma advertência. Os homens viram que era isso mesmo.

Kaladin assentiu. Teft olhou para os outros.

— Eles estão com bastante raiva desse tal Amaram. E com muito interesse. Qualquer coisa sobre o seu passado deixa eles agitados, você sabe.

— Leve eles de volta à caserna. Logo me juntarei a vocês.

— Não demore — pediu Teft. — Os rapazes estão guardando esse portão há três semanas. Você deve a eles uma celebração.

— Eu já vou — disse Kaladin. — Só quero falar com Moash.

Teft assentiu e se adiantou para se juntar aos outros. A sala de entrada da prisão pareceu vazia quando Kaladin retornou. Só Moash e os armeiros haviam permanecido. Kaladin caminhou até eles, assistindo Moash fazer um punho com sua manopla.

— Ainda não estou acreditando nisso, Kal — disse Moash enquanto os armeiros ajustavam sua placa peitoral. — Raios... Agora eu valho mais do que alguns *reinos*.

— Eu não aconselharia vender as Fractais, pelo menos não para um estrangeiro — comentou Kaladin. — Esse tipo de coisa poderia ser considerada traição.

— Vender? — Moash ergueu os olhos bruscamente e formou outro punho. — Nunca.

Ele sorriu, uma expressão de pura alegria enquanto o peitoral se encaixava.

— Vou ajudá-lo com o resto — disse Kaladin aos armeiros.

Eles recuaram relutantemente, deixando Kaladin e Moash sozinhos. Ele ajudou Moash a encaixar um dos avambraços no ombro.

— Tive muito tempo para pensar, lá dentro — disse Kaladin.

— Posso imaginar.

— Esse tempo me levou a tomar algumas decisões — disse Kaladin enquanto a seção da Armadura se encaixava. — Uma delas é que seus amigos têm razão.

Moash voltou-se para ele bruscamente.

— Então...

— Então diga a eles que concordo com seu plano. Farei o que eles quiserem que eu faça para ajudá-los a... cumprir sua tarefa.

A sala ficou estranhamente quieta. Moash pegou-o pelo braço.

— Eu disse a eles que você ia entender. — Ele gesticulou para a Armadura que usava. — Isso também vai ajudar com o que precisamos fazer. E, quando terminarmos, acho que um certo homem que você desafiou também vai precisar do mesmo tratamento.

— Só concordo porque é o melhor caminho. Para você, Moash, isso é vingança... e não tente negar. *Eu* realmente acho que é o que Alethkar precisa. Talvez o que o mundo precisa.

— Ah, eu sei — disse Moash, colocando o elmo com a viseira erguida.

Ele respirou fundo, então deu um passo e cambaleou, quase se estatelando no chão. Firmou-se agarrando uma mesa, que esmagou sob seus dedos, rachando a madeira. Ele olhou para o que havia feito, então deu uma gargalhada.

— Isso... isso vai mudar *tudo*. Obrigado, Kaladin. Muito obrigado.

— Vamos chamar os armeiros para ajudar a tirar essa armadura.

— *Não*. Você vai para a tormentosa festa de Rocha. Eu vou para a área de treinamento para praticar! Não quero tirar isso aqui até conseguir me mover naturalmente com ela.

Tendo visto o esforço de Renarin para aprender a usar sua Armadura, Kaladin suspeitava que talvez levasse mais tempo do que Moash desejava. Ele não disse nada, saindo em vez disso para a luz do sol; apreciou-a por um momento, os olhos fechados, a cabeça voltada para o céu.

Então se apressou em juntar-se novamente à Ponte Quatro.

67

CUSPE E BILE

Meu caminho foi escolhido de modo bastante deliberado. Sim, concordo com tudo que você disse sobre Rayse, incluindo o grave perigo que ele representa.

DALINAR PAROU NO CAMINHO sinuoso que descia do Pináculo, com Navani ao seu lado. Na luz minguante, eles viram um rio de homens fluindo de volta para os acampamentos de guerra das Planícies Quebradas. Os exércitos de Bethab e Thanadal estavam retornando da sua investida de platô, seguindo seus grão-príncipes, que provavelmente haviam retornado um pouco mais cedo.

Mais abaixo, um cavaleiro se aproximou do Pináculo, provavelmente com notícias para o rei sobre as investidas. Dalinar olhou para um dos seus guardas — estava acompanhando de quatro naquele dia, dois para ele, dois para Navani — e fez um gesto.

— O senhor quer os detalhes, Luminobre? — indagou o carregador de pontes.

— Por favor.

O homem desceu correndo o caminho sinuoso. Dalinar viu-o partir, pensativo. Eram homens notavelmente disciplinados, considerando sua origem — mas não eram soldados de carreira. Não gostaram do que ele havia feito ao jogar seu capitão na prisão.

Ele suspeitava que a situação não viraria um problema. O capitão Kaladin era um bom líder — era exatamente o tipo de oficial que Dalinar procurava. O tipo que mostrava iniciativa, não devido a um desejo de promoção, mas pela satisfação de um trabalho bem-feito. Esse tipo de soldado frequentemente tinha começos problemáticos, até aprenderem a não perder a cabeça. Raios. O próprio Dalinar precisara ter lições similares marteladas nele em vários pontos da vida.

Continuou descendo lentamente a trilha com Navani. Ela parecia radiante naquela noite, o cabelo enfeitado com safiras que brilhavam suavemente na luz. Navani gostava daqueles passeios juntos, e eles não tinham pressa de chegar ao banquete.

— Eu fico pensando que deveria haver uma maneira de usar fabriais como *bombas* — disse Navani, continuando a conversa. — Já temos gemas feitas para atrair algumas substâncias, mas não outras... são mais úteis com coisas como fumaça acima de uma fogueira. Poderíamos fazer algo assim funcionar com água?

Dalinar grunhiu, concordando.

— Mais e mais edifícios nos acampamentos de guerra possuem encanamentos à maneira kharbranthiana — continuou ela —, mas usam a própria gravidade como maneira de conduzir o líquido através dos encanamentos. Estou imaginando movimento de verdade, com gemas nas extremidades de segmentos de canos para puxar a água através de um fluxo, contra a atração da terra...

Ele grunhiu novamente.

— Fizemos uma descoberta sobre o desenvolvimento de novas Espadas Fractais no outro dia.

— O quê, é mesmo? O que aconteceu? Quanto tempo até que uma esteja pronta?

Ela sorriu, o braço ao redor do dele.

— O que foi?

— Só estou conferindo se você ainda é você — disse ela. — Nossa descoberta foi perceber que as gemas nas Espadas... usadas para fazer a conexão... podem não ter sido parte das armas originalmente.

Ele franziu o cenho.

— Isso é importante?

— Sim. Se for verdade, significa que as Espadas não são alimentadas pelas pedras. O crédito vai para Rushu, que perguntou por que uma Espada Fractal pode ser invocada e dispensada mesmo se sua gema estiver opaca. Não tínhamos respostas, e ela passou as últimas semanas em contato com Kharbranth, usando uma das novas estações de informações. Ela descobriu um fragmento de várias décadas após a Traição que fala sobre homens aprendendo a invocar e dispensar Espadas ao acrescentar gemas a elas, um acidente de ornamentação, aparentemente.

Ele franziu o cenho enquanto passavam por uma florescência de casca-pétrea onde um jardineiro estava trabalhando até tarde, cuidadosamente lixando e cantarolando consigo mesmo. O sol havia se posto; Salas acabara de ascender no leste.

— Se isso for verdade, voltamos a não saber absolutamente nada sobre como as Espadas Fractais foram fabricadas — concluiu Navani, parecendo feliz.

— Eu não entendo por que isso é uma descoberta.

Ela sorriu, dando um tapinha no seu braço.

— Imagine que você passou os últimos cinco anos acreditando que um inimigo estava seguindo o livro *Guerra*, de Dialectur, como um modelo para suas táticas, mas então soube que ele nunca ouviu falar desse tratado.

— Ah...

— Nós estávamos pressupondo que de algum modo a força e a leveza das Espadas eram um construto fabrial alimentado pela gema — explicou Navani. — Pode não ser o caso. Parece que o propósito da gema é usado *apenas* na conexão inicial com a Espada... algo que os Radiantes não precisavam fazer.

— Espere aí. Não precisavam?

— Não de acordo com esse fragmento. A implicação é que os Radiantes podiam dispensar e invocar Espadas... mas durante algum tempo a habilidade foi perdida. Ela só foi recuperada quando alguém acrescentou uma gema à sua Espada. O fragmento diz que as armas efetivamente *mudaram de forma* para adotar as pedras, mas não sei se confio nisso. De qualquer modo, depois que os Radiantes caíram, mas antes de os homens aprenderem a colocar gemas nas Espadas e se conectarem a elas, parece que as armas *ainda* eram sobrenaturalmente afiadas e leves, embora a conexão fosse impossível. Isso explicaria vários outros fragmentos de registros que li e considerei confusos...

Ela continuou, e Dalinar gostava de ouvir sua voz. Os detalhes da construção do fabrial, contudo, não lhe soavam urgentes naquele momento. Ele se importava; precisava se importar. Tanto por ela quanto pelas necessidades do reino.

Só não se importava *naquele momento*. Estava repassando na cabeça preparações para a expedição rumo às Planícies Quebradas. Como esconder os Transmutadores de vista, como eles preferiam ficar. O saneamento não deveria ser um problema, e a água seria abundante. Quantas escribas mais precisava levar? Cavalos? Só restava uma semana, e a maioria dos preparativos estava feita, como a construção da ponte móvel e as estimativas de suprimentos. Contudo, sempre havia mais a planejar.

Infelizmente, a maior variável não permitia um planejamento específico. Ele não sabia quantas tropas teria. Tudo dependia de quais dos grão-príncipes, se algum, concordariam em ir com ele. A menos de uma semana da partida, ele não tinha certeza de que *algum* deles iria.

Hatham me seria o mais útil, pensou Dalinar. *Ele tem um exército bem-organizado. Se ao menos Aladar não houvesse se alinhado tão vigorosamente com Sadeas; não consigo entender aquele homem. Thanadal e Bethab... Raios, será que levo os mercenários deles, se algum dos dois concordar em ir? É esse o tipo de força que desejo? Ousarei recusar qualquer lança que venha até mim?*

— Não vou conseguir conversar direito esta noite, não é? — indagou Navani.

— Não — admitiu ele enquanto alcançavam a base do Pináculo e se voltavam para o sul. — Me perdoe.

Ela assentiu, e Dalinar pôde ver a máscara rachando. Ela falava sobre o trabalho porque era um assunto seguro. Ele parou ao lado dela.

— Eu sei que dói — disse o grão-príncipe em voz baixa. — Mas vai melhorar.

— Ela não me deixava cuidar dela como mãe, Dalinar — disse Navani, o olhar distante. — Você sabia disso? Parecia que... que, quando Jasnah chegou à adolescência, parou de *precisar* de uma mãe. Eu tentava me aproximar, e havia essa *frieza*, como se até mesmo estar perto de mim a lembrasse que ela já havia sido uma criança. O que aconteceu com minha menininha, tão cheia de perguntas?

Dalinar puxou-a para si; que se danasse o decoro. Ali perto, os três guardas se remexeram, olhando para o outro lado.

— Eles vão levar meu filho também — sussurrou Navani. — Estão tentando.

— Eu vou protegê-lo — prometeu Dalinar.

— E quem vai proteger você?

Ele não tinha resposta para isso. Dizer que seus guardas fariam isso soava banal. Aquela não era a pergunta que ela realmente fizera. *Quem vai proteger você quando o assassino voltar?*

— Quase desejo que você fracasse. Ao manter este reino unido, você faz de si mesmo um alvo. Se tudo simplesmente entrasse em colapso, e nos fragmentássemos de volta em principados, talvez ele nos deixasse em paz.

— E então a tempestade viria — replicou Dalinar baixinho. Onze dias.

Navani por fim se afastou, assentindo e se recompondo.

— Você tem razão, claro. É só que... essa é a minha primeira vez. Lidando com isso. Como você conseguiu, quando *Shshshsh* morreu? Eu sei que você a amava, Dalinar. Não precisa negar pelo meu ego.

Ele hesitou. *A primeira vez;* uma implicação de que quando Gavilar havia morrido, ela não ficara arrasada com o fato. Ele nunca havia declarado de modo tão direto uma implicação das... dificuldades que os dois estavam tendo.

— Sinto muito. Foi uma pergunta difícil demais, considerando sua fonte? — Ela guardou o lenço que havia usado para secar os olhos. — Peço desculpas; sei que você não gosta de falar sobre isso.

Não era uma pergunta difícil; Dalinar apenas não se lembrava da esposa. Que estranho que pudesse passar semanas sem nem mesmo notar aquele buraco nas suas memórias, a mudança que havia arrancado um pedaço dele e o deixara remendado. Nem mesmo uma alfinetada de emoção quando o nome dela, que não conseguia ouvir, era mencionado. Melhor mudar de assunto.

— Não consigo deixar de pensar que o assassino está envolvido em tudo isso, Navani. A tempestade vindoura, os segredos das Planícies Quebradas, até mesmo Gavilar. Meu irmão sabia de alguma coisa, algo que nunca compartilhou com nenhum de nós. — *Você precisa encontrar as palavras mais importantes que um homem pode dizer.* — Eu daria quase tudo para saber o que era.

— Suponho que sim — disse Navani. — Vou voltar aos meus registros da época. Talvez ele tenha dito algo que nos dê pistas... embora eu deva avisar que já estudei esses relatos dezenas de vezes.

Dalinar assentiu.

— Apesar disso, não é uma preocupação para hoje; hoje, *eles* são nossa meta.

Eles se voltaram, assistindo enquanto as carruagens passavam, abrindo caminho para a Planície de Banquetes ali perto, iluminada por uma suave cor violeta na noite. Ele estreitou os olhos e viu a carruagem de Ruthar se aproximando. O grão-príncipe havia sido privado de suas Fractais, todas exceto a própria Espada. Eles haviam cortado a mão direita de Sadeas na bagunça, mas a cabeça permanecia. E ela era venenosa.

Os grão-príncipes eram um problema quase tão grande quanto Sadeas. Eles resistiam a Dalinar porque queriam que as coisas fossem fáceis, como sempre haviam sido. Eles se fartavam com suas riquezas e jogos; banquetes eram uma grande manifestação disso, com suas comidas exóticas e seus ricos trajes.

O mundo parecia estar se acabando, e os alethianos davam uma festa.

— Você não deve desprezá-los — disse Navani.

As rugas na testa de Dalinar se aprofundaram. Ela conseguia lê-lo bem demais.

— Escute o que estou dizendo, Dalinar. — Ela voltou-se para fitá-lo nos olhos. — Um pai odiar seus filhos já rendeu algum bom resultado?

— Eu não os odeio.

— Você abomina seus excessos e está perto de aplicar essa emoção a eles também. Eles vivem a vida que conhecem, a vida que a sociedade lhes ensinou que era apropriada. Você não vai mudá-los com desprezo. Você não é Riso; não é seu trabalho fazer pouco deles. Seu trabalho é envolvê--los, encorajá-los. Lidere-os, Dalinar.

Ele respirou fundo, então assentiu.

—Vou até a ilha das mulheres — disse ela, notando o guarda carregador de pontes voltando com notícias da investida de platô. — Elas me consideram um resquício excêntrico de coisas que deveriam ficar no passado, mas acho que ainda me escutam. Às vezes. Farei o que puder.

Eles se separaram, Navani se apressando na direção do banquete, Dalinar se demorando enquanto o carregador passava as notícias. A investida de platô havia sido bem-sucedida, e uma gema-coração fora capturada. Levara bastante tempo para alcançar o platô-alvo, que estava bem no interior das Planícies — quase na fronteira da área explorada. Os parshendianos não haviam aparecido para disputar a gema-coração, embora seus batedores houvessem espiado de longe.

Novamente eles decidiram não lutar, pensou Dalinar, cruzando o último trecho até o banquete. *O que significa essa mudança? O que eles estão planejando?*

A Planície de Banquetes era composta de uma série de ilhas Transmutadas ao lado do complexo do Pináculo. Ela havia sido inundada, como costumava acontecer, para que os montes Transmutados se elevassem entre pequenos rios. A água brilhava. Esferas, muitas esferas, haviam sido jogadas na água para dar-lhe um tom etéreo. Roxas, para combinar com a lua que estava nascendo, violeta e pálida no horizonte.

Lâmpadas estavam dispostas de modo intermitente, mas com esferas fracas, talvez para não desviar a atenção da água brilhante. Dalinar cruzou as pontes para a ilha mais distante — a ilha do rei, onde os sexos se misturavam e só os mais poderosos eram convidados. Era ali que sabia que encontraria os grão-príncipes. Até mesmo Bethab, que havia acabado de voltar da sua investida de platô, já estava presente — muito embora, como o homem preferia usar companhias mercenárias para formar o grosso do seu exército, Dalinar não estivesse surpreso de ele ter voltado tão rapidamente da investida. Depois que capturavam a gema-coração, ele com frequência cavalgava rapidamente de volta com o prêmio, deixando-os se virar para retornar.

Dalinar passou por Riso — que havia retornado aos acampamentos de guerra misteriosamente, como de costume — insultando todos que o cruzavam. Ele não desejava um duelo de palavras com ele hoje. Em vez disso, procurou Vamah; o grão-príncipe parecia efetivamente ter ouvido os apelos de Dalinar durante seu último jantar juntos. Talvez, com um pouco de estímulo, pudesse convencê-lo a juntar-se ao seu assalto contra os parshendianos.

Olhos seguiram Dalinar enquanto ele cruzava a ilha, e conversas sussurradas emergiam como erupções quando ele passava. Já esperava olhares como aqueles a essa altura, mas ainda o deixavam nervoso. Eles estavam mais abundantes naquela noite? Mais prolongados? Não podia aparecer na sociedade alethiana atualmente sem flagrar gente demais com sorrisinhos, como se todos estivessem cientes de alguma ótima piada que ninguém lhe contara.

Ele encontrou Vamah conversando com um grupo de três mulheres mais velhas. Uma delas era Sivi, uma grã-senhora da corte de Ruthar, que, contrariamente ao costume, havia deixado o marido em casa para cuidar das terras e viera pessoalmente para as Planícies Quebradas. Ela fitou Dalinar com um sorriso e olhos afiados. O plano para minar Sadeas em grande parte fracassara, mas isso devia-se parcialmente ao fato de o dano e a vergonha terem sido desviados para Ruthar e Aladar, que sofreram a perda de Fractários no duelo com Adolin.

Bem, aqueles dois nunca teriam passado para o lado de Dalinar — eles eram os principais apoiadores de Sadeas.

As quatro pessoas se calaram assim que Dalinar se aproximou. O Grão-príncipe Vamah apertou os olhos na luz fraca, fitando Dalinar de cima a baixo. O homem de rosto redondo tinha um copeiro junto dele, com uma garrafa de algum tipo de licor exótico. Vamah frequentemente trazia seus próprios destilados para banquetes, independentemente do anfitrião; muitos dos frequentadores consideravam um triunfo político manter com o homem uma conversa interessante o bastante para merecer um gole de tal bebida.

— Vamah — cumprimentou Dalinar.

— Dalinar.

— Há uma questão que quero discutir com você há algum tempo. Acho impressionante o que você tem sido capaz de fazer com a cavalaria ligeira nas investidas de platô. Diga-me, como você decide quando arriscar um assalto total com seus cavaleiros? A perda de cavalos poderia facilmente sobrepujar seus ganhos com gemas-coração, mas você conseguiu equilibrar a questão com estratagemas inteligentes.

— Eu... — Vamah suspirou, olhando para o lado. Um grupo de jovens ali perto estava rindo sarcasticamente enquanto olhava para Dalinar. — É uma questão de...

Outro som, mas alto, veio do lado oposto da ilha. Vamah recomeçou, mas seus olhos se voltaram para aquela direção, e uma rodada de gargalhadas soou ainda mais alto. Dalinar forçou-se a olhar, notando mulheres com as mãos nas bocas, homens cobrindo suas exclamações com tosses. Uma tentativa pouco convincente de manter o decoro alethiano.

Dalinar olhou para Vamah.

— O que está acontecendo?

— Sinto muito, Dalinar.

Ao lado dele, Sivi enfiou algumas folhas de papel debaixo do braço e encarou o olhar de Dalinar com indiferença forçada.

— Com licença — disse Dalinar.

Com as mãos formando punhos, ele cruzou a ilha na direção da fonte do distúrbio. Enquanto se aproximava, as pessoas se calaram e se dividiram em grupos menores, se afastando. Pareceu quase *planejada* a rapidez da dispersão, deixando-o sozinho para encarar Sadeas e Aladar, lado a lado.

— O que estão fazendo? — questionou Dalinar, dirigindo-se aos dois.

— Comendo — respondeu Sadeas, então enfiou um pedaço de fruta na boca. — Obviamente.

Dalinar respirou fundo. Ele olhou para Aladar, calvo e de pescoço comprido, com seu bigode e o tufo de pelos sob o lábio inferior.

— Você deveria se envergonhar — rosnou Dalinar para ele. — Meu irmão o chamava de amigo.

— E não eu? — disse Sadeas.

— O que você fez? — interpelou Dalinar. — Do que todos estão falando, escondendo risadinhas?

— Você sempre acha que sou eu — protestou Sadeas.

— Porque sempre que acho que *não é* você, estou errado.

Sadeas sorriu com os lábios apertados. Ele fez menção de responder, depois pensou por um momento, e por fim apenas enfiou outro pedaço de fruta na boca, mastigou e sorriu.

— Está gostoso — foi tudo que ele disse. Então virou-se para ir embora.

Aladar hesitou. Então sacudiu a cabeça e seguiu-o.

— Nunca o imaginei feito um cachorrinho seguindo os calcanhares do mestre, Aladar — disse Dalinar em voz alta.

Sem resposta.

Dalinar grunhiu, voltando a atravessar a ilha, procurando alguém do seu próprio acampamento que pudesse ter ouvido o que estava acontecendo. Elhokar aparentemente estava atrasado para a própria festa, muito embora Dalinar já visse o sobrinho se aproximando. Nem sinal de Teshav ou Khal ainda — sem dúvida apareceriam, agora que ele era um Fractário.

Dalinar talvez tivesse que passar para uma das outras ilhas, onde olhos-claros inferiores estavam socializando. Ele começou a seguir naquela direção, mas parou quando ouviu algo.

— Ora, Luminobre Amaram — gritou Riso. — Eu estava *ansioso* para vê-lo esta noite. Passei a vida toda aprendendo a deixar os outros infelizes, e é uma verdadeira alegria encontrar alguém tão dotado de talento inato nessa arte quanto o senhor.

Dalinar virou-se, notando Amaram, que havia acabado de chegar. Estava usando sua capa dos Cavaleiros Radiantes e levava um maço de papéis enfiado debaixo do braço. Ele parou ao lado da cadeira de Riso, a água próxima lançando um tom lavanda sobre suas peles.

— Eu conheço você? — perguntou Amaram.

— Não — respondeu Riso em um tom jocoso —, mas felizmente pode acrescentar isso à lista das muitas, muitas coisas que ignora.

— Mas agora eu o conheci — disse Amaram, estendendo a mão. — Então a lista tem menos um item.

— Por favor — protestou Riso, recusando o aperto. — Eu não quero encostar nisso.

— Nisso o quê?

— Em qualquer coisa que você use para fazer com que suas mãos pareçam limpas, Luminobre Amaram. Deve ser algum produto muito forte mesmo.

Dalinar se apressou até eles.

— Dalinar — disse Riso, cumprimentando-o com um aceno de cabeça.

— Riso. Amaram, o que são esses papéis?

— Uma das suas escribas pôs as mãos neles e me entregou — explicou Amaram. — Cópias estavam sendo passadas por todo o banquete antes da sua chegada. Sua escriba pensou que a Luminosa Navani podia querer vê-los, caso ainda não tenha visto. Onde está ela?

— Mantendo distância de você, obviamente — observou Riso. — Sortuda.

— Riso, você se incomoda? — disse Dalinar com severidade.

— Raramente.

Dalinar suspirou, olhando de volta para Amaram e pegando os papéis.

— A Luminosa Navani está na outra ilha. Você sabe o que diz aqui?

O rosto de Amaram assumiu um ar severo.

— Preferia não saber.

— Eu poderia acertar sua cabeça com um martelo — comentou Riso alegremente. — Uma boa pancada o faria esquecer *e* melhoraria muito essa sua cara.

— Riso — disse Dalinar em tom direto.

— É só brincadeira.

— Ótimo.

— Um martelo mal deixaria uma marca nessa cabeça dura.

Amaram voltou-se para Riso, com um ar atônito.

— Você faz essa expressão *muito* bem — observou Riso. — Teve muitas oportunidades para praticá-la, imagino!

— *Esse* é o novo Riso? — quis saber Amaram.

— Quero dizer, eu não gostaria de chamar Amaram de mentecapto...

Dalinar assentiu.

— ...porque teria que explicar a ele o que a palavra significa, e não me parece que algum de nós disponha do tempo necessário.

Amaram suspirou.

— Por que ninguém o matou ainda?

— Ah, foi sorte idiota — explicou Riso. — Tenho sorte de vocês serem tão idiotas.

— Obrigado, Riso — despediu-se Dalinar, pegando Amaram pelo braço e conduzindo-o para o lado.

— Mais um, Dalinar! Só um último insulto, e o deixarei em paz.

Eles continuaram caminhando.

— Senhor Amaram — chamou Riso, levantando-se para fazer uma mesura, sua voz tornando-se solene. — Eu o saúdo. O senhor *é* o que cretinos inferiores como Sadeas só podem aspirar a ser.

— Os papéis? — disse Dalinar a Amaram, explicitamente ignorando Riso.

— São relatos de suas... experiências, Luminobre — disse Amaram em voz baixa. — As que o senhor tem durante as tempestades. Escritos pela própria Luminosa Navani.

Dalinar pegou os papéis. Suas visões. Ele levantou os olhos e viu um grupo de pessoas se juntando na ilha, conversando e rindo, lançando olhares para ele.

— Entendo — disse baixinho. Fazia sentido agora, as risadinhas ocultas. — Encontre a Luminosa Navani para mim, por obséquio.

— Como quiser — disse Amaram, mas parou, apontando. Navani vinha marchando da ilha próxima, indo na direção deles com um ar tempestuoso.

— O que você acha, Amaram? — indagou Dalinar. — Sobre as coisas que estão sendo ditas de mim?

Amaram o encarou.

— Elas são obviamente visões mandadas pelo Todo-Poderoso, concedida a nós em um tempo de grande necessidade. Gostaria de ter sabido seu conteúdo antes. Elas me dão grande confiança na minha posição, e na sua posição com um profeta do Todo-Poderoso.

— Um deus morto não pode ter profetas.

— Morto... Não, Dalinar! Você obviamente interpretou mal aquele comentário das suas visões. Ele fala sobre estar morto na mente dos homens, que não escutam mais seus mandamentos. Deus não pode morrer.

Amaram parecia tão sincero. *Por que ele não ajudou os seus filhos?*, soou a voz de Kaladin em sua mente. Amaram o procurara naquele dia, naturalmente, pedindo desculpas e explicando que — com a sua nomeação como Radiante — ele não podia ter ajudado uma facção contra outra. Disse que precisava estar acima das rixas entre grão-príncipes, mesmo quando a ideia era dolorosa.

— E o suposto Arauto? — indagou Dalinar. — Aquele assunto que falamos?

— Ainda estou investigando.

Dalinar assentiu.

— Fiquei surpreso que você tenha mantido o escravo como chefe da sua guarda.

Ele olhou de soslaio para onde os guardas de Dalinar estavam, fora da ilha, na sua própria área, esperando junto com outros guarda-costas e atendentes, incluindo muitas das pupilas das grã-senhoras presentes.

Houve uma época, não muito tempo atrás, em que poucos achavam necessário trazer seus guardas com eles para um banquete. Agora, o lugar estava apinhado. O capitão Kaladin não estava ali; ele estava descansando depois do seu encarceramento.

— Ele é um bom soldado — disse Dalinar em voz baixa. — Só carrega algumas cicatrizes que são difíceis de curar.

Vedeledev sabe que eu também tenho algumas dessas.

— Só me preocupo que ele seja incapaz de protegê-lo apropriadamente — disse Amaram. — Sua vida é importante, Dalinar. Nós *precisamos* das suas visões, da sua liderança. Ainda assim, se confia no escravo, que seja... embora eu certamente não fosse me incomodar de ouvir desculpas da parte dele. Não pelo meu próprio ego, mas para saber que ele deixou de lado esse engano.

Dalinar não respondeu enquanto Navani caminhava irritada pela curta Ponte até a ilha deles. Riso começou a proclamar um insulto, mas ela o acertou na cara com um maço de papéis, mal olhando para ele enquanto continuava avançando rumo a Dalinar. Riso a olhou seguir, esfregando o rosto, e abriu um largo sorriso.

Ela notou os papéis na mão dele ao se juntar aos dois, que pareciam se destacar entre um mar de olhos zombeteiros e risadas abafadas.

— Eles acrescentaram palavras — rosnou Navani.

— O quê? — indagou Dalinar.

Ela sacudiu os papéis.

— Isso aqui! Você ouviu o que essas folhas contêm?

Ele assentiu.

— Não estão como escrevi — explicou Navani. — Eles mudaram o tom, algumas das minhas palavras, para atribuir um caráter ridículo a toda experiência... e para que parecesse que eu estava apenas agradando você. Pior, eles acrescentaram comentários em outra caligrafia que zomba do que você diz e faz. — Ela respirou fundo, como para se acalmar. — Dalinar, estão tentando destruir qualquer credibilidade que resta ao seu nome.

— Entendo.

— Como eles conseguiram isso? — perguntou Amaram.

— Furtando, sem dúvida — respondeu Dalinar, dando-se conta de uma coisa. — Navani e meus filhos sempre têm guardas, mas quando eles deixam seus aposentos, os cômodos ficam relativamente desprotegidos. Podemos ter sido demasiadamente negligentes nesse sentido. Eu me enganei. Pensei que os ataques dele seriam físicos.

Navani olhou para o mar de olhos-claros, muitos se reunindo em grupos ao redor de vários grão-príncipes sob a suave luz roxa. Ela se aproximou de Dalinar e, apesar da ferocidade no olhar dela, ele a conhecia bem o suficiente para adivinhar o que estava sentindo. Traição. Invasão. Sua privacidade fora aberta, ridicularizada e então exibida para o mundo.

— Dalinar, sinto muito — disse Amaram.

— Eles não mudaram as visões propriamente ditas? — quis saber Dalinar. — Eles as copiaram corretamente?

— Até onde posso dizer, sim — respondeu Navani. — Mas o tom é diferente, e aquela *zombaria*. Raios. É nauseante. Se eu descobrir quem foi a mulher que fez isso...

— Paz, Navani — disse Dalinar, pousando a mão no ombro dela.

— Como você pode dizer isso?

— Porque esse é o ato de homens infantis que acham que posso ser humilhado pela verdade.

— Mas os comentários! As mudanças. Eles fizeram tudo que puderam para desacreditá-lo. Até conseguiram minar a parte onde você oferece uma tradução do Canto do Alvorecer. Ela...

— "Assim como não temo uma criança com uma arma que não consegue levantar, nunca temerei a mente de um homem que não pensa."

Navani franziu o cenho.

— É de *O Caminho dos Reis* — disse Dalinar. — Não sou um rapaz nervoso no seu primeiro banquete. Sadeas comete um erro ao acreditar que vou responder a isso como ele faria. Ao contrário de uma espada, a zombaria só corta se você permitir.

— Isso *o afeta, sim* — disse Navani, encontrando o seu olhar. — Posso ver, Dalinar.

Com sorte, os outros não o conheceriam bem o bastante para ver o que ela via. Sim, estava magoado. Magoado porque as visões eram *dele*, confiadas a ele — para serem compartilhadas pelo bem dos homens, não para serem expostas a zombarias. Não era a risada deles que o feria, mas a perda do que poderia ter sido.

Ele se afastou de Navani, passando pela multidão. Alguns daqueles olhares pareciam tristes, não apenas entretidos. Talvez fosse sua imaginação, mas achava que alguns tinham mais pena dele do que desprezo.

Não sabia ao certo qual emoção era a mais danosa.

Dalinar alcançou a mesa de banquete na parte posterior da ilha. Ali, pegou uma grande panela e entregou-a para uma criada desnorteada, então subiu em cima da mesa. Apoiou uma mão no poste de iluminação ao lado da mesa e olhou para a pequena multidão. Eram as pessoas mais importantes em Alethkar.

Aqueles que ainda não estavam olhando para ele voltaram-se, chocados, ao vê-lo ali em cima. Ao longe, notou Adolin e a Luminosa Shallan entrando apressados na ilha. Eles provavelmente haviam acabado de chegar, e ouvido a conversa.

Dalinar olhou para a multidão.

— O que vocês ouviram é verdade — bradou ele.

Silêncio perplexo. Chamar atenção daquele jeito era algo que não se fazia em Alethkar. Ele, contudo, *já era* o espetáculo da noite.

— Foram adicionados comentários para me desacreditar — continuou Dalinar — e o tom da escrita de Navani foi modificado. Mas não vou ocultar o que está acontecendo comigo. Tenho visões do Todo-Poderoso. Elas vêm com quase todas as tempestades. Isso não deve surpreender vocês. Rumores sobre minhas experiências circulam há semanas. Talvez eu já devesse ter divulgado essas visões. No futuro, toda vez que eu receber uma, ela será publicada, para que eruditas no mundo todo possam investigar o que vi.

Ele procurou Sadeas, que estava com Aladar e Ruthar. Dalinar agarrou o poste, olhando de volta para a multidão alethiana.

— Não culpo vocês por pensarem que sou louco. É natural. Mas nas próximas noites, quando a chuva lavar suas paredes e o vento uivar, vocês vão pensar. Vão se questionar. E logo, quando eu oferecer provas, vocês saberão. Essa tentativa de me destruir acabará me justificando.

Ele olhou para seus rostos, alguns perplexos, alguns solidários, outros entretidos.

— Alguns entre vocês acham que vou fugir, ou que ficarei abalado, devido a esse ataque. Eles não me conhecem tão bem quanto imaginam. Que o banquete continue, pois desejo falar com cada um de vocês. Podem zombar das palavras, mas, se vão rir, façam isso enquanto olham nos meus olhos.

Ele desceu da mesa.

Então começou a trabalhar.

HORAS DEPOIS, DALINAR ENFIM permitiu-se sentar-se em uma cadeira junto a uma mesa no banquete, esprenos de exaustão girando ao redor dele. Passara o resto da noite movendo-se pela multidão, participando à força de conversas, estimulando o apoio à sua excursão às Planícies.

Ele havia claramente ignorado as páginas com suas visões, exceto quando faziam perguntas diretas sobre o que ele vira. Em vez disso, apresentara-lhes um homem decidido e confiante — o Espinho Negro transformado em político. Que lidassem com isso, e o comparassem com o frágil louco que as transcrições falsificadas queriam fazer dele.

Do lado de fora, além dos pequenos rios — que agora brilhavam na cor azul, já que as esferas haviam sido trocadas para combinar com a segunda lua —, a carruagem do rei havia partido, levando Elhokar e Navani pela curta distância até o Pináculo, onde carregadores os levariam em um palanquim até o topo. Adolin parecia já haver se retirado, escoltando Shallan de volta ao acampamento de guerra de Sebarial, que ficava a uma boa cavalgada de distância.

Adolin parecia ter mais ternura pela jovem vedena do que por qualquer outra mulher dos últimos tempos. Por esse motivo, Dalinar estava cada vez mais inclinado a encorajar o relacionamento, partindo do princípio de que pudesse obter algumas respostas claras de Jah Keved sobre a família dela. Aquele reino estava uma bagunça.

A maioria dos outros olhos-claros havia se retirado, deixando-o em uma ilha ocupada por criados e parshemanos que recolhiam a comida. Uns poucos criados-mestres, a quem foram confiados tais deveres, começaram a recolher as esferas do rio com redes em longas varas. Os carregadores de pontes de Dalinar, por sugestão dele, estavam atacando os restos do banquete com um apetite voraz que apenas soldados a quem fora oferecido uma refeição inesperada possuíam.

Um criado passou ali por perto, então parou, pousando a mão na espada embainhada. Dalinar se assustou, percebendo que havia confundido o uniforme militar de Riso com o de um criado-mestre em treinamento.

Dalinar exibiu uma expressão dura. Riso? Agora? Dalinar sentia como se tivesse lutado em um campo de batalha por dez horas sem descanso. Era estranho como algumas poucas horas de conversas delicadas podiam parecer uma extensa luta.

— O que você fez essa noite foi inteligente — observou Riso. — Transformou um ataque em uma promessa. Os mais sábios dos homens entendem que, para tornar impotente um insulto, frequentemente só é necessário abraçá-lo.

— Obrigado.

Riso assentiu de modo seco, seguindo a carruagem do rei com os olhos enquanto ela desaparecia na distância.

— Hoje não tive muito que fazer. Elhokar não precisava de Riso, já que poucos procuraram falar com ele. Todos foram até você, em vez disso.

Dalinar suspirou, sua força parecendo se esgotar. Riso não havia dito com todas as letras, nem precisava. Dalinar entendeu a implicação.

Eles vieram até você, em vez de ir ao rei. Porque, essencialmente, você é o rei.

— Riso, eu sou um tirano? — perguntou Dalinar impulsivamente.

Riso levantou uma sobrancelha, parecendo procurar uma resposta espirituosa. Um momento depois, ele deixou a ideia de lado.

— Sim, Dalinar Kholin — disse baixinho, em um tom consolador, como se estivesse falando com uma criança chorosa. — Você é.

— Eu não quero ser.

— Com o devido respeito, Luminobre, isso não é *exatamente* verdade. Você busca o poder. Você assume o controle, e o entrega somente com grande dificuldade.

Dalinar curvou a cabeça.

— Não fique triste — disse Riso. — Esta é uma era para tiranos. Duvido que este lugar esteja pronto para outra coisa, e um tirano benevolente é preferível ao desastre que seria um governo fraco. Talvez, em outro lugar e tempo, eu o denunciasse com cuspe e bile. Aqui, hoje, eu o louvo como aquilo de que este mundo precisa.

Dalinar balançou a cabeça.

— Eu devia ter permitido que Elhokar reinasse, e não interferido como fiz.

— Por quê?

— Porque ele é o rei.

— E essa posição é sacrossanta? Divina?

— Não — admitiu Dalinar. — O Todo-Poderoso, ou o homem alegando ser ele, está morto. Mesmo que não estivesse, nossa família não chegou à realeza de modo natural. Nós a tomamos, e a forçamos sobre os outros grão-príncipes.

— Então, por quê?

— Porque estávamos errados — respondeu Dalinar, estreitando os olhos. — Gavilar, Sadeas e eu estávamos errados ao fazer o que fizemos, naquela época.

Riso pareceu genuinamente surpreso.

— Você unificou o reino, Dalinar. Fez um bom trabalho, algo que era terrivelmente necessário.

— *Essa* unificação? — perguntou Dalinar, gesticulando para os restos espalhados do banquete, para os olhos-claros indo embora. — Não, Riso. Nós falhamos. Nós esmagamos, matamos, e *falhamos miseravelmente.* — Ele ergueu os olhos. — Em Alethkar, recebo apenas aquilo que exigi. Ao tomar o trono pela força, demos a entender... não, nós *deixamos bem claro...* que a força é o direito de governo. Se Sadeas pensa que é mais forte do que eu, então é seu *dever* tentar tomar o trono de mim. Esses são os frutos da minha juventude, Riso. É por isso que precisamos de mais do que tirania, mesmo do tipo benevolente, para transformar este reino Era isso que Nohadon estava ensinando. E é *isso* que eu não estava percebendo todo esse tempo.

Riso assentiu, parecendo pensativo.

— Parece que preciso ler aquele seu livro de novo. Contudo, quero avisar uma coisa. Partirei em breve.

— Partir? Você acabou de chegar.

— Eu sei. É incrivelmente frustrante, devo admitir. Descobri um lugar onde devo estar, muito embora, para ser honesto, eu não saiba *exatamente* por que preciso estar lá. Isso nem sempre funciona tão bem quanto eu gostaria.

Dalinar franziu o cenho. Riso sorriu de volta com um ar afável.

— Você é um deles? — perguntou Dalinar.

— Perdão?

— Um Arauto.

Riso deu uma gargalhada.

— Não. Obrigado, mas não.

— Você é o que ando procurando, então? — indagou Dalinar. — Um Radiante?

Riso sorriu.

— Sou apenas um homem, Dalinar, a tal ponto que às vezes desejo que não fosse verdade. Não sou um Radiante. E embora *seja* seu amigo, por favor, compreenda que nossas metas não estão completamente alinhadas. Você não deve confiar em mim. Se eu tiver que assistir ao mundo ruir e arder para conseguir o que preciso, assim o farei. Com lágrimas nos olhos, sim, mas deixaria acontecer.

Dalinar franziu o cenho.

— Farei o que puder para ajudar — continuou Riso. — E, por esse motivo, devo partir. Não posso arriscar demais, porque se *ele* me encontrar, então me tornarei nada... uma alma feita em pedacinhos que não podem ser remontados. O que faço aqui é mais perigoso do que você imagina.

Ele se virou para ir embora.
— Riso — chamou Dalinar.
— Sim?
— Se quem encontrar você?
— Aquele que você combate, Dalinar Kholin. O pai do ódio.
Riso fez uma saudação, então se afastou a passos rápidos.

68

PONTES

Contudo, me parece que todas as coisas foram estabelecidas para um propósito, e se nós — como crianças — tropeçamos pela oficina, nos arriscamos a exacerbar, e não prevenir, um problema.

As Planícies Quebradas. Kaladin não reivindicava aquelas terras como fazia com os abismos, onde seus homens haviam encontrado segurança. Recordava bem demais o sofrimento de pés sangrando na sua primeira investida, machucados pelo deserto de pedras fragmentadas. Quase nada crescia ali, exceto pelo ocasional tufo de petrobulbos ou agrupamento de ambiciosas vinhas se enrolando abismo abaixo no lado sotavento de um platô. Os fundos das rachaduras estavam entupidos de vida, mas ali em cima a terra era estéril.

Os pés doloridos e os ombros ardendo por carregar a ponte não eram nada comparados com a chacina que esperava seus homens no final de uma investida de ponte. Raios... até mesmo olhar para as Planícies fazia Kaladin se retrair. Ele podia ouvir o assovio das flechas no ar, os gritos de carregadores apavorados, a canção dos parshendianos.

Eu deveria ter sido capaz de salvar mais gente da Ponte Quatro. Se eu houvesse aceitado meus poderes mais rápido, o que poderia ter feito?

Ele inspirou Luz das Tempestades para se tranquilizar. Só que ela não veio. Ficou ali parado, confuso, enquanto soldados marchavam através de uma das enormes pontes mecânicas de Dalinar. Tentou novamente. Nada.

Ele pegou uma esfera do bolso. O marco de fogo brilhava com sua luz costumeira, tingindo seus dedos de vermelho. Alguma coisa estava errada. Kaladin não *sentia* a Luz das Tempestades dentro de si, como antes.

Syl voejava pelo abismo, bem acima, com um grupo de esprenos de vento. Sua risada borbulhante choveu sobre ele, que olhou para cima.

— Syl? — chamou baixinho. Raios. Não queria parecer um idiota, mas alguma coisa no fundo da sua alma estava entrando em pânico como um rato pego pela cauda. — Syl!

Vários soldados marchando olharam para Kaladin, então para o alto. Kaladin os ignorou enquanto Syl descia zunindo na forma de uma fita de luz. Ela girou ao redor dele, ainda rindo.

A Luz das Tempestades voltou a ele; podia senti-la novamente, e a sugou da esfera com cobiça — embora tenha tido a presença de espírito de fechar a esfera no punho e segurá-la junto ao peito para tornar o processo menos óbvio. A Luz de um marco não era suficiente para expô-lo, mas sentiu-se muito, muito melhor com ela trovejando em seu corpo.

— O que aconteceu? — sussurrou Kaladin para Syl. — Tem algo errado com nosso laço? É porque não descobri as Palavras a tempo?

Ela pousou no pulso de Kaladin e tomou a forma de uma jovem, então espiou a mão dele, inclinando a cabeça para o lado.

— O que tem aí dentro? — perguntou ela, sussurrando com um ar conspiratório.

— Você sabe o que é, Syl — disse Kaladin, sentindo um calafrio, como se houvesse sido atingido por uma onda de água de tormenta. — Uma esfera. Você não a viu ainda agora?

Ela o encarou com uma expressão inocente.

— Você está fazendo escolhas ruins. Menino mau.

Os traços dela imitaram os dele por um momento e ela pulou como se quisesse assustá-lo. Então zuniu para longe.

Escolhas ruins. Mau. Então era devido à sua promessa para Moash de que ajudaria a assassinar o rei. Kaladin suspirou, seguindo em frente.

Syl não compreendia por que a decisão era correta. Ela era um espreno, e tinha uma moralidade estúpida e simplista. Ser humano era ser frequentemente forçado a escolher entre opções desagradáveis. A vida não era limpa e organizada como ela queria que fosse; era caótica, coberta de crem. Homem algum caminhava pela vida sem ser maculado, nem mesmo Dalinar.

— Você quer demais de mim — ladrou ele para ela ao alcançar o outro lado do abismo. — Eu não sou um glorioso cavaleiro de antigamente. Sou um homem arrasado. Está me ouvindo, Syl? Sou um homem *arrasado*.

Ela zuniu até ele e sussurrou:

— *Todos* os homens são assim, tolinho. — Ela se afastou como um raio.

Kaladin contemplou os soldados passando enfileirados pela ponte. Eles não estavam fazendo uma investida de platô; mesmo assim, Dalinar havia trazido muitos soldados. Sair para as Planícies Quebradas era adentrar uma zona de guerra, e os parshendianos eram sempre uma ameaça.

A Ponte Quatro passou retumbante pela ponte mecânica, carregando sua ponte menor. Kaladin não *ia mesmo* deixar os acampamentos sem ela. Os mecanismos que Dalinar utilizava — as enormes pontes puxadas por chules que podiam ser estendidas com uma catraca — eram incríveis, mas Kaladin não confiava neles. Não tanto quanto em uma boa ponte nos seus ombros.

Syl passou de novo voando. Realmente esperava que ele vivesse de acordo com a percepção *dela do que era certo e errado*? Tomaria seus poderes sempre que ele fizesse algo que corresse o risco de ofendê-la?

Seria como viver com um laço ao redor do pescoço.

Determinado a não deixar que suas preocupações arruinassem o dia, ele foi verificar como estava a Ponte Quatro. *Olhe para o céu aberto*, disse a si mesmo. *Respire o vento. Aprecie a liberdade.* Depois de tanto tempo em cativeiro, essas coisas eram maravilhosas.

Encontrou a Ponte Quatro ao lado da sua ponte em um ponto de descanso. Era estranho vê-los com seus antigos coletes de couro com ombreiras acolchoadas por cima dos novos uniformes. Isso os transformava em uma estranha mistura do que eles haviam sido e do que eram agora. Eles o saudaram em uníssono, e Kaladin correspondeu.

— Descansar — ordenou, e eles desfizeram a formação, rindo e fazendo piadas uns com os outros enquanto Lopen e seus assistentes distribuíam odres d'água.

— Ha! — fez Rocha, se acomodando na lateral da ponte para beber. — Isso aí não é tão difícil quanto eu lembrava.

— É porque estamos indo mais devagar — respondeu Kaladin, apontando para a ponte mecânica de Dalinar. — E porque você está se lembrando dos primeiros dias do carregamento de pontes, não dos últimos, quando estávamos bem alimentados e bem treinados. Ficou mais fácil.

— Não — replicou Rocha. — A ponte está leve porque derrotamos Sadeas. É como as coisas devem ser.

— Isso não faz sentido.

— Ha! Faz todo sentido. — Ele tomou um gole. — Terrabaixista maluco.

Kaladin balançou a cabeça, mas permitiu-se um sorriso ao ouvir a voz familiar de Rocha. Depois de saciar a própria sede, ele percorreu o platô até o ponto onde Dalinar havia acabado de atravessar. Ali perto, uma alta formação rochosa sombreava o platô, e no topo dela havia uma estrutura de madeira semelhante a um pequeno forte. A luz solar refletia em uma das lunetas colocadas lá.

Nenhuma ponte permanente conduzia àquele platô, que estava logo além da área segura mais próxima do acampamento de guerra. Os batedores posicionados ali eram saltadores, que cruzavam abismos em pontos estreitos usando longas varas. Parecia um trabalho que exigia um nível especial de loucura — e, por causa disso, Kaladin sempre sentira respeito por esses homens.

Um dos saltadores estava conversando com Dalinar. Kaladin teria esperado que o homem fosse alto e esguio, mas era baixo e compacto, com antebraços bem musculosos. Ele usava um uniforme Kholin com tiras brancas na barra do casaco.

— Nós *vimos* alguma coisa ao longe, Luminobre — dizia o saltador. — Vi com meus próprios olhos, e registrei a data e hora em glifos no caderno. Era um homem, um homem brilhante que voava de um lado para o outro no céu, sobre as Planícies.

Dalinar grunhiu.

— Não estou louco, senhor — continuou o saltador, deslocando o peso de um pé para o outro. — Os outros rapazes também o viram, depois que eu...

— Acredito em você, soldado — disse Dalinar. — Era o Assassino de Branco. Ele tinha essa aparência quando veio atrás do rei.

O homem relaxou.

— Luminobre, senhor, foi o que pensei. Alguns dos homens no acampamento me disseram que eu estava vendo o que queria ver.

— Ninguém quer ver aquele indivíduo — replicou Dalinar. — Mas por que ele passaria tempo por aqui? Por que não voltou para atacar, se está tão perto?

Kaladin limpou a garganta, incomodado, e apontou para o posto do vigia.

— Aquele forte lá em cima é de madeira?

— Sim — respondeu o saltador, então notou os nós nos ombros de Kaladin. — Hã, senhor.

— Aquilo não tem como suportar uma grantormenta — comentou Kaladin.

— Nós o desmontamos, senhor.

— E carregam até o acampamento? — indagou Kaladin, franzindo a testa. — Ou deixam aqui fora durante a tempestade?

— Deixar, senhor? — disse o homem baixo. — Nós ficamos aqui com ele.

O saltador apontou para uma seção escavada da pedra, cortada com martelos ou uma Espada Fractal, na base do rochedo. Não parecia muito grande — só um cubículo, na verdade. Parecia que pegavam um assoalho de madeira da plataforma acima e o fixavam com fivelas na lateral do cubículo para formar um tipo de porta.

Um nível especial de loucura, de fato.

— Luminobre, senhor — disse o saltador a Dalinar —, o sujeito de branco pode estar por aí. Esperando.

— Obrigado, soldado — respondeu Dalinar, acenando com a cabeça para indicar que ele estava dispensado. — Fique de olho enquanto viajamos. Tivemos relatos de um demônio-do-abismo se movendo para perto dos acampamentos.

— Sim, senhor — disse o homem, fazendo uma saudação e depois trotando de volta para a escada de corda que conduzia até seu posto.

— E se o assassino vier mesmo atrás do senhor? — perguntou Kaladin em voz baixa.

— Não vejo por que seria diferente aqui fora — disse Dalinar. — Ele vai voltar, uma hora ou outra. Nas Planícies ou no palácio, teremos que lutar com ele.

Kaladin grunhiu.

— Gostaria que o senhor tivesse aceitado uma dessas Espadas Fractais que Adolin andou ganhando, senhor. Ficaria mais tranquilo se o senhor pudesse se defender.

— Acho que eu posso surpreendê-lo — comentou Dalinar, protegendo os olhos da luz e voltando-se para o acampamento de guerra. — Mas parece errado deixar Elhokar lá sozinho.

— O assassino disse que estava atrás do senhor. Se estiver longe do rei, isso vai apenas protegê-lo.

— Imagino que sim — disse Dalinar. — A menos que o assassino estivesse querendo nos enganar. — Ele balançou a cabeça. — Talvez eu ordene que você fique com ele da próxima vez. Não posso deixar de sentir que estou perdendo alguma coisa importante, algo bem diante do meu nariz.

Kaladin firmou o queixo, tentando ignorar o arrepio que sentia. *Ordene que você fique com ele da próxima vez...* Era quase como se o destino estivesse empurrando Kaladin para uma posição de trair o rei.

— Sobre o seu encarceramento — disse o grão-príncipe.

— Já foi esquecido, senhor — respondeu Kaladin. Pelo menos o papel de Dalinar na questão. — Agradeço por não ter sido rebaixado.

— Você é um bom soldado. Na maior parte do tempo.

Os olhos dele se voltaram para Ponte Quatro, carregando sua ponte. Um dos homens naquele lado chamou sua atenção em particular: Renarin, vestindo seu uniforme da Ponte Quatro, ajudando a levantar a ponte. Ali perto, Leyten deu uma gargalhada e mostrou-lhe como sustentar a coisa.

— Ele está realmente começando a se encaixar, senhor — disse Kaladin. — Os homens gostam dele. Nunca pensei que esse dia chegaria.

Dalinar assentiu.

— Como ele ficou? — perguntou Kaladin em voz baixa. — Depois do que aconteceu na arena?

— Ele se recusou a praticar com Zahel — disse Dalinar. — Até onde sei, não invoca sua Espada Fractal há semanas. — Dalinar ficou olhando por mais um momento. — Não consigo decidir se o tempo dele com seus homens é bom, se o ajuda a pensar como um soldado, ou se apenas o encoraja a evitar suas maiores responsabilidades.

— Senhor, se me permite, seu filho parece ser um tanto desajustado. Deslocado. Desajeitado, sozinho.

Dalinar assentiu.

— Então, posso afirmar com confiança que a Ponte Quatro é provavelmente o *melhor* lugar para ele.

Era estranho dizer isso de um olhos-claros, mas era verdade. Dalinar grunhiu.

— Confiarei no seu julgamento. Vá. Certifique-se de que seus homens estejam de guarda contra o assassino, caso ele apareça hoje.

Kaladin assentiu, deixando o grão-príncipe para trás. Havia ouvido falar sobre as visões de Dalinar — e tinha uma noção do conteúdo. Não sabia o que pensar, mas pretendia obter uma cópia dos registros completos para que Ka pudesse lê-los para ele.

Talvez as visões fossem o motivo por que Syl sempre estivera tão determinada a confiar em Dalinar.

Com o passar do dia, o exército se moveu pelas Planícies como o fluxo de algum líquido viscoso — lama escorrendo por uma ladeira baixa. Tudo isso para que Shallan pudesse ver a crisálida de um demônio-do-abismo. Kaladin balançou a cabeça, cruzando um platô. Adolin certamente estava apaixonado; havia conseguido convocar toda uma força de ataque, incluindo seu pai, só para satisfazer os caprichos da garota.

— Caminhando, Kaladin? — disse Adolin, trotando ao seu lado. O príncipe montava aquele monstro branco em forma de cavalo, a coisa com cascos semelhantes a martelos, e usava sua Armadura Fractal azul completa, o elmo pendurado em um pomo na parte traseira da sela. — Pensei que você tinha direito de requisição plena dos estábulos do meu pai.

— Também tenho direito de requisição plena dos quarteleiros — disse Kaladin —, mas você não me vê carregando um caldeirão nas costas só porque *posso*.

Adolin deu uma risada.

— Você devia tentar cavalgar mais. Precisa admitir que há vantagens. A velocidade do galope, a altura do ataque. — Ele deu um tapinha no pescoço do cavalo.

— Acho que apenas confio demais nos meus próprios pés.

Adolin assentiu, como se fosse a coisa mais sábia já dita por um homem, antes de cavalgar de volta para ver como estava Shallan no seu palanquim. Sentindo-se um pouco fatigado, Kaladin pescou no bolso outra esfera, só uma peça de diamante dessa vez, e segurou-a junto ao peito. Ele inspirou.

Novamente, nada aconteceu. Raios! Ele procurou Syl, mas não conseguiu encontrá-la. Ela estava tão brincalhona ultimamente que ele estava começando a se perguntar se aquilo era algum tipo de truque. Realmente esperava que fosse isso, e não algo mais. Apesar dos resmungos e reclamações, desejava desesperadamente aquele poder. Havia reclamado o céu, os próprios ventos. Desistir deles agora seria como desistir das próprias mãos.

Por fim, alcançou a borda do platô em que estavam, onde a ponte mecânica de Dalinar estava sendo preparada. Ali, abençoadamente, encontrou Syl inspecionando um crenguejo que se arrastava pelas rochas rumo à segurança de uma rachadura próxima.

Kaladin sentou-se em uma pedra ao lado dela.

— Então você está me punindo. Por concordar em ajudar Moash. É por isso que estou tendo problemas com a Luz das Tempestades.

Syl seguiu o crenguejo, que era um tipo de besouro com uma concha redonda e iridescente.

— Syl? — chamou Kaladin. — Você está bem? Você parece...

Como era antes. Quando nos encontramos pela primeira vez. Reconhecer o fato fez com que um sentimento de apreensão surgisse dentro dele. Se os seus poderes estavam se retraindo, era porque o laço entre os dois estava enfraquecendo?

Ela o encarou e seus olhos ganharam foco, sua expressão voltando ao normal.

— Você precisa decidir o que quer, Kaladin — disse ela.

— Você não gosta do plano de Moash. Está tentando me forçar a mudar de ideia em relação a ele?

Ela franziu o cenho.

— Não quero *forçar* você a nada. Você tem que fazer o que achar certo.

— É o que estou tentando fazer!

— Não. Não acho que esteja.

— Está bem. Vou dizer a Moash e seus amigos que estou fora, que não vou ajudá-los.

— Mas você deu sua palavra a Moash!

— Dei minha palavra a Dalinar também...

Ela comprimiu os lábios, encarando-o.

— É esse o problema, não é? — sussurrou Kaladin. — Eu fiz duas promessas, e não posso manter minha palavra para ambas.

Ah, raios. Era esse o tipo de coisa que havia destruído os Cavaleiros Radiantes? O que acontecia com seu espreno de honra quando ele era confrontado com uma escolha daquelas? Um voto quebrado de qualquer maneira.

Idiota, pensou Kaladin. Parecia que não fazia uma escolha certa ultimamente.

— O que eu faço, Syl? — perguntou baixinho.

Ela voejou até parar no ar diante dele, seus olhos na mesma altura.

— Você precisa falar as Palavras.

— Eu não sei quais são.

— *Encontre-as.* — Ela olhou para o céu. — Encontre-as logo, Kaladin. E não, não vai adiantar só dizer a Moash que não vai ajudá-lo. Já fomos longe demais para isso. Você precisa fazer o que seu coração precisa fazer. — Ela se elevou rumo ao céu.

— Fique comigo, Syl — chamou ele em um murmúrio, se levantando. — Vou resolver isso. Só... só não se perca. Por favor. Eu preciso de você.

Ali perto, as engrenagens no mecanismo da ponte de Dalinar giraram enquanto soldados torciam alavancas, e a coisa toda começou a se desdobrar.

— Parem, parem, *parem*! — Shallan Davar se aproximou correndo, um borrão de cabelo ruivo e seda azul, um chapéu de abas moles na cabeça para protegê-la do sol. Dois dos seus guardas correram atrás dela, mas nenhum deles era Gaz.

Kaladin se virou, alarmado pelo tom dela, procurando sinais do Assassino de Branco. Shallan, ofegando, levou a mão segura ao peito.

— Raios, o que há de errado com os carregadores de palanquim? Eles absolutamente se recusam a andar rápido. "Não é elegante", dizem. Bem, eu realmente não *sou* elegante. Tudo bem, deem-me um momento, então podem continuar.

Ela se acomodou em uma rocha perto da ponte. Os soldados ficaram olhando, perplexos, enquanto ela pegava o caderno de desenho da bolsa e começava a rabiscar.

— Tudo bem — disse ela. — Continuem. Passei o *dia inteiro* tentando obter um esboço progressivo da ponte enquanto ela se desdobra. Carregadores tormentosos.

Que mulher esquisita.

Os soldados hesitantemente continuaram a posicionar a ponte, desdobrando-a sob os olhos vigilantes de três engenheiras de Dalinar — viúvas de seus oficiais mortos. Vários carpinteiros também estavam disponíveis para trabalhar seguindo suas ordens, caso a ponte ficasse emperrada ou se um pedaço quebrasse.

Kaladin agarrou sua lança, tentando organizar suas emoções em relação a Syl, e as promessas que fizera. Certamente daria um jeito de resolver tudo. Não daria?

Ver a ponte fez com que sua mente fosse invadida por pensamentos sobre incursões de ponte, e ele descobriu que era uma distração bem-vinda. Entendia por que Sadeas havia preferido o método simples, ainda que brutal, das equipes de ponte. Era mais rápido, mais barato e menos sujeito a problemas. Aquelas geringonças imensas eram pesadas, como grandes navios tentando manobrar em uma baía.

Carregadores de ponte com armaduras é a solução natural, pensou Kaladin. *Homens com escudos, com suporte total do exército para colocá-los em posição. Você podia ter pontes móveis e rápidas, mas sem deixar que os homens fossem abatidos.*

Naturalmente, Sadeas queria que os carregadores de pontes fossem mortos, usados como iscas para manter as flechas afastadas dos seus soldados.

Um dos carpinteiros ajudando com a ponte — examinando um dos pinos de fixação e falando em talhar um novo — era familiar a Kaladin. O homem corpulento tinha uma marca de nascença na testa, sombreada pelo chapéu de carpinteiro que usava.

Kaladin conhecia aquele rosto. Será que o homem era um dos soldados de Dalinar, um daqueles que havia perdido a vontade de lutar depois da chacina na Torre? Alguns haviam passado para outros deveres no acampamento.

Ele se distraiu quando Moash se aproximou, acenando para a Ponte Quatro, que o saudou com entusiasmo. A brilhante Armadura Fractal — que ele havia pintado de azul com detalhes vermelhos nas pontas — parecia surpreendentemente natural nele. Nem fazia uma semana, mas Moash caminhava facilmente com ela.

Ele foi até Kaladin, então se ajoelhou sobre uma perna, a Armadura tilintando. Ele fez uma saudação, o braço cruzado sobre o peito.

Seus olhos... *estavam* com uma cor mais clara; mel em vez do castanho-escuro que eram antes. Ele usava a Espada Fractal presa diagonalmente nas costas em uma bainha protegida. Só faltava mais um dia para que estivessem conectados.

— Não precisa me saudar, Moash — disse Kaladin. — Agora você é olhos-claros. É meu superior por um quilômetro ou dois.

— Nunca serei seu superior, Kal — replicou Moash, com a viseira do elmo levantada. — Você é meu capitão. Para sempre. — Ele sorriu. — Mas não consigo nem dizer como é tormentosamente *divertido* assistir os olhos-claros tentando descobrir como lidar comigo.

— Seus olhos estão realmente mudando.

— É. Mas eu não sou um deles, está me ouvindo? Sou um de nós. Ponte Quatro. Eu sou nossa... arma secreta.

— Secreta? — indagou Kaladin, levantando uma sobrancelha. — Provavelmente já ouviram falar de você em *Iri* a essa altura, Moash. Você é o primeiro olhos-escuros a receber uma Espada e Armadura em gerações.

Dalinar até mesmo concedera a Moash terras e um estipêndio, uma grande soma, e não só pelos padrões de um carregador de pontes. Moash ainda aparecia para comer guisado algumas noites, mas não todas. Estava ocupado demais arrumando seus novos aposentos.

Não havia nada de errado nisso. Era natural. Também era parte do motivo por que Kaladin havia recusado a Espada — e talvez por que sempre se preocupara com a ideia de mostrar seus poderes para os olhos-claros. Mesmo que não encontrassem uma maneira de tomar suas habilidades — e ele sabia que o medo era irracional, embora o sentisse o tempo todo —, podiam descobrir uma maneira de lhe tomar a Ponte Quatro. Seus homens... seu próprio eu.

Talvez não sejam eles que vão tomá-la de você, pensou Kaladin. *Pode estar fazendo isso por conta própria, melhor do que qualquer olhos-claros conseguiria.*

O pensamento deixou-o nauseado.

— Estamos chegando perto — disse Moash baixinho enquanto Kaladin pegava seu odre d'água.

— Perto? — indagou Kaladin. Ele baixou o odre e olhou sobre os ombros na direção dos platôs. — Achei que ainda levaria algumas horas para alcançarmos a crisálida morta.

Estava bem distante, quase tão longe quanto os exércitos iam durante as incursões de ponte. Bethab e Thanadal haviam-na conquistado no dia anterior.

— Não *disso*. — Moash olhou para o lado. — De outras coisas.

— Ah. Moash, você está... Quero dizer...

— Kal. Você está conosco, certo? Você disse que sim.

Duas promessas. Syl o mandara seguir seu coração.

— Kaladin — continuou Moash, de modo mais solene. — Você me deu essas Fractais, mesmo depois de se zangar comigo por desobedecê-lo. Há um motivo. Você sabe, bem no fundo, que o que estou fazendo é o certo. É a única solução.

Kaladin assentiu.

Moash olhou em volta, depois se levantou, a Armadura estalando. Ele se aproximou para sussurrar:

— Não se preocupe. Graves me disse que você não vai ter que fazer muita coisa. Só precisamos de uma abertura.

Kaladin sentiu um enjoo.

— Não podemos fazer quando Dalinar estiver no acampamento. Não vou me arriscar a vê-lo ferido.

— Sem problemas — respondeu Moash. — Também não queremos isso. Vamos esperar pelo momento certo. O plano mais recente é atingir o rei com uma flecha, de modo que não haja risco de comprometer você ou qualquer outra pessoa. Você o conduz até o ponto certo, e Graves vai abater o rei com seu próprio arco. Ele é um excelente arqueiro.

Uma flecha. Parecia tão covarde.

Precisava ser feito. *Precisava* ser feito.

Moash deu um tapinha no seu ombro e partiu em sua Armadura Fractal barulhenta. Raios. Tudo que Kaladin precisava fazer era conduzir o rei até um ponto específico... isso, e trair a confiança de Dalinar.

E se eu não ajudar a matar o rei, não estarei traindo a justiça e a honra? O rei havia assassinado — ou praticamente assassinado — muitas pessoas, algumas por indiferença, outras por incompetência. E, raios, Dalinar tampouco era inocente. Se ele fosse tão nobre quanto fingia ser, não teria cuidado para que Roshone fosse preso, em vez de ser enviado para algum lugar onde "não pudesse mais causar danos"?

Kaladin caminhou até a ponte, vendo os homens atravessarem em marcha. Shallan Davar estava sentada recatadamente em uma pedra, continuando seus desenhos do mecanismo da ponte. Adolin havia desmontado do cavalo e o entregara para que alguns cavalariços dessem-lhe água. Ele acenou, chamando Kaladin.

— Principezinho — disse Kaladin, se aproximando.

— O assassino foi avistado por aqui. Nas Planícies, à noite.

— Sim. Eu ouvi o batedor contando ao seu pai.

— Precisamos de um plano. E se ele nos atacar aqui?

— Espero que ataque.

Adolin o encarou, franzindo o cenho.

— Pelo que vi, e pelo que soube do ataque anterior do assassino contra o antigo rei, ele se apoia na confusão de suas vítimas. Salta para paredes e tetos; faz homens caírem na direção errada. Bem, não há qualquer parede ou teto aqui.

— Então ele pode apenas voar. — Adolin fez uma careta.

— Sim — admitiu Kaladin, apontando e sorrindo —, já que temos, digamos, *trezentos* arqueiros conosco?

Kaladin havia usado suas habilidades de modo eficaz contra flechas parshendianas, e talvez os arqueiros não conseguissem matar o assassino. Mas imaginava que seria difícil para o homem lutar com onda após onda de flechas voando na sua direção.

Adolin assentiu lentamente.

— Vou falar com eles, deixá-los preparados para a possibilidade.

Adolin começou a caminhar na direção da ponte, então Kaladin juntou-se a ele. Passaram por Shallan, que ainda estava concentrada no seu esboço; nem notou Adolin acenando para ela. Mulheres olhos-claros e suas distrações. Kaladin balançou a cabeça.

— Você entende de mulheres, carregadorzinho? — perguntou Adolin, olhando sobre o ombro na direção de Shallan enquanto os dois cruzavam a ponte.

— Mulheres olhos-claros? — indagou Kaladin de volta. — Nada, ainda bem.

— As pessoas acham que eu entendo um bocado de mulheres. A verdade é que eu sei como conquistá-las... como fazê-las rir, como deixá-las interessadas. Não sei como mantê-las. — Ele hesitou. — E realmente quero manter essa aí.

— Então... diga isso a ela, talvez! — sugeriu Kaladin, pensando em Tarah, e nos erros que havia cometido.

— Essas coisas funcionam com mulheres olhos-escuros?

— Você está perguntando ao homem errado. Não tenho tido muito tempo para mulheres ultimamente. Estava ocupado demais tentando evitar a morte.

Adolin mal pareceu ouvir.

— Talvez eu devesse dizer algo assim a ela... Parece simples demais, e ela não é nada simples... — Ele se virou para Kaladin. — Mas enfim. O Assassino de Branco. Precisamos de um plano melhor do que só ordenar que os arqueiros estejam preparados.

— Você tem alguma ideia?

— Você não vai ter uma Espada Fractal, mas não precisa de uma, porque... você sabe.

— Eu sei? — Kaladin teve um sobressalto.

— É... você sabe. — Adolin o olhou de soslaio e deu de ombros, tentando parecer indiferente. — Aquela coisa.

— Que coisa?

— Aquela coisa... com o... hum, o negócio?

Ele não sabe, percebeu Kaladin. *Está só jogando uma isca, tentando descobrir por que luto tão bem.*

E está fazendo um péssimo, péssimo trabalho.

Kaladin relaxou, e se pegou até sorrindo da tentativa desajeitada de Adolin. Era bom sentir alguma outra emoção além de pânico ou preocupação.

— Não acho que você tenha ideia do que está falando.

Adolin fechou a cara.

— Tem algo muito estranho em relação a você, carregadorzinho. Admita.

— Não admito nada.

— Você sobreviveu à queda com o assassino — observou Adolin. — De início, fiquei preocupado de você estar trabalhando com ele. Agora...

— Agora o quê?

— Bem, decidi que, seja lá o que você for, você está do meu lado. — Adolin suspirou. — Mas enfim, o assassino. Meus instintos dizem que o melhor plano para lidar com o sujeito é o que usamos quando lutamos juntos na arena. Você o distrai enquanto eu o mato.

— Pode funcionar, mas temo que ele não seja do tipo que se deixa distrair.

— Relis também não era — replicou Adolin. — Vamos conseguir, carregadorzinho. Você e eu. Vamos acabar com esse monstro.

— Precisamos ser rápidos. Ele vencerá um combate prolongado. E Adolin, ataque a coluna ou a cabeça. Não tente um golpe para enfraquecê-lo primeiro. Vá direto para matar.

Adolin franziu o cenho.

— Por quê?

— Eu vi uma coisa quando caímos juntos — explicou Kaladin. — Eu o cortei, mas ele curou a ferida de algum modo.

— Eu tenho uma Espada. Ele não vai conseguir se curar *disso*... certo?

— Melhor não descobrir. Ataque para matar. Confie em mim.

Adolin encontrou seu olhar.

— Estranho, mas eu confio mesmo em você. É uma sensação muito esquisita.

— É, bom, vou tentar me controlar para não sair pulando de alegria pelo platô.

Adolin abriu um largo sorriso.

— Eu pagaria para ver isso.

— Eu pulando?

— Você alegre — disse Adolin, com uma gargalhada. — Você tem uma cara que mais parece uma tempestade! Quase acho que você poderia *assustar* uma tempestade.

Kaladin grunhiu.

Adolin soltou outra gargalhada, batendo no ombro dele, então finalmente virou-se enquanto Shallan por fim cruzava a ponte, seu desenho aparentemente concluído. Ela olhou para Adolin com ternura, e quando ele estendeu a mão para tomar a dela, Shallan ficou na ponta dos pés e deu-lhe um beijo na bochecha. Adolin recuou, surpreso. Os alethianos eram mais reservados em público.

Shallan sorriu para ele. Então se virou e arquejou, levando a mão à boca. Kaladin deu um pulo *de novo*, procurando alguma fonte de perigo — mas Shallan só disparou na direção de um monte de pedras próximo.

Adolin levou a mão ao rosto, então sorriu para Kaladin.

— Ela provavelmente viu algum inseto interessante.

— Não, é musgo! — gritou Shallan de volta.

— Ah, claro — disse Adolin, caminhando até ela, seguido por Kaladin. — Musgo. Tão *empolgante*.

— Shh, quietinho — censurou Shallan, sacudindo o lápis na direção dele enquanto se inclinava, inspecionando as pedras. — O musgo cresce em um padrão estranho aqui. O que poderia causar isso?

— Álcool — sugeriu Adolin.

Ela o encarou e ele deu de ombros.

— Faz com que *eu* faça coisas malucas. — Ele olhou para Kaladin, que sacudiu a cabeça. — Foi *engraçado* — insistiu Adolin. — Foi uma piada! Bem, mais ou menos.

— Ah, fique quieto — disse Shallan. — Esse aqui parece ter quase o mesmo padrão de um petrobulbo florescente, o tipo comum aqui nas Planícies... — Ela começou a desenhar.

Kaladin cruzou os braços, então suspirou.

— O que esse suspiro significa? — perguntou-lhe Adolin.

— Tédio — respondeu Kaladin, olhando de volta para o exército, que ainda estava cruzando a ponte.

Com uma força de três mil — cerca de metade do exército atual de Dalinar, depois de um recrutamento intenso — mover-se levava tempo. Nas incursões de ponte, aquelas travessias tinham parecido tão rápidas. Kaladin estava sempre exausto, aproveitando cada chance de descansar.

— Acho que por aqui é tudo tão árido que não há muito com que se entusiasmar além do musgo.

— Você também fique quieto — mandou Shallan. — Vá polir sua ponte ou algo assim. — Ela se inclinou, então cutucou com o lápis um inseto que estava se arrastando pelo musgo. — Ah... — disse ela, então apressadamente fez algumas anotações. — De qualquer modo, você está errado. Há um *bocado* de coisas aqui com que se entusiasmar, se procurar nos lugares certos. Alguns dos soldados disseram que um demônio-do-abismo foi avistado. Você acha que ele pode nos atacar?

— Você falou em um tom esperançoso demais, Shallan — disse Adolin.

— Bem, eu ainda preciso *fazer* um bom desenho de um deles.

— Vamos levá-la até a crisálida. Isso terá de ser o bastante.

A erudição de Shallan era uma desculpa; a verdade era óbvia para Kaladin. Dalinar havia trazido um número incomum de batedores, e Kaladin suspeitava que, quando alcançassem a crisálida — que estava na fronteira das terras inexploradas —, eles avançariam e coletariam informações. Tudo aquilo era uma preparação para a expedição de Dalinar.

— Eu não compreendo por que precisamos de tantos soldados — disse Shallan, notando o olhar de Kaladin enquanto ele estudava o exército. — Você não disse que os parshendianos não têm aparecido para lutar pelas crisálidas ultimamente?

— Não têm mesmo — confirmou Adolin. — É precisamente *isso* que nos deixa preocupados.

Kaladin assentiu.

— Sempre que um inimigo muda táticas já estabelecidas, é preciso se preocupar. Pode significar que estão ficando desesperados. E o desespero é muito, muito perigoso.

— Para um carregador, até que você é bom em pensamento militar — comentou Adolin.

— Coincidentemente, para um príncipe, até que você é bom em não ser desaborrecido.

— Obrigado — disse Adolin.

— Isso foi um insulto, querido — observou Shallan.

— O quê? — disse Adolin. — Foi mesmo?

Ela assentiu, ainda desenhando, mas levantou os olhos para fitar Kaladin. Ele a encarou calmamente.

— Adolin, você poderia assassinar esse musgo para mim, por favor? — pediu Shallan, voltando-se para a pequena formação rochosa diante dela.

— Assassinar... o musgo. — Ele olhou para Kaladin, que só deu de ombros. Como poderia saber o que queria uma olhos-claros? Elas eram uma raça estranha.

— Sim — confirmou Shallan, se levantando. — Dê uma boa fatiada naquele musgo, e na rocha atrás dele. Como um favor para sua noiva.

Adolin pareceu perplexo, mas fez o que ela pediu, invocando sua Espada Fractal e golpeando o musgo e a rocha. O topo da pequena pilha de pedras escorregou, cortada com facilidade, e caiu com barulho no chão do platô.

Shallan se aproximou com entusiasmo, se agachando junto ao topo perfeitamente plano da pedra cortada.

— Hmm — disse ela, assentindo para si mesma. Começou a desenhar.

Adolin dispensou sua Espada.

— Mulheres! — disse ele, dando de ombros para Kaladin.

Então se afastou para beber água, sem pedir a ela uma explicação. Kaladin deu um passo para segui-lo, mas depois hesitou. *O que* Shallan achava de tão interessante ali? Aquela mulher era um quebra-cabeças, e ele sabia que não ficaria completamente à vontade até que a compreendesse. Ela tinha acesso demais a Adolin, e consequentemente a Dalinar, para que deixasse de investigá-la.

Ele se aproximou, olhando sobre o ombro dela enquanto Shallan desenhava.

— Camadas — observou ele. — Você está contando as camadas de crem para adivinhar a idade da rocha.

— Bom palpite, mas aqui não é um bom lugar para datação por camadas. O vento sopra pelos platôs com força demais, e o crem não se junta em poças de modo homogêneo. Então as camadas aqui são caóticas e imprecisas.

Kaladin franziu o cenho, estreitando os olhos. A rocha cortada era feita de ordinário crem petrificado no exterior, com algumas camadas visíveis em diferentes tons de marrom. O centro da pedra, contudo, era branco. Não era comum ver uma pedra assim; ela precisava ser retirada de uma pedreira. O que significava que aquilo era uma ocorrência muito estranha, ou...

— Havia uma construção aqui — disse Kaladin. — Muito tempo atrás. Deve ter levado séculos para o crem ficar tão espesso em algo despontando do chão.

Ela o olhou de relance.

— Você é mais esperto do que parece. — Então, voltando-se para seu desenho, acrescentou: — Ainda bem...

Kaladin grunhiu.

— Por que tudo que você fala precisa incluir uma piadinha? Está assim tão desesperada para provar como é inteligente?

— Talvez eu só esteja irritada com o fato de você tirar vantagem de Adolin.

— Vantagem? — perguntou Kaladin. — Porque o chamei de aborrecido?

— Você deliberadamente falou de uma maneira que esperava que ele não entendesse, para fazê-lo de tolo. Ele está se esforçando muito para ser gentil com você.

— Sim. Ele é sempre tão magnânimo com todos os pequenos olhos-escuros que se aproximam para venerá-lo.

Shallan bateu o lápis contra a página.

— Você é realmente um homem odioso, não é? Por baixo do falso tédio, dos olhares ameaçadores, dos rosnados... você só odeia as pessoas, é isso?

— O quê? Não, eu...

— Adolin está *tentando*. Sente-se culpado pelo que aconteceu com você, e está fazendo o que pode para compensar. Ele é um *bom homem*. É pedir demais que pare de provocá-lo?

— Ele me chama de carregadorzinho — disse Kaladin, querendo teimar. — É ele quem fica *me* provocando.

— Sim, é *ele* quem fica andando por aí se alternando entre fazer cara feia e soltar insultos — replicou Shallan. — Adolin Kholin, o homem mais difícil de se conviver nas Planícies Quebradas. Quero dizer, *olhe só para ele*! Ele é tão desagradável!

Ela gesticulou com o lápis na direção de Adolin, que estava rindo com os carregadores de água olhos-escuros. O cavalariço se aproximou do cavalo de Adolin, e o príncipe tirou o elmo da Armadura Fractal de onde estava pendurado, estendendo-o para deixar que um dos carregadores de água o experimentasse. Ficou ridiculamente grande no rapaz.

Kaladin corou quando o garoto assumiu uma pose de Fractário, e então todos riram de novo. Olhou de volta para Shallan, que havia cruzado os braços, a prancheta de desenho pousada na pedra de topo cortado e liso diante dela. Ela dirigiu-lhe um sorrisinho irônico.

Mulher insuportável. *Bah!*

Kaladin deixou-a e atravessou o terreno acidentado para juntar-se à Ponte Quatro, onde insistiu em participar de um turno do carregamento da ponte, apesar dos protestos de Teft de que ele estava "acima desse tipo de coisa" agora. Ele não era um tormentoso olhos-claros. Nunca estaria acima de um dia honesto de trabalho.

O peso familiar da Ponte se acomodou nos seus ombros. Rocha tinha razão; *parecia* mais leve do que antes. Ele sorriu enquanto ouvia as imprecações dos primos de Lopen, que — como Renarin — estavam tendo seu primeiro turno de carregamento de ponte naquela investida.

Ele cruzaram a ponte sobre um abismo — passando por uma das pontes maiores e menos móveis de Dalinar — e começaram a atravessar o platô. Durante algum tempo, marchando diante da Ponte Quatro, Kaladin pôde imaginar que sua vida era simples. Sem investidas de platô, sem flechas, sem assassinos ou trabalho como guarda-costas. Só ele, sua equipe e uma ponte.

Infelizmente, enquanto se aproximava do outro lado do grande platô, começou a se sentir cansado e — por reflexo — tentou sugar um pouco de Luz das Tempestades para estimulá-lo. Ela não veio.

A vida não era simples. Nunca *fora*, certamente não enquanto carregava pontes. Fingir o contrário era dourar o passado.

Ajudou a colocar a ponte no chão, então — notando a vanguarda se movendo na frente do exército — ele e os carregadores a empurraram até posicioná-la através do abismo. A vanguarda ficou feliz em ter a chance de avançar, marchando pela ponte e assegurando o platô seguinte.

Kaladin e os outros seguiram, e então, meia hora depois, deixaram a vanguarda passar ao próximo platô. Continuaram desse jeito por um longo período, esperando que a ponte de Dalinar chegasse antes de atravessarem, então conduzindo a vanguarda para o platô seguinte. Horas se passaram — horas de suor e esforço muscular. Horas boas. Kaladin não teve nenhuma súbita epifania sobre o rei, ou seu papel no assassinato em potencial do homem. Mas, durante aquele período, carregou sua ponte e apreciou o progresso de um exército se movendo rumo à meta sob um céu aberto.

Enquanto o dia se alongava, eles se aproximaram do platô-alvo, onde a crisálida vazia esperava para o estudo de Shallan. Kaladin e a Ponte Quatro deixaram a vanguarda passar, como já estavam fazendo, então se acomodaram para esperar. Por fim, o grosso do exército se aproximou, e as pontes lentas e pesadas de Dalinar se posicionaram, se estendendo para permitir a travessia do abismo.

Kaladin bebeu profundamente da água morna enquanto assistia. Ele lavou o rosto, então enxugou a testa. Estavam se aproximando. Aquele platô era bem no interior das Planícies, quase chegando na Torre. O retorno levaria horas, partindo do princípio de que se moveriam na mesma velocidade relaxada que com que haviam vindo. Seria bem depois do anoitecer quando retornassem aos acampamentos de guerra.

Se Dalinar quiser atacar o centro das Planícies Quebradas, vai levar dias de marcha, todo esse tempo exposto nos platôs, com a possibilidade de ser cercado e isolado dos acampamentos de guerra.

O Pranto *seria* uma boa chance de fazer isso. Quatro semanas de chuva contínua, mas sem grantormentas. Aquele ano era par, quando não havia nem mesmo uma grantormenta no Dia de Luz, no meio da estação — parte do ciclo de mil dias, com duração de dois anos, que compunha uma rotação completa de tormentas. Ainda assim, ele sabia que muitas patrulhas alethianas haviam tentado explorar o leste antes. Todas haviam sido arrasadas por grantormentas, demônios-do-abismo ou equipes de assalto parshendianas.

Nada além de uma total e absoluta movimentação de recursos rumo ao centro funcionaria. Um ataque que deixaria Dalinar, e qualquer um que fosse com ele, isolado.

A ponte de Dalinar posicionou-se com um estrondo. Os homens de Kaladin atravessaram a própria ponte e se prepararam para puxá-la sobre o abismo para avançar com a vanguarda. Kaladin atravessou, então acenou para que os outros seguissem na frente. Ele caminhou até onde a ponte maior havia pousado.

Dalinar estava atravessando acompanhado de alguns dos seus batedores, todos saltadores, com criados atrás carregando varas longas.

— Quero que vocês se espalhem — disse o grão-príncipe. — Não teremos muito tempo antes de precisarmos voltar. Quero um levantamento do máximo de platôs que puderem ver daqui. Quanto mais de nossa rota pudermos planejar agora, menos tempo teremos que desperdiçar durante o ataque real.

Os batedores concordaram, fazendo uma saudação quando ele os dispensou. Dalinar desceu da ponte e acenou com a cabeça para Kaladin. Atrás dele, os generais, escribas e engenheiros de Dalinar cruzavam a ponte, seguidos pelo grosso do exército, e finalmente a retaguarda.

— Ouvi falar que está construindo pontes móveis, senhor — disse Kaladin. — Imagino que tenha percebido que essas pontes mecânicas são lentas demais para o assalto.

Dalinar assentiu.

— Mas colocarei soldados para carregá-las. Não é necessário que seus homens façam isso.

— Senhor, isso é gentil da sua parte, mas não acho que precise se preocupar. As equipes de ponte vão carregá-las para o senhor, se ordenadas. Muitos provavelmente vão gostar da familiaridade.

— Pensei que você e seus homens considerassem o serviço nessas equipes de ponte uma sentença de morte, soldado — comentou Dalinar.

— Da maneira como Sadeas as usava, sim. O senhor pode fazer um trabalho melhor. Homens de armadura, treinados em formações, levando as pontes. Soldados marchando na frente com escudos. Arqueiros com instruções para defender as equipes de ponte. Além disso, o perigo é só durante um ataque.

Dalinar fez que sim.

— Prepare as esquipes, então. Ter seus homens nas pontes vai deixar os soldados livres, caso sejamos atacados.

Ele começou a atravessar o platô, mas um dos carpinteiros do outro lado do abismo o chamou. Dalinar virou-se e começou a cruzar a ponte de novo. Ele passou por oficiais e escribas, incluindo Adolin e Shallan, que caminhavam lado a lado. Ela havia deixado de lado o palanquim e ele havia deixado de lado seu cavalo, e Shallan parecia estar explicando a ele sobre os vestígios ocultos de uma construção que havia encontrado dentro daquela pedra, mais cedo.

Atrás deles, do outro lado do abismo, estava o operário que havia chamado Dalinar de volta.

É aquele mesmo carpinteiro, pensou Kaladin. O homem corpulento com o chapéu e a marca de nascença. *Onde foi que o vi...?*

Então tudo se encaixou. As serrarias de Sadeas. O homem havia sido um dos carpinteiros de lá, supervisionando a construção de pontes.

Kaladin começou a correr.

Estava avançando rumo à ponte antes mesmo que a conexão houvesse se concretizado totalmente em sua cabeça. À frente dele, Adolin girou imediatamente e começou a correr, buscando qual fosse o perigo que Kaladin havia identificado. Ele deixou uma desnorteada Shallan de pé no centro da ponte. Kaladin se aproximou dela em disparada.

O carpinteiro agarrou uma alavanca na lateral do mecanismo da ponte.

— O carpinteiro, Adolin! — gritou Kaladin. — Detenha aquele homem!

Dalinar ainda estava na ponte. O grão-príncipe havia sido distraído por alguma outra coisa. O quê? Kaladin percebeu que também escutava algo. Cornetas, o sinal de que o inimigo havia sido avistado.

Tudo aconteceu em um instante. Dalinar voltando-se para as cornetas. O carpinteiro puxando a alavanca. Adolin na sua cintilante Armadura Fractal alcançando Dalinar.

A ponte balançou.

Depois desabou.

69

NADA

> *Rayse é um prisioneiro. Ele não pode deixar o sistema onde agora habita. Seu potencial destrutivo, portanto, está inibido.*

ENQUANTO A PONTE CAÍA abaixo dele, Kaladin procurou a Luz das Tempestades.

Nada.

Pânico surgiu dentro dele. Seu estômago despencou e ele rolava no ar.

A queda na escuridão do abismo foi um breve momento, mas também uma eternidade. Ele vislumbrou Shallan e vários homens em uniformes azuis caindo e se contorcendo, tomados pelo terror.

Como um homem se afogando que tentava voltar à superfície, Kaladin se debateu à procura de Luz das Tempestades. *Não* morreria daquele jeito! O céu era dele! Os ventos eram dele. Os abismos eram dele.

Não morreria!

Syl gritou, um som apavorado e doloroso que fez Kaladin vibrar até os ossos. Naquele momento, ele recebeu um suspiro de Luz das Tempestades, da vida em si.

Ele se chocou com o chão no fundo do abismo e tudo ficou preto.

NADANDO ATRAVÉS DA DOR.

A dor o lavava, mas não *penetrava*. Sua pele a mantinha do lado de fora.

O QUE VOCÊ FEZ? A voz distante soava como o estrondo de trovões.

Kaladin arquejou e abriu os olhos, e a dor se arrastou para dentro. Subitamente, seu corpo inteiro doía.

Ele estava deitado de costas, olhando para cima, rumo a uma faixa de luz no ar. Syl? Não... não, aquilo era a luz solar. A abertura no topo do abismo, muito acima. Naquele ponto das Planícies Quebradas, os abismos tinham dezenas de metros de profundidade.

Kaladin gemeu e sentou-se. Aquela fita de luz parecia impossivelmente distante. Ele havia sido engolido pela escuridão, e o abismo próximo era sombrio e obscuro. Ele levou a mão à cabeça.

Consegui um pouco de Luz das Tempestades bem no final. Eu sobrevivi. Mas aquele grito! Ele o assombrava, ecoando em sua mente. Soava demais com o grito que ouvira ao tocar a Espada Fractal do duelista na arena.

Verifique se há ferimentos, sussurraram os ensinamentos do seu pai do fundo da sua mente. O corpo entrava em choque com uma fratura ou ferimento grave, e não notava o dano que sofrera. Ele fez os movimentos necessários para verificar seus membros em busca de fraturas, e não pegou nenhuma das esferas na bolsa. Não queria iluminar a escuridão e potencialmente encarar os mortos ao redor.

Estaria Dalinar entre eles? Adolin havia corrido na direção do pai. Teria o príncipe conseguido chegar a Dalinar antes que a ponte desabasse? Ele estava usando Armadura, e havia saltado no final.

Kaladin apalpou as pernas, então as costelas. Encontrou machucados e arranhões, mas nada quebrado ou rasgado. Aquela Luz das Tempestades que conseguira no final... ela o protegera, talvez até mesmo o curara, antes de se esgotar. Finalmente colocou a mão na bolsa e pegou as esferas, mas viu que estavam todas esgotadas. Ele tentou o bolso, então gelou ao ouvir alguma coisa farfalhando ali perto.

Ele se levantou de um salto e girou, desejando ter uma arma. O fundo do abismo tornou-se *mais claro.* Um brilho contínuo revelou floragolas abertas feito leques, e vinhas se enrolando nas paredes, galhos e musgo acumulados no chão em tufos. Aquilo era uma voz? Ele sentiu um momento surreal de confusão enquanto as sombras se moviam pela parede adiante.

Então alguém virou a esquina, usando um vestido de seda e carregando uma bolsa sobre o ombro. Shallan Davar.

Ela gritou ao vê-lo, jogando a bolsa no chão e cambaleando para trás, as mãos junto ao corpo. Até deixou cair a esfera.

Girando o ombro, Kaladin se aproximou da luz.

— Fique calma — disse ele. — Sou eu.

— Pai das Tempestades! — exclamou Shallan, apressando-se em pegar a esfera novamente. Ela deu um passo à frente, jogando a luz na sua direção. — É você... o carregador de pontes. Como...?

— Eu não sei — mentiu ele, olhando para cima. — Tenho um torcicolo horrível no pescoço e meu cotovelo dói como o trovão. O que aconteceu?

— Alguém acionou a trava de emergência na ponte.

— Que trava de emergência?

— Ela joga a ponte no abismo.

— Parece algo tormentosamente estúpido de se ter — disse Kaladin, procurando suas outras esferas no bolso. Olhou-as discretamente. Também estavam drenadas. Raios. Ele havia usado todas?

— Depende — disse Shallan. — E se seus homens recuaram pela ponte e os inimigos estão vindo atrás de você? A trava de emergência supostamente tem um tipo de tranca de segurança para que não possa ser ativada por acidente, mas é possível soltá-la rapidamente, se necessário.

Ele grunhiu enquanto Shallan lançava a luz da sua esfera mais adiante, onde as duas partes da ponte haviam se desintegrado no chão do abismo. Os corpos que ele havia esperado estavam ali.

Ele foi olhar. *Precisava* olhar. Nenhum sinal de Dalinar, muito embora vários dos oficiais e damas olhos-claros que estavam cruzando a ponte jazessem em amontoados retorcidos e quebrados no chão. Uma queda de sessenta metros ou mais não deixava sobreviventes.

Exceto Shallan. Kaladin não se lembrava de tê-la agarrado enquanto caía, mas não se recordava de muito mais além do grito de Syl. Aquele *grito*...

Bem, ele devia ter agarrado Shallan por reflexo, infundindo-a com Luz das Tempestades para desacelerar sua queda. Ela estava desgrenhada, seu vestido azul puído e o cabelo despenteado, mas aparentemente não se ferira.

— Acordei aqui na escuridão — disse Shallan. — Já faz um tempo desde que caímos.

— Como você sabe?

— Está quase escuro lá em cima — observou Shallan. — Logo será noite. Quando acordei, ouvi ecos de gritos. Combate. Vi algo brilhando ao redor daquele canto. Era um soldado que havia caído, e sua bolsa de esferas havia se rasgado. — Ela estremeceu. — Ele havia sido morto por alguma coisa antes da queda.

— Parshendianos — disse Kaladin. — Logo antes da ponte desabar, ouvi cornetas da vanguarda. Fomos atacados.

Danação. Isso provavelmente significava que Dalinar havia recuado, isso caso houvesse sobrevivido. Não havia nada pelo que lutar, ali naquela área.

— Dê-me uma dessas esferas — pediu Kaladin.

Shallan lhe entregou uma, e Kaladin foi procurar entre os caídos. Ostensivamente, por alguém vivo, mas na verdade por qualquer equipamento ou esferas.

— Você acha que algum deles pode estar vivo? — indagou Shallan, sua voz parecendo minúscula do abismo silencioso.

— Bem, *nós* sobrevivemos de algum modo.

— Como você acha que isso aconteceu? — indagou Shallan, olhando para cima na direção da fenda bem lá no alto.

— Vi alguns esprenos de vento pouco antes de cairmos — disse Kaladin. — Algumas lendas dizem que eles protegem pessoas em queda. Talvez tenha sido isso que aconteceu.

Shallan ficou em silêncio enquanto ele revistava os corpos.

— Sim — disse ela finalmente. — Isso parece lógico.

Ela parecia convencida. Ótimo. Contanto que não começasse a se perguntar por que as histórias o chamavam de "Kaladin Filho da Tempestade".

Ninguém mais estava vivo, mas ele verificou para ter certeza de que Dalinar ou Adolin não estavam entre os cadáveres.

Fui um tolo em não perceber uma tentativa de assassinato a caminho, pensou Kaladin. Sadeas havia se esforçado muito para minar Dalinar no banquete, alguns dias atrás, com a revelação das visões. Era um plano clássico: desacreditar seu inimigo, *então* matá-lo, para garantir que ele não se tornasse um mártir.

Os cadáveres continham poucas coisas de valor. Um punhado de esferas, material de escrita que Shallan agarrou cobiçosamente e enfiou na bolsa. Nenhum mapa. Kaladin não tinha uma ideia específica de onde estavam. E com a noite chegando...

— O que vamos fazer? — perguntou Shallan em voz baixa, fitando o reino escurecido, com suas sombras inesperadas, suas frondes, vinhas e pólipos se movendo suavemente, as gavinhas fora das conchas e flutuando no ar.

Kaladin lembrou-se de suas primeiras vezes naquele lugar, que sempre parecera verde demais, abafado demais, alienígena demais. Ali perto, duas caveiras espiavam de baixo do musgo. Sons de respingo vieram de uma poça distante, o que fez Shallan girar com o susto. Embora os abismos fossem um lar para Kaladin agora, ele não negava que às vezes eram extremamente inquietantes.

— É mais seguro aqui embaixo do que parece — disse Kaladin. — Durante o tempo em que estive no exército de Sadeas, passei dias a fio nos abismos, recolhendo objetos dos mortos. Só tome cuidado com os esprenos de decomposição.

— E os demônios-do-abismo? — indagou Shallan, virando-se para olhar em outra direção enquanto um crenguejo se movia pela parede.

— Nunca vi nenhum. — O que era verdade, embora ele *houvesse* visto a sombra de um certa vez, raspando as paredes enquanto avançava para um abismo distante. Só de pensar naquele dia sentia arrepios. — Eles não são tão comuns quanto as pessoas dizem. O verdadeiro perigo são as grantormentas. Sabe, se chover, mesmo bem longe daqui...

— Sim, enchente súbita — disse Shallan. — Muito perigosa em um desfiladeiro. Já li a respeito.

— Tenho certeza de que sua leitura será muito útil — comentou Kaladin. — Você mencionou alguns soldados mortos aqui perto?

Ela apontou, e ele caminhou naquela direção. Shallan o seguiu, mantendo-se perto da sua luz. Kaladin encontrou alguns lanceiros mortos que haviam sido empurrados do platô acima. As feridas eram recentes. Um pouco mais além havia um parshendiano morto, também recentemente.

O parshendiano tinha gemas brutas na barba. Kaladin tocou em uma, hesitou, então tentou extrair a Luz das Tempestades. Nada aconteceu. Ele suspirou, então baixou a cabeça para os caídos, antes de finalmente puxar uma lança de debaixo de um dos corpos e se levantar. A luz acima havia desbotado até um azul profundo. Noite.

— Então, nós esperamos? — indagou Shallan.

— Pelo quê? — devolveu Kaladin, levantando a lança até o ombro.

— Que eles voltem... — Ela perdeu o fio da meada. — Eles não vão voltar por nós, vão?

— Eles vão deduzir que estamos mortos. Raios, *devíamos* estar mortos. Estamos longe demais para uma operação de recuperação de cadáveres, imagino. E isso vale ainda mais já que os parshendianos atacaram. — Ele coçou o queixo. — Suponho que podemos esperar pela expedição principal de Dalinar. Ele estava indicando que viria por esse caminho, em busca do centro. Está a apenas alguns dias de distância, certo?

Shallan empalideceu. Bem, empalideceu *mais ainda*. Aquela pele clara era tão estranha; isso e o cabelo vermelho faziam com que ela parecesse uma minúscula papaguampas.

— Dalinar está planejando marchar logo depois da última grantormenta antes do Pranto. Essa tempestade está próxima. E vai envolver muita, muita, *muitíssima* chuva.

— Má ideia, então.

— Pode-se dizer que sim.

Ele tentou imaginar como seria uma grantormenta ali embaixo. Havia visto os efeitos posteriores ao coletar material com a ponte Quatro. Os cadáveres retorcidos e despedaçados. As pilhas de detritos esmagados contra paredes e rachaduras. Pedregulhos do tamanho de um homem casualmente arrastados pelos abismos até ficarem presos entre duas paredes, às vezes a 15 metros de altura.

— Quando? — perguntou ele. — *Quando* é essa grantormenta?

Shallan o encarou, então procurou na bolsa, folheando pelos papéis com a mão livre enquanto segurava a bolsa na mão segura encoberta. Ela acenou para que ele se aproximasse com sua esfera, já que precisou guardar a própria.

Ele ergueu a luz enquanto ela lia uma página de texto.

— Amanhã à noite — disse Shallan baixinho. — Depois do primeiro pôr de lua.

Kaladin grunhiu, erguendo sua esfera e inspecionando o abismo. *Estamos a norte do abismo de onde caímos. Então o caminho de volta devia ser... por ali?*

— Muito bem — disse Shallan. Ela respirou fundo, então fechou a bolsa. — Vamos caminhar de volta, e começaremos imediatamente.

— Você não quer se sentar por um momento e recuperar o fôlego?

— Meu fôlego está muito bem recuperado. Se você não se importa, prefiro seguir em frente. Quando voltarmos, podemos nos sentar e bebericar vinho quente, rindo de como foi bobagem nos apressarmos tanto, já que havia tempo de sobra. Gostaria muito de me sentir uma tola por conta disso. E você?

— Sim. — Ele gostava dos abismos. Isso não significava que queria arriscar-se a encarar uma grantormenta em um deles. — Você não teria um mapa nessa bolsa, teria?

— Não. — Shallan fez uma careta. — Não trouxe o meu. A Luminosa Velat tem os mapas. Eu estava usando o dela. Mas talvez me lembre um pouco do que vi.

— Então acho melhor irmos por aqui — disse Kaladin, apontando. E começou a caminhar.

O CARREGADOR DE PONTES COMEÇOU a caminhar na direção para onde havia apontado, sem sequer dar a ela uma chance de declarar sua opinião sobre o assunto. Shallan bufou consigo mesma, agarrando sua sacola — havia encontrado alguns odres d'água com os soldados — e bolsa. Apressou-se para alcançá-lo, seu vestido agarrando em alguma coisa que ela *esperava* que fosse um graveto muito branco.

O alto carregador passava por cima e ao redor de detritos, com os olhos voltados para a frente. Por que teve que ser *ele* o único a sobreviver? Muito embora, para ser honesta, ela estivesse contente em encontrar qualquer um. Caminhar por ali sozinha não teria sido agradável. Pelo menos ele era supersticioso o bastante para acreditar que fora salvo por algum golpe do destino e por esprenos. Ela não tinha ideia de como se salvara, quanto mais ele. Padrão seguia em sua saia e, antes de ela encontrar o carregador de pontes, havia especulado que a Luz das Tempestades a mantivera viva.

Viva depois de uma queda de pelo menos sessenta metros? Isso só provava quão pouco sabia sobre suas habilidades. Pai das Tempestades! Havia salvado aquele homem também. Ela tinha certeza disso; ele caíra bem ao lado dela durante o desabamento.

Mas *como*? E será que poderia descobrir como repetir o feito?

Ela se apressou para acompanhar o ritmo dele. Malditos alethianos e suas pernas anormalmente longas. Ele marchava como um soldado, sem pensar em como Shallan precisava pisar muito mais cuidadosamente. Ela não queria que sua saia ficasse presa em *cada* galho por que passavam.

Chegaram a uma poça d'água e ele pulou para cima de um tronco que servia de ponte, mal interrompendo seu avanço enquanto cruzava a água. Ela parou na borda. Kaladin virou-se e olhou para ela, segurando uma esfera.

— Você não vai exigir que eu lhe entregue minhas botas novamente, vai?

Shallan levantou um pé, revelando as botas de estilo militar que usava por baixo do vestido. Ele arqueou uma sobrancelha em resposta.

— Eu não *podia* chegar nas Planícies Quebradas de chinelas — disse ela, corando. — Além disso, ninguém consegue ver meus sapatos debaixo de um vestido tão longo. — Ela fitou o tronco.

— Quer que eu a ajude a atravessar?

— Na verdade, estava me perguntando como o tronco de uma árvore de cepolargo veio parar aqui. Ela não pode ser nativa dessa área das Planícies Quebradas. É frio demais aqui. Poderia ter crescido ao longo da costa, mas uma grantormenta realmente a carregou tão longe? Mais de seiscentos quilômetros?

— Você não vai exigir que paremos para que você faça um desenho, vai?

— Ah, faça-me o favor — disse Shallan, subindo no tronco e atravessando cuidadosamente. — Você sabe quantos desenhos tenho de cepolargos?

As outras coisas ali embaixo eram outra história. Enquanto continuavam a avançar, Shallan usou sua esfera — que precisava carregar na mão livre, tentando equilibrá-la com a bolsa na mão segura e a mochila no ombro — para iluminar os arredores. Eram impressionantes. Dezenas de variedades de vinhas, floragolas vermelhas, laranja e roxas. Minúsculos petrobulbos nas paredes, e háspiros em pequenas aglomerações, abrindo e fechando suas conchas como se respirassem.

Esprenos de vida, parecendo ciscos, flutuavam ao redor de um tufo de casca-pétrea que crescia em padrões encaroçados feito dedos. Era uma formação raríssima na superfície. Os pequenos pontos brilhantes de luz verde seguiam pelo abismo rumo a uma parede inteira de plantas tubulares do tamanho de punhos com pequenas antenas se agitando no topo. Enquanto Shallan passava, as antenas se retraíram em uma onda que subiu a parede. Ela arquejou baixinho e capturou uma Lembrança.

O carregador de pontes parou à frente dela, voltando-se para trás.

— O que foi?

— Você nem nota como é belo?

Ele levantou os olhos para a parede de plantas tubulares. Ela tinha certeza de que já havia lido sobre elas em algum lugar, mas o nome lhe escapava.

O carregador seguiu em frente.

Shallan trotou atrás dele, a mochila batendo contra suas costas. Quase tropeçou em um emaranhado de vinhas mortas enquanto o alcançava. Ela praguejou, pulando em um pé só para permanecer de pé antes de se reequilibrar.

Ele estendeu a mão e pegou sua mochila.

Finalmente, pensou Shallan.

— Obrigada.

Ele grunhiu, apoiando-a sobre o ombro antes de continuar sem mais uma palavra. Alcançaram uma encruzilhada nos abismos, um caminho indo para a direita e o outro para a esquerda. Teriam que dar a volta ao redor do platô seguinte antes de continuar para oeste. Shallan olhou para o topo do cânion — obtendo uma boa imagem daquele lado do platô — enquanto Kaladin escolhia um dos caminhos.

— Isso vai levar algum tempo — disse ele. — Ainda mais do que levou para chegar até lá. Precisamos esperar o exército inteiro, mas também podemos cortar caminho pelo centro dos platôs. Contornar cada um deles aumentará muito a viagem.

— Bem, pelo menos a companhia é agradável.

Ele a olhou de relance.

— Para você, quero dizer — acrescentou ela.

— Vou ter que ouvir você tagarelar por todo o caminho de volta?

— Claro que não. Também pretendo matraquear, resmungar um pouco, e ocasionalmente divagar. Mas não demais, para não abusar de uma coisa boa.

— Ótimo.

— Ando praticando meu burburinho — acrescentou.

— Mal posso esperar para ouvir.

— Ah, bem, acabei de fazer, na verdade.

Ele a estudou, aqueles olhos severos nos dela. Shallan deu-lhe as costas. Ele não confiava nela, obviamente. Era um guarda-costas; ela duvidava que ele confiasse em muitas pessoas.

Chegaram a outra interseção, e Kaladin levou mais tempo para se decidir. Ela entendia o motivo — ali embaixo era difícil determinar as direções. As formações de platô eram variadas e erráticas. Algumas eram longas e finas, outras eram quase perfeitamente redondas; tinham saliências e penínsulas nos flancos, e isso fazia com que houvesse um labirinto de caminhos retorcidos entre elas. Deveria ser fácil — havia poucos becos sem saída, afinal de contas, e assim eles só precisavam continuar se movendo rumo a oeste.

Mas qual direção era oeste? Seria muito, muito fácil se perder ali.

— Você não está escolhendo o caminho aleatoriamente, está? — indagou ela.

— Não.

— Você parece saber um bocado sobre esses abismos.

— E sei.

— Porque a atmosfera deprimente combina com seu humor, imagino.

Ele manteve os olhos voltados para a frente, sem comentários.

— Raios — praguejou ela, tentando acompanhá-lo. — Era para ser uma piada. O que é preciso para fazê-lo relaxar, carregadorzinho?

— Acho que sou apenas um... como era mesmo? Um "homem odioso"?

— Não vi qualquer prova do contrário.

— É porque você não presta atenção, olhos-claros. Todo mundo abaixo de você é só um brinquedo.

— O quê? — disse Shallan, sentindo como se houvesse levado um tapa na cara. — De onde tirou essa ideia?

— É óbvio.

— Para *quem*? Só para você? *Quando* me viu tratar alguém de hierarquia mais baixa como um brinquedo? Dê-me um exemplo.

— Quando fui aprisionado por fazer o que qualquer olhos-claros teria sido aplaudido por fazer — respondeu ele imediatamente.

— E isso foi *minha* culpa? — questionou ela.

— É culpa de toda a sua classe. Cada vez que um de nós é espoliado, surrado ou humilhado, a culpa cai sobre todos vocês que apoiam isso. Mesmo indiretamente.

— Ah, por favor. O mundo não é justo? Que grande revelação! Algumas pessoas no poder abusam daqueles sobre quem têm poder? Incrível! Quando isso começou?

Ele não respondeu. Havia amarrado suas esferas no topo da lança com uma trouxa feita de um lenço branco que encontrara em uma das escribas. Erguida bem alto, iluminava perfeitamente o abismo.

— Eu acho que você está procurando desculpas — disse ela, guardando sua própria esfera para maior praticidade. — Sim, você foi maltratado, eu admito. Mas acho que *é você* quem se importa com a cor dos olhos, e que é apenas mais fácil fingir que todos os olhos-claros estão abusando de você devido à sua posição. Já se perguntou se existe uma explicação mais simples? Pode ser que as pessoas não gostem de você, não porque é um olhos-escuros, mas porque só é *um sujeito muito chato*?

Ele bufou, então avançou mais rápido.

— Não — disse Shallan, praticamente correndo para acompanhar suas passadas longas. — Você não vai escapar assim. Não pode dar a entender que estou abusando da minha posição, então se afastar sem uma resposta. Você fez isso antes, com Adolin. E agora comigo. Qual é o seu *problema*?

— Quer um exemplo melhor de você fazendo seus subalternos de brinquedo? — indagou Kaladin, evitando a pergunta. — Tudo bem. Você roubou minhas botas. Fingiu ser alguém que não era e intimidou um guarda olhos-escuros que acabara de conhecer. Isso serve como exemplo de como você brinca com alguém que vê como inferior?

Shallan parou. Ele estava certo quanto a isso. Queria culpar a influência de Tyn, mas o comentário dele enfraqueceu o argumento. Kaladin parou mais adiante, olhando para trás. Finalmente, ele suspirou.

— Olhe só, não guardo rancor em relação às botas. Pelo que andei vendo, você não é tão ruim quanto os outros. Então vamos parar por aqui.

— Não tão ruim quanto os outros? — disse Shallan, avançando. — Que belo elogio. Bem, digamos que você esteja certo. Talvez eu *seja* uma mulher rica e insensível. Isso não muda o fato de que você pode ser cruel e ofensivo, Kaladin Filho da Tempestade.

Ele deu de ombros.

— É isso? Eu peço desculpas, e tudo que você faz é dar de ombros?

— Eu sou o que os olhos-claros fizeram de mim.

— Então você não tem culpa nenhuma — disse ela, sem rodeios. — Pela maneira como age.

— Eu diria que não.

— Pai das Tempestades. Não posso fazer nada para mudar a maneira como você me trata, posso? Você só vai continuar sendo intolerante e odioso, cheio de rancor. Incapaz de tratar bem os outros. Sua vida deve ser muito solitária.

Isso pareceu afetá-lo, já que seu rosto tornou-se vermelho sob a luz das esferas.

— Estou começando a rever minha opinião de que você não é tão ruim quanto os outros.

— Não minta. Você nunca gostou de mim. E não só por causa das botas. Eu vejo como você me olha.

— Isso é porque sei que você está mentindo enquanto sorri para todos que encontra — respondeu ele. — As únicas vezes em que parece honesta é quando está insultando alguém!

— As únicas coisas honestas que posso dizer para você *são* insultos.

— Bah! Eu só... Bah! Por que ficar perto de você faz com que eu queira arrancar meu rosto com as unhas, mulher?

— Eu tenho um talento especial — disse ela, olhando para o lado. — E coleciono rostos.

O que foi aquilo?

— Você não pode só... — Ele se interrompeu quando o som de raspagem, ecoando de um dos abismos, ficou mais alto.

Kaladin imediatamente cobriu com a mão sua lanterna improvisada, lançando-os na escuridão. Do ponto de vista de Shallan, aquilo *não* ajudou. Ela cambaleou na direção dele no escuro, agarrando seu braço com a mão livre. Ele era irritante, mas estava *ali*.

O som de arranhado continuou. Um som como pedra roçando pedra. Ou... carapaça roçando pedra.

— Imagino que discutir aos gritos em uma rede de abismos cheia de ecos não foi muito sábio — sussurrou ela nervosamente.

— Não.

— Está se aproximando, não está? — disse ela bem baixo.

— Está.

— Então... vamos correr?

O som de arranhado parecia estar logo além da próxima curva.

— Vamos — concordou Kaladin, tirando a mão das esferas e disparando para longe do ruído.

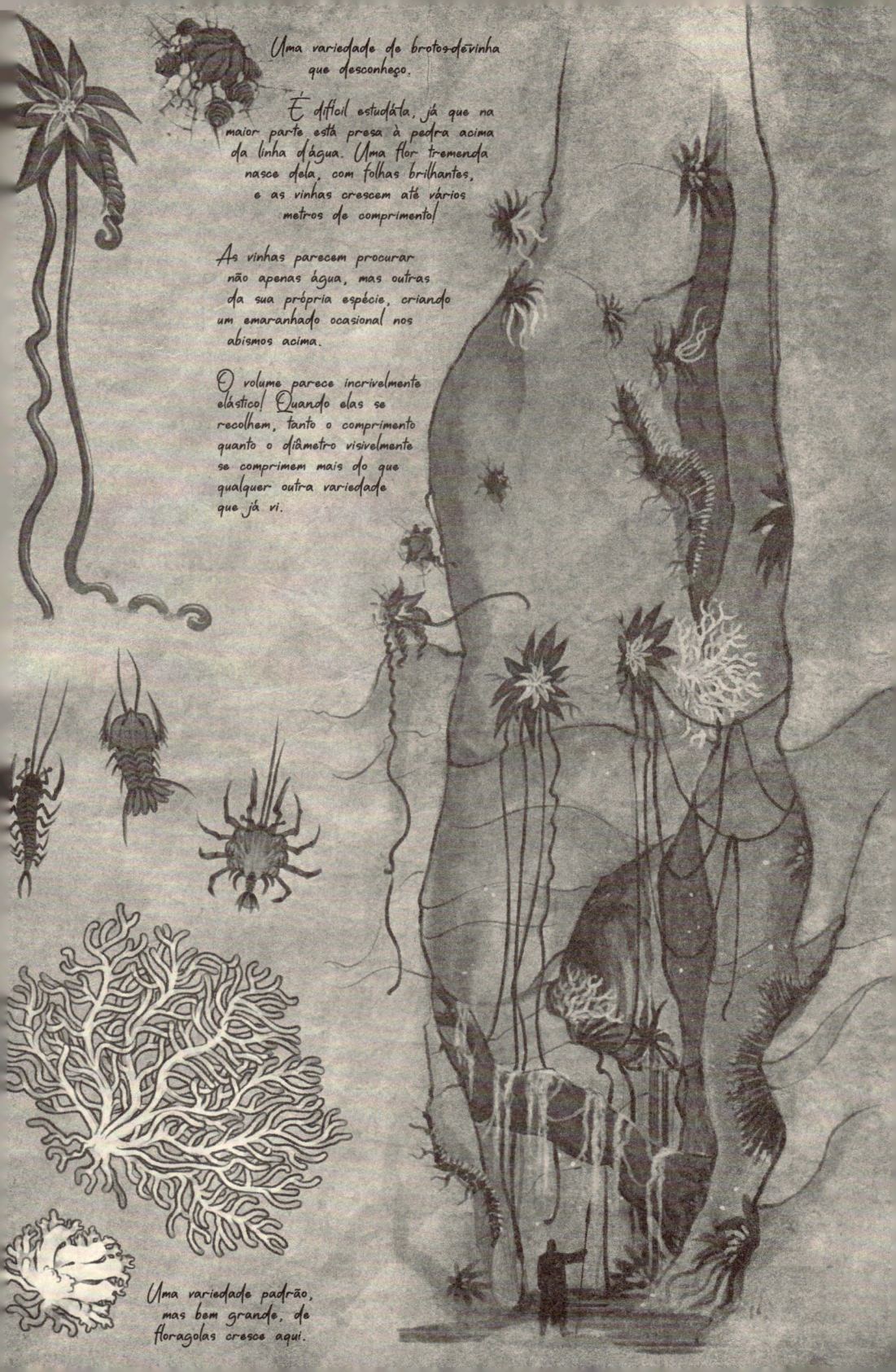

Uma variedade de brotos-de-vinha que desconheço.

É difícil estudá-la, já que na maior parte está presa à pedra acima da linha d'água. Uma flor tremenda nasce dela, com folhas brilhantes, e as vinhas crescem até vários metros de comprimento!

As vinhas parecem procurar não apenas água, mas outras da sua própria espécie, criando um emaranhado ocasional nos abismos acima.

O volume parece incrivelmente elástico! Quando elas se recolhem, tanto o comprimento quanto o diâmetro visivelmente se comprimem mais do que qualquer outra variedade que já vi.

Uma variedade padrão, mas bem grande, de floragolas cresce aqui.

70

SAÍDO DE UM PESADELO

Sendo isso desígnio de Tanavast ou não, milênios se passaram sem que Rayse tirasse a vida de outro dos dezesseis. Embora eu lamente o grande sofrimento que Rayse causou, não acredito que pudéssemos esperar por um resultado melhor.

KALADIN CORRIA PELO ABISMO, saltando galhos e detritos, pisando em poças d'água. A garota o acompanhava melhor do que havia esperado, mas — impedida pelo vestido — ela não era nem de longe tão rápida quanto ele.

Conteve-se, combinando seu ritmo ao dela. Por mais exasperante que ela fosse, não ia abandonar a noiva de Adolin para ser devorada por um demônio-do-abismo.

Eles alcançaram uma interseção e escolheram um caminho aleatoriamente. Na seguinte, ele só pausou o suficiente para verificar se estavam sendo seguidos.

Estavam. Batidas pesadas atrás deles, garras em pedra. Arranhões. Ele agarrou a bolsa da garota — já estava carregando a mochila dela — enquanto corriam por outro corredor. Ou Shallan estava em excelente forma, ou o pânico tomara conta dela, porque nem mesmo parecia cansada quando chegaram à interseção seguinte.

Não havia tempo para hesitação. Ele disparou por um caminho, os ouvidos tomados pelo som áspero da carapaça. Um súbito estrondo ecoou pelo abismo, tão alto quanto mil trombetas. Shallan gritou, embora Kaladin mal pudesse ouvi-la devido ao horrível ruído.

As plantas do abismo se recolheram em grandes ondas. Em instantes, o local inteiro passou de fecundo a árido, como o mundo se preparando para uma grantormenta. Alcançaram outra interseção e Shallan hesitou, olhando de volta na direção dos sons. Ela estendeu as mãos, como se estivesse se preparando para receber a coisa. Mulher tormentosa! Ele a agarrou e puxou-a para que o seguisse. Correram por dois abismos sem parar.

A criatura ainda estava no encalço, embora ele só pudesse ouvi-la. Não tinha ideia de quão perto estaria, mas podia farejar os dois. Ou estaria seguindo o som? Ele não fazia ideia de como elas caçavam.

Preciso de um plano! Não posso simplesmente...

Na próxima interseção, Shallan se virou para o lado oposto ao que ele havia escolhido. Kaladin praguejou, forçando-se a parar e correr atrás dela.

— Não é hora de discutir sobre... — disse ele, ofegante.

— Calado. Siga.

Ela conduziu-os a uma interseção, depois outra. Kaladin estava começando a se cansar, os pulmões protestando. Shallan parou, depois apontou e correu por um abismo. Ele seguiu, olhando por sobre o ombro.

Só via escuridão. O luar estava distante demais, estrangulado demais, para iluminar aquelas profundezas. Eles não saberiam da aproximação da fera até que ela adentrasse a luz de suas esferas. Mas *Pai das Tempestades*, ela parecia próxima.

Kaladin voltou a prestar atenção na corrida. Quase tropeçou em alguma coisa no chão. Um cadáver? Ele pulou por cima do corpo, alcançando Shallan. A barra do seu vestido estava emaranhada e rasgada devido à corrida, seu cabelo totalmente desgrenhado, o rosto rubro. Ela o conduziu por outro corredor, então parou, mão na parede, ofegante.

Kaladin fechou os olhos, inspirando e expirando. *Não posso descansar por muito tempo. Ele está vindo.* Sentia-se prestes a desabar.

— Cubra essa luz — sibilou Shallan.

Ele franziu o cenho, mas obedeceu.

— Não podemos descansar muito tempo — sibilou de volta.

— Quieto.

A escuridão era completa, exceto pela luz tênue escapando por entre seus dedos. O som de raspagem parecia estar quase em cima deles. Raios! Poderia lutar com aqueles monstros? Sem Luz das Tempestades? Desesperado, ele tentou sugar a Luz que ocultava na palma da mão.

Nenhuma Luz lhe veio, e não via Syl desde a queda. O som de raspagem continuou. Ele se preparou para correr, mas...

Os sons não pareciam estar se aproximando mais. Kaladin franziu o cenho. O corpo sobre o qual havia tropeçado... era um dos mortos da luta de mais cedo. Shallan os conduzira de volta para o ponto de partida.

E... para onde havia comida para a besta.

Ele esperou, tenso, ouvindo o próprio batimento cardíaco trovejando no peito. Os sons de raspagem ecoavam pelo abismo. Estranhamente, alguma luz piscou mais atrás. O que era aquilo?

— Fique aqui — sussurrou Shallan.

Então, incrivelmente, ela começou a se mover *na direção* dos sons. Ainda segurando as esferas desajeitadamente com uma das mãos, ele estendeu a outra e a agarrou.

Shallan se virou para ele, então olhou para baixo. Inadvertidamente, ele a pegara pela mão segura. Kaladin a soltou imediatamente.

— Preciso vê-lo — sussurrou Shallan. — Estamos tão perto.

— Você é *louca*?

— Provavelmente. — Ela continuou na direção da fera.

Kaladin hesitou, amaldiçoando-a em pensamento. Por fim, pousou a lança e deixou cair a mochila e a bolsa dela sobre as esferas para abafar a luz. Então a seguiu. O que mais podia fazer? Explicar para Adolin? *Sim, principezinho. Deixei sua noiva perambular sozinha nas trevas e ser devorada por um demônio-do-abismo. Não, eu não fui atrás dela. Sim, eu sou um covarde.*

Havia luz à frente. Ela mostrava Shallan — sua silhueta, pelo menos — agachada atrás de uma curva no abismo, espiando pela lateral. Kaladin foi até ela, se agachando também e dando uma olhada.

Lá estava a criatura.

A fera preenchia o abismo. Longa e estreita, não era bulbosa ou corpulenta, como alguns crenguejos pequenos. Era sinuosa, esguia, com aquele rosto semelhante a uma flecha e mandíbulas afiadas.

Também era *errada*. Errada de uma maneira difícil de descrever. Criaturas grandes deveriam ser lentas e dóceis, como chules. Contudo, aquela fera enorme se movia com facilidade, suas pernas erguidas contra as paredes do abismo, segurando-a de tal modo que seu corpo mal tocava o chão. Ela devorou o cadáver de um soldado caído, agarrando o corpo com garras menores próximas à boca, então rasgando-o ao meio com uma mordida pavorosa.

Aquele rosto parecia saído de um pesadelo. Maligno, poderoso, quase *inteligente*.

— Esses esprenos — sussurrou Shallan, tão baixo que ele mal ouviu. — Eu já os vi antes...

Eles dançavam ao redor do demônio-do-abismo e eram a fonte da luz. Pareciam pequenas flechas brilhantes e cercavam a fera em grupos, embora ocasionalmente um deles se afastasse dos outros e então desaparecesse como uma pequena pluma de fumaça se elevando no ar.

— Enguias celestes — sussurrou Shallan. — Eles também seguem enguias celestes. O demônio-do-abismo gosta de cadáveres. Será que são carniceiros naturais? Não, essas garras parecem feitas para quebrar conchas. Suspeito que encontraríamos rebanhos de chules selvagens no habitat natural dessas coisas. Mas eles vêm para as Planícies Quebradas para empupar, e aqui há muito pouca comida, por isso eles atacam homens. Por que esse aqui permaneceu depois de empupar?

O demônio-do-abismo havia quase terminado sua refeição. Kaladin pegou-a pelo ombro, e Shallan permitiu, com óbvia relutância, que ele a puxasse para longe.

Eles voltaram às suas coisas, recolhendo-as e, tão silenciosamente quanto possível, recuaram escuridão adentro.

E LES CAMINHARAM DURANTE HORAS, seguindo uma direção completamente diferente da anterior. Shallan permitiu que Kaladin conduzisse novamente, embora tentasse ao máximo memorizar os abismos. Precisaria desenhar para ter certeza da sua localização.

Imagens do demônio-do-abismo povoavam sua cabeça. Que animal majestoso! Seus dedos praticamente *coçavam* para desenhá-lo a partir da Lembrança que capturara. As pernas eram maiores do que havia imaginado; não como um pernoso, com gambitos finos sustentando um corpo grosso. Aquela criatura emanava poder. Como o espinha-branca, só que enorme e mais estranho.

Eles estavam muito longe do animal agora. Com sorte, isso significava que estavam em segurança. A noite a exauria, depois de ter acordado cedo para a expedição.

Ela discretamente verificou as esferas na bolsa. Ela as drenara até estarem todas foscas durante a fuga. Abençoado fosse o Todo-Poderoso pela Luz das Tempestades — teria que fazer um glifo-amuleto em agradecimento. Sem a força e a resistência fornecidas pela Luz, nunca teria sido capaz de acompanhar Kaladin pernas-longas.

Agora, contudo, estava *tormentosamente* exausta. Como se a Luz houvesse inflado sua capacidade, mas depois a deixado vazia e exaurida.

Na interseção seguinte, Kaladin fez uma pausa e olhou-a de cima a baixo.

Ela ofereceu um sorriso fraco.

— Vamos ter que parar aqui para passar a noite — disse ele.

— Desculpe.

— Não é só você — respondeu ele, olhando para o céu. — Para ser honesto, não tenho ideia se estamos indo na direção certa. Perdi o rumo. Se pudermos ter uma noção de manhã do ponto onde o sol está nascendo, saberemos para onde caminhar.

Ela assentiu.

— Ainda devemos ser capazes de voltar com tempo de sobra. Não precisa se preocupar.

A maneira como ele falou imediatamente fez com que ela começasse a se preocupar. Ainda assim, ela o ajudou a encontrar um trecho de chão razoavelmente seco, e eles se instalaram, esferas no centro como uma pequena fogueira de mentira. Kaladin revirou a mochila que ela havia encontrado — tirada de um soldado morto — e achou algumas rações de pão achatado e carne-seca de chule. Não era nem de longe a comida mais apetitosa, mas era alguma coisa.

Shallan se sentou recostada na parede e comeu, olhando para cima. O pão era feito com trigo Transmutado — aquele gosto rançoso era óbvio. As nuvens acima a impediam de ver as estrelas, mas alguns esprenos de estrelas se moviam diante delas, formando padrões distantes.

— É estranho — sussurrou ela enquanto Kaladin comia. — Só estou aqui há metade de uma noite, mas parece muito mais tempo. O topo dos platôs parecem tão distantes, não parecem?

Ele grunhiu.

— Ah, sim. O grunhido do carregador de pontes. Uma linguagem própria. Vou precisar repassar os morfemas e tons com você; ainda não sou fluente nela.

— Você seria uma péssima carregadora de pontes.

— Baixa demais?

— Bem, sim. E mulher demais. Duvido que ficasse bem nas tradicionais calças curtas e colete aberto. Ou melhor, provavelmente ficaria *bem* demais. Ia desconcentrar um pouco os outros carregadores.

Ela sorriu, pegando da bolsa seu caderno de desenho e um lápis. Pelo menos havia caído com o material. Começou a rabiscar, cantarolando baixinho e roubando uma das esferas para iluminação. Padrão ainda estava escondido na sua saia, satisfeito em ficar em silêncio na presença de Kaladin.

— Raios — disse Kaladin. — Você não está desenhando um *retrato* de si mesma em uma roupa daquelas...

— Ora, claro. Estou desenhando imagens lascivas de mim mesma para você depois de apenas umas poucas horas juntos no abismo. — Ela traçou uma linha. — Você tem muita imaginação, carregadorzinho.

— Bem, era disso que estávamos falando — resmungou ele, se levantando e caminhando até ela para ver o que estava fazendo. — Pensei que estivesse cansada.

— Estou exausta. Então preciso relaxar.

Obviamente. O primeiro esboço não seria o demônio-do-abismo. Ela precisava de um aquecimento. Então desenhou o caminho deles pelos abismos. Um mapa, mais ou menos; era mais uma imagem dos abismos, se pudesse vê-los de cima. Era criativo o bastante para ser interessante, embora ela tivesse certeza de que não havia desenhado corretamente alguns dos sulcos e curvas.

— O que *é isso*? — indagou Kaladin. — Uma imagem das Planícies?

— Um mapa, mais ou menos — disse ela, mas fez uma careta. O que o fato de não conseguir desenhar apenas umas poucas linhas que mostrassem sua localização, como uma pessoa normal, dizia sobre ela? Precisava transformar em um desenho. — Não conheço as formas completas dos platôs por que passamos, só os caminhos que percorremos.

— Você se lembra tão bem assim?

Tormentas. Ela não pretendera ser mais discreta sobre sua memória visual?

— Hã... Não, nem tanto. A maior parte é especulação.

Sentiu-se tola por revelar sua habilidade. Véu teria dito poucas e boas sobre isso. Na verdade, era uma pena que Véu não estivesse ali. Ela seria melhor naquela missão de sobreviver na natureza selvagem.

Kaladin pegou o desenho dos seus dedos, se levantando e usando sua esfera para iluminá-lo.

— Bem, se seu mapa estiver correto, estamos seguindo para sul em vez de para oeste. Preciso de luz para me orientar melhor.

— Talvez — disse ela, pegando outra folha para começar a desenhar o demônio-do-abismo.

— Vamos esperar pelo sol amanhã. Isso me dirá qual caminho seguir.

Ela assentiu, iniciando seu desenho enquanto ele abria um espaço para si e se acomodava, o casaco dobrado para formar um travesseiro. Ela também queria se deitar, mas aquele desenho *não* queria esperar. Tinha que fazer pelo menos um rascunho.

Ela só resistiu meia hora — concluindo talvez um quarto do desenho — antes de precisar deixá-lo de lado, se encolher no chão duro com a mochila como travesseiro e cair no sono.

A INDA ESTAVA ESCURO QUANDO Kaladin a acordou, cutucando-a com a base da lança. Shallan gemeu, rolando no chão do abismo, e, sonolenta, tentou colocar o travesseiro sobre a cabeça.

O que, naturalmente, fez com que a carne-seca de chule caísse sobre ela. Kaladin riu.

Claro, *isso* arrancou uma risada dele. Homem tormentoso. Quanto tempo conseguira dormir? Ela piscou os olhos remelentos e concentrou-se na fenda aberta muito acima.

Não, nem um vislumbre de luz. Duas, talvez três horas de sono, então? Ou melhor, "sono". A definição era discutível. Ela provavelmente teria chamado de "se debater e se revirar no chão rochoso, ocasionalmente acordando assustada e descobrindo que havia babado a ponto de formar uma pequena poça". Mas não era uma pronúncia muito fácil de botar para fora, ao contrário da baba supracitada.

Ela se sentou e esticou seus membros doloridos, conferindo para ter certeza de que sua manga não se desabotoara durante a noite ou qualquer coisa igualmente embaraçosa.

— Preciso de um banho — resmungou ela.

— Um banho? — perguntou Kaladin. — Você só está distante da civilização *há um dia*.

Shallan fungou.

— Só porque você está acostumado com o fedor de carregador de pontes não significa que preciso fazer o mesmo.

Ele sorriu, pegando um pedaço de carne-seca do ombro dela e jogando-o na boca.

— Na minha cidade natal, quando eu era garoto, o dia do banho era uma vez por semana. Acho que até mesmo os olhos-claros de lá teriam considerado estranho que todo mundo aqui, até os soldados comuns, tome banho com mais frequência.

Como ele *ousava* estar tão animado de manhã? Ou melhor, "de manhã". Ela jogou outro pedaço de carne de chule nele quando Kaladin se distraiu. O homem tormentoso o agarrou.

Eu o odeio.

— Nós não fomos comidos por aquele demônio-do-abismo enquanto estávamos dormindo — disse ele, voltando a enfiar tudo na mochila, exceto por um único odre d'água. — Eu diria que é o máximo de sorte que podemos esperar, nestas circunstâncias. Vamos, de pé. Seu mapa me dá uma ideia do caminho a seguir, e podemos prestar atenção na luz do sol para garantir que estamos na direção certa. Queremos dar um jeito naquela grantormenta, certo?

— Quero dar um jeito é em você — resmungou ela. — Com um porrete.

— O que disse?

— Nada — respondeu Shallan, se levantando e tentando arrumar a bagunça que era seu cabelo.

Raios. Devia parecer o resultado de um relâmpago atingindo uma jarra de tinta vermelha. Suspirou. Não tinha uma escova, e ele não parecia disposto a lhe dar tempo o suficiente para uma trança apropriada, então ela calçou as botas — usar o mesmo par de meias dois dias seguidos era a menor das suas indignidades — e pegou a bolsa. Kaladin carregou a mochila.

Ela o seguiu enquanto ele avançava pelo abismo, o estômago reclamando de quão pouco comera na noite anterior. A comida não lhe apetecia, então deixou a barriga roncando. *Bem feito para você,* pensou. Mas não sabia o que queria dizer com isso.

Por fim, o céu começou a clarear, e de uma direção que indicava que estavam indo pelo caminho certo. Kaladin caiu no seu silêncio usual, e seu humor mais alegre de mais cedo se evaporou. Em vez disso, ele parecia consumido por pensamentos difíceis.

Ela bocejou, se pondo ao lado dele.

— Em que está pensando?

— Estava meditando sobre como é agradável ter um pouco de silêncio — disse ele. — Sem ninguém me incomodando.

— Mentiroso. Por que se esforça tanto para afastar as pessoas?

— Talvez eu não queira me meter em outra discussão.

— Isso não vai acontecer — disse ela, bocejando de novo. — É cedo demais para discussões. Experimente. Insulte-me.

— Eu não...

— Insulto! Agora!

— Preferiria caminhar por esses abismos com um assassino compulsivo do que com você. Pelo menos então, quando a conversa se tornasse tediosa, eu teria um modo fácil de escapar.

— E seus pés têm chulé — replicou ela. — Viu? Cedo demais. Não consigo ser espirituosa a esta hora da manhã. Então, sem discussões. — Ela hesitou e então continuou em um tom mais baixo. — Além disso, assassino algum concordaria em acompanhá-lo. Todo mundo precisa ter *alguns* critérios, afinal de contas.

Kaladin bufou, os lábios se curvando para cima nos cantos.

— Cuidado — disse ela, pulando sobre um tronco caído. — Isso *quase pareceu* um sorriso... e hoje mais cedo, podia jurar que você estava alegre. Bem, moderadamente contente. De qualquer modo, se começar a parecer de bom humor, vai destruir toda a variedade dessa viagem.

— Variedade?

— Sim. Se nós dois formos agradáveis, não haverá equilíbrio artístico. Sabe, a boa arte é uma questão de contrastes. Partes claras e partes escuras. A feliz, sorridente e radiante dama e o sombrio, taciturno, fétido carregador de pontes.

— Isso... — Ele parou. — Fétido?

— Uma grande pintura de personagem mostra o herói com um contraste intrínseco — continuou ela. — Forte, mas com um toque de vulnerabilidade, de modo que o espectador possa se identificar com ele. Seu pequeno problema forneceria um contraste dinâmico.

— Como dá para expressar isso em uma pintura? — disse Kaladin, franzindo o cenho. — Além disso, eu *não* sou fétido.

— Ah, então está melhorando? Viva!

Ele a olhou, pasmo.

— Confusão — observou Shallan. — Aceitarei isso graciosamente como um sinal de que você está impressionado que eu possa expressar humor tão cedo. — Ela se inclinou para ele com um ar conspiratório. — Não sou realmente tão espirituosa. Você é que é meio tapado, então eu *pareço* inteligente. Contraste, lembra-se?

Ela sorriu, então continuou seu caminho, cantarolando baixo. Na verdade, o dia estava parecendo muito melhor. Por que estivera tão mal-humorada antes?

Kaladin apressou o passo para alcançá-la.

— Raios, mulher. Não sei o que faço com você.

— Não me mate, de preferência.

— Estou surpreso que ninguém jamais tenha tentado. — Ele balançou a cabeça. — Quero uma resposta honesta. Por que está aqui?

— Então, tinha essa ponte que desabou, e eu caí...

Ele suspirou.

— Desculpe — disse Shallan. — Alguma coisa em você me encoraja a fazer piadas, carregadorzinho. Mesmo pela *manhã*. Enfim, por que eu vim para cá? Você quer dizer para as Planícies Quebradas?

Ele assentiu. *Havia* certa beleza rústica no sujeito. Como a beleza de uma formação rochosa natural, em contraste com uma fina escultura, como Adolin.

Mas era a *ferocidade de* Kaladin que *a assustava*. Ele parecia um homem que estava sempre de dentes cerrados, um homem que não permitia a si mesmo — ou a qualquer outra pessoa — simplesmente sentar-se e ter um bom descanso.

— Eu vim para cá por causa do trabalho de Jasnah Kholin. O estudo que ela deixou para trás não deve ser abandonado.

— E Adolin?

— Adolin foi uma grata surpresa.

Eles passaram por uma parede inteiramente coberta por uma cortina de vinhas enraizadas em uma seção de rocha quebrada acima. Elas se contorceram e recuaram enquanto Shallan passava. *Muito atentas*, notou. *Mais rápidas do que a maioria das vinhas*. Elas eram o oposto das plantas nos jardins de sua casa, onde tinham passado tanto tempo abrigadas. Ela tentou agarrar uma para cortar um pedaço, mas a planta se moveu rápido demais.

Raios. Precisava de um pedaço, de modo que, quando voltassem, pudesse criar e cultivar uma para estudo. Fingir que estava ali para explorar e registrar novas espécies ajudava a afastar o desânimo. Ela ouviu Padrão zumbindo baixinho na sua saia, como se percebesse o que ela estava fazendo, se distraindo da dificuldade e do perigo. Ela deu um tapinha nele. O que o carregador pensaria se ouvisse a roupa dela zumbindo?

— Só um minuto — disse ela, finalmente agarrando uma das vinhas. Kaladin assistiu, apoiando-se na lança, enquanto ela cortava a ponta da vinha com uma faquinha da bolsa.

— A pesquisa de Jasnah... Tem a ver com as estruturas escondidas aqui, debaixo do crem?

— Por que a pergunta? — Ela enfiou a ponta da vinha dentro de um tinteiro vazio que guardava para espécimes.

— Você se esforçou bastante para vir — disse ele. — Ostensivamente, para investigar a crisálida de um demônio-do-abismo. Uma crisálida morta, ainda por cima. Tem que haver mais coisa.

— Percebo que você não compreende a natureza compulsiva da erudição. — Ela sacudiu o tinteiro.

Ele bufou.

— Se realmente quisesse ver uma crisálida, bastaria pedir que arrastassem uma até você. Eles têm uns trenós de chules para levar os feridos; um desses teria servido. Não havia necessidade de você vir até aqui para ver por conta própria.

Raios. Um argumento sólido. Ainda bem que Adolin não havia pensado nisso. O príncipe *era* maravilhoso, e certamente não era estúpido, mas era também... mentalmente direto.

Esse carregador estava se provando diferente. A maneira como a vigiava, a maneira como pensava. Até mesmo, ela percebeu, a maneira como falava. Ele se expressava como um olhos-claros culto. Mas e aquelas *marcas de escravo* na sua testa? O cabelo as encobria, mas ela achava que uma podia ser *shash*.

Talvez devesse passar tanto tempo pensando sobre os motivos daquele homem quanto ele aparentemente passava pensando nos dela.

— Riquezas — especulou ele, enquanto avançavam. Kaladin afastou alguns galhos mortos despontando de rachadura para que ela pudesse passar. — Há algum tesouro de algum tipo aqui, e é isso que você busca? Mas... não. Você conseguiria riquezas facilmente só com um casamento.

Ela não disse nada, passando pelo espaço que ele abrira.

— Ninguém ouviu falar de você antes. A casa Davar realmente tem uma filha da sua idade, e você corresponde à descrição. Poderia ser uma impostora, mas você realmente é olhos-claros, e aquela casa vedena não é particularmente significativa. Se vai fingir ser alguém, por que não escolher alguém mais importante?

— Você parece ter pensado um bocado no assunto.

— É meu trabalho.

— Estou sendo sincera... a pesquisa de Jasnah é o motivo por que vim para as Planícies Quebradas. Acho que o mundo pode estar em perigo.

— É por isso que você falou com Adolin sobre os parshemanos.

— Espere. Como você... Seus guardas estavam naquele terraço conosco. Eles contaram para você? Não percebi que estavam perto o suficiente para ouvir.

— Fiz questão de pedir que permanecessem bem perto — confirmou Kaladin. — Na época, eu estava quase convencido de que tinha vindo para assassinar Adolin.

Bem, pelo menos ele era honesto. E direto.

— Meus homens disseram que você parecia querer que os parshemanos fossem assassinados.

— Não disse nada do gênero. Embora eu esteja preocupada com a possibilidade de eles nos traírem. É uma questão inútil, já que duvido que consiga persuadir os grão-príncipes sem maiores provas.

— Mas se você conseguisse seu objetivo... o que faria? — Ele soou curioso. — Sobre os parshemanos.

— Faria com que fossem exilados.

— E quem os substituiria? Olhos-escuros?

— Não estou dizendo que seria fácil — replicou Shallan.

— Eles precisariam de mais escravos — disse Kaladin em um tom contemplativo. — Muitos homens honestos poderiam acabar marcados.

— Imagino que ainda se ressente do que aconteceu com você.

— Você não ficaria ressentida?

— Sim, suponho que ficaria. Eu *sinto muito* que tenha sido tratado dessa maneira, mas poderia ser pior. Você poderia ter sido enforcado.

— Não gostaria de ser o executor encarregado de tentar — disse ele com uma ferocidade contida.

— Nem eu — respondeu Shallan. — Acho que enforcar pessoas é uma escolha infeliz de profissão. É melhor ser o sujeito do machado.

Ele franziu.

— Você sabe... com o machado dá para cortar ca...minho...

Ele a encarou. Então, depois de um momento, fez uma careta.

— Ah, raios. Essa foi péssima.

— Não, foi *engraçado*. Você parece confundir essas duas coisas um bocado. Não se preocupe. Estou aqui para ajudar.

Ele sacudiu a cabeça.

— Não é que você não seja espirituosa, Shallan. Só acho que se esforça demais. O mundo não é um lugar ensolarado, e tentar desesperadamente transformar tudo em uma piada não vai mudar isso.

— Tecnicamente, *é* um lugar ensolarado. Durante metade do tempo.

— Para pessoas como você, talvez — observou Kaladin.

— O que quer dizer com isso?

Ele fez uma careta.

— Olhe só, não quero brigar de novo, tudo bem? Eu só... Por favor. Vamos esquecer o assunto.

— E se eu prometer não ficar zangada?

— Consegue fazer isso?

— Claro. Passo a maior parte do tempo sem ficar zangada. Sou incrivelmente hábil nisso. É verdade que a maioria dessas vezes não acontece perto de você, mas acho que vou conseguir.

— Você está fazendo de novo — disse ele.

— Desculpe.

Caminharam em silêncio por um momento, passando por plantas que floresciam de modo chocante sobre um esqueleto bem preservado, de algum modo praticamente intocado pelo fluxo de água no abismo.

— Tudo bem — disse Kaladin. — É o seguinte. Posso imaginar como é o mundo para alguém como você. Cresceu sendo paparicada, com tudo que deseja. Para alguém como você, a vida é maravilhosa, ensolarada e merece umas boas risadas. Isso não é culpa sua, e não devo responsabilizá-la por ser assim. Você não teve que lidar com dor e morte, como eu. A tristeza não é sua companheira.

Silêncio. Shallan não respondeu. Como *poderia* responder?

— O que foi? — perguntou Kaladin finalmente.

— Estou tentando decidir como reagir — disse Shallan. — Sabe, você acabou de dizer algo muito, muito engraçado.

— Então por que não está rindo?

— Bem, não é esse tipo de graça.

Ela lhe entregou a bolsa e subiu em uma pequena elevação rochosa no meio de uma poça profunda no chão do abismo. O solo geralmente era plano — com todo aquele crem sedimentado —, mas a água naquela poça parecia ter mais de meio metro de profundidade. Shallan a atravessou com os braços abertos para se equilibrar.

— Então, deixe-me ver — disse ela enquanto seguia cuidadosamente. — Você acha que vivi uma vida simples e feliz, cheia de sol e alegria. Mas também dá a entender que tenho segredos sombrios e malignos, então suspeita de mim, e chega a ser hostil. Você diz que sou arrogante e deduz que considero os olhos-escuros brinquedos, mas quando digo que estou tentando protegê-los... e a todos os outros... sugere que estou me intrometendo e que devia deixá-los em paz.

Ela chegou ao outro lado e se virou.

— Diria que é um resumo preciso das nossas conversas até agora, Kaladin Filho da Tempestade?

Ele fez uma careta.

— Sim. Suponho que sim.

— Uau, você realmente parece me conhecer muito bem. Particularmente levando em conta que iniciou esta conversa declarando que não sabia o que fazer comigo. Uma frase estranha de alguém que parece, do meu ponto de vista, já ter entendido tudo. Na próxima vez que eu estiver tentando decidir o que fazer, vou perguntar a você, já que aparentemente me compreende melhor do que compreendo a mim mesma.

Ele passou pela mesma pedra saliente no caminho e ela assistiu, ansiosa, já que Kaladin levava sua bolsa. Ela confiava mais nele para carregar a bolsa sobre a água do que em si mesma, contudo. Estendeu a mão para pegá-la quando ele chegou do outro lado, mas se pegou tomando o braço dele para chamar sua atenção.

— Que tal isso? — disse ela, encarando-o. — Eu prometo, solenemente e pelo décimo nome do Todo-Poderoso, que não pretendo causar mal a Adolin ou à sua família. Quero impedir um desastre. Posso estar errada, e posso estar enganada, mas juro a você que sou sincera.

Ele fitou-a nos olhos. Tão *intenso*. Shallan sentiu um arrepio ao encarar aquela expressão. Ele era um homem passional.

— Acredito em você. E acho que isso basta. — Ele olhou para cima, então praguejou.

— O que foi? — indagou ela, olhando para a luz distante acima.

O sol estava surgindo sobre a borda daquele abismo. A borda errada. Eles não estavam mais indo para oeste. Haviam se desviado de novo, apontando para sul.

— Droga — disse Shallan. — Dê-me essa bolsa. Preciso desenhar isso.

71

VIGÍLIA

Ele suporta o peso do ódio divino do próprio Deus, separado das virtudes que lhe davam contexto. Ele é o que nós fizemos dele, velho amigo. E é isso que ele, infelizmente, desejava se tornar.

— Eu era jovem, então não prestava muita atenção — contou Teft. — Por Kelek, eu não *queria* prestar muita atenção. As coisas que minha família fazia não eram do tipo que você quer que seus pais façam, sabe? Eu não queria saber. Então não é surpreendente que eu não lembre.

Sigzil assentiu daquele seu jeito suave, mas também irritante. O azishiano simplesmente *sabia* coisas. E também conseguia tirar informações das pessoas. Isso era injusto. Terrivelmente injusto. Por que Teft acabara com ele no serviço de vigília?

Os dois estavam sentados em pedras perto dos abismos a leste do acampamento de guerra de Dalinar. Um vento frio soprava. Grantormenta naquela noite.

Ele vai voltar antes disso. Com certeza antes.

Um crenguejo passou rastejando. Teft jogou uma pedra nele, levando-o a se esconder em uma rachadura próxima.

— Enfim, não sei por que você quer ouvir tudo isso. Num serve para nada.

Sigzil assentiu. Estrangeiro tormentoso.

— Tudo bem, certo — disse Teft. — Era um tipo de culto, sabe, chamado de os Esperantes. Eles... bem, achavam que se dessem um jeito de trazer de volta os Esvaziadores, os Cavaleiros Radiantes também voltariam. Estupidez, né? Só que eles sabiam coisas. Coisas que não deveriam saber, coisas como as habilidades de Kaladin.

— Estou vendo que é difícil para você — disse Sigzil. — Quer jogar outra rodada de michim para passar o tempo, em vez disso?

— Você só quer minhas tormentosas esferas — ladrou Teft, o dedo em riste para o azishiano. — E não chame assim.

— Michim é o nome verdadeiro do jogo.

— Essa é uma palavra sagrada, e num tem *jogo* nenhum com o nome de uma palavra sagrada.

— A palavra não é sagrada no lugar de onde eu vim — disse Sigzil, obviamente irritado.

— Nós num estamos lá agora, estamos? Chame de alguma outra coisa.

— Pensei que você fosse gostar — disse Sigzil, recolhendo as pedras coloridas que eram usadas no jogo. O jogo consistia em apostá-las, em uma pilha, enquanto se tentava adivinhar quais pedras seu oponente tinha escondido. — É um jogo de habilidade, não de azar, então não ofende a sensibilidade vorin.

Teft observou enquanto ele pegava as pedras. Talvez fosse melhor perder todas as suas esferas naquele jogo tormentoso. Não era bom voltar a ter dinheiro. Ele não era confiável com dinheiro.

— Eles pensavam que tinha mais chances de as pessoas manifestarem poderes se suas vidas estivessem em perigo — continuou Teft. — Então... eles colocavam vidas em perigo. Membros do próprio grupo... nunca um inocente, louvados sejam os ventos. Mas isso já era bem ruim. Eu vi pessoas se permitirem serem empurradas de penhascos, pessoas amarradas enquanto uma vela queimava lentamente uma corda até que arrebentasse e deixasse uma pedra cair para esmagá-las. Era ruim, Sigzil. Horrível. O tipo de coisa que ninguém devia ver, especialmente um menino de seis anos.

— Então, o que você fez? — perguntou Sigzil em voz baixa, apertando o cordão da sua bolsinha de pedras.

— Num é da sua conta. Nem sei por que estou contando isso.

— Tudo bem. Dá para ver...

— Eu os denunciei — confessou Teft. — Ao senhor da cidade. Ele montou um julgamento, dos grandes. Mandou que todos fossem executados no final. Nunca compreendi. Eles só eram perigosos para si mesmos. A punição deles por ameaçarem se matar foi a morte. Nenhum sentido. Eu devia ter dado um jeito de ajudá-los...

— Seus pais?

— Minha mãe morreu naquela geringonça da corda com a pedra — explicou Teft. — Ela realmente acreditava, Sig. Que ela tinha, sabe? Os poderes? Que, se estivesse prestes a morrer, eles surgiriam, e ela se salvaria...

— E você assistiu?

— Raios, não! Acha que eles deixariam o filho dela assistir? Está maluco?

— Mas...

— Mas eu vi meu pai morrer — disse Teft, olhando para as Planícies. — Enforcado.

Ele balançou a cabeça, remexendo no bolso. Onde havia colocado seu frasco? Quando se virou, contudo, viu aquele outro rapaz sentado ali, remexendo naquela caixinha como frequentemente fazia. Renarin.

Teft não ligava para toda aquela bobagem que Moash falava, de querer destronar os olhos-claros. O Todo-Poderoso lhes dera seus postos, e quem podia questioná-lo? Não lanceiros, com certeza. Mas, de certo modo, o príncipe Renarin era tão ruim quanto Moash. Nenhum dos dois sabia o seu lugar. Um olhos-claros querendo se juntar à Ponte Quatro era tão ruim quanto olhos-escuros falando de modo estúpido e arrogante com o rei. Não encaixava, mesmo que os outros carregadores parecessem gostar do rapaz.

E, claro, Moash era um deles agora. Raios. Será que deixara o frasco na caserna?

— Preste atenção, Teft — disse Sigzil, se levantando.

Teft virou-se e viu homens de uniforme se aproximando. Ele se levantou apressado, agarrando sua lança. Era Dalinar Kholin, acompanhado por vários dos seus conselheiros olhos-claros, junto com Drehy e Skar da Ponte Quatro, os guardas do dia. Com Moash promovido e Kaladin... bem, ausente... Teft havia assumido o comando das ordens do dia. Ninguém mais queria o serviço, raios. Diziam que ele estava no comando agora. Idiotas.

— Luminobre — disse Teft, batendo a palma no peito para saudá-lo.

— Adolin me contou que seus homens estavam vindo aqui — disse o grão-príncipe. Ele olhou por um instante para o príncipe Renarin, que também se levantou e fez uma saudação, como se não fosse seu próprio pai. — Um rodízio, pelo que entendi?

— Sim, senhor — confirmou Teft, olhando para Sigzil. *Era* um rodízio. Teft só estava em quase todos os turnos.

— Você realmente acha que ele está vivo, soldado? — perguntou Dalinar.

— Ele está, senhor. Não é uma questão de acreditar.

— Ele caiu dezenas de metros — disse Dalinar.

Teft continuou em posição de sentido. O grão-príncipe não havia feito uma pergunta.

Precisou banir algumas imagens terríveis da mente. Kaladin batendo com a cabeça ao cair. Kaladin esmagado pela ponte que desabou. Kaladin no chão com uma perna quebrada, incapaz de encontrar esferas para se curar. O tolo pensava que era imortal, às vezes.

Por Kelek. Todos pensavam que ele era.

— Ele *vai* voltar, senhor — disse Sigzil para Dalinar. — Vai sair escalando daquele abismo bem ali. Será bom se estivermos aqui para recebê-lo. Uniformizados, com as lanças polidas.

— Esperamos aqui no nosso tempo livre, senhor — disse Teft. — Nenhum de nós três está designado a outra tarefa. — Ele enrubesceu assim que falou. E andara pensando sobre como *Moash* respondia aos seus superiores.

— Não vim ordenar que abandonem a ação que escolheram, soldado — disse Dalinar. — Vim me certificar de que estão se cuidando. Nenhum homem deve pular refeições para ficar aqui, e não quero que tenham ideias de aguardar durante uma grantormenta.

— Há, sim, senhor — disse Teft. Ela havia utilizado sua pausa da refeição matinal para passar tempo ali. Como Dalinar soubera?

— Boa sorte, soldado — despediu-se Dalinar.

Então continuou seu caminho, flanqueado pelos assistentes, aparentemente para inspecionar o batalhão mais próximo da fronteira oriental do acampamento. Os soldados por lá corriam feito crenguejos depois de uma tempestade, carregando bolsas de suprimentos e empilhando-as em suas casernas. A hora da expedição completa de Dalinar para as Planícies estava se aproximando rapidamente.

— Senhor — chamou Teft.

Dalinar voltou-se para ele, seus assistentes fazendo uma pausa no meio da frase.

— O senhor não acredita em nós. Que ele vai voltar, quero dizer.

— Ele está morto, soldado. Mas compreendo que vocês precisem ficar aqui de qualquer modo.

O grão-príncipe levou a mão ao ombro, uma saudação para os mortos, depois seguiu seu caminho. Ora, Teft não via problema na descrença de Dalinar. Ele só ficaria ainda mais surpreso quando Kaladin *de fato* retornasse.

Grantormenta esta noite, pensou Teft, se acomodando de volta na sua rocha. *Vamos lá, rapaz. O que está fazendo aí fora?*

K ALADIN SENTIA-SE COMO UM dos dez tolos.
Na verdade, sentia-se como todos os dez. Dez vezes um idiota. Porém, mais especificamente, Eshu, que falava sobre coisas que não compreendia na frente daqueles que entendiam.

Navegar por abismos tão fundos era difícil, mas ele geralmente conseguia ler direções pela maneira como os detritos estavam depositados. A água vinha do leste para o oeste, mas depois era drenada na outra direção — então rachaduras nas paredes, preenchidas pelo impacto de detritos, geralmente indicavam uma direção ocidental, mas lugares onde detritos haviam sido depositados de modo mais natural — à medida que a água era drenada — marcavam onde a água havia fluído para o leste.

Seus instintos lhe diziam para onde devia ir. Seus instintos haviam errado. Ele não deveria ter sido tão confiante. A tamanha distância dos acampamentos de guerra, os fluxos de água deviam ser diferentes.

Irritado consigo mesmo, ele deixou Shallan desenhando e se afastou um pouco.

— Syl? — chamou.

Nenhuma resposta.

— Sylphrena! — disse ele, mais alto.

Suspirou e caminhou de volta até Shallan, que estava ajoelhada no chão cheio de musgo — ela havia obviamente desistido de poupar o vestido, outrora tão fino, de manchas e rasgos — desenhando na sua prancheta. Ela era outro motivo por que ele se sentia tolo. Não devia deixar que ela o provocasse tanto. Conseguia conter as respostas contra outros olhos-claros muito mais irritantes. Por que perdia o controle quando conversava com ela?

Eu devia ter aprendido a lição, pensou enquanto ela desenhava, a expressão cada vez mais concentrada. *Ela venceu todas as discussões até agora, de longe.*

Encostou-se à parede do abismo, a lança apoiada na dobra do braço; as esferas bem amarradas na ponta da arma iluminavam aquele trecho.

Ele *havia* feito suposições inválidas sobre ela, como Shallan apontara tão abertamente. Repetidas vezes. Era como se parte dele *quisesse* desesperadamente detestá-la.

Se pudesse ao menos encontrar Syl. Tudo ficaria melhor se pudesse vê-la novamente, se pudesse saber que ela estava bem. Aquele grito...

Para se distrair, ele chegou mais perto de Shallan, depois se inclinou para ver o esboço. Seu mapa era mais um desenho, insolitamente similar à vista de Kaladin noites atrás, enquanto voava sobre as Planícies Quebradas.

— É necessário tudo isso? — indagou enquanto ela sombreava os lados de um platô.

— Sim.

— Mas...

— Sim.

Levou mais tempo do que ele desejaria. O sol passou sobre a fenda acima, desaparecendo do campo de visão. Já passava de meio-dia. Eles tinham sete horas até a grantormenta, partindo do princípio de que a previsão do tempo estava certa — até mesmo o melhor guarda-tempos errava de vez em quando.

Sete horas. A caminhada até lá levou mais ou menos esse tempo. Mas certamente eles haviam feito algum progresso na direção dos acampamentos de guerra. Tinham caminhado a manhã toda.

Bem, não adiantava apressar Shallan. Deixou-a desenhando, e caminhou de volta pelo abismo, olhando para a silhueta da fenda acima e comparando-a com o desenho. Pelo que ele podia ver, o mapa dela estava absolutamente correto. Ela estava desenhando, de memória, todo o caminho deles, como se estivesse sendo visto de cima — e o fazia perfeitamente, incluindo cada saliência e encosta.

— Pai das Tempestades — sussurrou ele, trotando de volta. Sabia que ela era hábil no desenho, mas aquilo era algo inteiramente diferente.

Quem era aquela mulher?

Ela ainda estava desenhando quando ele voltou.

— Seu desenho é incrivelmente preciso.

— Talvez eu tenha... sido modesta demais sobre minha habilidade, na noite passada — comentou Shallan. — Lembro-me muito bem das coisas, embora, para ser honesta, eu não tenha percebido o quanto nos desviamos do caminho até desenhá-lo. Muitas dessas formas de platô não me são familiares; podemos estar nas áreas que ainda não foram mapeadas.

Ele a encarou.

— Você se lembra de *todos* os platôs nos mapas?
— Hã... sim?
— Isso é incrível.

Ela voltou a se acomodar sobre os joelhos, segurando seu desenho, e afastou uma mexa rebelde de cabelos rubros.

— Talvez não. Há algo muito estranho aqui.
— O quê?
— Acho que meu desenho deve estar errado. — Ela se levantou, com ar perturbado. — Preciso de mais informações. Vou contornar um dos platôs daqui.
— Tudo bem...

Ela começou a caminhar, ainda concentrada no desenho, mal prestando atenção para onde estava indo enquanto tropeçava em rochas e gravetos. Ele a acompanhou com facilidade, mas não a incomodou enquanto Shallan voltava os olhos para a fenda acima. Ela os conduziu até dar toda a volta ao redor da base do platô à direita.

Levou um tempo dolorosamente longo, mesmo caminhando rápido. Eles estavam perdendo minutos. Shallan sabia onde estavam ou não?

— Agora, aquele platô... — disse ela, apontando para a parede seguinte, e começou a caminhar ao redor da base *daquele* platô.
— Shallan. Nós não temos...
— Isso é importante.
— Também é importante não sermos esmagados em uma grantormenta.
— Se não descobrirmos onde estamos, nunca escaparemos — replicou ela, entregando para ele a folha de papel. — Espere aqui. Volto logo. — Ela se afastou às pressas, a saia farfalhando.

Kaladin olhou para o papel, inspecionando o caminho que ela havia desenhado. Embora houvessem começado a manhã indo na direção certa, seus temores estavam corretos — Kaladin havia, em algum momento, feito com que dessem a volta até que rumassem diretamente para o sul outra vez. Ele até havia feito com que eles voltassem para o *leste* por algum tempo!

Isso os colocou ainda mais longe do acampamento de Dalinar do que estavam na noite anterior.

Por favor, que ela esteja errada, ele pensou, dando a volta ao redor do platô na outra direção para encontrá-la no meio do caminho.

Mas, se ela *estivesse* errada, eles não faziam ideia de onde estavam. Qual opção era pior?

Kaladin avançou uma curta distância abismo abaixo antes de congelar. As paredes ali haviam sido raspadas de tal modo que não havia musgo, os detritos no chão haviam sido remexidos e arranhados. Raios, aquilo era recente; pelo menos desde a última grantormenta. O demônio-do-abismo viera por esse caminho.

Talvez... talvez ele houvesse passado por ali enquanto se aprofundava ainda mais pelos abismos.

Shallan, distraída e murmurando consigo mesma, apareceu ao redor do outro lado do platô. Ela caminhava, ainda fitando o céu, murmurando consigo mesma.

— ... Eu sei que disse que vi esses padrões, mas essa é uma escala grandiosa demais para que eu a reconheça instintivamente. Você devia ter me alertado. Eu...

Ela parou de falar abruptamente, tendo um sobressalto ao ver Kaladin. Ele estreitou os olhos. Aquilo tinha soado como...

Não seja tolo. Ela não é uma guerreira. Os Cavaleiros Radiantes haviam sido soldados, certo? Kaladin realmente não sabia muito sobre eles.

Ainda assim, Syl *havia* visto vários esprenos estranhos por perto.

Shallan olhou para a parede do abismo e para os arranhões.

— Isso é o que estou pensando?

— É.

— Que ótimo. Aqui, dê-me o papel.

Kaladin o devolveu e Shallan tirou um lápis da manga. Ele entregou a ela a bolsa, que a mulher pousou no chão, usando o lado rígido como apoio para desenhar. Ela acrescentou os dois platôs mais próximos, aqueles que ela havia contornado para ter uma visão completa.

— Então, seu desenho está errado ou não? — quis saber Kaladin.

— Ele está correto — disse Shallan enquanto desenhava —, só é estranho. Pela minha memória dos mapas, esse conjunto de platôs ao nosso redor deveria estar mais ao norte. Tem outro agrupamento lá em cima com *exatamente* a mesma forma, só que espelhada.

— Você se lembra tão bem dos mapas?

— Lembro.

Ele não insistiu. Pelo que havia visto, talvez ela lembrasse mesmo. Shallan sacudiu a cabeça.

— Quais são as chances de um aglomerado de platôs assumir exatamente a mesma forma que outro aglomerado, em outra parte das Planícies? Não só um platô, mas uma sequência inteira...

— As Planícies são simétricas — disse Kaladin.

Ela parou subitamente.

— Como você sabe disso?

— Eu... foi um sonho. Eu vi os platôs ordenados em uma vasta formação simétrica.

Ela olhou de volta para o mapa, então arquejou e começou a fazer anotações na lateral.

— Cimática.

— O quê?

— Sei onde estão os parshendianos. — Ela arregalou os olhos. — E o Sacroportal. O centro das Planícies Quebradas. Posso ver tudo... posso mapear quase a coisa toda.

Ele estremeceu.

— Você... o quê?

Ela ergueu os olhos bruscamente, encontrando seu olhar.

— Precisamos voltar.

— Sim, eu sei. A grantormenta.

— Mais do que isso — disse ela, se levantando. — Eu sei coisas demais para morrer aqui. As Planícies Quebradas *são* um padrão. Essa não é uma formação rochosa natural. — Os olhos dela se arregalaram mais ainda. — No centro dessas Planícies havia uma cidade. Alguma coisa a despedaçou. Uma arma... Vibrações? Como areia sobre uma placa? Um terremoto capaz de quebrar rochas... Pedra tornou-se areia, e com o vento das grantormentas, as rachaduras cheias de areia foram esvaziadas.

O olhar dela parecia estranhamente distante, e Kaladin não compreendia metade do que Shallan dizia.

— Precisamos chegar ao centro — disse ela. — Posso encontrá-lo, no coração dessas Planícies, seguindo o padrão. E haverá... coisas lá...

— O segredo que você está procurando — disse Kaladin. O que ela havia mencionado antes? — Sacroportal?

Ela corou profundamente.

— Vamos continuar nos movendo. Você não mencionou quão pouco tempo temos? Honestamente, se *um* de nós não ficasse tagarelando o tempo todo e distraindo todo mundo, tenho quase certeza de que já teríamos voltado.

Ele levantou uma sobrancelha e ela sorriu, depois apontou a direção a seguir.

— Aliás, agora sou eu que vou liderar.

— Provavelmente é o melhor.

— Muito embora, pensando bem, talvez fosse melhor deixar você nos conduzir. Poderíamos chegar ao centro por acidente. Contanto que não acabemos em Azir.

Ele deu uma risadinha, porque parecia a coisa certa a fazer. Contudo, por dentro estava arrasado. Havia falhado.

As horas seguintes foram excruciantes. Depois de caminhar ao longo de dois platôs, Shallan teve que parar e atualizar o mapa. Era a coisa certa a fazer — eles *não podiam* se arriscar a perder o caminho de novo.

Só que levava tanto tempo. Mesmo se movendo o mais rápido possível entre sessões de desenho, praticamente correndo, seu progresso era lento demais.

Kaladin não parava de se remexer, vigiando o céu enquanto Shallan detalhava ainda mais seu mapa. Ela praguejava e resmungava, e ele reparou enquanto ela limpava uma gota de suor que havia caído da sua testa no papel cada vez mais amassado.

Temos talvez quatro horas até a tempestade, pensou Kaladin. *Nós não vamos conseguir.*

— Vou tentar achar batedores outra vez — disse ele.

Shallan assentiu. Haviam adentrado o território onde os batedores de Dalinar (os saltadores com suas varas) vigiavam novas crisálidas. Gritar para eles era uma frágil esperança — mesmo que tivessem sorte o suficiente para encontrar um dos grupos, Kaladin duvidava que teriam corda o suficiente à mão para alcançar o fundo do abismo.

Mas era uma chance. Então ele se afastou — para não a perturbar enquanto desenhava —, levou as mãos em concha junto à boca e começou a gritar.

— Olá! Por favor, respondam! Estamos presos nos abismos! Por favor, respondam!

Ele caminhou durante um tempo, gritando, depois parou para escutar. Nenhuma resposta; nenhum grito chamando de cima, nenhum sinal de vida.

Eles provavelmente já estão recolhidos em seus esconderijos, pensou Kaladin. *Desmontaram seus postos de vigia e estão esperando a grantormenta.*

Ele fitou, frustrado, aquele pequeno pedaço de céu. Tão distante. Ele se lembrava da sensação de estar ali embaixo com Teft e os outros, esperando para subir e escapar da vida horrível de um carregador de pontes.

Pela centésima vez, tentou sorver a Luz das Tempestades das esferas. Ele agarrou a esfera até que sua mão e o vidro estivessem cobertos de suor, mas a Luz das Tempestades — o poder interior — não fluiu para ele. Não conseguia sentir mais a Luz.

— Syl! — gritou e guardou a esfera, juntando as mãos ao redor da boca. — Syl! Por favor! Você está aí em algum lugar...? — Kaladin deixou a voz morrer. — Eu ainda não sei — disse mais baixo. — Isso é uma punição? Ou algo mais? Qual é o problema?

Não houve resposta. Certamente, se ela o estivesse vendo, não o deixaria morrer ali. Isso se pudesse pensar e notar. Uma imagem horrível se formou na mente dele: ela cavalgando os ventos, se misturando aos esprenos de vento, tendo esquecido a si mesma e a ele — tornando-se terrivelmente, alegremente ignorante do que na verdade era.

Era o temor dela; era algo que a deixava apavorada.

As botas de Shallan ecoaram no chão enquanto ela se aproximava.

— Não teve sorte?

Ele balançou a cabeça.

— Bem, avante, então. — Ela respirou fundo. — Através da dor e da exaustão seguiremos. Você não estaria disposto a me carregar um pouquinho...

Kaladin lançou a ela um olhar duro e Shallan deu de ombros, sorrindo.

— Pense como seria ótimo! Eu poderia até arrumar um junco para chicoteá-lo. Você poderia voltar e dizer a todos os outros guardas que pessoa horrível eu sou. Seria uma oportunidade maravilhosa para resmungar. Não? Tudo bem, então. Vamos embora.

— Você é uma mulher estranha.

— Obrigada.

Ele acertou o passo ao dela.

— Nossa, você formou a própria nuvem de tempestade acima da cabeça, pelo visto.

— Eu matei nós dois — sussurrou ele. — Assumi a liderança e fiz com que nos perdêssemos.

— Bem, eu também não notei que estávamos indo para o lado errado. Não teria feito melhor.

— Eu deveria ter pensado em pedir que você mapeasse nosso progresso desde o início. Fui confiante demais.

— Está feito — disse ela. — Se eu tivesse sido mais clara sobre a minha capacidade de desenhar esses platôs, então você provavelmente teria feito melhor uso dos meus mapas. Eu não fui, e você não sabia, então aqui estamos. Você não pode se culpar por tudo, certo?

Ele caminhou em silêncio.

— Hã, certo?
— É minha culpa.
Ela revirou os olhos exageradamente.
— Você realmente está disposto a se castigar, não está?
O pai dele sempre dizia a mesma coisa. Era o jeito de Kaladin. Esperavam que ele mudasse?
— Vai dar tudo certo — disse Shallan. — Você vai ver.
Isso deixou seu humor ainda mais sombrio.
— Você ainda acha que sou otimista demais, não é? — perguntou Shallan.
— Não é sua culpa. Eu gostaria de ser como você. Gostaria de não ter tido a vida que tive. Preferia que o mundo só fosse cheio de pessoas como você, Shallan Davar.
— Pessoas que não conhecem a dor.
— Ah, todo mundo conhece a dor — replicou Kaladin. — Não é disso que estou falando. É...
— O sofrimento — disse Shallan em voz baixa — de ver uma vida desmoronar? De lutar para se agarrar a ela, segurar firme, mas sentindo a esperança se transformando em tendões rígidos e em sangue debaixo dos seus dedos enquanto tudo desaba?
— Sim.
— A sensação... não é sofrimento, mas algo mais profundo... de estar arrasado. De ter sido esmagado tantas vezes, e de modo tão odioso, que sentimentos se tornam algo que você só pode *desejar*. Se ao menos conseguisse chorar... porque então sentiria *alguma coisa*. Em vez disso, você não sente nada. Só tem... névoa e fumaça por dentro. Como se já estivesse morto.
Ele parou no meio do abismo. Shallan se virou e olhou para ele.
— A culpa esmagadora de ser impotente — disse ela. — De desejar que machucassem *você* em vez de aqueles à sua volta. De gritar e se debater, e odiar enquanto aqueles que você ama são arruinados, espremidos como um furúnculo. E você tem que assistir a alegria se esvaindo deles até sumir enquanto *não pode fazer nada*. Eles destroem todos que você ama, e não você. E você implora. Será que não pode bater em mim em vez de bater neles?
— Sim — sussurrou ele.
Shallan assentiu, sustentando seu olhar.
— Sim. Seria ótimo se ninguém no mundo passasse por isso, Kaladin Filho da Tempestade. Eu concordo. Concordo do fundo da minha alma.

PALAVRAS DE RADIÂNCIA

Ele viu nos olhos dela. A angústia, a frustração. O terrível nada que a dilacerava por dentro e tentava sufocá-la. Ela sabia. Estava ali, dentro dela. Já tinha sido arrasada.

Então ela sorriu. Ah, raios. Ela sorriu *mesmo assim*.

Foi a coisa mais bela que ele já vira em toda a sua vida.

— Como? — perguntou ele.

Shallan deu de ombros.

— Ajuda se você for maluca. Vamos. Acredito que temos uma ligeira limitação de tempo...

Ela seguiu pelo abismo. Ele ficou para trás, sentindo-se esgotado. E estranhamente revigorado.

Devia estar se sentindo um tolo. Repetira o erro — dissera como a vida dela era fácil, enquanto Shallan estava escondendo *aquilo* dentro de si o tempo todo. Daquela vez, contudo, ele não se sentia um idiota; sentia que havia compreendido. Alguma coisa. Não sabia ao certo o quê. O abismo parecia um pouco mais iluminado.

Tien sempre fazia isso por mim..., pensou. *Mesmo no dia mais sombrio.*

Ficou parado tempo o bastante para que floragolas se abrissem ao redor dele, suas amplas frondes feito leques exibindo padrões raiados de laranja, vermelho e roxo. Por fim, correu para alcançar Shallan, assustando as plantas, que se fecharam.

— Eu acho que precisamos nos concentrar no lado *positivo* de estarmos aqui embaixo nesse abismo horrível — disse ela.

Shallan o olhou de soslaio, mas ele nada disse.

— Vamos lá — pediu ela.

— Eu... acho que seria melhor não lhe dar corda.

— Mas assim não tem graça.

— Bem, nós *estamos* prestes a ser atingidos pela enchente de uma grantormenta.

— Então nossa roupa será lavada — disse ela com um sorriso. — Viu só? Positivo.

Ele bufou.

— Ah, voltou com o dialeto de grunhidos dos carregadores.

— Aquele grunhido significou que, pelo menos, quando as águas chegarem, vão lavar um pouco esse seu fedor.

— Ha! Moderadamente engraçado, mas sem pontos para você. Eu já havia estabelecido que você é o malcheiroso. Reciclar piadas é estritamente proibido, e a pena é ser jogado em uma grantormenta.

— Tudo bem, então. É bom estarmos aqui embaixo porque eu tinha plantão de guarda esta noite. Agora vou faltar. É praticamente um dia de folga.

— Para ir nadar, veja só!

Ele sorriu.

— Eu estou feliz por estarmos aqui porque o sol lá em cima é forte demais, e tende a me causar queimaduras, a menos que eu use um chapéu — disse ela. — É muito melhor aqui embaixo, nas profundezas úmidas, tenebrosas, fedorentas, mofadas e potencialmente mortais. Nada de queimaduras; só monstros.

— Estou feliz por estar aqui embaixo — continuou ele — porque pelo menos fui eu, e não um dos meus homens, que caiu.

Ela pulou uma poça, então olhou-o de lado.

— Você não é muito bom nisso.

— Sinto muito. Quis dizer que estou feliz por estar aqui embaixo porque, quando sairmos, todos vão me aplaudir como um herói por tê-la resgatado.

— Bem melhor — disse Shallan. — A não ser pelo fato de que *acho* que sou eu quem está resgatando *você*.

Ele olhou para o mapa dela.

— Tem razão.

— Eu estou feliz por estar aqui porque sempre me perguntei como seria ser um pedaço de carne viajando por um sistema digestivo, e esses abismos me lembram intestinos.

— Espero que não esteja falando sério.

— O quê? — Ela pareceu chocada. — É *claro* que não. Eca.

— Você *realmente* se esforça demais.

— Me ajuda a ficar louca.

Ele escalou uma grande pilha de detritos, então ofereceu a mão para ajudá-la.

— Eu estou feliz por estar aqui porque me lembra de como tive sorte de me libertar do exército de Sadeas.

— Ah — disse ela, juntando-se a ele no topo.

— Os olhos-claros dele nos mandavam para os abismos para coletar — continuou Kaladin, deslizando para descer pelo outro lado. — E nos pagavam bem pouco pelo trabalho.

— Trágico.

— Poderia se dizer que ficávamos abismados — disse ele enquanto ela descia da pilha.

Kaladin sorriu. Ela inclinou a cabeça.

— Abism...ados — disse ele, gesticulando para as profundezas do buraco onde estavam. — Sabe. Estamos em um abismo...

— Ah, *raios*. Você não espera que isso conte. Foi horrível!

— Eu sei. Sinto muito. Minha mãe teria ficado desapontada.

— Ela não gostava de trocadilhos?

— Não, ela adorava. Só ficaria chateada por eu ter tentado inventar um sem ela por perto para rir de mim.

Shallan sorriu, e eles continuaram, mantendo um ritmo rápido.

— Estou feliz por estarmos aqui embaixo porque, a essa altura, Adolin deve estar morrendo de preocupação comigo... então, quando voltarmos, ele vai *ficar em êxtase*. Pode até me deixar beijá-lo em público.

Adolin. Certo. Aquilo abafou seu bom humor.

— Acho que precisamos parar para que eu possa desenhar nosso mapa — disse Shallan, franzindo a testa para o céu. — E para que você possa gritar mais um pouco por uma chance de salvação.

— Acho que sim — disse ele, enquanto ela se acomodava para pegar seu mapa. Ele juntou as mãos. — Ei, aí em cima? Tem alguém? Estamos aqui embaixo, e estamos fazendo péssimos trocadilhos. Por favor, nos salvem de nós mesmos!

Shallan deu uma risadinha.

Kaladin sorriu, então se espantou quando efetivamente ouviu algo ecoando de volta. Aquilo era uma voz? Ou... Espere...

Um som tonitruante — como o toque de uma corneta, mas múltiplo. Foi ficando mais alto, cobrindo-os como uma onda.

Então um enorme amontoado de carapaça e garras surgiu por uma curva com um estrondo.

Demônio-do-abismo.

A mente de Kaladin entrou em pânico, mas seu corpo simplesmente *se moveu*. Ele agarrou Shallan pelo braço, colocando-a de pé e a puxando para que corresse. Ela gritou, deixando cair a bolsa.

Kaladin arrastou-a atrás de si e não olhou para trás. Podia *sentir* a coisa, perto demais, as paredes do abismo tremendo com a perseguição. Ossos, gravetos, conchas e plantas rachavam e quebravam.

O monstro trombeteou novamente, um som ensurdecedor.

Estava quase em cima deles. Raios, o bicho era rápido. Nunca teria imaginado que algo tão grande podia ser tão rápido. Não havia como distraí-lo dessa vez. Estava quase os alcançando; Kaladin podia *senti-lo* logo atrás...

Ali.

Kaladin jogou Shallan para a frente dele e a empurrou para dentro de uma fissura na parede. Enquanto a sombra assomava atrás dele, jogou-se na fenda, empurrando Shallan para trás. Ela grunhiu ao ser pressionada contra os detritos de gravetos e folhas que haviam sido compactados ali pelas águas das enchentes.

O abismo ficou em silêncio. Kaladin só podia ouvir Shallan ofegando e seu próprio batimento cardíaco. Haviam deixado a maior parte das suas esferas no chão, onde Shallan estava se preparando para desenhar. Ele ainda tinha sua lança, sua lanterna improvisada.

Lentamente, Kaladin se contorceu, dando as costas para Shallan. Ela o segurou por trás, e ele a sentiu tremer. Pai das Tempestades. Ele mesmo estava tremendo. Virou sua lanterna para fornecer luz, espiando o abismo. Aquela fissura era estreita, e havia pouco mais de um metro entre ele e a abertura.

A luz frágil e desbotada das esferas de diamante reluziu no chão molhado, iluminou floragolas rasgadas na parede e várias vinhas se contorcendo no chão, separadas das suas plantas. Elas se retorciam e se debatiam, como homens arqueando as costas. O demônio-do-abismo... Onde estava?

Shallan arquejou, os braços se estreitando ao redor da cintura dele. Kaladin olhou para cima. Ali, mais acima na rachadura, um olho enorme e inumano os vigiava. Não podia ver muito da cabeça do demônio-do-abismo; só parte do rosto e da mandíbula, com aquele terrível olho verde-vítreo. Uma garra gigantesca bateu contra a lateral do buraco, tentando entrar à força, mas a rachadura era pequena demais.

A garra escavou o buraco, e então a cabeça recuou. O som de rocha e quitina se raspando ressoou pelo abismo, mas a coisa não foi muito longe antes de parar.

Silêncio. Uma goteira constante caía em uma poça em algum lugar. Mas, a não ser por isso, silêncio.

— Ele está *esperando* — sussurrou Shallan, a cabeça junto do ombro dele.

— Você parece orgulhosa dele! — ladrou Kaladin.

— Um pouco. — Ela fez uma pausa. — Quanto tempo, você acha, até que...

Ele olhou para cima, mas não conseguiu ver o céu. A rachadura não ia até o topo da parede do abismo, e só tinha uns três ou quatro metros de altura. Ele se inclinou para a frente a fim de olhar para a fenda lá no alto, sem se esticar totalmente para fora da rachadura, só se aproximando um pouco mais da borda para que pudesse ver o céu. Estava escurecendo. Não era ainda o crepúsculo, mas estava se aproximando.

— Duas horas, talvez — disse ele. — Eu...

Uma estrondosa tempestade de carapaças avançou pelo abismo. Kaladin saltou para trás, pressionando Shallan contra os detritos enquanto o demônio-do-abismo tentava — sem sucesso — enfiar uma das patas na fissura. A perna ainda era grande demais, e muito embora o demônio-do--abismo conseguisse enfiar a ponta na direção deles — se aproximando o bastante para tocar Kaladin de relance —, não era o suficiente para feri-los.

Aquele olho voltou, refletindo a imagem de Kaladin e Shallan — esfarrapados e sujos devido ao tempo no abismo. Kaladin parecia menos assustado do que se sentia, fitando aquela coisa no olho, lança em posição de guarda. Shallan, em vez de apavorada, parecia fascinada.

Mulher maluca.

O demônio-do-abismo recuou novamente e parou um pouco mais abaixo no abismo. Conseguiu ouvi-lo se acomodando para vigiar.

— Então... — disse Shallan — nós esperamos?

Suor escorria pelo rosto de Kaladin. Esperar. Quanto tempo? Podia imaginar ficar ali, como um petrobulbo assustado preso na sua concha, até que o estrondo das águas começasse a soar pelos abismos.

Já havia sobrevivido a uma tempestade antes. Por muito pouco, e apenas devido ao auxílio da Luz das Tempestades. Ali, seria muito diferente. As águas os sacudiriam em um fluxo pelos abismos, esmagando-os contra as paredes e rochedos, misturando-os com os mortos até que se afogassem ou fossem despedaçados...

Seria uma maneira muito, muito ruim de morrer.

Ele estreitou a pegada na lança. Esperou, suando, nervoso. O demônio-do-abismo não partiu. Minutos se passaram.

Finalmente, Kaladin tomou sua decisão. Ele deu um passo à frente.

— O que você está fazendo?! — sibilou Shallan, soando apavorada. Ela tentou agarrá-lo.

— Quando eu sair, corra para o outro lado.

— Não seja estúpido!

— Vou distraí-lo. Quando você estiver livre, vou conduzi-lo para longe de você, então vou escapar. Podemos nos encontrar depois.

— Mentiroso — sussurrou ela.

Ele se contorceu, encontrando o olhar dela.

— Você consegue voltar para os acampamentos de guerra por conta própria. Eu não consigo. Você tem informações que precisam chegar a Dalinar. Eu não tenho. Eu tenho treinamento de combate. Talvez consiga escapar da criatura depois de distraí-la. Você não conseguiria. Se esperarmos aqui, nós dois morreremos. Precisa de mais lógica do que isso?

— Detesto lógica. Sempre detestei.

— Não temos tempo de falar sobre isso — disse Kaladin, virando-se e voltando as costas para ela.

— Você não pode fazer isso.

— Posso. — Ele respirou fundo. — Quem sabe? — disse ele de modo mais suave. — Talvez eu tenha um golpe de sorte. — Ele estendeu a mão e arrancou as esferas da ponta da sua lança, então jogou-as no chão do abismo. Precisaria de uma luz mais estável. — Se prepare.

— Por favor — sussurrou ela, soando mais desesperada. — Não me deixe sozinha aqui nesses abismos.

Ele sorriu ironicamente.

— É realmente tão difícil para você deixar que eu vença qualquer discussão?

— Sim! Não, quero dizer... Raios! Kaladin, ele *vai* matar você.

Ele agarrou a lança. Pelo modo como as coisas vinham sendo ultimamente, talvez fosse isso que ele merecia.

— Peça desculpas a Adolin por mim. Na verdade, eu meio que gosto dele. Ele é um bom homem. Não só para um olhos-claros. Só... uma boa pessoa. Nunca dei a ele o crédito que merece.

— Kaladin...

— Tem que ser feito, Shallan.

— Pelo menos leve isso — disse ela, estendendo a mão por cima do ombro dele, além da cabeça.

— Levar o quê?

— *Isso* — disse Shallan.

Então ela invocou uma Espada Fractal.

72
MOTIVOS EGOÍSTAS

Suspeito que ele agora seja mais uma força do que um indivíduo, apesar da sua insistência em contrário. Aquela força está contida, e um equilíbrio foi alcançado.

K ALADIN FITOU A LÂMINA de metal reluzente que pingava a condensação da invocação. Várias linhas tênues ao longo da lâmina emanavam um suave brilho vermelho-escuro.

Shallan possuía uma Espada Fractal.

Ele virou a cabeça na direção dela e, ao fazê-lo, sua face tocou a parte chata da lâmina. Sem gritos. Ele se deteve, então cautelosamente levantou um dedo e tocou o metal frio.

Nada aconteceu. O guincho que ouvira em sua mente ao lutar com Adolin não voltou. Aquilo lhe parecia um péssimo sinal. Muito embora ele não soubesse o significado daquele som terrível, *estava* relacionado ao seu laço com Syl.

— Como? — perguntou ele.

— Não é importante.

— Acho que é, *sim*.

— Não no momento! Olhe, você vai pegar essa coisa? Segurá-la desse jeito é complicado. Se eu deixá-la cair por acidente e cortar seu pé, será culpa sua.

Ele hesitou, estudando seu rosto refletido no metal da lâmina. Viu cadáveres, amigos com olhos queimando. Recusara aquelas armas todas as vezes que uma lhe fora oferecida.

Mas toda vez antes, fora depois do combate, ou pelo menos na área de treinamento. Ali era diferente. Além disso, não estava escolhendo se tornar um Fractário; só usaria a arma para proteger a vida de alguém.

Tomando uma decisão, ele estendeu a mão e pegou a Espada Fractal pelo cabo. Pelo menos isso lhe dizia alguma coisa. Shallan provavelmente não era uma Manipuladora de Fluxos. Se não, ele suspeitava que ela detestaria aquela Espada tanto quanto ele.

— Normalmente não se deixa que outras pessoas usem sua Espada — disse Kaladin. — Segundo a tradição, só o rei e os grão-príncipes fazem isso.

— Que ótimo. Pode me denunciar à Luminosa Navani por ser descaradamente indecorosa e ignorante do protocolo. Mas agora, podemos só sobreviver, por favor?

— Certo — disse ele, erguendo a Espada. — Parece uma ótima ideia.

Ele mal sabia como usar aquela coisa. Praticar com uma espada de treinamento não fazia dele um especialista com a arma de verdade. Infelizmente, uma lança seria de pouco uso contra uma criatura tão grande e tão bem protegida.

— Além disso... — disse Shallan. — Você pode não fazer essa coisa de "me denunciar" que mencionei? Foi uma piada. Acho que eu não deveria ter essa Espada.

— Ninguém acreditaria em mim, de qualquer maneira — disse Kaladin. — Você *vai* correr, certo? Como eu instruí?

— Vou. Mas se puder, por favor, conduza o monstro para a esquerda.

— Essa é a direção dos acampamentos de guerra. — Kaladin franziu o cenho. — Estava planejando conduzi-lo mais para o fundo dos abismos, de modo que você...

— Preciso pegar minha bolsa de volta — disse Shallan.

Mulher maluca.

— Estamos lutando pelas nossas *vidas*, Shallan. A bolsa não é importante.

— Não, é *muito* importante — disse ela. — Eu preciso dela para... Bem, os desenhos ali mostram o padrão das Planícies Quebradas. Vou precisar disso para ajudar Dalinar. Por favor, apenas faça.

— Tudo bem. Se eu conseguir.

— Ótimo. E, hum, por favor não morra, está bem?

Ele subitamente notou como ela estava pressionada às suas costas. Segurando-o, o hálito quente em sua nuca. Shallan tremeu, e ele pensou ouvir na sua voz tanto terror quanto fascínio diante da situação.

— Farei o que puder. Prepare-se.
Ela assentiu, soltando-o.
Um.
Dois.
Três.

Ele saltou para o abismo, então se virou e disparou para a esquerda, *rumo* ao demônio-do-abismo. Mulher tormentosa. A fera espreitava nas sombras naquela direção. Não, ela *era* uma sombra; uma sombra gigantesca e ameaçadora, longa e sinuosa, pairando sobre o chão com as patas agarradas às paredes do abismo.

Ela trombeteou e avançou, a carapaça raspando na rocha. Segurando firmemente a Espada Fractal, Kaladin jogou-se no chão e passou por baixo do monstro. O solo *pulou* quando a fera golpeou as garras na sua direção, mas Kaladin saiu incólume. Ele brandiu erraticamente a Espada Fractal, entalhando uma linha na parede de rocha ao lado, mas sem acertar o demônio-do-abismo.

A criatura se encolheu, retorcendo-se, então se virou. A manobra foi muito mais harmoniosa do que Kaladin esperaria do monstro.

Como posso matar algo assim?, perguntou-se, recuando enquanto o demônio-do-abismo se assentava no chão para inspecioná-lo. Golpear aquele corpo enorme provavelmente não o mataria rápido o bastante. Ele tinha um coração? Não a gema-coração, mas um coração de verdade? Teria que passar outra vez por baixo dele.

Kaladin continuou a recuar pelo abismo, tentando afastar a criatura de Shallan. Ela se movia de modo mais cuidadoso do que Kaladin teria esperado. Ficou aliviado ao ver Shallan saindo da rachadura e descendo apressada pela passagem.

— Vamos lá — disse Kaladin, acenando a Espada Fractal para o demônio-do-abismo.

A criatura se empinou, mas não o atacou. Ela o fitava, os olhos ocultos na sua face obscurecida. A única luz vinha da fenda distante acima e das esferas que Kaladin havia jogado no chão, que agora estavam atrás do monstro.

A espada de Shallan também tinha uma luz fraca que emanava de um estranho padrão ao longo da lâmina. Kaladin nunca vira uma Espada fazer isso, mas também nunca vira uma Espada Fractal no escuro antes.

Olhando para a silhueta alienígena empinada diante dele — com patas demais, a cabeça torcida, a carapaça segmentada —, Kaladin pensou que essa devia ser a aparência de um Esvaziador. Certamente nada mais terrível poderia existir.

Recuando, ele tropeçou em uma saliência de casca-pétrea no chão.

O demônio-do-abismo atacou.

Kaladin recuperou o equilíbrio facilmente, mas teve que se jogar e rolar — o que exigiu que soltasse a Espada Fractal, para não se cortar. Garras sombrias golpeavam ao redor dele quando terminou de rolar e disparou para um lado, depois para outro. Acabou pressionado contra o lado lodoso do abismo, bem diante do monstro, ofegando. Estava perto demais para que as garras o alcançassem, talvez, e...

A cabeça desceu subitamente, as mandíbulas abertas. Kaladin xingou, jogando-se novamente para o lado. Ele grunhiu, rolando até ficar de pé e agarrando a Espada Fractal descartada. Ela não havia desaparecido — sabia o bastante sobre as armas para compreender que uma vez que Shallan a instruíra a permanecer, ela permaneceria até que a dona a invocasse de volta.

Kaladin se virou e uma garra golpeou bem onde ele havia estado. Conseguiu golpeá-la, cortando a ponta da garra enquanto ela se chocava com a pedra.

Seu corte não pareceu causar muito dano. A Espada arranhou a carapaça e matou a carne no seu interior — levando a um urro de raiva —, mas a garra era enorme. Ele havia feito o equivalente a cortar a ponta do dedão do pé de um solado inimigo. Raios. Não estava combatendo a besta; só a estava irritando.

Ela avançou de modo mais agressivo, brandindo uma garra para ele. Felizmente, o abismo estreito dificultava os golpes da criatura; as patas roçavam nas paredes, e ela não podia recuar para usar toda sua força. Era provavelmente por isso que Kaladin ainda estava vivo. Ele saiu do caminho do golpe, por pouco, mas tropeçou novamente na escuridão. Mal podia enxergar.

Enquanto outra garra vinha na sua direção, Kaladin se pôs de pé e disparou para longe — correndo passagem adentro, se afastando da luz e passando por plantas e detritos. O demônio-do-abismo trombeteou e o seguiu, com estalidos e arranhões.

Kaladin sentia-se tão *lento* sem a Luz das Tempestades. Tão desajeitado e inábil.

O demônio-do-abismo estava perto. Kaladin julgou seu próximo movimento por instinto. *Agora!* Parou subitamente, então correu de volta rumo à criatura, que desacelerou com grande dificuldade, a carapaça raspando nas paredes, então Kaladin se abaixou e correu por baixo dela. Ele golpeou para cima com a Espada Fractal, afundando-a no ventre da fera.

O bicho trombeteou mais freneticamente; parecia ter sido ferido de verdade, pois se levantou de imediato para afastar o corpo da espada. Então deu uma cambalhota em um piscar de olhos, e Kaladin viu aquelas mandíbulas pavorosas avançando na sua direção. Ele se jogou para a frente, mas as mandíbulas pegaram sua perna.

Uma dor ofuscante correu pelo membro, e ele golpeou com a Espada enquanto a fera o sacudia. Pensou ter atingido o rosto dela, embora não pudesse ter certeza.

O mundo girou.

Ele atingiu o chão e rolou.

Não havia tempo para ficar tonto. Com tudo ainda girando, Kaladin grunhiu e virou o corpo. Havia perdido a Espada Fractal — não sabia onde ela estava. Sua perna. Não conseguia senti-la.

Ele olhou para baixo, esperando não ver nada além de um toco rasgado. Não estava tão mal assim. Coberta de sangue, a calça rasgada, mas ele não via osso. O entorpecimento era devido ao choque.

Sua mente tornara-se analítica e concentrada nas feridas. Isso não era bom. Ele precisava do soldado naquele momento, não do cirurgião. O demônio-do-abismo estava se endireitando, e um pedaço da sua carapaça facial estava faltando.

Escapar.

Kaladin rolou e se apoiou nas mãos e nos joelhos, então ficou de pé. A perna estava funcionando, mais ou menos. Sua bota esguichou ao pisar com ela.

Onde estava a Espada Fractal? Ali, à frente. Havia voado longe, cravando-se no chão junto das esferas que ele havia espalhado. Kaladin mancou na direção dela, mas tinha dificuldade em andar, quanto mais correr. Estava no meio do caminho quando sua perna cedeu. Ele caiu com força, arranhando o braço em casca-pétrea.

O demônio-do-abismo urrou e...

— Ei! Ei!

Kaladin se virou. Shallan? O que aquela tola estava fazendo parada ali, acenando as mãos feito uma maluca? Como ela havia passado por ele?

Ela gritou novamente, chamando a atenção do demônio-do-abismo. Sua voz ecoava de modo estranho.

O demônio-do-abismo virou-se de Kaladin para Shallan, então começou a golpear na direção dela.

— Não! — gritou Kaladin.

Mas de que adiantava gritar? Ele precisava da sua arma. Rangendo os dentes, ele se virou e correu — o melhor que pôde — até a Espada Fractal. Raios. Shallan...

Arrancou a espada da pedra, mas então caiu novamente. A perna simplesmente não podia sustentá-lo. Virou-se outra vez, Espada na mão, sondando o abismo. O monstro continuava a golpear a torto e a direito, trombeteando, o som terrível ecoando e reverberando pelo abismo estreito. Kaladin não via um cadáver. Teria Shallan escapado?

Apunhalar a maldita criatura no peito parecia apenas tê-la deixado mais zangada. A cabeça. Sua única chance era a cabeça.

Kaladin esforçou-se para se levantar. O monstro parou de socar o chão e, com um som estridente, disparou contra ele. Kaladin agarrou a espada com as duas mãos, então hesitou. Sua perna cedeu. Tentou se apoiar sobre um joelho, mas a perna fraquejou completamente e ele caiu de lado, mal escapando de se cortar com a Espada.

Ele caiu em uma poça d'água. Diante dele, uma das esferas que havia jogado brilhava com uma intensa luz branca.

Kaladin estendeu a mão para a água e pegou a esfera, apertando o vidro gelado. Precisava daquela Luz. Raios, sua vida dependia disso.

Por favor.

O demônio-do-abismo assomou sobre ele.

Kaladin inspirou fundo, se esforçando, como um homem em busca de ar. Ele ouviu... como se fosse de muito longe...

Choro.

Nenhum poder o adentrou.

O demônio-do-abismo golpeou e Kaladin girou, então estranhamente deu de cara *consigo mesmo*. A outra versão dele pairava acima de Kaladin, a espada levantada, enorme; era umas duas cabeças mais alto que ele.

Pelos olhos do Todo-Poderoso, o que é...?, pensou Kaladin, perplexo, enquanto o demônio-do-abismo esmagava a figura ao lado de Kaladin com uma pata. Aquele não ele se despedaçou em uma nuvem de Luz das Tempestades.

O que ele havia feito? Como havia feito?

Não importava. Estava vivo. Com um grito de desespero, Kaladin se levantou com um salto e avançou na direção do demônio-do-abismo. Precisava se aproximar, como havia feito antes, o bastante para que as garras não conseguissem alcançá-lo, naquele espaço estreito.

O bastante para que...

O demônio-do-abismo se empinou, então avançou para uma mordida, as mandíbulas se abrindo, olhos terríveis voltados para baixo.

Kaladin golpeou para cima.

O demônio-do-abismo desabou, quitina se quebrando, as patas se movendo em espasmos. Shallan gritou de seu esconderijo atrás de um pedregulho, levando a mão livre à boca, sua pele e roupas transformados em um negro profundo.

O demônio-do-abismo havia caído em cima de Kaladin.

Shallan deixou cair o papel, que mostrava um desenho dela e outro de Kaladin, e correu pelo chão rochoso, dispensando a escuridão ao redor de si. Precisara estar perto da luta para que as ilusões funcionassem. Teria sido melhor se houvesse sido capaz de enviá-las com Padrão, mas isso era problemático porque...

Parou diante da fera que ainda espasmava, um monte de carne e carapaça semelhante a uma avalanche de pedras. Shallan se remexeu, sem saber o que fazer.

— Kaladin? — chamou. Sua voz soou frágil na escuridão.

Pare com isso, ordenou a si mesma. Sem timidez. Você passou dessa fase. Respirando fundo, ela avançou e abriu caminho sobre as gigantescas patas recobertas de cartilagem. Tentou empurrar uma garra para o lado, mas era pesada demais, então a escalou e deslizou para o outro lado.

Ela gelou quando ouviu algo. A cabeça do demônio-do-abismo estava ali perto, os olhos enormes enevoados. Esprenos começaram a se elevar dela, como rastros de fumaça. Os mesmos de antes, só que... partindo? Ela aproximou sua luz.

A parte inferior do corpo de Kaladin despontava da boca do demônio-do-abismo. Todo-Poderoso nos céus! Shallan arquejou, então avançou desajeitadamente. Ela tentou, com dificuldade, puxar Kaladin da bocarra fechada antes de invocar sua Espada Fractal e remover várias mandíbulas.

— Kaladin? — chamou, espiando nervosamente dentro da boca da criatura pela lateral, onde havia removido uma mandíbula.

— Ai — respondeu uma voz fraca.

Vivo!

— Aguente firme! — disse ela, golpeando a cabeça do monstro, com cuidado para não cortar perto demais de Kaladin. Icor roxo esguichou, cobrindo os braços dela, com cheiro de mofo úmido.

— Isso é meio desconfortável... — disse Kaladin.

— Você está vivo — replicou Shallan. — Pare de reclamar.

Ele estava vivo. Ah, Pai das Tempestades. Vivo. Ela teria que queimar uma *pilha* inteira de orações quando voltassem

— O cheiro aqui é horrível — disse Kaladin com a voz fraca. — Fede quase tanto quanto você.

— Fique feliz — respondeu Shallan enquanto trabalhava. — Tenho um espécime razoavelmente perfeito de demônio-do-abismo aqui... sofrendo apenas de um leve caso de morte... e o estou fatiando por você, em vez de estudá-lo.

— Sou eternamente grato.

— Como você acabou na boca dele, afinal de contas? — perguntou Shallan, soltando um pedaço de carapaça com um som nojento. Ela o jogou para o lado.

— Eu o esfaqueei pelo céu da sua boca até o cérebro — explicou Kaladin. — Foi a única maneira que encontrei de matar essa coisa tormentosa.

Ela se inclinou, estendendo a mão através do grande buraco que abrira. Com algum esforço — e com alguns cortes nas mandíbulas da frente —, conseguiu ajudar Kaladin a se arrastar para fora da boca pela lateral. Coberto em icor e sangue, o rosto pálido por conta de uma aparente hemorragia, ele estava a cara da morte.

— Raios — sussurrou Shallan enquanto ele se deitava de costas no chão.

— Coloque uma atadura na minha perna — disse Kaladin com um fio de voz. — O resto de mim vai ficar bem. Vai se curar rápido...

Ela olhou para a ferida horrível na perna dele e sentiu um arrepio. Parecia com... com... Balat...

Kaladin não conseguiria caminhar com aquela perna tão cedo. *Ah, Pai das Tempestades,* ela pensou, cortando a saia do vestido até os joelhos. Ela envolveu a perna dele bem apertado, como Kaladin instruiu. Ele parecia pensar que não precisava de um torniquete. Shallan o escutou; ele provavelmente havia tratado de muito mais feridas do que ela.

Cortou a manga do braço direito e usou-a para envolver uma segunda ferida no flanco dele, onde o demônio-do-abismo havia começado a cortá-lo ao meio com a mordida. Então se acomodou ao lado dele, sentindo-se exausta e fria, as pernas e o braço agora expostos ao ar gelado do fundo do abismo.

Kaladin respirou fundo, pousando no chão rochoso, os olhos fechados.

— Duas horas até a grantormenta — sussurrou ele.

Shallan conferiu o céu. Estava quase escuro.

— Se tanto — sussurrou de volta. — Nós o vencemos, mas estamos mortos de qualquer jeito, não estamos?

— Parece injusto — disse Kaladin, então gemeu ao se sentar.

— Você não devia...

— Bah. Já tive ferimentos muito piores do que esse.

Ela levantou uma sobrancelha enquanto ele abria os olhos; parecia estar tonto.

— Tive mesmo. Não é só bravata de soldado.

— Tão ruim assim? Quantas vezes?

— Duas — admitiu ele e olhou a forma imensa do demônio-do-abismo. — Nós realmente matamos a criatura.

— É triste, eu sei — disse Shallan, sentindo-se deprimida. — Era linda.

— Teria sido muito mais linda se não tivesse tentado me comer.

— Do meu ponto de vista, ele não tentou, ele conseguiu.

— Bobagem — contestou Kaladin. — Ele não conseguiu me engolir. Então, não conta. — Ele estendeu a mão para ela, como se quisesse ajuda para se levantar.

— Quer tentar continuar?

— Você quer que eu fique deitado aqui no abismo até que as águas cheguem?

— Não, mas... — Ela ergueu os olhos. O demônio-do-abismo era enorme. Talvez seis metros de altura, caído de lado. — E se escalássemos aquela coisa, então tentássemos subir até o topo do platô?

Os abismos tinham ficado cada vez mais rasos conforme seguiram para oeste. Kaladin olhou para cima.

— Ainda são uns 25 metros de subida, Shallan. E o que faríamos no topo do platô? A tempestade nos varreria para longe.

— Poderíamos ao menos tentar encontrar algum tipo de abrigo... Raios, realmente não tem jeito, não é?

Estranhamente, ele inclinou a cabeça.

— Provavelmente não.

— Só "provavelmente"?

— Abrigo... Você tem uma Espada Fractal.

— E daí? Não posso cortar uma parede d'água.

— Não, mas *pode* cortar pedra. — Ele olhou para a parede do abismo acima.

A respiração de Shallan agarrou na garganta.

— Podemos cortar um cubículo! Como aqueles que os batedores usam.

— Lá em cima na parede — disse Kaladin. — Dá para ver a linha da água ali. Se conseguirmos chegar acima dela...

Ainda teria que escalar. Ela não precisaria ir até o topo, onde o abismo se estreitava, mas não seria uma subida nada fácil. E ela tinha muito pouco tempo.

Mas era uma chance.

— Vai ter que ser você a fazer — disse Kaladin. — Posso conseguir me levantar, com ajuda. Mas escalar enquanto seguro uma Espada Fractal...

— Certo — disse Shallan, se levantando. Ela respirou fundo. — Certo.

Começou escalando as costas do demônio-do-abismo. A carapaça lisa era escorregadia, mas ela achou pontos de apoio para os pés entre as placas. Ao chegar às costas, olhou para cima, na direção da linha da água. Ela parecia muito mais alta do que vista de baixo.

— Corte suportes para as mãos — gritou Kaladin.

Certo. Ela sempre se esquecia da Espada Fractal. Não queria pensar nela...

Não. Não havia tempo para isso agora. Invocou a Espada e cortou uma série de longas tiras de rocha, fazendo com que os fragmentos caíssem e quicassem da carapaça. Shallan prendeu o cabelo atrás da orelha, trabalhando sob a luz fraca para criar uma série de suportes para as mãos, semelhantes a uma escada.

Então começou a escalá-los. Pisando em um deles e se segurando em outro mais acima, ela invocou a Espada novamente e tentou cortar um degrau ainda mais alto, mas a lâmina era comprida demais.

Atenciosamente, a Espada se encolheu em sua mão até o tamanho de uma arma muito mais curta, mais parecida com uma faca grande.

Obrigada, pensou, então cortou mais uma tira da pedra.

Shallan subiu, suporte após suporte. Era um trabalho penoso, e ela periodicamente precisava descer e descansar as mãos do esforço de escalar. Por fim, chegou o mais alto que imaginou conseguir, um pouco acima da linha da água. Pendendo desajeitadamente dali, começou a fatiar seções da rocha, tentando cortá-las de modo que não caíssem na sua cabeça.

A pedra se soltando ecoava contra a carapaça do demônio-do-abismo morto.

— Você está indo bem! — gritou Kaladin. — Continue assim!

— Desde quando ficou tão animado? — gritou ela de volta.

— Desde que achei que estava morto, então subitamente não estava.

— Então me lembre de tentar matá-lo de vez em quando — rebateu Shallan. — Se eu conseguir, vou me sentir melhor, e, se fracassar, você vai se sentir melhor. Todo mundo ganha!

Ela ouviu a risadinha dele enquanto cavava mais fundo na pedra. Era mais difícil do que havia imaginado. Sim, a Espada cortava a rocha facilmente, mas muitas das seções que cortava *não queriam* cair. Shallan precisava fatiá-las, depois dispensar a Espada e agarrar os pedaços para puxá-los para fora.

Depois de uma hora de trabalho frenético, contudo, conseguiu criar algo parecido com um refúgio. Não conseguiu aprofundar o cubículo tanto quanto desejava, mas teria que servir. Esgotada, ela se arrastou de volta para a escada improvisada uma última vez e desabou nas costas do demônio-do-abismo em meio ao entulho. A sensação era de que andara carregando algo pesado — e tecnicamente era verdade, já que escalar significava levantar a si mesma.

— Pronto? — gritou Kaladin lá do chão.

— Não — respondeu Shallan —, mas quase. Acho que vamos caber.

Kaladin ficou em silêncio.

— Você *vai* subir para o buraco que acabei de cortar, Kaladin carregadorzinho, matador de demônio-do-abismo e arauto da melancolia. — Ela se inclinou pelo flanco do demônio-do-abismo para fitá-lo. — Nós *não* vamos ter outra estúpida conversa sobre você morrer aqui enquanto eu sigo em frente corajosamente. Compreendeu?

— Não sei nem se consigo caminhar, Shallan. — Kaladin suspirou. — Quanto mais escalar.

— Você vai, mesmo que eu tenha que *carregá-lo*.

Kaladin olhou para cima, depois sorriu, o rosto coberto em icor roxo seco que ele havia limpado o melhor que pôde.

— Eu gostaria de ver isso.

— Vamos — disse Shallan, ela mesma se levantando com certa dificuldade.

Raios, estava cansada. Usou a Espada para cortar uma vinha da parede. O engraçado foi que precisou de dois golpes para podá-la. O primeiro cortou a alma da planta. Então, morta, a vinha pôde ser cortada de verdade pela espada.

A parte superior se recolheu, curvando-se como um saca-rolhas para ganhar altura. Shallan jogou para baixo uma ponta do pedaço de vinha que cortara. Kaladin pegou-a com uma das mãos e, poupando a perna ferida, cuidadosamente subiu até o topo do demônio-do-abismo. Ao chegar lá, deixou-se cair ao lado dela, o suor marcando trilhas na sujeira do seu rosto. Ele olhou para a escada cortada na pedra.

— Você realmente vai me fazer escalar aquilo.

— Sim. Por motivos perfeitamente egoístas.

Ele a encarou.

— Não quero que a última coisa que você veja na vida seja eu em um vestido sujo, coberta de sangue roxo, com o cabelo absolutamente caótico. É humilhante. De pé, carregadorzinho.

Ao longe, ela ouviu um estrondo. *Isso não é bom...*

— Suba — disse ele.

— Eu não vou...

— Suba — repetiu Kaladin, com mais firmeza. — Deite-se no cubículo, então estenda a mão pela beirada. Quando eu chegar ao topo, você pode me ajudar a subir o último metro.

Ela hesitou por um instante, então pegou sua bolsa e escalou. Raios, aqueles suportes para mãos eram escorregadios. Quando chegou ao topo, arrastou-se para dentro do cubículo raso e acomodou-se de modo precário, estendendo uma das mãos enquanto se segurava com a outra. Kaladin a olhou, então travou o maxilar e começou a escalar.

Na maior parte, ele se içou para cima com as mãos, a perna ferida balançando, a outra servindo como base. Seus musculosos braços de soldado lentamente o puxaram, apoio a apoio.

Abaixo, um fio d'água corria pelo abismo. Então começou a jorrar.

— Vamos! — disse ela.

O vento uivava pelos abismos, um som insólito e sinistro que ressoava pelas várias fendas, como o gemido de espíritos que já haviam morrido há muito tempo. O som agudo era acompanhado de um rugido trovejante.

Por toda parte, plantas recuaram, as vinhas se retorcendo e se escondendo, petrobulbos se fechando, floragolas se dobrando. O abismo se escondeu.

Kaladin grunhiu, suando, o rosto tenso devido à dor e ao esforço, os dedos tremendo. Ele se içou mais um pouco, então estendeu a mão para a dela.

O paredão chegou.

73

MIL CRIATURAS RASTEJANTES

UM ANO ATRÁS

SHALLAN ENTROU SORRATEIRAMENTE NO quarto de Balat, segurando um bilhete curto entre os dedos. Balat girou, se levantando. Então relaxou.

— Shallan! Você quase me matou de susto.

O pequeno quarto, como muitos da casa senhorial, possuía janelas com folhas simples de bambu — que estavam fechadas e trancadas naquele dia, já que uma grantormenta se aproximava. A última antes do Pranto. Servos lá fora martelavam nas paredes enquanto fixavam robustas proteções de tempestade sobre as de bambu.

Shallan estava usando um dos novos vestidos, do tipo caro que o pai comprara para ela, seguindo o estilo vorin, reto e de cintura fina, com um bolso na manga. Um vestido adulto. Ela também usava o colar dado pelo pai, que ficava feliz com isso.

Jushu estava sentado em uma cadeira ali perto, esfregando algum tipo de planta entre os dedos, com um ar distante. Ele havia perdido peso durante os dois anos desde que seus credores o arrastaram para fora da casa, mas mesmo com aqueles olhos fundos e as cicatrizes nos pulsos, ele ainda não se parecia muito com seu gêmeo.

Shallan olhou para os embrulhos que Balat estava preparando.

— Ainda bem que o nosso pai nunca o procura, Balat. Esses embrulhos têm um ar tão suspeito que poderiam ser interrogados pelo guarda-roupa.

Jushu deu uma risada, esfregando um pulso com a outra mão.

— Não ajuda o fato de ele saltar toda vez que um criado espirra no corredor.

— Quietos, vocês dois — disse Balat, espiando a janela onde trabalhadores fixavam a proteção contra tempestades. — Isso não é hora de brincadeiras. Danação. Se ele descobrir que planejo partir...

— Ele não vai descobrir — disse Shallan, desdobrando a carta. — Ele está ocupado demais desfilando diante do grão-príncipe.

— Vocês não acham estranho que sejamos tão ricos? — comentou Jushu. — Quantos outros depósitos valiosos de pedra há nas nossas terras?

Balat voltou a embalar seus pertences.

— Contanto que isso deixe nosso pai feliz, não me importo.

O problema era que isso não o deixara feliz. Sim, a família Davar agora era rica — as novas pedreiras forneciam uma renda fantástica. Contudo, quanto melhor eram as pedreiras, mais sombrio o pai se tornava. Andava pelos corredores resmungando, descontando nos criados.

Shallan passou os olhos pela carta.

— Essa não é uma cara contente — observou Balat. — Ainda não conseguiram encontrá-lo?

Shallan balançou a cabeça. Helaran havia desaparecido; realmente desaparecido. Não havia mais contato, nem cartas; até mesmo as pessoas com quem estivera em contato antes não tinham ideia de para onde ele fora.

Balat sentou-se sobre um dos seus embrulhos.

— Então, o que fazemos?

— Você terá que decidir — disse Shallan.

— Eu preciso ir embora. *Preciso.* — Ele correu a mão pelo cabelo. — Eylita está pronta para ir comigo. Seus pais estão passando o mês fora, visitando Alethkar. É o momento perfeito.

— O que vai fazer, se não puder encontrar Helaran?

— Irei até o grão-príncipe. O bastardo dele disse que ouviria qualquer um disposto a falar contra o nosso pai.

— Isso foi anos atrás — disse Jushu, se recostando. — Nosso pai agora está em boas graças. Além disso, o grão-príncipe está quase morto; todo mundo sabe disso.

— É a nossa única chance — disse Balat e se levantou. — Vou embora. Hoje, depois da tormenta.

— Mas o pai... — começou Shallan.

— Ele quer que eu vá inspecionar algumas das vilas no vale oriental. Vou dizer a ele que estou fazendo isso, mas na verdade vou pegar Eylita e cavalgaremos até Vedenar, direto para o grão-príncipe. Quando o pai chegar lá, uma semana depois, terei dito o que preciso. Pode ser o bastante.

— E Malise? — perguntou Shallan. O plano ainda era que ele levasse a madrasta para um local seguro.

— Eu não sei — disse Balat. — Ele não vai permitir que ela vá. Talvez, quando ele sair para visitar o grão-príncipe, você possa mandá-la para algum lugar seguro! Não sei. De qualquer modo, eu *preciso* ir. Esta noite.

Shallan deu um passo à frente, pousando a mão no braço dele.

— Estou cansado de ter medo — disse Balat. — Estou cansado de ser um covarde. Se Helaran desapareceu, eu realmente sou o mais velho. Está na hora de agir de acordo. Não vou simplesmente fugir, passar o resto da vida me perguntando se os lacaios do nosso pai estão nos caçando. Assim... assim tudo vai acabar. Decidido.

A porta se abriu subitamente. Por mais que reclamasse que Balat estava agindo de modo suspeito, Shallan pulou tão alto quanto ele, soltando um gritinho de surpresa. Era só Wikim.

— Raios, Wikim! — reclamou Balat. — Você poderia pelo menos bater ou...

— Eylita está aqui — disse Wikim.

— *O quê?* — Balat avançou, agarrando o irmão. — Ela não devia ter vindo! Eu ia encontrá-la.

— Nosso pai mandou chamá-la — disse Wikim. — Ela chegou com a criada agora há pouco. Ele está falando com ela no salão de festa.

— Ah, *não* — disse Balat, empurrando Wikim para o lado e disparando pela porta.

Shallan o seguiu, mas parou na porta.

— Não faça nenhuma bobagem! — gritou atrás dele. — Balat, o plano! Ele não pareceu ouvi-la.

— Isso pode ser ruim — comentou Wikim.

— Ou pode ser maravilhoso — disse Jushu atrás deles, ainda recostado. — Se nosso pai pressionar Balat demais, talvez ele pare de choramingar e faça alguma coisa.

Shallan sentiu frio ao sair para o corredor. Esse frio... seria pânico? Pânico avassalador, tão agudo e forte que eliminava todo o resto.

Aquilo estava para acontecer. Ela *sabia* que estava para acontecer. Eles tentaram se esconder, tentaram fugir. Naturalmente, não havia funcionado.

Também não havia funcionado com a mãe.

Wikim passou por ela, correndo. Ela caminhava devagar. Não porque estava calma, mas porque se sentia *puxada* para a frente. Um passo lento resistia à inevitabilidade.

Subiu os degraus em vez de descer ao salão de festas. Precisava pegar algo.

Só levou um minuto. Ela logo retornou, a bolsa que ganhara muito tempo atrás enfiada na algibeira da manga segura. Desceu os degraus e chegou à porta do salão de festas. Jushu e Wikim esperavam do lado de fora, assistindo com um ar tenso.

Eles abriram caminho para ela.

Lá dentro, havia gritaria, naturalmente.

— Você não devia ter feito isso sem falar comigo! — disse Balat. Ele estava diante da grã-mesa, Eylita ao seu lado, segurando seu braço.

O pai estava do outro lado da mesa, uma refeição pela metade diante de si.

— Falar com você é inútil, Balat. Você não escuta.

— Eu a *amo*!

— Você é uma criança. Uma criança tola sem consideração pela própria casa.

Ruim, ruim, ruim, pensou Shallan. A voz do pai estava suave; era seu jeito mais ameaçador.

— Você acha que eu não sei sobre seu plano de partir? — continuou o pai, inclinando-se para a frente, as palmas sobre a mesa.

Balat cambaleou para trás.

— *Como?*

Shallan adentrou o cômodo. *O que é aquilo no chão?*, pensou, caminhando junto da parede até a porta para as cozinhas. Algo impedia a porta de se fechar.

A chuva começou a atingir o telhado. A tempestade chegara. Os guardas estavam na guarita, os criados nos seus aposentos, aguardando a tempestade passar. A família estava sozinha.

Com as janelas fechadas, a única luz no recinto era a fria iluminação das esferas. O pai não acendera a lareira.

— Helaran está morto — disse ele. — Você sabia disso? Não pode encontrá-lo porque ele foi morto. Eu nem mesmo tive que ter esse trabalho. Ele encontrou a própria morte em um campo de batalha em Alethkar. Idiota.

As palavras ameaçaram a calma fria de Shallan.

— Como você descobriu que eu estava indo? — questionou Balat. Ele deu um passo à frente, mas Eylita o segurou. — Quem contou?

Shallan se ajoelhou junto da obstrução no umbral da porta da cozinha. O trovão ressoava, fazendo o edifício vibrar.

A obstrução era um corpo.

Malise. Morta devido a vários golpes na cabeça. Sangue fresco. Cadáver ainda quente. Ele a matara recentemente. Raios. Ele havia descoberto o plano, então mandado chamar Eylita e esperado que ela chegasse, *então* matara sua esposa.

Não havia sido um crime impulsivo. Ele a assassinara como punição.

Então chegamos a isso, pensou Shallan, sentindo uma estranha e distanciada calma. *A mentira tornou-se verdade.*

Era culpa de Shallan. Ela se levantou e deu a volta no salão até chegar onde os criados haviam deixado uma jarra de vinho, com copos, para o pai.

— Malise — disse Balat. Ele não havia olhado para Shallan; só estava especulando. — Ela cedeu e contou, não foi? Danação. Não devíamos ter confiado nela.

— Sim — confirmou Davar. — Ela contou. Em dado ponto.

A espada de Balat fez um som farfalhante ao ser puxada da bainha de couro. A espada do pai a seguiu.

— Finalmente — disse o pai. — Você mostra vestígios de coragem.

— Balat, não — disse Eylita, se agarrando a ele.

— Eu não vou mais ter medo dele, Eylita! *Não vou!*

Shallan serviu o vinho.

Eles se enfrentaram, o pai saltando sobre a grã-mesa, atacando com um golpe de duas mãos. Eylita gritou e recuou apressadamente enquanto Balat brandia a espada.

Shallan não sabia muito sobre esgrima. Havia assistido Balat e os outros treinando, mas os únicos combates reais que já vira foram duelos na feira.

Aquilo era diferente. Era *brutal*. O pai golpeando repetidamente contra Balat, que bloqueava o melhor que podia com a própria espada. O *clangor* do metal contra metal, e, acima de tudo, a tormenta. Cada golpe parecia fazer tremer a sala. Ou seria o trovão?

Balat cambaleou diante do ataque, caindo sobre um joelho. O pai o desarmou com um golpe.

Teria realmente acabado tão rápido? Só alguns segundos haviam se passado. Não foi nada parecido com os duelos.

O pai assomou sobre o filho.

— Eu sempre desprezei você. O covarde. Helaran era nobre. Ele teimava, mas tinha *paixão*. Você... você se arrasta por aí, choramingando e reclamando.

Shallan foi até ele.

— Pai? — Ela ofereceu o vinho a ele. — Ele caiu. O senhor venceu.

— Sempre quis filhos homens. E tive quatro. Todos imprestáveis! Um covarde, um bêbado e um fracote. — Ele piscou. — Só Helaran... Só Helaran...

— Pai? — disse Shallan. — *Aqui*.

Ele pegou o vinho, tomando-o de um só gole.

Balat agarrou a espada. Ainda apoiado em um joelho, atacou com uma investida. Shallan gritou, e a espada fez um estranho *tinido* ao errar o pai por pouco; perfurou o seu casaco e saiu por trás, atingindo algo metálico.

O pai deixou cair o copo, que se despedaçou, vazio, no chão. Ele grunhiu, apalpando o flanco. Balat recuou a espada e olhou para cima, para o pai, horrorizado.

A mão do pai voltou coberta de sangue, mas não muito.

— Isso é o melhor que pode fazer? Quinze anos de treinamento de esgrima, e esse é o seu melhor ataque? Avance contra mim! Acerte-me!

Ele estendeu sua espada para o lado, levantando a outra mão. Balat começou a chorar descontroladamente, a espada escorregando dos seus dedos.

— Bah! Imprestável. — Ele jogou sua espada sobre a grã-mesa, depois foi até a lareira, agarrou um atiçador de ferro e caminhou de volta. — Imprestável.

Ele atingiu a coxa de Balat com o atiçador.

— Pai! — gritou Shallan, tentando segurar o braço dele. O homem a empurrou para o lado ao atacar novamente, batendo o atiçador contra a perna do filho.

Balat gritou.

Shallan desabou no chão, batendo a cabeça contra o piso. Só pôde ouvir o que aconteceu em seguida. Gritos. O atiçador atingindo o alvo com um som semelhante a uma batida surda, enquanto a tempestade rugia acima dela.

— Por quê. — *Golpe.* — Você. — *Golpe.* — Não. — *Golpe.* — Faz. — *Golpe.* — Nada. — *Golpe.* — Certo?

A visão de Shallan clareou. O pai respirava fundo. O sangue havia salpicado seu rosto. Balat gemia no chão. Eylita o abraçava, o rosto enterrado no seu cabelo. A perna de Balat era uma massa sangrenta.

Wikim e Jushu ainda estavam no umbral da porta, horrorizados.

O pai lançou um olhar assassino a Eylita e levantou o atiçador para atacar. Mas então a arma escapou dos dedos dele e caiu no chão com um tinido. Ele olhou para a própria mão como se estivesse surpreso, então cambaleou. Agarrou a mesa para se equilibrar, mas caiu de joelhos, então desabou de lado.

A chuva batia no teto. Soava como mil criaturas rastejantes procurando uma maneira de entrar no edifício.

Shallan forçou-se a se levantar. Frio. Sim, reconhecia o frio dentro de si agora. Já o sentira antes, no dia em que havia perdido a mãe.

— Cuide das feridas de Balat — disse ela, se aproximando da chorosa Eylita. — Use a camisa dele.

A mulher assentiu através de lágrimas e começou a trabalhar com dedos trêmulos.

Shallan se ajoelhou ao lado do pai. Ele jazia imóvel, olhos abertos e mortos, voltados para o teto.

— O que... o que aconteceu? — indagou Wikim. Ela não havia notado ele e Jushu adentrando timidamente o salão, dando a volta na mesa e se unindo a ela. Wikim pairava sobre o ombro de Shallan. — Será que o ataque de Balat ao flanco...

O pai estava sangrando ali; Shallan podia sentir através das roupas. Não era, contudo, grave o suficiente para ter causado aquilo. Ela balançou a cabeça.

— Você me deu uma coisa, anos atrás — disse ela. — Uma bolsa. Eu a guardei. Você disse que ela se torna mais potente com o passar do tempo.

— Ah, *Pai das Tempestades*. — Wikim levou a mão à boca. — A letanigra? Você...

— No vinho dele — disse Shallan. — Malise está morta na cozinha. Ele foi longe demais.

— Você o matou — disse Wikim, fitando o cadáver do pai. — Você o *matou*!

— Sim — disse Shallan, sentindo-se exausta.

Ela cambaleou até Balat, então começou a ajudar Eylita com as ataduras. Balat estava consciente e grunhindo de dor. Shallan sinalizou com a cabeça para Eylita, que pegou um pouco de vinho para ele. Sem veneno, naturalmente.

O pai estava morto. Ela o matara.

— O que é isso? — perguntou Jushu.

— Não faça isso! — disse Wikim. — Raios! Já está vasculhando os bolsos dele?

Shallan olhou de relance e viu Jushu puxando algo prateado do bolso do pai. Estava envolto em uma pequena bolsa preta, ligeiramente úmida de sangue, com fragmentos do objeto aparecendo no ponto em que a espada de Balat havia acertado.

— Ah, *Pai das Tempestades* — disse Jushu, pegando o objeto. O dispositivo consistia em várias correntes de metal prateado conectando três grandes gemas, uma das quais estava rachada, seu brilho perdido. — Isso é mesmo o que estou pensando?

— Um *Transmutador* — disse Shallan.

— Me ajude a levantar — disse Balat quando Eylita voltou com o vinho. — Por favor.

Relutantemente, a garota o ajudou a se sentar. A perna dele... a perna dele não estava em bom estado. Precisariam chamar um cirurgião.

Shallan se levantou, limpando as mãos ensanguentadas no vestido, e tomou o Transmutador de Jushu. O metal delicado estava quebrado onde a espada o acertara.

— Eu não compreendo — disse Jushu. — Isso não é blasfêmia? Essas coisas não pertencem ao rei, para serem usadas apenas por fervorosos?

Shallan esfregou o polegar pelo metal. Não conseguia pensar. Entorpecimento... choque. Era isso. Choque.

Eu matei meu pai.

Wikim de repente soltou um gritinho, dando um pulo para trás.

— A perna dele se mexeu.

Shallan voltou-se rápido para o corpo. Os dedos do pai sofreram um espasmo.

— Esvaziadores! — exclamou Jushu. Ele olhou para o teto, na direção da tormenta. — Eles estão aqui. Estão dentro dele. Eles...

Shallan se ajoelhou junto ao corpo. Os olhos tremularam, depois focalizaram o rosto dela.

— Não foi o bastante — sussurrou ela. — O veneno não foi forte o bastante.

— Ah, raios! — disse Wikim, ajoelhando-se ao lado dela. — Ele ainda está respirando. O veneno não o matou, só o paralisou. — Seus olhos se arregalaram. — E ele está acordando.

— Precisamos terminar o trabalho, então — disse Shallan.

Ela olhou para os irmãos. Jushu e Wikim cambalearam para longe, balançando a cabeça. Balat, atordoado, mal estava consciente.

Ela se voltou para o pai, que a encarava, os olhos se movendo facilmente agora. Sua perna teve uma contração.

— Sinto muito — sussurrou ela, abrindo o fecho do colar. — Obrigada pelo que fez por mim. — Ela envolveu o pescoço dele com o colar.

Então começou a torcê-lo.

Usou o cabo de um dos garfos que havia caído da mesa enquanto seu pai tentava se equilibrar. Ela prendeu um lado do colar fechado ao redor do cabo e, ao torcê-lo, apertou bem firme a corrente ao redor da garganta do pai.

— Vem dormir aqui na fenda, no meio da escuridão... — sussurrou ela.

Uma canção de ninar. Shallan entoou a canção entre lágrimas — a canção que ele cantava para ela quando criança, quando estava assustada. Sangue rubro manchava o rosto dele e cobria as mãos dela.

— Em um berço de pedra e medo, vem dormir, meu coração.

Sentia o olhar dele sobre ela; teve calafrios enquanto apertava bem o colar.

— Até caindo a tormenta, você ainda se esquenta, o vento vai te ninar...

Shallan teve que assistir enquanto os olhos dele saltavam, seu rosto mudando de cor. O corpo dele tremia, esforçando-se, tentando se mover. Os olhos a fitavam, exigentes, *traídos*.

Shallan quase imaginou que os uivos da tempestade eram parte de um pesadelo. Ela logo despertaria aterrorizada, e o pai cantaria para ela. Como havia feito quando ela era criança...

— Os cristais... brilham tão belos...

O pai parou de se mover.

— Não demora com a canção... vem dormir... meu coração.

74

MARCHANDO PELA TEMPESTADE

Você, contudo, nunca foi uma força de equilíbrio. Você traz o caos em seu encalço feito um cadáver arrastado pela perna através da neve. Por favor, escute meu pedido. Saia daí e una--se a mim no meu voto de não intervenção.

Kaladin pegou a mão de Shallan.

Pedregulhos se chocavam acima, batendo nos platôs e partindo-se em fragmentos que choviam ao redor dele. O vento rugia. A água abaixo aumentava, levantando-se na direção dele. Kaladin se agarrou a Shallan, mas suas mãos molhadas estavam começando a escorregar.

E então, em um súbito *impulso*, a pegada dela se estreitou. Com uma força que parecia contradizer sua forma pequena, Shallan o puxou. Kaladin se impulsionou com a perna boa enquanto a água a lavava, e forçou-se a subir a distância restante para juntar-se a Shallan na alcova rochosa.

O buraco tinha pouco mais de um metro de profundidade, mais raso do que a rachadura onde haviam se escondido. Felizmente, estava voltado para o oeste. Embora o vento gelado soprasse e lançasse água sobre eles, eram protegidos do grosso da tempestade pelo platô.

Ofegante, Kaladin se apertou à parede da alcova, sua perna ferida doendo loucamente, Shallan agarrada a ele. Ela era um calor nos seus braços, e ele a apertou tanto quanto ela o apertava, ambos encolhidos contra a parede, a cabeça dele roçando o teto do buraco escavado.

O platô tremia, instável feito um homem assustado. Ele não podia ver muito; a escuridão era absoluta, exceto quando chegava o relâmpago. E o *som*. Trovão caindo, aparentemente desconectado das salvas de relâmpagos. A água rugia como uma fera furiosa, e os lampejos iluminavam um rio borbulhante, caudaloso e selvagem no abismo.

Danação... a água estava quase na altura da alcova. Havia subido mais de quinze metros em instantes. A água suja estava cheia de galhos, plantas despedaçadas, vinhas arrancadas das bases.

— A esfera? — perguntou Kaladin no escuro. — Você tinha uma esfera para iluminação.

— Perdi — gritou Shallan por cima do barulho. — Devo tê-la deixado cair quando agarrei você!

— Eu não...

Um *estrondo* de trovão, acompanhado por um ofuscante clarão, fez com que ele gaguejasse. Shallan apertou-o com mais força, os dedos afundando no seu braço. A luz deixou uma imagem persistente nas suas retinas.

Raios. Kaladin podia jurar que a imagem era um rosto, horrivelmente distorcido, a boca escancarada. O relâmpago seguinte iluminou a enchente lá fora com uma sequência de luz crepitante, e exibiu água atulhada de cadáveres. Dezenas de corpos sendo levados pela corrente, olhos mortos voltados para o céu, a maioria só com órbitas vazias. Homens e parshendianos.

A água subiu, e a câmara foi inundada em alguns centímetros. A água dos mortos. A tempestade escureceu novamente, tão negra quanto uma caverna subterrânea. Só Kaladin, Shallan e os cadáveres.

— Aquilo foi a coisa mais surreal que já vi — declarou Shallan, seu rosto perto do dele.

— Tempestades são estranhas.

— Você fala por experiência própria?

— Sadeas me deixou pendurado durante uma delas. Eu devia ter morrido.

Aquela tempestade havia tentado arrancar a pele, então os músculos, do seu esqueleto. Gotas feito lâminas. Relâmpagos feito ferros de cauterização.

E uma pequena figura, toda branca, na sua frente, as mãos erguidas como se quisesse dividir a tempestade para ele. Minúscula e frágil, mas tão forte quanto os próprios ventos.

Syl... o que foi que eu fiz com você?

— Preciso ouvir essa história — disse Shallan.

— Algum dia eu conto.

A água voltou a encharcá-los. Por um momento, se tornaram mais leves, flutuando na súbita onda. A correnteza puxou com uma força inesperada, como se estivesse ansiosa para arrastá-los para o rio. Shallan gritou, e Kaladin, em pânico, agarrou a rocha dos dois lados para se segurar. O rio recuou, embora ainda pudesse ouvi-lo fluindo. Eles se acomodaram novamente na alcova.

Luz emanava do alto, constante demais para ser um relâmpago. Algo estava *brilhando* no platô. Algo que se movia. Era difícil de ser ver, já que água jorrava da beira do platô acima, caindo como uma catarata diante do refúgio deles. Kaladin *jurava* ter visto uma figura enorme caminhando lá em cima, uma silhueta inumana e refulgente, seguida por outra, esguia e alienígena. Marchando pela tempestade. Uma perna atrás da outra, até que o brilho passou.

— Por favor — pediu Shallan. — Preciso ouvir alguma outra coisa além *daquilo*. Conte.

Ele sentiu um arrepio, mas concordou. Vozes. Vozes ajudariam.

— Começou quando Amaram me traiu — disse ele, em um tom de voz baixo, só alto o bastante para que ela, que estava bem próxima, pudesse ouvir. — Ele me transformou em escravo por saber a verdade, que ele havia matado meus homens na sua cobiça de obter uma Espada Fractal. Isso era mais importante para ele, mais do que seus próprios soldados, mais do que a honra...

Ele continuou, falando sobre seus dias como escravo, das suas tentativas de fuga. Dos homens que haviam morrido por confiar nele. A história saiu dele aos borbotões, algo que nunca havia contado. Para quem a contaria? A Ponte Quatro havia vivido a maior parte com ele.

Falou da carroça e de Tvlakv — aquele nome fez com que ela arquejasse. Aparentemente, Shallan o conhecia. Kaladin falou do entorpecimento, do... *nada*. Da ideia de se matar, mas da dificuldade em acreditar que isso valia o esforço.

E então, a Ponte Quatro. Ele não falou sobre Syl; aquilo lhe causava sofrimento demais no momento. Em vez disso, falou das incursões de ponte, do terror, da morte e da decisão.

A chuva caía sobre eles, lançada em remoinhos, e Kaladin jurava que ouvia um cântico em algum lugar lá fora. Algum tipo estranho de espreno zunia logo além do buraco, vermelho e violeta, lembrando um relâmpago. Era o que Syl havia visto?

Shallan o escutou. Ele pensou que ela faria perguntas, mas não fez nenhuma. Sem perturbá-lo pedindo detalhes, sem tagarelice. Ela aparentemente *sabia* ficar quieta.

Incrivelmente, ele contou tudo. A última incursão de ponte. O resgate de Dalinar. Queria colocar tudo para fora. Ele falou sobre como havia encarado o Fractário parshendiano, como havia ofendido Adolin, sobre proteger a frente da ponte sozinho...

Quando terminou, os dois deixaram o silêncio se instalar e compartilharam calor. Juntos, olharam para a água caudalosa, fora de alcance por uma margem mínima, e iluminada pelos relâmpagos.

— Eu matei meu pai — sussurrou Shallan.

Kaladin a encarou. No lampejo de um raio, viu os olhos dela enquanto Shallan erguia o rosto, a cabeça contra o peito dele, gotículas d'água em seus cílios. Com as mãos ao redor da cintura dela, as dela ao redor dele, era o mais próximo que estivera de uma mulher desde Tarah.

— Meu pai era um homem violento e raivoso — contou Shallan. — Um assassino. Eu o amava. E eu o estrangulei enquanto ele jazia no chão, olhando para mim, incapaz de se mover. Eu matei meu próprio pai...

Ele não a incitou a falar, embora quisesse saber. *Precisasse* saber.

Ela continuou, felizmente, falando sobre sua juventude e os terrores que havia vivenciado. Kaladin havia pensado que sua vida fora terrível, mas havia uma coisa que sempre tivera, e talvez não houvesse apreciado o bastante: pais que o amavam. Roshone havia trazido a própria Danação a Larpetra, mas pelo menos a mãe e o pai de Kaladin haviam sempre estado presentes para apoiá-lo.

O que teria feito, se seu pai fosse como o homem abusivo e odioso que Shallan descrevera? Se sua mãe houvesse morrido diante dos seus olhos? O que *ele* teria feito se, em vez de viver da luz de Tien, fosse *ele* o responsável por iluminar sua família?

Kaladin escutou, espantado. Raios. Por que aquela mulher não estava arrasada, verdadeiramente destruída? Ela se descrevera assim, mas estava tão destruída quanto uma lança com a lâmina lascada — e uma lança nesse estado ainda podia ser uma arma tão afiada quanto qualquer outra. Ele preferia uma lança com uma marca ou duas na lâmina, um cabo gasto. Uma ponta que havia conhecido a luta era simplesmente... melhor do que uma nova. Dava para saber que ela havia sido usada por um homem lutando pela própria vida, e que tinha permanecido firme e inteira. Marcas como aquela eram sinais de força.

Ele sentiu um arrepio quando Shallan mencionou a morte do seu irmão Helaran, a raiva presente na sua voz.

Helaran havia sido morto em Alethkar. Pelas mãos de Amaram.

Raios... Eu o matei, não foi?, pensou Kaladin. *O irmão que ela amava.* Será que tinha contado essa parte?

Não. Não, ele não havia mencionado que matara o Fractário, só que Amaram assassinara os homens de Kaladin para encobrir sua cobiça pela arma. Ele havia se acostumado, nos últimos anos, a falar sobre o evento sem mencionar que havia matado um Fractário. Seus primeiros meses como escravo haviam-no ensinado, pela violência, sobre os perigos de falar a respeito de um evento como aquele. Nem mesmo havia percebido que caíra naquele hábito de omissão com Shallan.

Será que ela percebia? Teria deduzido que Kaladin, e não Amaram, havia realmente matado o Fractário? Ela não parecia ter feito a conexão; continuou falando, mencionando a noite — também durante uma tempestade — quando envenenara, e então assassinara, o pai.

Todo-Poderoso nos céus. Aquela mulher era mais forte do que ele jamais fora.

— E assim decidimos que eu encontraria Jasnah — continuou ela, deitando a cabeça de volta contra o peito dele. — Ela... tinha um Transmutador, sabe?

— Você queria ver se ela podia consertar o seu?

— Isso teria sido racional demais. — Ele não podia vê-la franzir o cenho para si mesma, mas, de algum modo, ouviu o gesto. — Meu plano... sendo eu estúpida e ingênua... era *trocar* o meu pelo dela e levar de volta um funcional, para ganhar dinheiro para a família.

— Você nunca havia deixado as terras da sua família antes.

— Nunca.

— E saiu para *roubar* uma das mulheres mais inteligentes do mundo?

— Hã... sim. Lembra-se da parte de ser "estúpida e ingênua"? De qualquer modo, Jasnah descobriu. Felizmente, consegui intrigá-la e ela concordou em me aceitar como pupila. O casamento com Adolin foi ideia dela, uma maneira de proteger minha família enquanto eu treinava.

— Hum — disse ele. Relâmpagos pulsavam lá fora. Os ventos pareciam estar se intensificando ainda mais, se isso fosse possível, e ele precisou levantar a voz, muito embora Shallan estivesse bem perto. — Generosa, para uma mulher que você pretendia roubar.

— Acho que ela viu em mim algo que...

Silêncio.

Kaladin piscou. Shallan sumira. Ele entrou em pânico por um momento, procurando ao redor, até que percebeu que sua perna não doía mais e que a névoa em sua cabeça — devido à perda de sangue, ao choque e à possível hipotermia — também havia sumido.

Ah. Isso de novo.

Ele respirou fundo e se levantou, saindo da escuridão até a beira da abertura. O rio abaixo havia parado, como se estivesse congelado, e a abertura da alcova — que Shallan havia feito baixa demais para que ele pudesse ficar de pé — permitia agora que andasse sem se curvar.

Kaladin olhou para fora e encarou um rosto tão amplo quanto a eternidade.

— Pai das Tempestades.

Alguns o chamavam de Jezerezeh, Arauto. Aquilo ali não combinava com o que Kaladin havia ouvido sobre qualquer Arauto, contudo. Seria o Pai das Tempestades um espreno, talvez? Um deus? Ele parecia se estender para sempre, mas era possível vê-lo, identificar seu rosto em sua infinita vastidão.

Os ventos haviam cessado. Kaladin podia ouvir o próprio batimento cardíaco.

FILHO DA HONRA. O ser falou com ele dessa vez. Na última ocasião, no meio da tempestade, não falara — embora o tivesse feito em sonhos.

Kaladin olhou para o lado, novamente verificando se Shallan estava ali, mas não podia mais vê-la. Ela não era parte da visão, ou fosse lá o que fosse.

— Ela é um deles, não é? Dos Cavaleiros Radiantes, ou pelo menos uma Manipuladora de Fluxos. Foi isso que aconteceu durante a luta com o demônio-do-abismo, e foi assim que ela sobreviveu à queda. Não fui eu em nenhuma das ocasiões. Foi ela.

O Pai das Tempestades rimbombou.

— Syl — disse Kaladin, olhando de volta para o rosto. Os platôs diante dele haviam desaparecido; era só ele e o rosto. Precisava perguntar. Doía, mas *tinha* que perguntar. — O que eu fiz com ela?

VOCÊ A MATOU. A voz fez tudo tremer. Foi como se... como se o tremor do platô e do seu próprio corpo *fizessem* os sons para a voz.

— Não — sussurrou Kaladin. — Não!

ACONTECEU COMO ANTES, disse zangado o pai das tempestades. Uma emoção humana. Kaladin a reconhecia. OS HOMENS NÃO SÃO CONFIÁVEIS, FILHO DE TANAVAST. VOCÊ A TOMOU DE MIM. MINHA AMADA.

O rosto pareceu recuar, desvanecendo.

— Por favor! — gritou Kaladin. — Como posso reparar isso? O que posso fazer?

NÃO PODE SER REPARADO. ELA ESTÁ QUEBRADA. VOCÊ É COMO SEUS ANTECESSORES, AQUELES QUE MATARAM TANTOS DOS MEUS AMADOS. ADEUS, FILHO DA HONRA. VOCÊ NÃO CAVALGARÁ MEUS VENTOS NOVAMENTE.

— Não, eu...

A tempestade retornou. Kaladin desabou de volta à alcova, arquejando diante da súbita restauração da dor e do frio.

— Pelo bafo de Kelek! — disse Shallan. — O que foi *isso*?

— Você viu o rosto? — perguntou Kaladin.

— Vi. Tão vasto... Eu vi estrelas nele, estrelas e mais estrelas, o infinito...

— O Pai das Tempestades — disse Kaladin, cansado.

Ele estendeu a mão atrás de si para pegar algo que estava brilhando subitamente. Uma esfera, aquela que Shallan havia deixado cair. Ela havia escurecido, mas agora estava renovada.

— Foi incrível — sussurrou ela. — Preciso desenhá-lo.

— Boa sorte — disse Kaladin. — Nessa chuva.

Como que para sublinhar sua observação, outra onda os inundou. Ela corria entre os abismos, retorcendo-se e às vezes soprando de volta contra eles. Estavam sentados em alguns centímetros de água, mas a correnteza não ameaçou puxá-los novamente.

— Meus pobres desenhos — lamentou Shallan, levando a bolsa ao peito com a mão segura enquanto se agarrava a ele, a única coisa *a que* se agarrar, com a outra. — A bolsa é à prova d'água, mas... Eu não sei se é à prova de grantormentas.

Kaladin grunhiu, olhando para a água que corria lá fora. Possuía um padrão hipnótico, aflorando com folhas e plantas quebradas; já não havia mais cadáveres. A água que fluía se elevava em uma grande onda diante deles, como se estivesse correndo sobre algo grande abaixo. A carcaça do demônio-do-abismo ainda estava emperrada ali embaixo, ele compreendeu. Era pesada demais para ser deslocada, até mesmo pela enxurrada.

Ficaram em silêncio. Com a luz, a necessidade de falar havia passado, e muito embora ele houvesse pensado em confrontá-la em relação ao que tinha cada vez mais certeza de que ela fosse, nada disse. Quando estivessem livres, haveria tempo para isso.

Por enquanto, queria pensar — embora ainda estivesse grato pela presença dela. E ciente de tal presença de várias maneiras; com Shallan pressionada a ele e vestindo aquelas roupas úmidas e cada vez mais rasgadas.

A conversa com o Pai das Tempestades, contudo, afastou sua atenção daquele tipo de pensamento.

Syl. Ele havia realmente... a matado? Ele a ouvira chorando antes, não ouvira?

Tentou, só como um experimento fútil, sugar alguma Luz das Tempestades. Meio que queria que Shallan visse, para avaliar a reação dela. Não funcionou, naturalmente.

A tempestade passou lentamente, as águas da enchente recuando pouco a pouco. Depois que as chuvas diminuíram até o nível de uma tempestade comum, as águas começaram a fluir na outra direção. Era como Kaladin sempre havia imaginado, embora nunca houvesse visto. Agora a chuva estava caindo mais a oeste das Planícies do que nas próprias Planícies, e o escoamento era todo para o leste. O rio ondulava — de modo muito mais letárgico — de volta pelo caminho por onde viera.

O cadáver do demônio-do-abismo emergiu das águas. Então, finalmente, a enchente acabou — o rio reduzido a um fio, a chuva, a uma garoa. As gotas que caíam dos platôs acima eram muito maiores e mais pesadas do que a própria chuva.

Ele fez menção de descer, mas percebeu que Shallan, encolhida junto ao seu corpo, havia adormecido. Ela roncava baixinho.

— Você deve ser a única pessoa a cair no sono ao ar livre em meio a uma grantormenta — sussurrou ele.

Por mais desconfortável que estivesse, Kaladin percebeu que *realmente* não apreciava a ideia de descer com aquela perna machucada. Com a força esgotada, sentindo uma escuridão esmagadora devido ao que o Pai das Tempestades havia dito sobre Syl, ele se deixou sucumbir ao torpor e adormeceu.

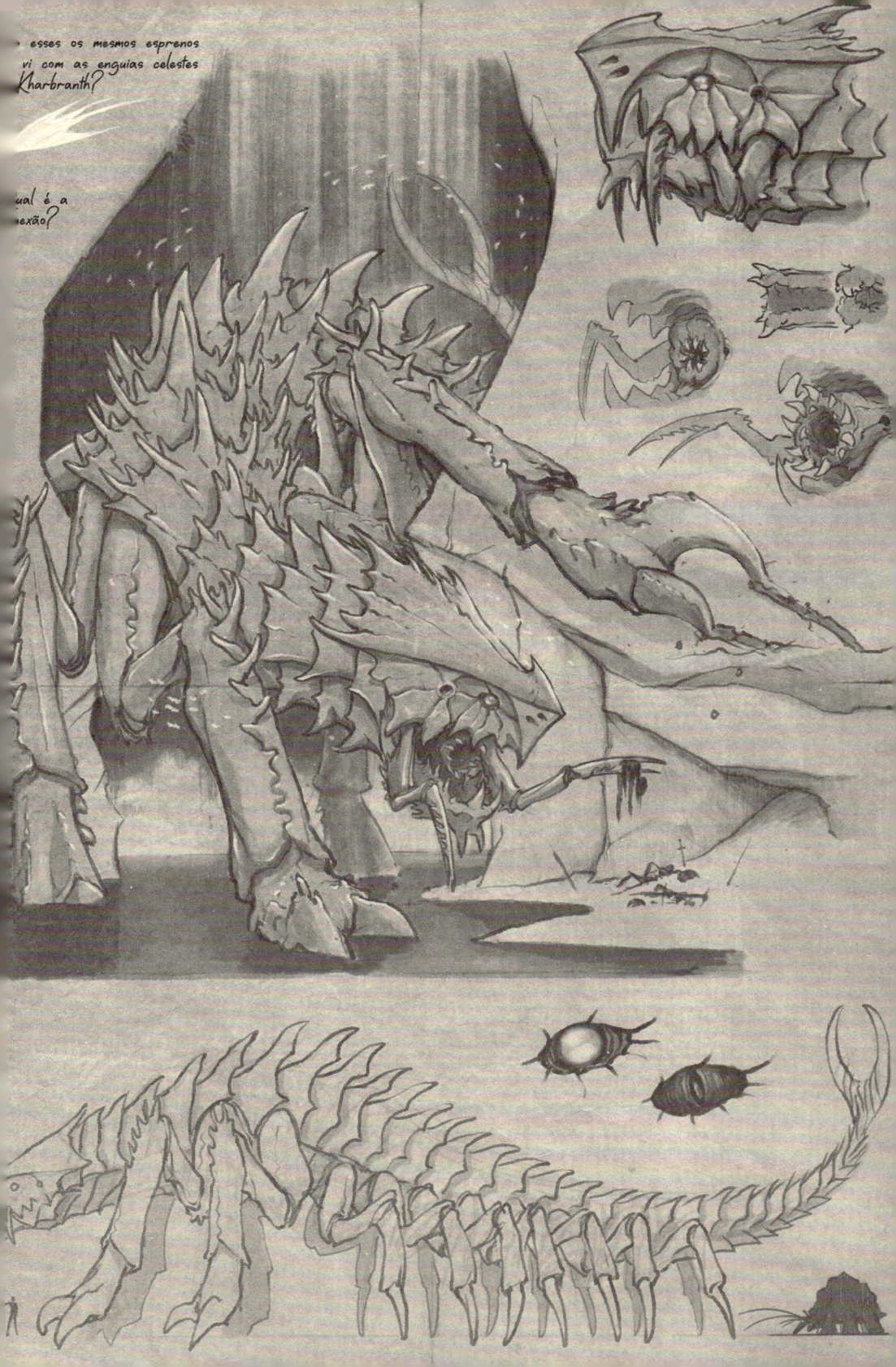

esses os mesmos esprenos
vi com as enguias celestes
Kharbranth?

ual é a
nexão?

75

VERDADEIRA GLÓRIA

A própria cosmere pode depender da nossa moderação.

— Pelo menos fale com ele, Dalinar — disse Amaram. O homem caminhava rapidamente para acompanhar o passo de Dalinar, seu manto dos Cavaleiros Radiantes ondulando atrás dele, enquanto inspecionavam as fileiras de tropas carregando carroças com suprimentos para a viagem às Planícies Quebradas. — Chegue a um acordo com Sadeas antes de partir. Por favor.

Dalinar, Navani e Amaram passaram por um grupo de lanceiros correndo para entrar em formação com seu batalhão, que estava contando as fileiras. Logo além deles, os homens e mulheres do acampamento agiam de modo igualmente animado. Crenguejos rastejavam apressadamente de um lado para outro, atravessando poças d'água deixadas pela tempestade.

A grantormenta da noite anterior fora a última da estação. Em algum momento do dia seguinte, o Pranto começaria. Por mais úmido que fosse, ele fornecia uma janela. Segurança contra tempestades, tempo de atacar. Planejava partir por volta do meio-dia.

— Dalinar? — chamou Amaram. — Você vai falar com ele?

Cuidado. Não faça julgamentos precipitados. Aquilo tinha de ser feito com precisão. Ao seu lado, Navani olhava-o de soslaio. Ele havia compartilhado com ela seus planos em relação a Amaram.

— Eu... — começou Dalinar.

Uma série de cornetas o interrompeu, soando pelo acampamento. Elas pareciam mais urgentes que de costume. Uma crisálida havia sido encontrada. Dalinar contou os ritmos, identificando a localização do platô.

— Longe demais — disse ele, apontando para uma das suas escribas, uma mulher alta e magricela que frequentemente ajudava Navani com seus experimentos. — Quem está na lista para as investidas de hoje?

— Os Grão-príncipes Sebarial e Roion, senhor — disse a escriba, consultando seu caderno.

Dalinar fez uma careta. Sebarial nunca enviava tropas, mesmo quando comandado. Roion era lento.

— Acione as bandeiras de sinalização para avisar a esses dois que a gema-coração está longe demais para se arriscarem. Vamos marchar em busca do acampamento parshendiano mais tarde ainda hoje, e não posso permitir que algumas das nossas tropas saiam em busca de uma gema-coração.

Ele deu a ordem como se algum daqueles dois homens fosse dedicar quaisquer tropas a sua marcha. Tinha esperanças em relação a Roion. Que o Todo-Poderoso permitisse que o homem não se assustasse no último minuto e se recusasse a participar da expedição.

A atendente partiu para cancelar a investida de platô. Navani apontou para um grupo de escribas que estavam tabulando listas de suprimentos, e ele assentiu, parando enquanto ela ia conversar com as mulheres para ter uma estimativa da prontidão.

— Sadeas não vai gostar que uma gema-coração deixe de ser coletada — disse Amaram enquanto os dois esperavam. — Quando ele souber que você cancelou a investida, vai mandar as próprias tropas atrás dela.

— Sadeas fará o que quiser, independentemente da minha intervenção.

— Toda vez que você permite que ele o desobedeça abertamente, a distância entre ele e o Trono aumenta. — Amaram tomou Dalinar pelo braço. — Temos problemas maiores que você e Sadeas, meu amigo. Sim, ele o traiu. Sim, ele provavelmente o trairá de novo. Mas não podemos permitir que vocês entrem em guerra. Os Esvaziadores *estão* chegando.

— Como pode ter certeza disso, Amaram? — questionou Dalinar.

— Instinto. Você me deu esse título, essa posição, Dalinar. Sinto algo do próprio Pai das Tempestades. Sei que um desastre está chegando. Alethkar precisa estar forte. Isso significa que você e Sadeas devem trabalhar juntos.

Dalinar balançou a cabeça lentamente.

— Não. A oportunidade de Sadeas trabalhar comigo passou há muito tempo. A estrada para a união em Alethkar não está na mesa de negociação, está lá fora.

Através dos platôs, rumo ao acampamento parshendiano, onde quer que estivesse. Um fim para a guerra. Uma conclusão para ele e seu irmão.

Você deve uni-los.

— Sadeas *quer* que você tente essa expedição — disse Amaram. — Tem certeza de que você vai falhar.

— E quando eu não falhar, ele vai perder toda a credibilidade.

— Você nem sabe onde vai encontrar os parshendianos! — disse Amaram, jogando as mãos no ar. — O que vai fazer, simplesmente perambular por aí até topar com eles?

— Sim.

— Loucura. Dalinar, você me nomeou para essa posição... uma posição impossível, veja bem... com a tarefa de ser uma luz para todas as nações. Estou achando difícil fazer com que até *você* me escute. Por que alguém mais escutaria?

Dalinar balançou a cabeça, olhando para o leste, ao longo das planícies partidas.

— Preciso ir, Amaram. As respostas estão lá fora, não aqui. É como se houvéssemos caminhado até a costa, então esperado ali durante anos, espiando as águas, mas com medo de nos molharmos.

— Mas...

— Já chega.

— Uma hora, você vai ter que conceder autoridade e permitir que ela seja mesmo *concedida*, Dalinar — disse Amaram em voz baixa. — Não pode controlar tudo, fingindo que não está no comando, e então ignorar ordens e conselhos como se estivesse.

As palavras, problematicamente verdadeiras, o atingiram com força. Ele não reagiu, ou ao menos não demonstrou nada.

— E a questão que designei a você? — perguntou Dalinar.

— Bordin? Até onde posso dizer, a história dele confere. Realmente acho que o louco só está delirando sobre ter uma Espada Fractal. É nitidamente ridícula a ideia de que ele possa realmente ter tido uma. Eu...

— Luminobre! — Uma jovem ofegante trajando um uniforme de mensageira, saias justas com uma fenda na lateral e calças de seda por baixo, correu até ele. — O platô!

— Sim. — Dalinar suspirou. — Sadeas está enviando tropas?

— Não, senhor — disse a mulher, as bochechas coradas devido à corrida. — Não... Quero dizer... Ele *saiu* dos abismos.

Dalinar franziu o cenho, olhando atentamente para ela.

— Quem?

— O Filho da Tempestade.

DALINAR CORREU POR TODO o caminho.

Quando se aproximou do pavilhão de triagem nos limites do acampamento — normalmente reservado para cuidar dos feridos que voltavam das investidas de platô —, teve dificuldade em ver devido à multidão em uniformes azul-cobalto bloqueando o caminho. Um cirurgião estava gritando para que eles recuassem e abrissem espaço.

Alguns dos homens viram Dalinar e o saudaram, saindo apressadamente do caminho. O azul se abriu como águas sopradas por uma tempestade.

E ali estava ele. Esfarrapado, o cabelo embaraçado, o rosto arranhado e a perna envolvida em uma atadura improvisada. Estava sentado em uma mesa de triagem e havia removido o casaco do uniforme, largado na mesa ao lado dele, amarrado em um pacote arredondado com o que parecia ser uma vinha.

Kaladin levantou os olhos quando Dalinar se aproximou, então fez menção de ficar de pé.

— Soldado, não — começou Dalinar, mas Kaladin não escutou.

Ele se levantou, usando uma lança como apoio para a perna ferida. Então levou a mão ao peito, um movimento lento, como se o braço estivesse amarrado a pesos. Aquela foi a saudação mais cansada que já vira, decidiu Dalinar.

— Senhor — disse Kaladin. Esprenos de exaustão voejavam ao redor dele como pequenos jatos de poeira.

— Como... — disse Dalinar. — Você caiu em um *abismo*!

— Eu caí de cara, senhor. E, felizmente, tenho a cabeça bastante dura.

— Mas...

Kaladin suspirou, se apoiando na lança.

— Sinto muito, senhor. Eu realmente não sei como sobrevivi. Achamos que alguns esprenos estavam envolvidos. De qualquer modo, caminhei de volta pelos abismos. Eu tinha um dever a cumprir. — Ele acenou com a cabeça para o lado.

Mais além na tenda de triagem, Dalinar viu algo que não havia percebido até então. Shallan Davar — um emaranhado de cabelo ruivo e roupas rasgadas — estava sentada em meio a um grupo de cirurgiões.

— Uma futura nora entregue sã e salva — declarou Kaladin. — Desculpe pelos danos na embalagem.

— Mas houve uma grantormenta! — disse Dalinar.

— Nós realmente queríamos voltar antes. Infelizmente encontramos alguns problemas no caminho. — Com movimentos letárgicos, ele pegou sua faca de cinto e cortou as vinhas do embrulho ao lado. — Sabe como todos diziam que havia um demônio-do-abismo à espreita nos abismos mais próximos?

— Sei...

Kaladin levantou os restos do seu casaco, revelando uma enorme gema-coração verde. Embora bruta e bulbosa, a gema-coração brilhava com uma poderosa luz interior.

— Sim — disse Kaladin, pegando a gema-coração em uma das mãos e jogando-a ao chão perante Dalinar. — Cuidamos disso para o senhor.

Em um piscar de olhos, esprenos de glória substituíram os esprenos de exaustão. Dalinar olhou, mudo, para a gema-coração que rolou e parou na frente da sua bota, sua luz quase ofuscante.

— Ah, não seja tão melodramático, carregador — gritou Shallan. — Luminobre Dalinar, nós encontramos a fera já morta e apodrecendo no abismo. Sobrevivemos à grantormenta escalando sua carcaça até alcançar uma rachadura na lateral do platô, onde esperamos a chuva acabar. Só conseguimos pegar a gema-coração porque a coisa já estava meio podre.

Kaladin olhou para ela, franzindo a testa; depois olhou de volta para Dalinar quase imediatamente.

— Sim. Foi isso que aconteceu.

Ele mentia muito pior do que Shallan.

Amaram e Navani finalmente chegaram, ele tendo ficado para trás para escoltá-la. Navani arquejou ao ver Shallan, então correu até ela, censurando em tom irritado os cirurgiões. Ela avaliou agitadamente Shallan, que parecia muito menos ferida do que Kaladin, apesar do estado terrível do seu vestido e cabelos. Em instantes, Navani fez com que Shallan fosse enrolada em um cobertor para cobrir sua pele exposta, então enviou um mensageiro para preparar um banho quente e uma refeição no complexo de Dalinar, na ordem em que Shallan desejasse.

Dalinar se pegou sorrindo. Navani fez questão de ignorar os protestos de Shallan de que nada daquilo era necessário. A mãe cão-machado finalmente havia emergido. Shallan aparentemente não era mais uma estranha, e sim parte da ninhada de Navani — e que Chana ajudasse o homem ou mulher que ficasse entre Navani e sua prole.

— Senhor — disse Kaladin, finalmente permitindo que os cirurgiões o acomodassem de volta na mesa. — Os soldados estão reunindo suprimentos. Os batalhões estão entrando em formação. É a sua expedição?

— Não precisa se preocupar, soldado. Não posso esperar que sirva de guarda no seu estado.

— Senhor — falou Kaladin mais baixo —, a Luminosa Shallan descobriu uma coisa, lá nos abismos. Algo que o senhor precisa saber. Fale com ela antes de partir.

— Pode deixar. — Dalinar esperou um momento, então acenou para que os cirurgiões se afastassem. Kaladin não parecia estar em perigo imediato. Aproximou-se e se inclinou para ele. — Os seus homens esperaram por você, Filho da Tempestade. Pularam refeições, fizeram turnos triplos. Acho até que teriam ficado esperando junto dos abismos por toda a grantormenta se eu não houvesse interferido.

— São bons homens — disse Kaladin.

— É mais do que isso. Eles *sabiam* que você voltaria. O que é que eles sabem sobre você que eu não sei?

Kaladin encontrou seu olhar.

— Eu estive procurando por você, não foi? — indagou Dalinar. — Todo esse tempo, sem perceber.

Kaladin desviou o olhar.

— Não, senhor. Talvez antes, mas... Sou apenas o que o senhor vê, não o que o senhor pensa. Sinto muito.

Dalinar grunhiu, inspecionando o rosto de Kaladin. Chegara a pensar... Mas talvez não.

— Dê-lhe qualquer coisa que ele quiser ou precisar — ordenou Dalinar aos cirurgiões, permitindo que se aproximassem. — Esse homem é um herói. De novo.

Ele recuou, permitindo que os carregadores se aproximassem de novo — o que, naturalmente, fez com que os cirurgiões praguejassem outra vez. Onde *estava* Amaram? O homem estivera ali alguns poucos minutos atrás. Assim que o palanquim chegou para Shallan, Dalinar decidiu seguir o veículo e descobrir o que Kaladin havia dito que a menina sabia.

Uma hora depois, Shallan estava aconchegada em um ninho de cobertores quentes, cabelo molhado no pescoço, cheirando a perfume floral. Usava um dos vestidos de Navani — que era grande demais para ela. Sentia-se como uma criança vestindo as roupas da mãe. Talvez fosse exatamente isso o que ela era. A súbita afeição de Navani era inesperada, mas Shallan certamente a aceitaria.

O banho fora glorioso. Shallan queria se encolher naquele sofá e dormir por dez dias. Por enquanto, contudo, permitiu-se curtir a sensação distinta de estar limpa, aquecida e segura pela primeira vez em um período que parecia uma eternidade.

— Você não pode levá-la, Dalinar. — A voz de Navani veio de Padrão na mesa ao lado do sofá. Shallan não sentiu um momento de culpa por mandá-lo espionar os dois enquanto tomava banho. Afinal de contas, estavam falando sobre ela.

— Esse mapa... — disse a voz de Dalinar.

— Ela pode desenhar um mapa melhor e você pode levá-lo.

— Ela não pode desenhar o que não viu, Navani. Ela precisa estar lá, conosco, para desenhar o centro do padrão nas Planícies quando penetrarmos naquela direção.

— Alguma outra...

— Ninguém mais foi capaz de fazer isso — disse Dalinar, parecendo impressionado. — Quatro anos, e nenhum dos nossos batedores e cartógrafos viram o padrão. Se queremos encontrar os parshendianos, vou precisar dela. Sinto muito.

Shallan fez uma careta. Ela *não* estava fazendo um bom trabalho em manter sua habilidade de desenho em segredo.

— Ela acabou de *voltar* daquele lugar horrível — disse a voz de Navani.

— Não vou deixar que um acidente similar ocorra. Ela estará segura.

— A menos que todos vocês morram — rebateu Navani. — A menos que toda essa expedição seja um desastre. Então perderei tudo. De novo.

— Padrão parou, então continuou falando na sua própria voz. — Ele a abraçou nesse momento, e sussurrou algumas coisas que não ouvi. A partir daí, eles ficaram *muito* próximos e fizeram alguns ruídos interessantes. Posso reproduzir...

— Não. — Shallan corou. — Íntimo demais.

— Está bem.

— Preciso ir com eles — disse Shallan. — Preciso completar o mapa das Planícies Quebradas e encontrar alguma maneira de relacioná-lo com os mapas antigos da Cidade da Tempestade.

Era a única maneira de encontrar o Sacroportal. *Partindo do princípio de que ele não foi destruído pela coisa que despedaçou as Planícies*, pensou Shallan. *E, se eu o encontrar, serei capaz de abri-lo?* Dizia-se que só um Cavaleiro Radiante era capaz de abrir o caminho.

— Padrão — disse ela baixinho, agarrando uma caneca de vinho quente. — Eu não sou uma Radiante, certo?

— Acho que não. Não ainda. Há mais a fazer, acredito, embora não tenha certeza.

— Como pode não saber?

— Eu não era eu quando os Cavaleiros Radiantes existiam. É complexo de explicar. Eu sempre existi. Nós não "nascemos", como os homens, e não podemos morrer de verdade, como os homens. Padrões são eternos, como o fogo, como o vento. Como todos os esprenos. Contudo, eu não estava neste estado. Eu não estava... consciente.

— Você era um espreno sem mente? — disse Shallan. — Como aqueles que se juntam ao meu redor quando desenho?

— Menos do que isso — respondeu Padrão. — Eu era... tudo. Em tudo. Não consigo explicar. Linguagem é insuficiente. Eu precisaria de números.

— Mas certamente existem outros dentre vocês — replicou Shallan. — Crípticos mais antigos? Que *estavam* vivos na época?

— Não — disse Padrão, baixo. — Nenhum que tenha vivenciado a conexão.

— Nenhum mesmo?

— Todos mortos — disse Padrão. — Para nós, isso significa que eles são irracionais... já que uma força não pode ser destruída de verdade. Esses antigos agora são padrões na natureza, como Crípticos que não nasceram. Tentamos restaurá-los. Não funciona. Hmmm. Talvez, se seus cavaleiros ainda vivessem, algo pudesse ser feito...

Pai das Tempestades. Shallan puxou o cobertor ao redor de si.

— Todo um povo, completamente morto?

— Não foi só um povo — disse Padrão solenemente. — Muitos. Esprenos conscientes eram menos abundantes naquela época, e a maioria de vários povos de esprenos tinha conexões. Houve muito poucos sobreviventes. Aquele que você chama de Pai das Tempestades sobreviveu. Alguns outros. O resto, milhares de nós, foi morto quando o *evento* aconteceu. Você o chama de Traição.

— Não admira que você tenha certeza de que vou matá-lo.

— É inevitável — disse Padrão. — Uma hora você vai trair seus votos, destruindo minha mente, deixando-me morto... mas a oportunidade vale o custo. Minha raça é estática demais. Sempre mudamos, sim, mas mudamos do mesmo jeito. Repetidamente. É difícil de explicar. Já você... você é *vibrante*. Ao vir para este lugar, este seu mundo, tive que desistir de muitas coisas. A transição foi... traumática. Minha memória está retornando lentamente, mas estou feliz com essa chance. Sim. Hmm.

— Só um Radiante pode abrir o caminho — disse Shallan, então tomou um gole do vinho. Gostava do calor que ele estimulava dentro dela. — Mas não sabemos por que, ou como. Talvez eu seja Radiante o bastante para fazê-lo funcionar.

— Talvez. Ou você pode progredir. Tornar-se mais. *Há* algo mais que você deve fazer.

— Palavras? — disse Shallan.

— Você já disse as Palavras — replicou Padrão. — Você as disse muito tempo atrás. Não... não são as palavras que estão faltando. É a verdade.

— Você prefere mentiras.

— Hmm. Sim, e você é uma mentira. Uma mentira poderosa. Mas não é *só* mentira. É verdade e mentira misturadas. Você precisa entender as duas coisas.

Shallan ficou sentada, pensativa, terminando seu vinho, até que a porta da sala de estar se abriu bruscamente, deixando entrar Adolin. Ele parou, fitando-a com olhos arregalados.

Shallan se levantou, sorrindo.

— Parece que não consegui ser apropriadamente...

Ela se interrompeu quando ele a agarrou em um abraço. Droga. Tinha preparado uma piada perfeita. Pensara nisso durante todo o banho.

Ainda assim, era ótimo estar nos braços dele. Adolin nunca fora tão ousado fisicamente. Sobreviver a uma jornada impossível tinha seus benefícios. Ela o envolveu nos braços, sentiu os músculos das costas dele através do uniforme, respirou sua colônia. Ele a segurou por vários segundos. Não era o bastante. Shallan virou a cabeça e forçou um beijo, sua boca envolvendo a dele, firme no abraço de Adolin.

Adolin se derreteu no beijo, e não recuou. Por fim, porém, o momento perfeito terminou. Adolin segurou o rosto dela, olhou-a nos olhos, e sorriu. Então agarrou-a em outro abraço e deu aquela sua gargalhada barulhenta e exuberante. Uma gargalhada *real*, aquela de que Shallan tanto gostava.

— Onde você estava? — perguntou ela.

— Visitando os outros grão-príncipes — respondeu Adolin. — Um por um, e entregando o ultimato do meu pai: se juntarem a nós nesse assalto, ou para sempre serem conhecidos como aqueles que se recusaram a cumprir o Pacto de Vingança. Meu pai quis me dar uma tarefa para me ajudar a me distrair de... bem, você.

Ele se inclinou para trás, segurando-a pelos braços, e abriu um sorriso bobo.

— Fiz desenhos para você — disse Shallan, sorrindo de volta. — Eu vi um demônio-do-abismo.

— Um morto, certo?

— Pobrezinho.

— Pobrezinho? — Adolin deu uma gargalhada. — Shallan, se houvesse visto um vivo, certamente teria sido morta!

— Quase certamente.

— Ainda não acredito... Quero dizer, você caiu. Eu deveria tê-la salvado. Shallan, sinto muito. Eu corri primeiro para o meu pai...

— Você fez o que tinha que fazer. Ninguém naquela ponte teria preferido que você salvasse um de nós em vez do seu pai.

Ele a abraçou novamente.

— Bem, não vou deixar que aconteça de novo. Nem nada parecido. Vou proteger você, Shallan.

Ela ficou tensa.

— Vou *garantir* que ninguém a machuque novamente — disse Adolin com ferocidade. — Eu deveria ter imaginado que você poderia ser pega em uma tentativa de assassinato contra o pai. Vamos ter que garantir que você nunca mais esteja numa situação dessas.

Ela se afastou dele.

— Shallan? Não se preocupe, eles não vão alcançá-la. Eu vou protegê-la. Eu...

— Não diga essas coisas — sibilou ela.

— O quê? — Ele correu a mão pelo cabelo.

— *Não diga*, e pronto — disse Shallan, tremendo.

— O homem que fez isso, que baixou a alavanca, está morto — disse Adolin. — É com isso que está preocupada? Ele foi envenenado antes que pudéssemos obter respostas... embora a gente tenha certeza de que ele respondia a Sadeas... mas você não precisa se preocupar com ele.

— Vou me preocupar com o que eu quiser me preocupar. Não preciso ser protegida.

— Mas...

— Não preciso! — insistiu Shallan. Ela inspirou e expirou, se acalmando. Estendeu a mão e pegou a dele. — Não vou ser trancada de novo, Adolin.

— De novo?

— Esqueça. — Shallan levantou a mão dele e entrelaçou seus dedos. — Agradeço a preocupação. Isso é tudo que importa.

Mas não vou deixar que você, ou qualquer pessoa, me trate como algo a ser escondido. Nunca, nunca mais.

Dalinar abriu a porta do escritório, deixando Navani passar primeiro, depois a seguiu para dentro do recinto. Navani parecia serena, seu rosto uma máscara.

— Criança — disse Dalinar para Shallan. — Tenho que lhe pedir algo um tanto difícil.

— Qualquer coisa que o senhor desejar, Luminobre — disse Shallan, com uma mesura. — Mas gostaria de pedir algo ao senhor também.

— O que seria?

— Preciso acompanhá-lo na sua expedição.

Dalinar sorriu, olhando de relance para Navani. A mulher mais velha não reagiu. *Ela sabe dominar suas emoções tão bem,* pensou Shallan. *Sequer consigo ler o que está pensando.* Essa seria uma habilidade útil de se aprender.

— Acredito que as ruínas de uma antiga cidade estejam ocultas nas Planícies Quebradas — disse Shallan, olhando de volta para Dalinar. — Jasnah estava procurando por elas; logo, eu também estou.

— Essa expedição será perigosa — disse Navani. — Você entende os riscos, menina?

— Sim.

— Seria de se pensar, levando em conta seus recentes apuros, que você desejaria um período de abrigo — continuou Navani.

— Hã, eu não diria essas coisas para ela, tia — disse Adolin, coçando a cabeça. — Ela reage de maneira meio engraçada.

— Não é uma questão de humor — respondeu Shallan, de cabeça erguida. — Eu tenho esse dever.

— Então vou permitir — disse Dalinar. Ele gostava de tudo relacionado a dever.

— E o que o senhor deseja de mim? — perguntou Shallan.

— Esse mapa — disse Dalinar, cruzando o cômodo e segurando o mapa amassado que detalhava seu caminho de volta pelos abismos. — As eruditas de Navani dizem que é tão preciso quanto qualquer mapa que possuímos. Pode realmente expandi-lo? Fornecer um mapa de todas as Planícies Quebradas?

— Posso. — Ainda mais se usasse o que se lembrava do mapa de Amaram para preencher alguns detalhes. — Mas, Luminobre, posso fazer uma sugestão?

— Fale.

— Deixe seus parshemanos para trás, no acampamento de guerra.

Ele franziu o cenho.

— Não posso explicar com precisão o motivo — continuou Shallan —, mas Jasnah acreditava que eles são perigosos. Ainda mais para levar às Planícies. Se o senhor deseja minha ajuda, se confia em mim para criar esse mapa, então confie em mim nesse único ponto. Deixe os parshemanos. Conduza essa expedição sem eles.

Dalinar olhou para Navani, que deu de ombros.

— Depois que nossas coisas estiverem embaladas, eles não serão realmente *necessários*. Os únicos incomodados com isso serão os oficiais, que terão que montar as próprias tendas.

Dalinar pensou um pouco, ponderando sobre o pedido.

— Isso vem das anotações de Jasnah? — indagou Dalinar.

Shallan assentiu. Ao seu lado, abençoadamente, Adolin acrescentou:

— Ela já me falou um pouco do assunto, pai. O senhor deveria ouvi-la.

Shallan lançou a ele um sorriso de gratidão.

— Então será feito — disse Dalinar. — Pegue suas coisas e avise seu tio Sebarial, Luminosa. Vamos partir em uma hora. Sem parshemanos.

FIM DA
PARTE QUATRO

INTERLÚDIOS

LHAN • ESHONAI • TARAVANGIAN

I-12

LHAN

— Parabéns — disse o Irmão Lhan. — Você conseguiu obter o trabalho mais fácil do mundo.

A jovem fervorosa apertou os lábios, olhando-o de cima a baixo. Obviamente não esperava que seu novo mentor fosse rotundo, ligeiramente bêbado e bocejasse tanto.

— Você é o... fervoroso *sênior* a que fui designada?

— "A quem fui designada" — corrigiu o Irmão Lhan, passando o braço ao redor dos ombros da jovem. — Você vai ter que aprender a falar de modo meticuloso. A rainha Aesudan gosta de pensar que as pessoas ao redor dela são refinadas. Isso faz com que se sinta refinada por associação. Meu trabalho é instruir você nessas coisas.

— Sou uma fervorosa aqui em Kholinar há mais de um ano — respondeu a mulher. — Não acho que precise de instruções...

— Sim, sim — disse o Irmão Lhan, guiando-a monastério adentro. — É só que, sabe, seus superiores disseram que você poderia precisar de um pouco mais de direcionamento. Ser designado ao séquito da rainha é um privilégio maravilhoso! Um privilégio, pelo que soube, que você solicitou com certo grau de... ah... persistência.

Ela caminhou com ele, e cada passo revelava sua relutância; ou talvez sua confusão. Adentraram o Círculo de Memórias, uma sala redonda com dez lâmpadas nas paredes, uma para cada um dos dez Reinos de Época. Uma décima primeira lâmpada representava os Salões Tranquilinos, e uma grande fechadura cerimonial engastada na parede representava a necessidade de os fervorosos ignorarem fronteiras e olharem apenas para os corações dos homens... ou algo assim. Para ser honesto, ele não tinha certeza.

Saindo do Círculo de Memórias, eles adentraram uma das passarelas cobertas entre edifícios do monastério, uma chuva leve caindo sobre os telhados. O último trecho das passarelas, a via solar, fornecia uma vista maravilhosa de Kholinar — pelo menos quando fazia sol. Mesmo naquele dia, Lhan podia ver boa parte da cidade, já que tanto o templo quanto o grão-palácio ocupavam uma colina de topo plano.

Alguns diziam que o próprio Todo-Poderoso havia desenhado Kholinar na rocha, removendo partes do solo com movimentos fluidos do seu dedo. Lhan se perguntava quão bêbado o Todo-Poderoso teria estado naquele momento. Ah, a cidade era linda, mas era a beleza de um artista que não batia lá muito bem da cabeça. A rocha tomava a forma de colinas arredondadas e vales com declives íngremes, e quando a pedra era escavada, expunha milhares de camadas brilhantes de vermelho, branco, amarelo e laranja.

As formações mais majestosas eram as Lâminas de Vento — enormes espinhaços rochosos que cortavam a cidade. Dotadas de belas linhas estratificadas nas laterais, elas se curvavam, se encolhiam, se elevavam e caíam de modo imprevisível, como peixes saltando do oceano. Supostamente, isso se devia ao modo como os ventos sopravam na área. Ele *pretendia* uma hora estudar o assunto. Qualquer dia desses.

Pés calçados em pantufas pisavam suavemente sobre o mármore brilhante, acompanhando o som das chuvas, enquanto Lhan conduzia a garota — qual era mesmo o nome dela?

— Veja só essa cidade — disse ele. — Todo mundo aqui precisa trabalhar, até mesmo os olhos-claros. Pão para assar, terras para supervisionar e calçadas para... ah... calçar? Não, isso é com sapatos. Danação. Como chamamos pessoas que calçam, mas não calçam de *verdade*?

— Eu não sei — disse a jovem em voz baixa.

— Bem, não nos importa. Sabe, nós só temos um trabalho, e é bem fácil. Servir à rainha.

— Isso não é um trabalho fácil.

— Mas é, sim! — replicou Lhan. — Contanto que todos estejamos servindo da mesma maneira. De uma maneira bem... ah... cuidadosa.

— Nós somos bajuladores — disse a jovem, olhando para a cidade. — Os fervorosos da rainha só dizem o que ela deseja ouvir.

— Ah, e aqui estamos nós, no ponto mais importante. — Lhan deu-lhe um tapinha no braço. Qual *era* o nome dela mesmo? Haviam-lhe dito...

Paih. Não era um nome muito alethiano; ela provavelmente o escolhera quando se tornara uma fervorosa. Isso acontecia. Uma nova vida, um novo nome, frequentemente um nome simples.

— Sabe, Paih — disse ele, prestando atenção para ver se ela reagia. Sim, aparentemente ele se lembrara corretamente do nome. Sua memória devia estar melhorando. — Era sobre isso que seus superiores queriam que eu conversasse com você. Eles temem que, se você não for instruída adequadamente, pode causar certa tormenta aqui Kholinar. Ninguém quer isso.

Ele e Paih passaram por outros fervorosos pela via solar, e Lhan acenou a cabeça para eles. A rainha tinha um bocado de fervorosos. Um *bocado* de fervorosos.

— É o seguinte: a rainha... ela às vezes se preocupa que talvez o Todo-Poderoso não esteja feliz com ela.

— E com razão — replicou Paih. — Ela...

— Quietinha. — Lhan fez uma careta. — Só fique... quieta. Escute. A rainha acha que, se tratar bem seus fervorosos, isso vai comprar-lhe o favor Daquele que faz as tempestades, por assim dizer. Boa comida. Boas roupas. Aposentos fantásticos. Muito tempo livre para fazer o que quisermos. Nós recebemos tudo isso enquanto ela achar que está no caminho certo.

— Nosso dever é dar a ela a verdade.

— E damos! — disse Lhan. — Ela é a escolhida do Todo-Poderoso, não é? Esposa do rei Elhokar, regente enquanto ele está combatendo uma guerra santa de retribuição contra os regicidas nas Planícies Quebradas. A vida dela é muito difícil.

— Ela dá festas toda noite — sussurrou Paih. — Ela se entrega à devassidão e ao excesso. Desperdiça dinheiro enquanto Alethkar definha. As pessoas nas cidades periféricas passam fome enquanto enviam comida para cá, pensando que ela será passada para soldados que precisam dela. A comida apodrece porque a rainha não se dá ao trabalho de enviá-la.

— Tem comida suficiente nas Planícies Quebradas — disse Lhan. — Tem gemas saindo pelos ouvidos lá. E ninguém está passando fome aqui. Você está exagerando. A vida é boa.

— É boa, se você é a rainha ou um dos seus lacaios. Ela até mesmo cancelou as Festas dos Mendigos. É repreensível.

Lhan grunhiu por dentro. Aquela ali... aquela ali seria difícil. Ele não queria que a menina fizesse qualquer coisa que pudesse colocá-la em perigo. Ou, bem, ele. Principalmente ele.

Adentraram o grandioso corredor oriental do palácio. Os pilares esculpidos ali eram considerados uma das maiores obras de arte de todos os tempos, e era possível traçar sua história até antes da era sombria. A douradura do piso era engenhosa — um ouro lustroso havia sido colocado sob fitas Transmutadas de cristal, e corria como riachos entre os mosaicos do chão. O teto fora decorado pelo próprio Oolelen, o grande pintor fervoroso, e representava uma tormenta vinda do leste.

Tudo aquilo poderia ser crem no esgoto, considerando a reverência prestada por Paih. Ela parecia só ver os fervorosos passeando por ali, contemplando a beleza. E comendo. E compondo novos poemas para Sua Majestade — muito embora, para ser honesto, Lhan evitasse esse tipo de coisa. Era demasiadamente parecido com trabalho.

Talvez a atitude de Paih viesse de um resquício de inveja. Alguns fervorosos sentiam ciúmes dos escolhidos da rainha. Ele tentou explicar alguns dos luxos que agora estavam à sua disposição: banhos quentes, passeios a cavalo usando os estábulos pessoais da rainha, música e arte...

A expressão de Paih se obscurecia a cada item. Droga. Aquilo não estava funcionando. Novo plano.

— Aqui — disse Lhan, conduzindo-a rumo aos degraus. — Tem uma coisa que quero mostrar a você.

A escadaria contornava o complexo do palácio. Ele adorava aquele lugar, cada pedaço dele. Paredes de pedra branca, lâmpadas de esferas douradas, e uma *idade*. Kholinar nunca fora saqueada. Era uma das poucas cidades orientais que não sofrera aquele destino no caos depois da queda da Hierocracia. O palácio havia queimado uma vez, mas o incêndio morrera antes de consumir a ala oriental. O milagre de Rener, chamavam. A chegada de uma grantormenta para apagar o fogo. Lhan jurava que o local ainda cheirava a fumaça, trezentos anos depois. E...

Ah, certo. A garota. Eles continuaram descendo os degraus e por fim chegaram às cozinhas do palácio. O almoço havia terminado, mas isso não impediu Lhan de pegar um prato de pão frito, ao estilo herdaziano da bancada ao passarem. Havia bastante à disposição dos favoritos da rainha, que podiam sentir vontade de fazer uma boquinha a qualquer hora. Ser um bom bajulador dava fome.

— Está tentando me convencer com comidas exóticas? — perguntou Paih. — Durante os últimos cinco anos, só comi uma tigela de taleu cozido em cada refeição, com um pedaço de fruta em ocasiões especiais. Isso não vai me tentar.

Lhan parou.

— Você não está falando sério, está?

Ela assentiu.

— Qual é o seu *problema*?

Ela corou.

— Sou do Devotário da Negação. Desejo me separar das necessidades físicas do meu...

— É pior do que pensei — disse Lhan, segurando a mão dela e puxando-a pelas cozinhas.

Perto dos fundos, encontraram uma porta conduzindo até o pátio de serviço, onde os suprimentos eram entregues e o lixo levado embora. Ali, protegidas da chuva por um toldo, encontraram pilhas de comida não usada.

Paih arquejou.

— Que desperdício! Você me trouxe até aqui para me convencer a *não* fazer uma tormenta? Está fazendo exatamente o contrário!

— Havia uma fervorosa que levava tudo isso e distribuía para os pobres — disse Lhan. — Ela morreu alguns anos atrás. Desde então, os outros fizeram alguns esforços para cuidar do assunto. Não muito, mas um pouco. A comida uma hora é levada, geralmente jogada na praça para os mendigos. A essa altura, grande parte já está podre.

Raios. Ele quase *sentia* o calor da raiva dela.

— Agora, se houvesse uma fervorosa entre nós cuja única fome fosse fazer o bem, pense o quanto ela poderia realizar. Ora, ela poderia alimentar centenas só com o que é desperdiçado.

Paih olhou de soslaio as pilhas de frutas apodrecendo, os sacos de grãos abertos, agora arruinados na chuva.

— Agora vamos contemplar o oposto — disse Lhan. — Se alguma fervorosa tentasse tomar o que temos... bem, o que poderia acontecer a ela?

— Isso é uma ameaça? — perguntou ela baixinho. — Não tenho medo de danos corporais.

— Raios — disse Lhan. — Você acha que nós... Garota, tenho um criado que coloca as *chinelas* nos meus pés de manhã. Não seja tola. Não vamos machucá-la. Trabalho demais. — Ele estremeceu. — Você seria mandada embora, de modo rápido e discreto.

— Eu também não tenho medo disso.

— Duvido que você tenha medo de alguma coisa, exceto talvez de se divertir um pouco. Mas de que adiantaria para os outros se você fosse mandada embora? Nossas vidas não mudariam, a rainha continuaria a mesma, e a comida lá fora ainda estragaria. Mas se você *ficar*, pode fazer o bem. Quem sabe, talvez o seu exemplo ajude todos nós a nos reformarmos, hein? — Ele deu um tapinha no ombro dela. — Pense sobre isso por alguns minutos. Eu quero terminar meu pão.

Lhan se afastou, olhando sobre o ombro algumas vezes. Paih se acomodou junto dos montes de comida podre, olhando para eles. Ela não parecia se incomodar com o cheiro forte.

Lhan observou-a de dentro da cozinha até ficar entediado. Quando voltou da sua massagem da tarde, ela ainda estava lá. Ele comeu seu jantar na cozinha, que não era terrivelmente luxuosa. A garota estava interessada demais naqueles montes de lixo.

Finalmente, ao cair da noite, ele voltou até ela.

— Você nem mesmo se questiona? — perguntou ela, fitando aquelas pilhas de detritos, o som da chuva ecoando ali perto. — Não pensa sobre o custo da sua gula?

— Custo? Eu disse que ninguém passa forme porque nós...

— Não quero dizer o custo monetário — sussurrou ela. — Quero dizer o custo espiritual. Para você, para as pessoas à sua volta. Está tudo errado.

— Ah, não é tão mau assim — disse ele, sentando-se ao lado dela.

— É, *sim*. Lhan, é maior do que a rainha e suas festas perdulárias. Não era muito melhor antes disso, com as caçadas e guerras do rei Gavilar, principado contra principado. As pessoas ouvem sobre a glória da batalha nas Planícies Quebradas, ou das riquezas de lá, mas nada disso se materializa aqui. Será que alguém da elite alethiana ainda se *importa* com o Todo-Poderoso? Claro, eles praguejam em seu nome. Claro, falam sobre os Arautos, queimam glifos-amuletos. Mas o que *fazem*? Eles mudam suas vidas? Eles escutam os Argumentos? Eles se transformam, remoldando suas almas em algo maior, algo melhor?

— Eles têm Vocações — disse Lhan, agitando os dedos. Digitando, então? — Os devotários ajudam.

Ela balançou a cabeça.

— Por que não ouvimos a voz Dele, Lhan? Os Arautos disseram que derrotamos os Esvaziadores, que Aharietiam foi a grande vitória para a humanidade. Mas Ele não deveria tê-los enviado para falar conosco, para nos aconselhar? Por que eles não vieram durante a Hierocracia e nos denunciaram? Se o que a Igreja estava fazendo era tão maligno, onde estava o protesto do Todo-Poderoso?

— Eu... Certamente você não está sugerindo que *voltemos* àquilo? — Ele pegou seu lenço e pressionou-o na sua nuca e na cabeça. Aquela conversa só piorava.

— Eu não sei o que estou sugerindo. Só sei que há algo de errado. Tudo isso é errado demais. — Ela olhou para ele, então ficou de pé. — Aceito sua proposta.

— Aceita?

— Não vou deixar Kholinar. Vou ficar aqui e fazer o bem que eu puder.

— E não vai meter os outros fervorosos em encrencas?

— Meu problema não é com os fervorosos — replicou ela, oferecendo uma das mãos para ajudá-lo a se levantar. — Vou apenas tentar ser um bom exemplo para todos.

— Muito bem, então. Parece uma boa escolha.

Ela se afastou, e ele secou a cabeça com o lenço. Ela não havia prometido, não exatamente. Ele não sabia ao certo quão preocupado deveria ficar em relação àquilo.

Acabou descobrindo que deveria ter ficado *muito* preocupado.

Na manhã seguinte, ele cambaleou até o Salão do Povo — um edifício grande e aberto na sombra do palácio, onde o rei ou a rainha tratava das preocupações das massas. Uma multidão murmurante de fervorosos horrorizados estava dentro do perímetro.

Lhan já havia ouvido, mas precisava ver por conta própria. Ele forçou caminho até a frente. Paih estava ajoelhada ali no chão, a cabeça baixa. Aparentemente passara a noite inteira pintando, escrevendo glifos no chão à luz de esferas. Ninguém havia notado. O local geralmente ficava bem trancado quando não estava em uso, e ela começara a trabalhar muito depois de todos estarem dormindo ou bêbados.

Dez grandes glifos, escritos diretamente na pedra do piso que conduzia ao estrado com o Trono Comum do rei. Os glifos listados eram os dez atributos da tolice, representados pelos dez tolos. Ao lado de cada glifo havia um parágrafo escrito na escrita das mulheres, explicando como a rainha exemplificava cada um dos tolos.

Lhan leu, horrorizado. Aquilo... aquilo não era apenas uma censura. Era uma condenação do governo inteiro, dos olhos-claros e do próprio Trono!

Paih foi executada na manhã seguinte.

Os motins começaram naquela noite.

I-13
UM PAPEL A DESEMPENHAR

AQUELA VOZ NO FUNDO de Eshonai ainda gritava. Mesmo quando ela não se afinava com o antigo Ritmo de Paz. Mantinha-se ocupada para silenciá-la, caminhando pelo platô perfeitamente circular próximo a Narak, onde seus soldados frequentemente treinavam.

Seu povo havia se transformado em algo antigo, mas ao mesmo tempo novo. Algo poderoso. Estavam enfileirados naquele platô, cantarolando em Fúria. Ela os dividiu pela experiência de combate. Uma nova forma não fazia um soldado; muitos haviam sido trabalhadores a vida inteira.

Eles teriam um papel a desempenhar. Fariam surgir algo grandioso.

— Os alethianos virão — disse Venli, caminhando ao lado de Eshonai e distraidamente fazendo energia brotar dos seus dedos, deixando-a brincar entre dois deles. Venli sorria com frequência naquela nova forma. A não ser por isso, não parecia ter mudado.

Eshonai sabia que ela mesma mudara. Mas Venli... agia da mesma maneira.

Tinha a impressão de que havia algo de errado nisso.

— O agente que enviou esse relatório tem certeza disso — continuou Venli. — Sua visita ao Espinho Negro parece tê-los encorajado a agir, e os humanos pretendem atacar Narak com toda força. Naturalmente, isso pode ainda acabar em desastre.

— Não. Não. É perfeito.

Venli olhou para ela, parando no campo rochoso.

— Não precisamos de mais treinamento. Devemos agir agora mesmo para trazer uma grantormenta.

— Faremos isso quando os humanos se aproximarem — disse Eshonai.

— Por quê? Vamos fazer esta noite.

— Bobagem — replicou Eshonai. — Essa é uma ferramenta para ser usada em batalha. Se produzirmos uma tempestade inesperada agora, os alethianos não virão, e nós não venceremos a guerra. Nós *precisamos* esperar.

Venli pareceu pensativa. Finalmente, ela sorriu, então concordou.

— O que você sabe que não está me dizendo? — perguntou Eshonai, pegando a irmã pelo ombro.

Venli abriu ainda mais o sorriso.

— Apenas fui persuadida. Precisamos esperar. A tempestade vai soprar na direção errada, afinal de contas. Ou foram todas as outras tempestades que sopraram na direção errada, e essa será a primeira a soprar na direção certa?

A direção errada?

— Como você sabe? Sobre a direção?

— As canções.

As canções. Mas... elas não diziam nada sobre...

Algo no fundo de Eshonai a instigou a seguir adiante.

— Se isso for verdade, teremos que esperar até que os humanos estejam praticamente em cima de nós para pegá-los na tormenta.

— Então é isso que vamos fazer — disse Venli. — Vou preparar o ensinamento. Nossa arma estará pronta.

Ela falou no Ritmo de Anseio, que era parecido com o antigo Ritmo de Expectativa, mas mais violento.

Venli se afastou, reunindo-se com seu ex-consorte e muitos dos seus eruditos. Eles pareciam confortáveis naquelas formas. Confortáveis demais. Não podiam ter assumido essas formas antes... podiam?

Eshonai bloqueou os gritos e foi preparar outro batalhão de novos soldados. Ela sempre odiara ser general. Quão irônico, então, que fosse ser lembrada nas canções do seu povo como a líder de guerra que finalmente esmagara os alethianos.

TARAVANGIAN

Taravangian, rei de Kharbranth, despertou com músculos rígidos e uma dor nas costas. Não se sentia estúpido; isso era um bom sinal.

Ele se sentou, grunhindo. As dores eram perpétuas agora, e seus melhores médicos apenas balançavam a cabeça e afirmavam que ele estava saudável para sua idade. Saudável. Suas juntas estalavam como troncos no fogo e ele não conseguia se levantar rapidamente, ou se arriscava a perder o equilíbrio e desabar no chão. Envelhecer era realmente sofrer a traição suprema, a do próprio corpo.

Ele se sentou na cama. A água batia silenciosamente contra o casco da sua cabine, e o ar cheirava a sal. Contudo, ouvia gritos em uma distância próxima. O navio havia chegado na hora. Excelente.

Enquanto ele assentava, um criado se aproximou com uma mesa e outro com um pano úmido e aquecido para limpar seus olhos e mãos. Atrás deles, os Examinadores do rei esperavam. Há quanto tempo Taravangian não ficava sozinho, verdadeiramente sozinho? Desde antes de as dores chegarem.

Maben bateu na porta aberta, trazendo a refeição da manhã em uma bandeja, mingau de cereal cozido e condimentado. Supostamente era bom para sua constituição. Tinha gosto de água de lavar pratos; água de lavar pratos insossa. Maben deu um passo à frente para dispor a refeição, mas Mrall — um thayleno trajando uma couraça preta de couro e que raspava a cabeça e as sobrancelhas — a deteve com uma das mãos no braço.

— Exames primeiro — disse Mrall.

Taravangian levantou a cabeça, encontrando o olhar do homem grandalhão. Mrall podia assomar sobre uma montanha e intimidar o próprio vento. Todos imaginavam que fosse o principal guarda-costas de Taravangian. A verdade era mais perturbadora.

Mrall era quem decidia se Taravangian passaria o dia como rei ou prisioneiro.

— Certamente pode deixar que ele coma primeiro! — disse Maben.

— Hoje é um dia importante — disse Mrall em voz baixa. — Gostaria de saber o resultado do exame.

— Mas...

— É direito dele exigir isso, Maben — disse Taravangian. — Vamos andar logo.

Mrall deu um passo atrás e os examinadores se aproximaram, um grupo de três guarda-tempos em trajes e chapéus deliberadamente esotéricos. Eles apresentaram uma série de páginas cobertas de números e glifos. Eram a variedade do dia em uma sequência de problemas matemáticos cada vez mais desafiadores, projetados pelo próprio Taravangian em um dos seus melhores dias.

Ele pegou a caneta com dedos hesitantes. Não se *sentia* estúpido, mas isso raramente acontecia. Só no pior dos dias ele imediatamente reconhecia a diferença. Nessas ocasiões, sua mente ficava espessa como piche, e ele se sentia um prisioneiro da própria mente, ciente de que havia algo profundamente errado.

Aquele dia não era um desses, felizmente. Ele não estava um completo idiota. No pior dos casos, estava somente muito estúpido.

O rei iniciou sua tarefa, solvendo os problemas matemáticos que podia. Levou quase uma hora, mas, durante o processo, foi capaz de avaliar sua capacidade. Como havia suspeitado, não estava terrivelmente inteligente — mas tampouco estava estúpido. Naquele dia... ele estava na média.

Teria que ser suficiente.

Ele entregou os problemas aos guarda-tempos, que ponderaram em vozes baixas e se voltaram para Mrall.

— Ele está apto a servir — proclamou um deles. — Não pode oferecer comentários vinculatórios sobre o Diagrama, mas pode interagir sem supervisão. Ele pode mudar a política de governo contanto que haja um espaço de três dias antes que as mudanças tenham efeito, e também pode passar julgamento em processos.

Mrall assentiu, olhando para Taravangian.

— O senhor aceita essa avaliação e essas restrições, Vossa Majestade?

— Aceito.

Mrall assentiu, então recuou, permitindo que Maben deixasse na mesa a sua refeição matinal.

O trio de guarda-tempos guardou os papéis que ele havia preenchido, então se retirou para as próprias cabines. O exame era um procedimento extravagante e consumia tempo valioso a cada manhã. Ainda assim, era a melhor maneira que ele encontrara para lidar com sua condição.

A vida podia ser complicada para um homem que acordava a cada manhã com um nível diferente de inteligência. Particularmente quando o mundo inteiro podia depender do seu gênio, ou entrar em colapso devido à sua idiotice.

— Como está lá fora? — perguntou Taravangian em voz baixa, remexendo na sua refeição, que havia esfriado durante o exame.

— Horrível — disse Mrall, sorrindo. — Exatamente como queríamos.

— Não tire prazer do sofrimento — replicou Taravangian. — Mesmo quando é obra nossa. — Ele tomou uma colherada de mingau. — *Principalmente* quando é obra nossa.

— Como quiser. Não farei mais isso.

— Você realmente consegue mudar tão fácil? — indagou Taravangian. — Desligar suas emoções ao seu bel-prazer?

— Claro — disse Mrall.

Isso atiçou em Taravangian um fio de interesse. Se estivesse em um dos seus estados mais brilhantes, poderia ter aproveitado a chance — mas sentia o pensamento escorrendo como água entre os dedos. Outrora, ele se afligia com essas oportunidades perdidas, mas por fim as aceitou. Acabara aprendendo que os dias de brilhantismo traziam seus próprios problemas.

— Deixe-me ver o Diagrama — disse ele. Qualquer coisa para distraí-lo daquela gororoba que insistiam em servir-lhe.

Mrall abriu caminho, permitindo que Adrotagia — chefe das eruditas de Taravangian — se aproximasse, trazendo um espesso volume com capa de couro. Ela colocou-o na mesa diante de Taravangian, então fez uma mesura.

Taravangian pousou os dedos na capa de couro, sentindo um momento de... reverência? Era isso mesmo? Ainda sentia reverência por alguma coisa? Deus estava morto, afinal de contas, e consequentemente o Vorinismo era um embuste.

Aquele livro, contudo, *era* sagrado. Ele o abriu em uma das páginas marcadas como um uma pena. No interior havia garranchos.

Garranchos frenéticos, bombásticos, majestosos, que haviam sido cuidadosamente copiados das paredes do seu antigo quarto. Esboços dispostos um acima do outro, listas de números que pareciam não fazer sentido, linhas e mais linhas de texto escrito em uma caligrafia difícil de ler.

Loucura. E gênio.

Aqui e ali, Taravangian encontrava indícios de que aquela escrita era a dele. A maneira como curvava uma linha, a maneira como escrevia pela borda de uma parede, de modo muito semelhante a como escrevia ao longo de uma página quando estava ficando sem espaço. Ele não se lembrava de nada daquilo. Era o produto de vinte horas de insanidade lúcida, o mais brilhante que já fora.

— Você não acha estranho, Adro, que o gênio e a idiotice sejam tão similares? — perguntou Taravangian à erudita.

— Similares? — estranhou Adrotagia. — Vargo, não vejo similaridade alguma entre as duas coisas.

Ele e Adrotagia haviam crescido juntos, e ela ainda usava o apelido de infância de Taravangian. Ele gostava disso. Fazia com que se lembrasse dos dias antes de tudo aquilo.

— Nos meus dias mais estúpidos e mais incríveis, sou incapaz de interagir com aqueles ao meu redor de uma maneira significativa. É como... como se eu me tornasse uma engrenagem que não se encaixa naquelas girando ao seu lado. Pequena demais ou grande demais, não importa. O relógio não vai funcionar.

— Eu não tinha pensado nisso — disse Adrotagia.

Quando Taravangian estava nos seus momentos mais estúpidos, ele não tinha permissão de sair do quarto. Eram os dias que passava babando em um canto. Quando estava apenas limitado de raciocínio, podia sair sob supervisão. Ele passava essas noites chorando pelo que havia feito, sabendo que as atrocidades que cometera eram importantes, mas sem compreender por quê.

Quando seu raciocínio estava limitado, ele não podia mudar políticas. Curiosamente, havia decidido que quando estava brilhante demais *também* não tinha permissão de mudar políticas. Ele tomara essa decisão depois de um dia de gênio quando havia pensado em consertar todos os problemas de Kharbranth com uma série de éditos muito racionais — como exigir que as pessoas passassem por um teste de inteligência de sua própria criação antes de receberem a permissão de se reproduzir.

Tão brilhante de um lado; tão estúpido de outro. *É essa sua piada, Guardiã da Noite?*, ele se perguntou. *É essa a lição que devo aprender? Será que você sequer se importa com lições, ou faz isso conosco meramente para a própria diversão?*

Ele voltou sua atenção ao livro, o Diagrama. O plano grandioso que projetara naquele dia singular de brilhantismo sem paralelo. Naquela ocasião também havia passado o dia fitando uma parede. Havia *escrito* nela. Balbuciando o tempo todo, fazendo conexões que homem algum jamais fizera, ele havia escrito nas paredes, no piso, até nas partes do teto que podia alcançar. A maior parte havia sido registrada em uma escrita alienígena — uma linguagem que ele mesmo havia desenvolvido, pois as escritas que conhecia eram incapazes de expressar ideias de modo preciso o suficiente. Felizmente, ele havia pensado em entalhar uma chave no topo da sua mesa de cabeceira, senão não teriam sido capazes de compreender sua obra-prima.

Mal tinham conseguido entendê-la mesmo assim. Ele folheou por várias páginas, copiadas exatamente do seu quarto. Adrotagia e suas eruditas haviam feito anotações aqui e ali, oferecendo teorias sobre o que os vários desenhos e listas poderiam significar. Elas as escreveram na escrita das mulheres, que Taravangian aprendera havia alguns anos.

As anotações de Adrotagia em uma página indicavam que uma imagem ali parecia ser um esboço do mosaico no chão do palácio vedeno. Ele parou naquela página. Poderia ser relevante para as atividades do dia. Infelizmente, não estava inteligente o bastante para entender muito do livro ou dos seus segredos. Precisava confiar que seu eu mais inteligente estava correto nas interpretações que fizera do gênio do seu eu ainda *mais inteligente*.

Ele fechou o livro e pousou sua colher.

— Vamos logo com isso.

Taravangian se levantou e deixou a cabine, flanqueado por Mrall de um lado e Adrotagia do outro. Emergiu para a luz do sol e a visão de uma cidade costeira em chamas, completa com enormes formações terraplanadas — como placas, ou seções de casca-pétrea, encobertas pelos restos da cidade, que praticamente vazavam pelos lados. Outrora, aquela vista fora maravilhosa. Agora, era enegrecida, com os edifícios — até mesmo o palácio — destruídos.

Vedenar, uma das principais cidades do mundo, agora era pouco mais do que uma pilha de destroços e cinzas.

Taravangian se demorou junto ao parapeito. Quando seu navio chegara ao porto, na noite anterior, a cidade estava pontilhada pelo brilho rubro de edifícios incendiados. Eles pareciam vivos; mais vivos do que agora. O vento soprava do oceano, pressionando suas costas, e varria a fumaça para a terra, para longe do navio, de modo que Taravangian mal podia sentir seu cheiro. Uma cidade inteira queimava um pouco além dos seus dedos, e ainda assim o fedor desaparecia no vento.

O Pranto logo começaria. Talvez a água levasse embora parte da destruição.

— Venha, Vargo — chamou Adrotagia. — Eles estão esperando.

Ele assentiu, juntando-se a ela na descida para o barco a remo para ser transportado à margem. Outrora havia docas grandiosas para acessar a cidade. Uma facção as destruíra em uma tentativa de impedir a chegada das outras.

— É incrível — disse Mrall, se ajeitando no bote ao lado dele.

— Você não disse que não ia mais sentir prazer com isso? — disse Taravangian, o estômago se revirando enquanto via uma das pilhas no limite da cidade. Cadáveres.

— Não é prazer, mas espanto. O senhor percebe que a Guerra de Oitenta entre Emul e Tukar durou seis anos, e não produziu nem de longe esse nível de desolação? Jah Keved *devorou* a si mesmo em uma questão de meses!

— Transmutadores — sussurrou Adrotagia.

Era mais do que isso. Mesmo no seu estado dolorosamente normal, Taravangian podia ver que era. Sim, com Transmutadores para fornecer comida e água, exércitos podiam marchar em alta velocidade — sem carroças ou linhas de suprimento para atrasá-los — e começar uma chacina quase imediata. Mas Emul e Tukar também tinham um bom número de Transmutadores.

Os marinheiros começaram a remar rumo à costa.

— Foi mais que isso — continuou Mrall. — Cada grão-príncipe estava tentando capturar a capital. Isso fez com que convergissem. Parece um pouco as guerras de alguns selvagens do norte, com hora e lugar marcados para brandir lanças e entoar ameaças. Só que, aqui, acabou com a população de um reino.

— Vamos esperar, Mrall, que você esteja exagerando — disse Taravangian. — Vamos precisar do povo deste reino.

Ele se virou, abafando um momento de emoção enquanto via corpos sobre as rochas da costa, homens que haviam morrido ao serem empurrados de um penhasco próximo para o oceano. Aquela encosta normalmente protegia a doca das grantormentas. Na guerra, havia sido usada para matar, um exército pressionando o outro para que caísse do penhasco.

Adrotagia viu suas lágrimas, e embora nada tenha dito, estreitou os lábios em reprovação. Ela não gostava da maneira como ele se tornava emotivo quando seu intelecto estava baixo. E, ainda assim, ele sabia que a mulher idosa ainda queimava um glifo-amuleto a cada manhã como uma oração para seu finado marido. Uma ação estranhamente devota para blasfemadores como eles.

— Quais são as notícias de hoje lá de casa? — perguntou Taravangian para desviar a atenção das lágrimas que secava.

— Dova relatou que o número de Estertores que estamos descobrindo caiu ainda mais. Ela não conseguiu achar nenhum ontem, e só dois no dia anterior.

— Moelach está em movimento, então — disse Taravangian. — É certo agora. A criatura deve ter sido atraída por alguma coisa a oeste.

E agora? Era melhor que suspendesse os assassinatos? Era o que seu coração desejava — mas se pudessem desvendar mais um vislumbre do futuro, um fato que poderia salvar centenas de milhares, isso não valeria a vida de uns poucos agora?

— Mande Dova continuar trabalhando — disse ele.

Não havia antecipado que a aliança deles atrairia a lealdade logo de uma fervorosa. O Diagrama e seus membros não conheciam fronteiras. Dova havia descoberto o trabalho deles sozinha, e precisaram recrutá-la ou assassiná-la.

— Assim será feito — respondeu Adrotagia.

Os barqueiros conduziram-nos ao longo de algumas das pedras mais lisas na beira do porto, então saltaram para a água. Os homens eram seus criados e faziam parte do Diagrama. Confiava neles, pois precisava confiar em algumas pessoas.

— Você pesquisou aquela outra questão que solicitei? — indagou Taravangian.

— É uma questão difícil de responder — disse Adrotagia. — A inteligência exata de um homem é impossível de medir; até mesmo seus exames só nos fornecem uma aproximação. A velocidade com que você responde perguntas, e a *maneira* como responde... bem, isso nos permite fazer um julgamento, mas é aproximado.

Os barqueiros usaram cordas para puxá-los à praia rochosa. Madeira raspou na pedra, um som horrível. Pelo menos encobriu os gemidos mais próximos.

Adrotagia pegou uma folha do bolso e desdobrou-a. Nela havia um gráfico, com pontos traçados em um arco, uma pequena trilha à esquerda se elevando até uma montanha no centro, depois descendo em uma curva similar para a direita.

— Peguei os resultados dos testes dos últimos quinhentos dias e atribuí a cada um deles um número entre zero e dez — explicou Adrotagia. — Uma representação de quão inteligente você estava naquele dia, embora, como eu disse, não seja exata.

— A elevação no meio? — perguntou Taravangian, apontando.

— Quando você estava com inteligência média — disse Adrotagia. — Você passa a maior parte do tempo próximo desse ponto, como pode ver. Dias de pura inteligência e dias de estupidez suprema são igualmente raros. Tive que extrapolar a partir do que já tínhamos, mas acho que esse gráfico é razoavelmente preciso.

Taravangian assentiu, então permitiu que um dos barqueiros o ajudasse a desembarcar. Ele sabia que passaria mais dias sendo mediano do que o contrário. Contudo, o que havia pedido a ela que descobrisse era para quando poderia esperar outro dia como aquele em que criara o Diagrama. Fazia anos desde aquele dia de maestria transcendental.

Ela saiu do barco e Mrall a seguiu. Adro se aproximou com sua folha.

— Então esse foi o dia em que fui mais inteligente — disse Taravangian, apontando para o último ponto na tabela. Estava na extrema direita, e muito perto da base. Uma representação de alta inteligência e baixa frequência de ocorrência. — Esse foi aquele dia, o dia da perfeição.

— Não — respondeu Adrotagia.

— O quê?

— Esse foi o dia em que você esteve mais inteligente durante os últimos quinhentos dias — explicou Adrotagia. — Esse ponto representa o dia em que você concluiu os problemas mais complexos que deixou para si mesmo, e o dia em que criou problemas novos para uso em exames futuros.

— Eu me lembro daquele dia — comentou ele. — Foi quando resolvi o Enigma de Fabrisan.

— Sim. O mundo pode lhe agradecer por isso algum dia, se ele sobreviver.

— Eu estava inteligente naquele dia — disse ele.

Inteligente o bastante a ponto de Mrall declarar que ele precisava ser trancado no palácio, para que não revelasse sua natureza. Ele estivera convencido de que, se pudesse explicar sua condição para a cidade, todos ouviriam a razão e permitiriam que ele controlasse suas vidas perfeitamente. Havia escrito uma lei que exigia que todas as pessoas com intelecto abaixo da média cometessem suicídio pelo bem da cidade. Parecera razoável.

Levara em conta que poderiam resistir, mas pensou que o brilhantismo do argumento as convenceria.

Sim, ele estava inteligente naquele dia. Mas não tão inteligente quanto no dia do Diagrama. Franziu o cenho, inspecionando o papel.

— É por isso que não posso responder sua pergunta, Vargo — disse Adrotagia. — Aquele gráfico é o que chamamos de escala logarítmica. Cada passo que se afasta daquele ponto central não é igual... eles se acumulam quanto mais você se afasta. *Quão* inteligente você estava naquele dia do Diagrama? Dez vezes mais do que no seu segundo momento mais inteligente?

— Cem vezes — disse Taravangian, olhando para o gráfico. — Talvez mais. Deixe-me fazer os cálculos...

— Você não está estúpido hoje?

— Não estúpido, mediano. Posso calcular isso. Cada etapa para o lado é...

— Uma mudança mensurável na inteligência — disse ela. — Poderia-se dizer que cada passo para o lado é uma duplicação da sua inteligência, embora isso seja difícil de quantificar. Os passos para cima são mais fáceis; elas medem a frequência dos dias de uma determinada inteligência. Então, se você começar no centro do pico, poderá ver que para cada cinco dias que passa sendo mediano, passa um dia sendo moderadamente estúpido e um dia sendo moderadamente inteligente. Para cada cinco desses últimos, você passa um dia moderadamente estúpido e um dia moderadamente genial. Para cada cinco dias como esse...

Taravangian ficou parado sobre as rochas, seus soldados esperando acima, enquanto contabilizava o gráfico. Foi avançando pelo gráfico até alcançar o ponto no qual deduziu que havia sido o dia do Diagrama. Mesmo aquilo parecia conservador para ele.

— Todo-Poderoso nos céus... — sussurrou ele. Milhares de dias. Milhares e mais milhares. — Nunca deveria ter acontecido.

— É claro que deveria.

— Mas é improvável a ponto de ser impossível!

— É perfeitamente possível — disse ela. — A probabilidade de ter acontecido é um, pois *já aconteceu*. Essa é a estranheza de pontos fora da curva e da probabilidade, Taravangian. Um dia como esse pode acontecer amanhã. Nada impede. É tudo puro acaso, até onde fui capaz de determinar. Mas se você quer saber a probabilidade de acontecer novamente...

Ele assentiu.

— Se você fosse viver mais *dois mil anos*, Vargo, talvez tivesse um único dia como esse entre eles. Talvez. Probabilidades iguais, eu diria.

Mrall bufou.

— Então foi sorte.

— Não, foi simples probabilidade.

— De qualquer modo — disse Taravangian, dobrando o papel. — Essa não era a resposta que eu queria.

— Desde quando importa o que nós queremos?

— Desde nunca. E nunca importará. — Ele enfiou a folha no bolso.

Eles subiram pelas pedras, passando por cadáveres inchados após ficarem tempo demais ao sol, e juntaram-se a um pequeno grupo de soldados no topo da praia. Eles usavam o brasão laranja-queimado de Kharbranth. Taravangian tinha poucos soldados. O Diagrama aconselhara sua nação a parecer inofensiva.

Contudo, o Diagrama não era perfeito. Vez ou outra encontravam erros. Ou... não exatamente erros, só especulações que haviam falhado. Taravangian havia sido superlativamente brilhante naquele dia, mas *não* fora capaz de ver o futuro. Ele havia feito estimativas bem-pensadas — muito bem-pensadas — e acertara uma quantidade surpreendente de vezes. Mas quanto mais se afastavam daquele dia e do conhecimento que tivera então, mais o Diagrama precisava de ajustes e cultivo para permanecer no rumo certo.

Era por isso que ele esperava por outro dia assim logo, um dia para reformar o Diagrama. Isso provavelmente não aconteceria. Teriam que continuar confiando naquele homem que ele havia sido, confiando na sua visão e entendimento.

Melhor isso do que qualquer outra coisa nesse mundo. Os deuses e a religião haviam falhado. Reis e grão-senhores eram criaturas egoístas e mesquinhas. Se tinha que confiar em alguma coisa, seria em si mesmo e no gênio puro de uma mente humana sem limites.

Porém, ocasionalmente *era* difícil permanecer no caminho. Particularmente quando encarava as consequências das suas ações.

Eles adentraram o campo de batalha.

A maior parte do combate aparentemente se movera para fora da cidade, quando o incêndio começou. Os homens haviam continuado a guerrear, mesmo enquanto a capital queimava. Sete facções. O Diagrama havia especulado seis. Faria diferença?

Um soldado entregou-lhe um lenço perfumado para segurar junto ao rosto enquanto passavam pelos mortos e moribundos. Sangue e fumaça. Odores que viria a conhecer bem demais até que tudo houvesse acabado.

Homens e mulheres em uniformes na cor laranja-queimado de Kharbranth separavam os mortos e feridos. Por todo o Leste, aquela cor havia se tornado um sinônimo de cura. De fato, as tendas com seu estandarte — o estandarte do cirurgião — estavam espalhadas pelo campo de batalha. Os médicos de Taravangian haviam chegado logo antes da luta e começado a tratar dos feridos imediatamente.

Quando ele deixou os campos dos mortos, soldados vedenos começaram a se erguer de seus lugares nos limites do campo de batalha, em um estupor de olhos mortiços. Eles começaram a saudá-lo com alegria.

— Pela mente de Pali — disse Adrotagia, vendo-os se levantar. — Não acredito nisso.

Os soldados estavam separados em grupos de acordo com os estandartes, sendo cuidados pelos cirurgiões, carregadores d'água e consoladores de Taravangian. Feridos ou não, todos que podiam se levantar ergueram-se pelo rei de Kharbranth e o saudaram animadamente.

— O Diagrama disse que isso aconteceria — comentou Taravangian.

— Eu estava certa de que era um erro — replicou ela, sacudindo a cabeça.

— Eles sabem — disse Mrall. — Nós somos os únicos vitoriosos neste dia. Nossos médicos, que conquistaram o respeito de todos os lados. Nossos consoladores, que ajudaram os mortos a fazer a passagem. Seus grão-senhores só lhes trouxeram miséria. Você trouxe vida e esperança.

— Eu trouxe a morte — sussurrou Taravangian.

Ele havia ordenado a execução do seu rei, junto com grão-príncipes específicos que o Diagrama havia indicado. Ao fazê-lo, instigara as várias facções para que guerreassem entre si. Ele havia levado aquele reino à ruína.

Agora eles o saudavam por isso. Taravangian forçou-se a parar junto a um dos grupos, indagando sobre sua saúde e conferindo para saber se havia algo que pudesse fazer por eles. Era importante ser visto como um homem compassivo. O Diagrama explicava isso com casual esterilidade, como se a compaixão fosse algo que pudesse ser medido em uma taça junto a meio litro de sangue.

Ele visitou outro grupo de soldados, depois um terceiro. Muitos foram até ele, tocando seus braços ou sua túnica e chorando lágrimas de agradecimento e alegria. Muitos mais dos soldados vedenos, contudo, permaneceram sentados nas tendas, fitando os campos dos mortos. Entorpecidos.

— A Euforia? — sussurrou ele para Adrotagia enquanto deixavam o último grupo de homens. — Eles lutaram a noite toda enquanto sua capital queimava. Deviam estar fortemente tomados por ela.

— Concordo — disse ela. — Isso nos fornece mais um ponto de referência. A Euforia é pelo menos tão forte aqui quanto é em Alethkar. Talvez mais. Vou falar com nossas eruditas. Talvez isso ajude a encontrar Nergaoul.

— Não se esforcem demais nisso — disse Taravangian, se aproximando de outro grupo de soldados vedenos. — Não sei ao certo o que faríamos se encontrássemos a criatura. — Um espreno antigo e maligno não era algo que ele tivesse os recursos para enfrentar. Pelo menos, não ainda. — Prefiro saber para onde Moelach está indo.

Com sorte, Moelach não teria decidido adormecer de novo. Até o momento, Estertores tinham oferecido a eles a melhor maneira de aumentar o Diagrama.

Havia uma resposta, no entanto, que ele nunca fora capaz de determinar; uma que ele daria quase qualquer coisa para saber.

Seria tudo isso o bastante?

Ele se encontrou com os soldados e adotou o ar de um velho gentil — embora não brilhante. Compassivo e atencioso. Ele quase era mesmo aquele homem, naquele dia. Tentou imitar a si mesmo quando era um pouco mais estúpido. As pessoas aceitavam aquele homem e, quando estava naquele nível de intelecto, não precisava fingir tanto a compaixão como fazia quando estava mais esperto.

Abençoado com inteligência, amaldiçoado com compaixão para sofrer pelo que havia feito. Elas vinham em proporção inversa. Por que não podia ter ambas ao mesmo tempo? Não achava que, em outras pessoas, a inteligência e a compaixão estivessem ligadas de tal maneira. Os motivos por trás das dádivas e maldições da Guardiã da Noite eram insondáveis.

Taravangian moveu-se pela multidão, escutando seus pedidos de mais auxílio e drogas para aliviar a dor. Ouvindo seus agradecimentos. Esses soldados haviam sofrido em um combate que — mesmo então — parecia não ter vencedor. Eles queriam *algo* a que pudessem se agarrar, e Taravangian supostamente era neutro. Era chocante ver quão facilmente desnudavam suas almas para ele.

Ele foi até o próximo soldado na fila, um homem coberto por um manto, agarrando um braço aparentemente quebrado. Taravangian olhou nos olhos do homem sob o capuz.

Era Szeth-filho-filho-Vallano.

Ele sentiu um momento de puro pânico.

— Precisamos conversar — disse o shino.

Taravangian agarrou o assassino pelo braço, arrastando-o para longe da multidão de soldados vedenos. Com a outra mão, Taravangian tateou no bolso a Sacrapedra que carregava consigo o tempo todo. Ele a pegou apenas para poder vê-la; sim, não era uma falsificação. Danação, ver Szeth ali fez com que pensasse que havia sido derrotado de algum modo, a pedra roubada e Szeth enviado para matá-lo.

Szeth permitiu-se ser puxado para longe. O que ele havia dito? *Que precisava conversar, seu tolo*, pensou Taravangian consigo mesmo. *Se quisesse matá-lo, você estaria morto.*

Teria Szeth sido visto ali? O que as pessoas diriam se vissem Taravangian interagindo com um homem shino careca? Rumores surgiam por menos. Se alguém percebesse um mero *indício* de que estava envolvido com o infame Assassino de Branco...

Mrall imediatamente notou que havia algo errado. Ele rosnou ordens para os guardas, separando Taravangian dos soldados vedenos. Adrotagia — sentada de braços cruzados ali perto, assistindo e batendo o pé — levantou-se de um salto e foi até lá. Ela espiou a pessoa por baixo do capuz, então arquejou, seu rosto perdendo a cor.

— Como *ousa* vir aqui? — disse Taravangian para Szeth, falando entredentes enquanto mantinha uma pose e expressão alegres. Ele só tinha inteligência mediana, mas ainda era um rei, criado e treinado na corte. Sabia manter a compostura.

— Surgiu um problema — disse Szeth, o rosto coberto, a voz sem emoção. Falar com aquela criatura era como falar com um morto.

— Por que você falhou em matar Dalinar Kholin? — questionou Adrotagia, a voz baixa e cheia de urgência. — Sabemos que você fugiu. Volte e faça o trabalho!

Szeth olhou-a de relance, mas não respondeu. Ela não estava segurando sua Sacrapedra. Contudo, pareceu notá-la, com aqueles seus olhos vazios demais.

Danação. O plano deles havia sido impedir que Szeth se encontrasse com Adrotagia, ou sequer soubesse dela, para caso decidisse se voltar contra Taravangian e matá-lo. O Diagrama havia levantado essa possibilidade.

— Kholin tem um Manipulador de Fluxos — declarou Szeth.

Então, Szeth sabia sobre Jasnah. Teria ela simulado a própria morte, como ele suspeitara? Danação.

O campo de batalha pareceu ficar em silêncio. Para Taravangian, os gemidos dos feridos sumiram. Tudo se resumiu a apenas ele e Szeth. Aqueles olhos. O tom da voz do homem. Um tom perigoso. O que...

Ele falou com emoção, percebeu Taravangian. *A última frase foi dita de modo passional.* Soava como um apelo. Como se a voz de Szeth estivesse embargada.

Aquele homem não era são. Szeth-filho-filho-Vallano era a arma mais perigosa de toda Roshar, e essa arma estava quebrada.

Raios, por que isso não podia ter acontecido em um dia quando Taravangian tivesse mais do que meio cérebro?

— Por que diz isso? — perguntou Taravangian, tentando ganhar tempo para que sua mente pudesse ruminar as implicações. Ele ergueu a Sacrapedra de Szeth, quase como se ela pudesse afastar os problemas, como o glifo-amuleto de uma mulher supersticiosa.

— Eu lutei com ele. Ele protegeu Kholin.

— Ah, sim — disse Taravangian, pensando furiosamente.

Szeth havia sido banido de Shinovar, tornado Insincero por alguma coisa relacionada a uma alegação de que os Esvaziadores haviam voltado. Se ele descobriu que não estava errado quanto àquela alegação, então o que...

Ele?

— Você combateu um Manipulador de Fluxos? — disse Adrotagia, olhando de soslaio para Taravangian.

— Sim. Um homem alethiano que se alimentava de Luz das Tempestades. Ele curou um braço cortado por uma Espada. Ele é... Radiante...

— Aquela tensão na voz dele parecia perigosa.

Taravangian olhou para as mãos de Szeth, que se abriam e fechavam, formando punhos repetidamente, como corações batendo.

— Não, não — disse Taravangian. — Eu só fiquei sabendo disso recentemente. Sim, agora faz sentido. Uma das Espadas de Honra desapareceu.

Szeth hesitou e concentrou-se em Taravangian, como se estivesse voltando de um lugar distante.

— Uma das outras sete?

— Sim. Eu só ouvi rumores. Seu povo é cheio de segredos. Mas sim... Agora vejo, é uma das duas que permite Regeneração. Kholin deve estar com ela.

Szeth cambaleou, embora não estivesse consciente do movimento. Mesmo assim, ele se movia com a graça de um lutador. *Raios.*

— Esse homem que enfrentei não invocou Espada alguma — disse Szeth.

— Mas ele usou Luz das Tempestades — replicou Taravangian.

— Sim.

— Então deve ter uma Espada de Honra.

— Eu...

— É a *única* explicação.

— É... — A voz de Szeth tornou-se mais fria. — Sim, é a única explicação. Vou matá-lo e recuperá-la.

— Não — disse Taravangian com firmeza. — Você deve voltar a Dalinar Kholin e cumprir a tarefa dada. Não lute com esse outro homem. Ataque quando ele não estiver presente.

— Mas...

— Eu tenho sua Sacrapedra? — interpelou Taravangian. — A minha palavra deve ser questionada?

Szeth parou de oscilar. Seu olhar encontrou o de Taravangian.

— Eu sou Insincero. Faço o que meu mestre pede e não peço explicações.

— Fique longe do homem com a Espada de Honra — repetiu Taravangian. — Mate Dalinar.

— Assim será feito. — Szeth virou-se e partiu a passos largos.

Taravangian queria gritar mais instruções. *Não seja visto! Nunca mais me procure em público!*

Em vez disso, sentou-se bem ali no caminho, sua compostura desabando. Ele arquejou, tremendo, o suor escorrendo pela testa.

— Pai das Tempestades — disse Adrotagia, sentando-se no chão ao seu lado. — Pensei que estivéssemos mortos.

Servos trouxeram uma cadeira para Taravangian enquanto Mrall inventava desculpas por ele. *O rei foi tomado pela dor diante de tantas mortes. Ele é idoso, vocês sabem. E se preocupa tanto...*

Taravangian inspirou e expirou, lutando para recuperar o controle. Ele olhou para Adrotagia, que estava sentada no meio de um círculo de criados e soldados, todos leais ao Diagrama.

— Quem será? — perguntou ele em voz baixa. — Quem será esse Manipulador de Fluxos?

— A pupila de Jasnah? — especulou Adrotagia.

Eles ficaram espantados quando a moça chegou às Planícies Quebradas. Eles já haviam levantado a hipótese de que a garota fora treinada. Se não por Jasnah, então pelo irmão da garota, antes da sua morte.

— Não — disse Taravangian. — Um homem. Um dos membros da família de Dalinar? — Ele pensou por algum tempo. — Precisamos do Diagrama em si.

Ela foi pegá-lo no navio. Nada mais — as visitas aos soldados, encontros mais importantes com os líderes vedenos — importava naquele momento. O Diagrama estava incorreto. Eles haviam se desviado para um território perigoso.

Adrotagia voltou com o caderno, e com os guarda-tempos, que montaram uma tenda ao redor de Taravangian ali mesmo, no meio do caminho. As desculpas continuavam. *O rei está fraco devido ao sol. Ele precisa descansar e queimar glifos-amuletos para o Todo-Poderoso, para a preservação da sua nação. Taravangian se preocupa, enquanto seus próprios olhos-claros enviam vocês para o abate...*

Sob a luz das esferas, Taravangian pegou o volume, estudando as traduções de suas próprias palavras, escritas em uma linguagem que ele havia inventado e então esquecido. Respostas. *Precisava* de respostas.

— Já lhe contei, Adro, o que eu pedi? — sussurrou ele enquanto lia.
— Sim.

Ele mal prestava atenção.

— Capacidade — sussurrou, virando uma página. — Capacidade de impedir o que estava chegando. A capacidade de salvar a humanidade.

Ele procurou. Não estava brilhante naquele dia, mas havia passado muitos dias lendo aquelas páginas repetidamente, cada passagem. Ele as conhecia.

As respostas estavam ali. *Estavam.* Taravangian só adorava um deus agora; o homem que ele fora naquele dia.

Ali.

Encontrou-a em uma reprodução de um canto da sua sala, onde havia escrito frases amontoadas em letras minúsculas porque ficara sem espaço. Na clareza do seu gênio, as sentenças haviam sido fáceis de separar, mas levara anos para que suas eruditas pudessem remontar o que diziam.

Eles virão. Você não pode impedir seus votos. Procure aqueles que sobreviveram quando não deveriam. Esse padrão será sua pista.

— Os carregadores de pontes — sussurrou Taravangian.
— O quê? — indagou Adrotagia.

Taravangian levantou os olhos, piscando para desembaçá-los.

— Os carregadores de pontes de Dalinar, aqueles que ele tomou de Sadeas. Você leu o relato da sobrevivência deles?

— Não achei que importasse. Só mais um jogo de poder entre Sadeas e Dalinar.

— Não. É mais do que isso. — Eles haviam sobrevivido. Taravangian se levantou. — Desperte cada agente alethiano hibernante que temos;

mande todos para a área. Haverá histórias sobre algum desses carregadores de pontes. Sobrevivência miraculosa. Favorecido pelos ventos. Há um entre eles. Ele pode ainda não saber exatamente o que está fazendo, mas estabeleceu um laço com um espreno e pronunciou pelo menos o Primeiro Ideal.

— E se o encontrarmos? — perguntou Adrotagia.

— Nós o manteremos longe de Szeth a todo custo. — Taravangian entregou-lhe o Diagrama. — Nossas vidas dependem disso. Szeth é uma fera que mastiga a própria perna para escapar dos seus grilhões. Se ele se libertar...

Ela assentiu, se afastando para fazer o que ele havia comandado. A mulher hesitou na aba da tenda temporária.

— Podemos ter que reavaliar nossos métodos de determinar sua inteligência. O que vi nessa última hora me faz questionar se "mediano" se aplica a você hoje.

— As avaliações não estão incorretas. Você apenas subestima o homem mediano.

Além disso, ao lidar com o Diagrama, ele podia não se lembrar do que havia escrito ou do por quê — mas havia *ecos* às vezes. Ela saiu, abrindo espaço para Mrall entrar.

— Vossa Majestade, o tempo é curto. O grão-príncipe está morrendo.

— Ele está morrendo há anos.

Ainda assim, Taravangian apressou o passo — o máximo que podia atualmente — ao voltar a caminhar. Ele não parou mais para falar com os soldados, e só acenava brevemente na direção das saudações que recebia.

Por fim, Mrall conduziu-o sobre uma encosta afastada do fedor imediato da batalha e da cidade em chamas. Uma série de carroças de tempestade no local tremulavam uma bandeira otimista, a do rei de Jah Keved. Os guardas deixaram Taravangian adentrar seu círculo de carroças, e ele se aproximou da maior, um veículo enorme, quase um edifício sobre rodas.

Eles encontraram o Grão-príncipe Valam... *rei* Valam... na cama, tossindo. Seu cabelo havia caído desde que Taravangian o vira pela última vez, e suas bochechas haviam afundado tanto que água de chuva poderia se acumular nelas. Redin, o filho bastardo do rei, estava junto à cama, de cabeça baixa. Com os três guardas no cômodo, não havia espaço para Taravangian, então ele parou no umbral.

— Taravangian — disse Valam, então tossiu no lenço. O pano ficou ensanguentado. — Você veio atrás do meu reino, não foi?

— Não sei o que quer dizer, Vossa Majestade.

— Não banque o desentendido — replicou Valam rispidamente. — Não suporto isso em mulheres ou em rivais. Pai das Tempestades... Não sei o que vão pensar de você. Parte de mim acha que vão assassiná-lo até o fim da semana.

Ele acenou com uma das mãos adoentadas, toda envolvida em pano, e os guardas abriram caminho para que Taravangian adentrasse o pequeno quarto.

— Um plano astuto — continuou o rei. — Enviar aquela comida, esses médicos. Os soldados o adoram, pelo que ouvi falar. O que teria feito se um dos lados houvesse vencido de modo decisivo?

— Eu teria feito um novo aliado. Agradecido pelo meu auxílio.

— Você ajudou todos os lados.

— Mas ajudei mais ao vencedor, Vossa Majestade — replicou Taravangian. — Podemos auxiliar os sobreviventes, mas não os mortos.

Valam tossiu de novo, um acesso forte. Seu bastardo se aproximou, preocupado, mas o rei acenou para que se afastasse.

— Eu devia ter imaginado que você seria o único dos meus filhos a sobreviver, bastardo — disse o rei, entre arquejos, e se voltou para Taravangian. — Parece que você tem direito legítimo ao trono, Taravangian. Pelo lado materno, eu acho? Um casamento com uma princesa vedena há umas três gerações?

— Não estou ciente — disse Taravangian.

— Você não ouviu o que eu disse sobre se fazer de desentendido?

— Nós dois temos um papel a desempenhar nesta peça, Vossa Majestade — replicou Taravangian. — Estou apenas entregando minhas falas como foram escritas.

— Você fala como uma mulher — disse Valam e cuspiu sangue para o lado. — Sei suas intenções. Em uma semana ou duas, depois de cuidar do meu povo, suas escribas vão "descobrir" seu direito ao trono. Você vai aceitar, relutante, para salvar o reino, por insistência do meu próprio tormentoso povo.

— Vejo que pediu que lessem o roteiro para o senhor — sussurrou Taravangian.

— Aquele assassino virá atrás de você.

— É bem possível. — Isso era verdade.

— Nem sei por que tentei conquistar esse tormentoso trono — disse Valam. — Pelo menos morrerei como rei.

Ele respirou fundo, então levantou a mão, gesticulando impaciente para as escribas amontoadas fora do recinto. As mulheres se aprumaram, espiando por trás de Taravangian.

— Estou fazendo desse idiota o meu herdeiro — declarou Valam, acenando na direção de Taravangian. — Ha! Que os outros grão-príncipes lidem com isso.

— Eles estão mortos, Vossa Majestade — disse Taravangian.

— O quê? Todos eles?

— Sim.

— Até Boriar?

— Sim.

— Hum — resmungou Valam. — Bastardo.

De início, Taravangian pensou que fosse um xingamento a um dos falecidos. Mas então ele notou que o rei estava acenando para seu filho ilegítimo. Redin se aproximou, ajoelhando-se ao lado da cama enquanto Taravangian abria espaço.

Valam se esforçou para pegar algo debaixo dos cobertores; sua faca de cinto. Redin ajudou-o a pegá-la, depois a segurar a faca de modo desajeitado.

Taravangian inspecionou o tal Redin, curioso. Era esse o implacável executor do rei sobre o qual havia lido? Esse homem de ar preocupado e indefeso?

— Apunhale meu coração — ordenou Valam.

— Pai, não... — disse Redin.

— Apunhale meu tormentoso coração! — berrou Valam, espalhando saliva ensanguentada pelo lençol. — Não vou ficar aqui deitado e permitir que Taravangian convença meus próprios criados a me envenenar. Faça logo, garoto! Ou não consegue fazer a única coisa que...

Redin atingiu o peito do pai com a faca com tamanha força que fez Taravangian saltar. O rapaz então se levantou, fez uma saudação e abriu caminho a empurrões para fora do recinto.

O rei arquejou pela última vez enquanto seus olhos vidravam.

— Então a noite vai reinar, pois a escolha da honra é a vida...

Taravangian levantou a sobrancelha. Um Estertor? Ali, agora? Raios, não estava em posição de escrever a frase exata. Teria que se lembrar dela.

A vida de Valam se esvaiu até ele ser apenas carne. Uma Espada Fractal se solidificou de uma névoa ao lado da cama, então caiu no chão de madeira da carroça. Ninguém estendeu a mão para ela, e os soldados no recinto e as escribas do lado de fora olharam para Taravangian, então se ajoelharam.

— Cruel o que Valam fez com o rapaz — comentou Mrall, indicando o bastardo que abria caminho a empurrões para fora da carroça.

— Mais do que você imagina — replicou Taravangian, estendendo a mão para tocar a faca e projetando-se do lençol e das roupas sobre o peito do antigo rei. Ele hesitou, os dedos a centímetros do punho. — O bastardo será conhecido como um parricida nos registros oficiais. Se ele tinha algum interesse no trono, isso... dificultará as coisas ainda mais do que sua ascendência. — Taravangian afastou os dedos da faca. — Posso ter um momento com o rei caído? Gostaria de entoar uma oração para ele.

Os outros o deixaram, até mesmo Mrall. Fecharam a pequena porta, e Taravangian sentou-se no banco ao lado do cadáver. Não tinha intenção de fazer qualquer tipo de oração, mas queria um momento. Sozinho. Para pensar.

Havia funcionado. Assim como o Diagrama instruíra, Taravangian era rei de Jah Keved. Ele havia tomado o primeiro grande passo para unificar o mundo, como Gavilar insistira que devia acontecer, se quisessem sobreviver.

Era isso, pelo menos, que as visões haviam proclamado. Visões que Gavilar havia-lhe confidenciado seis anos atrás, na noite da morte do rei alethiano. Gavilar tivera visões do Todo-Poderoso, que agora estava morto, e de uma tempestade vindoura.

Você deve uni-los.

— Estou fazendo o melhor que posso, Gavilar — sussurrou Taravangian. — E *sinto* muito que precise matar seu irmão.

Aquele não seria o único pecado que carregaria ao fim daquilo tudo. Nem por uma leve brisa ou por um vento de tormenta.

Ele desejou, mais uma vez, que aquele houvesse sido um dia de brilhantismo. Então não se sentiria tão culpado.

PARTE CINCO

Ventos acesos

KALADIN • SHALLAN • DALINAR • ADOLIN • RISO

76

A ESPADA OCULTA

Eles virão você não pode impedir seus votos procure aqueles que sobreviveram quando não deveriam esse padrão será sua pista.

— **Extraído do Diagrama, Trecho do Canto Inferior Nordeste:** parágrafo 3

VOCÊ A MATOU...

Kaladin não conseguia dormir.

Sabia que *devia* dormir. Estava deitado no seu quarto escuro na caserna, cercado por pedras familiares, confortável pela primeira vez em dias. Um travesseiro macio, um leito tão bom quanto o que possuía em Larpetra.

Seu corpo parecia espremido, como um trapo depois da lavagem. Ele havia sobrevivido aos abismos e trouxera Shallan de volta para casa em segurança. Agora precisava dormir e curar-se.

Você a matou...

Ele se sentou na cama e sentiu uma onda de tontura. Trincou os dentes e esperou passar. A ferida da perna latejava sob o curativo. Os cirurgiões do acampamento haviam feito um bom trabalho; seu pai teria ficado satisfeito.

O acampamento lá fora parecia silencioso demais. Depois de cobri-lo de elogios e entusiasmo, os homens da Ponte Quatro haviam partido para se unir ao exército para a expedição, junto com todas as outras equipes de ponte, que levariam pontes para o exército. Só uma pequena força da Ponte Quatro permaneceria para guardar o rei.

Kaladin estendeu a mão na escuridão, tateando a parede até encontrar sua lança. Ele a segurou, então se apoiou nela e se levantou. A perna imediatamente teve um lampejo de dor, e ele rangeu os dentes, mas não era tão ruim. Havia tomado pau-de-braça para a dor, e estava funcionando. Recusara o musgo-de-fogo que os cirurgiões tentaram dar a ele. Seu pai detestava usar aquela substância viciante.

Kaladin forçou caminho até a porta do pequeno quarto, então abriu-a com um empurrão e saiu para a luz do sol. Ele protegeu os olhos e vasculhou o céu. Nenhuma nuvem ainda. O Pranto, a pior parte do ano, começaria em algum momento do dia seguinte. Quatro semanas de chuva incessante e mau humor. Era um Ano de Luz, então não haveria nem mesmo uma grantormenta no meio. Miséria.

Kaladin desejava a tempestade interior. Ela despertaria sua mente, faria com que ele se sentisse em movimento.

— Ei, *gancho*? — chamou Lopen, se levantando de um assento junto à fogueira. — Você precisa de alguma coisa?

— Vamos assistir à partida do exército.

— Acho que você não devia estar caminhando...

— Vou ficar bem — disse Kaladin, coxeando com dificuldade.

Lopen se apressou em acudi-lo, dando apoio sob o braço de Kaladin, o que removeu o peso da perna ferida.

— Por que você não brilha um pouco, *gon*? — indagou Lopen em voz baixa. — E cura esse problema?

Ele havia se preparado para mentir: algo sobre não querer alertar os cirurgiões ao se curar rápido demais. Não conseguiu se forçar a dizer isso. Não para um membro da Ponte Quatro.

— Eu perdi a habilidade, Lopen — disse baixinho. — Syl me deixou.

O esguio herdaziano ficou em silêncio, de modo atípico.

— Bem, talvez você deva comprar algo bonito para ela — disse ele por fim.

— Comprar algo bonito? Para um *espreno*?

— Sim. Bem... Eu não sei. Uma bela planta, talvez, ou um novo chapéu. Sim, um chapéu. Pode ser barato. Ela é pequena. Se um alfaiate tentar cobrar o preço cheio por um chapéu tão pequeno, você dá um cascudo nele.

— Esse é o conselho mais ridículo que já recebi.

— Você devia se esfregar com *curry* e sair pulando pelo acampamento, entoando canções de ninar dos papaguampas.

Kaladin olhou para Lopen, incrédulo.

— O quê?

— Viu? Agora aquela história do chapéu é apenas o *segundo* conselho mais ridículo que você já percebeu, então devia tentar. Mulheres gostam de chapéus. Eu tenho uma prima que faz chapéus; posso perguntar a ela. Talvez nem precise do chapéu de verdade, só do espreno do chapéu. Isso vai sair ainda mais barato.

— Você tem um tipo muito especial de esquisitice, Lopen.

— Claro que tenho, *gon*. Só existe *um* de *mim*.

Eles continuaram avançando pelo acampamento vazio. Raios, o lugar parecia oco. Passaram por uma caserna vazia depois da outra. Kaladin caminhava com cuidado, feliz pela ajuda de Lopen, mas mesmo isso era exaustivo. Não devia estar usando aquela perna. As palavras do pai, palavras de um cirurgião, surgiram das profundezas da sua mente.

Rompimento muscular. Enfaixe a perna, previna infecção e impeça o paciente de apoiar peso nela. Mais rompimentos podem levar a um manquejo permanente, ou coisa pior.

— Quer pegar um palanquim? — perguntou Lopen.

— Essas coisas são para mulheres.

— Num tem nada de errado em ser uma mulher, *gancho* — replicou Lopen. — Alguns dos meus parentes são mulheres.

— É claro que são... — Ele perdeu o fio da meada ao ver o sorriso de Lopen.

Herdaziano tormentoso. Quanto do que ele dizia era para soar deliberadamente obtuso? Bem, Kaladin já ouvira piadas sobre como herdazianos serem burros, mas Lopen seria capaz de levar todos eles na conversa. Naturalmente, metade das piadas de Lopen eram sobre herdazianos. Ele parecia achá-las especialmente engraçadas.

Enquanto se aproximavam dos platôs, o silêncio mortal deu lugar ao rugido baixo de milhares de pessoas reunidas em uma área limitada. Kaladin e Lopen finalmente saíram das fileiras de casernas, emergindo na planície natural logo acima da área de tropas que desembocava nas Planícies Quebradas. Milhares de soldados estavam reunidos ali. Lanceiros em grandes blocos, arqueiros olhos-claros em fileiras mais finas, oficiais a cavalo trajando armaduras reluzentes.

Kaladin arquejou baixinho.

— O que foi? — perguntou Lopen.

— É o que sempre pensei que encontraria.

— O quê? Hoje?

— Quando era mais jovem, em Alethkar — disse Kaladin, inesperadamente emotivo. — Quando eu sonhava com a glória da guerra, era isso que eu imaginava.

Não tinha em mente os verdinhos e os soldados quase incompetentes que Amaram havia treinado em Alethkar. Tampouco visualizava os rudes, mas eficazes, brutos do exército de Sadeas — ou mesmo as velozes equipes de ataque rápido das investidas de platô de Dalinar.

Ele havia imaginado *aquilo ali*. Um exército completo, em formação para uma grande marcha. Lanças em riste, estandartes tremulando, tambores e trombetas, mensageiros uniformizados, escribas a cavalo, até mesmo os Transmutadores do rei no seu próprio quadrado isolado, escondidos por paredes de tecido carregados em varas.

Kaladin já conhecia a verdade da batalha. A luta não levava à glória, mas a homens caídos no chão, gritando e se debatendo, enrolados nas próprias vísceras. Levava a carregadores de pontes encarando uma parede de flechas, ou a parshendianos abatidos enquanto cantavam.

Mas naquele momento, Kaladin permitiu-se sonhar novamente. Ele deu ao seu eu da juventude — que ainda existia dentro dele — o espetáculo que sempre imaginara. Fez de conta que aqueles soldados estavam prestes a fazer algo de maravilhoso, em vez de só mais outra chacina inútil.

— Ei, até que tem mais alguém vindo — disse Lopen, apontando. — Olhe só.

Pelos estandartes, Dalinar havia recebido os reforços de um único grão-príncipe: Roion. Contudo, como Lopen havia apontado, outra força — não tão grande, nem tão bem-organizada — estava fluindo para norte pelo amplo caminho aberto ao longo da borda oriental dos acampamentos de guerra. Pelo menos outro grão-príncipe havia respondido à chamada de Dalinar.

— Vamos encontrar a Ponte Quatro — disse Kaladin. — Quero me despedir.

—S EBARIAL? – INDAGOU DALINAR. — As tropas de *Sebarial* se juntaram a nós?

Roion grunhiu, esfregando as mãos — como se desejasse lavá-las —, sentado na sela.

— Acho que devemos ficar felizes por qualquer apoio.

— Sebarial — repetiu Dalinar, perplexo. — Ele nem mesmo envia tropas em investidas de platô próximas, onde não há risco de parshendianos. Por que está enviando homens agora?

Roion balançou a cabeça e deu de ombros.

Dalinar virou Galante e fez o cavalo trotar até o grupo que se aproximava, e Roion o seguiu. Passaram por Adolin, que cavalgava logo atrás com Shallan ao seu lado, seguida por seus guardas. Renarin estava com os carregadores de pontes, naturalmente.

Shallan cavalgava um dos animais de Adolin, um pequeno capado que parecia minúsculo perto de Puro-sangue, e usava um vestido de viagem do tipo preferido pelas mensageiras, com fendas que iam até a cintura e calças de seda por baixo.

Atrás deles vinha um grande grupo de eruditas e cartógrafas de Navani, incluindo Isasik, o fervoroso que era o cartógrafo real. Eles se alternavam em estudar o mapa que Shallan havia desenhado, Isasik cavalgando mais para o lado, com o queixo erguido, como se estivesse ignorando os elogios que as mulheres teciam ao mapa da moça. Dalinar precisava de todas essas eruditas, embora desejasse não precisar. Cada escriba que trazia era outra vida sendo arriscada. Era ainda pior que a própria Navani fosse junto. Ele não podia refutar o argumento dela. *Se você acha que é seguro o bastante para levar a garota, então é seguro o bastante para mim.*

Enquanto Dalinar avançava rumo à procissão de Sebarial, Amaram cavalgou até ele, vestindo sua Armadura Fractal, o manto dourado esvoaçando atrás de si. Ele possuía um belo cavalo de guerra, da estirpe grandalhona usada em Shinovar para puxar carroças pesadas. Ainda assim, parecia um pônei ao lado de Galante.

— É *Sebarial*? — indagou Amaram, apontando para a força que se aproximava.

— Aparentemente.

— Devemos mandá-lo embora?

— Por que faríamos isso?

— Ele não é confiável — disse Amaram.

— Ele mantém sua palavra, até onde sei. É mais do que posso dizer da maioria.

— Ele mantém sua palavra porque nunca promete nada.

Dalinar, Roion e Amaram trotaram até Sebarial, que saiu de uma carruagem na vanguarda do exército. Uma carruagem. Para uma procissão de guerra. Bem, isso não retardaria Dalinar mais do que todas aquelas escribas. De fato, ele provavelmente deveria mandar aprontar mais algumas carruagens. Seria agradável que Navani pudesse viajar confortavelmente nos dias mais longos.

— Sebarial? — chamou Dalinar.

— Dalinar! — respondeu o homem gordo, protegendo os olhos. — Você parece surpreso.

— E estou.

— Ha! Isso é motivo o bastante para ter vindo. Você não acha, Palona?

Dalinar mal podia ver a mulher sentada na carruagem, vestindo um enorme chapéu elegante e um vestido lustroso.

— Você trouxe sua amante? — perguntou Dalinar.

— Claro, por que não? Se falharmos, estarei morto e ela estará sem nada. Ela insistiu, de qualquer modo. Mulher tormentosa. — Sebarial caminhou até o lado de Galante. — Tenho um pressentimento em relação a você, Dalinar, meu velho. Acho que é sábio permanecer por perto. Alguma coisa vai acontecer lá nas Planícies, e a oportunidade surge como a aurora.

Roion fungou.

— Roion, você não deveria estar se escondendo debaixo de uma mesa em algum lugar? — disse Sebarial.

— Talvez eu devesse, nem que fosse para me livrar de você.

Sebarial riu.

— Boa resposta, sua tartaruga velha! Talvez essa viagem não seja um tédio completo. Vamos em frente, então! Rumo à glória e outras bobagens do gênero. Se encontrarmos riquezas, lembre-se de que uma parte é minha! Cheguei aqui antes de Aladar. Isso deve contar para alguma coisa.

— Antes... — Dalinar se espantou. Ele se virou, olhando de volta para o acampamento de guerra que fazia fronteira com o seu ao norte.

Ali, o exército nas cores de Aladar, branco e verde-escuro, dirigia-se às Planícies Quebradas.

— Agora, *isso* eu *realmente* não esperava — comentou Amaram.

—P ODERÍAMOS TENTAR UM GOLPE — sugeriu Ialai.

Sadeas virou-se na sela em direção à esposa. Seus guardas estavam espalhados pelas colinas ao redor, fora do alcance da voz dela, enquanto o grão-príncipe e sua esposa apreciavam uma leve "cavalgada pelas colinas". Na realidade, os dois queriam ver de perto as expansões de Sebarial ali a oeste dos acampamentos de guerra, onde ele estava estabelecendo operações agrícolas completas.

Ialai cavalgava com os olhos adiante.

— Dalinar vai estar longe do acampamento, e também Roion, seu único apoiador. Poderíamos tomar o Pináculo, executar o rei e tomar o trono.

Sadeas virou seu cavalo, olhando para leste, na direção dos acampamentos de guerra. Via só a sombra do exército de Dalinar se agrupando nas Planícies Quebradas.

Um golpe. Um último passo, um tapa no rosto do velho Gavilar. Era uma possibilidade. Raios, era mesmo.

Exceto pelo fato de não precisar fazer isso.

— Dalinar se comprometeu com essa expedição idiota — disse Sadeas. — Logo estará morto, cercado e destruído nas Planícies. Não precisamos de um golpe; se eu soubesse que ele ia *mesmo fazer* isso, nem teríamos precisado do seu assassino.

Ialai desviou o olhar. Seu assassino havia falhado. Ela considerava isso uma grande falta da sua parte, muito embora o plano houvesse sido executado de modo exato. Aquelas coisas nunca eram certas. Infelizmente, agora que haviam tentado e falhado, precisariam ser cuidadosos com...

Sadeas virou seu cavalo, franzindo a testa enquanto um mensageiro se aproximava a cavalo. O rapaz teve permissão de passar pelos guardas e entregou uma carta a Ialai.

Ela a leu, e sua expressão tornou-se sombria.

— Você não vai gostar disso — disse ela, levantando os olhos.

DALINAR BOTOU GALANTE PARA galopar, atravessando a paisagem como o vento, assustando as plantas em seus buracos. Passou pelo seu exército em poucos minutos de cavalgada intensa e se aproximou da nova força.

Aladar estava montado, fiscalizando seu exército. Vestia um uniforme elegante, preto com listras marrons nas mangas e um plastrão combinando no pescoço. Uma multidão de soldados o cercava. Ele possuía uma das maiores forças das Planícies — raios, com os números de Dalinar reduzidos, o exército de Aladar talvez fosse *o* maior.

Ele também era um dos principais aliados de Sadeas.

— Como vai funcionar, Dalinar? — perguntou Aladar enquanto Dalinar trotava até ele. — Vamos todos por conta própria, cruzando diferentes platôs, mas nos encontrando mais à frente, ou marchamos juntos em uma enorme coluna?

— Por quê? Por que você veio?

— Você ficou argumentando de forma tão passional, e agora age surpreso porque alguém escutou?

— Não alguém. Você.

Aladar pressionou os lábios, finalmente se voltando para encará-lo.

— Roion e Sebarial, os maiores covardes em nosso meio, vão marchar para a guerra. Devo ficar para trás e deixar que eles cumpram o Pacto de Vingança sem mim?

— Os outros grão-príncipes parecem contentes em fazer isso.

— Suspeito que eles sejam melhores em mentir para si mesmos do que eu.

Subitamente, todos os argumentos veementes de Aladar — na vanguarda da facção contra Dalinar — ganharam um tom diferente. *Ele estava discutindo para convencer a si mesmo*, pensou Dalinar. *Estava preocupado que eu tivesse razão.*

— Sadeas não vai gostar disso — observou Dalinar.

— Que os ventos levem Sadeas. Ele não é meu dono. — Aladar mexeu nas rédeas por um momento. — Mas quer ser. Percebo pelos acordos que ele me obriga a fazer, pelas facas que lentamente coloca na garganta de todos. Ele gostaria que todos nós fôssemos seus escravos, ao fim.

— Aladar — disse Dalinar, levando seu cavalo para junto da montaria dele, para que os dois pudessem se encarar diretamente. Ele encarou Aladar olho no olho. — Diga-me que Sadeas não mandou que viesse. Diga-me que não é parte de outro plano para me abandonar ou me trair.

Aladar sorriu.

— Você acha que eu simplesmente diria, se fosse o caso?

— Gostaria de ouvir uma promessa da sua boca.

— E você confiaria nessa promessa? De que isso lhe valeu, Dalinar, quando Sadeas declarou sua amizade?

— Uma promessa, Aladar.

O homem o encarou.

— Acho que suas afirmações sobre Alethkar são ingênuas, na melhor das hipóteses, e sem dúvida impossíveis. Essas suas ilusões não são um sinal de loucura, como Sadeas quer que a gente pense... são apenas os sonhos de um homem que quer desesperadamente acreditar em alguma coisa, em alguma tolice. "Honra" é uma palavra aplicada às ações de homens do passado cujas vidas foram limpas pelas historiadoras. — Ele hesitou. — Mas... que os ventos me levem por ser um tolo, Dalinar, eu gostaria que *pudesse* ser verdade. Vim por mim mesmo, não por Sadeas. Não vou traí-lo. Mesmo que Alethkar não possa ser o que você deseja, nós *podemos* pelo menos esmagar os parshendianos e vingar o velho Gavilar. É apenas a coisa certa a fazer.

Dalinar assentiu.

— Eu posso estar mentindo — disse Aladar.

— Mas não está.

— Como você sabe?

— Honestamente? Eu não sei. Mas, para tudo isso vai funcionar, vou ter que confiar em alguns de vocês.

Até certo ponto. Ele nunca se colocaria de novo em uma posição como a da Torre. De qualquer modo, a presença de Aladar significava que a incursão era efetivamente possível. Juntos, os quatro provavelmente eram mais numerosos que os parshendianos — embora ele não soubesse ao certo quão confiáveis eram as contagens feitas pelas escribas em relação aos números inimigos.

Não era a grande coalizão de todos os grão-príncipes que Dalinar desejara, mas mesmo com os abismos favorecendo os parshendianos, poderia ser o bastante.

— Marcharemos juntos — disse Dalinar, apontando. — Não quero que nos espalhemos. Vamos ficar em platôs próximos, ou no mesmo platô, quando possível. E você vai precisar deixar seus parshemanos para trás.

— Isso é um pedido incomum. — Aladar franziu o cenho.

— Estamos marchando contra os primos deles — disse Dalinar. — É melhor não arriscar a possibilidade de que se voltem contra nós.

— Mas eles nunca... Bah, que seja. Posso fazer isso.

Dalinar assentiu, estendendo a mão para Aladar enquanto, mais atrás, Roion e Amaram finalmente os alcançavam; Dalinar os deixara para trás com Galante.

— Obrigado — disse Dalinar.

— Você realmente acredita em tudo isso, não é?

— Acredito.

Aladar estendeu a mão, mas hesitou.

— Você sabe que estou completamente maculado. Tenho sangue nessas mãos, Dalinar. Não sou um cavaleiro perfeito e honrado como você parece querer acreditar.

— Eu sei que não é — respondeu Dalinar, tomando a mão dele. — Eu também não sou. Vamos ter que servir assim mesmo.

Eles assentiram juntos, então Dalinar virou Galante e começou a trotar de volta para seu próprio exército. Roion grunhiu, reclamando das suas coxas depois de ter galopado até ali. A cavalgada daquele dia não seria agradável para ele.

Amaram se aproximou de Dalinar.

— Primeiro Sebarial, depois Aladar? Hoje está parecendo fácil conquistar sua confiança, Dalinar.

— Você preferiria que eu os mandasse embora?

— Pense como seria espetacular essa vitória, se a conquistássemos sozinhos.

— Espero que estejamos acima de tal vanglória, velho amigo — disse Dalinar.

Eles cavalgaram por algum tempo, passando por Adolin e Shallan novamente. Dalinar avaliou sua força e notou uma coisa. Um homem alto de uniforme azul estava sentado em uma pedra, em meio aos guarda-costas da Ponte Quatro.

Falando em tolos...

— Venha comigo — disse Dalinar a Amaram.

Amaram deixou seu cavalo ficar para trás.

— Acho que eu deveria cuidar da...

— Venha — disse Dalinar rispidamente. — Quero que você fale com aquele jovem, para que possamos dar um fim aos rumores e às coisas que ele tem dito sobre você. Nada de bom sairá disso.

— Muito bem — disse Amaram, alcançando-o.

KALADIN SE ERGUEU ENTRE os carregadores, apesar da dor na perna, quando notou Adolin e Shallan cavalgando. Seu olhar seguiu os dois. Adolin, montado no richádio de cascos poderosos, e Shallan em um animal castanho de tamanho mais modesto.

Ela estava linda. Kaladin admitia isso, ainda que só para si mesmo. Brilhantes cabelos ruivos, sorriso pronto. Ela disse algo espirituoso; Kaladin quase podia ouvir as palavras. Ele esperou, desejando que ela olhasse em sua direção e encontrasse seus olhos através da curta distância.

Ela não olhou. Seguiu cavalgando, e Kaladin sentiu-se um completo idiota. Parte dele queria odiar Adolin por ter a atenção dela, mas descobriu que não conseguia. A verdade era que *gostava de* Adolin. E aqueles dois eram bons um para o outro. Eles *combinavam*.

Talvez Kaladin pudesse odiar isso.

Ele se recostou novamente na pedra, baixando a cabeça. Os carregadores de pontes estavam reunidos ao redor dele. Com sorte, não teriam visto Kaladin seguindo Shallan com os olhos, se esforçando para ouvir a voz dela. Renarin estava ali, como uma sombra, nos fundos do grupo. Os carregadores estavam começando a aceitá-lo, mas ele ainda parecia muito tímido junto deles. Mas também, ele parecia tímido perto da maioria das pessoas.

Preciso conversar mais com ele sobre sua condição, pensou Kaladin. Parecia ter algo de errado naquele homem e na sua explicação da epilepsia.

— Por que está aqui, senhor? — indagou Bisig, chamando a atenção de Kaladin de volta aos outros carregadores.

— Queria ver vocês partirem. — Kaladin suspirou. — Imaginei que ficariam felizes em me ver.

— Você é feito criança — disse Rocha, sacudindo um dedo grosso para Kaladin. — O que faria, grande capitão Filho da Tempestade, se pegasse um *desses* homens andando por aí com uma perna machucada? Mandaria que levasse uma surra! Depois de curado, é claro.

— Pensei que eu fosse seu *comandante*.

— Não, não pode ser — replicou Teft. — Porque nosso comandante seria inteligente o bastante para ficar na cama.

— E comer muito guisado — acrescentou Rocha. — Deixei guisado para você comer enquanto eu estiver fora.

— Você vai na expedição? — perguntou Kaladin, olhando para o enorme papaguampas. — Pensei que estivesse só se despedindo dos homens. Você não está disposto a lutar. O que vai fazer lá?

— Alguém precisa cozinhar para eles — respondeu Rocha. — Essa expedição, ela vai levar dias. Não vou deixar meus amigos à mercê dos cozinheiros do acampamento. Ha! A comida deles é toda feita com grãos e carnes Transmutados. Tem gosto de crem! Alguém precisa levar temperos adequados.

Kaladin olhou para o bando de homens de cenho franzido.

— Está bem — disse ele. — Eu vou voltar. Raios, eu...

Por que os carregadores estavam abrindo caminho? Rocha olhou sobre o ombro, então riu, recuando.

— Agora vamos ver encrenca de verdade.

Atrás dele, Dalinar Kholin estava descendo da sela. Kaladin suspirou, então acenou para que Lopen o ajudasse a ficar de pé a fim de que pudesse fazer uma saudação apropriada. Ele se levantou — o que lhe resultou em uma carranca de Teft — antes de notar que Dalinar não estava sozinho.

Amaram. Kaladin se empertigou, se esforçando para manter o rosto neutro.

Dalinar e Amaram se aproximaram. A dor na perna de Kaladin pareceu sumir, e por um momento ele só pôde ver aquele homem. Aquele *monstro* em forma de homem. Usando a Armadura que Kaladin conquistara, um manto dourado tremulando atrás dele, com o símbolo dos Cavaleiros Radiantes.

Controle-se, pensou. Ele conseguiu engolir sua raiva. Na última vez em que ela saíra do controle, havia passado semanas na prisão.

— Você devia estar descansando, soldado — disse Dalinar.

— Sim, senhor. Meu homens já deixaram isso muito claro.

— Então você os treinou bem. Estou orgulhoso de tê-los comigo nessa expedição.

Teft fez uma saudação.

— Se há perigo para o senhor, Luminobre, será nas Planícies. Não podemos protegê-lo se esperarmos aqui.

Kaladin franziu o cenho, percebendo uma coisa.

— Skar está aqui... Teft... então quem está vigiando o rei?

— Nós cuidamos disso, senhor — disse Teft. — O Luminobre Dalinar me pediu para deixar nosso melhor homem para trás com uma equipe de sua própria escolha. Eles estão vigiando o rei.

O melhor homem deles...

Kaladin gelou. Moash. *Moash* havia sido deixado encarregado da segurança do rei, com uma equipe escolhida a dedo por ele.

Raios.

— Amaram — disse Dalinar, acenando para que o grão-senhor se aproximasse. — Você me disse que nunca tinha visto esse homem antes de chegar aqui nas Planícies Quebradas. Isso é verdade?

Kaladin olhou nos olhos do assassino.

— Sim — respondeu Amaram.

— E a alegação do capitão de que você teria tomado sua Espada e Armadura dele? — indagou Dalinar.

— Luminobre — declarou Amaram, pegando Dalinar pelo braço —, eu não sei se o rapaz perdeu o juízo ou se simplesmente quer chamar atenção. Talvez ele tenha servido no meu exército, como alega... ele certamente tem a marca de escravo correta. Mas suas alegações em relação a mim são *obviamente* estapafúrdias.

Dalinar acenou com a cabeça, como se tudo aquilo fosse esperado.

— Acredito que desculpas sejam necessárias.

Kaladin se esforçou para permanecer de pé, enquanto sua perna enfraquecia. Então aquela seria sua punição final. Pedir desculpas a Amaram em público. Uma humilhação acima de todas as outras.

— Eu... — começou Kaladin.

— Não você, filho — interrompeu-o Dalinar em voz baixa.

Amaram se virou, a postura subitamente mais alerta — como um homem se preparando para uma luta.

— Certamente não acredita nessas alegações, Dalinar!

— Algumas semanas atrás, recebi dois visitantes especiais no acampamento — disse Dalinar. — Um deles era um criado de confiança que veio de Kholinar em segredo, trazendo uma carga preciosa. O outro era a própria carga: um louco que havia chegado aos portais de Kholinar trazendo uma Espada Fractal.

Amaram empalideceu e deu um passo atrás, a mão se estendendo para o lado. Dalinar continuou calmamente:

— Mandei meu criado ir beber com sua guarda pessoal... ele conhecia muitos dos homens... e falar sobre um tesouro que o louco havia escondido há anos fora do acampamento de guerra. Por ordem minha, ele então colocou a Espada Fractal do louco em uma caverna próxima. Depois disso, nós esperamos.

Ele está invocando sua Espada, pensou Kaladin, olhando para a mão de Amaram. Kaladin levou a mão à sua faca de cinto, mas Dalinar já havia erguido a própria mão.

Névoa branca se condensou nos dedos de Dalinar, e uma Espada Fractal apareceu, com a ponta na garganta de Amaram. Mais larga que a maioria, tinha uma aparência quase semelhante a um cutelo.

Uma Espada se formou na mão de Amaram um segundo depois — um segundo tarde demais. Os olhos dele se arregalaram enquanto ele fitava na Espada prateada junto do seu pescoço.

Dalinar possuía uma Espada Fractal.

— Eu pensei que, se você *estivesse* disposto a assassinar por uma Espada, estaria disposto a mentir por uma segunda — disse Dalinar. — E assim, depois que eu soube que você havia se esgueirado para ver o louco por conta própria, pedi que investigasse as alegações dele para mim. Dei à sua consciência muito tempo para confessar, por respeito à nossa amizade. Quando você me disse que não havia encontrado nada, quando na verdade havia recuperado a Espada Fractal, eu soube da verdade.

— Como? — sibilou Amaram, olhando para a Espada que Dalinar segurava. — Como você a pegou de volta? Eu a tirei da caverna. Meus homens a guardaram em um lugar seguro!

— Eu não ia me arriscar só para ter uma comprovação — disse Dalinar, com frieza. — Eu me conectei com essa Espada antes de a escondermos.

— Aquela semana em que estava doente — disse Amaram.
— Sim.
— Danação.

Dalinar soltou o ar, um som sibilante passando pelos seus dentes.

— Por que, Amaram? Dentre todo mundo, pensei que você... Bah! — A pegada de Dalinar na arma se estreitou, e os nós dos seus dedos ficaram brancos. Amaram levantou o queixo, como se estivesse oferecendo o pescoço à ponta da Espada Fractal.

— Eu fiz e faria de novo — admitiu Amaram. — Os Esvaziadores logo voltarão, e precisamos ser fortes o bastante para encará-los. Isso significa Fractários experientes e hábeis. Ao sacrificar uns poucos soldados, planejava salvar muitos mais.

— Mentiras! — disse Kaladin, cambaleando para a frente. — Você só queria a Espada para si!

Amaram encarou Kaladin.

— Sinto muito pelo que fiz a você e aos seus. Às vezes, bons homens precisam morrer para que objetivos maiores sejam alcançados.

Kaladin sentiu um frio crescente, um entorpecimento se espalhando do seu coração para fora.

Ele está dizendo a verdade. Ele... honestamente acredita que fez a coisa certa.

Amaram dispensou sua Espada, se voltando novamente para Dalinar.
— E agora?
— Você é culpado de assassinato... de matar homens para seu ganho pessoal.
— E não é o mesmo quando você envia milhares de homens para morrer de modo a ganhar gemas-coração, Dalinar? Qual é a diferença? Todos sabemos que às vezes vidas devem ser gastas para o bem maior.

— Tire esse manto — rosnou Dalinar. — Você não é um Radiante.

Amaram estendeu a mão e abriu o fecho, então deixou o manto cair na rocha. Ele se virou e começou a se afastar.

— Não! — disse Kaladin, cambaleando atrás dele.

— Deixe-o ir, filho — disse Dalinar, suspirando. — Sua reputação está arruinada.

— Ele ainda é um assassino.

— E vamos julgá-lo apropriadamente quando eu voltar — replicou Dalinar. — Não posso aprisioná-lo. Fractários estão acima disso, e ele poderia cortar um caminho de fuga, de qualquer modo. Ou você executa um Fractário ou o deixa livre.

Kaladin murchou, e Lopen apareceu de um lado, segurando-o, enquanto Teft o apoiava do outro. Ele se sentia esgotado.

Às vezes vidas devem ser gastas para o bem maior...

— Obrigado por acreditar em mim — disse Kaladin para Dalinar.

— Às vezes eu *presto atenção*, soldado — respondeu Dalinar. — Agora, volte para o acampamento e *vá descansar*.

Kaladin assentiu.

— Senhor? Cuide-se lá fora.

Dalinar abriu um sorriso sombrio.

— Se for possível. Pelo menos agora tenho uma maneira de lutar com aquele assassino, se ele vier. Com todas essas Espadas Fractais rodando por aí ultimamente, achei que ter uma fazia sentido demais para ignorar. — Ele estreitou os olhos, voltando-se para o leste. — Mesmo que pareça... errado, de algum modo, segurar uma. Isso é estranho. Por que seria errado? Talvez eu só sinta falta da minha antiga Espada.

Dalinar dispensou a arma.

— Vá — disse ele, caminhando de volta para seu cavalo, onde o Grão--príncipe Roion assistia com um ar perplexo Amaram se afastar pisando duro, seguido por sua guarda pessoal de cinquenta homens.

S IM, AQUELE ERA O *estandarte de* Aladar, juntando-se ao de Dalinar. Sadeas conseguia identificá-lo com a luneta.

Ele abaixou o instrumento e ficou sentado em silêncio na sela por um longo, longo tempo. Tão longo que seus guardas, e até sua esposa, começaram a se agitar e parecer nervosos. Mas não havia motivo.

Ele abafou sua irritação.

— Deixem que morram lá fora — disse ele. — Todos os quatro. Ialai, escreva um relatório para mim. Eu gostaria de saber... Ialai?

Sua esposa se sobressaltou, olhando para ele.

— Está tudo bem?

— Eu só estava pensando — respondeu ela, com ar distante. — Sobre o futuro. E o que ele trará. Para nós.

— Ele vai trazer para Alethkar novos grão-príncipes — disse Sadeas. — Faça um relatório sobre quais entre nossos grão-senhores leais seria apropriado colocar no lugar daqueles que cairão na viagem de Dalinar. — Ele jogou a luneta de volta para o mensageiro. — Não faremos nada até que estejam mortos. Parece que isso vai terminar com Dalinar trucidado pelos parshendianos, afinal de contas. Aladar pode ir com ele, e que todos vão para a Danação.

Ele virou seu cavalo e continuou o passeio do dia, suas costas voltadas para as Planícies Quebradas.

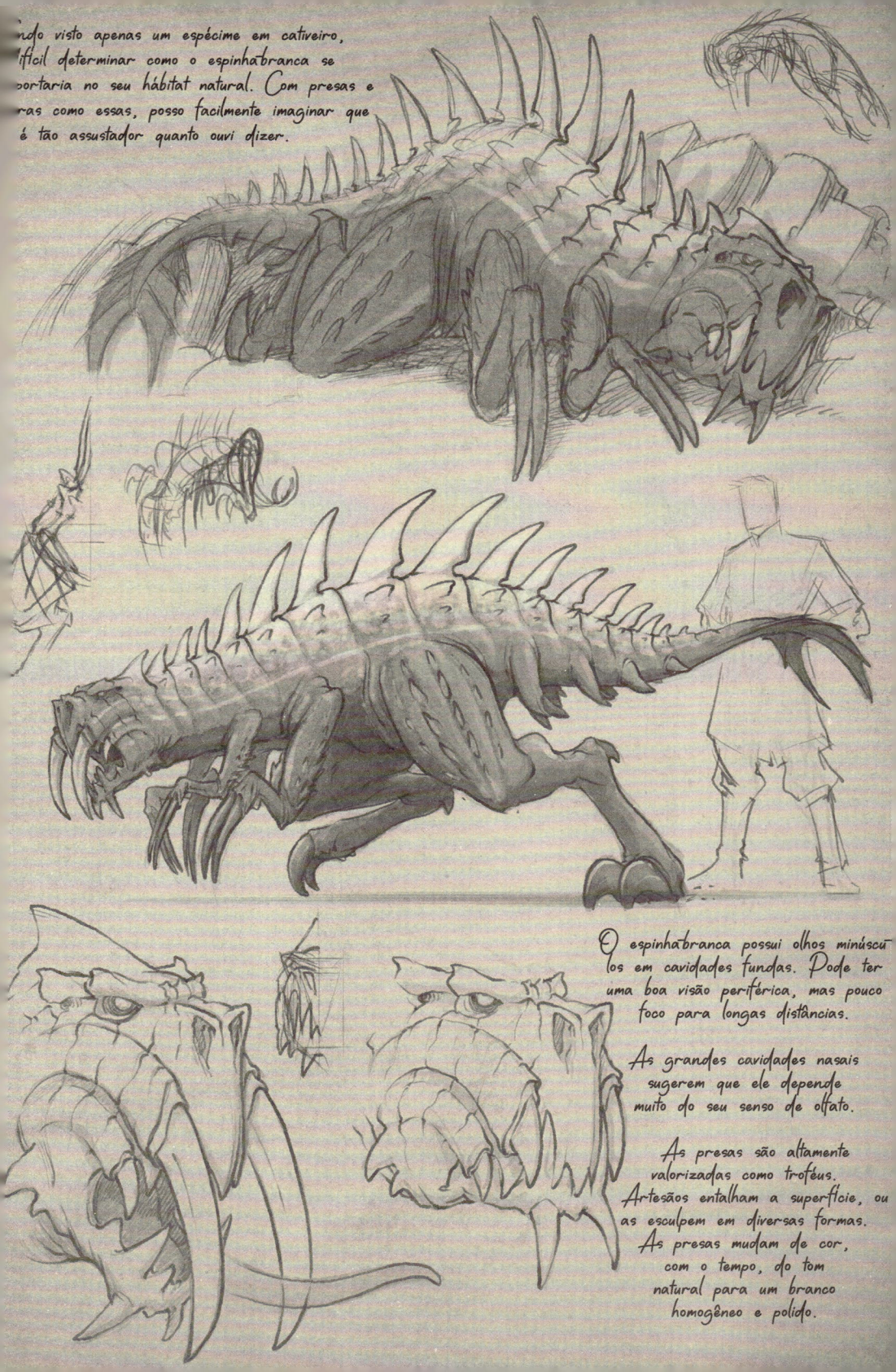

ndo visto apenas um espécime em cativeiro,
ifícil determinar como o espinhabranca se
ortaria no seu hábitat natural. Com presas e
ras como essas, posso facilmente imaginar que
é tão assustador quanto ouvi dizer.

O espinhabranca possui olhos minúsculos em cavidades fundas. Pode ter uma boa visão periférica, mas pouco foco para longas distâncias.

As grandes cavidades nasais sugerem que ele depende muito do seu senso de olfato.

As presas são altamente valorizadas como troféus. Artesãos entalham a superfície, ou as esculpem em diversas formas. As presas mudam de cor, com o tempo, do tom natural para um branco homogêneo e polido.

77

CONFIANÇA

Um perigo ao utilizar uma arma tão potente será o possível encorajamento dos indivíduos explorando o laço de Nahel. Deve-se cuidar para não colocar esses sujeitos em situações de estresse intenso, a menos que se aceitem as consequências da sua possível Investidura.

— Extraído do Diagrama, Placa de piso 27: parágrafo 6

COMO UM RIO SUBITAMENTE sem represa, os quatro exércitos inundaram os platôs. Shallan assistia da sela do cavalo, empolgada, ansiosa. Sua pequena parte do comboio incluía Vathah e seus soldados, junto com Marri, sua dama de companhia. Gaz, notadamente, não havia chegado ainda, e Vathah alegava não saber seu paradeiro. Talvez ela devesse ter se informado melhor da natureza dos débitos dele. Estivera tão ocupada com outras coisas... Raios, se o homem desaparecesse, como se sentiria?

Ela teria que lidar com a situação mais tarde. Naquele dia, ela era parte de algo extremamente importante — uma história que havia começado com a primeira expedição de caçada de Gavilar e Dalinar nas Colinas Devolutas, anos atrás. Agora havia chegado o capítulo final, a missão que desvendaria a verdade e determinaria o futuro das Planícies, dos parshendianos, e talvez da própria Alethkar.

Shallan atiçou o cavalo, ansiosa. O capão começou a caminhar, plácido apesar do estímulo de Shallan.

Animal tormentoso.

Adolin cavalgava ao lado dela em Puro-Sangue. Aquele belo animal era totalmente branco — não cinza-claro, como alguns cavalos que já vira, mas realmente branco. Que Adolin estivesse no cavalo maior era claramente injusto. Ela era mais baixa do que ele, então deveria estar no mais alto.

— Você me deu um cavalo lento de propósito — reclamou Shallan. — Não foi?

— Claro que sim.

— Eu bateria em você, se pudesse alcançá-lo aí em cima.

Ele deu uma risadinha.

— Você disse que não tinha muita experiência cavalgando, então escolhi um cavalo que tem muita experiência em ser cavalgado. Confie em mim, você vai me agradecer.

— Quero cavalgar em uma investida majestosa ao começarmos nossa expedição!

— E vai poder.

— Lentamente.

— Tecnicamente, velocidades baixas podem ser muito majestosas.

— Tecnicamente, o pé de um homem não precisa de todos os dedos. Vamos remover alguns dos seus para provar?

Ele riu.

— Contanto que você não machuque meu rosto, pode ser.

— Não seja ridículo. Eu gosto do seu rosto.

Ele sorriu, o elmo da Armadura Fractal pendendo da sela para não despentear seu cabelo. Shallan esperou por uma piada de resposta à dela, mas não recebeu nada.

Estava tudo bem. Ela gostava de Adolin como ele era; generoso, nobre e *genuíno*. Não importava que ele não fosse brilhante ou... tudo mais que Kaladin era. Ela nem mesmo sabia definir. Então pronto.

Passional, com uma intensa e ardente determinação. Uma raiva contida, que ele usa porque a dominou. *E uma certa arrogância tentadora. Não o orgulho desdenhoso de um grão-senhor. Em vez disso, uma determinação inabalável que sussurra que, não importa quem você seja, ou o que faça, não pode feri-lo. Nem mudá-lo.*

Ele existe. Como o vento e as rochas existem.

Shallan perdeu completamente o que Adolin falou em seguida. Ela corou.

— O que disse?

— Eu disse que Sebarial tem uma carruagem. Talvez você queira viajar com ele.

— Por que sou delicada demais para cavalgar? Você perdeu a parte em que eu *caminhei* de volta pelos abismos no meio de uma *grantormenta*?

— Hum, não. Mas caminhar e cavalgar são diferentes. Quero dizer, a dor...

— Dor? — estranhou Shallan. — Por que eu sentiria dor? Não é o cavalo que faz todo o trabalho?

Adolin olhou para ela, os olhos se arregalando.

— Hum — disse ela. — Pergunta idiota?

— Você disse que já tinha cavalgado.

— Pôneis. Nas propriedades do meu pai. Em círculos... Tudo bem, pela sua cara, sou levada a crer que estou sendo uma idiota. Quando eu ficar dolorida, vou viajar com Sebarial.

— *Antes* de ficar dolorida — disse Adolin. — Vamos dar mais uma hora.

Por mais que a ideia fosse irritante, não podia negar a experiência dele. Jasnah certa vez definira um tolo como uma pessoa que ignorava informações que discordavam dos resultados desejados.

Ela estava determinada a não se incomodar e, em vez disso, apreciar o passeio. O exército como um todo se movia lentamente, considerando que cada peça parecia tão eficiente. Lanceiros em blocos, escribas a cavalo, batedores perambulando. Dalinar possuía seis daquelas enormes pontes mecânicas, mas também trouxera todos os ex-carregadores e suas pontes mais simples, levadas por homens, projetadas como cópias daquelas que haviam deixado nos acampamentos de Sadeas. Isso era bom, já que Sebarial só possuía um par de equipes de pontes.

Ela se permitiu um momento de satisfação pessoal com o fato de ele ter vindo na expedição. Enquanto pensava nisso, notou alguém correndo pela fileira de tropas atrás dela. Um homem baixo, com um tapa-olho, que atraía olhares raivosos dos guardas carregadores que acompanhavam Adolin naquele dia.

— Gaz? — disse Shallan, com alívio, quando ele se aproximou carregando um pacote debaixo do braço. Seu medo de que ele tivesse sido esfaqueado em algum beco era infundado.

— Desculpe, desculpe. Ele chegou. A senhora deve ao comerciante dois brons de safira, Luminosa.

— Ele? — indagou Shallan, aceitando o pacote.

— É. A senhora me pediu para encontrar um exemplar. Raios se não encontrei. — Ele parecia orgulhoso de si mesmo.

Shallan desembrulhou o pano ao redor do objeto retangular e encontrou um livro. *Palavras de Radiância*, dizia a capa. As laterais estavam gastas, e as páginas, desbotadas — parte do topo estava até manchada de tinta derramada em algum momento do passado.

Raramente ela ficara tão feliz em receber algo tão danificado.

— Gaz! Você é maravilhoso!

Ele sorriu, olhando para Vathah com ar triunfante. O homem mais alto revirou os olhos, murmurando algo que Shallan não ouviu.

— Obrigada — disse ela. — Obrigada mesmo, Gaz.

Conforme o tempo passava e um dia levou a outro, Shallan descobriu que a distração do livro era extremamente bem-vinda. Os exércitos se moviam tão rápido quanto um rebanho de chules sonolentos, e o cenário era na verdade bastante tedioso, muito embora ela nunca fosse admitir isso para Kaladin ou Adolin, considerando o que dissera a eles na última vez em que estivera ali.

O livro, contudo; o livro era maravilhoso. E frustrante.

Mas o que foi a "coisa de eminente perversidade" que levou à Traição?, pensou ela, escrevendo a citação no seu caderno. Era o segundo dia das viagens pelas Planícies, e ela concordara em seguir na carruagem fornecida por Adolin — sozinha, embora Adolin tivesse ficado perplexo com o fato de ela não querer sua dama de companhia. Shallan não desejava explicar Padrão para a garota.

O livro tinha um capítulo para cada uma das ordens dos Cavaleiros Radiantes, discutindo suas tradições, suas habilidades e suas atitudes. A autora admitia que muito daquilo era composto por testemunhos indiretos — o livro havia sido escrito duzentos anos depois da Traição, e àquela altura fatos, folclore e superstição estavam misturados. Além disso, era escrito em um antigo dialeto alethiano, usando a protoescrita, uma precursora da verdadeira escrita das mulheres da atualidade. Ela passava grande parte do tempo identificando significados, ocasionalmente chamando algumas das eruditas de Navani para fornecer definições ou interpretação.

Ainda assim, havia aprendido um bocado. Por exemplo, cada ordem tinha diferentes Ideais, ou critérios, para determinar o avanço. Alguns eram específicos, outros eram deixados à interpretação dos esprenos. Além disso, algumas ordens eram individualistas, enquanto outras —

como os Corredores dos Ventos — funcionavam em equipes, dentro de uma hierarquia específica.

Ela se recostou, pensando nos poderes descritos. Será que outros apareceriam, então? Como ela e Jasnah? Homens capazes de deslizar elegantemente pelo chão como se não pesassem nada, mulheres capazes de derreter pedra com um toque. Padrão havia oferecido alguns poucos entendimentos, mas em geral ele servira mais para dizer a ela o que parecia ter sido real, e os pontos em que o livro se equivocara, baseado em boatos. A memória dele era falha, mas estava melhorando muito, e ouvir o que o livro dizia frequentemente fazia com que se lembrasse de mais coisas.

Naquele momento, ele zumbia no assento ao lado dela de modo satisfeito. A carruagem passou por um relevo — o terreno era muito irregular naquela área —, mas pelo menos na carruagem ela conseguia ler e usar outros livros como referência ao mesmo tempo. Isso teria sido praticamente impossível em um cavalo.

Contudo, a carruagem fazia com que se sentisse trancada. *Nem todo mundo que tenta cuidar de você está tentando fazer o mesmo que seu pai*, disse a si mesma com firmeza.

A dor mencionada por Adolin nunca se manifestara, claro. De início, ela sentira um pouco de desconforto nas coxas por se manter na sela, mas a Luz das Tempestades havia feito com que desaparecesse.

— Hmm — disse Padrão, subindo na porta da carruagem. — Está vindo.

Shallan olhou pela janela e sentiu uma gota d'água salpicar seu rosto. As rochas escureceram ao serem cobertas pela chuva. Logo, o ar foi preenchido por uma garoa persistente, leve e agradável. Embora mais fria, ela lembrava algumas das chuvas de Jah Keved. Ali nas terras da tormenta, parecia que a chuva raramente era tão suave.

Ela baixou as venezianas e voltou ao meio do banco para não ser atingida pela chuva. Logo descobriu que o agradável som da água abafava as vozes dos soldados e os passos monótonos da marcha, sendo um bom acompanhamento para a leitura. Uma citação despertou seu interesse, e ela procurou seu desenho das Planícies Quebradas e seus antigos mapas da Cidade da Tempestade.

Preciso descobrir como esses mapas se relacionam. Múltiplos pontos de referência, preferencialmente. Se pudesse identificar dois lugares das Planícies Quebradas que correspondessem a pontos no mapa da Cidade da Tempestade, poderia julgar quão grande Cidade da Tempestade havia sido — o velho mapa não tinha escala — e então sobrepô-la ao mapa das Planícies Quebradas. Isso daria a eles algum contexto.

O que realmente chamava sua atenção era o Sacroportal. No mapa da Cidade da Tempestade, Jasnah pensara que ele era representado por um disco redondo, como um estrado, no lado sul da cidade. Havia um portal naquele estrado em algum lugar por ali? Um portal mágico para Urithiru? Como será que os cavaleiros o operavam?

— Hmm — fez Padrão.

A carruagem de Shallan começou a desacelerar. Ela franziu o cenho e foi até a porta, pretendendo espiar pela janela. Contudo, a porta se abriu, revelando a Grã-senhora Navani do lado de fora, o próprio Dalinar segurando um guarda-chuva para ela.

— Você se importaria em ter companhia? — perguntou Navani.

— De modo algum, Luminosa — disse Shallan, apressando-se em recolher seus papéis e livros, que havia espalhado por todos os assentos.

Navani deu um tapinha carinhoso no braço de Dalinar, então subiu na carruagem, usando uma toalha para secar seus pés e pernas. Ela se sentou assim que Dalinar fechou a porta.

Voltaram a avançar, e Shallan mexeu nervosamente nos seus papéis. Qual era seu relacionamento com Navani? Ela era tia de Adolin, mas estava envolvida romanticamente com seu pai. Então era como a futura sogra de Shallan, muito embora, segundo a tradição vorin, Dalinar nunca fosse ter a permissão de se casar com ela.

Shallan tentara por semanas fazer com que aquela mulher a escutasse, e havia falhado. Agora, ela parecia tê-la perdoado por ter trazido a notícia da morte de Jasnah. Isso significava que Navani... gostava dela?

— Então — disse Shallan, sentindo-se tímida —, Dalinar exilou a senhora na carruagem para protegê-la de ficar dolorida, como Adolin fez comigo?

— Dolorida? Céus, não. Se alguém deveria estar viajando na carruagem, era Dalinar. Na hora do combate, vamos precisar que ele esteja descansado e pronto. Eu vim porque é difícil ler enquanto se cavalga na chuva.

— Ah. — Shallan se remexeu no banco.

Navani estudou-a, então finalmente suspirou.

— Eu tenho ignorado coisas que não deveria ter ignorado — disse a mulher mais velha. — Porque elas me trazem dor.

— Sinto muito.

— Você não tem motivo para pedir desculpas. — Navani estendeu a mão para Shallan. — Posso?

Shallan olhou para seu punhado de anotações, diagramas e mapas. E hesitou.

— Você está envolvida em um trabalho que obviamente considera muito importante — disse Navani em voz baixa. — Essa cidade que Jasnah estava procurando, de acordo com as anotações que você me enviou... Talvez eu possa ajudá-la a interpretar as intenções da minha filha.

Haveria alguma coisa naquelas páginas que incriminaria Shallan e revelaria seus poderes? Suas atividades como Véu?

Ela achava que não. Estava estudando os Cavaleiros Radiantes como parte daquilo, mas buscava o centro de poder deles, então fazia sentido. Hesitante, ela passou os papéis.

Navani folheou-os, lendo sob a luz de esferas.

— A organização dessas notas é... interessante.

Shallan corou. A organização fazia sentido para ela. Enquanto Navani continuava a olhar as anotações, Shallan percebeu que estava ficando estranhamente nervosa. Havia desejado a ajuda de Navani — praticamente implorara por ela. Agora, porém, sentia como se aquela mulher estivesse se intrometendo. Aquilo havia se tornado o projeto de Shallan, seu dever e sua busca. Agora que Navani aparentemente vencera sua dor, será que insistiria em assumir o controle da busca?

— Você pensa como uma artista — observou Navani. — Dá para perceber pela maneira como juntou as anotações. Bem, suponho que não posso esperar que você anote tudo que faz precisamente como eu gostaria. Um portal mágico para outra cidade? Jasnah realmente acreditava nisso?

— Sim.

— Hmm. Então provavelmente é verdade. Aquela garota nunca teve a decência de estar *errada* uma quantidade apropriada de vezes.

Shallan assentiu, olhando para as anotações, ansiosa.

— Ah, não seja tão sensível — disse Navani. — Não vou roubar seu projeto.

— Sou tão transparente assim? — indagou Shallan.

— Essa pesquisa é obviamente muito importante para você. Imagino que Jasnah a tenha convencido de que o destino do mundo dependia das respostas que encontrasse?

— Sim.

— Danação — disse Navani, passando para a próxima página. — Eu não devia ter ignorado você. Foi mesquinho da minha parte.

— Foi o ato de uma mãe de luto.

— Eruditas não têm tempo para tais bobagens. — Navani piscou, e Shallan notou uma lágrima no olho da mulher.

— A senhora ainda é humana — disse ela, estendendo a mão e tocando o joelho de Navani. — Não podemos todas ser rochedos sem emoções como Jasnah.

Navani sorriu.

— Às vezes ela tinha a empatia de um cadáver, não é mesmo?

— Era por ser brilhante demais — disse Shallan. — Acabou se acostumando com o fato de todo mundo mais ser um tanto idiota, só tentando acompanhá-la.

— Pelo amor de Chana, às vezes me pergunto como criei aquela criança sem estrangulá-la. Aos seis anos, ela estava apontando minhas falácias lógicas enquanto eu tentava fazer com que ela fosse para a cama na hora.

Shallan sorriu.

— Sempre pensei que ela havia nascido na casa dos trinta.

— Ah, ela nasceu. Só levou trinta e poucos anos para seu corpo alcançá-la. — Navani sorriu. — Não vou tomar isto de você, mas tampouco devo permitir que tente realizar um projeto tão importante sozinha. Gostaria de tomar parte. Decifrar os enigmas que cativavam Jasnah... Seria como tê-la de volta. Minha pequena Jasnah, insuportável e maravilhosa.

Como era surreal imaginar Jasnah como uma criança no colo da mãe.

— Seria uma honra ter sua ajuda, Luminosa Navani.

Navani ergueu a folha.

— Você está tentando sobrepor Cidade da Tempestade com as Planícies Quebradas. Não vai funcionar a menos que tenha um ponto de referência.

— Preferivelmente dois — respondeu Shallan.

— Faz séculos desde que aquela cidade caiu. Ela foi destruída durante a própria Aharietiam, acredito. Vai ser difícil encontrar pistas, embora sua lista de descrições vá ajudar. — Ela tamborilou um dedo contra os papéis. — Essa não é minha área de especialidade, mas tenho várias arqueólogas entre as escribas de Dalinar. Eu deveria mostrar a elas essas páginas.

Shallan assentiu.

— É melhor ter cópias de tudo aqui — continuou Navani. — Não quero perder originais para toda essa chuva. Posso pedir para as escribas cuidarem disso esta noite, depois de acamparmos.

— Como preferir.

Navani olhou para ela, então franziu o cenho.

— A decisão é sua.

— Está falando sério? — perguntou Shallan.

— Com certeza. Pense em mim como um recurso adicional.

Tudo bem, então.

— Sim, peça que elas façam cópias — disse Shallan, procurando algo na bolsa. — E disso aqui também... é minha tentativa de recriar um dos murais que dizem que ocupava a parede externa do templo de Chanaranach, em Cidade da Tempestade. Ele ficava voltado para sotavento, e supostamente sombreado, então podemos ser capazes de encontrar pistas dele.

"Além disso, preciso que um topógrafo meça cada novo platô que cruzarmos, depois que tivermos avançado. Posso desenhá-los, mas meu senso espacial pode estar incorreto. Quero tamanhos exatos para tornar o mapa mais preciso. Vou precisar de guardas e escribas cavalgando comigo à frente do exército para visitar platôs paralelos ao nosso curso. Seria muito útil se a senhora pudesse convencer Dalinar a permitir isso.

"Gostaria que uma equipe estudasse as citações naquela página debaixo do mapa. Elas falam sobre métodos para abrir o Sacroportal, o que em teoria era dever dos Cavaleiros Radiantes. Com sorte, podemos descobrir outro modo. Além disso, avise Dalinar que vamos tentar abrir o portal quando o encontrarmos. Não espero que haja nada perigoso do outro lado, mas ele sem dúvida vai querer enviar soldados primeiro."

Navani arqueou uma sobrancelha.

— Estou vendo que você pensou um bocado no assunto.

Shallan assentiu, corando.

— Vou cuidar disso — disse Navani. — Eu mesma vou chefiar a equipe de pesquisa que vai estudar essas citações que você mencionou. — Ela hesitou. — Você sabe *por que* Jasnah pensava que essa cidade, Urithiru, era tão importante?

— Porque era a sede dos Cavaleiros Radiantes, e ela esperava encontrar informações sobre eles... e sobre os Esvaziadores... lá.

— Então ela era como Dalinar. Estava tentando trazer de volta poderes que talvez devêssemos deixar em paz.

Shallan sentiu uma súbita e aguda ansiedade. *Eu preciso contar. Diga alguma coisa.*

— Ela não estava tentando. Ela conseguiu.

— Conseguiu?

Shallan respirou fundo.

— Não sei o que Jasnah contou sobre a origem do Transmutador dela, mas a verdade é que ele era falso. Jasnah conseguia Transmutar por conta própria, sem usar qualquer fabrial. Eu a vi fazer isso. Ela conhecia segredos do passado, segredos que acho que mais ninguém sabe. Luminosa Navani... sua filha *era* um dos Cavaleiros Radiantes.

Ou o mais perto disso que o mundo voltaria a ver.

Navani levantou uma sobrancelha, obviamente cética.

— Eu juro que é verdade. Pelo décimo nome do Todo-Poderoso.

— Isso é perturbador. Radiantes, Arautos e Esvaziadores supostamente se foram. Nós vencemos aquela guerra.

— Eu sei.

— Vou ter que trabalhar nisso — disse Navani, batendo para que o condutor da carruagem parasse o veículo.

O Pranto começou.

Um fluxo contínuo de chuva. Kaladin podia ouvi-la de dentro do quarto, como um sussurro ao fundo. Uma chuva fraca e miserável, sem a fúria e a paixão de uma verdadeira grantormenta.

Estava deitado no escuro, ouvindo o tamborilar das gotas, sentindo sua perna latejar. O ar úmido e frio vazava para dentro do quarto, e ele procurou os cobertores extras que o quarteleiro havia fornecido. Enrolou-se e tentou dormir, mas depois de dormir durante a maior parte do dia anterior — o dia em que o exército de Dalinar havia partido — descobriu que estava completamente acordado.

Detestava estar ferido. Não devia ter que ficar de repouso; não mais.

Syl...

O Pranto era um período ruim para ele. Dias preso entre paredes. Uma escuridão perpétua no céu que parecia afetá-lo mais do que aos outros, deixando-o letárgico e indiferente.

Alguém bateu à porta. Kaladin levantou a cabeça no escuro, então se ajeitou no leito.

— Entre.

A porta se abriu e deixou entrar o som de chuva, como milhares de pequenas pegadas correndo para lá e para cá. Muito pouca luz acompanhava os sons. O céu encoberto do Pranto deixava a terra sob um perpétuo crepúsculo.

Moash entrou. Estava usando sua Armadura Fractal, como sempre.

— Raios, Kal. Você estava dormindo? Desculpe!

— Não, eu estava acordado.

— No escuro?

Kaladin deu de ombros. Moash fechou a porta atrás de si, tirou sua manopla e pendurou-a em um gancho na cintura da Armadura. Ele enfiou a mão em uma dobra do metal e pegou um punhado de esferas para iluminar seu caminho. Riquezas que teriam parecido incríveis para carregadores de pontes agora eram troco no bolso de Moash.

— Você não devia estar guardando o rei? — perguntou Kaladin.

— De vez em quando — disse Moash, parecendo entusiasmado. — Eu e os outros quatro guarda-costas recebemos aposentos próximos ao dele. No palácio! Kaladin, é *perfeito*.

— Quando? — perguntou Kaladin baixinho.

— Não queremos arruinar a expedição de Dalinar, então vamos esperar até que ele esteja a alguma distância, talvez até que tenha atacado o inimigo. Desse modo, ele vai estar ocupado e não voltará ao receber as notícias. É melhor para Alethkar que ele tenha sucesso em derrotar os parshendianos. Ele vai voltar como um herói... e um rei.

Kaladin assentiu, sentindo-se nauseado.

— Já planejamos tudo — disse Moash. — Vamos levantar um alerta no palácio de que o Assassino de Branco foi avistado. Então faremos o que foi feito da última vez: mandar todos os criados se esconderem em seus quartos. Ninguém vai estar por perto para ver o que fizermos, ninguém vai se machucar, e todos acreditarão que foi o assassino shino. Não poderíamos ter *pedido* por uma oportunidade melhor! E você não precisa fazer nada, Kal. Graves diz que não vamos precisar da sua ajuda, afinal.

— Então por que você veio?

— Eu só queria ver como você estava — disse Moash, se aproximando. — É verdade o que Lopen disse? Sobre suas... habilidades?

Herdaziano tormentoso. Lopen havia ficado para trás — com Dabbid e Hobber — para cuidar da caserna e tomar conta de Kaladin. Aparentemente, tinham andado conversando com Moash.

— É.

— O que aconteceu?

— Não tenho certeza — mentiu ele. — Eu ofendi Syl. Não a vejo há dias. Sem ela, não posso absorver Luz das Tempestades.

— Vamos dar um jeito nisso — disse Moash. — Ou você vai conseguir uma Armadura e Espada próprias.

Kaladin olhou para seu amigo.

— Acho que ela foi embora por causa do plano de matar o rei, Moash. Acho que um Radiante não deveria se envolver em algo assim.

— Um Radiante não deveria se importar com o que é certo? Mesmo que signifique tomar uma decisão difícil?

— Às vezes vidas devem ser gastas para o bem maior — disse Kaladin.

— Sim, exatamente!

— Foi isso que Amaram disse. Sobre meus amigos, que ele assassinou para encobrir seus segredos.

— Bem, é diferente, óbvio. Ele é um olhos-claros.

Kaladin olhou para Moash, cujos olhos haviam se tornado cor de caramelo-claro, como os de qualquer Luminobre. A mesma cor dos olhos de Amaram, na verdade.

— Você também é.

— Kal. Estou ficando preocupado. Não diga essas coisas.

Kaladin afastou o olhar.

— O rei queria que eu entregasse uma mensagem — continuou Moash. — Essa é a minha desculpa para estar aqui. Ele quer que você vá falar com ele.

— O quê? Por quê?

— Eu não sei. Ele anda bebendo muito vinho, agora que Dalinar se foi. E não é do tipo laranja, tampouco. Vou dizer que você está ferido demais para ir.

Kaladin concordou.

— Kal. Podemos confiar em você, certo? Não está voltando atrás?

— Você mesmo disse — respondeu Kaladin. — Eu não tenho que fazer nada. Só preciso ficar longe. *O que eu poderia fazer, de qualquer modo? Ferido, sem espreno?*

Tudo estava em movimento. Era tarde demais para tentar impedir.

— Ótimo — disse Moash. — Cure-se logo, está bem?

Moash foi embora, deixando Kaladin outra vez na escuridão.

78

CONTRADIÇÕES

Ahmaselasforamdeixadasparatrás É óbviopelanaturezadaconexão Masondeondeondeondecomeçar Compreensãoóbviacomopreço Elasestãocomosshinos Precisamosacharuma Seráquepodemosnosutilizardeum Insincero Seráquepodemosfazerumaarma

—Extraído do Diagrama, Placa de piso 17: parágrafo 2, cada segunda letra começando com a primeira

NA ESCURIDÃO, AS ESFERAS roxas de Shallan davam vida à chuva. Sem as esferas, não conseguia ver as gotas, só escutar suas mortes sobre as pedras e o pano da sua barraca. Com a luz, cada gota d'água caindo relampejava brevemente, como um espreno de estrela.

Ela estava sentada na beirada da tenda, já que gostava de assistir à chuva caindo entre intervalos de desenhar, enquanto as outras eruditas estavam sentadas mais perto do meio. Vathah e um par dos seus soldados também estavam ali, vigiando-a como enguias celestes cuidando de um único filhote. Ela achava graça de que eles houvessem se tornado tão protetores; pareciam sentir *orgulho* de ser soldados dela. Shallan honestamente havia esperado que eles fugissem depois de conseguir clemência.

O Pranto já durava quatro dias, e ela ainda apreciava o clima. Por que o som suave da chuva gentil fazia com que se sentisse mais imaginativa? Ao seu redor, esprenos de criação lentamente desapareciam, a maioria tendo tomado as formas de coisas no acampamento. Espadas embainhadas e desembainhadas repetidamente, tendas minúsculas que se soltavam e eram levadas por um vento invisível. Estava desenhando um retrato de Jasnah como estivera naquela noite, há pouco mais de um mês, quando Shallan a vira pela última vez. Inclinada sobre a mesa da cabine escura do navio, a mão empurrando para trás o cabelo solto das tranças e coques costumeiros. Exausta, sobrecarregada, apavorada.

O desenho não representava uma única Lembrança fiel, não como Shallan costumava desenhá-las. Era uma recriação do que se lembrava, uma interpretação que não era exata. Shallan estava orgulhosa da imagem, como se houvesse capturado as contradições de Jasnah.

Contradições. Eram elas que tornavam as pessoas reais. Jasnah exausta, mas de alguma maneira ainda forte — ainda mais forte por conta da vulnerabilidade que demonstrara. Jasnah apavorada, mas ainda assim corajosa, pois uma coisa permitia que a outra existisse. Jasnah sobrecarregada, mas poderosa.

Shallan havia recentemente tentado fazer mais desenhos como aquele — sintetizados a partir da própria imaginação. Suas ilusões seriam sofríveis se só pudessem reproduzir o que havia vivenciado. Ela precisava criar, não só copiar.

Os últimos esprenos de criação se desfizeram, o último imitando uma poça sendo pisada por uma bota. Sua folha de papel criou sulcos quando Padrão subiu nela.

Ele fungou.

— Criaturas inúteis.

— Os esprenos de criação?

— Eles não *fazem* nada. Voejam por aí e assistem, admiram. A maioria dos esprenos tem um propósito. Esses são meramente atraídos pelo propósito de *outros*.

Shallan se recostou, pensando no assunto, como Jasnah lhe ensinara. Ali perto, as eruditas e os fervorosos discutiam sobre o tamanho da Cidade da Tempestade. Navani havia feito bem a sua parte — melhor do que Shallan esperara. As eruditas do exército agora trabalhavam sob o comando de Shallan.

Ao redor dela, na noite, uma quantidade incontável de luzes perto e longe indicava a amplitude do exército. A chuva continuava a cair, capturando a luz de esferas roxas. Ela havia escolhido todas as esferas de uma cor.

— A artista Eleseth certa vez fez um experimento — disse Shallan a Padrão. — Ela colocou apenas esferas de rubi, no máximo de sua força, para iluminar seu estúdio. Queria ver qual seria o efeito de uma luz totalmente vermelha sobre sua arte.

— Hmmm. Qual foi o resultado?

— De início, durante uma sessão de pintura, a cor da luz afetou-a intensamente. Ela usava muito pouco vermelho, e os campos de flores pareciam desbotados.

— Não é inesperado.

— O interessante, contudo, foi o que aconteceu quando ela continuou a trabalhar — continuou Shallan. — Se ela pintasse durante horas sob aquela iluminação, os efeitos diminuíam. As cores das suas reproduções tornavam-se mais equilibradas; as imagens das flores, mais vívidas. Ela por fim concluiu que a sua mente *compensava* as cores que ela via. Até se trocasse a cor da luz durante uma sessão, ela continuava durante algum tempo pintando como se a sala ainda estivesse vermelha, reagindo contra a nova cor.

— Hmm... — fez Padrão, satisfeito. — Humanos podem ver o mundo como ele não é. É por isso que suas mentiras podem ser tão fortes. Vocês são capazes de *não* admitir que elas sejam mentiras.

— Isso me assusta.

— Por quê? É maravilhoso.

Para ele, Shallan era um tema de estudo. Por um momento, ela compreendeu o que Kaladin devia ter pensado dela enquanto Shallan falava sobre o demônio-do-abismo. Admirando sua beleza, a forma da sua criação, sem ligar para a realidade presente do seu perigo.

— Isso me assusta porque todos vemos o mundo através de algum tipo de luz pessoal, e essa luz muda nossa percepção. Eu não vejo claramente. Quero ver, mas não sei se algum dia vou conseguir.

Pouco depois, um padrão irrompeu entre o som da chuva, e Dalinar Kholin entrou na tenda. Grisalho e empertigado, ele parecia mais um general do que um rei. Ela não tinha desenhos dele. Parecia uma omissão primária da sua parte, então Shallan capturou uma Lembrança dele caminhando pelo pavilhão, um assistente segurando um guarda-chuva para ele.

O homem foi até Shallan.

— Ah, aí está você. A mulher que assumiu o controle desta expedição.

Shallan tardiamente se levantou e fez uma mesura.

— Grão-príncipe?

— Você cooptou minhas escribas e cartógrafos — disse Dalinar em um tom divertido. — Elas sussurram como a chuva. Urithiru. Cidade da Tempestade. Como conseguiu esse feito?

— Não fui eu, foi a Luminosa Navani.

— Ela disse que você a convenceu.

— Eu... — Shallan enrubesceu. — Eu só estava presente, ela que mudou de ideia...

Dalinar fez um sinal curto com a cabeça para o lado, e seu assistente foi até as eruditas que debatiam. O assistente falou-lhes em voz baixa, e elas se levantaram — algumas rapidamente, outras com relutância — e partiram para a chuva, deixando seus papéis. O assistente as seguiu e Vathah olhou para Shallan. Ela fez que sim, dispensando-o e aos outros guardas.

Logo Shallan e Dalinar ficaram sozinhos no pavilhão.

— Você disse a Navani que Jasnah havia descoberto os segredos dos Cavaleiros Radiantes — disse Dalinar.

— Disse, sim.

— Tem certeza de que Jasnah não a iludiu de algum modo? Ou permitiu que você iludisse a si mesma... isso seria mais do feitio dela.

— Luminobre, eu... Eu não acho que isso... — Ela respirou fundo. — Não. Ela não me iludiu.

— Como pode ter certeza?

— Eu vi — disse Shallan. — Testemunhei as habilidades dela, e conversamos a respeito. Jasnah Kholin não *usava* um Transmutador. Ela era uma Transmutadora.

Dalinar cruzou os braços, olhando além de Shallan, noite adentro.

— Acho que é meu dever refundar os Cavaleiros Radiantes. O primeiro homem em que pensei que poderia confiar para o trabalho acabou se provando um assassino e um mentiroso. Agora você me diz que Jasnah possuía poderes de verdade. Se é isso mesmo, então sou um tolo.

— Não compreendo.

— Por ter nomeado Amaram. Achei que essa fosse a minha tarefa. Me pergunto agora se estava errado esse tempo todo, e que refundá-los nunca foi meu dever. Eles podem se refundar por conta própria, e eu sou um intrometido arrogante. Você me deu muito em que pensar. Obrigado.

Ele não sorriu ao dizer isso; de fato, parecia gravemente preocupado. Dalinar voltou-se para partir, juntando as mãos às costas.

— Luminobre Dalinar? — disse Shallan. — E se sua tarefa *não for* refundar os Cavaleiros Radiantes?

— Foi o que acabei de dizer — replicou Dalinar.

— E se, em vez disso, sua tarefa fosse *reuni-los*?

Ele olhou de volta para ela, esperando. Shallan sentiu que suava frio. O que estava fazendo?

Tenho que contar a alguém, em algum momento. Não posso fazer o que Jasnah fez, esconder tudo. Isso é importante demais. Seria Dalinar Kholin a pessoa certa?

Bem, ela certamente não podia pensar em ninguém melhor.

Shallan estendeu a mão, então inspirou, drenando uma das esferas. Depois expirou, soprando uma nuvem de Luz das Tempestades entre ela e Dalinar, e formou uma pequena imagem de Jasnah, aquela que acabara de desenhar, sobre sua palma.

— Todo-Poderoso no céu — sussurrou Dalinar.

Um único espreno de admiração, como um anel de fumaça azul, surgiu acima dele, espalhando-se como a ondulação de uma pedra caída em um lago. Shallan só vira tal espreno um punhado de vezes na vida.

Dalinar se aproximou, reverente, inclinando-se para inspecionar a imagem.

— Posso? — perguntou ele, estendendo a mão.

— Sim.

Ele tocou na imagem, fazendo com que ela se desfocasse em luz cambiante. Quando recuou o dedo, a imagem se reformou.

— É só uma ilusão — disse Shallan. — Não posso criar nada real.

— É fantástico — comentou Dalinar, tão baixo que ela mal pôde ouvir sua voz sob a chuva caindo. — É maravilhoso. — Ele olhou para ela, e foi chocante ver lágrimas em seus olhos. — Você é um deles.

— Talvez, mais ou menos? — disse Shallan timidamente. Aquele homem, tão dominante, tão impressionante, não deveria estar chorando na frente dela.

— Não estou louco — disse ele, aparentemente mais para si mesmo. — Já tinha decidido que não estava, mas isso não é o mesmo que saber. É tudo verdade. Eles estão voltando. — Ele tocou na imagem novamente. — Jasnah ensinou você a fazer isso?

— Eu descobri por conta própria. Acho que fui atraída a ela para que Jasnah pudesse me ensinar. Não tivemos muito tempo para isso, infelizmente. — Shallan fez uma careta, absorvendo de volta a Luz das Tempestades, o coração batendo agitado devido ao que fizera.

— Preciso dar a *você* o manto dourado — disse Dalinar, empertigando-se, secando os olhos e voltando a firmar a voz. — Colocá-la no comando deles. Assim nós...

— *Eu?* — *disse* Shallan, a voz aguda, pensando no que isso significaria para sua outra identidade. — Não, não posso! Quero dizer, Luminobre, senhor, minhas habilidades são mais úteis se ninguém souber delas. Quero dizer, se todo mundo estiver *procurando pelas* minhas ilusões, nunca irei enganar ninguém.

— Enganar? — disse Dalinar.

Talvez não tivesse sido a melhor escolha de palavras para usar com Dalinar.

— Luminobre Dalinar!

Shallan se virou, alerta, subitamente preocupada de que alguém houvesse visto o que fizera. Uma ágil mensageira se aproximou da tenda, encharcada, mechas de cabelo escapando das tranças e grudando no seu rosto.

— Luminobre Dalinar! Parshendianos avistados, senhor!

— Onde?

— Lado oriental desse platô — disse a mensageira, ofegante. — Grupo de batedores, aparentemente.

Dalinar olhou da mensageira para Shallan, então praguejou e saiu para a chuva.

Shallan jogou sua prancheta de desenho na cadeira e o seguiu.

— Pode ser perigoso — preveniu-a Dalinar.

— Agradeço a preocupação, Luminobre, mas acho que poderia até mesmo ter o estômago atravessado por uma lança, e minhas habilidades me curariam sem uma cicatriz sequer. Sou provavelmente a pessoa mais difícil de matar neste acampamento inteiro.

Dalinar andou em silêncio por um momento.

— A queda no abismo? — perguntou baixinho.

— Sim. Acho que devo ter salvado o capitão Kaladin também, mas não sei como fiz isso.

Ele grunhiu. Avançavam rapidamente pela chuva, a água molhando o cabelo e as roupas de Shallan. Ela praticamente tinha que trotar para acompanhar o passo de Dalinar. Tormentosos alethianos e suas pernas compridas. Guardas se aproximaram, membros da Ponte Quatro, e os acompanharam.

Ela ouviu gritaria ao longe. Dalinar mandou que os guardas ficassem em um perímetro mais amplo, para dar a ele e a Shallan certa privacidade.

— Você consegue Transmutar? — indagou Dalinar em voz baixa. — Como Jasnah fazia?

— Sim — disse Shallan. — Mas não tenho praticado muito.

— Isso pode ser muito útil.

— É também muito perigoso. Jasnah não queria que eu praticasse sem ela, mas agora que ela se foi... Bem, vou evoluir essa habilidade, uma hora ou outra. Senhor, por favor não conte a ninguém sobre isso. Por enquanto, pelo menos.

— Foi por isso que Jasnah tomou-a como pupila — disse Dalinar. — Era por isso que desejava que se casasse com Adolin, não era? Para uni-la a nós?

— Sim — admitiu Shallan, corando na escuridão.

— Muitas coisas fazem sentido agora. Contarei a Navani, mas a mais ninguém, e farei com que ela jure manter segredo. Ela *sabe* manter um segredo, se necessário.

Shallan abriu a boca para concordar, mas se deteve. O que Jasnah teria dito?

— Vamos enviá-la de volta aos acampamentos de guerra — continuou Dalinar, com os olhos adiante, falando baixo. — Imediatamente, com uma escolta. Não me interessa quão difícil seja matá-la; você é valiosa demais para arriscar nesta expedição.

— Luminobre — disse Shallan, pisando em uma poça d'água e lançando respingos, feliz de estar usando botas e calças sob a saia —, o senhor não é meu rei, tampouco meu grão-príncipe. O senhor não tem autoridade sobre mim. Meu dever é encontrar Urithiru, então o senhor *não* vai me enviar de volta. E, pela sua honra, quero que prometa que não vai contar a ninguém o que posso fazer, a menos que eu permita. Isso inclui a Luminosa Navani.

Ele parou e fitou-a, surpreso. Então grunhiu, com o rosto obscurecido.

— Vejo Jasnah em você.

Poucas vezes Shallan havia recebido tamanho elogio.

Luzes balançantes se aproximavam na chuva; soldados carregando lanternas de esferas. Vathah e seus homens chegaram correndo, tendo ficado para trás, e a Ponte Quatro os conteve por um momento.

— Muito bem, Luminosa — disse Dalinar para Shallan. — O seu segredo continuará em segredo, por enquanto. Nós *vamos* conversar mais, assim que essa expedição estiver concluída. Você leu sobre as coisas que tenho visto?

Ela assentiu.

— O mundo está prestes a mudar — disse Dalinar e respirou fundo. — Você me dá esperança, esperança verdadeira, de que podemos mudá-lo do modo certo.

Os batedores recém-chegados fizeram uma saudação, e a Ponte Quatro se afastou para permitir que o líder tivesse acesso a Dalinar. Ele era um homem corpulento com um chapéu marrom que a lembrava o que Véu usava, exceto pela aba larga. O batedor usava calças de soldado, mas uma jaqueta de couro por cima, e certamente não parecia estar em forma para lutar.

— Bashin — disse Dalinar.

— Parshendianos naquele platô perto de nós, senhor — disse Bashin, apontando. — Eles toparam com uma das minhas equipes de batedores. Os rapazes soaram o alarme rapidamente, mas perdemos todos os três homens.

Dalinar praguejou baixinho, então se virou para o Grão-senhor Teleb, que havia se aproximado da outra direção, usando sua Armadura Fractal pintada de prata.

— Desperte o exército, Teleb. Todos em alerta.

— Sim, Luminobre.

— Luminobre Dalinar — disse Bashin —, os rapazes abateram um daqueles cabeças de concha antes de serem mortos. Senhor... O senhor precisa ver isso. Alguma coisa mudou.

Shallan estremeceu, sentindo-se encharcada e com frio. Havia trazido roupas que resistiriam bem à chuva, naturalmente, mas isso não significava que ficar parada ali fosse *confortável*. Embora estivessem usando casacos, ninguém parecia estar muito incomodado. Provavelmente achavam normal passar o Pranto encharcados. Mais uma coisa para a qual sua infância protegida não a preparara.

Dalinar não levantou objeções quando Shallan se juntou a ele na caminhada em direção à ponte próxima — uma daquelas mais móveis, carregadas pelas equipes de ponte de Kaladin, que usavam capaz de chuva e chapéus com aba frontal. Um grupo de soldados do outro lado da ponte arrastava alguma coisa, causando uma pequena onda d'água. Um cadáver de parshendiano.

Shallan só havia visto aquele que encontrara com Kaladin no abismo. Desenhara um rascunho do corpo, mais cedo, e aquele ali parecia muito diferente. Ele tinha cabelo — bem, um tipo de cabelo. Inclinando-se, Shallan descobriu que era mais espesso que cabelo humano, e parecia demasiado... escorregadio. Era essa a palavra certa? O rosto era marmorizado, como o de um parshemano, com faixas vermelhas proeminentes nas costas. O corpo era esguio e forte, e algo parecia crescer *por baixo* da pele dos braços expostos, despontando. Shallan cutucou o relevo e descobriu que era duro e sulcado, como a casca de um caranguejo. De fato, o rosto era coberto com um tipo de carapaça fina e bulbosa acima dos malares e nas laterais da cabeça.

— Nunca vimos um desse tipo antes, senhor — disse Bashin para Dalinar. — Veja só essas protuberâncias. Senhor... alguns dos rapazes que foram mortos tinham *marcas de queimadura*. Na chuva. A coisa mais esquisita que já vi...

Shallan olhou para eles.

— O que quer dizer com "tipo", Bashin?

— Alguns parshendianos têm cabelos — disse o homem. Era um olhos-escuros, mas claramente bem respeitado, embora não tivesse um cargo militar óbvio. — Outros têm carapaças. Aqueles que encontramos com o rei Gavilar, muito tempo atrás, tinham... *formas* diferentes desses que combatemos.

— Eles têm subespécies especializadas? — perguntou Shallan.

Alguns crenguejos eram assim, trabalhando em uma colmeia, com diferentes especializações e formas variadas.

— Podemos ter diminuído a população deles — disse Dalinar a Bashin. — Forçando-os a enviar os equivalentes a seus olhos-claros para a luta.

— E as queimaduras, Dalinar? — disse Bashin, coçando a cabeça sob o chapéu.

Shallan estendeu a mão para verificar a cor dos olhos do parshendiano. Será que eles tinham olhos claros e escuros, como os humanos? Ela levantou a pálpebra.

O olho por baixo era completamente vermelho.

Ela gritou, dando um salto para trás e levou a mão ao peito. Os soldados praguejaram, olhando ao redor, e a Espada Fractal de Dalinar apareceu na sua mão alguns segundos depois.

— Olhos vermelhos — sussurrou Shallan. — Está acontecendo.

— Os olhos vermelhos são apenas uma lenda.

— Jasnah tinha um caderno inteiro de referências a isto, Luminobre — disse Shallan, sentindo um arrepio. — Os Esvaziadores chegaram. Temos pouco tempo.

— Joguem o corpo no abismo — disse Dalinar para seus homens. — Duvido que sejamos capazes de queimá-lo facilmente. Estejam preparados para um ataque esta noite. Eles...

— Luminobre!

Shallan se virou enquanto uma enorme figura de armadura se aproximava, chuva descendo pela sua Armadura prateada.

— Encontramos outro, senhor — informou Teleb.

— Morto? — indagou Dalinar.

— Não, senhor — disse o Fractário, apontando. — Ele caminhou direto até nós, senhor. Está sentado naquela pedra, ali.

Dalinar olhou para Shallan, que deu de ombros. Dalinar começou a andar na direção para onde Teleb havia apontado.

— Senhor? — chamou Teleb, a voz ressoando de dentro do elmo. — Será que deveria...

Dalinar ignorou o aviso, e Shallan se apressou para segui-lo, chamando Vathah e seus dois guardas.

— A senhorita não deveria voltar? — disse Vathah entre dentes para ela.

Raios, como seu rosto parecia perigoso na luz fraca, mesmo que sua voz soasse respeitosa. Ela não conseguia deixar de vê-lo como o homem que quase a matara, lá nas Colinas Devolutas.

— Vou ficar bem — replicou Shallan em voz baixa.

— A senhora pode ter uma Espada, Luminosa, mas ainda pode morrer com uma flecha nas costas.

— Improvável, nessa chuva — comentou ela.

Ele deixou-se ficar para trás, sem oferecer mais objeções. Estava tentando realizar o trabalho para o qual ela o designara. Infelizmente, Shallan estava descobrindo que não gostava muito de ser guardada.

Encontraram o parshendiano depois de uma caminhada através da chuva. A pedra onde estava sentado tinha a altura de um homem e ele não parecia estar armado. Cerca de cem soldados alethianos cercavam a base do seu assento, as lanças em riste. Shallan não conseguia enxergar muito mais, já que ele estava sentado do outro lado do abismo diante deles, com uma ponte portátil encaixada para atravessarem até lá.

— Ele disse alguma coisa? — perguntou Dalinar em voz baixa quando Teleb se aproximou.

— Não que eu saiba — respondeu o Fractário. — Só está ali sentado.

Shallan espiou através do abismo na direção do parshendiano solitário. Ele se levantou e protegeu os olhos da chuva. Os soldados abaixo se agitaram, lanças se elevando para posições mais ameaçadoras.

— Skar? — chamou o parshendiano. — Skar, é você? E Leyten?

Ali perto, um dos guardas carregadores de Dalinar praguejou. Ele atravessou correndo a ponte, e vários outros carregadores o seguiram.

Voltaram um instante depois. Shallan se aproximou para ouvir o que seu líder sussurrava para Dalinar.

— É ele, senhor — disse Skar. — Ele mudou, mas ventos me levem como a um tolo se eu estiver errado... é *ele*. Shen. Ele carregou pontes conosco por meses, depois desapareceu. Agora está aqui. Ele disse que quer se render para o senhor.

79

RUMO AO CENTRO

P: Por qual fator essencial devemos lutar? R: É essencial a preservação, para abrigar uma semente da humanidade através da tempestade vindoura.

P: Com que custo devemos arcar? R: O custo é irrelevante. A humanidade deve sobreviver. Nosso fardo é o da espécie, e quaisquer outras considerações são poeira em comparação.

— Extraído do Diagrama, Catecismo do Verso da Pintura Floral: parágrafo 1

DALINAR ESTAVA COM AS mãos às costas, esperando na sua tenda de comando e ouvindo o som da chuva no tecido. O chão da tenda estava molhado. Era impossível evitar durante o Pranto. Ele sabia disso por miseráveis experiências próprias — participara de mais de uma excursão militar durante aquele período do ano.

Era o dia seguinte à descoberta dos parshendianos nas Planícies — tanto o morto quanto aquele que os carregadores de pontes chamavam de Shen, ou Rlain, como ele dissera ser seu nome. O próprio Dalinar permitira que o homem fosse armado.

Shallan alegara que todos os parshemanos eram Esvaziadores embrionários. Ele tinha motivos razoáveis para acreditar na palavra dela, considerando o que a menina havia lhe mostrado. Mas o que devia *fazer*? Os Radiantes haviam voltado, os parshendianos haviam manifestado olhos vermelhos. Dalinar sentia-se tentando impedir uma represa de estourar sem saber de onde estavam vindo realmente os vazamentos.

As abas da tenda se partiram e Adolin entrou rapidamente, escoltando Navani. Ela pendurou seu casaco de tempestade no cabide ao lado da entrada, e Adolin pegou uma toalha e começou a secar seu cabelo e rosto.

Adolin estava noivo de um membro dos Cavaleiros Radiantes. *Ela diz que ainda não é um deles*, lembrou-se Dalinar. Isso fazia sentido. Era possível ser um lanceiro treinado sem ser um soldado. O primeiro implicava habilidade, o outro, uma posição.

— Estão trazendo o parshendiano? — indagou Dalinar.

— Sim — disse Navani, sentando-se em uma das cadeiras da sala.

Adolin não se sentou, mas achou uma jarra de água de chuva filtrada e serviu-se de um copo. Ele batucava o dedo do copo de lata enquanto bebia.

Estavam todos inquietos depois da descoberta do parshendiano de olhos vermelhos. Depois de não terem sido atacados naquela noite, Dalinar pressionara os quatro exércitos em mais um dia de marcha.

Lentamente, eles se aproximaram do meio das Planícies, pelo menos segundo as projeções de Shallan. Já estavam bem além das regiões exploradas pelos batedores. Agora, precisavam contar com os mapas da jovem.

As abas se abriram novamente, e Teleb entrou marchando com o prisioneiro. Dalinar havia colocado o grão-senhor e sua guarda pessoal encarregados do tal "Rlain", já que não gostava da maneira como os carregadores eram defensivos em relação a ele. Mas convidou os tenentes — Skar e o cozinheiro papaguampas que chamavam de Rocha — para comparecer ao interrogatório, e os dois entraram depois de Teleb e seus homens. O general Khal e Renarin estavam em outra tenda com Aladar e Roion, estudando táticas para quando fossem se aproximar do acampamento parshendiano.

Navani sentou-se, inclinada para a frente, estreitando os olhos na direção do prisioneiro. Shallan queria participar, mas Dalinar havia prometido um relatório por escrito para ela. Felizmente, o Pai das Tempestades dera algum juízo à garota, e ela não havia insistido. Ter muita gente perto daquele espião parecia perigoso.

Ele tinha uma vaga lembrança do guarda parshemano que ocasionalmente se juntava aos homens da Ponte Quatro. Parshemanos eram praticamente invisíveis, mas quando aquele havia começado a carregar uma lança, tornara-se instantaneamente chamativo. Não que houvesse qualquer outra coisa distintiva nele — o mesmo corpo atarracado de parshemano, pele marmorizada, olhos mortiços.

A criatura diante dele não era mais assim. Era um guerreiro parshendiano pleno, portando a placa craniana vermelha-alaranjada e a carapaça no peito, coxas e lado externo dos braços. Ele era tão alto quanto um alethiano, e mais musculoso.

Embora não carregasse uma arma, os guardas ainda o tratavam como se fosse a coisa mais perigosa naquele platô — e talvez ele fosse mesmo. Ele saudou Dalinar ao se aproximar, a mão no peito. Como os outros carregadores. Ele trazia na testa a tatuagem deles, que se erguia para se misturar à placa craniana.

— Sente-se — ordenou Dalinar, indicando um banco no centro da sala. Rlain obedeceu.

— Me disseram que você se recusa a nos dizer qualquer coisa sobre os planos dos parshendianos.

— Eu não os conheço — disse Rlain.

Ele possuía as entonações rítmicas comuns aos parshendianos, mas falava alethiano muito bem. Melhor do que qualquer parshemano que Dalinar já ouvira.

— Você era um espião — disse Dalinar, as mãos ainda unidas às costas, tentando assomar sobre o parshendiano, mas permanecendo longe o bastante para que o homem não pudesse agarrá-lo sem que Adolin o impedisse primeiro.

— Sim, senhor.

— Por quanto tempo?

— Cerca de três anos — disse Rlain. — Em vários acampamentos de guerra.

Ali perto, Teleb — com a viseira levantada — se virou e arqueou uma sobrancelha para Dalinar.

— Você me responde quando eu pergunto, mas não aos outros — observou Dalinar. — Por quê?

— O senhor é meu comandante — respondeu Rlain.

— Você é parshendiano.

— Eu... — O homem olhou para o chão, os ombros murchando. Ele levou uma mão à cabeça, sentindo a saliência da pele onde sua placa craniana terminava. — Algo está muito errado, senhor. A voz de Eshonai... no platô, naquele dia, quando ela foi se encontrar com o príncipe Adolin...

— Eshonai — disse Dalinar. — A Fractária parshendiana?

Ali perto, Navani escrevia em um bloco de papel, registrando cada palavra.

— Sim. Ela era minha comandante. Mas agora... — Ele ergueu os olhos e, apesar da pele alienígena e da estranha maneira de falar, Dalinar reconheceu a tristeza no rosto daquele homem. Uma terrível tristeza. —

Senhor, tenho motivos para acreditar que todos que eu conheço... todos que eu amei... foram destruídos, e monstros tomaram seu lugar. Os Ouvintes, os parshendianos, podem não existir mais. Não me resta nada...

— Resta, sim — disse Skar de fora do círculo de guardas. — Você é da Ponte Quatro.

Rlain olhou para ele.

— Eu sou um traidor.

— Ha! — fez Rocha. — É problema pequeno. Tem conserto.

Dalinar fez um gesto para silenciar os carregadores e olhou para Navani, que sinalizou com a cabeça para que prosseguisse.

— Diga-me como se escondeu entre os parshemanos.

— Eu...

— Soldado — rosnou Dalinar. — Isso foi uma ordem.

Rlain se empertigou no banco. Incrivelmente, ele parecia querer obedecer — como se precisasse de algo para lhe dar forças.

— Senhor, é só algo que meu povo pode fazer. Nós escolhemos uma forma baseados em nossas necessidades, no trabalho exigido de nós. A forma opaca, uma delas, se parece muito com um parshemano. Esconder-se entre eles é fácil.

— Nós contabilizamos nossos parshemanos com precisão — disse Navani.

— Sim, e nós somos notados, mas raramente questionados. Quem questiona quando encontra uma esfera extra no chão? Não é algo suspeito. É apenas sorte.

Território perigoso, pensou Dalinar, notando a mudança na voz de Rlain — o ritmo em que ele estava falando. O homem não gostava do modo como os parshemanos eram tratados.

— Você falou dos parshendianos — disse Dalinar. — Isso tem a ver com os olhos vermelhos?

Rlain assentiu.

— O que isso significa, soldado?

— Significa que nossos deuses voltaram — sussurrou Rlain.

— Quem são seus deuses?

— São as almas dos antigos. Aqueles que davam de si para destruir. — Um ritmo diferente para essas palavras, lento e reverente. Ele olhou para Dalinar. — Eles odeiam o senhor e sua raça, comandante. Essa nova forma que deram ao meu povo... é terrível. Ela vai *causar* algo terrível.

— Você pode nos levar à cidade dos parshendianos? — indagou Dalinar.

A voz de Rlain mudou novamente. Um ritmo diferente.

— Meu povo...

— Você disse que eles se foram — disse Dalinar.

— Pode ser que sim — disse Rlain. — Eu me aproximei o bastante para ver um exército, dezenas de milhares. Mas eles certamente deixaram alguns em outras formas. Os idosos? Os jovens? Quem está cuidando das nossas crianças?

Dalinar foi até Rlain, gesticulando para que Adolin, que havia levantado a mão em um gesto nervoso, recuasse. Ele se curvou, colocando uma das mãos no ombro do parshendiano.

— Soldado, se o que está me dizendo está correto, então a coisa mais importante que pode fazer é nos levar ao seu povo. Vou cuidar para que os civis sejam protegidos, tem minha palavra de honra. Se algo terrível está acontecendo com seu povo, precisa me ajudar a deter isso.

— Eu... — Rlain respirou fundo. — Sim, senhor — disse ele em um ritmo diferente.

— Reúna-se com Shallan Davar — disse Dalinar. — Descreva a rota para ela, e faça-nos um mapa. Teleb, pode liberar o prisioneiro sob a custódia da Ponte Quatro.

O Fractário Sangue-Antigo assentiu. Enquanto o grupo partia, deixando entrar um golpe de vento chuvoso, Dalinar suspirou e sentou-se ao lado de Navani.

— Você confia na palavra dele?

— Eu não sei — disse Dalinar. — Mas alguma coisa *abalou* aquele homem, Navani. Profundamente.

— Ele é parshendiano — replicou ela. — Você pode estar lendo errado sua linguagem corporal.

Dalinar se inclinou para a frente, juntando as mãos diante de si.

— A contagem regressiva? — perguntou ele.

— Daqui a três dias — respondeu Navani. — Três dias até o Dia de Luz.

Tão pouco tempo.

— Vamos apertar o passo — disse ele.

Para dentro. Rumo ao centro.

E ao destino.

Mapeado na jornada até o centro.

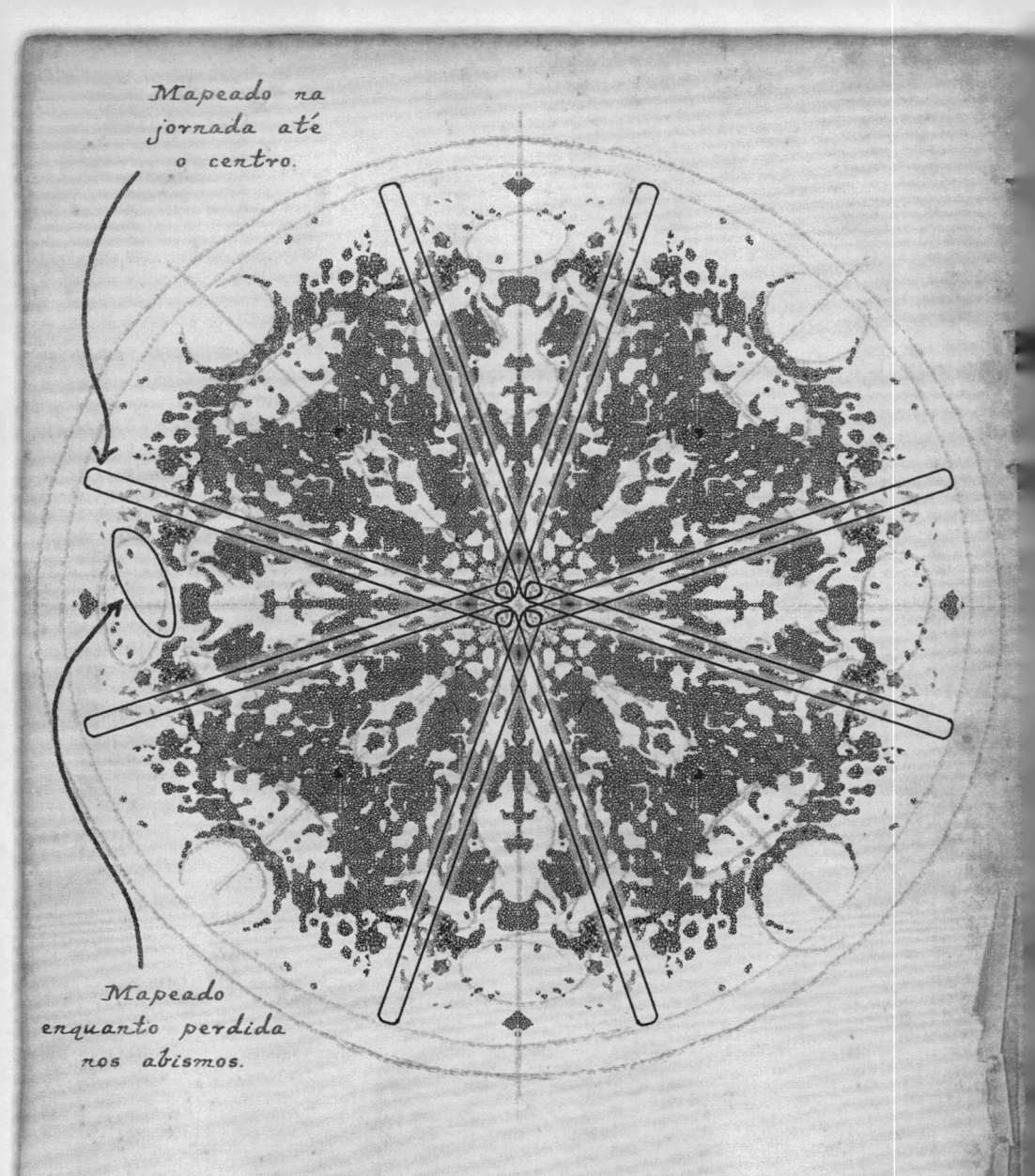

Mapeado enquanto perdida nos abismos.

Nota: a área oriental das Planícies é muito mais erodida do que isso. As áreas claras são platôs aglomerados de modo muito próximo. Áreas escuras são platôs aglomerados de modo menos denso.

Eu sei que você gostaria que eu desenhasse cada platô, mas pelas sombras, mulher! Nem eu sou TÃO maluca.

80
COMBATER A CHUVA

Você precisa se tornar rei. De Tudo.

— Extraído do Diagrama, Princípios de Instrução, Parte de trás do estribo da cama: parágrafo 1

SHALLAN LUTAVA COM O vento, apertando seu casaco de tempestade — roubado de um soldado — contra o corpo enquanto batalhava para subir o escorregadio declive.

— Luminosa? — chamou Gaz. Ele agarrou seu chapéu para impedir que saísse voando. — Tem certeza de que deseja fazer isso?

— Claro que sim — disse Shallan. — Se o que estou fazendo é sábio ou não... Bem, essa é outra história.

Aqueles ventos eram incomuns para o Pranto, que devia ser um período de chuva plácida, um tempo para contemplar o Todo-Poderoso, uma pausa das grantormentas.

Talvez as coisas fossem diferentes ali nas terras da tormenta. Ela se esforçou para subir as rochas. As Planícies Quebradas haviam se tornado cada vez mais difíceis de atravessar à medida que os exércitos viajavam para o interior — já era o oitavo dia da expedição — seguindo o mapa de Shallan, criado com o auxílio de Rlain, o ex-carregador de pontes.

Shallan chegou ao topo da formação rochosa e encontrou a vista que os batedores haviam descrito. Vathah e Gaz pisavam duro atrás dela, resmungando do frio. O coração das Planícies Quebradas se estendia diante de Shallan. Os platôs interiores, nunca explorados pelos homens.

— Está aqui — disse ela.

Gaz coçou a órbita vazia por trás do seu tapa-olho.

— Pedras?

— Sim, guarda Gaz — confirmou Shallan. — Pedras. Pedras lindas, maravilhosas.

Na distância, ela viu sombras envoltas em um véu de chuva nebulosa. Vistas em grupos daquele jeito, era inconfundível. *Era* uma cidade. Uma cidade coberta com séculos de camadas de crem, como blocos de brinquedo cobertos por muitas camadas de cera derretida. Para um olhar inocente, sem dúvida se parecia muito com o resto das Planícies Quebradas. Mas ah, era muito mais.

Era prova. Mesmo aquela formação onde estava Shallan provavelmente havia sido parte de um edifício. Desgastada no lado da direção das tempestades, coberta de crem no lado do sotavento, que criara a ladeira bulbosa e desigual que haviam escalado.

— Luminosa!

Ela ignorou as vozes vindas de baixo, em vez disso acenando impacientemente para pedir a luneta. Gaz entregou o objeto a ela, que o ergueu para inspecionar os platôs à frente. Infelizmente, a coisa estava embaçada em uma das extremidades. Shallan tentou limpá-la esfregando a lente e a chuva a lavando, mas estava embaçada por dentro. Dispositivo tormentoso.

— Luminosa? — chamou Gaz. — Não devíamos, hã, escutar o que eles estão dizendo lá embaixo?

— Mais parshendianos deformados foram vistos — disse Shallan, erguendo a luneta novamente. Por que o criador daquela coisa não a havia construído para que fosse vedada por dentro, impedindo que a umidade entrasse?

Gaz e Vathah deram um passo para trás quando vários membros da Ponte Quatro chegaram ao topo do declive.

— Luminosa — disse um dos carregadores —, o Grão-príncipe Dalinar fez recuar a vanguarda e ordenou um perímetro de segurança no platô atrás de nós.

Era um homem alto e bonito, cujos braços pareciam longos demais para seu corpo. Shallan olhou insatisfeita para os platôs internos.

— Luminosa — continuou o carregador, relutante —, ele disse que se a senhorita não vier, ele vai enviar Adolin para... hum... carregá-la de volta nos ombros.

— Bem que eu gostaria de ver isso — disse Shallan. *Parecia bastante* romântico, o tipo de coisa que podia ser lida em um livro. — Ele está tão preocupado assim com os parshendianos?

— Shen... hã, Rlain... diz que estamos praticamente no platô natal deles, Luminosa. Avistamos muitas das patrulhas dele. Por favor.

— Precisamos ir até lá — disse Shallan, apontando. — É ali que estão os segredos.

— Luminosa...

— Muito bem — disse ela, virando-se e descendo pela ladeira.

Ela escorregou, o que não ajudou na sua dignidade, mas Vathah pegou seu braço antes que ela caísse de cara no chão.

Depois que desceram, eles rapidamente cruzaram aquele pequeno platô, juntando-se a batedores que estavam correndo de volta para o grosso do exército. Rlain alegava não saber nada sobre o Sacroportal — ou mesmo sobre a cidade, que ele chamava de "Narak", em vez de Cidade da Tempestade. Dizia que seu povo só havia se instalado ali de modo permanente depois da invasão alethiana.

Durante o avanço para o interior, os soldados de Dalinar haviam avistado um número crescente de parshendianos e combatido com eles em breves escaramuças. O general Khal achava que as incursões pretendiam desviar o exército do curso, embora Shallan não soubesse como eles podiam fazer essa especulação — mas *sabia* que estava ficando cansada de sentir-se úmida o tempo todo. Já estavam ali há quase duas semanas, e alguns dos soldados haviam começado a murmurar que o exército precisava voltar aos acampamentos de guerra logo ou se arriscar a não conseguir voltar antes que grantormentas retornassem.

Shallan atravessou a Ponte e passou por lanceiros se instalando atrás de encostas baixas e ondulantes na pedra — provavelmente os fundamentos de antigas paredes. Ela encontrou Dalinar e os outros grão-príncipes em uma tenda montada no centro do acampamento. Era uma de seis tendas idênticas, e não ficava imediatamente óbvio qual delas continha os quatro grão-príncipes. Ela imaginou que fosse algum tipo de medida de segurança. Ao entrar, saindo da chuva, Shallan ouviu a conversa deles.

— O platô atual possui boas posições defensáveis — afirmou Aladar, gesticulando para um mapa disposto na mesa portátil diante deles. — Prefiro nossas chances contra um ataque aqui do que avançando mais para o interior.

— E se avançarmos mais — disse Dalinar com um grunhido —, correremos o risco de sermos divididos durante um ataque, metade em um platô, metade no outro.

— Mas eles *precisam* nos atacar? — disse Roion. — Se eu fosse eles, só entraria em formação, como se estivesse me preparando para atacar...

mas então não atacaria. Eu enrolaria, forçando meu inimigo a ficar esperando um ataque até que as grantormentas retornassem!

— É um bom argumento — admitiu Aladar.

— Pode confiar que um covarde saberia a maneira mais inteligente de ficar fora de um combate — disse Sebarial. Ele estava sentado à mesa ao lado de Palona, comendo frutas e sorrindo de modo amigável.

— Eu *não* sou covarde — disse Roion, as mãos se fechando em punhos.

— Não quis insultá-lo — replicou Sebarial. — Meus insultos são muito mais incisivos. *Isso* foi um elogio. Se eu pudesse, o contrataria como comandante de todas as minhas guerras, Roion. Suspeito que teriam muito menos baixas, e o preço das roupas de baixo duplicaria quando os soldados soubessem que você estava no comando. Eu ganharia uma fortuna.

Shallan entregou seu casaco gotejante a um criado, então tirou o chapéu e começou a secar o cabelo com uma toalha.

— Precisamos chegar mais perto do centro das Planícies — disse ela. — Roion está certo. Não posso permitir que fiquemos parados. Os parshendianos só vão esperar.

Os outros olharam para ela.

— Eu não estava ciente de que a senhorita decidia nossas táticas, Luminosa Shallan — disse Dalinar.

— É culpa nossa, Dalinar — disse Sebarial —, por darmos a ela tanta abertura. Provavelmente devíamos tê-la jogado do Pináculo semanas atrás, no momento em que chegou naquela reunião.

Shallan estava preparando uma resposta quando as abas da tenda se partiram e Adolin entrou, a Armadura Fractal escorrendo, e levantou a viseira. Raios... ele era tão bonito, mesmo quando só era possível ver metade do seu rosto. Ela sorriu.

— Eles estão *definitivamente* agitados — disse Adolin. Ele a viu e deu-lhe um sorriso rápido antes de andar tilintando até a mesa. — Há pelo menos dez mil daqueles parshendianos esquisitos por lá, se movendo em grupos ao redor dos platôs.

— Dez mil — grunhiu Aladar. — Nós podemos enfrentar dez mil. Mesmo que eles tenham a vantagem do terreno, mesmo que tenhamos que atacar em vez de defender, devemos lidar com essa quantidade com facilidade. Temos mais de trinta mil.

— Foi *isso* que viemos fazer — disse Dalinar. Ele olhou para Shallan, que corou pela sua ousadia de antes. — Esse portal que você acha que está por lá... Onde ele estaria?

— Mais perto da cidade.

— E aqueles olhos vermelhos? — indagou Roion. Ele parecia estar muito desconfortável. — E os lampejos de luz que eles produzem quando lutam? Raios, quando falei, antes, não estava defendendo o avanço. Só estava preocupado com o que os parshendianos fariam. Eu... não há uma maneira fácil de fazer isso, há?

— Pelo que Rlain me disse — começou Navani do seu assento no outro lado da sala —, só os soldados deles conseguem saltar entre platôs, mas podemos presumir que a nova forma também é capaz disso. Eles podem fugir de nós, se os pressionarmos.

Dalinar balançou a cabeça.

— Eles se instalaram nas Planícies, em vez de fugir, porque sabiam que era sua melhor chance de sobrevivência. Nas planícies rochosas inteiras e abertas das terras da tormenta, eles seriam caçados e destruídos. Aqui, eles têm a vantagem. Não vão abandoná-la agora; não acham que podem nos combater.

— Se queremos fazer com que eles lutem, então precisamos ameaçar seus lares — disse Aladar. — Acho que realmente devemos avançar contra a cidade.

Shallan relaxou. Cada passo mais próximo do centro — pelas explicações de Rlain, eles estavam a apenas meio dia de distância — deixavam-na mais perto do Sacroportal.

Dalinar se inclinou para a frente, erguendo os braços para os lados, sua sombra caindo sobre os mapas de batalha.

— Muito bem. Eu não vim até aqui para esperar timidamente os caprichos dos parshendianos. Vamos marchar amanhã, ameaçar a cidade deles e forçá-los a nos enfrentar.

— Quanto mais nos aproximamos, mais provável será que eles cortem qualquer rota de retirada — observou Sebarial.

Dalinar não respondeu, mas Shallan sabia o que ele estava pensando. *Ele desistiu da esperança de uma retirada dias atrás.* Uma fuga de dias e dias pelos platôs seria um desastre se os parshendianos decidissem persegui-los. Os alethianos lutariam ali, e venceriam, conquistando o abrigo de Narak.

Aquela era a única opção.

Dalinar concluiu a reunião e os grão-príncipes saíram, cercados por grupos de assistentes com guarda-chuvas. Shallan esperou até Dalinar perceber o olhar dela. Em momentos havia apenas ela, Dalinar, Adolin e Navani na tenda.

Navani caminhou até Dalinar, segurando o braço dele com as duas mãos. Uma postura íntima.

— Esse seu portal... — disse Dalinar.

— Sim? — indagou Shallan.

Dalinar levantou os olhos até encará-la.

— Quão real ele é?

— Jasnah estava convencida de que era completamente real. Ela nunca errava.

— Esse seria um momento tormentosamente *ruim* para ela quebrar esse histórico — disse ele em voz baixa. — Concordei em avançar, em parte, devido à sua exploração.

— Obrigada.

— Não fiz isso pela erudição — continuou Dalinar. — Pelo que Navani me diz, esse portal oferece uma oportunidade única para retirada. Eu esperava derrotar os parshendianos antes de o perigo nos alcançar, não importa qual seja esse perigo. Julgando pelo que vimos, ele chegou mais cedo.

Shallan concordou.

— Amanhã é o último dia da contagem regressiva — disse Dalinar. — Rabiscada nas paredes durante grantormentas. Seja lá o que for, seja lá o que tenha sido, nós vamos encontrá-lo amanhã... e você é meu plano de reserva, Shallan Davar. Você vai encontrar esse portal, e vai fazer com que ele funcione. Se o mal nos vencer, seu caminho será nossa fuga. Você pode ser a única chance de sobrevivência dos nossos exércitos... e da própria Alethkar.

OS DIAS SE PASSARAM, e Kaladin recusou-se a deixar que a chuva o vencesse.

Mancava pelo acampamento, usando uma muleta que Lopen havia arrumado para ele, apesar de achar que era cedo demais para que Kaladin saísse por aí.

O lugar ainda estava vazio, exceto pelos ocasionais parshemanos arrastando madeira das florestas ou carregando sacos de grãos. O acampamento não tinha notícia alguma da expedição. O rei provavelmente estava sendo informado via telepena, mas não compartilhava as novas com mais ninguém.

Raios, este lugar parece sinistro, pensou Kaladin, mancando por casernas abandonadas, a chuva batendo contra o guarda-chuva que Lopen havia amarrado na muleta de Kaladin. Funcionava, mais ou menos. Ele passou por esprenos de chuva, como velas azuis brotando no chão, cada um com um único olho do centro do topo. Coisas nojentas. Kaladin sempre os detestara.

Ele lutava contra a chuva. Que sentido isso fazia? Parecia que a chuva queria que ele permanecesse a portas fechadas, então ele saía. A chuva queria que ele se entregasse ao desespero, então ele se forçava a pensar. Na infância, tivera a ajuda de Tien para aliviar sua tristeza. Agora, até mesmo pensar em Tien aumentava essa escuridão — embora ele não pudesse evitar. O Pranto o lembrava do irmão. Do riso quando a escuridão ameaçava, da alegria e do otimismo despreocupado.

Aquelas imagens lutavam com as da morte de Tien. Kaladin fechou bem os olhos, tentando banir aquela memória. Do jovem frágil, mal treinado, sendo abatido. A própria companhia de soldados de Tien o colocara na frente como uma distração, um sacrifício para atrasar o inimigo.

Kaladin firmou o queixo, abrindo os olhos. Bastava de se lamentar. Ele não ia choramingar ou suspirar. Sim, havia perdido Syl. Havia perdido muitos entes queridos durante a vida. Ele sobreviveria a essa agonia como havia sobrevivido a outras.

Continuou seu circuito coxeando pelas casernas. Fazia isso quatro vezes por dia. Às vezes Lopen ia com ele, mas naquele dia Kaladin estava sozinho. Pisava nas poças d'água e percebeu que estava sorrindo porque calçava as botas que Shallan havia roubado dele.

Eu nunca acreditei que ela fosse uma papaguampas. Preciso garantir que ela fique sabendo disso.

Ele parou, se apoiando na muleta e olhando através da chuva na direção das Planícies Quebradas. Não podia ver longe; as gotas impediam.

Voltem em segurança, ele pensou para aqueles que estavam lá fora. *Todos vocês. Dessa vez, não posso ajudar se algo der errado.*

Rocha, Teft, Dalinar, Adolin, Shallan, todo mundo na Ponte Quatro — todos estavam por conta própria. Quão diferente o mundo seria se Kaladin tivesse se mostrado um homem melhor? Se ele houvesse usado seus poderes e voltado para o acampamento de guerra com Shallan, cheio de Luz das Tempestades? Estivera tão perto de revelar o que podia fazer...

Você pensa nisso há semanas. Nunca teria revelado. Estava com medo demais.

Ele detestava admitir isso, mas era verdade.

Bem, se suas suspeitas em relação a Shallan fossem verdadeiras, talvez Dalinar já tivesse sua Radiante de qualquer modo. Que ela fosse melhor nisso do que Kaladin havia sido.

Ele continuou a mancar, retornando para a caserna da Ponte Quatro. Parou ao ver uma luxuosa carruagem, puxada por cavalos com as cores do rei, esperando em frente ao edifício.

Kaladin praguejou, mancando adiante. Lopen correu para encontrá-lo, sem um guarda-chuva. Muitas pessoas desistiam de permanecer secas durante o Pranto.

— Lopen! — chamou Kaladin. — O que houve?

— Ele está esperando por você, *gancho* — disse Lopen, gesticulando com urgência. — O próprio rei.

Kaladin mancou com mais rapidez de volta ao seu quarto. A porta estava aberta; Kaladin espiou através dela e viu o rei Elhokar parado ali dentro, olhando ao redor da pequena câmara.

Moash guardava a porta, e Taka — um antigo membro da Guarda do Rei — estava mais perto do governante.

— Vossa Majestade? — chamou Kaladin.

— Ah — disse o rei —, carregador de pontes.

As faces de Elhokar estavam coradas. Ele andara bebendo, embora não parecesse bêbado. Kaladin compreendia. Com Dalinar e aquele seu olhar de desaprovação ausente por um tempo, era provavelmente agradável relaxar com uma garrafa.

Quando Kaladin conhecera o rei, pensara que Elhokar carecia de realeza. Agora, estranhamente, achava que Elhokar parecia de fato um rei. Não era que houvesse mudado — o homem ainda tinha seus modos imperiosos, com aquele nariz grande demais e maneira condescendente. A mudança ocorrera em Kaladin. As coisas que outrora associara à realeza — honra, força armada, nobreza — haviam sido substituídas com os atributos menos inspiradores de Elhokar.

— Isso é realmente tudo que Dalinar fornece aos seus oficiais? — perguntou Elhokar, gesticulando ao redor do cômodo. — Aquele homem... espera que todos vivam segundo sua própria austeridade. Parece que se esqueceu completamente de como se divertir.

Kaladin olhou para Moash, que deu de ombros, a Armadura Fractal estalando.

O rei pigarreou.

— Me disseram que você estava fraco demais para fazer a viagem para me ver. Percebo que talvez não seja o caso.

— Sinto muito, Vossa Majestade. Não estou bem, mas caminho pelo acampamento todo dia para recuperar minhas forças. Tive receio de que minha fraqueza e aparência pudessem ser ofensivas para o Trono.

— Estou vendo que aprendeu a falar de modo político — observou o rei, cruzando os braços. — A verdade é que meu comando não significa nada, mesmo para um olhos-escuros. Eu não tenho mais autoridade aos olhos dos homens.

Ótimo. Lá vamos nós outra vez.

O rei acenou com um gesto seco.

— Saiam, vocês dois. Quero falar com esse homem sozinho.

Moash olhou para ele, parecendo preocupado, mas Kaladin assentiu. Com relutância, Moash e Taka saíram, fechando a porta e deixando-os sob a luz de umas poucas esferas esmaecida que o rei espalhara. Logo, não haveria mais qualquer Luz das Tempestades por ali — havia passado tempo demais sem uma grantormenta. Teriam que usar velas e lâmpadas a óleo.

— Como você sabia ser um herói? — perguntou Elhokar.

— Como assim, Vossa Majestade? — perguntou Kaladin, apoiado na muleta.

— Um herói — disse o rei, acenando de modo irreverente. — Todos adoram você, carregador. Você salvou Dalinar, lutou com Fractários, voltou depois de cair nos tormentosos abismos! Como consegue fazer isso? Como você sabe?

— Na verdade foi apenas sorte, Vossa Majestade.

— Não, não — disse o rei, começando a andar de um lado para outro. — É um padrão, mas não consigo decifrá-lo. Quando eu tento ser forte, banco o tolo. Quando tento ser misericordioso, as pessoas se aproveitam de mim. Quando tento escutar conselhos, acabo escolhendo os homens errados! Quando tento fazer tudo sozinho, Dalinar precisa tomar o controle para que eu não destrua o reino.

"Como as pessoas sabem o que fazer? Por que *eu* não sei o que fazer? Nasci para este cargo, recebi o trono do próprio Todo-Poderoso! Por que ele me daria o título, mas não a capacidade? Não faz sentido. E... ainda assim, todos parecem saber coisas que eu não sei. Meu pai conseguia dominar até mesmo gente como Sadeas... os homens amavam Gavilar, o temiam e o serviam ao mesmo tempo. Eu nem mesmo consigo fazer com que um olhos-escuros obedeça a um comando de visitar o palácio! Por que isso não funciona? O que eu tenho que *fazer*?"

Kaladin deu um passo atrás, chocado com a franqueza dele.

— Por que está me perguntando isso, Vossa Majestade?

— Porque você sabe o segredo — disse o Elhokar, ainda andando de um lado para outro. — Vi como os seus homens olham para você; ouvi como as pessoas falam de você. Você é um *herói*, carregador. — Ele parou, então caminhou até Kaladin, pegando-o pelos braços. — Pode me ensinar?

Kaladin olhou para ele, perplexo.

— Eu quero ser um rei como meu pai — disse Elhokar. — Quero liderar os homens, e quero que eles me respeitem.

— Eu não... — Kaladin engoliu em seco. — Eu não sei se isso é possível, Vossa Majestade.

Elhokar estreitou os olhos.

— Então você ainda fala o que pensa, mesmo depois de todos os problemas que isso lhe causou. Diga-me. Você acha que sou um rei ruim, carregador de pontes?

— Acho.

O rei arquejou subitamente, ainda segurando Kaladin pelos braços.

Eu poderia agir, aqui e agora, pensou Kaladin. *Abater o rei. Colocar Dalinar no trono. Sem me esconder, sem segredos, sem assassinato covarde. Uma luta, ele e eu.*

Parecia uma maneira mais honesta de agir. Claro, Kaladin provavelmente seria executado, mas ele percebeu que isso não o incomodava. Será que deveria agir, pelo bem do reino?

Podia imaginar a raiva de Dalinar, o desapontamento. A morte não incomodava Kaladin, mas falhar com Dalinar... *Raios.*

O rei o soltou e se afastou.

— Bem, eu perguntei — murmurou ele consigo mesmo. — Só preciso convencê-lo também. Eu *vou* resolver a questão. Serei um rei memorável.

— Ou pode fazer o que é melhor para Alethkar e abdicar — sugeriu Kaladin.

O rei parou abruptamente e se voltou para Kaladin, a expressão sombria.

— *Não* exagere, carregador. Bah. Eu nunca deveria ter vindo aqui.

— Concordo — disse Kaladin. Estava achando toda a experiência surreal.

Elhokar fez menção de partir, mas parou na porta, sem olhar para Kaladin.

— Quando você chegou, as sombras partiram.

— As... sombras?

— Eu as via em espelhos, pelo canto dos olhos. Posso jurar que até mesmo as ouvia sussurrando, mas você as espantou. Eu não as vejo desde então. Você tem alguma coisa. Não tente negar. — O rei o encarou. — Sinto muito pelo que fiz a você. Vi você lutar para ajudar Adolin, e então vi você defender Renarin... e fiquei com inveja. Lá estava você, grande campeão, tão amado. E todos me odeiam. Eu mesmo deveria ter lutado. Em vez disso, reagi com exagero ao seu desafio de Amaram. Não foi você que arruinou nossa chance contra Sadeas. Fui eu. Dalinar estava certo. De novo. Estou tão cansado de ele estar certo e eu, errado. Diante disso tudo, não estou surpreso de você me considerar um mau rei.

Elhokar abriu a porta e saiu.

81

O ÚLTIMO DIA

> *Os Desfeitos são um desvio, uma pista, um enigma que pode não merecer sua atenção. Não dá para deixar de pensar neles. São fascinantes. Muitos são irracionais, como os esprenos das emoções humanas, só que muito mais desagradáveis. No entanto, parece que uns poucos deles conseguem pensar.*
>
> — Extraído do Diagrama, Livro da Segunda Gaveta da Escrivaninha: parágrafo 14

DALINAR SAIU DA TENDA para uma chuva sutil, acompanhado por Navani e Shallan. A chuva soava mais leve ali fora do que dentro da tenda, onde as gotas tamborilavam no tecido.

Haviam marchado por toda a manhã, chegando ao coração dos platôs arruinados. Eles estavam perto agora. Tão perto, que tinham a total atenção dos parshendianos.

Estava acontecendo.

Um atendente ofereceu um guarda-chuva a cada pessoa saída da tenda, mas Dalinar não quis o seu. Se os seus homens estavam expostos à água, se juntaria a eles. De qualquer modo, estaria ensopado até o fim do dia.

Ele caminhou pelas fileiras, seguindo carregadores com casacos de tempestade que iam à frente com lanternas de safira. Ainda era dia, mas a espessa cobertura de nuvens escurecia tudo. Ele usava luz azul para se identificar. Roion e Aladar, ao verem que Dalinar havia recusado um guarda-chuva, o imitaram. Sebarial, naturalmente, permaneceu debaixo do dele.

Alcançaram o grosso das tropas que haviam se formado em uma grande oval, voltada para fora. Ele conhecia seus soldados bem o bastante para sentir a ansiedade deles. Estavam rígidos demais, sem se remexer ou se esticar. Também estavam em silêncio, sem conversas ou distrações — nem mesmo resmungos. As únicas vozes que ouvia eram as ocasionais ordens ríspidas enquanto oficiais acertavam as fileiras. Dalinar logo viu o que estava causando a inquietação.

Olhos vermelhos se aglomeravam no platô seguinte.

Eles não brilhavam antes. Olhos vermelhos, sim, mas não com aquele fulgor sinistro. Na luz fraca, os corpos dos parshendianos eram indistintos, não mais do que sombras. Os olhos carmesins pairavam como a Cicatriz de Taln — como esferas na escuridão, de cor mais profunda do que qualquer rubi. As barbas dos parshendianos frequentemente traziam pedaços de gemas trançadas, formando padrões, mas hoje eles não brilhavam.

Tempo demais sem uma grantormenta, Dalinar pensou. *Mesmo as gemas nas esferas dos* alethianos — facetadas e, portanto, capazes de comportar luz por mais tempo — já tinham quase todas falhado àquela do Pranto, embora gemas maiores talvez durassem por volta de mais uma semana.

Eles haviam adentrado a parte mais escura do ano. O período em que a Luz das Tempestades não brilhava.

— Ah, Todo-Poderoso! — sussurrou Roion, fitando aqueles olhos vermelhos. — Ah, pelos nomes do próprio Deus. Em que você nos meteu, Dalinar?

— Você pode fazer alguma coisa para ajudar? — perguntou Dalinar baixinho, olhando para Shallan, que estava debaixo de um guarda-chuva ao seu lado, os guardas dela logo atrás.

Com o rosto pálido, ela sacudiu a cabeça.

— Sinto muito.

— Os Cavaleiros Radiantes eram guerreiros — disse Dalinar, bem baixinho.

— Se eram, então tenho muito que aprender...

— Então vá — disse Dalinar à garota. — Quando houver uma abertura no combate, encontre o caminho até Urithiru, se ele existir. Você é meu único plano de contingência, Luminosa.

Ela assentiu.

— Dalinar — disse Aladar, parecendo horrorizado enquanto contemplava os olhos vermelhos que formavam fileiras ordenadas no outro lado do abismo —, seja sincero. Quando você nos trouxe nesta marcha, *esperava* encontrar esses horrores?

— Sim.

Era basicamente a verdade. Ele não sabia quais horrores encontraria, mas sabia que algo estava chegando.

— Você veio mesmo assim? — interpelou Aladar. — Você nos arrastou até aqui, para estas planícies amaldiçoadas, deixou que fôssemos cercados por monstros, para sermos massacrados e...

Dalinar agarrou Aladar pela frente da jaqueta e puxou-o para a frente. O movimento pegou o outro homem completamente desprevenido, e ele se calou, arregalando os olhos.

— Eles são *Esvaziadores* — sibilou Dalinar, a chuva escorrendo pelo seu rosto. — Eles voltaram. Sim, é verdade. E nós, Aladar, *temos* uma chance de detê-los. Eu não sei se podemos impedir outra Desolação, mas eu faria *qualquer coisa*... incluindo sacrificar a mim mesmo e a todo esse exército... para proteger Alethkar dessas criaturas. Entendeu?

Aladar assentiu, os olhos esbugalhados.

— Eu esperava chegar aqui antes disso acontecer — continuou Dalinar —, mas não cheguei. Então agora vamos lutar. E, raios, vamos destruir essas coisas. Vamos detê-los, e esperar que isso impeça o mal de se espalhar para os parshemanos do mundo, como minha sobrinha temia. Se você sobreviver a este dia, será conhecido com um dos maiores homens da nossa geração.

Ele soltou Aladar, deixando que o grão-príncipe cambaleasse para trás.

— Vá até seus homens, Aladar. Vá liderá-los. Seja um campeão.

Aladar olhou para Dalinar, boquiaberto. Então se endireitou. Ele bateu o braço no peito, fazendo uma saudação tão precisa quanto qualquer outra que Dalinar já vira.

— Assim será, Luminobre — disse Aladar. — Grão-príncipe da Guerra.

Aladar rosnou ordens para seus assistentes — incluindo Mintez, o grão-senhor que geralmente deixava usar sua Armadura Fractal em batalha —, então levou a mão à espada e foi embora correndo na chuva.

— Hum — comentou Sebarial debaixo do seu guarda-chuva. — Ele realmente acreditou. Acha mesmo que vai ser um tormentoso herói.

— Agora ele sabe que eu estava certo sobre a necessidade de unificar Alethkar. Ele é um bom soldado. A maioria dos grão-príncipes é... ou foi, em algum momento.

— Uma pena que você acabou ficando com nós dois, em vez deles — replicou Sebarial, indicando Roion, que ainda encarava os olhos vermelhos se movendo.

Havia milhares agora, o número ainda aumentando à medida que mais parshendianos chegavam. Batedores relataram que eles estavam se reunindo em todos os três platôs que faziam fronteira com o platô grande ocupado pelos alethianos.

— Eu sou inútil em uma batalha — continuou Sebarial. — E os arqueiros de Roion serão desperdiçados nessa chuva. Além disso, ele é um covarde.

— Roion não é um covarde — contestou Dalinar, colocando a mão no braço do grão-príncipe mais baixo. — Ele é cuidadoso. Isso não foi muito útil na disputa pelas gemas-coração, onde homens como Sadeas jogavam vidas fora em troca de prestígio. Mas aqui, o cuidado é um atributo que prefiro em vez da imprudência.

Roion virou-se para Dalinar, piscando para tirar a água dos olhos.

— Isso vai mesmo acontecer?

— Sim — confirmou Dalinar. — Quero você com os seus homens, Roion. Eles precisam vê-lo. Eles vão ficar assustados, mas você, não. Você é cuidadoso, controlado.

— Sim. Sim. Você... você vai nos tirar dessa situação, certo?

— Não, não vou — disse Dalinar.

Roion franziu o cenho.

— Nós vamos nos tirar dessa situação *juntos*.

Roion assentiu, e não levantou objeções. Ele o saudou, como Aladar, ainda que menos formalmente, depois foi rumo ao seu exército no flanco do nordeste, chamando seus ajudantes para que fornecessem os números das suas reservas.

— Danação — disse Sebarial, assistindo Roion partir. — *Danação*. E quanto a mim? Onde está meu discurso inspirador?

— Você vai voltar para a tenda de comando e ficar fora do caminho.

Sebarial soltou uma gargalhada.

— Tudo bem. Isso eu posso fazer.

— Quero Teleb no comando do seu exército — continuou Dalinar. — E vou enviar tanto Serugiadis quanto Rust para se juntarem a ele. Seus homens vão lutar melhor contra essas coisas tendo alguns Fractários na vanguarda.

Todos os três eram homens que haviam recebido Fractais depois da sequência de duelos de Adolin.

— Darei a ordem para que Teleb seja obedecido.

— Sebarial? — chamou Dalinar.

— Sim?

— Se estiver disposto, queime algumas orações. Não sei se há mais alguém lá em cima escutando, mas mal não vai fazer.

Dalinar se voltou para o mar de olhos vermelhos. Por que eles só estavam parados ali, assistindo?

Sebarial hesitou.

— Não está tão confiante quanto fingiu estar para os outros dois, hein?

Ele sorriu, como se isso o confortasse, depois partiu. Homem estranho. Dalinar chamou um dos seus ajudantes, que foi dar as ordens para os três Fractários Kholin, primeiro tirando Serugiadis — um homem esbelto cuja irmã Adolin já havia cortejado — do seu posto de comando nas fileiras, então correndo para chamar Teleb e explicar as ordens do grão-príncipe.

Depois de cuidar disso, Dalinar foi até Navani.

— Preciso saber que você está segura na tenda de comando. Tão segura quanto possível.

— Então faça de conta que estou lá — disse ela.

— Mas...

— Você quer minha ajuda com os fabriais? Não posso arranjar esse tipo de coisa remotamente, Dalinar.

Ele trincou os dentes, mas o que podia dizer? Ia precisar de todas as vantagens que pudesse ter. Fitou novamente os olhos vermelhos.

— Parece que as histórias contadas ao redor de fogueiras em acampamentos ganharam vida — disse Rocha, o enorme carregador de pontes papaguampas. Dalinar nunca vira aquele sujeito guardando a ele ou a seus filhos; ele era um quarteleiro ou algo assim. — Isso aí não devia existir. Por que eles não se movem?

— Eu não sei — respondeu Dalinar. — Mande alguns dos seus homens trazerem Rlain aqui. Quero saber se ele pode fornecer alguma explicação. — Enquanto dois carregadores saíam correndo, Dalinar voltou-se para Navani. — Reúna suas escribas para escrever minhas palavras. Vou falar com os soldados.

Em instantes, ela tinha um par de escribas — tremendo debaixo de guarda-chuvas com lápis para escrever — prontas para registrar suas palavras. Enviariam mulheres pelas fileiras para ler sua mensagem para todos os homens.

Dalinar montou na sela de Galante para ganhar mais altura e virou-se para as fileiras dos homens ali perto.

— Sim — gritou ele sobre o som da chuva —, esses são os Esvaziadores. Sim, nós vamos enfrentá-los. Não sei o que eles podem fazer.

Não sei por que voltaram. Mas nós viemos aqui para *detê-los*. Eu sei que vocês estão com medo, mas ouviram falar sobre minhas visões durante as grantormentas. Nos acampamentos de guerra, os olhos-claros zombaram de mim e as consideraram ilusões. — Ele esticou o braço para o lado, apontando para o mar de olhos rubros. — Bem ali, vocês estão vendo a prova de que minhas visões eram verdadeiras! Bem ali, estão vendo o que eu disse que aconteceria!

Dalinar passou a língua por lábios molhados. Já fizera muitos discursos em campos de batalha, mas nunca dissera nada como o que lhe ocorria no momento.

— Eu fui enviado pelo próprio Todo-Poderoso para salvar esta terra de outra Desolação — gritou ele. — Eu *vi o que* essas coisas podem fazer; vivi vidas destruídas pelos Esvaziadores. Eu vi reinos despedaçados, seus povos arruinados, tecnologias esquecidas. Eu vi a própria civilização levada à beira trêmula do colapso. *Nós vamos impedir isso!* Hoje vocês não vão lutar pela riqueza de um olhos-claros, ou mesmo pela honra do seu rei. Hoje, vocês lutam pelo bem de todos os homens. Vocês não vão lutar sozinhos! Confiem no que eu vi, confiem nas minhas palavras. Se essas *coisas* voltaram, então o mesmo vale para as forças que já as derrotaram antes. Veremos milagres antes deste dia acabar, homens! Só temos que ser fortes o bastante para merecê-los.

Ele viu um mar de olhos esperançosos. Raios. Eram esprenos de glória ao redor da sua cabeça, girando como esferas douradas na chuva? Suas escribas terminaram de escrever o curto discurso, então começaram apressadamente a fazer cópias para enviar por meio de mensageiras. Dalinar viu-as partir e rezou pelos Salões Tranquilinos para que não houvesse simplesmente mentido para todo mundo.

Sua força parecia pequena naquela escuridão, cercada pelos inimigos. Logo, ele ouviria as próprias palavras sendo recitadas a distância, lidas para as tropas. Dalinar permaneceu sentado, Shallan ao lado do seu cavalo, embora Navani houvesse se afastado para checar vários dos seus dispositivos.

O plano de batalha exigia que eles esperassem um pouco mais, e Dalinar estava contente em fazê-lo. Com os abismos para atravessar, era muito melhor ser atacado do que atacar. Talvez os exércitos separados entrando em formação encorajassem os parshendianos a iniciar a batalha indo até ele. Felizmente, a chuva significava que não haveria flechas. As cordas não suportavam a umidade, e a cola animal nos arcos recurvos dos parshendianos também não.

Os parshendianos começaram a cantar.

O ritmo veio em um súbito rugido cujo som era mais alto que as chuvas, surpreendendo seus homens, fazendo com que dessem um passo para trás em uma onda. A canção não era nenhuma daquelas que Dalinar ouvira durante investidas de platô. As notas eram mais separadas, mais frenéticas. Ela se elevou de toda parte, chegando dos três platôs dos arredores, gritada feito machados lançados contra os alethianos no platô do centro.

Dalinar tremeu. O vento soprava contra ele, mais forte do que o normal durante o Pranto. O vento jogava gotas de chuva contra seu rosto. O frio era mordaz.

— Luminobre!

Dalinar virou-se na sela e notou quatro carregadores se aproximando junto com Rlain — ele ainda tinha o homem sob vigilância o tempo todo. Acenou para que seus guardas abrissem caminho, permitindo que o carregador parshendiano chegasse correndo junto do seu cavalo.

— Essa canção! — disse Rlain. — Essa *canção*.

— O que é, homem?

— É a morte — sussurrou Rlain. — Luminobre, nunca ouvi isso antes, mas é um ritmo de destruição. De poder.

Do outro lado do abismo, os parshendianos começaram a brilhar. Minúsculas linhas vermelhas faiscavam ao redor dos seus braços, piscando e tremulando feito relâmpagos.

— O que é *aquilo*? — indagou Shallan.

Dalinar estreitou os olhos, e outro golpe de vento varreu seu corpo.

— O senhor precisa impedir — disse Rlain. — Por favor. Mesmo que precise matá-los. *Não deixe que eles terminem essa canção.*

Era o dia da contagem regressiva que ele havia escrito nas paredes sem saber. O último dia.

Dalinar tomou sua decisão por instinto. Chamou uma mensageira, que veio correndo — a pupila de Teshav, uma garota no seu décimo quinto ano.

— Passe adiante — ordenou ele. — Diga para o general Khal, na tenda de comando, para os chefes de batalhão, para meu filho, para Teleb, e para os outros grão-príncipes. Vamos mudar de estratégia.

— Luminobre? Qual é a mudança?

— Vamos atacar. *Agora!*

Kaladin parou na entrada da área de treinamento dos olhos-claros, a água escorrendo do pano encerado do seu guarda-chuva, surpreso com o que estava vendo. Em preparação para uma tempestade, os fervorosos geralmente varriam e jogavam a areia em trincheiras cobertas nos limites do terreno, para impedir que ela fosse levada pelo vento.

Esperara ver algo parecido durante o Pranto. Em vez disso, haviam deixado a areia exposta, mas colocado uma curta barreira na frente da entrada do portão. Ela tapava a frente da área, permitindo que se enchesse d'água. Uma pequena cascata de água de chuva vertia por cima da barreira e para a rua.

Kaladin fitou o pequeno lago que agora preenchia o pátio, então suspirou e se inclinou, desamarrando os cadarços, depois removendo as botas e as meias. Quando entrou, a água gelada chegava às suas panturrilhas.

Areia macia foi esmagada entre seus dedos dos pés. Qual era o propósito daquilo? Ele cruzou o pátio, a muleta debaixo do braço, as botas unidas pelos cadarços jogadas sobre o ombro. A água gelada entorpeceu seu pé machucado, o que na verdade foi agradável, muito embora a perna ainda doesse a cada passo. Parecia que as duas semanas de tratamento não haviam feito muito pelas suas feridas. Sua insistência em caminhar provavelmente não estava ajudando.

Ficara mal-acostumado com suas habilidades; um soldado com tal ferida normalmente levava semanas para se recuperar. Sem Luz das Tempestades, ele teria que simplesmente ser paciente e curar-se como todo mundo.

Esperara encontrar a área de treinamento tão abandonada quanto a maior parte do acampamento. Até mesmo os mercados estavam relativamente vazios, as pessoas preferindo permanecer em casa durante o Pranto. Ali, contudo, encontrou os fervorosos rindo e conversando, sentados em cadeiras nas galerias elevadas que cercavam a área de treinamento. Eles costuravam justilhos de couro, com copos de vinho castanho-avermelhado nas mesas ao lado. Aquela área ficava suficientemente acima do chão do pátio para permanecer seca.

Kaladin passou por ali, procurando entre eles, mas não encontrou Zahel. Até deu uma espiada no banheiro masculino, mas estava vazio.

— Lá em cima, carregador! — gritou uma das fervorosas.

A mulher de cabeça raspada apontou para a escadaria no canto, para onde Kaladin frequentemente enviara guardas para proteger o telhado enquanto Adolin e Renarin praticavam.

Kaladin acenou em agradecimento, então mancou até lá e subiu os degraus desajeitadamente. Ele teve que fechar o guarda-chuva para caber ali. A chuva caía em sua cabeça ao sair pela abertura no teto, onde a escadaria terminava. O telhado era feito de telhas empilhadas sobre crem endurecido, e Zahel estava deitado ali em uma rede que pendurara entre duas vigas. Kaladin achou que podiam ser para-raios, o que não lhe parecia muito seguro. Uma lona pendia sobre a rede e mantinha Zahel quase seco.

O fervoroso balançava suavemente, os olhos fechados, segurando uma garrafa quadrada de honu forte, um tipo de licor de grão de lávis. Kaladin inspecionou o telhado, avaliando sua capacidade de cruzar as telhas inclinadas sem cair e quebrar o pescoço.

— Já esteve em Lagopuro, carregador de pontes? — perguntou Zahel.

— Não, mas um dos meus homens fala de lá.

— O que você ouviu?

— É um oceano tão raso que dá para atravessá-lo a pé.

— É ridiculamente raso — disse Zahel. — Como uma baía sem fim, com menos de meio metro de profundidade. Água quente. Brisas calmas. Me lembra do meu lar. Não é como este lugar frio, úmido e abandonado pelos deuses.

— Então por que não está lá, em vez de aqui?

— Porque não suporto me lembrar do meu lar, idiota.

Ah.

— Então, por que estamos falando sobre ele?

— Porque você estava se perguntando por que fizemos nosso próprio pequeno Lagopuro ali embaixo.

— Estava?

— É claro que estava. Garoto da danação. A essa altura, conheço você bem o bastante para saber que perguntas o incomodam. Você não pensa como um lanceiro.

— Lanceiros não podem ser curiosos?

— Não. Porque, se eles forem curiosos, ou acabam mortos ou mostrando para alguém no comando como são inteligentes. Então são colocados em um posto mais útil.

Kaladin levantou uma sobrancelha, esperando mais explicações. Finalmente, suspirou e perguntou:

— Por que você bloqueou o pátio lá embaixo?

— O que você acha?

— Você é uma pessoa muito irritante, Zahel. Sabia disso?

— É claro que sabia. — Ele bebeu um gole do honu.

— Imagino que bloqueou a frente da área de treinamento para que a chuva não levasse a areia embora.

— Excelente dedução — disse Zahel. — Como uma parede recém-pintada de azul.

— Não faço ideia do que isso significa. O problema é: por que é necessário manter a areia no pátio? Por que não apenas guardá-la, como antes das grantormentas?

— Você sabia que as chuvas durante o Pranto não trazem crem?

— Eu... — Ele sabia disso? Importava?

— E isso é bom — continuou Zahel —, ou todo nosso acampamento aqui ia terminar entupido de crem. De qualquer modo, esse tipo de chuva é excelente para lavar coisas.

— Está me dizendo que transformou a área de duelos em uma *banheira*?

— Claro que sim.

— Vocês lavam algo nisso?

— Claro que sim. Não nós mesmos, naturalmente.

— Então o quê?

— A areia.

Kaladin franziu o cenho, então espiou pela borda, olhando a piscina abaixo.

— Todo dia vamos lá e a remexemos — disse Zahel. — A areia se acomoda de volta no fundo, e toda a sujeira se desprende, carregada pela chuva em pequenos riachos para fora do acampamento. Já pensou que seria preciso lavar a areia?

— Na verdade, não.

— Bem, mas é. Depois de um ano inteiro sendo chutada por pés fedorentos de carregadores e pés igualmente fedorentos, mas muito mais refinados, de olhos-claros, depois de um ano tendo gente como eu derramando comida nela, ou animais entrando aqui para fazer suas necessidades, a areia precisa de limpeza.

— Por que estamos falando sobre isso?

— Porque é importante — disse Zahel, tomando um trago. — Ou algo assim. Não sei. Você que veio me procurar, garoto, interrompendo minhas férias, então vai ter que me escutar tagarelando.

— Você devia dizer algo profundo.

— Você não me ouviu dizer que estou de férias?

Kaladin continuou parado na chuva.

— Você sabe onde está o Riso do Rei?

— Aquele tolo, Poeira? Não aqui, abençoadamente. Por quê?

Kaladin precisava de alguém com quem conversar, e havia passado a maior parte do dia procurando Riso. Não encontrara o homem, embora houvesse capitulado e comprado um pouco de chouta de um vendedor de rua solitário.

Era uma delícia. Isso não havia ajudado com seu mau humor.

Então desistira de encontrar Riso e procurara Zahel em vez disso. Parecia ter sido um equívoco. Kaladin suspirou, voltando-se para descer as escadas.

— O que você queria? — perguntou Zahel. O homem havia aberto um olho, fitando Kaladin.

— Você já teve que escolher entre duas opções igualmente desagradáveis?

— Todos os dias em que escolho continuar respirando.

— Estou preocupado que algo horrível aconteça — disse Kaladin. — Eu posso impedir, mas essa coisa horrível... pode ser o melhor para todo mundo, *se* acontecer.

— Hum.

— Nenhum conselho?

— Escolha a opção que permita que você durma mais fácil à noite — disse Zahel, ajeitando seu travesseiro. — O velho fervoroso fechou os olhos e se recostou. — Era o que eu gostaria de ter feito.

Kaladin desceu os degraus. Lá embaixo, não pegou seu guarda-chuva. Já estava ensopado, de qualquer modo. Em vez disso, procurou nas prateleiras laterais do pátio até encontrar uma lança — uma verdadeira, não de treinamento. Então pousou sua muleta no chão e mancou até a água.

Ali, ele assumiu a postura de um lanceiro e fechou os olhos. A chuva caía ao redor, salpicava a água da piscina, escorria pelo telhado, tamborilava nas ruas lá fora. Kaladin sentia-se esgotado, como se seu sangue houvesse sido sugado. A melancolia fazia com que quisesse ficar sentado, quieto.

Em vez disso, começou a dançar com a chuva. Ele passou pelas formas de combate com a lança, fazendo o possível para não colocar peso sobre a perna ferida. Ele esguichou água. Procurou paz e propósito nas formas familiares.

Não encontrou nenhum dos dois.

Seu equilíbrio estava prejudicado, e sua perna gritava. A chuva não o acompanhava; só o incomodava. Pior que isso, o vento não soprava. O ar parecia *morto*.

Kaladin tropeçou nos próprios pés. Girou a lança ao redor de si, então a deixou cair de modo desajeitado. Ela saiu voando e caiu na piscina. Enquanto ia pegá-la, ele notou os fervorosos prestando atenção, com olhares desde perplexos a divertidos.

Tentou novamente. Formas simples da lança. Sem girar a arma, sem se exibir. Passo, passo, investida.

A haste da lança parecia errada nos seus dedos. Sem equilíbrio. Raios. Fora em busca de tranquilidade, mas ficou cada vez mais frustrado enquanto tentava praticar.

Quanto da sua habilidade com a lança viera dos seus poderes? Não era nada sem eles?

Kaladin deixou a lança cair novamente depois de tentar um simples giro e estocada. Estendeu a mão para pegá-la e viu um espreno de chuva pousado junto à arma na água, olhando para cima, sem piscar.

Ele agarrou a lança com um rosnado, então ergueu os olhos para o céu.

— Ele merece! — berrou para as nuvens.

A chuva o açoitava.

— Dê-me um motivo por que ele não merece! — gritou Kaladin, sem se importar se os fervorosos estavam ouvindo. — Pode não ser culpa dele, e ele pode estar tentando, mas ainda está *falhando*.

Silêncio.

— É correto remover o membro ferido — sussurrou Kaladin. — É isso que se faz. Para... Para...

Para sobreviver.

De onde vieram essas palavras?

Temos que fazer o possível para sobreviver, filho. Transforme uma desvantagem em vantagem sempre que puder.

A morte de Tien.

Naquele momento, naquele momento horrível, enquanto assistia, impotente, seu irmão morrer. O próprio líder de esquadrão de Tien havia sacrificado os recrutas destreinados para ganhar um momento de vantagem.

Aquele líder de esquadrão havia falado com Kaladin, depois que tudo acabara. *Temos que fazer o possível para sobreviver...*

Fazia sentido, de uma maneira horrível e perversa.

Não fora culpa de Tien. Ele havia tentado. E falhara mesmo assim. Então o mataram.

Kaladin caiu de joelhos na água.

— Todo-Poderoso, ah, Todo-Poderoso.
O rei...
O rei era o Tien de Dalinar.

—A TACAR? – QUESTIONOU ADOLIN. — Tem certeza de que foi isso que meu pai disse?

A jovem que chegara correndo com a mensagem fez que sim, seus cabelos escorridos pela chuva, parecendo infeliz no vestido com fenda na frente e a faixa de mensageira.

— O senhor tem que impedir aquela cantoria se puder, Luminobre. Seu pai indicou que isso era importante.

Adolin olhou para seus batalhões, que guardavam o flanco sul. Um pouco além, em um dos três platôs que cercavam seu exército, os parshendianos cantavam aquela canção horrível. Puro-Sangue se remexia, bufando.

— Eu também não gosto dela — disse Adolin baixinho, acariciando o pescoço do cavalo. Aquela música o deixava tenso. E aqueles fios de luz vermelha nos braços e nas mãos deles. O que era aquilo? — Perel — disse ele a um dos comandantes de campo —, diga aos homens para se prepararem para o sinal. Vamos atacar através dessas pontes no platô do sul. Primeiro a infantaria pesada, lanças curtas atrás, lanças longas de prontidão caso sejamos invadidos. Quero os homens prontos para formar blocos do outro lado até termos certeza de onde as fileiras parshendianas vão se posicionar. Raios, como eu queria ter arqueiros. Vá!

A notícia se espalhou, e Adolin conduziu Puro-Sangue até estar ao lado de uma das pontes, que já havia sido montada. Seus guardas carregadores de pontes do dia o seguiram, um par chamado Skar e Drehy.

— Vocês dois vão esperar aqui? — perguntou Adolin aos carregadores, olhando para a frente. — Seu capitão não gosta que vocês combatam parshendianos.

— Para a Danação com essa história! — disse Drehy. — Vamos lutar, senhor. De qualquer modo, esses aí não são parshendianos. Não mais.

— Boa resposta. Eles vão avançar quando começarmos nossa investida. Precisamos proteger a cabeça da ponte para o resto do nosso exército. Tentem me acompanhar, se puderem.

Ele olhou sobre o ombro, esperando. Aguardando até que... Uma grande gema azul se ergueu no ar, levantada na ponta de uma vara distante, junto da tenda de comando.

— Vão!

Adolin bateu com os calcanhares em Puro-Sangue para colocá-lo em movimento, trovejando pela ponte e espirrando água de uma poça do outro lado. Esprenos de chuva oscilaram. Seus dois carregadores seguiram-no correndo. Atrás deles, a infantaria pesada em armaduras robustas, com martelos e machados — perfeitos para rachar carapaças de parshendianos —, começou a se mover.

O grosso dos parshendianos continuou seu cântico. Um grupo menor se separou, talvez uma força de dois mil, e avançou para interceptar Adolin. Ele rosnou, inclinado, a Espada Fractal aparecendo na sua mão. Se eles...

Um clarão.

O mundo deu uma guinada, e Adolin percebeu que estava deslizando pelo chão, sua Armadura Fractal raspando contra as pedras. A armadura absorveu o golpe da queda, mas não pôde fazer nada contra o choque do próprio Adolin. O mundo girou, e água entrou pelas fendas do seu elmo, molhando seu rosto.

Quando ele parou, fez força para se colocar de pé. Tropeçou, estalando e golpeando para os lados para o caso de algum parshendiano haver se aproximado. Piscou para tirar a água dos olhos, sob o elmo, então se orientou na mudança da paisagem diante dele. Branco em meio ao marrom e cinza. O que era aquilo...

Finalmente sua vista clareou o bastante para dar uma boa olhada. A brancura era um cavalo, caído no chão.

Adolin soltou um grito brutal, um som que ecoou no seu elmo. Ele ignorou os berros dos soldados, o som da chuva, o *estrondo* súbito e antinatural atrás dele. E correu até o corpo no chão. Puro-Sangue.

— Não, não, não — disse Adolin, caindo de joelhos ao lado do cavalo, que tinha uma estranha queimadura ramificada por todo o pelo branco do flanco. Larga, retorcida. Os olhos escuros de Puro-Sangue, abertos na chuva, não piscavam.

Adolin levantou as mãos, subitamente hesitante em tocar o animal.

Um jovem em um campo desconhecido.

Puro-Sangue não se movia.

Mais nervoso naquele dia do que durante o duelo em que conquistara sua Espada.

Gritos. Outro *estalo* no ar, agudo, imediato.

Eles escolhem seu cavaleiro, filho. Nós nos conectamos às Fractais, mas qualquer homem — corajoso ou covarde — pode estabelecer um vínculo com uma Espada. Não é assim aqui, nesse solo. Só os merecedores vencem aqui...

Mover-se.

Chorar depois.

Mover-se!

Adolin rugiu, levantando-se de um salto e avançando além dos dois carregadores que nervosamente o guardavam com lanças. Ele iniciou o processo de invocar sua Espada e correu até o combate à frente. Só instantes haviam se passado, mas as fileiras alethianas já estavam entrando em colapso. Parte da infantaria avançava em grupos, enquanto outros soldados haviam se agachado, atordoados e confusos.

Outro clarão, acompanhado por um *estrondo* no ar. Relâmpago. Relâmpago vermelho, que vinha em lampejos de grupos de parshendianos, então desaparecia em um piscar de olhos. Eles deixavam uma imagem residual brilhante — fulgurante e ramificada — que obscurecia brevemente a visão de Adolin.

Adiante, homens caíam, fritos dentro das armaduras. Adolin gritou ao atacar, berrando para que os homens mantivessem suas linhas.

Mais *estrondos* ressoaram, mas os ataques não pareciam bem mirados. Às vezes disparavam para trás ou seguiam estranhos caminhos, raramente indo direto para os alethianos. Enquanto corria, Adolin viu um raio sair de um par de parshendianos, mas ele imediatamente fez um arco para o chão.

Os parshendianos olharam para baixo, perplexos. O relâmpago parecia funcionar... bem, como relâmpago do céu, sem seguir qualquer caminho previsível.

— Ataquem, seus crenguejos! — gritou Adolin, correndo entre os soldados. — De volta às suas fileira! É como avançar contra arqueiros! Mantenham a calma. Juntem-se. Se as fileiras se romperem, estamos mortos!

Ele não sabia ao certo o quanto os soldados escutaram, mas a imagem dele gritando, investindo contra a linha dos parshendianos, fez efeito. Gritos vieram dos oficiais, fileiras se reformaram.

Relâmpagos brilhavam para cima de Adolin.

O som era incrível, e a *luz*. Ele ficou parado, ofuscado. Quando o raio sumiu, percebeu que estava completamente ileso. Olhou para a armadura, que *vibrava* suavemente — um zumbido que arrepiava a pele de uma maneira estranhamente reconfortante. Ali perto, outro estrondo de relâmpago atingiu um pequeno grupo de parshendianos, mas não o cegou. Seu elmo — que sempre era parcialmente translúcido por dentro — escureceu em uma faixa irregular, se sobrepondo perfeitamente ao relâmpago.

Adolin sorriu com dentes trincados, sentindo uma selvagem satisfação enquanto disparava contra os parshendianos e golpeava seus pescoços com a Espada Fractal. Segundo as antigas histórias, a armadura que estava usando havia sido criada para combater aqueles mesmos monstros.

Muito embora aqueles soldados parshendianos fossem mais esguios e de aparência mais feroz do que aqueles com que havia lutado anteriormente, seus olhos queimavam de modo igualmente fácil. Então eles caíam mortos e algo saía de seus troncos — pequenos esprenos vermelhos, como minúsculos relâmpagos, que zuniam no ar e desapareciam.

— Eles *podem* ser mortos! — gritou um dos soldados ali perto. — Eles podem morrer!

Outros repetiram o grito, passando-o pelas fileiras. Por mais óbvia que parecesse a revelação, ela estimulou suas tropas, que avançaram.

Eles podem morrer.

S HALLAN ESTAVA DESENHANDO. FRENETICAMENTE.
Um mapa de tinta. Cada linha precisa. A folha grande, confeccionada segundo suas ordens, cobria uma ampla tábua no chão. Era o maior desenho que já fizera; ela o preenchera, seção por seção, enquanto viajavam.

Prestava pouca atenção às outras eruditas na tenda. Elas eram uma distração, mas uma distração importante.

Outra linha, ondulada nas laterais, formando um platô fino. Era uma cópia daquela que havia desenhado em sete outros lugares no mapa. As Planícies eram um padrão radial quádruplo espelhado no centro de cada quadrante, então qualquer coisa que desenhasse em um quadrante podia repetir nos outros, espelhada da maneira apropriada. O lado oriental estava desgastado, sim, então seu mapa não seria preciso naquela área — mas, por coesão, precisava concluir aquelas partes. Para que pudesse ver o padrão inteiro.

— Batedora se apresentando — disse uma mensageira, entrando subitamente na tenda, junto com uma rajada de vento úmido. Aquele vento inesperado... quase parecia o vento antes de uma grantormenta.

— Qual é o relatório? — indagou Inadara.

A mulher severa supostamente era uma grande erudita. Ela lembrava Shallan dos fervorosos do seu pai. No canto do recinto, o príncipe Renarin estava vestido com sua Armadura Fractal, os braços cruzados. Tinha ordens de proteger todas elas, caso os parshendianos tentassem invadir o platô de comando.

— O grande platô central é exatamente como o parshemano nos contou — disse a batedora, sem fôlego. — Está a apenas um platô de distância, para leste. — Lyn era uma mulher de aparência firme, com longos cabelos pretos e olhar atento. — É obviamente habitado, muito embora não pareça haver ninguém lá no momento.

— E os platôs ao redor? — indagou Inadara.

— Shim e Felt estão explorando essas áreas — disse Lyn. — Felt deve voltar em breve. Posso fazer para vocês um desenho aproximado do que vi no platô central.

— Faça isso — disse Inadara. — Precisamos encontrar esse Sacroportal.

Shallan secou uma gota d'água — caída do casaco de Lyn — do seu mapa, então continuou desenhando. O caminho que o exército percorrera dos acampamentos de guerra até o interior das planícies havia permitido que ela extrapolasse e desenhasse oito cadeias de platôs, duas de cada — espelhadas —, começando a partir dos quatro "lados" das Planícies e avançando para o meio.

Já havia quase completado o último daqueles oito braços que se estendiam para o centro. A essa distância curta, os relatos anteriores dos batedores — e o que a própria Shallan havia visto — permitiram que ela preenchesse tudo ao redor do centro. As explicações de Rlain tinham ajudado, mas ele não fora capaz de desenhar os platôs centrais para ela. Nunca havia prestado atenção no formato, e Shallan necessitava de precisão.

Felizmente, os relatórios anteriores haviam sido praticamente o bastante. Ela não precisava de muito mais; estava quase pronto.

— O que a senhora acha? — perguntou Lyn.

— Mostre isso para a Luminosa Shallan. — A voz de Inadara soava insatisfeita, o que parecia ser seu estado natural.

Shallan deu uma olhada no mapa esboçado apressadamente por Lyn, então assentiu, voltando ao seu desenho. Teria sido melhor se pudesse ver o platô central pessoalmente, mas o lado que a mulher desenhara deu uma ideia a Shallan.

— Não vai dizer nada? — indagou Inadara.

— Ainda não acabei — respondeu Shallan, mergulhando sua pena na tinta.

— Recebemos uma ordem do próprio grão-príncipe de encontrar o Sacroportal.

— Vou encontrar.

Alguma coisa fez um estrondo lá fora, como raios distantes.

— Hmm... — disse Padrão. — Ruim. Muito ruim.

Inadara olhou para Padrão, que criava fissuras no piso perto de Shallan.

— Não gosto dessa coisa. Esprenos não deviam falar. Pode ser um *deles,* um Esvaziador.

— Eu *não* sou um espreno do vazio — disse Padrão.

— Luminosa Shallan...

— Ele não é um espreno do vazio — disse Shallan distraidamente.

— Devíamos estudá-lo — insistiu Inadara. — Há quanto tempo você diz que ele a segue?

Um passo pesado soou no chão; Renarin se aproximando. Shallan teria preferido manter Padrão em segredo, mas quando os ventos começaram a se intensificar, ele passou a zumbir bem alto. Não havia como evitar, agora que ele tinha atraído a atenção das eruditas. Renarin se inclinou para vê-lo. Ele parecia fascinado por Padrão.

E não era o único.

— Ele provavelmente está envolvido — disse Inadara. — Você não deveria ignorar uma das minhas teorias tão rapidamente. Ainda acho que ele pode estar relacionado aos Esvaziadores.

— Você não sabe nada sobre Padrões, velha humana? — disse Padrão, bufando. Quando ele havia aprendido a bufar? — Esvaziadores não têm um padrão. Além disso, li sobre eles na sua cultura. São mencionados braços finos como ossos, e rostos pavorosos. Na minha opinião, se deseja encontrar um, o espelho parece o local adequado para começar sua busca.

Inadara recuou. Então saiu pisando duro, indo conversar com a Luminosa Velat e o fervoroso Isasik sobre a interpretação deles do mapa de Shallan.

Shallan sorriu enquanto desenhava.

— Isso foi espirituoso.

— Estou tentando aprender — replicou Padrão. — Insultos, em particular, serão muito úteis para meu povo, já que são verdades e mentiras combinadas de uma maneira muito interessante.

Os estrondos continuaram do lado de fora.

— O que é isso? — perguntou ela em voz baixa enquanto concluía outro platô.

— Esprenos de tempestade — respondeu Padrão. — *Eles são* um tipo de esprenos do vazio. Isso não é bom. Sinto que há algo muito perigoso se formando. Desenhe mais rápido.

— O Sacroportal deve estar em algum lugar no centro do platô — disse Inadara para seu grupo de eruditas.

— Nunca conseguiremos procurar por toda a área a tempo — respondeu um dos fervorosos, um homem que parecia estar constantemente removendo os óculos e os limpando. Ele os colocou de volta. — Aquele platô é de longe o maior que já encontramos nas Planícies.

Isso *era* um problema. Como encontrar o Sacroportal? Podia estar em qualquer lugar. *Não*, pensou Shallan, desenhando com movimentos precisos. *Os antigos mapas posicionavam o que Jasnah pensava ser o Sacroportal a sudeste do centro da cidade.* Infelizmente, ela não tinha uma escala de referência. A cidade era antiga demais, e todos os mapas eram cópias de cópias de cópias, ou recriações de descrições. Tinha certeza agora de que Cidade da Tempestade não dera origem a todas as Planícies Quebradas — a cidade não era nem de longe tão grande. Estruturas como os acampamentos de guerra haviam sido anexos, ou cidades-satélites.

Mas isso era só uma especulação. Ela precisava de algo concreto. Algum sinal.

As abas da tenda se abriram novamente. Havia esfriado lá fora. A chuva estava mais pesada do que antes?

— Danação! — praguejou o recém-chegado, um homem magro trajando um uniforme de batedor. — Vocês *viram* o que está acontecendo lá fora? Por que estamos divididos entre os platôs? O plano não era uma batalha defensiva?

— Seu relatório? — perguntou Inadara.

— Me arrumem uma toalha e papel — disse o batedor. — Eu dei a volta pelo lado sul do platô central. Vou desenhar o que vi... mas *Danação*! Eles estão lançando relâmpagos, Luminosa. Relâmpagos! É uma loucura. Como lutamos com coisas assim?

Shallan terminou o último platô no desenho e se apoiou nos calcanhares, baixando a pena. As Planícies Quebradas, desenhadas quase na sua totalidade. Mas o que estava fazendo? De que adiantava aquilo?

— Vamos fazer uma expedição para o platô central — disse Inadara. — Luminobre Renarin, vamos precisar da sua proteção. Talvez na cidade dos parshendianos encontremos idosos ou trabalhadores, e podemos protegê-los, como o Luminobre Dalinar instruiu. Eles podem saber sobre o

Sacroportal. Se não, podemos começar a invadir edifícios e procurar por pistas.

Lento demais, pensou Shallan.

O batedor recém-chegado se aproximou do grande mapa de Shallan. Ele se inclinou, inspecionando-o enquanto se secava com uma toalha. Shallan olhou feio para ele. Se derramasse água no mapa depois de todo o seu trabalho...

— Isso está errado — disse ele.

Errado? A arte dela? *Claro* que não estava errado.

— Onde? — indagou, exausta.

— Aquele platô ali — disse o homem, apontando. — Não é longo e fino, como a senhorita desenhou. É um círculo perfeito, com grandes vãos entre ele e os platôs a leste e oeste.

— Isso é improvável — disse Shallan. — Se fosse desse jeito...

Ela hesitou.

Se fosse desse jeito, não combinaria com o padrão.

—M*uito bem, então arrume* para a Luminosa Shallan um esquadrão de soldados e faça o que ela disser! — ordenou Dalinar, virando-se e levantando o braço contra o vento.

Renarin assentiu. Abençoadamente, ele havia concordado em usar a Armadura para a batalha, em vez de continuar com a Ponte Quatro. Dalinar mal compreendia o rapaz ultimamente... *Raios.* Nunca conhecera um homem capaz de parecer desajeitado em uma Armadura Fractal, mas seu filho conseguia. A torrente de chuva trazida pelo vento passou. A luz das lanternas azuis refletia na armadura molhada de Renarin.

— Vá — disse Dalinar. — Proteja as eruditas nessa missão.

— Eu... — disse Renarin. — Pai, eu não sei...

— Isso não foi um pedido, Renarin! Siga suas ordens, ou entregue essa tormentosa Armadura para alguém que vá seguir!

O garoto cambaleou para trás, então fez uma saudação com um som metálico. Dalinar apontou para Gaval, que gritou algumas ordens, reunindo um esquadrão. Renarin seguiu Gaval, e se afastaram juntos.

Pai das Tempestades. O céu estava cada vez mais escuro.

Em breve, eles precisariam dos fabriais de Navani. Aquele vento vinha em rajadas, soprando uma chuva forte demais para o Pranto.

— Temos que interromper aquela canção! — gritou Dalinar contra a chuva, abrindo caminho até a beirada do platô, acompanhado por oficiais e mensageiras, incluindo Rlain e vários membros da Ponte Quatro. — Parshemano. Essa tempestade é coisa deles?

— Acredito que sim, Luminobre Dalinar!

Do outro lado do abismo, o exército de Aladar lutava uma batalha desesperada contra os parshendianos. Relâmpagos vermelhos vinham em rajadas, mas, de acordo com os relatórios de campo, os parshendianos não sabiam controlá-lo. Podia ser muito perigoso para os que estavam perto, mas não era a arma terrível que de início parecera.

No combate direto, infelizmente, aqueles novos parshendianos eram outra história. Um grupo deles espreitava junto do abismo, onde arrasaram um esquadrão de lanceiros como um espinha-branca passando por um tufo de samambaias. Eles lutavam com uma ferocidade muito além da que os parshendianos já haviam mostrado nas investidas de platô, e suas armas soltavam lampejos vermelhos quando acertavam.

Era difícil de assistir, mas o lugar de Dalinar não era lutando. Não naquele dia.

— O flanco oriental de Aladar precisa de reforço — disse Dalinar. — O que nós temos?

— Reservas de infantaria ligeira — disse o general Khal, vestindo apenas seu uniforme. Seu filho estava usando suas Fractais, lutando junto com o exército de Roion. — A décima quinta divisão de lanceiros do exército de Sebarial. Mas eles deviam apoiar o Luminobre Adolin...

— Ele vai sobreviver sem ela. Mande esses homens para lá e cuide para que Aladar ganhe reforços. Diga a ele para atravessar as fileiras parshendianas pelas costas e atacar a todo custo aqueles que estão cantando. Qual é a situação de Navani?

— Os dispositivos estão prontos, Luminobre — disse um mensageiro. — Ela quer saber por onde deve começar.

— O flanco de Roion — disse Dalinar imediatamente.

Sentia que um desastre estava se armando ali. Discursos eram ótimos, mas, mesmo com o filho de Khal combatendo naquele fronte, as tropas de Roion eram as piores ali. Teleb os apoiava com algumas das tropas de Sebarial, que eram surpreendentemente boas. O próprio homem era praticamente inútil em uma batalha, mas sabia como contratar as pessoas certas — nisso ele sempre fora um gênio. Sebarial provavelmente imaginava que Dalinar não sabia disso.

Ele havia mantido muitas das tropas de Sebarial como reserva até o momento. Com elas em campo, estavam usando quase todos os soldados disponíveis.

Dalinar andou de volta até a tenda de comando, passando por Shallan, Inadara, alguns carregadores de pontes, e um esquadrão de soldados — incluindo Renarin — cruzando o platô rapidamente a caminho de sua missão. Precisariam contornar pelo platô do sul, perto do combate, para chegar ao seu destino. Que Kelek os protegesse.

Dalinar abriu caminho pela chuva, empapado até os ossos, lendo a batalha pelo que podia ver dos flancos. Suas forças tinham a vantagem do tamanho, como antecipado. Mas agora, esse relâmpago vermelho, esse vento... Os parshendianos se moviam através da escuridão e as rajadas de vento com facilidade, enquanto os humanos escorregavam, enxergavam com dificuldade e eram açoitados.

Ainda assim, os alethianos estavam dando conta. O problema era que aqueles eram apenas metade dos parshendianos. Se a outra metade atacasse, seu povo estaria em sérios apuros — mas eles não atacavam, então deviam considerar que cantar era importante. Eles viam o vento que estavam criando como mais danoso, mais mortal para os humanos, do que simplesmente juntar-se à batalha.

Isso o apavorava. O que estava vindo seria pior.

— Sinto muito que você tenha que morrer dessa maneira.

Dalinar parou. A chuva desabava. Ele fitou o bando de mensageiras, ajudantes, guarda-costas e oficiais que o serviam.

— Quem falou?

Eles se entreolharam.

Espere... Reconhecia aquela voz, não reconhecia? Era familiar.

Sim. Ele a ouvira muitas vezes. Nas suas visões.

Era a voz do Todo-Poderoso.

82

PELA GLÓRIA ILUMINADO

> *Você vigiará um deles. Embora todos tenham alguma relevância para a precognição, Moelach é um dos mais poderosos nesses aspecto. Seu toque se infiltra nas almas quando elas se separam do corpo, criando manifestações alimentadas pela faísca da própria morte. Mas não, estou me distraindo. Me desviando. Realeza. Devemos discutir a natureza da realeza.*
>
> — Extraído do Diagrama, Livro da Segunda Gaveta da Escrivaninha: parágrafo 15

KALADIN MANCOU PELO CAMINHO tortuoso até o palácio, sua perna uma massa retorcida de dor. Depois de quase cair ao alcançar as portas, ele se recostou nelas, ofegante, a muleta debaixo de um braço, a lança na outra mão. Como se pudesse fazer alguma coisa com isso.

Preciso... chegar... ao rei...

Como poderia tirar Elhokar dali? Moash estaria vigiando. Raios. O assassinato podia acontecer a qualquer dia... a qualquer *hora* agora. Certamente Dalinar já estava longe o bastante dos acampamentos de guerra.

Seguir. Em frente.

Kaladin cambaleou até o salão de entrada. Nenhum guarda nas portas. Mau sinal. Deveria ter soado o alarme? Não havia quaisquer soldados no acampamento para ajudar e, se ele viesse acompanhado, Graves e seus homens saberiam que havia algo de errado. Sozinho, Kaladin talvez conseguisse ver o rei. Seu melhor plano era levar Elhokar rapidamente para um local seguro.

Tolo, pensou Kaladin consigo mesmo. *Mudou de ideia agora? Depois de tudo isso? O que está fazendo?*

Mas raios... o rei tentava. Tentava de verdade. O homem era arrogante, talvez incapaz, mas ele *tentava*. Ele era sincero.

Kaladin parou, exausto, a perna gritando, e se apoiou contra a parede. Isso não devia ser mais fácil? Agora que havia tomado a decisão, não devia estar concentrado, confiante, energizado? Ele não sentia nada disso. Estava esgotado, confuso e incerto.

Ele se obrigou a seguir em frente. *Continue andando*. Que o Todo-Poderoso permitisse que não fosse tarde demais.

E agora havia voltado a rezar?

Ele seguiu por corredores obscuros. Não devia haver mais luz? Com alguma dificuldade, alcançou os aposentos superiores do rei, com a câmera de conferências e a sacada na lateral. Dois homens em uniformes da Ponte Quatro guardavam a porta, mas Kaladin não reconheceu nenhum deles. Não eram da Ponte Quatro — nem mesmo eram da antiga Guarda do Rei. Raios.

Kaladin foi coxeando até eles, sabendo que estava com uma aparência horrível, absolutamente encharcado, mancando de uma perna que, percebeu então, estava deixando um rastro de sangue. Ele havia rasgado as suturas dos seus ferimentos.

— Pare — disse um dos homens. O sujeito tinha um queixo tão dividido que parecia ter levado uma machadada na cara quando bebê. Ele olhou Kaladin de alto a baixo. — Você é aquele que chamam de Filho da Tempestade.

— Vocês são homens de Graves.

Os dois se entreolharam.

— Está tudo bem — disse Kaladin. — Estou com vocês. Moash está aí?

— Ele saiu por um instante — respondeu o soldado. — Foi dormir um pouco. É um dia importante.

Não é tarde demais, pensou Kaladin. A sorte estava do seu lado.

— Quero fazer parte do plano.

— Já está resolvido, carregador de pontes — replicou o guarda. — Volte para sua caserna e finja que nada está acontecendo.

Kaladin se aproximou, como se fosse sussurrar alguma coisa. O guarda se inclinou para a frente.

Então Kaladin largou a muleta e bateu com a lança entre as pernas do homem, depois se virou imediatamente. Girou sobre a perna boa e arrastou a outra, brandindo a lança na direção do outro guarda.

O homem levantou sua lança para bloquear e tentou gritar.

— Às armas! Às...

Kaladin jogou-se contra ele, derrubando sua lança, então soltou a própria, agarrou o homem pelo pescoço com dedos úmidos e entorpecidos, e bateu a cabeça dele contra a parede. Depois se contorceu e se abaixou, dando uma cotovelada na cabeça de Queixo Partido, fazendo-a bater ao chão.

Os dois homens ficaram imóveis. Tonto devido ao súbito esforço, Kaladin bateu contra a porta. O mundo girava. Pelo menos ele sabia que ainda podia lutar sem Luz das Tempestades.

Percebeu que estava gargalhando, mas logo o som virou tosse. Ele havia realmente atacado aqueles homens? Agora estava comprometido. Raios, nem mesmo sabia por que estava fazendo aquilo. A sinceridade do rei era parte do motivo, mas não era a verdadeira razão, não lá no fundo. Ele sabia que devia fazer aquilo, mas *por quê?* Pensar que o rei morreria sem um bom motivo deixava-o nauseado. Fazia com que recordasse o que havia sido feito com Tien.

Mas essa também não era toda a razão. Raios, ele não estava fazendo sentido nem para si mesmo.

Nenhum dos dois guardas se moveu, exceto por alguns espasmos. Kaladin tossiu e tossiu, arquejante, precisando de ar. Não havia tempo para fraqueza. Ele estendeu a mão encurvada e girou a maçaneta da porta, fazendo força para abrir. Ele praticamente caiu dentro do cômodo, depois se levantou, cambaleante.

— Vossa Majestade? — chamou, se apoiando na lança e arrastando a perna ferida. Contornou um sofá e usou o encosto do móvel para endireitar totalmente o corpo. Onde estava o...

O rei jazia no sofá, imóvel.

A DOLIN GIRAVA A ESPADA em golpes amplos, mantendo uma perfeita Postura do Vento, a ponta da arma espirrando água enquanto ele rasgava o pescoço de um soldado parshendiano. Relâmpagos vermelhos emanaram do cadáver em clarões ofuscantes, conectando o soldado ao chão enquanto ele morria. Os alethianos próximos tomaram cuidado em não pisar nas poças ao lado do corpo. Eles haviam aprendido da maneira mais dura que aquele estranho relâmpago podia matar rapidamente através da água.

Levantando sua espada e atacando, Adolin liderou uma investida contra o grupo parshendiano mais próximo. Maldita fosse aquela tempestade e os ventos que a trouxeram! Felizmente, a escuridão havia diminuído um pouco, já que Navani mandara fabriais para iluminar o campo de batalha em uma luz branca extraordinariamente homogênea.

Adolin e sua equipe atacaram outra vez os parshendianos. Contudo, assim que ele estava rodeado pelo inimigo, sentiu algo puxar seu braço esquerdo. Um pedaço de corda? Ele fez força de volta. Nenhuma corda podia segurar uma Armadura Fractal. Adolin rosnou e arrancou a corda das mãos que a seguravam. Então sentiu um solavanco quando outra corda enrolou-se ao redor do seu pescoço e puxou-o para trás.

Ele gritou, girando e passando a Espada através da corda, o que a rompeu. Três novos laços saltaram do escuro na sua direção; os parshendianos haviam mandado uma equipe inteira. Adolin adotou amplos golpes defensivos, como havia sido treinado por Zahel para resistir a um ataque feito com cordas. Certamente teria outras cordas esticadas pelo chão diante dele, esperando que avançasse... Sim, lá estavam elas.

Adolin recuou, cortando as cordas que o alcançavam. Infelizmente, seus homens dependiam dele para romper a linha dos parshendianos. Quando, em vez disso, ele recuou, o inimigo fez pressão contra a linha alethiana com toda a força. Como sempre, eles não usavam formações de batalha tradicionais, atacando em esquadrões e em pares. Isso era assustadoramente eficaz naquele campo de batalha caótico e encharcado pela chuva, com estrondos de relâmpagos e golpes de vento.

Perel, o comandante de campo que ele deixara no comando perto das luzes, chamou a retirada do flanco de Adolin. Adolin emitiu uma série de blasfêmias, soltando-se de uma última corda e dando um passo para trás, a espada na mão para o caso de ser seguido pelos parshendianos.

Eles não o seguiram. Duas figuras, porém, o acompanharam quando ele se juntou à retirada.

— Ainda vivos, carregadores? — perguntou Adolin.

— Ainda vivos — disse Skar.

— Ainda tem alguns laços de corda presos no senhor — observou Drehy.

Adolin estendeu o braço e deixou que Drehy cortasse as cordas com sua faca. Assistiu por cima do ombro os parshendianos reformarem suas fileiras. Mais de trás, vinha o som daquele cântico áspero entre estrondos de trovão e rajadas de vento.

— Eles não param de enviar equipes para me enfrentar e me distrair — disse Adolin. — Não querem me derrotar; só querem me manter longe da batalha.

— Eles vão ter que realmente lutar com o senhor mais cedo ou mais tarde — comentou Drehy, cortando outra das cordas, então ergueu a mão e passou-a pela cabeça calva, removendo a água da chuva. — Não podem só ignorar um Fractário.

— Na verdade — disse Adolin, estreitando os olhos e escutando aquela cantoria, — é exatamente isso que estão fazendo.

Através da torrente de chuva soprada pelo vento, Adolin correu tilintando até a posição de comando, perto das luzes.

Perel — envolto em um grande casaco de tempestade — estava ali, dando ordens aos berros. Ele fez uma saudação rápida para Adolin.

— Situação? — indagou Adolin.

— Patinhando, Luminobre.

— Não faço ideia do que isso significa — disse Adolin.

— Termo aquático, senhor — disse Perel. — Estamos indo e voltando, mas não avançamos. Estamos equiparados; cada lado está procurando uma vantagem. Estou mais preocupado com esses reservas parshendianos. Eles já deveriam estar atacando agora.

— Os reservas? — perguntou Adolin, olhando através do platô escuro. — Você quer dizer os cantores.

À esquerda e à direita, tropas alethianas enfrentavam outras unidades parshendianas. Homens berravam e gritavam, armas se chocavam, os familiares sons mortais de um campo de batalha.

— Sim, senhor — disse Perel. — Eles estão contra aquela formação rochosa no meio do platô, cantando tormentosamente.

Adolin se lembrava daquela saliência rochosa assomando na luz fraca. Era facilmente grande o bastante para caber um batalhão no topo.

— Poderíamos escalá-la por trás?

— Nessa chuva, Luminobre? Muito difícil. Talvez *o senhor* possa, mas realmente gostaria de ir sozinho?

Adolin esperou pela familiar impulsividade para estimulá-lo a avançar, o desejo de correr para a batalha sem preocupar-se com as consequências. Havia se treinado para resistir àquele impulso e ficou surpreso ao descobrir que ele... se fora. Nada.

Franziu o cenho. Estava cansado. Qual era o motivo? Ele considerou a situação, pensando sob o som da chuva que caía no seu elmo.

Precisamos pegar esses parshendianos pela retaguarda, ele pensou. *O pai quer que os reservas sejam usados, a canção interrompida...*

O que Shallan dissera sobre aqueles platôs centrais? E as formações rochosas ali?

— Forme um batalhão para mim — ordenou Adolin. — Mil homens, infantaria pesada. Depois de meia hora que tivermos partido, mande o resto dos homens em um ataque total contra os parshendianos. Vou tentar uma coisa, e quero que vocês forneçam uma distração.

— Você está morto — gritou Dalinar para o céu. Ele girou de um lado para outro, ainda no platô central entre os três campos de batalha, espantando os auxiliares e criados perto dele. — Você me disse que havia sido morto!

A chuva banhava seu rosto. Estariam seus ouvidos lhe pregando peças naquele caos de chuva e gritos?

— Eu não sou o Todo-Poderoso — disse a voz.

Dalinar se virou, procurando entre seus companheiros perplexos. Quatro carregadores de pontes em casacos de tempestade recuaram, como se estivessem assustados. Seus capitães vigiavam as nuvens de modo inseguro, brandindo espadas.

— Vocês ouviram essa voz? — indagou Dalinar.

Mulheres e homens sacudiram as cabeças.

— O senhor está... ouvindo o Todo-Poderoso? — indagou uma das mensageiras.

— Sim. — Era a resposta mais simples, embora ele não soubesse ao certo o que estava acontecendo. Continuou a cruzar o platô central, pretendendo checar a frente de batalha de Adolin.

— Sinto muito — repetiu a voz. Ao contrário das visões, Dalinar não conseguia encontrar um avatar que estivesse falando as palavras. Elas vinham de lugar nenhum. — Você lutou bravamente. Mas não posso fazer nada por você.

— Quem é você? — sibilou Dalinar.

— Eu sou aquele que foi deixado para trás — disse a voz. Não era exatamente como a que ouvira nas visões; aquela voz possuía uma profundidade, uma densidade. — Eu sou um fragmento Dele que permanece. Eu vi o cadáver Dele, eu O vi morrer quando Odium O assassinou. E eu... eu fugi. Para continuar como sempre. O pedaço de Deus que sobrou neste mundo, os ventos que os homens devem sentir.

Estaria ele respondendo à pergunta de Dalinar, ou recitando um mero monólogo? Nas visões, Dalinar havia originalmente pensado que estava tendo conversas com aquela voz, só para descobrir que metade do aparente diálogo já estava predeterminado. Ele não sabia dizer se o mesmo estava acontecendo agora ou não.

Raios... será que estava no meio de uma visão agora? Ele parou de repente, subitamente concebendo uma imagem horrível de si mesmo jogado no chão do palácio, tendo imaginado tudo que levara àquela batalha na chuva.

Não, ele pensou com determinação. *Não vou seguir por esse caminho.* Ele sempre havia reconhecido quando estava em uma visão; não tinha motivo para acreditar que havia mudado.

As reservas que enviara para Aladar passaram trotando, lanceiros com pontas voltadas para o céu. Isso seria tormentosamente perigoso se relâmpagos de verdade viessem, mas eles não tinham muita escolha.

Dalinar esperou a voz dizer mais, mas nada aconteceu. Ele prosseguiu e logo se aproximou do platô de Adolin.

Aquilo era trovão?

Não. Dalinar se virou e notou um cavalo galopando através do platô na direção dele, montado por uma mensageira. Ele levantou a mão, interrompendo um relatório tático do capitão Javih.

— Luminobre! — gritou a mensageira, empinando o cavalo. — O Luminobre Teleb tombou! O Grão-príncipe Roion foi derrotado. Suas fileiras foram rompidas, seus homens restantes estão cercados pelos parshendianos! Ele está preso no platô norte!

— Danação! E o general Khal?

— Ainda está de pé, lutando rumo à direção onde Roion foi visto pela última vez. Ele já foi quase sobrepujado.

Dalinar girou para Javih.

— Reservas?

— Eu não sei o que sobrou — disse o homem, o rosto pálido sob a luz fraca. — Depende de alguma ter saído da rotação.

— Descubra e traga-os para cá! — disse Dalinar, correndo até a mensageira. — Desça.

— Senhor?

— Desça!

A mulher saiu apressadamente da sela. Dalinar colocou o pé no estribo e tomou impulso para montar. Ele virou o cavalo — felizmente não estava usando uma Armadura Fractal daquela vez. Aquele cavalo leve não teria sido capaz de carregá-lo.

— Reúna o que puder e siga! — gritou ele. — Preciso de homens, mesmo que você tenha que chamar de volta aquele batalhão de lanceiros de Aladar.

A resposta do capitão Javih perdeu-se na chuva enquanto Dalinar baixava o corpo e esporeava o cavalo. O animal bufou e Dalinar teve que lutar com ele antes de conseguir fazê-lo se mover. Os estampidos do relâmpago ao longe haviam deixado o animal nervoso.

Depois de botá-lo na direção correta, permitiu que o cavalo corresse, e ele galopou com vigor. Dalinar disparou através do platô; tendas de triagem, postos de comando e estações de comida passaram como borrões. Enquanto se aproximava do platô do norte, ele puxou as rédeas do cavalo e vasculhou a área em busca de Navani.

Não havia sinal dela, muito embora visse várias lonas grandes no chão ali — amplos quadrados de tecido preto. Ela andara trabalhando. Ele gritou uma pergunta a uma engenheira, e ela apontou, de modo que Dalinar cavalgou ao longo do abismo naquela direção. Passou por uma sucessão de outras lonas que haviam sido dispostas sobre a pedra.

Do outro lado do abismo à esquerda, homens morriam gritando. Ele viu em primeira mão quão terrivelmente a batalha de Roion estava se desenrolando. O perigo se manifestava em grupos quebrados de homens sitiados, divididos em pequenos bandos vulneráveis pelos inimigos de olhos vermelhos. Os alethianos continuavam lutando, mas, com sua linha fragmentada, as perspectivas eram desfavoráveis.

Dalinar lembrou-se de lutar assim dois meses atrás, cercado por um mar de inimigos, sem esperança de salvação. Pressionou seu cavalo para que corresse mais rápido e logo avistou Navani. Ela estava debaixo de um guarda-chuva, dirigindo um grupo de trabalhadores com outra grande lona.

— Navani! — gritou Dalinar, puxando seu cavalo até uma parada escorregadia do outro lado da lona. — Preciso de um milagre!

— Estou trabalhando nisso — gritou ela de volta.

— Não há tempo para trabalhar. Execute seu plano. *Agora.*

Ele estava distante demais para ver o olhar raivoso dela, mas podia senti-lo. Felizmente, ela acenou para que os trabalhadores se afastassem da lona atual e começou a gritar ordens para as engenheiras. As mulheres correram até o abismo, onde estava disposta uma fileira de pedras. Dalinar teve a impressão de que estavam conectadas a cordas, embora não tivesse certeza de como o processo funcionava. Navani gritou instruções.

Tempo demais, pensou Dalinar, ansioso, assistindo do outro lado do abismo. Será que haviam recuperado a Armadura de Teleb e a Espada do Rei que ele estava usando? Não podia se dar ao luxo de sentir tristeza pelo homem, não agora. Eles *precisavam* daquelas Fractais.

Atrás de Dalinar, soldados se reuniam. Os arqueiros de Roion, os melhores nos acampamentos de guerra, haviam sido inúteis naquela chuva. As engenheiras recuaram depois de uma ordem de Navani, e os trabalhadores empurraram a fileira de cerca de quarenta rochas no abismo.

Enquanto as rochas caíam, as lonas saltaram mais de quinze metros no ar, puxadas pelos cantos da frente e pelos centros. Em um instante, uma longa linha de pavilhões improvisados flanqueou o abismo.

— Movam-se! — ordenou Dalinar, conduzindo o cavalo entre os dois pavilhões. — Arqueiros, avante!

Os homens correram para as áreas protegidas sob as lonas, alguns murmurando sobre as lonas erguidas sem a ajuda de qualquer poste. Navani havia puxado apenas a frente, de modo que as lonas se curvavam atrás, e a chuva escorria naquela direção. Elas também tinham paredes laterais, como tendas, de modo que as únicas faces abertas estavam voltadas para a frente de batalha de Roion.

Dalinar desceu do cavalo de um pulo e entregou as rédeas para um trabalhador. Ele trotou sob um dos pavilhões até onde os arqueiros estavam formando fileiras. Navani entrou, carregando um saco grande sobre o ombro. Ela o abriu, revelando uma enorme granada brilhante suspensa dentro de um fabrial com uma delicada e intricada estrutura de arame.

Ela mexeu no dispositivo por um momento, depois deu um passo para trás.

— Nós deveríamos ter tido mais tempo para testar isso — avisou ela, cruzando os braços. — Atratores são invenções novas. Ainda tenho certo medo de que essa coisa sugue o sangue de qualquer um que a tocar.

Isso não aconteceu. Em vez disso, a água rapidamente começou a empoçar ao redor da coisa. Raios, funcionava! O fabrial estava removendo umidade do ar. Os arqueiros de Roion removeram as cordas de bolsos protegidos, dobrando arcos e montando as cordas segundo as ordens dos seus tenentes. Muitos dos homens ali eram olhos-claros — a arquearia era vista como uma Vocação aceitável para um olhos-claros de poucos recursos. Nem todos podiam ser oficiais.

Os arqueiros começaram a soltar ondas de flechas através do abismo contra os parshendianos que haviam cercado as forças de Roion.

— Ótimo — disse Dalinar ao ver as flechas voando. — Muito bem.

— A chuva e o vento ainda vão dificultar a mira das flechas — disse Navani. — E não sei quão bem os fabriais vão funcionar; com a frente dos pavilhões aberta, a umidade vai invadir constantemente. Nossa Luz das Tempestades pode acabar rápido.

— É o bastante — disse Dalinar.

As flechas fizeram uma diferença quase imediata, desviando a atenção dos parshendianos dos homens cercados. Não era uma manobra a se tentar, a não ser que se estivesse desesperado — o risco de acertar aliados era grande —, mas os arqueiros de Roion provaram que sua reputação era merecida. Ele puxou Navani para perto com um braço.

— Você foi ótima.

Então pediu seu cavalo — *seu* cavalo, não aquela besta arisca da mensageira — enquanto avançava para fora do pavilhão. Aqueles arqueiros dariam a ele uma abertura. Com sorte, não seria tarde demais para Roion.

N*ÃO!*, PENSOU KALADIN, CONTORNANDO o sofá para chegar junto do rei. Ele estava morto? Não havia qualquer ferida visível.

O rei se mexeu, então gemeu de maneira preguiçosa e se sentou. Kaladin soltou o ar ruidosamente. Uma garrafa de vinho vazia estava pousada na mesa do canto, e Kaladin podia sentir o cheiro do vinho derramado, agora que estava mais perto.

— Carregador? — A fala de Elhokar estava enrolada. — Você veio zombar de mim?

— Raios, Elhokar. O quanto você bebeu?

— Todos... *todos eles* falam de mim — disse Elhokar, jogando-se de volta no sofá. — Meus próprios guardas... todo mundo. Um péssimo rei, eles dizem. Todo mundo o odeia, eles dizem.

Kaladin sentiu um arrepio.

— Eles queriam que você bebesse, Elhokar. Para facilitar o trabalho deles.

— Hã?

Raios. O homem mal estava consciente.

— Vamos. Assassinos estão vindo atrás do senhor. Vamos sair daqui.

— Assassinos? — Elhokar ficou de pé de um salto, então cambaleou. — Ele veste branco. Eu sabia que ele viria... mas então... ele só se importou com Dalinar... Nem mesmo o assassino acha que sou digno do trono...

Kaladin conseguiu passar o braço de Elhokar por seus ombros, segurando a lança para se apoiar com uma das mãos. O rei deixou-se cair contra ele e a perna de Kaladin gritou.

— Por favor, Vossa Majestade — disse Kaladin, quase desabando —, preciso que tente caminhar.

— Os assassinos provavelmente querem você, carregador — murmurou o rei. — Você é mais líder do que eu. Gostaria... gostaria que você me ensinasse...

Felizmente, Elhokar então se firmou um pouco mais nos pés. Foi uma luta caminharem juntos até a porta, onde o corpo do guarda ainda estava...

Corpo? Onde estava o outro?

Kaladin se livrou da pegada do rei quando uma faca avançou em sua direção. Por instinto, recuou a haste da lança — trazendo as mãos para mais perto da ponta para combate a curta distância —, então atacou. A ponta da lança se enterrou no estômago de Queixo Partido. O homem grunhiu.

Mas ele *não* estava atacando Kaladin.

Havia mergulhado a faca no flanco do rei.

Queixo Partido desabou no chão, desprendendo-se da lança de Kaladin e soltando a faca. Elhokar tocou a lateral do corpo com uma expressão atordoada no rosto. A mão voltou cheia de sangue.

— Estou morto — sussurrou Elhokar, fitando o sangue.

Naquele momento, a dor e fraqueza de Kaladin pareceram sumir. O momento de pânico foi um momento de força, e ele o usou para rasgar a roupa de Elhokar enquanto se ajoelhava sobre a perna boa. A faca havia esbarrado em uma costela. O rei estava sangrando muito, mas era uma ferida perfeitamente curável com cuidados médicos.

— Faça pressão no corte — disse Kaladin, apertando um retalho da camisa do rei contra a ferida, então colocando a mão do homem sobre ela. — Precisamos sair do palácio. Encontrar algum lugar seguro.

A área de duelo, talvez? Os fervorosos eram confiáveis e também podiam lutar. Mas será que era óbvio demais? Bem, primeiro precisavam efetivamente sair do palácio. Kaladin agarrou sua lança e se virou para a saída, mas sua perna quase o traiu. Ele conseguiu se equilibrar, mas isso o deixou arquejando de dor, agarrando-se à lança para não cair.

Raios. Aquela poça de sangue aos seus pés era *dele*? Havia arrebentado os pontos e um pouco mais.

— Eu estava errado — disse o rei. — Nós dois estamos mortos.

— Veloz continuou correndo — rosnou Kaladin, voltando a apoiar Elhokar.

— O quê?

— Ele não podia vencer, mas continuou correndo. E quando a tempestade o pegou, já não importava que houvesse morrido, porque dera tudo o que tinha na corrida.

— Certo. Tudo bem. — O rei parecia grogue, embora Kaladin não soubesse dizer se era pelo álcool ou pela perda de sangue.

— Todos nós morremos no final, sabe? — disse Kaladin. Caminharam pelo corredor, Kaladin se apoiando na lança para mantê-los de pé. — Então acho que o que realmente importa é quão bem você correu. E Elhokar, você continuou correndo desde que seu pai foi morto, mesmo que tenha feito besteira todo o *tormentoso* tempo.

— Obrigado? — disse o rei, sonolento.

Eles alcançaram uma interseção e Kaladin decidiu escapar pelas entranhas do complexo do palácio, em vez de pelos portões da frente. Era igualmente rápido, mas talvez não fosse o primeiro lugar onde os conspiradores procurariam.

O palácio estava vazio. Moash havia cumprido sua palavra de mandar os criados se esconderem, usando o precedente do ataque do Assassino de Branco. *Era* um plano perfeito.

— Por quê? — sussurrou o rei. — Você não devia me odiar?

— Eu não gosto de você, Elhokar, mas isso não significa que é certo deixá-lo morrer.

— Você disse que eu devia abdicar. Por que, carregador? Por que me ajudar?

Eu não sei.

Eles viraram em um corredor, mas ainda estavam no meio do caminho quando o rei parou de caminhar e desabou no chão. Kaladin praguejou, se ajoelhando ao lado de Elhokar, para verificar seu pulso e a ferida.

É o vinho, decidiu. Isso, mais a perda de sangue, deixaram o rei tonto demais.

Isso era ruim. Kaladin trabalhou para emendar a ferida o melhor que pôde, mas e depois? Tentar arrastar o rei em uma liteira? Procurar ajuda e arriscar-se a deixá-lo sozinho?

— Kaladin?

Ele gelou, ainda ajoelhado junto ao rei.

— Kaladin, o que está *fazendo*? — A voz de Moash o interpelou, vinda de trás. — Nós encontramos os homens na porta do quarto do rei. Raios, foi *você* que os matou?

Kaladin se levantou e se virou, apoiando o peso na perna boa. Moash estava do outro lado do corredor, resplandecente em sua Armadura Fractal azul e vermelha. Outro Fractário o acompanhava, a Espada apoiada no ombro da Armadura, o visor abaixado. Graves.

Os assassinos haviam chegado.

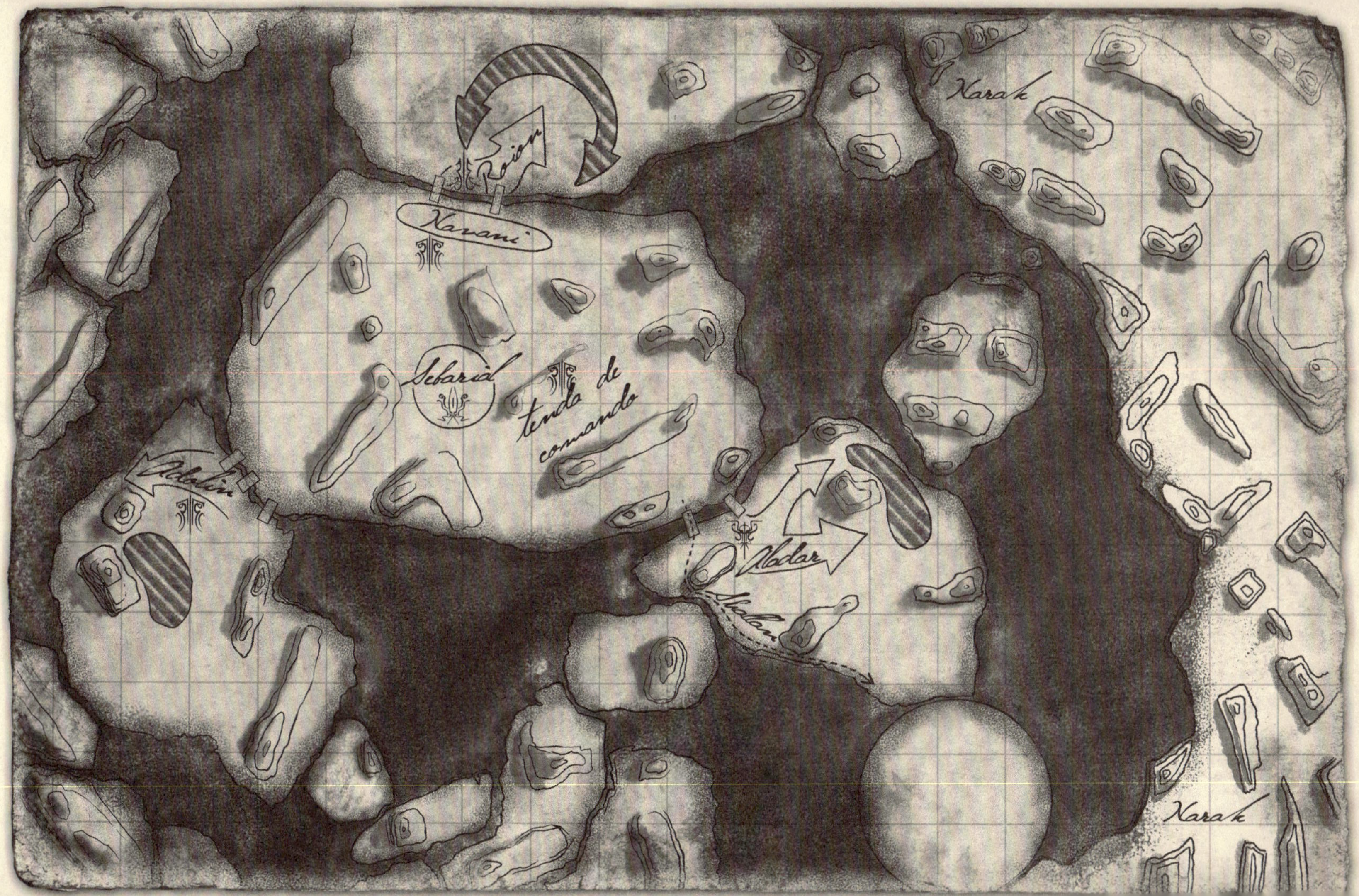

Karak
Xarani
Sebarid
tenda de comando
Hadar
Karak

ILUSÃO DO TEMPO

> *Obviamente eles são tolos A Desolação não precisa de condutor Pode e vai se assentar onde quiser e os sinais de que os esprenos esperam que isso logo aconteça são óbvios O Ancião de Pedras deve finalmente começar a se partir É um milagre que a prosperidade e a paz de um mundo tenham estado à mercê de sua vontade por mais de quatro mil anos*
>
> — Extraído do Diagrama, Livro da Segunda Rotação do Teto: padrão 1

SHALLAN SAIU DA PONTE para um platô deserto.

A chuva abafava os sons da guerra, fazendo com que a área parecesse ainda mais isolada. Escuridão feito noite. Chuva feito sussurros.

O platô era mais alto do que a maioria, então ela podia ver o centro da Cidade da Tempestade disposto ao seu redor. Pilares com crem acumulado nas bases, transformando-os em estalagmites. Edifícios que haviam se tornado montes, cobertos de pedra como neve escondendo um tronco caído. Na escuridão e na chuva, a antiga cidade apresentava um esboço da silhueta de edifícios a ser preenchido pela imaginação.

A cidade estava oculta sob a ilusão do tempo em si.

Os outros a seguiram através da ponte. Haviam contornado a luta no fronte de Aladar, se esgueirando entre as linhas alethianas para chegar àquele platô mais distante. Chegar ali havia levado tempo, já que os carregadores precisaram localizar uma área de travessia utilizável. Eles tiveram que escalar um declive no platô anexo e posicionar a ponte ali através do abismo.

— Como você tem certeza de que este é o lugar certo? — perguntou Renarin, descendo ao lado dela para o platô com a armadura estalando.

Shallan havia optado por um guarda-chuva, mas Renarin estava na chuva, o elmo debaixo do braço, deixando a água escorrer pelo rosto. Ele não usava óculos? Ela não o vira usando-os ultimamente.

— É o lugar certo — disse Shallan — porque é divergente.

— Essa não é uma conclusão muito lógica — disse Inadara, juntando-se aos dois enquanto os soldados e carregadores cruzavam até o platô vazio. — Um portal dessa natureza seria escondido; não seria divergente.

— Os Sacroportais não ficavam escondidos — replicou Shallan. — Mas isso não importa. Este platô é um círculo.

— Muitos são circulares.

— Não *tão* circulares — disse Shallan, avançando. Agora que estava ali, podia ver exatamente quão irregularmente... bem, *regular* era o platô. — Eu estava procurando por alguma plataforma em um platô, mas não percebi a escala do que eu buscava. Todo este *platô* é a plataforma sobre o qual repousava o Sacroportal. Não está vendo? Os outros platôs foram criados por algum tipo de desastre... eles são irregulares, quebrados. Este lugar, não. Isso é porque ele *já estava aqui* quando a fragmentação aconteceu. Nos antigos mapas, era uma seção elevada, como um pedestal gigante. Quando as Planícies foram quebradas, ele permaneceu assim.

— Sim... — disse Renarin, assentindo. — Imagine um prato com um círculo entalhado no centro... se uma força despedaçasse o prato, ele poderia se quebrar seguindo linhas já enfraquecidas.

— Deixando um monte de pedaços irregulares — concordou Shallan — e um com a forma de um círculo.

— Talvez — disse Inadara. — Mas acho estranho que algo tão taticamente importante ficasse exposto.

— Os Sacroportais eram um símbolo — disse Shallan, continuando a caminhar. — O Direito de Viajar vorin, dado a todos os cidadãos de patente alta o bastante, baseia-se na declaração dos Arautos de que todas as fronteiras deveriam ficar abertas. Se você fosse criar um símbolo dessa unidade... um portal que conectasse todos os Reinos de Prata... onde o colocaria? Escondido em uma sala trancada? Ou em um palco que se elevasse acima da cidade? Ele ficava aqui porque tinham orgulho dele.

Seguiram através da chuva e do vento. Havia uma aura sagrada naquele lugar e, honestamente, isso era parte do motivo por que ela sabia que estava certa.

— Hmmm — disse Padrão em voz baixa. — Eles estão criando uma tempestade.

— Os esprenos de vazio? — sussurrou Shallan.

— Os vinculados. Estão fabricando uma tempestade.

Certo. Sua tarefa era urgente; ela não tinha tempo para ficar pensando. Estava prestes a ordenar o início da busca, mas fez uma pausa quando notou Renarin fitando o oeste, seus olhos distantes.

— Príncipe Renarin?

— A direção errada — sussurrou ele. — O vento está soprando na *direção errada*. Do oeste para o leste... Ah, Todo-Poderoso nos céus. Isso é terrível.

Ela seguiu o olhar dele, mas não conseguiu ver nada.

— É mesmo real — disse Renarin. — A Tempestade Eterna.

— Do que está falando? — indagou Shallan, tendo um arrepio com o tom dele.

— Eu... — Ele a encarou e limpou água dos olhos, a manopla pendendo da cintura. — Eu deveria estar com meu pai. Eu devia ser capaz de lutar. Só que sou inútil.

Que ótimo. Ele era esquisito *e* chorão.

— Bem, seu pai ordenou que você me ajudasse, então trate de se resolver. Vamos todos vasculhar este lugar.

— O que estamos procurando, prima? — perguntou Rocha, um dos carregadores.

Prima, ela pensou. *Que fofo*. Devido ao cabelo vermelho.

— Eu não sei. Qualquer coisa estranha, fora do comum.

Eles se dividiram e se espalharam pelo platô. Além de Inadara, Shallan tinha um pequeno grupo de fervorosos e eruditas para ajudá-la, incluindo um dos guarda-tempos de Dalinar. Ela enviou equipes com eruditas, um carregador de pontes e um soldado em direções variadas.

Renarin e a maioria dos carregadores insistiu em ir com ela. Shallan não podia reclamar disso — *estava* em uma zona de guerra. Passou por um relevo no chão, parte de um grande círculo. Talvez antigamente fosse uma parede ornamental baixa. Como teria sido a aparência daquele lugar? Ela o imaginou e desejou poder desenhá-lo. Isso certamente a teria ajudado a visualizar.

Onde estaria o portal? Mais provavelmente no centro, então foi naquela direção. Ali encontrou um grande monte de pedra.

— É só isso? — indagou Rocha. — É só mais pedra.

— É exatamente isso que eu esperava encontrar — replicou Shallan. — Qualquer coisa exposta ao ar teria sido erodida ou coberta de crem. Se queremos descobrir qualquer coisa útil, teremos que entrar.

— Entrar? — disse um dos carregadores. — Entrar onde?

— Nos edifícios — disse Shallan, apalmando a parede até sentir uma ondulação por baixo da rocha. Ela se voltou para Renarin. — Príncipe Renarin, poderia por obséquio matar essa rocha para mim?

A DOLIN ELEVOU SUA ESFERA na câmara escura, a luz brilhando na parede. Depois de tanto tempo ao ar livre durante o Pranto, parecia estranho *não* ter chuva batendo contra seu elmo. O ar estagnado do lugar já estava ficando úmido, e mesmo com o som dos passos dos soldados e homens tossindo, Adolin achava que estava silencioso demais. Dentro daquele túmulo rochoso, parecia que estavam a quilômetros de distância do campo de batalha lá fora.

— Como sabia, senhor? — indagou Skar, o carregador de pontes. — Como adivinhou que esse monte rochoso era oco?

— Porque uma mulher inteligente certa vez me pediu para matar um rochedo para ela.

Juntos, ele e aqueles homens haviam contornado a grande formação rochosa que os parshendianos cantantes estavam usando para proteger sua retaguarda. Com alguns golpes da Espada Fractal, Adolin havia cortado uma entrada no monte, que tinha se mostrado oco, como ele esperava.

Seguiu pelos corredores empoeirados, passando por ossos e detritos ressecados que podiam ter sido mobília no passado. Presumivelmente ela apodrecera antes que o crem acabasse de selar o edifício, muito tempo atrás. Ou talvez fosse algum local público, antigamente? Ou um mercado? Havia muitas salas; muitas entradas ainda traziam dobradiças enferrujadas que antes haviam segurado portas.

Mil homens se moviam com ele através do edifício, segurando lanternas com grandes gemas lapidadas — cinco vezes maiores que brons, muito embora até algumas delas estivessem começando a falhar, já que fazia tanto tempo desde a última grantormenta.

Mil homens era um grande número para passar por aqueles sinistros confins. Mas, a menos que estivesse completamente enganado, já devia estar se aproximando da parede oposta — a que ficava por trás dos parshendianos. Alguns dos seus homens vasculharam salas próximas e voltaram com a confirmação. O edifício terminava ali. Adolin agora via as silhuetas de janelas, vedadas com crem que escorrera pelas frestas com o passar dos anos, pingara pela parede e se acumulara no chão.

— Muito bem — gritou ele para os comandantes da companhia e seus capitães. — Vamos juntar todos que pudermos nesta sala aqui e no salão logo em frente. Vou cortar um buraco de saída. Assim que ele se abrir, vamos nos espalhar e atacar esses parshendianos cantantes. Primeira Companhia, vocês vão se dividir para cada lado e proteger esta saída. Não permitam que os empurrem de volta! Vou atacar e tentar atrair atenção. Todos os outros, passem e se juntem ao ataque assim que puderem.

Os homens concordaram. Adolin respirou fundo, então fechou seu visor e foi até a parede. Estavam no segundo piso do edifício, mas estimava que o acúmulo de crem do lado de fora estaria no nível do chão. De fato, ouvia um som fraco ecoando do exterior. Vozes cantarolando, ressoando através da parede.

Raios, os parshendianos estavam *bem ali*. Ele invocou sua Espada, esperou até que os comandantes das companhias relatassem que seus homens estavam a postos, então fatiou a parede em várias longas tiras. Ele a cortou no outro sentido em amplos golpes e então bateu com o ombro da Armadura no local.

A parede se quebrou e desabou, blocos de pedra caindo. A chuva voltou com toda força. Estava a pouco mais de um metro do chão e abriu caminho ansiosamente até as rochas úmidas e lisas. À esquerda, reservas parshendianas estavam enfileiradas de costas para ele, concentrados no seu cântico. O clamor da batalha era quase inaudível dali, praticamente afogado pelo som sinistro daquele canto inumano.

Perfeito. A chuva e a cantoria haviam acobertado o ruído do buraco se abrindo. Adolin fez outro buraco enquanto os homens saíam pelo primeiro, trazendo luzes. Ele começou a abrir uma terceira saída, mas ouviu um grito. Um dos parshendianos finalmente o notara. Era uma fêmea — com aquela nova forma, isso ficava mais óbvio do que antes.

Ele avançou pela curta distância até os parshendianos e se jogou contra suas fileiras, brandindo a Espada de modo letal. Corpos caíram, os olhos queimados. Cinco, então dez. Seus soldados se juntaram a ele, interrompendo aquela canção horrível.

Foi de uma facilidade chocante. Aqueles parshendianos abandonavam a canção com relutância, saindo do seu transe desorientados e confusos. Aqueles que lutavam, o faziam sem coordenação, e o ataque rápido de Adolin não dava a eles tempo de invocar sua estranha energia faiscante.

Era como matar homens dormindo. Adolin já executara trabalhos sujos com suas Fractais antes. Danação, toda vez que se ia para o campo de batalha com Armadura e Espada contra homens comuns, era um trabalho sujo — como abater crianças armadas com varetas. Contudo, aquilo ali era pior. Frequentemente eles despertavam pouco antes de Adolin matá-los — retomando a consciência só para se verem cara a cara com um Fractário pleno na chuva, assassinando seus amigos. Aquelas expressões de horror assombravam Adolin enquanto ele mandava um cadáver após o outro ao chão.

Onde estava a Euforia que geralmente o impelia através daquele tipo de massacre? Precisava dela. Em vez disso, sentia apenas náusea. Diante de um campo de mortos recentes — a fumaça acre de olhos queimados serpenteando pela chuva —, ele tremeu e deixou cair sua Espada, enojado.

Alguma coisa o atingiu por trás.

Ele tropeçou sobre um cadáver — cambaleando, mas mantendo-se de pé — e girou o corpo. Uma Espada Fractal atingiu-o no peito, espalhando uma teia brilhante de rachaduras pelo seu peitoral. Ele aparou o golpe seguinte com o antebraço e deu um passo para trás, assumindo uma postura de combate.

Ela estava diante dele, chuva fluindo pela armadura. Qual era mesmo o nome dela? Eshonai.

De dentro do elmo, Adolin sorriu para a Fractária. *Isso* ele podia fazer. Um combate honesto. Ergueu as mãos, a Espada Fractal se formando da névoa enquanto ele a erguia e desviava o ataque dela em um movimento amplo.

Obrigado, pensou.

D ALINAR CAVALGOU GALANTE DE volta pela ponte do platô de Roion, portando uma ferida sangrenta no flanco. Estúpido. Devia ter visto aquela lança. Estava concentrado demais naquele relâmpago vermelho e nos velozes pares de combate parshendianos.

A verdade é que você é um homem velho agora, pensou Dalinar, descendo do cavalo para que um cirurgião pudesse inspecionar a ferida. Talvez não de acordo com a expectativa de vida, já que se encontrava apenas na casa dos cinquenta; mas, pela medida dos soldados, ele *certamente estava* velho. Sem a Armadura Fractal para ajudar, estava ficando lento, fraco. Matar era um jogo para homens jovens, ainda que só porque os velhos tombavam primeiro.

Aquela chuva maldita continuava caindo, então ele escapou indo para debaixo de um dos pavilhões de Navani. Os arqueiros impediam os parshendianos de seguir através do abismo para atacar a difícil retirada de Roion. Com a ajuda dos arqueiros, Dalinar conseguira salvar pelo menos metade do exército do grão-príncipe, mas havia perdido todo o platô norte. Roion cavalgou até um ponto seguro, seguido pelo general Khal a pé — o filho do general Khal usava a própria Armadura e trazia a Espada do Rei que abençoadamente recuperara do corpo de Teleb depois que o homem morrera.

Eles foram forçados a deixar o cadáver e a Armadura. Para piorar, a cantoria dos parshendianos continuava incólume. Apesar dos soldados salvos, era uma terrível derrota.

Dalinar desprendeu o peitoral e sentou-se com um grunhido quando a cirurgiã mandou trazer um banco para ele. Suportou o atendimento da mulher, embora soubesse que o ferimento não era grave. Era ruim — qualquer ferida era ruim no campo de batalha, particularmente se prejudicasse o braço da espada —, mas não o mataria.

— Raios — disse a cirurgiã. — Grão-príncipe, o senhor é cheio de cicatrizes aqui. Quantas vezes foi ferido no ombro?

— Não lembro.

— Como ainda consegue usar o braço?

— Treinamento e prática.

— Não é assim que funciona... — sussurrou ela, os olhos arregalados.

— Quero dizer... raios...

— Só costure isso logo. Sim, vou ficar fora do campo de batalha hoje. Não, não vou forçar a ferida. Sim, já ouvi todas as recomendações antes.

Ele não deveria estar ali, para começar. Dissera a si mesmo que não iria mais cavalgar para a batalha. Precisava ser um político agora, não um guerreiro.

Mas de vez em quando o Espinho Negro precisava aparecer. Os homens precisavam disso. Raios, *ele* precisava disso. O...

Navani chegou na tenda, os olhos tempestuosos.

Tarde demais. Ele suspirou enquanto ela se aproximava a passos duros, passando pelo fabrial da tenda, que brilhava sobre um pequeno pedestal, coletando água ao redor do seu globo reluzente. A água escorria por duas varas metálicas nos lados do fabrial, derramando-se no chão, então correndo para fora da tenda e pela borda do platô.

Ele olhou para Navani com um ar sombrio, esperando levar um esporro, como um recruta que houvesse esquecido sua pedra de amolar. Em vez disso, ela o abraçou pelo lado ileso.

— Nenhuma reprimenda? — indagou Dalinar.

— Estamos em guerra — sussurrou ela. — E estamos perdendo, não estamos?

Dalinar olhou de relance para os arqueiros, que estavam ficando sem flechas. Ele falou baixo, para que eles não ouvissem.

— Sim.

A cirurgiã olhou para ele, então baixou a cabeça e continuou costurando.

— Você foi para a batalha quando alguém precisava — disse Navani. — Salvou as vidas de um grão-príncipe e seus soldados. Por que esperou que eu estivesse zangada?

— Porque você é você. — Ele estendeu a mão boa e correu os dedos pelo cabelo dela.

— Adolin venceu no platô dele — disse Navani. — Os parshendianos foram desbaratados e vencidos. Aladar mantém sua posição. Roion falhou, mas ainda estamos equiparados. Então, por que estamos perdendo? Dá para ver que estamos pelo seu rosto, mas não vejo como.

— Mesmo um combate equiparado é uma perda para nós — respondeu Dalinar. Podia *sentir o crescimento*. Distante, a oeste. — Se eles completarem essa canção, então, como Rlain avisou, é o fim.

A cirurgiã terminou o curativo o melhor que pôde, enrolando o ferimento com uma atadura e permitindo que Dalinar trocasse de camisa e casaco, que manteriam o curativo bem apertado. Depois de vestido, ele se levantou, disposto a ir até a tenda de comando e obter uma atualização da situação com o general Khal. Foi interrompido pela chegada esbaforida de Roion no pavilhão.

— Dalinar! — O homem alto e calvo veio apressado, agarrando-o pelo braço. O braço ferido. Dalinar fez uma careta. — É um tormentoso banho de sangue lá fora! Estamos mortos. Raios, estamos mortos!

Os arqueiros próximos se agitaram, suas flechas esgotadas. Um mar de olhos vermelhos se reunia no platô do outro lado do abismo, brasas ardentes na escuridão.

Por mais que Dalinar quisesse dar um tapa em Roion, não era o tipo de coisa que se fizesse com um grão-príncipe, mesmo que ele estivesse histérico. Em vez disso, conduziu Roion para fora do pavilhão. A chuva — agora uma verdadeira tempestade — era gelada em seu uniforme ensopado.

— Controle-se, Luminobre — disse Dalinar com severidade. — Adolin venceu no platô dele. Nem tudo está tão mal quanto parece.

— Isso não deveria terminar assim — disse o Todo-Poderoso.

Raios! Dalinar empurrou Roion e foi para o centro do platô, olhando para o céu.

— Responda-me! Deixe-me saber se pode me ouvir!

— Eu posso.

Finalmente. Algum progresso.

— Você é o Todo-Poderoso?

— Já disse que não sou, filho da Honra.

— Então o que você é?

Eu sou aquele que traz Luz e Escuridão. A voz assumiu um tom mais retumbante e distante.

— O Pai das Tempestades — disse Dalinar. — Você é um Arauto?

Não.

— Então você é um espreno ou um deus?

As duas coisas.

— De que adianta falar comigo? — gritou Dalinar para o céu. — O que está acontecendo?

Eles chamaram uma tempestade. Meu oposto. Mortal.

— Como podemos detê-la?

Não podem.

— Precisa haver uma maneira!

Trago a vocês uma tempestade purificadora. Ela levará seus cadáveres. Isso é tudo que posso fazer.

— Não! Não *ouse* nos abandonar!

Você faz exigências a mim, seu deus?

— Você não é meu deus. *Nunca* foi meu deus! Você é uma sombra, uma mentira!

O trovão distante rugiu de modo sinistro. A chuva bateu mais forte contra o rosto de Dalinar.

Estou sendo chamado. Preciso ir. Uma filha me desobedece. Você não receberá mais visões, filho da honra. Este é o fim.

Adeus.

— Pai das Tempestades! — berrou Dalinar. — Precisa haver um jeito! Eu não vou morrer aqui!

Silêncio. Nem mesmo trovão. Pessoas haviam se reunido ao redor de Dalinar: soldados, escribas, mensageiras, Roion e Navani. Pessoas assustadas.

— Não nos abandone — disse Dalinar, sua voz sumindo. — Por favor...

MOASH AVANÇOU, SEU VISOR levantado, o rosto com um ar sofrido.

— Kaladin?

— Tive que fazer a escolha que me deixaria dormir à noite, Moash — disse Kaladin com voz cansada diante da silhueta inconsciente do rei. Sangue se acumulava ao redor da bota de Kaladin devido às feridas que reabriram. Tonto, ele teve que se apoiar na lança para ficar de pé.

— Você jurou que ele era confiável — disse Graves, voltando-se para Moash, sua voz ressoando dentro do elmo da Armadura Fractal. — Você prometeu, Moash!

— Kaladin *é* confiável — disse Moash. Estavam apenas os três ali... quatro, se contasse o rei... de pé em um corredor solitário no palácio.

Seria triste morrer naquele lugar. Um lugar longe do vento.

— Ele só está um pouco confuso — continuou Moash, dando um passo à frente. — Ainda pode funcionar. Você não vai contar a ninguém, certo, Kal?

Eu reconheço este corredor, percebeu Kaladin. *É o mesmo local onde lutamos com o Assassino de Branco.* À esquerda, janelas enfileiradas ao longo da parede, embora persianas de madeira impedissem a entrada da chuva leve. Sim... ali. Ele identificou o local onde as tábuas haviam sido instaladas sobre o buraco que o assassino havia cortado na parede. O lugar onde Kaladin havia caído na escuridão.

De volta ali. Ele respirou fundo e se firmou da melhor maneira possível na sua perna boa, então levantou a lança, a ponta voltada para Moash.

Raios, sua perna doía.

— Kal, o rei está obviamente ferido — disse Moash. — Nós seguimos sua trilha de sangue até aqui. Ele já está praticamente morto.

Trilha de sangue. Kaladin piscou olhos cansados. Claro. Seus pensamentos estavam lentos. Ele devia ter percebido isso antes.

Moash parou a uns poucos metros de Kaladin, fora do alcance imediato da lança.

— O que vai fazer, Kal? — interpelou Moash, olhando para a lança apontada para ele. — Realmente atacaria um membro da Ponte Quatro?

— Você deixou a Ponte Quatro no momento em que se voltou contra seu dever — sussurrou Kaladin.

— E você é diferente?

— Não, não sou — disse Kaladin, sentindo um vazio no estômago. — Mas estou tentando mudar isso.

Moash deu outro passo adiante, mas Kaladin estendeu a ponta da lança na direção do rosto dele. Seu amigo hesitou, levantando as manoplas para acalmá-lo. Graves avançou, mas Moash fez um gesto para afastá-lo, então se voltou para Kaladin.

— O que acha que vai conseguir com isso, Kal? Se ficar no nosso caminho, só vai acabar morto, e o rei morrerá de qualquer jeito. Queria que eu soubesse que você não concorda com isso? Tudo bem. Você tentou. Agora está em minoria, e não adianta lutar. Solte a lança.

Kaladin olhou sobre o ombro. O rei ainda estava respirando.

A armadura de Moash tilintou. Kaladin virou-se de volta, levantando a lança outra vez. Raios... sua cabeça estava realmente latejando agora.

— Estou falando sério, Kal — avisou Moash.

— Você me atacaria? Seu capitão? Seu *amigo*?

— Não tente virar o jogo.

— Por que não? O que é mais importante para você? Eu ou uma vingança mesquinha?

— Ele os *assassinou*, Kaladin — ladrou Moash. — Esse arremedo de rei matou a única família que eu tinha.

— Eu sei.

— Então por que o está protegendo?

— Não foi culpa dele.

— Isso é uma palh...

— *Não foi culpa dele* — disse Kaladin. — Mas eu estaria aqui mesmo que tivesse sido, Moash! Temos que ser melhores do que isso, você e eu. É... Não consigo explicar, não perfeitamente. Você precisa confiar em mim. Desista. O rei ainda não viu você ou Graves. Vamos até Dalinar, e eu cuidarei para que você consiga justiça contra o homem *certo*, Roshone, que realmente está por trás da morte dos seus avós. Mas, Moash, nós *não* vamos ser esse tipo de homens. Assassinatos em corredores escuros, matando um homem bêbado porque o consideramos desagradável, dizendo a nós mesmos que é pelo bem do reino. Se eu for matar um homem, farei isso à luz do dia, e só se não houver outra saída.

Moash hesitou. Graves se aproximou, tilintando, mas novamente Moash levantou uma das mãos para detê-lo. Moash encontrou o olhar de Kaladin, então sacudiu a cabeça.

— Sinto muito, Kal. É tarde demais.
— Você não vai pegá-lo. Eu não vou recuar.
— Acho que não ia querer que você recuasse.

Moash baixou com força seu visor, as laterais se condensando ao se vedarem.

84
AQUELE QUE SALVA

1118251011127124915121010111141021
5117112101112171344831110715142 54
1434109161491493412122541010125 12
71015191011123412551152512157551 1
12341011129151210 61534

— Extraído do Diagrama, Livro da Segunda Rotação do Teto: Padrão 15

O BLOCO DE PEDRA DESLIZOU para dentro, confirmando a dedução de Shallan. Eles haviam aberto um edifício que não era adentrado, ou mesmo visto, há séculos. Renarin recuou do orifício que fizera, proporcionando a Shallan uma chance de dar um passo à frente. O ar do interior tinha um cheiro bolorento, estagnado.

Renarin dispensou sua Espada e, estranhamente, soltou um suspiro aliviado e relaxou contra a parede externa do edifício. Shallan moveu-se para entrar, mas os carregadores se adiantaram na frente dela para verificar primeiro se o local era seguro, elevando lanternas de safira.

A luz revelou majestade.

A respiração de Shallan ficou presa na garganta. A grande sala circular era um espaço digno de um palácio ou templo. Um mural de mosaico cobria a parede e o piso com imagens majestosas e cores deslumbrantes. Cavaleiros de armadura diante de céus revoltos em vermelho e azul. As pessoas mais variadas estavam representadas em todo tipo de ambiente, cada uma esculpida em cores vívidas de todo tipo de pedra — uma obra-prima que trazia o mundo todo para uma sala.

Preocupada em danificar de algum modo o portal, ela havia ordenado os cortes de Renarin perto de uma ondulação que esperara que indicasse uma entrada, e aparentemente estivera correta. Shallan passou pelo buraco e avançou por um caminho curvo através da câmara circular, silenciosamente contando as divisões no mural do chão. Havia dez principais, assim como existiram dez ordens de cavaleiros, dez reinos, dez povos. E então — entre os segmentos representando o primeiro e décimo reinos — havia uma décima-primeira seção mais estreita. Ela trazia a imagem de uma torre alta. Urithiru.

Shallan encontrara o portal. E aquela arte! Tão bela. Era de tirar o fôlego.

Não, não havia tempo para admirar arte agora. O grande mosaico do piso girava ao redor do centro, mas as espadas de cada cavaleiro apontavam para a mesma parte da parede, de modo que Shallan caminhou naquela direção. Tudo ali se mostrava perfeitamente preservado, mesmo as lâmpadas na parede, que pareciam ainda conter gemas foscas.

Na parede, ela encontrou um disco de metal embutido na pedra. Seria aço? Não estava enferrujado ou mesmo manchado, apesar do prolongado abandono.

— Está chegando — anunciou Renarin do outro lado da sala, sua voz baixa ecoando através da câmara abobadada.

Raios, aquele garoto era perturbador, particularmente quando acompanhado por uma tempestade uivante e o som da chuva caindo no platô lá fora. A Luminosa Inadara e várias eruditas adentraram a câmera, arquejando espantadas, e então começaram a falar, atropelando os comentários umas das outras enquanto examinavam o mural.

Shallan estudou o estranho disco na parede. Tinha a forma de uma estrela de dez pontas e possuía uma fenda fina diretamente no centro. *Os Radiantes conseguiam operar este lugar. E o que os Radiantes possuíam que ninguém mais possuía?* Muitas coisas, mas a forma daquela fenda no metal dava a ela uma boa estimativa do motivo por que só eles conseguiam fazer o Sacroportal funcionar.

— Renarin, venha cá — pediu Shallan.

O rapaz marchou na direção dela.

— Shallan — alertou Padrão. — Temos muito pouco tempo. Eles invocaram a Tempestade Eterna. E... e há algo mais, vindo da outra direção. Uma grantormenta?

— Estamos no Pranto — disse Shallan, olhando para Padrão, que criava sulcos na parede junto do disco de aço. — Não há grantormentas.

— Mesmo assim tem uma vindo. Shallan, elas vão se chocar. Duas tempestades estão vindo, uma de cada direção. Elas vão se chocar *bem aqui*.

— E imagino que elas não... sabe, se cancelem mutuamente?

— Elas vão se alimentar uma da outra — disse Padrão. — Será como duas ondas colidindo, seus ápices chegando ao mesmo tempo... vai criar uma tempestade diferente de todas que o mundo já viu. Pedras serão despedaçadas, os próprios platôs podem desabar. Vai ser ruim. Muito, *muito* ruim.

Shallan olhou para Inadara, que havia se aproximado.

— Alguma ideia?

— Eu não sei o que pensar, Luminosa — respondeu Inadara. — A senhorita estava certa sobre este lugar. Eu... eu não confio mais em mim mesma para julgar o que é correto e o que é falso.

— Precisamos mover os exércitos para este platô — disse Shallan. — Mesmo que eles derrotem os parshendianos, estão condenados, a menos que possamos fazer esse portal funcionar.

— Não é *nada* parecido com um portal — comentou Inadara. — O que ele vai fazer? Abrir uma passagem na parede?

— Eu não sei — disse Shallan, olhando para Renarin. — Invoque sua Espada Fractal.

Ele obedeceu, fazendo uma careta quando a lâmina surgiu. Shallan apontou para a fenda semelhante a um buraco de fechadura na parede... seguindo um palpite.

— Veja se consegue arranhar aquele metal com sua Espada. Seja *muito* cuidadoso. Não queremos estragar o Sacroportal, caso eu esteja errada.

Renarin se aproximou e cuidadosamente — usando a mão para segurar a arma por cima — colocou a ponta da espada no metal ao redor do buraco da fechadura. Ele grunhiu quando a Espada não cortou. Tentou com um pouco mais de força, e o metal resistiu à Espada.

— É feito do mesmo material! — disse Shallan, empolgada. — E aquela fenda tem uma forma que parece encaixar com uma Espada. Tente enfiar a arma ali, bem devagar.

Ele obedeceu e, à medida que a ponta se moveu para dentro do orifício, toda a *forma* do buraco da fechadura mudou, o metal fluindo para se encaixar no formato da Espada Fractal de Renarin. Estava funcionando! O rapaz posicionou a arma e eles se viraram, olhando ao redor da câmara. Nada parecia ter mudado.

— Alguma coisa aconteceu? — indagou Renarin.

— Deve ter acontecido — disse Shallan.

Haviam destrancado a porta, talvez. Mas como fazer o equivalente a girar a maçaneta?

— Precisamos da ajuda da Grã-senhora Navani — disse Shallan. — Mais importante, precisamos trazer todo mundo para cá. Vão, soldados, carregadores! Corram e digam a Dalinar para reunir seus exércitos neste platô. Diga-lhe que, se não fizer isso, estarão condenados. O resto de vocês, eruditas, vamos pensar juntas e descobrir como essa coisa tormentosa funciona.

ADOLIN DANÇAVA PELA TEMPESTADE, trocando golpes com Eshonai. Ela era boa, embora ele não reconhecesse as posturas que usava. Ela desviava para um lado e para outro, testando-o com sua Espada, irrompendo pela tormenta como um súbito trovão.

Adolin seguiu atrás dela, com golpes largos da Espada Fractal, forçando-a a se afastar. Um duelo. Ele conseguia vencer um duelo. Mesmo no meio de uma tempestade, mesmo contra um monstro, isso era algo que podia *fazer*. Ele a fez recuar pelo campo de batalha, mais perto de onde seus exércitos haviam cruzado o abismo pra se juntar àquela luta.

Ela era difícil de manipular; só havia se encontrado com a tal Eshonai duas vezes, mas sentia que a conhecia pela maneira como lutava. Ele sentia sua sede de sangue, sua disposição de matar. A Euforia. Adolin mesmo não a sentia; mas podia percebê-la nela.

Ao redor, parshendianos fugiam ou lutavam em aglomerados enquanto seus homens os perseguiam. Adolin passou por um parshendiano, forçado ao chão por soldados, sendo estripado na chuva enquanto tentava se arrastar para longe. Água e sangue jorravam no platô, gritos desesperados soavam entre trovões.

Trovões. Trovões distantes vindos do oeste. Adolin olhou de lado para aquela direção e quase perdeu a concentração. Podia *ver* algo se formando, vento e chuva girando em um pilar gigantesco, com lampejos vermelhos.

Eshonai o atacou, e Adolin voltou o corpo, bloqueando o golpe com o antebraço. Aquela seção da sua Armadura estava enfraquecendo, as rachaduras vazando Luz das Tempestades. Ele encarou o golpe e brandiu a própria Espada com uma só mão contra o flanco de Eshonai. Foi recompensado por um grunhido. Ela não se dobrou, contudo. Nem mesmo deu um passo para trás. Ela ergueu a Espada e atacou ainda mais uma vez o antebraço dele.

A Armadura ali explodiu em um lampejo de luz e metal derretido. Raios. Adolin foi forçado a recuar o braço e liberar a manopla — agora pesada demais, sem a conexão com a Armadura para ajudar —, deixando-a cair da sua mão. O vento que soprou contra sua pele exposta foi surpreendentemente intenso.

Um pouco mais, Adolin pensou, sem recuar, apesar da seção perdida da Armadura. Ele segurou sua Espada Fractal com as duas mãos — uma de metal, a outra de carne — e avançou com uma série de golpes. Saiu da Postura do Vento. Bastava de movimentos amplos e majestosos; precisava da fúria frenética da Postura da Chama. Não só pelo poder, mas também pelo que precisava expressar para Eshonai.

Eshonai rosnou, forçada a recuar.

— Seu tempo acabou, destruidor — proclamou ela de dentro do elmo. — Hoje, sua brutalidade se volta contra você. Hoje, a extinção se volta de nós para vocês.

Um pouco mais.

Adolin a pressionou com uma saraivada de golpes de esgrima, então pareceu enfraquecer, apresentando-lhe uma abertura. Ela a aproveitou imediatamente, brandindo a espada contra o elmo dele, que vazava devido a um golpe anterior. Sim, Eshonai estava completamente tomada pela Euforia. Isso emprestava-lhe energia e força, mas a levava a ser imprudente. A ignorar seus arredores.

Adolin levou o golpe na cabeça e cambaleou. Eshonai riu, exultante, e se moveu para golpeá-lo novamente.

Adolin jogou-se para a frente e bateu o ombro e a cabeça contra o peito dela. Seu elmo explodiu devido à força do golpe, mas seu plano foi bem-sucedido.

Eshonai não havia notado quão perto estavam do abismo.

Seu empurrão jogou-a da beirada do platô. Ele sentiu o pânico de Eshonai, ouviu seu grito, enquanto ela caía na boca escancarada das trevas.

Infelizmente, o elmo destruído deixou Adolin momentaneamente cego. Ele cambaleou e, quando pousou o pé, só encontrou ar. Ele tropeçou, então caiu rumo ao vazio do abismo.

Por um momento infindável, tudo que ele sentiu foi pânico e medo, uma eternidade congelada antes de perceber que não estava caindo. Sua visão clareou e ele olhou para baixo, rumo à bocarra diante de si, a chuva caindo em rajadas ao seu redor. Então olhou para trás, sobre o ombro.

Para onde dois carregadores haviam agarrado o saiote de cota de malha da sua Armadura e estavam lutando para impedi-lo de cair da borda.

Grunhindo, eles se agarravam ao metal liso, segurando com força, os pés apoiados em pedras para impedir que fossem arrastados com ele.

Outros soldados surgiram, correndo para ajudar. Mãos agarraram Adolin ao redor da cintura e dos ombros, e juntos eles o puxaram da beira do vazio — até o ponto em que ele foi capaz de recuperar o equilíbrio e cambalear para longe do abismo.

Os soldados comemoraram e Adolin deixou escapar uma gargalhada exausta. Ele se voltou para os carregadores, Skar e Drehy.

— Acho que não tenho mais que me perguntar se vocês conseguem ou não acompanhar meu ritmo.

— Isso não foi nada — disse Skar.

— É — acrescentou Drehy. — Levantar olhos-claros gordos é fácil. Você devia tentar uma ponte um dia desses.

Adolin sorriu, então removeu a água do rosto com a mão exposta.

— Tentem achar um pedaço do meu elmo ou do avambraço. A Armadura se regenera mais rápido se tiver uma semente. Encontrem a manopla também, por favor.

Os dois assentiram. Aqueles relâmpagos no céu estavam crescendo, e aquela coluna giratória, se expandindo, crescendo. Aquilo... aquilo *não* parecia um bom sinal.

Precisava entender melhor o que estava acontecendo com o resto do exército. Ele correu pela ponte até o platô central. Onde estava seu pai? O que estava acontecendo nos frontes de Aladar e Roion? Será que Shallan retornara da expedição?

Tudo parecia caótico ali no platô central. Os ventos crescentes empurravam as tendas, e algumas haviam desabado. As pessoas corriam de um lado para outro. Adolin viu uma figura com um manto grosso andando decidida pela chuva. Aquela pessoa parecia saber o que estava fazendo. Adolin agarrou seu braço enquanto ela passava.

— Onde está meu pai? Que ordens você está transmitindo?

O capuz do manto caiu e o homem se virou para fitar Adolin com olhos que eram ligeiramente grandes demais, redondos demais. Uma cabeça calva. Roupas finas e folgadas por baixo do manto.

O Assassino de Branco.

M OASH SE APROXIMOU, MAS não invocou sua Espada Fractal.
Kaladin atacou com a lança, mas foi inútil. Usara o resto da sua força para simplesmente permanecer de pé. A lança esbarrou no elmo de Moash e o ex-carregador de pontes desceu o punho na arma, despedaçando a madeira.

Kaladin parou, cambaleando, mas Moash não havia terminado. Ele deu um passo à frente e socou a barriga de Kaladin com a manopla.

Kaladin arquejou, dobrando-se enquanto coisas *quebravam* dentro dele. Costelas se partiram como gravetos diante daquele punho impossivelmente forte. Tossiu, salpicando de sangue a armadura de Moash, então gemeu enquanto seu amigo recuava, afastando o punho.

Kaladin desabou no chão frio enquanto tudo tremia. Seus olhos pareciam que iam pular do rosto, e ele se encolheu ao redor do tórax fraturado, trêmulo.

— Raios. — A voz de Moash era distante. — O golpe mais duro do que eu pretendia.

— Você fez o que tinha que fazer. — Graves.

Ah... Pai das Tempestades... a dor...

— E agora? — Moash.

— Vamos acabar com isso. Mate o rei com a Espada Fractal. Com sorte, ainda vai parecer que foi o assassino. Essas trilhas de sangue são frustrantes. Podem levantar perguntas. Aqui, deixe-me cortar essas tábuas, de modo que pareça que ele entrou pela parede, como da última vez.

Ar frio. Chuva.

Berros? Muito distantes? Ele conhecia aquela voz...

— Syl? — sussurrou Kaladin, com sangue nos lábios. — Syl?

Nada.

— Eu corri até... até não conseguir mais — sussurrou Kaladin. — Fim da... corrida.

Vida antes da morte.

— Deixe comigo. — Graves. — Eu arcarei com este fardo.

— É meu direito! — protestou Moash.

Ele piscou, os olhos pousando no corpo inconsciente do rei ao seu lado. Ainda respirando.

Vou proteger aqueles que não podem proteger a si mesmos.

Agora compreendia por que tomara aquela decisão. Kaladin rolou até ficar de joelhos. Graves e Moash estavam discutindo.

— Eu tenho que protegê-lo — sussurrou Kaladin.

Por quê?

— Se eu proteger... — Ele tossiu. — Se eu proteger... apenas as pessoas de que gosto, significa que não me importo em fazer o certo.

Se fizesse isso, só se importava com o que era conveniente para si mesmo.

Isso não era proteção. Era egoísmo.

Esforçando-se ao máximo, em agonia, Kaladin levantou um pé. O pé ileso. Tossindo sangue, ele se impulsionou e se pôs de pé, cambaleante, entre Elhokar e os assassinos. Com os dedos tremendo, ele apalpou seu cinto e — depois de duas tentativas — sacou sua faca. Lágrimas de dor escorriam de seus olhos e, através da visão embaçada, viu os dois Fractários olhando para ele.

Moash levantou o visor devagar, revelando uma expressão de espanto.

— Pai das Tempestades... Kal, como pode estar de pé?

Fazia sentido agora.

Por isso é que ele havia voltado. Era por Tien, era por Dalinar, e era pelo certo — mas, acima de tudo, era para proteger pessoas.

Era esse o homem que queria ser.

Kaladin moveu um pé para trás, formando uma postura de combate. Então levantou a mão, a faca em riste. Sua mão tremia como uma telha sacolejando devido ao trovão. Ele encarou Moash.

Força antes da fraqueza.

— Você. *Não. Vai.* Pegá-lo.

— Acabe com isso, Moash — ordenou Graves.

— Raios — replicou Moash. — Não há necessidade. Olhe só para ele. Ele não tem como revidar.

Kaladin estava exausto. Pelo menos havia se levantado.

Era o fim. A jornada viera e se fora.

Gritos. Kaladin podia ouvi-los agora, como se estivessem mais perto.

Ele é meu!, disse uma voz feminina. *Eu o reivindico.*

ELE TRAIU SEU JURAMENTO.

— Ele viu coisa demais — disse Graves para Moash. — Se sobreviver, vai nos trair. Você sabe que estou falando a verdade, Moash. Mate-o.

A faca escorregou dos dedos de Kaladin, retinindo no chão. Ele estava fraco demais para segurá-la. Seu braço pendeu flácido junto ao corpo, e ele olhou para a faca, atordoado.

Eu não me importo.

ELE VAI MATAR VOCÊ.

— Sinto muito, Kal — disse Moash, avançando. — Eu deveria ter feito isso rápido, logo de início.

As Palavras, Kaladin. Aquela era a voz de Syl. *Você precisa dizer as Palavras!*

Eu proíbo.

Sua vontade não importa!, gritou Syl. Você não pode me conter, se ele falar as palavras! As palavras, Kaladin! Diga as palavras!

— Protegerei até mesmo aqueles que odeio — sussurrou Kaladin através de lábios sangrentos. — Contanto que isso seja o certo.

Uma Espada Fractal apareceu nas mãos de Moash.

Um fragor distante. Trovão.

As palavras são Aceitas, declarou relutantemente o Pai das Tempestades.

— Kaladin! — A voz de Syl. — Estende tua mão! — Ela zuniu ao redor dele, subitamente visível como uma fita de luz.

— Eu não posso... — disse Kaladin, esgotado.

— *Estende tua mão!*

Ele estendeu uma mão trêmula. Moash hesitou.

O vento soprou pela abertura da parede, e a fita de luz de Syl se transformou em névoa, uma forma que ela assumia com frequência. Névoa prateada, que cresceu, se solidificou diante de Kaladin, estendendo-se até sua mão.

Brilhando, fulgurando, uma Espada Fractal emergiu da neblina, luz azul-vívida resplandecendo de padrões serpenteantes na lâmina.

Kaladin arquejou profundamente, como se estivesse totalmente acordado pela primeira vez. O corredor inteiro ficou escuro quando a Luz das Tempestades em todas as lâmpadas das paredes se apagou subitamente.

Por um momento, eles ficaram nas trevas.

Então Kaladin *explodiu de* Luz.

Ela irrompeu do seu corpo, fazendo com que brilhasse como um ardente sol branco na escuridão. Moash recuou, o rosto pálido sob o brilho branco, levando uma das mãos ao rosto para proteger os olhos.

A dor se evaporou como neblina em um dia quente. A pegada de Kaladin se firmou sobre a fulgurante Espada Fractal, uma arma que fazia as de Graves e Moash parecerem foscas. Uma após a outra, as janelas se abriram bruscamente por todo o corredor, o vento gritando. Atrás de Kaladin, a geada se cristalizou no chão, crescendo em um rastro. Um glifo se formou na geada, quase na forma de asas.

Graves gritou, caindo na pressa de se afastar. Moash recuou, olhando fixamente para Kaladin.

— Os Cavaleiros Radiantes — disse Kaladin em voz baixa — retornaram.

— Tarde demais! — gritou Graves.

Kaladin franziu o cenho, então olhou para o rei.

— O Diagrama falou sobre isso — disse Graves, recuando pelo corredor. — Nós não enxergamos. Passou completamente despercebido! Nos concentramos em mantê-lo longe de Dalinar, e não no que nossas ações poderiam pressioná-lo a se tornar!

Moash olhou de Graves de volta para Kaladin. Então correu, a Armadura estalando enquanto ele se virava, disparando pelo corredor, e desaparecia.

Kaladin, falou a voz de Syl na sua cabeça. *Algo está muito errado. Posso sentir nos ventos.*

Graves gargalhou como um louco.

— Me manter longe... — sussurrou Kaladin — de Dalinar? Por que eles se importariam?

Ele se virou, olhando para o leste.

Ah, não...

85

ENGOLIDO PELO CÉU

Mas quem é o andarilho, a peça desgovernada, aquele que não faz sentido? Vislumbro suas implicações, e o mundo se abre para mim. Eu recuo. Impossível. Será?

— Extraído do Diagrama, Salmo dos Milagres da Parede Oeste: parágrafo 8 (Nota de Adrotagia: Será que isso se refere a Mraize?)

— Ela não disse se consegue abrir o portão? — indagou Dalinar enquanto marchava rumo à tenda de comando.

A chuva golpeava o chão ao redor, tão densa que não era mais possível diferenciar rajadas trazidas pelo vento sob o brilho forte das lâmpadas fabriais de Navani. Já havia passado da hora de procurar abrigo.

— Não, Luminobre — disse Peet, o carregador de pontes. — Mas ela insistiu que não podemos encarar o que está vindo em nossa direção. Duas grantormentas.

— Como pode haver *duas*? — indagou Navani.

Ela usava um manto pesado, mas estava completamente ensopada de qualquer modo, seu guarda-chuva levado pelo vento muito tempo atrás. Roion caminhava do outro lado de Dalinar, sua barba e bigode escorridos com a água.

— Eu não sei, Luminosa — disse Peet. — Mas foi isso que ela disse. Uma grantormenta e algo mais. Ela a chamou de Tempestade Eterna; acha que vai colidir conosco aqui.

Dalinar pensou, franzindo a testa. A tenda de comando estava bem à frente. Lá dentro, ele falaria com seus comandantes de campo e...

A tenda de comando tremeu, então soltou-se com um golpe do vento. Arrastando cordas e estacas, passou voando por Dalinar, quase perto o bastante para tocá-la. Dalinar praguejou enquanto a luz de uma dúzia de lâmpadas — anteriormente contidas na tenda — foi lançada sobre o platô. Escribas e soldados se espalharam, tentando agarrar mapas e folhas de papel enquanto a chuva e o vento os levavam.

— Raios! — exclamou Dalinar, dando as costas à poderosa ventania. — Preciso de uma atualização!

— Senhor! — O comandante Cael, chefe do comando de campo, trotou até ele, seguido por sua esposa, Apara. As roupas de Cael encontravam-se na maior parte secas, mas isso estava mudando rápido. — Aladar *venceu* no platô dele! Apara estava agora mesmo compondo uma mensagem para o senhor.

— É mesmo? — Que o Todo-Poderoso abençoasse aquele homem. Ele havia conseguido.

— Sim, senhor — disse Cael, precisando gritar contra a chuva e o vento. — O Grão-príncipe Aladar relatou que os parshendianos cantantes nem relutavam, só se deixavam abater. O resto da formação deles se desfez e fugiu. Mesmo perdendo no platô de Roion, nós ganhamos o dia!

— Não parece — gritou Dalinar em resposta. Há apenas poucos minutos, a chuva estava leve. A situação estava piorando rápido. — Envie imediatamente ordens para Aladar, para meu filho e para o general Khal. Há um platô a sudeste, perfeitamente redondo. Quero que todas as nossas forças se movam para lá a fim de nos prepararmos para a tempestade que está chegando.

— Sim, senhor! — Cael fez uma saudação, o punho sobre o casaco. Com a outra mão, contudo, ele apontou por cima do ombro de Dalinar. — Senhor, já viu *aquilo*?

Ele se virou, olhando para oeste. Clarões de luz vermelha, relâmpagos cruzando o céu em repetidos estrondos. O próprio céu parecia espasmar, como se algo estivesse se formando ali, girando em uma enorme célula de tempestade que parecia se expandir rapidamente.

— Todo-Poderoso nos céus... — sussurrou Navani.

Ali perto, outra tenda tremeu, suas estacas se soltando.

— Deixe as tendas, Cael — disse Dalinar. — Faça com que todos se mexam. *Agora*. Navani, vá até a Luminosa Shallan. Ajude-a, se puder.

O oficial afastou-se de pronto e começou a gritar ordens. Navani foi com ele, desaparecendo na noite, e um esquadrão de soldados correu atrás dela para protegê-la.

— E eu, Dalinar? — perguntou Roion.

— Vamos precisar que você assuma o comando dos seus homens e leve-os para um lugar seguro — disse Dalinar. — Se é que tal lugar existe.

Aquela tenda próxima se sacudiu novamente. Dalinar franziu o cenho. Não parecia estar se movendo com o vento. E aquilo eram... gritos?

Adolin atravessou o tecido da tenda e deslizou de costas pelas pedras, a armadura vazando Luz.

— Adolin! — gritou Dalinar, correndo até seu filho.

O jovem havia perdido vários segmentos da armadura e olhou para cima com dentes trincados, sangue escorrendo do nariz. Ele disse alguma coisa, mas as palavras se perderam na ventania. Sem elmo, sem o avambraço esquerdo, o peitoral rachado quase a ponto de se despedaçar, a perna direita exposta. Quem poderia ter feito tal coisa com um Fractário?

Dalinar soube imediatamente a resposta. Ele abraçou Adolin, mas olhou além da tenda caída, que tremulava na tormenta e se desprendeu enquanto um homem saía dela, brilhando com trilhas de Luz das Tempestades. Aqueles traços estrangeiros, roupas brancas coladas ao corpo devido à chuva, a cabeça calva abaixada, sombras escondendo olhos que brilhavam com Luz das Tempestades.

O homem que matara Gavilar. Szeth, o Assassino de Branco.

SHALLAN ESTUDAVA AS INSCRIÇÕES na parede da câmara redonda, procurando desesperadamente alguma maneira de fazer o Sacroportal funcionar.

Tinha que funcionar. *Precisava* funcionar.

— Tudo isso está em Canto do Alvorecer — disse Inadara. — Não consigo entender nada.

Os Cavaleiros Radiantes são a chave.

A espada de Renarin não deveria ter sido o bastante?

— Qual é o padrão? — sussurrou ela.

— Hmm... — disse Padrão. — Talvez você não veja porque está perto demais? Como as Planícies Quebradas?

Shallan hesitou, então se levantou e caminhou até o centro da sala, onde as representações dos Cavaleiros Radiantes e seus reinos se encontravam bem no meio.

— Luminobre Renarin? — chamou Inadara. — Algum problema?

O jovem príncipe havia caído de joelhos e estava encolhido junto da parede.

— Eu posso ver — respondeu Renarin em um tom febril, sua voz ecoando na câmara. Fervorosos que estavam estudando parte dos murais olharam para ele. — Posso ver o futuro. Por quê? Por que, Todo-Poderoso? Por que me amaldiçoou assim?

Ele soltou um grito implorativo, então se levantou e pressionou alguma coisa contra a parede. Uma pedra? Onde ele a arrumara? Renarin agarrou a coisa com sua manopla e começou a escrever.

Chocada, Shallan deu um passo na direção dele. Uma sequência de números?

Apenas zeros.

— Chegou — sussurrou Renarin. — Ela chegou, ela chegou, ela chegou. Estamos mortos. Estamos mortos. Estamos mortos...

D ALINAR SE AJOELHOU SOB um céu fraturado, segurando seu filho. A água da chuva lavava o sangue do rosto de Adolin, e o garoto piscou, atordoado devido à surra.

— Pai... — disse Adolin.

O assassino avançava em silêncio, sem pressa aparente. O homem parecia deslizar pela chuva.

— Quando assumir o principado, filho, não deixe que o corrompam — disse Dalinar. — Não jogue os jogos deles. Lidere. Não siga.

— Pai! — disse Adolin, os olhos entrando em foco.

Dalinar se levantou. Adolin se pôs de quatro e tentou se levantar, mas o assassino havia quebrado uma de suas grevas, o que praticamente o impossibilitava de ficar de pé. O rapaz escorregou de volta para a poça d'água.

— Você foi bem instruído, Adolin — continuou Dalinar, os olhos naquele assassino. — É um homem melhor do que eu. Eu sempre fui um tirano que teve que aprender a ser outra coisa. Mas você, você sempre foi um bom homem. Lidere-os, Adolin. Você deve uni-los.

— Pai!

Dalinar se afastou de Adolin. Ali perto, escribas e ajudantes, capitães e soldados gritavam e corriam, tentando encontrar ordem no caos da tempestade. Eles seguiam a ordem de evacuação de Dalinar, e a maioria não havia notado ainda a figura de branco.

O assassino parou a dez passos de Dalinar. Roion, pálido e gaguejando, se afastou dos dois e começou a gritar.

— Assassino! Assassino!

A chuva estava efetivamente diminuindo um pouco. Isso não trouxe muita esperança para Dalinar; não com aqueles relâmpagos rubros no horizonte. Seria... um paredão se formando na frente de uma nova tempestade? Seus esforços de interromper os parshendianos haviam sido insuficientes.

O homem shino não atacou. Estava diante de Dalinar, imóvel, sem expressão, a água escorrendo pelo rosto. Estranhamente calmo.

Dalinar era muito mais alto e forte. Aquele homenzinho de branco, com sua pele pálida, parecia quase um garoto, um jovenzinho, em comparação.

Atrás dele, os gritos de Roion se perderam na confusão. Contudo, a Ponte Quatro correu para cercar Dalinar, lanças nas mãos. Dalinar acenou para que se afastassem.

— Não há nada que possam fazer aqui, rapazes. Deixem-me enfrentá-lo.

Dez batimentos cardíacos.

— Por quê? — perguntou Dalinar ao assassino, que ainda estava parado sob a chuva. — Por que matar meu irmão? Eles explicaram o raciocínio por trás das suas ordens?

— Sou Szeth-filho-filho-Vallano — disse o homem em tom áspero. — Insincero de Shinovar. Eu faço o que meus mestres exigem, e não peço explicações.

Dalinar reviu sua avaliação. O homem não estava calmo. Ele parecia sereno, mas, quando falava, era através de dentes cerrados, os olhos muito arregalados.

Ele está louco, pensou Dalinar. Raios.

— Você não precisa fazer isso. Se é uma questão de pagamento...

— O pagamento que me é devido... — gritou o assassino, água de chuva respingando da sua cara e Luz das Tempestades emanando de seus lábios — ...uma hora o receberei! Cada pedacinho. Vou me afogar nele, pisapedras!

Szeth estendeu a mão para o lado, Espada Fractal aparecendo. Então, com um movimento seco, quase de desprezo — como se estivesse apenas removendo um pedaço de gordura de um bife —, ele avançou e brandiu a espada contra Dalinar.

Dalinar aparou a Espada dele com a própria, que apareceu na sua mão quando ele a ergueu.

O assassino olhou apenas de relance para a arma de Dalinar, então sorriu, os lábios em uma linha fina, exibindo apenas uma sombra de dentes. Aquele sorriso ansioso, combinado com o olhar perturbado, era uma das coisas mais malignas que Dalinar já vira.

— Obrigado por estender minha agonia ao não morrer facilmente — disse o assassino.

Ele deu um passo para trás e *incendiou-se* com luz branca. Então atacou Dalinar novamente, com uma velocidade inumana.

A DOLIN PRAGUEJOU, LIVRANDO-SE DO atordoamento. Raios, sua cabeça doía. Ele a batera com força quando o assassino o jogara no chão.

Seu pai estava lutando com Szeth. Que o Todo-Poderoso o abençoasse por ter escutado a razão e se conectado com a Espada daquele louco. Adolin cerrou os dentes e lutou para se levantar, algo que era difícil com uma greva quebrada. Embora a chuva estivesse cedendo, o céu permanecia escuro. A oeste, relâmpagos caíam como cataratas, quase constantemente.

Ao mesmo tempo, o vento soprava do leste. Algo estava crescendo ali também, da Origem. Isso era péssimo.

Aquelas coisas que o pai me disse...

Adolin cambaleou, quase caindo no chão, mas mãos apareceram para ajudá-lo. Ele olhou para o lado e viu aqueles dois carregadores de antes, Skar e Drehy, ajudando-o a se levantar.

— Vocês dois vão ganhar um tormentoso aumento. Me ajudem a tirar essa armadura. — Ele começou a remover freneticamente seções da armadura. A veste inteira estava tão surrada que era quase inútil.

Metal retinia ali perto enquanto Dalinar lutava. Se ele pudesse aguentar mais um pouco, Adolin seria capaz de ajudar. Ele *não* deixaria aquela criatura vencê-lo novamente. De novo, não!

Ele deu uma olhada no que Dalinar estava fazendo e parou, as mãos nas alças da placa peitoral.

Seu pai... seu pai se movia lindamente.

DALINAR NÃO LUTAVA PELA sua vida. Sua vida não era sua há anos. Ele lutava por Gavilar. Lutava como gostaria de ter feito anos atrás, pela chance que havia perdido. Naquele momento entre as tempestades — quando a chuva se aquietou e os ventos enchiam os pulmões para soprar —, ele dançou com o matador de reis, e de algum modo conseguiu se defender.

O assassino se movia como uma sombra. Seus passos pareciam rápidos demais para serem humanos. Quando ele saltava, praticamente voava. Ele brandia sua Espada Fractal como lampejos de um raio, e ocasionalmente estendia a outra mão, como se estivesse tentando agarrar Dalinar.

Recordando-se do seu encontro anterior, Dalinar reconheceu que aquela era a mais perigosa das armas de Szeth. Toda vez, Dalinar conseguiu girar sua espada e afastar o assassino. O homem atacava de diferentes direções, mas Dalinar não pensava. Pensamentos podiam se misturar, desorientando a mente.

Seus instintos sabiam o que fazer.

Abaixar-se quando Szeth saltava sobre sua cabeça. Dar um passo para trás, evitando um ataque que teria cortado sua espinha. Atacar, forçando o assassino a recuar. Três passos rápidos para trás, a espada erguida em defesa, atacar a palma do assassino se ele tentasse tocá-lo.

Funcionou. Durante aquele breve momento, ele lutou com a criatura. A Ponte Quatro permaneceu na retaguarda, como havia comandado. Eles só teriam atrapalhado.

Ele sobrevivia.

Mas não vencia.

Por fim, Dalinar se desviou de um ataque, mas foi incapaz de se mover rápido o bastante. O assassino se aproximou e acertou um soco no seu flanco.

As costelas de Dalinar se quebraram. Ele grunhiu, cambaleando, quase caindo. Brandiu sua Espada contra Szeth, fazendo com que o homem se afastasse, mas isso não importava. O estrago estava feito. Ele caiu de joelhos, quase incapaz de permanecer erguido devido à dor.

Naquele instante, soube a verdade que sempre deveria ter sabido.

Se eu tivesse estado lá naquela noite, desperto em vez de bêbado e adormecido... Gavilar ainda assim teria morrido.

Eu não poderia ter vencido essa criatura. Não consigo vencê-la agora, e não teria conseguido naquela época.

Eu não poderia tê-lo salvado.

Isso trouxe-lhe paz, e Dalinar finalmente pôde colocar no chão aquele rochedo que vinha carregando há mais de seis anos.

O assassino se aproximou ameaçadoramente, brilhando com a terrível Luz das Tempestades, mas uma figura lançou-se sobre ele por trás. Dalinar esperava que fosse Adolin, talvez um dos carregadores.

Em vez disso, era Roion.

A DOLIN JOGOU LONGE O último pedaço da armadura e foi correndo atrás do seu pai. Não era tarde demais. Dalinar estava ajoelhado diante do assassino, derrotado, mas não morto.

Adolin gritou, se aproximando, e uma figura inesperada saltou dos destroços de uma tenda. O Grão-príncipe Roion — estranhamente segurando uma espada lateral e liderando uma pequena força de soldados — avançou contra o assassino.

Ratos teriam mais chance lutando contra um demônio-do-abismo.

Adolin mal teve tempo de gritar enquanto o assassino — movendo-se com uma velocidade ofuscante — girava e cortava a lâmina da espada de Roion. Szeth estendeu a mão e acertou o peito de Roion, que disparou pelos ares, deixando um rastro de Luz das Tempestades. Ele gritou enquanto o céu o engolia.

Ele durou mais tempo do que seus homens. O assassino se lançou entre eles, habilmente evitando as lanças e movendo-se com uma graça insólita. Uma dúzia de soldados caiu em um instante, os olhos queimados.

Adolin saltou sobre um dos corpos que desabava. Raios. Ainda ouvia Roion gritando lá em cima em algum lugar.

Adolin atacou o assassino, mas a criatura girou e desviou a Espada Fractal com um golpe. O assassino estava sorrindo. Ele não falava, muito embora Luz das Tempestades vazasse entre seus dentes.

Adolin tentou a Postura da Fumaça, atacando com uma sequência rápida. O assassino silenciosamente desviou os golpes, sem se abalar. Adolin se concentrou, duelando o melhor que podia, mas era uma *criança* diante daquela coisa.

Roion, ainda gritando, despencou do céu e atingiu o chão com um barulho úmido e repulsivo. Uma olhada rápida para seu cadáver fez Adolin entender que o grão-príncipe nunca mais se levantaria.

Praguejou e se lançou sobre o assassino, mas uma lona tremulante — que o assassino tocara de leve ao passar — saltou para cima dele. O monstro podia comandar objetos inanimados! Adolin cortou a lona e então saltou para a frente a fim de atacá-lo.

E não encontrou nada para combater.

Abaixe-se.

Ele se jogou no chão enquanto algo passava sobre sua cabeça, o assassino voando pelo ar. A sibilante Espada Fractal de Szeth errou a cabeça de Adolin por centímetros.

Adolin rolou e ficou de joelhos, ofegante.

Como... O que ele podia fazer...?

Você não pode vencê-lo, pensou Adolin. *Nada pode vencê-lo.*

O assassino pousou com leveza. Adolin se levantou e percebeu que estava acompanhado. Uma dúzia de carregadores entrara em formação ao redor dele. Skar, no comando, olhou para Adolin e assentiu. Bons homens. Eles haviam visto a queda de Roion e ainda assim se juntaram a ele. Adolin levantou sua Espada Fractal e notou que, perto dali, seu pai havia conseguido ficar de pé. Outro pequeno grupo de carregadores o rodeou, e ele permitiu. Ele e Adolin haviam duelado e perdido. Sua única chance agora era um ataque em massa.

Ali perto, gritos ecoaram. O general Khal e uma grande força de ataque de soldados, julgando pelo estandarte que se aproximava. Não havia tempo. O assassino estava no platô molhado entre a pequena tropa de Dalinar e a de Adolin, a cabeça baixa. Lanternas azuis caídas forneciam luz. O céu estava tão negro quanto a noite, exceto quando rompido pelo relâmpago vermelho.

Atacar e cercar um Fractário. Esperar um golpe de sorte. Era a única maneira. Adolin assentiu para Dalinar. Seu pai assentiu de volta com um ar sombrio. Ele sabia. Ele *sabia* que não havia como vencer aquela coisa.

Lidere-os, Adolin.

Você deve uni-los.

Adolin gritou, avançando com a espada na mão, os homens correndo com ele. Dalinar avançou também, mais lentamente, um braço cruzado no peito. Raios, o homem mal podia caminhar.

Szeth levantou subitamente a cabeça, o rosto desprovido de qualquer emoção. Enquanto eles se aproximavam, ele saltou, disparando para o céu.

Os olhos de Adolin o seguiram. Certamente não tinham feito com que fugisse...

O assassino girou no ar, então caiu de volta no chão, brilhando como um cometa. Adolin mal aparou um golpe da Espada; a *força* dele era incrível e o jogou para trás. O assassino girou, e um par de carregadores caiu com olhos queimando. Outros perderam as pontas das lanças quando tentaram perfurá-lo.

O assassino se libertou da pressão dos corpos, deixando um rastro de sangue de um par de ferimentos. Feridas essas que se *fecharam* diante dos olhos de Adolin, o sangramento parando. Era como Kaladin havia dito. Com uma sensação horrível, Adolin percebeu quão *pequena* havia sido sua probabilidade de vencer.

O assassino lançou-se contra Dalinar, que viera na retaguarda do ataque. O soldado envelhecido levantou sua Espada, como para indicar respeito, então investiu uma vez.

Um ataque. Essa era a maneira de partir.

— Pai... — sussurrou Adolin.

O assassino aparou o golpe, então pôs a mão contra o peito de Dalinar.

O grão-príncipe, subitamente brilhando, disparou rumo ao céu escuro. Ele não gritou.

O platô ficou em silêncio. Alguns carregadores sustentavam seus amigos feridos. Outros se voltaram para o assassino, entrando em uma formação de lanceiros, com um ar desesperado.

O assassino baixou a Espada, então começou a se afastar.

— Canalha! — cuspiu Adolin, correndo atrás dele. — Canalha!

Ele mal enxergava devido às lágrimas. O assassino parou, então apontou a arma na direção de Adolin, que cambaleou até parar. Raios, sua cabeça estava doendo.

— Está acabado — sussurrou o assassino. — Eu terminei.

Ele deu as costas a Adolin e continuou se afastando.

Terminou, é a danação! Adolin levantou a Espada Fractal sobre a cabeça.

O assassino girou e aparou a arma com tanta força com a própria Espada que Adolin distintamente ouviu algo se *quebrar* no seu pulso. Sua Espada caiu dos seus dedos, desaparecendo. O assassino estendeu a mão, as juntas dos dedos atingindo Adolin no peito, e ele arfou, o ar subitamente escapando da sua garganta.

Desnorteado, ele caiu de joelhos.

— Suponho que possa matar mais um por conta própria — rosnou o assassino. Então arreganhou os dentes cerrados em um sorriso terrível, os olhos arregalados. Como se estivesse em agonia.

Arquejando, Adolin aguardou o golpe. Ele olhou para o céu. *Pai, sinto muito. Eu...*

Eu...

O que era aquilo?

Ele piscou ao identificar algo brilhando no ar, descendo devagar, como uma folha. Uma figura. Um homem.

Dalinar.

O grão-príncipe caía lentamente, como se não pesasse mais do que uma nuvem. Luz branca fluía do seu corpo em rastros brilhantes. Ali perto, carregadores murmuravam, soldados gritavam, apontando.

Adolin hesitou, certo de que estava delirando. Mas não, *era* Dalinar. Como... um dos próprios Arautos, descendo dos Salões Tranquilinos.

O assassino olhou, então cambaleou para trás, a boca aberta em uma expressão de horror.

— Não... *Não!*

E então, como uma estrela cadente, uma fulgurante bola de luz e movimento desceu na frente de Dalinar. Ela se chocou com o chão, emitindo um anel de Luz das Tempestades como fumaça branca. No centro, uma figura de azul havia pousado com uma das mãos no chão de pedra, a outra brandindo uma resplandecente Espada Fractal.

Seus olhos ardiam com uma luz que, de algum modo, fazia a luz do assassino parecer *fosca* em comparação; vestia o uniforme de um carregador de pontes e trazia os glifos de escravidão na testa.

O reverberante anel de luz nebulosa desapareceu, exceto por um enorme glifo — de formato semelhante a uma espada —, que permaneceu por um breve momento antes de se desfazer.

— Você o mandou para o céu para morrer, assassino — disse Kaladin, Luz das Tempestades fumegando dos seus lábios —, mas o céu e os ventos são meus. Eu os reivindico, assim como reivindico agora a sua vida.

86

PADRÕES DE LUZ

Um deles é quase certamente um traidor dos outros.

— Extraído do Diagrama, Livro da Segunda Gaveta da Escrivaninha: parágrafo 27

KALADIN DEIXOU A LUZ das Tempestades se evaporar diante dele. Estava ficando com pouca energia — seu voo frenético pelas Planícies o esgotara. Como fora grande seu choque ao ver que o fulgor de luz cruzando o céu escuro sobre um platô iluminado revelou-se o próprio Dalinar. Projetado para o céu por Szeth.

Kaladin o pegara e o mandara de volta para o chão com uma cuidadosa Projeção. À frente, Szeth se afastara cambaleante do príncipe, segurando a espada para se defender de Kaladin, olhos imensos e lábios trêmulos. Parecia horrorizado.

Ótimo.

Dalinar enfim pousou suavemente no platô e a Projeção de Kaladin se esgotou.

— Procure abrigo — disse Kaladin, a tempestade nas suas veias diminuindo ainda mais. — Eu voei sobre uma tempestade no caminho até aqui... uma das grandes. Vindo do oeste.

— Estamos no processo de retirada.

— Rápido — insistiu Kaladin. — Eu vou cuidar do nosso amigo.

— Kaladin?

Ele se virou, olhando para o grão-príncipe, que estava de cabeça erguida, apesar de ter um braço encolhido junto ao peito. Dalinar encontrou seu olhar.

— É *você* que eu estava procurando.

— Sim. Finalmente.

Kaladin virou-se e caminhou rumo ao assassino. Passou pela Ponte Quatro em uma formação compacta, e os homens — obedecendo a um comando ríspido de Teft — jogaram algo diante de Kaladin. Lâmpadas azuis, iluminadas por gemas enormes que permaneceram carregadas durante o Pranto.

Abençoados fossem. Luz das Tempestades fluiu na sua direção enquanto ele passava, preenchendo-o. Contudo, seu coração afundou ao notar dois cadáveres com olhos queimados aos pés deles. Pedin e Mart. Eth estava agarrado ao corpo do irmão, chorando. Outros carregadores haviam perdido membros.

Kaladin rosnou. Bastava. Ele não perderia mais homens para aquele monstro.

— Você está pronta? — sussurrou.

Mas é claro, disse Syl na sua cabeça. *Não foi por mim que tivemos que esperar.*

Ardendo com Luz das Tempestades, furioso e iluminado, Kaladin lançou-se sobre o assassino e o enfrentou, Espada contra Espada.

—Estamos mortos... — murmurou Renarin.

— Alguém faça com que ele cale a boca — disse Shallan rispidamente. — Amordacem-no, se necessário.

Ela deu-lhe as costas, ignorando o príncipe delirante. Ainda estava no centro da câmara com o mural. O padrão. Qual era o padrão?

Uma sala circular. Uma coisa em um dos lados que se adaptava para comportar diferentes Espadas Fractais. Representações de Cavaleiros no piso brilhavam com Luz das Tempestades, apontando para uma cidade com torres, exatamente como nos mitos descritos. Dez lâmpadas nas paredes. A fechadura pendia sobre o que ela pensava ser uma representação de Natanatan, o reino das Planícies Quebradas, que...

Dez lâmpadas. Com gemas incrustadas. Uma rede de metal envolvendo cada uma.

Shallan hesitou, um choque percorrendo seu corpo.

— É um fabrial.

O ASSASSINO LANÇOU-SE NO AR. O capitão Kaladin levantou voo, perseguindo-o, o que deixou uma trilha de Luz.

— Situação da retirada! — berrou Dalinar, cruzando o platô, suas costelas doendo de modo incomparável, a feridade de mais cedo só um pouco menos. Raios. Aquela dor ficara amortecida enquanto lutava, mas agora era feroz. — Alguém me consiga informações!

Escribas e fervorosos surgiram dos destroços das tendas mais próximos. Gritos foram ouvidos de todo o platô. O vento começou a crescer — o período de alívio, a curta calmaria, havia acabado. Precisavam escapar daqueles platôs. *Imediatamente.*

Dalinar alcançou Adolin e ajudou o jovem a se levantar. Ele parecia em mal estado, machucado, surrado, tonto. Flexionou a mão direita e fez uma careta de dor, então cuidadosamente deixou-a relaxar.

— Danação — disse Adolin. — Aquele carregadorzinho é realmente um deles? Dos Cavaleiros Radiantes?

— Sim.

Estranhamente, Adolin sorriu, parecendo satisfeito.

— Ha! Eu *sabia* que havia algo de errado com aquele homem.

— Vá — disse Dalinar, empurrando Adolin para que se movesse. — Precisamos fazer com que o exército cruze dois platôs, naquela direção, onde Shallan aguarda. Vá para lá e organize o que puder. — Ele olhou para oeste enquanto o vento se tornava ainda mais intenso, com rajadas de chuva. — O tempo é curto.

Adolin gritou para que os carregadores se juntassem a ele, o que fizeram, ajudando seus feridos — muito embora, infelizmente, fossem forçados a deixar para trás seus mortos. Vários deles também carregavam a Armadura Fractal de Adolin, que estava aparentemente esgotada.

Dalinar mancou para leste através do platô o mais rápido que conseguia, na sua condição, procurando por...

Sim. O lugar onde havia deixado Galante. O cavalo bufou, sacudindo a crina molhada.

— Abençoado seja, velho amigo — disse Dalinar, alcançando o richádio. Mesmo com o trovão e o caos, o cavalo não havia fugido.

Dalinar passou a se mover muito mais facilmente em cima da sela e por fim encontrou o exército de Roion seguindo para sul, rumo ao platô de Shallan, em fileiras organizadas. Permitiu-se um suspiro de alívio diante da marcha ordenada deles; a maior parte do exército já havia cruzado para o platô do sul, a apenas um platô de distância daquele redondo onde estava Shallan. Isso era maravilhoso. Não conseguia lembrar para onde o general Khal havia sido enviado, mas com o próprio Roion morto, Dalinar pensara que o exército dele estaria caótico.

— Dalinar! — chamou uma voz.

Ele se voltou e viu a imagem absolutamente incongruente de Sebarial e sua cortesã sentados sob um toldo, comendo selafruta desidratada de um prato segurado por soldado com ar embaraçado.

Sebarial levantou uma taça de vinho para Dalinar.

— Espero que não se importe Nós liberamos os seus estoques. Eles estavam sendo soprados para longe na hora, rumo à destruição certa.

Dalinar apenas os encarou. Palona até mesmo tinha nas mãos um *romance* e estava *lendo*.

— Você fez isso? — indagou Dalinar, indicando o exército de Roion.

— Eles estavam fazendo uma bagunça — respondeu Sebarial. — Perambulando por aí, gritando uns com os outros, chorando e gemendo. Muito poético. Imaginei que alguém devia botá-los em marcha. Meu exército já está naquele outro platô. Está ficando *bastante* apertado ali, sabe.

Palona virou a página do livro, mal prestando atenção.

— Você viu Aladar? — perguntou Dalinar.

Sebarial gesticulou com a taça de vinho.

— Ele já deve ter acabado de fazer o cruzamento também. Você vai encontrá-lo naquela direção. No sentido do vento, felizmente.

— Não perca tempo — disse Dalinar. — Se continuar aqui, será um homem morto.

— Como Roion?

— Infelizmente.

— Então *é* verdade — disse Sebarial, se levantando e tirando poeira das calças, que de algum modo ainda estavam secas. — E agora, de quem é que eu vou zombar? — Ele balançou a cabeça com tristeza.

Dalinar cavalgou na direção indicada. Notou que, incrivelmente, um par de carregadores de pontes ainda o estava seguindo, só agora alcançando o ponto em que encontrara Sebarial. Eles fizeram uma saudação quando Dalinar os notou.

Ele comunicou aos carregadores aonde estava indo, então acelerou. Raios. Em termos de dor, cavalgar com costelas quebradas não era muito melhor do que caminhar. Pior, na verdade.

Encontrou Aladar no platô seguinte, supervisionando seu exército que vertia para o platô perfeitamente redondo que Shallan havia indicado. Elthal também estava lá, usando sua Armadura — uma das que Adolin havia conquistado — e guiando uma das grandes pontes mecânicas de Dalinar. A ponte foi instalada junto de duas outras que cruzavam o abismo ali, em lugares onde as pontes menores não dariam conta.

O platô onde todos estavam se apertando era relativamente pequeno, pela escala das Planícies Quebradas — mas ainda tinha várias centenas de metros de diâmetro. Com sorte, comportaria os exércitos.

— Dalinar? — chamou Aladar, cavalgando até ele.

Iluminado por um grande diamante que pendia de sua sela, aparentemente roubado de uma das lâmpadas fabriais de Navani, Aladar estava com um uniforme ensopado e um curativo na testa, mas, fora isso, parecia ileso.

— Pela língua de Kelek, o que está acontecendo aqui? Não consigo uma resposta clara de ninguém.

— Roion está morto — disse Dalinar com voz cansada, puxando as rédeas de Galante. — Ele tombou com honra, atacando o assassino. O assassino, espero, foi distraído por algum tempo.

— Ganhamos o dia — disse Aladar. — Desbaratei aqueles parshendianos. Deixamos mais da metade deles mortos naquele platô, talvez até três quartos. Adolin foi ainda melhor no platô dele, e, pelos relatos, os que estavam no platô de Roion fugiram. O Pacto de Vingança foi cumprido! Gavilar foi vingado, a guerra acabou!

Tão orgulhoso. Dalinar teve dificuldade em achar as palavras para desanimá-lo, então só olhou para o outro homem, sentindo-se entorpecido.

Não posso me permitir isso, pensou Dalinar, murchando na sela. *Preciso liderar.*

— Não importa, não é mesmo? — perguntou Aladar, a voz mais baixa. — Que nós vencemos?

— É claro que importa.

— Mas... a sensação não devia ser diferente?

— Exaustão — replicou Dalinar. — Dor, sofrimento. A sensação da vitória costuma ser assim, Aladar. Nós vencemos, sim, mas agora temos que sobreviver à nossa vitória. Seus homens já estão terminando de atravessar?

Ele assentiu.

— Coloque todos naquele platô — disse Dalinar. — Pode apertá-los lá, se necessário. Precisamos estar prontos para passar pelo portal o mais rápido possível, quando ele for aberto.

Se ele fosse aberto.

Dalinar fez Galante avançar, cruzando uma das pontes até chegar às fileiras compactas no outro lado. Dali, forçou o caminho — com dificuldade — até o centro, onde esperava encontrar a salvação.

K ALADIN DISPAROU NO AR atrás do assassino.
As Planícies Quebradas se distanciaram abaixo dele. Gemas caídas cintilavam pelo platô, abandonadas onde as tendas haviam sido derrubadas ou os soldados tinham tombado. Elas iluminavam não só o platô central, mas três outros ao redor, e mais um além, que era estranhamente circular visto de cima.

Os exércitos se reuniam naquele. Pequenos relevos pontuavam os outros, como sardas. Cadáveres. Tantos.

Kaladin olhou para o céu. Estava livre novamente. Ventos *fluíam* por baixo dele, parecendo elevá-lo, impulsioná-lo. Os ventos o carregavam. Sua Espada Fractal se desfez em névoa e Syl apareceu zunindo, tornando-se uma fita de luz que girava ao seu redor enquanto ele voava.

Syl estava viva. Syl estava *viva*. Ainda estava eufórico com isso. Ela não devia estar morta? Quando ele fez essa pergunta, durante o voo para lá, a resposta foi simples.

Eu só estava morta porque seus juramentos estavam mortos, Kaladin.

Ele continuou subindo, fora do caminho das tempestades que se aproximavam. Podia vê-las perfeitamente daquela perspectiva. Duas tormentas, uma vindo do oeste e explodindo com relâmpagos vermelhos, a outra se aproximando mais rápido do leste, com o paredão cinza-escuro. Elas iam *colidir*.

— Uma grantormenta — disse Kaladin, voando pelo céu atrás de Szeth. — A tempestade vermelha veio dos parshendianos, mas por que há uma *grantormenta* chegando? Não está na época disso.

— Meu pai — disse Syl, com uma voz solene. — Ele trouxe a tempestade, apressou seu passo. Ele está... arrasado, Kaladin. Acha que nada disso deveria estar acontecendo. Ele quer acabar com tudo, levar a todos em uma enxurrada, e tentar se esconder do futuro.

O pai dela... isso significava que o *Pai das Tempestades* queria que morressem?

Que ótimo.

O assassino desapareceu acima, sumindo nas nuvens escuras. Kaladin cerrou os dentes e se Projetou para cima novamente para maior aceleração. Ele disparou para as nuvens, e tudo ao redor tornou-se um cinza indistinto.

Continuou atento a vislumbres de luz que anunciassem a chegada do assassino. Talvez não tivesse muito aviso.

A área ao redor dele clareou. Seria o assassino? Kaladin estendeu a mão para o lado e Syl imediatamente tomou a forma da Espada.

— Não precisa de dez batimentos cardíacos?

Não quando estou aqui com você, pronta. Essa espera é mais uma coisa dos mortos. Eles precisam ser revividos a cada vez.

Kaladin saiu das nuvens para a luz solar.

Ele arquejou, espantado. Havia esquecido que ainda era dia. Ali, muito acima da escuridão terrena da guerra, o sol batia sobre a cobertura das nuvens, fazendo-as brilhar com uma pálida beleza. O ar rarefeito estava gelado, mas a fervilhante Luz das Tempestades dentro dele tornava isso fácil de ignorar.

O assassino flutuava ali perto, os dedos dos pés apontando para baixo, a Espada Fractal prateada segura junto ao flanco. Kaladin se Projetou para parar, então se nivelou na altura do assassino.

— Eu sou Szeth-filho-filho-Vallano — disse o homem. — Insincero... Insincero. — Ele ergueu os olhos arregalados, os dentes cerrados. — Você roubou Espadas de Honra. É a única explicação.

Raios. Kaladin sempre havia imaginado o Assassino de Branco como um matador frio e calmo. Aquilo ali era diferente.

— Não possuo uma arma dessas — disse Kaladin. — E não sei por que faria diferença se eu possuísse.

— Eu escuto suas mentiras. Eu as conheço.

Szeth disparou adiante, brandindo a espada. Kaladin Projetou-se para o lado, saindo do caminho. Ele moveu a Espada, mas nem chegou perto de acertá-lo.

— Eu deveria ter praticado mais com a espada — murmurou.

Ah. É verdade. Você provavelmente prefere que eu seja uma lança, não é?

A arma virou névoa, então se alongou e cresceu até tomar a forma de uma lança prateada, com glifos brilhantes e espiralados ao longo das faces afiadas da ponta.

Szeth girou no ar, Projetando-se de volta para uma posição flutuante. Ele olhou para a lança, então pareceu tremer.

— Não. Insincero. Eu sou Insincero. Sem perguntas.

Com Luz das Tempestades fluindo de sua boca, Szeth jogou a cabeça para trás e gritou; um som fútil e humano que se dissipou na vastidão infinita do céu.

Abaixo deles, o trovão ressoava e as nuvens pulsavam, cheias de cores.

S HALLAN CORREU DE UMA lâmpada para outra na câmara circular, infundindo cada uma delas com Luz das Tempestades. Ela brilhava vivamente, tendo extraído a Luz das lanternas dos fervorosos. Não havia tempo para explicar.

Acabara a possibilidade de manter escondida sua natureza como Manipuladora de Fluxos.

Aquele cômodo era um fabrial gigante, alimentado pela Luz das Tempestades daquelas lâmpadas. Ela devia ter visto. Passou por Inadara, que a olhava fixamente.

— Como... como a senhora está fazendo isso, Luminosa?

Várias das eruditas haviam se instalado no chão, onde desenhavam às pressas orações de glifos-amuletos em panos, usando giz devido à umidade. Shallan não sabia se as orações eram um pedido por segurança contra as tempestades ou contra a própria Shallan. Ela ouviu as palavras "Radiante Perdida" murmuradas por uma delas.

Mais duas lâmpadas. Ela infundiu um rubi com Luz das Tempestades, dando-lhe vida, mas então esgotou sua Luz.

— Gemas! — disse ela, se virando. — Preciso de mais Luz das Tempestades.

As pessoas ali se entreolharam, exceto por Renarin, que continuava a arranhar glifos idênticos nas rochas enquanto chorava. Pai das Tempestades. Ela secara todas as esferas. Uma das eruditas havia retirado um lampião a óleo da bolsa, que parecia pálido ao lado das lâmpadas nas paredes.

Shallan saiu rápido pela abertura na porta, olhando para a massa de soldados que se reunia ali. Milhares e mais milhares se agitando na escuridão. Felizmente, alguns deles traziam lâmpadas.

— Preciso da sua Luz das Tempestades! — disse ela. — Eu...

Aquele era *Adolin*? Shallan arquejou, os outros pensamentos fugindo por um momento enquanto ela o identificava na frente da multidão, apoiado em um carregador de pontes. Adolin estava mal, o lado esquerdo do rosto uma colcha de retalhos de sangue e arranhões, o uniforme rasgado e ensanguentado. Shallan correu até ele, abraçando-o.

— É bom ver você também — disse ele, enterrando o rosto no seu cabelo. — Ouvi dizer que você vai nos tirar desta confusão.

— Confusão?

O trovão rugia e crepitava sem pausa enquanto relâmpagos vermelhos caíam, não um a um, mas em grupos. Raios! Ela não havia percebido que estava tão perto!

— Hmm... — fez Padrão.

Shallan olhou para a esquerda. Um paredão estava se aproximando. As tempestades eram como duas mãos, se fechando para esmagar os exércitos entre elas. Inspirou fundo e sorveu Luz das Tempestades, que a encheu de vida. Adolin tinha uma gema ou duas consigo, aparentemente. Ele recuou, olhando-a de cima a baixo.

— Você *também*? — disse ele.

— Hum... — Ela mordeu o lábio. — Sim. Desculpe.

— Desculpe? Raios, mulher! Você pode voar como ele?

— Voar?

O trovão rugiu. Destruição iminente. Certo.

— Faça com que todos estejam prontos para avançar! — disse ela, correndo de volta para a câmara.

T EMPESTADES COLIDIAM SOB KALADIN. As nuvens se despedaçavam, negro, vermelho e cinza se misturando em enormes torvelinhos, o relâmpago fazendo arcos entre elas. Parecia a volta de Aharietiam, o final de todas as coisas.

Acima disso tudo, no topo do mundo, Kaladin lutava pela própria vida.

Szeth passou voando, brandindo um lampejo de metal prateado. Kaladin desviou o golpe, a lança na sua mão vibrando com um plangente *ding*. Szeth passou direto e Kaladin Projetou-se naquela direção.

Eles caíram para oeste, raspando os topos das nuvens — muito embora, para os olhos de Kaladin, aquela direção fosse para baixo. Ele caiu com a lança em riste, apontada direto para o shino homicida.

Szeth virou bruscamente para a esquerda e Kaladin o seguiu, rapidamente se Projetando naquela direção. Nuvens violentas, agitadas e furiosas se misturavam abaixo dele. As duas tempestades pareciam estar lutando; os relâmpagos que as iluminavam eram como golpes. Estrondos ressoavam, e nem todos eram trovões. Perto de Kaladin uma pedra enorme surgiu das nuvens, emanando vapor. Ela irrompeu na luz como um leviatã, depois afundou de volta nas nuvens.

Pai das Tempestades... Ele estava a centenas, talvez milhares de metros no ar. Que tipo de violência estava acontecendo abaixo, se pedras eram lançadas tão alto?

Kaladin Projetou-se na direção de Szeth, ganhando velocidade e movendo-se pela superfície das tempestades. Ele se aproximou, então diminuiu a velocidade e deixou sua aceleração igualar-se à de Szeth, de modo que voassem lado a lado.

Atacou o assassino com sua lança. Szeth aparou o golpe com destreza, a Espada Fractal em uma das mãos enquanto apoiava a lâmina por trás com a outra, desviando a estocada de Kaladin para o lado.

— Os Cavaleiros Radiantes não podem ter voltado — gritou Szeth.

— Eles voltaram — disse Kaladin, recuando a lança de volta. — E vão matar você.

Ele se Projetou ligeiramente para o lado enquanto atacava, girando no ar e investindo contra Szeth, que subiu de repente e passou por cima da lança de Kaladin. Enquanto eles continuavam a cair pelo ar, com as nuvens logo abaixo, Szeth avançou para ele e atacou. Kaladin praguejou, mal conseguindo Projetar-se para longe a tempo.

Szeth passou por ele e desapareceu nas nuvens abaixo, tornando-se apenas uma sombra. Kaladin tentou traçar aquela sombra, mas falhou.

Szeth ressurgiu subitamente ao lado de Kaladin um instante depois, atacando com três golpes rápidos. Um deles acertou Kaladin no braço, e ele deixou Syl cair.

Danação. Ele se Projetou para longe de Szeth, então forçou Luz das Tempestades para sua mão cinzenta e sem vida. Com esforço, fez a cor voltar, mas Szeth já estava em cima dele com um ataque aéreo.

A névoa se formou na mão esquerda de Kaladin quando ele a ergueu para se proteger, e um escudo prateado apareceu, brilhando com uma luz suave. A Espada de Szeth foi defletida, fazendo com que o homem soltasse um grunhido de surpresa.

A força voltou à mão direita de Kaladin, o corte foi curado, mas forçar tanta Luz das Tempestades pelo membro deixou-o esgotado. Ele se afastou de Szeth, tentando manter-se distante, mas o assassino continuou atrás dele, se deslocando para todas as direções para as quais Kaladin tentava escapar.

— Você é novo nisso — disse Szeth. — Não pode lutar comigo. Eu vou vencer.

Szeth subiu zunindo, e Syl tomou novamente a forma de uma lança nas mãos de Kaladin. Ela parecia capaz de antecipar a arma que ele queria. Szeth bateu sua arma contra Syl, o que os deixou cara a cara, e eles rolaram, olhos nos olhos, suas Projeções puxando-os pelas nuvens.

— Eu *sempre* venço — disse Szeth. Ele falou isso de modo estranho, como se estivesse *zangado*.

— Você está errado — disse Kaladin. — A meu respeito. Não sou novo nisso.

— Você acabou de adquirir suas habilidades.

— Não. O vento é meu. O céu é meu. Foram meus desde a infância. Você é o invasor aqui. Não eu.

Eles se separaram, Kaladin jogando o assassino para trás. Parou de pensar tanto sobre suas Projeções, sobre o que deveria estar fazendo.

Em vez disso, ele se permitiu *ser*.

Mergulhou atrás de Szeth, o casaco tremulando, a lança apontada para o coração do homem. Szeth se desviou, mas Kaladin soltou a lança e girou a mão em um grande arco. Syl formou uma alabarda com cabeça de machado, que chegou a centímetros do rosto de Szeth.

O assassino praguejou, mas respondeu com sua Espada. Um escudo estava na mão de Kaladin um segundo depois, e ele repeliu o golpe. Syl se despedaçou no processo, formando-se de volta como uma espada enquanto Kaladin avançava com as mãos vazias. A espada apareceu, e a arma cortou fundo o ombro de Szeth.

O assassino arregalou os olhos. Kaladin virou a Espada, puxando-a para fora da carne do assassino, então tentou um ataque de pegada invertida para acabar de vez com o homem. Szeth era rápido demais. Ele se projetou para trás, forçando Kaladin a segui-lo e empilhando Projeção em cima de Projeção.

A mão de Szeth ainda funcionava. Danação. O ataque no ombro não havia cortado totalmente a alma, conduzindo até o braço. E a Luz das Tempestades de Kaladin estava acabando.

Felizmente, a de Szeth se mostrava ainda mais baixa. O assassino parecia usá-la muito mais rápido do que Kaladin, julgando pelo brilho diminuído ao redor dele. De fato, ele não tentou curar seu ombro — o que exigiria um bocado de Luz —, mas continuou a fugir, se movendo bruscamente de um lado para outro, a fim de deixar Kaladin para trás.

A batalha sombria continuava abaixo, uma mistura de relâmpagos, ventos e nuvens em torvelinho. Enquanto Kaladin perseguia Szeth, algo enorme se moveu sob as nuvens, uma sombra do tamanho de uma cidade. Um segundo depois, o topo de um *platô* inteiro irrompeu através das nuvens escuras, girando lentamente, como se houvesse sido atirado para cima.

Szeth quase se chocou com ele. Em vez disso, Projetou-se para cima a fim de ficar sobre o platô, então pousou na sua superfície. Ele correu ao longo do topo que girava letargicamente no ar, seu impulso se esgotando.

Kaladin pousou atrás dele, mas manteve a maior parte de uma Projeção para cima, a fim de permanecer leve. Ele correu pela lateral do platô, subindo quase diretamente rumo ao céu. Desviou-se para o lado quando Szeth subitamente virou e cortou uma formação rochosa, enviando pedregulhos que rolaram para baixo.

Rochas se moviam ruidosamente pela superfície do platô, que havia começado a tombar de volta na direção do chão. Szeth alcançou o pico e jogou-se para fora, e Kaladin o seguiu logo depois, lançando-se da superfície rochosa, que afundou como uma nave naufragando no mar de nuvens.

Eles continuaram a perseguição, com Szeth caindo para trás ao longo da superfície da tempestade, os olhos em Kaladin. Olhos enlouquecidos.

— Você está tentando me convencer! Você não pode ser um deles!

— Você viu que eu sou — gritou Kaladin de volta.

— Os Esvaziadores!

— Estão de volta — gritou Kaladin.

— NÃO PODEM ESTAR. EU SOU INSINCERO! — O assassino estava ofegante. — Não preciso lutar com você. Você não é meu alvo. Eu tenho... Tenho trabalho a fazer. Eu *obedeço*!

Ele se virou e se Projetou para baixo.

Para dentro das nuvens, descendo rumo ao platô para o qual Dalinar havia ido.

S HALLAN ADENTROU CORRENDO A sala enquanto as tempestades se chocavam no lado de fora.

O que estava fazendo? Não havia tempo. Mesmo que abrisse o portal, aquelas tempestades tinham *chegado*. Ela não teria tempo de fazer as pessoas passarem.

Estavam mortos. Todos eles. Milhares provavelmente já haviam sido jogados para a morte pelo paredão.

Ela correu até a última lâmpada de qualquer modo, infundindo suas esferas.

O chão começou a brilhar.

Fervorosos se levantaram de um salto, surpresos, e Inadara soltou um gritinho. Adolin cambaleou pela porta, o vento terrível e uma rajada furiosa de chuva o seguindo.

Abaixo deles, o desenho intricado emitia luz. Parecia quase vidro pintado. Gesticulando freneticamente para que Adolin se juntasse a ela, Shallan correu até a fechadura na parede.

— Espada — gritou ela para Adolin, acima dos sons das tempestades lá fora. — Ali!

Renarin há muito tempo já havia dispensado a Espada dele. Adolin obedeceu, aproximando-se às pressas e invocou sua Espada Fractal. Ele a enfiou na fenda, que novamente fluiu para receber a arma.

Nada aconteceu.

— Não está funcionando — gritou Adolin.

Só uma resposta.

Shallan agarrou o cabo da espada dele e a puxou para fora — ignorando o grito que tocá-la provocou em sua mente —, então jogou-a de lado. A espada de Adolin desapareceu em névoa.

Uma verdade profunda.

— Há algo de errado com sua Espada, e com todas as Espadas. — Ela hesitou só por um momento. — Todas, menos a minha. Padrão!

Ele se formou nas mãos dela, a Espada que usara para matar. A alma oculta. Shallan enfiou-a com força na fenda, e a arma vibrou nas suas mãos e brilhou. Algo nas profundezas do platô foi *destrancado*.

Do lado de fora, relâmpagos caíam e homens gritavam.

Agora o mecanismo havia se tornado óbvio para ela. Shallan jogou seu peso contra a espada, empurrando-a adiante como o eixo de uma roda. A parede interna do edifício era como um anel dentro de um tubo — podia girar, enquanto a parede externa permanecia no lugar. A espada moveu a parede interna ao pressioná-la, embora tenha emperrado de início, bloqueada por pedregulhos do portal caído. Adolin a ajudou a fazer força contra a espada, e juntos eles a empurraram ao redor do círculo até que estivessem acima da imagem de Urithiru, a metade da circunferência de distância de Natanatan, o ponto de partida. Ela puxou a Espada para fora.

As dez lâmpadas escureceram como olhos se fechando.

Kaladin seguiu Szeth tempestade adentro. Mergulhou no breu, caindo entre torvelinhos de vento e relâmpagos explosivos. O vento o atacava, jogando-o de um lado para outro, e nenhuma Projeção podia impedir isso. Ele podia ser mestre dos ventos, mas tempestades eram outra história.

Tome cuidado, transmitiu Syl. *Meu pai odeia você. Este é o domínio dele. E está misturado com algo ainda mais terrível, outra tempestade. A tempestade deles.*

Ainda assim, as grantormentas eram a fonte da Luz das Tempestades — e estar ali *energizava* Kaladin. Suas reservas de Luz se incendiaram, como obviamente aconteceu com Szeth. O assassino subitamente reapareceu como uma pura explosão de branco, zunindo através do redemoinho rumo aos platôs.

Kaladin rosnou, Projetando-se atrás dele. Relâmpagos de uma dúzia de cores brilhavam ao seu redor, vermelho, roxo, branco, amarelo. A chuva o ensopava. Rochas giravam ao redor dele, algumas colidindo, mas a Luz das Tempestades curava-o tão rapidamente quanto os detritos o machucavam.

Szeth movia-se ao longo dos platôs, disparando pouco acima deles, e Kaladin o seguia com dificuldade. A ventania turbulenta era difícil de navegar, e a escuridão era quase absoluta. Clarões acendiam as Planícies em explosões perturbadoras. Felizmente, o brilho de Szeth era impossível de ocultar, e Kaladin manteve a atenção naquele facho fulgurante.

Mais rápido.

Como Zahel havia ensinado semanas atrás, Szeth não precisava derrotar Kaladin para vencer. Ele só precisava alcançar aqueles que Kaladin protegia.

Mais rápido.

Um clarão de raio iluminou os platôs de batalha. E, além deles, Kaladin captou um vislumbre do exército. Milhares de homens encolhidos no grande platô circular. Muitos deles agachados. Outros, em pânico.

O relâmpago se foi em um momento, e a terra tornou-se escura novamente, embora Kaladin tivesse visto o bastante para saber que era um desastre. Um cataclismo. Homens sendo soprados pela beirada do precipício, outros esmagados por rochas caindo. Em minutos, o exército seria eliminado. Raios, Kaladin não tinha certeza mesmo se *ele* poderia sobreviver àquele nexo de destruição.

Szeth desceu como um raio sobre eles, uma luz brilhante entre as trevas. Enquanto Kaladin se Projetava naquela direção, um relâmpago rasgou novamente o céu.

Sua luz revelou Szeth de pé em um platô, vazio, boquiaberto. O exército se fora.

O S SONS DA FURIOSA tempestade do lado de fora desapareceram. Shallan tremeu, molhada e gelada.

— Todo-Poderoso nos céus... — sussurrou Adolin. — Quase tenho medo do que vamos encontrar.

Girar a parede interna do edifício havia movido a entrada ao encontro de uma parede de crem endurecido. Talvez antigamente houvesse uma porta natural ali; Adolin invocou sua Espada para cortar um buraco.

Padrão... sua Espada Fractal... desapareceu de volta em névoa, e os mecanismos da sala ficaram em silêncio. Ela não ouvia nada do lado de fora, nenhum barulho de ventania, nenhum trovão.

Emoções lutavam dentro dela. Havia aparentemente salvado a si mesma e a Adolin. Mas o resto do exército... Adolin cortou uma passagem e a luz solar entrou através dela. Shallan caminhou até a abertura, nervosa, passando por Inadara, que estava sentada a um canto, parecendo perplexa.

Através da abertura, Shallan olhou para o mesmo platô de antes, só que agora calmo e ensolarado. Uma população equivalente a quatro exércitos de mulheres e homens agachados, abatidos e encharcados, muitos deles segurando a própria cabeça e se protegendo contra um vento que não soprava mais. Ali perto, duas figuras estavam ao lado de um gigantesco garanhão richádio. Dalinar e Navani, que aparentemente estavam seguindo rumo ao edifício central.

Além deles, se estendiam os picos de uma cadeia de montanhas desconhecida. Era o mesmo platô, e ali formava um círculo com outros nove. À esquerda de Shallan, uma enorme torre escalonada — com formato semelhante ao de taças empilhadas de tamanhos cada vez menores — se destacava dos picos. Urithiru.

O platô não continha o portal.

O platô *era* o portal.

Szeth gritou palavras para Kaladin, mas elas se perderam na tempestade. Rochas desabavam ao redor deles, arrancadas de algum lugar distante. Kaladin tinha certeza de que ouvia gritos terríveis sobre os ventos enquanto esprenos vermelhos que nunca vira — como pequenos meteoros, deixando trilhas de luz — zuniam ao seu redor.

Szeth gritou novamente. Dessa vez Kaladin entendeu a palavra.

— Como?!

Sua resposta foi atacar com a Espada. Szeth aparou a estocada com violência, e os dois se chocaram, duas figuras brilhantes no escuro.

— Eu conheço este pilar! — berrou Szeth. — Eu já o vi antes! Eles foram para a cidade, não foram?!

O assassino se lançou no ar. Kaladin ficou muito satisfeito em segui-lo. Queria sair daquela tempestade.

Szeth gritava ao voar rumo ao ocidente, para longe da tempestade dos relâmpagos vermelhos — seguindo o caminho da grantormenta comum. Só isso já era perigoso o bastante.

Kaladin foi atrás dele, mas isso se provou difícil em meio aos ventos que o golpeavam. Não era que a ventania ajudasse Szeth mais do que Kaladin; a tempestade era simplesmente imprevisível. Ele era empurrado para um lado e Szeth, para outro.

O que aconteceria se Szeth o despistasse?

Ele sabe para onde Dalinar foi, pensou Kaladin, cerrando os dentes enquanto um lampejo de súbita brancura o cegava de um lado. *Eu não sei.*

Não poderia proteger Dalinar se não pudesse encontrar o homem. Infelizmente, uma caçada através daquela escuridão favorecia a pessoa que estava tentando escapar. Lentamente, Szeth foi tomando a dianteira.

Kaladin tentou segui-lo, mas um vento súbito levou-o na direção errada. Projeções não o deixavam voar de verdade. Não podia resistir a tais ventos imprevisíveis; eles o controlavam.

Não! A forma brilhante de Szeth foi sumindo. Kaladin gritou na escuridão, piscando contra a chuva. Quase o perdera de vista...

Syl girou no ar diante dele. Mas Kaladin ainda carregava a lança. O quê?

Outra, e então mais outra. Fitas de luz, ocasionalmente assumindo a forma de jovens mulheres ou homens, gargalhando. Esprenos de vento. Uma dúzia ou mais giravam ao redor dele, deixando trilhas de luz, seu riso de algum modo forte e audível acima dos sons da tempestade.

Ali!, pensou Kaladin.

Szeth estava à frente. Projetou-se através da tempestade na direção dele, sendo sacudido de um lado para outro. Desviando-se de relâmpagos, de rochas atiradas pelo vento, piscando através das rajadas de chuva.

Um redemoinho caótico. E à frente... luz?

O paredão.

Szeth emergiu da face da própria tempestade. Através do caos de água e detritos, Kaladin mal enxergou o assassino se virando e olhando para trás com um ar confiante.

Ele acha que me despistou.

Kaladin saiu do paredão em uma explosão, cercado por esprenos de vento que espiralavam em um padrão luminoso. Ele gritou, brandindo sua lança contra Szeth, que aparou o golpe apressadamente, os olhos arregalados.

— Impossível!

Kaladin girou o corpo e golpeou com a lança — que havia se transformado em uma espada — na altura do pé de Szeth.

O assassino recuou junto da face do paredão. Tanto Szeth quanto Kaladin continuaram a cair rumo a oeste, bem na frente da parede de água e detritos.

Abaixo deles, a terra passava como um borrão. As duas tempestades haviam finalmente se separado, e a grantormenta percorria seu caminho normal, de leste a oeste. As Planícies Quebradas logo foram deixadas para trás, dando lugar a cadeias de colinas.

Enquanto Kaladin o perseguia, Szeth girou e caiu para trás, atacando, embora Syl tenha se transformado em um escudo para bloquear. Kaladin baixou o braço e um martelo surgiu na sua mão, esmagando o ombro de Szeth e quebrando ossos. Enquanto a Luz das Tempestades tentava curar o assassino, Kaladin chegou bem perto e afundou o punho no estômago de Szeth, uma faca aparecendo ali em seguida e perfurando profundamente a pele. Ele buscava a coluna.

Szeth arquejou e desesperadamente se Projetou para recuar, escapando do alcance de Kaladin, que o seguiu. Rochedos giravam no paredão, que agora, da perspectiva de Kaladin, era o chão. Ele tinha que ajustar repetidamente sua Projeção para permanecer no lugar certo, logo à frente da tempestade.

Kaladin saltou por pedras que surgiam no ar, perseguindo Szeth, que caía descontroladamente, as roupas tremulando. Esprenos de vento formaram um halo ao redor de Kaladin, zunindo sem parar, espiralando, girando ao redor dos seus braços e pernas. A proximidade da tempestade mantinha sua Luz das Tempestades guarnecida, sem deixar que enfraquecesse.

Szeth desacelerou, suas feridas se curando. Ele pairou diante do terrível paredão, segurando a espada diante de si, e respirou fundo, encarando Kaladin.

Um final, então.

Kaladin avançou, Syl formando uma lança nos seus dedos, a arma mais familiar.

Szeth atacou em sequência, uma série implacável de golpes.

Kaladin bloqueou cada um deles e terminou com a lança contra o punho da Espada de Szeth, pressionando as armas, a meros centímetros do rosto do assassino.

— É verdade mesmo — sussurrou Szeth.

— Sim.

Szeth assentiu, e seu ar de tensão pareceu se desfazer, substituído por um vazio nos seus olhos.

— Então eu sempre estive certo. Nunca fui um Insincero. Eu poderia ter parado de matar a qualquer momento.

— Eu não sei o que isso significa — replicou Kaladin. — Mas você nunca *teve que matar*.

— Minhas ordens...

— Desculpas! Se era por isso que você matava, então não é o homem mau que imaginei. Em vez disso, é um covarde.

Szeth fitou-o nos olhos, então assentiu. Ele empurrou Kaladin para trás, depois moveu-se para atacar com a espada.

Kaladin estendeu as mãos, transformando Syl em uma espada. Esperava um movimento defensivo. A ação tinha a intenção de retirar Szeth do seu padrão de ataque.

Szeth não aparou o golpe. Só fechou os olhos e aceitou o ataque.

Naquele instante, por motivos que ele não conseguiria articular — pena, talvez? —, Kaladin desviou seu golpe, passando a Espada pelo pulso de Szeth. A pele ficou cinza. Em um lampejo de relâmpago, a espada soltou-se dos dedos do assassino, então tornou-se *fosca* enquanto caía.

O brilho deixou a silhueta de Szeth. Toda sua Luz das Tempestades sumiu em uma nuvem, todas as Projeções se encerraram.

Szeth começou a cair.

Pegue aquela espada!, Syl transmitiu para Kaladin, um grito mental. *Pegue-a.*

— O assassino!

Ele liberou o laço. Ele não é nada sem aquela espada! Não podemos perdê-la!

Kaladin mergulhou atrás da Espada, passando por Szeth, que desabava pelo ar feito um boneco de pano, jogado pelos ventos rumo ao paredão.

Kaladin se Projetou furiosamente para baixo, agarrando a Espada antes que a tempestade a consumisse. O assassino passou perto dele ao cair para dentro da tempestade, onde foi engolido, deixando Kaladin com a terrível imagem da silhueta flácida de Szeth sendo jogada em um platô abaixo com toda a força da tormenta.

Erguendo a Espada do assassino, Kaladin Projetou-se de volta para cima, passando pelo paredão, os esprenos de vento que havia atraído girando ao seu redor e rindo de pura alegria. Ao chegar ao topo da tempestade, os esprenos se espalharam ao redor dele e zuniram para longe, se afastando para dançar na superfície da tormenta ainda em movimento.

Isso o deixou com um único espreno. Syl — na forma de uma jovem em um vestido tremulante, de tamanho normal dessa vez — flutuava diante dele. Ela sorriu enquanto a tempestade se deslocava abaixo dos dois.

— Eu não o matei — disse Kaladin.

— Você queria matá-lo?

— Não — respondeu ele, surpreso ao perceber que era verdade. — Mas deveria ter matado de qualquer modo.

— Você tem a Espada dele. O Pai das Tempestades provavelmente o levou. E se não... bem, ele não é mais a arma que era antes. Devo dizer que isso foi muito bem-feito. Talvez eu continue com você dessa vez.

— Obrigado.

— Você quase me matou, sabia?

— Eu sei. Pensei que tivesse matado.

— E o que mais?

— E... hum... você é inteligente e articulada?

— Você esqueceu o elogio.

— Mas acabei de dizer...

— Foram apenas declarações de fatos.

— Você é maravilhosa — disse ele. — De verdade, Syl. Você é mesmo.

— Também é um fato — disse ela, com um largo sorriso. — Mas vou deixar passar, se estiver disposto a me dar um sorriso suficientemente sincero.

Ele sorriu.

E a sensação foi muito, muito boa.

87

A CALMARIA

O caos em Alethkar é, naturalmente, inevitável. Vigie atentamente, e não deixe que o poder se solidifique no reino. O Espinho Negro pode se tornar um aliado ou nosso maior inimigo, dependendo se vai assumir o papel de senhor da guerra ou não. Caso pareça que ele está buscando a paz, assassine-o diligentemente. O risco de competição é grande demais.

— Extraído do Diagrama, Escritos do Abajur de Cabeceira: parágrafo 4 (Terceira tradução de Adrotagia dos hieróglifos originais)

As Planícies Quebradas haviam sido despedaçadas novamente.

Kaladin caminhava entre elas com a Espada Fractal de Szeth no ombro. Passou por pilhas de pedras e rachaduras novas no chão. Enormes poças, como pequenos lagos, cintilavam entre enormes pedaços de rocha quebrada. À esquerda, um platô inteiro havia desmoronado nos abismos ao redor. A base do platô, denteada e arrancada, tinha um tom negro e queimado.

Não encontrou sinal do cadáver de Szeth. Isso podia significar que o homem havia sobrevivido de algum modo, ou apenas que a tempestade enterrara o corpo em meio aos destroços, ou o soprara para longe, deixando-o em algum abismo esquecido para apodrecer até que seus ossos fossem finalmente vasculhados por uma desafortunada equipe de coleta.

Por enquanto, o fato de que Szeth não havia invocado sua Espada de volta era o bastante. Ou o homem estava morto, ou — como Syl havia dito — a estranha arma não estava mais conectada a ele. Kaladin não sabia como identificar a diferença. Aquela Espada Fractal não tinha uma gema no cabo como indicação.

Kaladin parou em uma elevação do platô e vasculhou os destroços. Então olhou para Syl, que estava sentada no seu ombro.

— Isso vai acontecer de novo? Aquela outra tempestade ainda está por aí?

— Sim — confirmou Syl. — Uma nova tempestade. Não é nossa, mas *dele*.

— Vai ser tão ruim assim toda vez que ela passar?

Dos platôs que havia visto, só um fora completamente destruído. Mas se a tempestade podia fazer isso com rocha nua, o que faria com uma cidade? Particularmente porque soprava no *sentido errado*.

Pai das Tempestades... Laites não seriam mais laites. Edifícios que haviam sido construídos com a fachada na direção oposta às tempestades estariam subitamente expostos.

— Eu não sei — disse Syl em voz baixa. — Essa é uma coisa nova, Kaladin. Não é de antigamente, e não sei como aconteceu ou o que significa. Com sorte, não vai ser tão ruim, exceto quando uma grantormenta e uma tempestade eterna colidirem.

Kaladin grunhiu, rumando até a borda do seu platô atual. Ele inspirou um pouco de Luz das Tempestades, então Projetou-se para cima a fim de contrabalançar a atração natural do chão. Tornou-se leve. Deu um pequeno impulso com o pé e flutuou através do abismo até o platô seguinte.

— Então, como o exército desapareceu assim? — perguntou ele, removendo sua Projeção e pousando na rocha.

— Hã... como vou saber? — disse Syl. — Eu estava *meio* distraída.

Kaladin grunhiu. Bem, aquele era o platô onde todos haviam estado. Perfeitamente redondo. Esquisito, isso. Em um platô próximo, uma grande colina havia sido fragmentada, expondo os restos de um edifício no seu interior. Aquele platô perfeitamente circular era muito mais plano, embora parecesse que havia um colina ou algo assim no centro. Ele andou naquela direção.

— Então elas são todas esprenos — disse ele. — As Espadas Fractais.

Syl adquiriu uma expressão solene.

— Esprenos mortos — acrescentou Kaladin.

— Mortos — concordou Syl. — Então eles revivem um pouco quando alguém os invoca, sincronizando um batimento cardíaco com sua essência.

— Como é possível que algo esteja "um pouco" vivo?

— Nós somos esprenos — disse Syl. — Somos *forças*. Não dá para nos matar completamente. Só... mais ou menos.

— Perfeitamente compreensível.

— É perfeitamente compreensível para nós — replicou Syl. — Vocês é que são estranhos. Se você quebra uma rocha, ela continua ali. Se você quebra um espreno, ele continua lá. Mais ou menos. Se você quebra uma pessoa, alguma coisa vai embora. Algo muda. O que sobra é só carne. Vocês são esquisitos.

— Que bom que chegamos a essa conclusão — disse ele, parando.

Não via qualquer vestígio dos alethianos. Teriam realmente escapado? Ou teria uma súbita rajada da tempestade jogado todos para os abismos? Parecia improvável que tamanho desastre não houvesse deixado *nada* para trás.

Por favor, permita que não tenha sido isso. Ele levantou a espada de Szeth do ombro e apoiou-a diante de si com a ponta para baixo. Ela afundou alguns centímetros na rocha.

— E isso aqui? — indagou ele, olhando para a arma fina e prateada. Uma Espada sem ornamentos. Isso deveria ser estranho. — Ela não grita quando eu a seguro.

— É porque não é um espreno — disse Syl em voz baixa.

— O que ela é, então?

— Perigosa.

Ela saiu do ombro dele, então caminhou até a espada como se estivesse descendo uma escadaria. Ela raramente voava quando estava na forma humana; voava como uma fita de luz, ou como um grupo de folhas, ou como uma nuvenzinha. Ele nunca havia notado como era estranho, porém normal, que ela seguisse a natureza da forma que estava usando. Syl parou bem diante da espada.

— Acho que é uma das Espadas de Honra, as espadas dos Arautos.

Kaladin grunhiu. Já ouvira falar delas.

— Qualquer homem que segure essa espada se torna um Corredor dos Ventos — explicou Syl, olhando para Kaladin. — As Espadas de Honra são nossos pilares, Kaladin. Honra as deu aos homens, e esses homens ganharam poderes a partir delas. Os esprenos descobriram que Ele havia feito isso, e nós o imitamos. Somos pedacinhos do poder Dele, afinal, como essa espada. Tome cuidado com ela. É um tesouro.

— Então o assassino não era um Radiante.

— Não. Mas, Kaladin, você precisa entender. Com essa espada, alguém pode fazer o que você faz, mas sem as... limitações que um espreno exige. — Ela a tocou, então tremeu visivelmente, sua forma saindo de foco por um segundo. — Essa espada dava ao assassino o poder de usar Projeções, mas também se alimentava da sua Luz das Tempestades. Uma pessoa usando isso vai precisar de muito, muito mais Luz do que você, em níveis perigosos.

Kaladin estendeu a mão e tomou a espada pelo cabo, e Syl flutuou para longe, tornando-se uma fita de luz. Ele ergueu a arma e colocou-a de volta no ombro antes de seguir seu caminho. Sim, havia uma colina logo à frente, provavelmente um edifício coberto por crem. À medida que se aproximou, abençoadamente, viu movimento ao redor dela.

— Olá? — chamou.

As figuras ali perto pararam e se viraram.

— Kaladin? — gritou uma voz familiar. — Raios, é você mesmo?

Ele sorriu, identificando as figuras que se aproximavam como homens em uniformes azuis. Teft correu feitou louco pelo chão rochoso para encontrá-lo. Os outros vieram atrás, gritando e rindo. Drehy, Peet, Bisig e Sigzil, com Rocha assomando sobre todos eles.

— Outra? — indagou Rocha, fitando a Espada Fractal de Kaladin. — Ou ela é sua?

— Não. Tomei essa aqui do assassino.

— Ele está morto, então? — perguntou Teft.

— Parece que sim.

— Você *derrotou* o Assassino de Branco — disse Bisig em um sussurro. — Acabou mesmo, então.

— Suspeito que seja só o começo — disse Kaladin, indicando o edifício. — Que lugar é esse?

— Ah! — disse Bisig. — Vamos! Temos que mostrar a torre para você... aquela garota Radiante nos ensinou a invocar o platô, só precisamos de você junto.

— Garota Radiante? — perguntou Kaladin. — Shallan?

— Você não parece surpreso — grunhiu Teft.

— Ela tem uma Espada Fractal — disse Kaladin.

Uma espada que não gritava na sua cabeça. Ou ela era uma Radiante ou tinha outra daquelas Espadas de Honra. Ao entrar no edifício, notou uma ponte nas sombras próximas.

— Não é a nossa — notou Kaladin.

— Não — disse Leyten. — Essa aí pertence à Ponte Dezessete. Tivemos que deixar a nossa para trás na tempestade.

Rocha assentiu.

— Estávamos ocupados demais mantendo a cabeça dos olhos-claros longe das espadas dos inimigos. Ha! Mas precisamos da ponte aqui. Do jeito que a plataforma funciona, tivemos que sair do platô para Shallan Davar se transportar de volta.

Kaladin enfiou a cabeça na câmara dentro da colina, então hesitou ao ver a beleza do interior. Outros membros da Ponte Quatro aguardavam ali, incluindo um homem alto que Kaladin não reconheceu de imediato. Seria um dos primos de Lopen? O homem se virou e Kaladin percebeu que havia confundido uma placa craniana avermelhada com um chapéu.

Parshendiano. Kaladin ficou tenso enquanto o parshendiano fazia uma *saudação*. Ele estava usando um uniforme da Ponte Quatro.

E tinha a tatuagem.

— Rlain? — disse Kaladin.

— Senhor — respondeu Rlain. Seu traços não eram mais arredondados e roliços, mas sim definidos, musculosos, com um pescoço grosso e mandíbula mais forte, agora dotada de uma barba vermelha e preta.

— Parece que você era mais do que aparentava — disse Kaladin.

— Perdão, senhor. Mas posso dizer que isso se aplica a nós dois. — Ao falar, sua voz tinha agora certa musicalidade; as palavras, um ritmo estranho.

— O Luminobre Dalinar perdoou Rlain — explicou Sigzil, contornando Kaladin e adentrando a câmara.

— Por ser parshendiano?

— Por ser um espião — disse Rlain. — Um espião para um povo que, aparentemente, não existe mais — disse ele em um ritmo diferente, e Kaladin pensou identificar dor naquela voz. Rocha se aproximou e pôs a mão no ombro de Rlain.

— Nós podemos contar essa história quando voltarmos à cidade — disse Teft.

— Imaginamos que você voltaria para cá — acrescentou Sigzil. — Para este platô. E que, portanto, precisaríamos estar aqui para recebê-lo, por mais que a Luminosa Davar tenha reclamado. De qualquer modo, temos muita coisa a contar... um monte de coisas está acontecendo, e acho que você vai ficar no centro de tudo.

Kaladin respirou fundo, mas concordou. O que mais esperava? Bastava de se esconder. Ele havia tomado sua decisão.

O que digo a eles sobre Moash?, ele se perguntou enquanto os membros da Ponte Quatro se apinhavam no recinto ao redor dele, tagarelando sobre como precisava infundir as esferas nas lâmpadas. Dois homens estavam feridos do combate, incluindo Bisig, que mantinha a mão direita no bolso do casaco. Pele cinzenta aparecia por baixo da manga. Ele havia perdido a mão para o Assassino de Branco.

Kaladin puxou Teft de lado.

— Perdemos mais alguém? Vi Mart e Pedin.

— Rod — disse Teft com um grunhido. — Morto pelos parshendianos.

Kaladin fechou os olhos, soltando o ar em um sibilo. Rod era um dos primos de Lopen, um herdaziano jovial que mal falava alethiano. Kaladin mal o conhecera, mas mesmo assim o homem era da Ponte Quatro. Sua responsabilidade.

— Você não pode proteger a todos nós, filho — disse Teft. — Não pode impedir que as pessoas sintam dor, não pode impedir que homens morram.

Kaladin abriu seus olhos, mas não desafiou as afirmações. Pelo menos, não vocalmente.

— Kal — disse Teft, a voz ainda mais baixa. — No final, logo antes da sua chegada... Raios, filho, juro que vi um ou dois dos rapazes brilhando. Só um pouco, com Luz das Tempestades.

— O quê?

— Tenho ouvido as leituras daquelas visões que o Luminobre Dalinar tem — continuou Teft. — Acho que você deveria fazer o mesmo. Pelo que entendi, parece que as ordens dos Cavaleiros Radiantes eram compostas de mais pessoas do que só os cavaleiros.

Kaladin olhou para os homens da Ponte Quatro e se pegou sorrindo. Reprimiu a dor das perdas, pelo menos por enquanto.

— Eu me pergunto o que vai acontecer com a estrutura social dos alethianos quando um *grupo* inteiro de ex-escravos começar a andar por aí com a pele brilhando — disse ele em voz baixa.

— Sem mencionar esses seus olhos — grunhiu Teft.

— Meus olhos?

— Você não viu? O que estou dizendo? Não tem espelhos aqui nas Planícies. Seus olhos, filho. Azul-claros, como água vítrea. Mais claros do que os de qualquer rei.

Kaladin se virou. Tinha torcido para que seus olhos não mudassem. O fato de isso ter acontecido o deixava desconfortável. Era um indício preocupante. Ele não queria acreditar que os olhos-claros tinham algum embasamento para sua opressão.

Eles ainda não têm, pensou, infundindo as gemas nas lâmpadas, como Sigzil havia instruído. *Talvez os olhos-claros reinem devido à memória profundamente enraizada dos Radiantes. Mas só porque eles se parecem um pouco com os Radiantes não significa que deveriam poder oprimir todo mundo.*

Tormentosos olhos-claros. Ele...

Ele era um deles agora.

Raios!

Kaladin invocou Syl como Espada, seguindo as instruções de Sigzil, e usou-a como uma chave para ativar o fabrial.

SHALLAN ESTAVA PARADA NOS portões de Urithiru, olhando para cima e tentando compreender.

Lá dentro, vozes ecoavam no grande salão e luzes se moviam enquanto pessoas exploravam. Adolin havia assumido o comando daquela atividade, enquanto Navani montara um acampamento para cuidar dos feridos e contar os suprimentos. Infelizmente, haviam deixado a maior parte da comida e do equipamento para trás nas Planícies Quebradas. Além disso, a viagem pelo Sacroportal não havia sido tão simples quanto Shallan havia imaginado de início. De algum modo, a passagem drenara a maioria das gemas levadas pelos homens e mulheres no platô — incluindo os fabriais de Navani, seguros nas mãos de engenheiras e eruditas.

Elas haviam feito alguns testes. Quanto mais pessoas eram transportadas, mais Luz era necessária. Parecia que a Luz das Tempestades, e não só as gemas que as continham, havia se tornado um recurso valioso. Já se tornara necessário racionar as gemas e lâmpadas para explorar o edifício.

Várias escribas passaram por ela, carregando papéis para desenhar mapas da exploração de Adolin. Elas fizeram mesuras rápidas e constrangidas para Shallan e a chamaram de "Luminosa Radiante". Ela ainda não havia falado com Adolin em maiores detalhes sobre o que acontecera.

— É verdade? — indagou Shallan e inclinou a cabeça totalmente para trás, olhando para a lateral da enorme torre sob o céu azul acima. — Eu sou um deles?

— Hmm... — fez Padrão do tecido da sua saia. — Quase. Ainda falta dizer algumas Palavras.

— Que tipo de palavras? Um juramento?

— Teceluzes não fazem juramentos além do primeiro — disse Padrão. — Você precisa falar verdades.

Shallan olhou para cima por mais algum tempo, então virou-se e caminhou de volta para seu acampamento improvisado. Ali não havia Pranto. Ela não sabia ao certo se era porque realmente estavam *acima* das nuvens de chuva, ou se os padrões climáticos haviam sido desequilibrados pela chegada das estranhas grantormentas.

No acampamento, homens estavam sentados em pedra, divididos pelas patentes, tremendo sob os casacos molhados. O hálito de Shallan se condensava diante dela, muito embora ela houvesse sugado Luz das Tempestades — só um pouquinho — para se impedir de notar o frio. Infelizmente, não havia muito que pudesse ser usado em fogueiras. O grande terreno de pedra diante da torre trazia muito poucos petrobulbos, e os que cresciam eram minúsculos, menores que um punho. Eles forneceriam pouca madeira para fogueiras.

A área estava cercada por dez platôs altos, com degraus subindo em espiral ao redor das bases. Os Sacroportais. Além deles, se estendia a cadeia montanhosa.

Crem cobria alguns dos degraus ali e pingava pelas beiradas do terreno aberto. Não havia nem de perto a mesma quantidade das Planícies Quebradas. Devia chover menos ali.

Shallan foi até a beirada do platô. Era uma queda e tanto. Se Nohadon realmente *havia* caminhado até aquela cidade, como alegava *O caminho dos reis*, então sua viagem devia ter incluído escalar penhascos. Até o momento, eles não haviam encontrado outra maneira de sair que não fosse através dos Sacroportais — e mesmo que tal caminho existisse, ainda estariam isolados no meio das montanhas, a semanas da civilização. Julgando pela altura do sol, as eruditas estimavam que estivessem perto do centro de Roshar, em algum lugar nas montanhas perto de Tu Bayla ou talvez Emul.

A localização remota tornava a cidade incrivelmente defensável, ou pelo menos era o que dizia Dalinar. Também os deixava isolados, talvez por completo. E isso, por sua vez, explicava por que todo mundo olhava para Shallan daquele jeito. Tinham tentado outras Espadas Fractais; nenhuma conseguia fazer com que o antigo fabrial funcionasse. Shallan era literalmente a única maneira de sair daquelas montanhas.

Um dos soldados ali perto pigarreou.

— A senhorita tem certeza de que é boa ideia chegar tão perto da borda, Luminosa Radiante?

Ela olhou para o homem com um ar divertido.

— Eu poderia sobreviver à queda e sair andando, soldado.

— Hum, sim, Luminosa — disse ele, corando.

Ela se afastou da beirada e foi procurar Dalinar. Olhos a seguiam enquanto caminhava: soldados, escribas, olhos-claros e grão-senhores. Bem, que vissem Shallan, a Radiante. Sempre podia encontrar liberdade mais tarde, usando outro rosto.

Dalinar e Navani supervisionavam um grupo de mulheres perto do centro do exército.

— Tiveram sorte? — indagou Shallan, se aproximando.

Dalinar olhou para ela. As escribas escreviam cartas usando todas as telepenas disponíveis, enviando mensagens de alerta para os acampamentos de guerra e para a estação de retransmissão em Tashikk. *Uma nova tempestade pode chegar, soprando do oeste, não do leste. Preparem-se.*

Nova Natanan, na costa mais oriental de Roshar, seria atingida logo depois que a tempestade eterna deixasse as Planícies Quebradas. Então a tormenta adentraria o oceano oriental e se moveria na direção da Origem.

Nenhum deles sabia o que aconteceria em seguida. Será que ela daria a volta ao mundo e apareceria na costa ocidental? Seriam todas as grantormentas uma tempestade que dava a volta no planeta, ou uma nova começava na Origem a cada vez, como alegava a mitologia?

Eruditas e guarda-tempos atualmente acreditavam na primeira opção. Seus cálculos diziam que, partindo do princípio de que a tempestade eterna se movia na mesma velocidade que uma grantormenta naquele período do ano, teriam alguns dias antes que ela voltasse e atingisse Shinovar e Iri, soprando então pelo continente e arrasando cidades que se consideravam protegidas.

— Sem notícias — disse Dalinar com voz tensa. — O rei parece ter sumido. E mais, Kholinar parece estar passando por uma rebelião. Não fui capaz de conseguir respostas diretas a qualquer uma dessas perguntas.

— Tenho certeza de que o rei está em um lugar seguro — disse Shallan, olhando para Navani.

A mulher mantinha uma expressão calma, mas sua voz soava tensa e estressada enquanto dava instruções para um escriba. Um dos platôs altos ali perto emitiu um clarão; uma parede de luz girando ao redor do seu perímetro deixou borrões impressos nas retinas, que sumiram aos poucos. Alguém havia ativado o Sacroportal.

Dalinar foi até ela e eles esperaram, tensos, até que um grupo de figuras de azul apareceu na borda do platô e começou a descer os degraus. A Ponte Quatro.

— Ah, graças ao *Todo-Poderoso* — sussurrou Shallan. Era ele, não o assassino.

Uma das figuras apontou para onde estava Dalinar e os outros. Kaladin separou-se dos seus homens, *pulando* dos degraus e flutuando sobre o exército. Ele pousou já caminhando e carregava uma Espada Fractal no ombro e seu longo casaco de oficial desabotoado que chegava aos joelhos.

Ele ainda tem as marcas de escravo, pensou Shallan, embora o cabelo comprido as ocultasse. Seus olhos agora eram azul-claros e brilhavam levemente.

— Filho da Tempestade — chamou Dalinar.

— Grão-príncipe — respondeu Kaladin.

— O assassino?

— Morto — disse Kaladin, levantando a Espada e enfiando-a na rocha diante de Dalinar. — Precisamos conversar. Essa...

— Meu filho, carregador — perguntou Navani, de trás. Ela se aproximou e pegou Kaladin pelo braço, sem se importar com a Luz das Tempestades que emanava da pele dele como fumaça. — O que aconteceu com o meu filho?

— Houve uma tentativa de assassinato — disse Kaladin. — Eu impedi, mas o rei estava ferido. Eu o deixei em um lugar seguro antes de ir ajudar Dalinar.

— Onde? — interpelou Navani. — Mandamos nosso pessoal aos acampamentos de guerra procurarem em monastérios, mansões, casernas...

— Esses lugares eram óbvios demais. Se a senhora pensou em procurá-lo lá, assassinos também pensariam. Eu precisava de um lugar que ninguém imaginaria.

— Onde, então? — perguntou Dalinar.

Kaladin sorriu.

O LOPEN FORMOU UM PUNHO com a mão, agarrando a esfera. Na sala ao lado, sua mãe estava dando uma bronca em um rei.

— Não, não, Vossa Majestade — disse ela com forte sotaque, usando o mesmo tom severo que utilizava com os cães-machados. — Enrole tudo e coma. Não pode tirar pedaços desse jeito.

— Não estou com tanta fome assim, nana — disse Elhokar. Sua voz estava fraca, mas ele havia acordado do seu estupor alcóolico, o que era um bom sinal.

— Vai comer mesmo assim! — disse a mãe. — Eu sei o que fazer quando vejo um homem assim tão pálido, e perdão, Vossa Majestade, mas o senhor está tão pálido quanto um lençol quarando ao sol! E essa é a verdade. O senhor vai comer. Sem reclamações.

— Eu sou o rei. Não recebo ordens de...

— Você está na minha casa! — disse ela, e Lopen recitou o discurso junto silenciosamente. — Na casa de uma mulher herdaziana, nenhum cargo tem importância, a não ser o dela. Não vou deixar que venham aqui buscá-lo e descubram que não foi alimentado direito! Não vou deixar as pessoas dizerem isso, Vossa Luminosidade, não vou, não! Agora coma. Tenho sopa no fogo.

O Lopen sorriu e, muito embora ouvisse o rei resmungar, *também* ouviu o som da colher contra o prato. Dois dos primos mais fortes de Lopen estavam sentados diante do barraco em Pequeno Herdaz — que ficava tecnicamente no acampamento de guerra do Grão-príncipe Sebarial, muito embora os herdazianos não prestassem muita atenção a isso. Mais quatro primos estavam sentados no fim da rua, costurando placidamente algumas botas, de olho em qualquer coisa suspeita.

— Muito bem — sussurrou Lopen —, você precisa se esforçar de verdade dessa vez.

Ele se concentrou naquela esfera em sua mão. Como fazia todo dia, e havia feito desde o dia em que o capitão Kaladin havia começado a brilhar. Mais cedo ou mais tarde aprenderia. Tinha tanta certeza disso quanto tinha do seu nome.

— Lopen. — Um rosto largo apareceu em uma das janelas, distraindo-o. Chilinko, seu tio. — Bote roupas de herdaziano nesse homem rei de novo. Pode ser que a gente precise se mudar.

— Se mudar? — disse Lopen, se levantando.

— Estão falando em todos os acampamentos de uma mensagem do Grão-príncipe Sebarial — disse Chilinko em herdaziano. — Encontraram alguma coisa lá nas Planícies. Fique pronto. Só por via das dúvidas. Todo mundo está falando. Não consigo entender nada. — Ele sacudiu a cabeça. — Primeiro aquela grantormenta surpresa, então as chuvas acabando mais cedo, e o tormentoso *homem rei de Alethkar* na minha porta. Agora isso. Acho que talvez a gente deixe o acampamento, mesmo com a noite já chegando. Não faz sentido para mim, mas cuide do homem rei.

O Lopen concordou.

— Pode deixar. Só um segundo.

Chilinko se afastou. Lopen abriu a palma da mão e olhou para a esfera. Não queria perder o treinamento, só por via das dúvidas. Afinal de contas, mais cedo ou mais tarde, ele ia olhar para uma delas e...

O Lopen sorveu a Luz.

Aconteceu em um piscar de olhos, e então ali estava ele, com Luz das Tempestades emanando da pele.

— Ha! — gritou ele, se levantando de um salto. — *Ha!* Ei, Chilinko, venha aqui. Preciso colar você na parede!

A Luz se apagou de repente. O Lopen parou, testa franzida, e estendeu a mão diante de si. Acabou tão rápido? O que havia acontecido? Ele hesitou. Aquela coceira...

Ele apalpou o ombro, no ponto em que havia perdido o braço, há muito tempo. Ali, seus dedos tatearam um novo calombo de carne que havia começado a brotar da sua cicatriz.

— Ah, *raios*, sim! Todo mundo dê ao Lopen suas esferas! Tenho que botar um brilho para funcionar.

MOASH ESTAVA SENTADO NA traseira da carroça que sacolejava a caminho da saída dos acampamentos de guerra. Poderia ir na frente, mas não queria ficar tão longe da sua armadura, que haviam embrulhado em pacotes e empilhado ali atrás. Escondida. A Espada e a Armadura podiam estar no seu nome, mas ele não tinha ilusões do que aconteceria se a elite alethiana notasse que estava tentando fugir com elas.

Sua carroça chegou ao topo da colina logo além dos acampamentos de guerra. Atrás deles, enormes filas de pessoas estavam saindo para as Planícies Quebradas. As ordens do Grão-príncipe Dalinar haviam sido claras, ainda que desconcertantes. Os acampamentos de guerra estavam sendo abandonados. Todos os parshemanos deviam ser deixados para trás, e todo mundo devia seguir para o centro das Planícies Quebradas.

Alguns dos grão-príncipes obedeceram; outros, não. Curiosamente, Sadeas foi um dos que obedeceram, com seu acampamento de guerra se esvaziando quase tão depressa quanto os de Sebarial, Roion e Aladar. Parecia que todos estavam indo, até mesmo as crianças.

A carroça de Moash parou. Graves surgiu na traseira alguns momentos depois.

— A gente não precisava ter se preocupado em sair escondido — murmurou ele, olhando para o êxodo. — Estão ocupados demais para prestar atenção em nós. Veja só.

Alguns grupos de comerciantes estavam reunidos fora do acampamento de Dalinar. Eles fingiam estar embalando suas coisas para partir, mas não faziam nenhum progresso visível.

— Saqueadores — disse Graves. — Vão partir para os acampamentos de guerra abandonados em busca de pilhagem. Idiotas tormentosos. Merecem o que está por vir.

— *O que* está por vir? — questionou Moash.

Sentia-se jogado em um rio caudaloso, que havia inundado as margens depois de uma grantormenta. Ele nadava com a corrente, mas mal conseguia manter a cabeça acima da água. Tentara matar Kaladin. *Kaladin.* Estava tudo arruinado. O rei sobrevivera, os poderes de Kaladin estavam de volta, e Moash... Moash era um traidor. Duplamente traidor.

— Tempestade Eterna — disse Graves.

Ele não parecia tão refinado agora que usava um macacão e uma camisa remendados de um pobre olhos-escuros. Havia usado algum colírio estranho para escurecer os olhos, então instruíra Moash a fazer o mesmo.

— E o que é isso?

— O Diagrama é vago — disse Graves. — Só conhecemos o termo por causa das visões do velho Gavilar. Mas o Diagrama diz que ela provavelmente vai trazer os Esvaziadores de volta. Parece que, no fim das contas, eles são os parshemanos. — Ele sacudiu a cabeça. — Danação. Aquela mulher estava certa.

— Mulher?

— Jasnah Kholin.

Moash balançou a cabeça. Não compreendia *nada* do que estava acontecendo. As frases de Graves pareciam sequências de palavras que não deviam andar juntas. Parshemanos, Esvaziadores? Jasnah Kholin? Era a irmã do rei. Ela não havia morrido no mar? O que Graves sabia sobre ela?

— Quem é você de verdade? — perguntou Moash.

— Um patriota — respondeu Graves. — Exatamente como eu disse. Temos permissão de seguir nossos próprios interesses e metas até sermos convocados. — Ele balançou a cabeça. — Eu tinha certeza de que a minha interpretação estava correta, que se removêssemos Elhokar, Dalinar se tornaria nosso aliado no que está por vir... Bem, parece que eu estava errado. Ou isso, ou fui lento demais.

Moash sentiu-se enjoado. Graves agarrou-o pelo braço.

— Anime-se, Moash. Trazer um Fractário de volta comigo significa que minha missão não foi uma perda *completa*. Além disso, você pode nos contar sobre esse novo Radiante. Vou lhe mostrar o Diagrama. Nós temos um trabalho importante.

— E o que é?

— Salvar o mundo inteiro, meu amigo. — Graves deu um tapinha no seu braço, então caminhou para a frente da carroça, onde estavam os outros.

Salvar o mundo inteiro.

Eu banquei um dos dez tolos, pensou Moash, baixando a cabeça. *E nem mesmo sei como.*

A carroça recomeçou a andar.

88
O HOMEM QUE ERA O DONO DOS VENTOS

1173090605   1173090801   1173090901   1173091001
1173091004   1173100105   1173100205   1173100401
1173100603   1173100804

— Extraído do Diagrama, Trecho da Parede Norte, área do Parapeito: parágrafo 2 (Parece ser uma sequência de datas, mas sua relevância ainda é desconhecida.)

ELES LOGO COMEÇARAM A adentrar a torre.
Não havia mais nada que pudessem fazer, embora as explorações de Adolin estivessem longe de terminar. A noite estava chegando, e a temperatura caía do lado de fora. Além disso, a grantormenta que havia atingido as Planícies Quebradas devia estar espalhando sua fúria pelas terras, e por fim chegaria àquelas montanhas. Era necessário mais de um dia para uma grantormenta cruzar o continente inteiro, e eles estavam provavelmente perto do centro, então ela devia estar se aproximando.

Uma grantormenta imprevista, pensou Shallan, caminhando pelos corredores escuros com seus guardas. *E algo mais vindo da outra direção.*

Dava para ver que aquela torre — seu conteúdo, cada corredor — era uma majestosa maravilha. Seu cansaço ficava muito claro no fato de não querer desenhar nenhuma parte do local. Ela só queria dormir.

A luz das esferas revelou algo estranho na parede à frente. Shallan franziu o cenho, livrando-se da fadiga e andando até lá. Um pequeno pedaço de papel dobrado, como um cartão. Ela olhou de volta para seus guardas, que pareciam igualmente confusos.

Ela tirou o cartão da parede; ele havia sido grudado com um pouco de besoucera no verso. Dentro havia o símbolo triangular dos Sanguespectros. Abaixo dele, o nome de Shallan. Não o nome de Véu.

O nome de Shallan.

Pânico. Estado de alerta. Em um instante, ela havia sugado a Luz de sua lanterna, lançando o corredor nas trevas. Mas havia luz brilhando de uma porta próxima.

Ela olhou fixamente para aquela luminosidade. Gaz moveu-se para investigar, mas Shallan o deteve com um gesto.

Fugir ou lutar?

Fugir para onde? Hesitante, foi até a porta, novamente sinalizando para que seus guardas recuassem.

Mraize estava dentro do aposento, olhando para uma enorme janela sem vidro que dava para outra seção do interior da torre. Ele se voltou para ela, o rosto deformado pelas cicatrizes, mas ainda assim com um ar refinado nas suas roupas de cavalheiro.

Então ela havia sido descoberta.

Não sou mais uma criança que se esconde no quarto quando os gritos começam, pensou com firmeza, adentrando o aposento. *Se eu fugir desse homem, ele me verá como algo a ser caçado.*

Ela caminhou direto até ele, pronta para invocar Padrão. Ele não era como as outras Espadas Fractais; agora Shallan compreendia. Não precisava dos dez batimentos cardíacos para surgir.

Ele já havia feito isso antes. Ela nunca estivera disposta a admitir que ele era capaz disso; admitir teria significado coisas demais.

Quantas mais das minhas mentiras me impedem de exercer habilidades que tenho?

Mas ela precisava das mentiras. *Precisava* delas.

— Você me conduziu a uma caçada grandiosa, Véu — disse Mraize. — Se suas habilidades não houvessem se manifestado durante o salvamento do exército, talvez eu nunca houvesse descoberto sua falsa identidade.

— Véu é a falsa identidade, Mraize — disse Shallan. — Eu sou eu.

Ele a inspecionou.

— Acho que não.

Shallan o encarou, mas tremia por dentro.

— Você está em uma posição curiosa — disse Mraize. — Vai esconder a verdadeira natureza dos seus poderes? Pude adivinhá-los, mas outros não serão tão doutos. Podem ver apenas a Espada, e não perguntar o que mais você pode fazer.

— Não vejo por que isso seria da sua conta.

— Você é uma de nós — disse Mraize. — Nós cuidamos dos nossos.

Shallan franziu o cenho.

— Mas você descobriu a mentira.

— Está dizendo que não quer ser dos Sanguespectros? — O tom dele não era ameaçador, mas aqueles olhos... raios, aqueles olhos poderiam perfurar pedra. — Não oferecemos o convite a qualquer um.

— Você matou Jasnah — sibilou Shallan.

— Sim. Depois que ela, por sua vez, matou vários dos nossos membros. Você não acha que as mãos dela estavam limpas de sangue, acha, Véu?

Shallan desviou o olhar.

— Eu deveria ter adivinhado que você era Shallan Davar — continuou Mraize. — Sinto-me um tolo por não ter percebido antes. A sua família tem uma longa história de envolvimento nesses eventos.

— Eu não vou ajudá-lo — disse Shallan.

— Curioso. Você deveria saber que estou com seus irmãos.

Ela o fitou de repente.

— Sua casa não existe mais — disse Mraize. — A propriedade da sua família foi tomada por um exército de passagem. Resgatei seus irmãos do caos da guerra de sucessão, e estou trazendo-os para cá. A sua família, contudo, está em dívida comigo. Um Transmutador. Quebrado. — Ele a encarou. — Quão conveniente que você, pelo que entendi, *seja* uma transmutadora, pequena lâmina.

Ela invocou Padrão.

— Eu mato você antes de permitir que os use como chantagem...

— Sem chantagem — replicou Mraize. — Eles chegarão em segurança. Um presente para você. Você verá que estou falando a verdade. Mencionei a dívida apenas para que ela tenha uma chance de... se instalar na sua mente.

Ela franziu o cenho, segurando sua Espada Fractal, hesitante.

— Por quê? — indagou finalmente.

— Porque você é ignorante. — Mraize se aproximou, a diferença de altura fazendo com que Shallan parecesse minúscula. — Você não sabe quem somos. Não sabe o que estamos tentando fazer. Você não sabe muito de nada, Véu. Por que seu pai se juntou a nós? Por que o seu irmão buscou os Rompe-céus? Fiz minhas pesquisas, sabe? Tenho respostas para lhe dar. — Surpreendentemente, ele virou-lhe as costas e caminhou para a porta. — Vou dar-lhe tempo para considerar a questão. Você parece achar que sua nova posição entre os Radiantes faz com que não se adeque ao nosso grupo, mas penso de modo diferente, e minha *babsk* também. Deixe que Shallan Davar seja uma Radiante, conformista e nobre. Que Véu nos visite. — Ele parou junto à porta. — E que ela encontre a verdade.

Ele desapareceu no corredor. Shallan sentiu-se ainda mais exausta. Dispensou Padrão e se apoiou na parede. *Claro que* Mraize chegaria até ali — ele provavelmente estivera entre os exércitos. Chegar a Urithiru havia sido uma das principais metas dos Sanguespectros. Apesar de sua determinação de não os ajudar, ela os transportara — junto com o exército — bem para onde queriam chegar.

Os irmãos dela? Estariam mesmo em segurança? E os criados da família, a noiva do seu irmão?

Ela suspirou, indo até a porta e coletando seus guardas. *Que ela encontre a verdade.* E se não quisesse encontrar a verdade? Padrão zumbiu baixinho.

Depois de caminhar pelo térreo da torre — usando seu próprio brilho como luz —, ela encontrou Adolin no corredor junto a um quarto, onde ele dissera que estaria. Tinha o pulso enfaixado, e os ferimentos no seu rosto estavam ficando roxos, fazendo com que ele ficasse *ligeiramente* menos inebriantemente bonito, embora houvesse certa aura bruta de "eu bati em um monte de gente hoje" que era atraente por si só.

— Você parece exausta — disse ele, dando-lhe um beijinho.

— E parece que alguém andou batendo tambor na sua cara — disse ela, mas sorriu. — Você deveria dormir um pouco.

— Eu vou. Em breve. — Adolin tocou o rosto dela. — Você é incrível, sabe? Salvou tudo. Todo mundo.

— Não precisa me tratar como se eu fosse de vidro, Adolin.

— Você é uma Radiante. Quero dizer... — Ele passou a mão pelo cabelo insistentemente desgrenhado dela. — Shallan. Você é maior do que uma olhos-claros.

— Está me chamando de gorda?

— O quê? Não. Estou dizendo... — Ele corou.

— *Não* vou deixar as coisas ficarem estranhas entre nós, Adolin.

— Mas...

Ela o agarrou em um abraço e puxou-o para um beijo profundo e apaixonado. Ele tentou murmurar alguma coisa, mas Shallan continuou beijando e pressionando seus lábios contra os dele, para deixar que Adolin sentisse o seu desejo. Ele se derreteu no beijo, então agarrou-a pela cintura e puxou-a para mais perto.

Depois de um momento, ele se afastou.

— Raios, está doendo!

— Ah! — Shallan levou a mão à boca, lembrando-se dos ferimentos no rosto dele. — Desculpe.

Ele sorriu, então fez outra careta, já que isso aparentemente doía também.

— Valeu a pena. De qualquer modo, prometo que vou evitar ficar estranho, se você evitar ser irresistível demais. Pelo menos até eu estar curado. Combinado?

— Combinado.

Ele olhou para os guardas dela.

— Ninguém perturba a senhorita Radiante, compreenderam?

Eles assentiram.

— Durma bem — disse Adolin, abrindo a porta do quarto. Muitos dos cômodos ainda tinham portas de madeira, apesar do longo tempo de abandono. — Espero que esse quarto seja adequado. Foi seu espreno que o escolheu.

Seu espreno? Shallan franziu o cenho, então entrou no quarto. Adolin fechou a porta.

Shallan estudou a câmara de pedra sem janelas. Por que Padrão havia escolhido aquele lugar específico? O quarto não parecia distinguir-se dos outros. Adolin deixara uma lâmpada de Luz das Tempestades para ela — uma extravagância, considerando quão poucas gemas iluminadas tinham —, e a iluminação revelava uma pequena câmara quadrada com um leito de pedra no canto. Havia até mesmo alguns cobertores em cima dele. Onde Adolin havia encontrado cobertores?

Ela encarou a parede, cenho franzido. Havia um quadrado desbotado na rocha, como se antes houvesse um quadro pendurado ali. Na verdade, parecia estranhamente familiar. Não que tivesse estado ali antes, mas a posição daquele quadrado na parede...

Era exatamente no mesmo ponto em que ficava o quadro na parede do seu pai, em Jah Keved.

A mente dela começou a ficar confusa.

— Hmm... — disse Padrão do chão ao seu lado. — Está na hora.

— Não.

— Está na hora. Os Sanguespectros estão rondando. As pessoas precisam de um Radiante.

— Elas têm um Radiante. O carregadorzinho.

— Não é o bastante. Elas precisam de você.

Shallan piscou entre lágrimas. Contra sua vontade, o quarto começou a mudar. Um tapete branco apareceu. Um retrato na parede. Mobília. Paredes pintadas de azul-claro.

Dois cadáveres.

Shallan passou por cima de um deles, embora fosse apenas uma ilusão, e andou até a parede. Uma pintura havia aparecido, parte da ilusão, envolta por um brilho branco. Havia algo escondido atrás dela. Shallan puxou o quadro para o lado, ou tentou. Seus dedos só deixaram a ilusão desfocada.

Aquilo não era nada. Só a recriação de uma memória que desejava não ter.

— Hmm... Uma mentira melhor, Shallan.

Ela piscou para clarear a vista das lágrimas. Ergueu os dedos e os pressionou contra a parede novamente. Dessa vez, *sentiu* a moldura do quadro. Não era real. Mas no momento, ela fingiu que era e deixou que a imagem a capturasse.

— Não posso continuar fingindo?

— Não.

Ela estava lá, na sala do pai. Tremendo, puxou o quadro para o lado, revelando o cofre na parede atrás. Ela levantou a chave, então hesitou.

— A alma da minha mãe está aí dentro.

— Hmm... Não. Não é a alma dela. A coisa que tomou a alma dela.

Shallan destrancou o cofre, então abriu-o. Uma pequena Espada Fractal. Jogada no cofre apressadamente, a ponta perfurando o fundo, o cabo voltado para ela.

— Isso era você — sussurrou ela.

— Hmm... Sim.

— O pai tomou você de mim — disse Shallan — e tentou escondê-lo aqui. Claro que foi inútil. Você desapareceu assim que ele fechou o cofre. Transformou-se em névoa. Ele não estava pensando direito. Nenhum de nós estava.

Ela se virou.

Tapete vermelho. Outrora branco. O amigo da sua mãe jazia no chão, o braço sangrando, embora a ferida não o houvesse matado. Shallan caminhou até o outro cadáver, com o rosto virado para o chão e trajando um lindo vestido azul e dourado. Cabelo ruivo desgrenhado, formando um padrão ao redor da cabeça.

Shallan ajoelhou-se e virou o cadáver da sua mãe, confrontando um crânio com olhos queimados.

— Por que ela tentou me matar, Padrão? — sussurrou Shallan.

— Hmm...

— Começou quando ela descobriu minhas habilidades.

Shallan relembrou. A chegada da mãe, com um amigo que ela não reconheceu, para confrontar seu pai. Os gritos da mãe, discutindo com o pai.

A mãe chamando Shallan de *um deles*.

Seu pai interferindo. O amigo da mãe com uma faca, os dois lutando, o amigo tendo o braço cortado. Sangue derramado no tapete. O amigo havia vencido aquela luta, por fim, segurando o pai dela imobilizado no chão.

A mãe pegou a faca e foi atrás de Shallan.

E então...

E então uma espada nas mãos de Shallan.

— Ele deixou todo mundo acreditar que *ele* a matou — sussurrou Shallan. — Que ele assassinou a esposa e seu amante em um ataque de raiva, quando fui eu que realmente os matou. Ele mentiu para me proteger.

— Eu sei.

— Esse segredo o destruiu. Destruiu toda a nossa família.

— Eu sei.

— Eu odeio você — sussurrou ela, fitando os olhos mortos da mãe.

— Eu sei. — Padrão zumbiu baixinho. — Uma hora você vai me matar, e terá sua vingança.

— Eu não quero vingança. Quero minha família.

Shallan se abraçou e baixou a cabeça, soluçando enquanto a ilusão sangrava fumaça branca e então desaparecia, deixando-a em um quarto vazio.

S*ó posso concluir,* escreveu Amaram apressadamente, os glifos uma bagunça descuidada de tinta, *que tivemos sucesso, Restares. Os relatos do exército de Dalinar indicam que os Esvaziadores não só foram identificados, como combatidos. Eles aparentemente desencadearam uma nova tempestade neste mundo.*

Ele levantou os olhos do bloco de notas e olhou pela janela. Sua carruagem sacolejava pela estrada do acampamento de guerra de Dalinar. Todos os soldados do homem haviam partido, e os guardas restantes tinham saído para organizar o êxodo. Mesmo com sua reputação, Amaram foi capaz de entrar facilmente no acampamento.

Ele se voltou de novo para o papel. *Não estou feliz com o sucesso. Vidas serão perdidas. Esse sempre foi nosso fardo como Filhos da Honra. Para trazer de volta os Arautos, para recuperar o domínio da Igreja, temos que colocar o mundo em uma crise.*

Essa crise começou, uma crise terrível. Os Arautos vão voltar. Como poderiam não retornar, com os problemas que agora encaramos? Mas muitos vão morrer. Muitíssimos. Que Nalan permita que a perda valha a pena. De todo modo, terei mais informações em breve. Na próxima vez que escrever, espero estar em Urithiru.

A carruagem parou e Amaram abriu a porta. Ele entregou a carta para a condutora da carruagem, Pama, que a pegou e começou a procurar na bolsa a telepena para enviar a comunicação a Restares. Ele até faria isso pessoalmente, mas não era possível usar uma telepena em movimento.

Ela destruiria os papéis quando acabasse. Amaram lançou um olhar para os baús na traseira da carruagem; continuam uma carga preciosa, incluindo todos os seus mapas, notas e teorias. Deveria ter deixado tudo aquilo com seus soldados? Trazer a força de cinquenta homens para o acampamento de Dalinar certamente teria chamado atenção, mesmo com todo o caos ali, então ele ordenara que o encontrassem nas Planícies.

Precisava continuar avançando. Ele se afastou da carruagem, escondendo o rosto sob o capuz do manto. O terreno do complexo de templos de Dalinar estava ainda mais agitado do que a maioria dos acampamentos de guerra, já que muitas pessoas procuravam os fervorosos naquele momento de tensão. Ele passou por uma mãe pedindo que um fervoroso queimasse uma oração pelo marido, que lutava no exército de Dalinar. O fervoroso não parava de repetir que ela devia pegar suas coisas e juntar-se às caravanas para as Planícies.

Estava acontecendo. Estava *mesmo* acontecendo. Os Filhos da Honra haviam, finalmente, alcançado seu objetivo. Gavilar ficaria orgulhoso. Amaram apertou o passo, virando-se quando outra fervorosa se aproximou para perguntar se ele precisava de alguma coisa. Antes que ela pudesse olhar sob seu capuz e reconhecê-lo, contudo, teve a atenção atraída por um par de jovens assustados que reclamavam que seu pai estava velho demais para fazer a viagem, e imploravam que os fervorosos ajudassem a carregá-lo de algum modo.

Amaram chegou à esquina do edifício do monastério onde mantinham os loucos e deu a volta pelos fundos, fora de vista, até os limites do acampamento. Olhou ao redor, então invocou sua Espada. Alguns cortes rápidos já...

O que era aquilo?

Ele se virou, certo de que vira alguém se aproximar. Mas não era nada. Sombras pregando peças nele. Cortou a parede e então cuidadosamente abriu o orifício que fizera. O Grandioso — Talenelat'Elin, Arauto da Guerra, em pessoa — estava sentado no quarto escuro, na mesma postura de antes. Empoleirado na ponta da cama, curvado para a frente, a cabeça baixa.

— Por que eles mantêm você nessa escuridão? — disse Amaram, dispensando sua Espada. — Nem o mais baixo dos homens merece isso, quanto mais alguém como o senhor. Vou conversar com Dalinar sobre a maneira como os loucos são...

Não, não conversaria. Dalinar o considerava um assassino. Amaram respirou profunda e longamente. Trazer os Arautos de volta cobraria seu preço, mas, por Jezerezeh, a perda da amizade de Dalinar havia sido um custo muito alto. Quisera que a misericórdia não houvesse detido sua mão, meses atrás, quando poderia ter executado aquele lanceiro.

Ele se apressou em chegar junto do Arauto.

— Grande príncipe — sussurrou Amaram. — Precisamos ir.

Talenelat não se moveu. Estava sussurrando de novo, contudo. As mesmas coisas de antes. Amaram não pôde deixar de se lembrar da última vez que visitara aquele lugar, na companhia de alguém que o fizera bancar um dos dez tolos. Quem imaginaria que Dalinar se tornara tão astuto na velhice? O tempo mudara a ambos.

— Por favor, Grande príncipe — disse Amaram, pondo o Arauto de pé com certa dificuldade. O homem era enorme, da altura de Amaram, mas com a constituição de uma muralha. A pele marrom-escura o surpreendera na primeira vez em que vira o homem; Amaram havia, de modo um tanto tolo, esperado que todos os Arautos parecessem alethianos.

Os olhos escuros do Arauto eram, naturalmente, algum tipo de disfarce.

— A Desolação... — sussurrou Talenelat.

— Sim. Ela está vindo. E, com ela, seu retorno à glória. — Amaram começou a conduzir o Arauto para a abertura na parede. — Precisamos levá-lo para...

A mão do Arauto se moveu como um raio diante dele.

Amaram se assustou, parando ao ver algo nos dedos do Arauto. Um pequeno dardo, com a ponta pingando algum líquido transparente.

Amaram fitou a abertura, que despejava luz solar no cômodo. Uma pequena figura lá fora emitiu um som de sopro, uma zarabatana nos lábios sob uma meia-máscara que lhe cobria a parte superior do rosto.

A outra mão do Arauto disparou, rápida como um piscar de olhos, e agarrou o dardo no ar a centímetros do rosto de Amaram. Os Sanguespectros. Eles não estavam tentando matar o Arauto.

Estavam tentando matar Amaram.

Ele gritou e estendeu a mão para o lado, invocando sua Espada. Lento demais. A figura olhou dele para o Arauto, então fugiu, praguejando baixinho. Amaram foi atrás dela, saltando sobre os destroços da parede e irrompendo para a luz, mas a figura se movia rápido demais.

Com o coração batendo forte, ele olhou de volta para Talenelat, preocupado com a segurança do Arauto. Amaram se espantou ao vê-lo de pé, empertigado, a cabeça erguida. Olhos castanho-escuros, supreendentemente lúcidos, refletiam a luz da abertura. Talenelat levantou um dardo diante de si e o inspecionou.

Depois deixou cair os dois dardos e sentou-se de novo na cama. Seu estranho e imutável mantra recomeçou, em um murmúrio. Amaram sentiu um arrepio correr pela espinha, mas, quando voltou ao Arauto, não conseguiu fazer com que reagisse.

Com esforço, ele fez o Arauto se levantar de novo e o guiou até a carruagem.

S ZETH ABRIU OS OLHOS.
E imediatamente fechou-os novamente, bem apertado.

— Não. Eu morri. Eu morri!

Sentiu a pedra sob o corpo. Blasfêmia. Ouviu água pingando e sentiu o sol no rosto.

— Por que não estou morto? — sussurrou. — Eu desfiz meu laço com a Espada Fractal. Caí na tempestade sem Projeções. Por que não morri?

— Você *morreu*.

Szeth abriu os olhos novamente. Estava deitado em uma área rochosa, as roupas molhadas e esfarrapadas. As Terras Geladas? Sentia frio, apesar do calor do sol.

Um homem estava diante dele, usando um elegante uniforme preto e prata. Ele tinha pele marrom-escura, como o povo da região makabakiana, mas possuía uma marca pálida na bochecha direita na forma de uma pequena lua crescente. Mantinha uma das mãos atrás das costas, enquanto a outra guardava algo no bolso do casaco. Um fabrial de algum tipo? Brilhando forte?

— Eu reconheço você — percebeu Szeth. — Eu já o vi em algum lugar antes.

— Viu mesmo.

Szeth se esforçou para se levantar. Conseguiu ficar de joelhos, então parou.

— Como? — perguntou ele.

— Esperei até você despencar no chão — disse o homem. — Até que você estivesse quebrado e destroçado, sua alma cortada, morto com certeza. Então, eu o restaurei.

— Impossível.

— Não, se for feito antes de o cérebro morrer. Assim como um homem afogado pode ser trazido de volta à vida com os cuidados apropriados, você pôde ser restaurado com a Manipulação de Fluxos correta. Se eu houvesse esperado mais alguns segundos, naturalmente, teria sido tarde demais. Mas você com certeza sabe disso. Duas das Espadas guardadas pelo seu povo permitem Regeneração. Suspeito que já tenha visto os recém-mortos restaurados à vida. — Ele falava calmamente, sem emoção.

— Quem é você? — perguntou Szeth.

— Você passou todo esse tempo obedecendo os preceitos do seu povo e da sua religião, mas não reconhece um dos seus deuses?

— Meus deuses são os espíritos das pedras — sussurrou Szeth. — O sol e as estrelas. Não homens.

— Bobagem. Seu povo reverencia os esprenos de pedra, mas *você*, não. Aquela marca de lua crescente... Ele a reconhecia, não?

— Você, Szeth, venera a ordem, não é? Você segue as leis da sua sociedade à perfeição. Isso me atraiu, embora me preocupe que a emoção tenha nublado sua capacidade de discernimento. Sua habilidade de... julgar. Julgamento.

— Nin — sussurrou ele. — Também chamado de Nalan, ou Nale, nesta região. Arauto da Justiça.

Nin assentiu.

— Por que me salvou? Meu tormento não é o bastante?

— Está falando tolices — replicou Nin. — Impróprio para alguém que pode estudar comigo.

— Eu não quero estudar — disse Szeth, se encolhendo na pedra. — Quero morrer.

— É isso mesmo? É o que você realmente mais deseja? Posso conceder-lhe isso, se for seu desejo honesto.

Szeth fechou os olhos com força. Os gritos o aguardavam naquela escuridão. Os gritos daqueles que havia matado.

Eu não estava errado. Nunca fui um Insincero.

— Não — sussurrou Szeth. — Os Esvaziadores *voltaram*. Eu estava certo, e meu povo... *eles* estavam errados.

— Você foi banido por homens mesquinhos, sem visão. Vou lhe ensinar o caminho de um indivíduo não corrompido pela emoção. Então vai voltar para o seu povo e levar com você justiça para os líderes dos shinos.

Szeth abriu os olhos e ergueu o rosto.

— Eu não sou digno.

Nin inclinou a cabeça.

— Você? Indigno? Eu vi você destruir a si mesmo em nome da ordem, vi você obedecer a seu código moral quando outros teriam fugido ou desmoronado. Szeth-filho-Neturo, eu vi você manter sua palavra com perfeição. Essa é uma habilidade que a maioria das pessoas já perdeu... é a única verdadeira beleza no mundo. Duvido que já tenha encontrado um homem mais digno dos Rompe-céus do que você.

Os Rompe-céus? Mas aquela era uma ordem dos Cavaleiros Radiantes.

— Eu destruí a mim mesmo — sussurrou Szeth.

— É verdade, e você morreu. Seu laço com sua Espada foi cortado, todas as ligações, tanto espirituais quanto físicas, foram desfeitas. Você renasceu. Venha comigo. Está na hora de visitar seu povo. Seu treinamento começa imediatamente. — Nin começou a se afastar, revelando que a coisa que levava atrás das costas era uma espada na bainha.

Você renasceu. Poderia ele... poderia Szeth renascer? Poderia acabar com os gritos e as sombras?

Você é um covarde, dissera o Radiante, o homem que era dono dos ventos. Uma pequena parte de Szeth acreditava nisso. Mas Nin oferecia mais. Algo diferente.

Ainda ajoelhado, Szeth olhou para o homem.

— Você tem razão. Meu povo tem as outras Espadas de Honra, e mantiveram-nas seguras durante milênios. Se pretendo voltar para julgá-los, vou encarar inimigos com Espadas e com poder.

— Isso não é problema — disse Nin, olhando para trás. — Eu trouxe outra Espada Fractal para você. Uma que combina perfeitamente com sua tarefa e temperamento. — Ele jogou sua grande espada no chão e ela deslizou pela pedra e parou diante de Szeth.

Ele nunca tinha visto uma espada com uma bainha de metal. E quem embainhava uma Espada Fractal? E a Espada em si... ela era preta? Uns dois centímetros haviam emergido da bainha enquanto ela deslizava pelas pedras.

Szeth jurava que podia ver uma pequena trilha de fumaça preta emanando do metal. Como Luz das Tempestades, só que escura.

Olá, disse uma voz alegre na sua mente. *Gostaria de destruir algum mal hoje?*

89

OS QUATRO

TemquehaverumarespostaQualéarespostaDeterOsPar-shendianosUmdelesSimsãoelesapeçaquefaltaPressioneosa-lethianosadestruí-losdeumavezantesqueaqueleobtenhaseu poderElevaiformarumaponte

— Extraído do Diagrama, Tábua do Assoalho 17: parágrafo 2, cada segunda letra começando com a segunda

D**ALINAR ESTAVA PARADO NA** escuridão. Ele olhou em volta, tentando lembrar como havia chegado àquele lugar. Nas sombras, via móveis. Mesas, um tapete, cortinas de Azir com cores extravagantes. Sua mãe sempre sentira orgulho daquelas cortinas.

Minha casa, ele pensou. *Do jeito que era na minha infância.* Antes da conquista, antes que Gavilar...

Gavilar... Gavilar não tinha morrido? Não, Dalinar ouvia a gargalhada do irmão na sala ao lado. Ele era uma criança; os dois eram crianças.

Dalinar cruzou a sala sombria, sentindo a alegria difusa da familiaridade. De coisas que eram como *deveriam* ser. Ele havia deixado suas espadas de madeira lá fora. Tinha uma coleção, cada uma talhada como uma Espada Fractal. Já estava grande demais para brincar com elas, naturalmente, mas ainda gostava de tê-las. Como uma coleção.

Ele foi até as portas da varanda e abriu-as.

Foi banhado por uma luz cálida. Um calor profundo, envolvente, *penetrante*. Um calor que atravessou sua pele até seu âmago. Ele fitou aquela luz, mas não foi cegado. A fonte era distante, mas ele a conhecia. Ele a conhecia muito bem.

Sorriu.

Então despertou. Sozinho em seus novos aposentos em Urithiru, um quarto temporário até que vasculhassem a torre inteira. Uma semana havia se passado desde que chegara àquele lugar, e as pessoas dos acampamentos haviam finalmente começado a aparecer, trazendo esferas recarregadas durante a grantormenta inesperada. Eles precisavam muito de tais para fazer o Sacroportal funcionar.

As pessoas dos acampamentos chegaram na hora certa. A Tempestade Eterna ainda não havia voltado, mas caso se movesse como uma grantormenta comum, deveria chegar em breve.

Dalinar ficou sentado na escuridão por um breve momento, contemplando o *calor* que experimentara. O que havia sido aquilo? Era um momento estranho para receber uma visão. Elas sempre vinham durante as grantormentas. Antes disso, quando sentia uma chegando durante o sono, a visão o despertava.

Conferiu com os guardas. Nenhuma grantormenta estava caindo. Contemplativo, começou a se vestir. Queria ver se conseguia chegar ao teto da torre hoje.

E NQUANTO CAMINHAVA PELOS CORREDORES escuros de Urithiru, Adolin tentava não mostrar quão perplexo se sentia. O mundo havia simplesmente se *movido,* como uma porta nas dobradiças. Alguns dias atrás, seu noivado causal era o de um homem poderoso com uma descendente relativamente menor de uma casa distante. Agora, Shallan talvez fosse a pessoa mais importante do mundo, e ele era...

O que ele era?

Levantou sua lanterna, então fez algumas marcas com giz na parede para indicar que havia passado por ali. A torre era *enorme.* Como se mantinha de pé? Provavelmente poderiam explorar a área durante meses e não abrir todas as portas. Ele havia se lançado no trabalho de exploração porque parecia ser algo ao seu alcance. Isso também, infelizmente, dava-lhe tempo para pensar. E não gostava de quão poucas respostas havia encontrado.

Ele se virou, percebendo que havia se afastado muito do resto do grupo de batedores. Fazia isso com uma frequência cada vez maior. Os primeiros grupos das Planícies Quebradas haviam começado a chegar e precisavam decidir onde abrigar todo mundo.

Eram vozes que ouvia à frente? Adolin franziu o cenho, então continuou descendo o corredor, deixando sua lanterna para trás para não entregar sua aproximação. Ficou surpreso quando reconheceu uma das pessoas falando, mais adiante no corredor. Era *Sadeas*?

Era, sim. O grão-príncipe estava junto de seu próprio grupo de exploradores. Adolin amaldiçoou em silêncio o vento que havia persuadido Sadeas — logo ele — a ouvir o chamado para ir a Urithiru. Tudo seria muito mais fácil se ele houvesse ficado para trás.

Sadeas gesticulou para que alguns dos seus soldados seguissem por uma bifurcação do corredor cavernoso. Sua esposa e algumas das escribas foram para o outro lado, seguidas por dois soldados. Adolin assistiu por um momento enquanto o próprio grão-príncipe levantava uma lanterna, inspecionando uma pintura desbotada na parede. Uma pintura fantasiosa, com animais da mitologia. Ele reconheceu alguns das histórias de ninar, como a enorme criatura semelhante a um vison com uma juba ao redor e atrás da cabeça. Qual era mesmo o nome?

Adolin virou-se para ir embora, mas sua bota raspou na pedra.

Sadeas girou, levantando a lanterna.

— Ah, príncipe Adolin. — Ele usava roupas brancas, que não combinavam com sua compleição; a cor pálida fazia com que seu rosto corado parecesse sanguinolento em comparação.

— Sadeas — disse Adolin, voltando. — Não sabia que havia chegado.

Homem tormentoso. Ele havia ignorado seu pai por meses, e *agora* havia decidido obedecer? O grão-príncipe caminhou tranquilamente pelo corredor, passando por Adolin.

— Este lugar é notável; deveras notável.

— Então reconhece que meu pai estava certo. Que as visões dele são verdadeiras. Os Esvaziadores voltaram, e você bancou o tolo.

— Reconheço que seu pai é mais determinado do que eu temia — replicou Sadeas. — Um plano notável. Entrar em contato com os parshendianos, fazer esse acordo com eles. Ouvi falar que foi um espetáculo e tanto. Certamente convenceu Aladar.

— Não é possível que você ache que foi tudo um espetáculo.

— Ah, faça-me o favor. Você nega que há um parshendiano entre sua *própria guarda*? Não é conveniente que esses novos "Radiantes" incluam o chefe da guarda de Dalinar e a sua própria noiva?

Sadeas sorriu, e Adolin viu a verdade. Não, ele não acreditava nisso, mas aquela era a mentira que contaria. Recomeçaria com os rumores, tentando minar Dalinar.

— Por quê? — questionou Adolin, se aproximando dele. — *Por que* você é assim, Sadeas?

— Porque precisa acontecer — respondeu Sadeas, suspirando. — Um exército não pode ter dois generais, filho. Seu pai e eu somos dois velhos espinhas-brancas que querem o mesmo reino. É ele ou eu. Já estávamos apontados para este caminho desde que Gavilar morreu.

— Não precisa ser assim.

— Precisa. Seu pai nunca confiará em mim novamente, Adolin, e você sabe disso. — O rosto de Sadeas assumiu uma expressão sombria. — Eu vou tomar isso dele. Esta cidade, essas descobertas. Foi só um contratempo.

Adolin hesitou por um momento, encarando Sadeas, então algo finalmente se rompeu.

Já chega.

Adolin agarrou Sadeas pela garganta com a mão ilesa, batendo o grão-príncipe contra a parede. Parte dele achou graça do ar absolutamente chocado no rosto de Sadeas, a parte muito pequena que não estava completamente, totalmente e *irrevogavelmente* enfurecida.

Ele apertou e sufocou um pedido de ajuda enquanto prendia Sadeas contra a parede, agarrando o braço do homem com o próprio. Mas Sadeas era um soldado treinado. Ele tentou se livrar da pegada, agarrando o braço de Adolin e torcendo.

Adolin manteve a pegada, mas perdeu o equilíbrio. Os dois caíram de maneira caótica, rolando e se contorcendo. Não havia ali a intensidade calculada dos duelos, ou mesmo a luta metódica do campo de batalha.

Eram dois homens suados e tensos, os dois à beira do pânico. Adolin era mais jovem, mas ainda estava machucado pela luta com o Assassino de Branco.

Conseguiu ficar por cima e, enquanto Sadeas se esforçava para gritar, Adolin bateu a cabeça do homem contra o chão de pedra para atordoá-lo. Com a respiração arquejante, Adolin pegou sua faca de cinto e golpeou na direção do rosto de Sadeas, mas o homem conseguiu levantar as mãos para agarrar seu pulso.

Adolin grunhiu, forçando a aproximação da faca, que segurava com a mão esquerda. Ele juntou a mão direita ao esforço, o pulso queimando de dor, enquanto se apoiava na guarda da lâmina. Suor salpicava a testa de Sadeas, a ponta da faca tocando a base da sua narina esquerda.

— Meu pai acha que eu sou um homem melhor do que ele — grunhiu Adolin, o suor pingando do seu nariz pela lâmina da faca. Ele fez mais força e sentiu a pegada de Sadeas enfraquecer. — Infelizmente para você, ele está errado.

Sadeas gemeu.

Com um impulso, Adolin forçou a lâmina além do nariz de Sadeas na direção do seu globo ocular — perfurando o olho como uma fruta madura — e a enterrou até atingir o cérebro.

Sadeas estremeceu por um momento, o sangue se acumulando ao redor da lâmina enquanto Adolin a torcia, só para garantir.

Um segundo depois, uma Espada Fractal apareceu ao lado de Sadeas — a Espada Fractal do seu pai. Sadeas estava morto.

Adolin cambaleou para trás a fim de não sujar sua roupa de sangue, muito embora seus punhos já estivessem manchados. Raios. Ele havia mesmo feito aquilo? Acabara de *assassinar* um *grão-príncipe*?

Atordoado, ele fitou a arma. Nenhum dos dois havia invocado sua Espada durante a luta. As armas podiam valer uma fortuna, mas eram menos úteis do que uma pedra em um combate corpo a corpo.

Quando seus pensamentos clarearam, Adolin pegou a arma e se afastou, cambaleando. Ele jogou a Espada por uma janela, deixando-a cair em um dos afloramentos semelhantes a canteiros na varanda abaixo. Talvez ficasse segura lá.

Depois disso, ele teve a presença de espírito de cortar os punhos da própria camisa, remover a marca de giz da parede ao raspá-la com sua própria Espada e se afastar o máximo possível antes de encontrar uma das suas equipes de exploração e fingir que estivera por aquela área o tempo todo.

DALINAR FINALMENTE DECIFROU O mecanismo da tranca, então empurrou a porta de metal no final da escadaria. A porta ficava no teto, e os degraus subiam direto até ela.

A portinhola recusou-se a abrir, apesar de estar destrancada. Ele havia lubrificado as peças. Por que não se movia?

Crem, naturalmente, pensou. Ele invocou sua Espada Fractal e fez uma série de cortes rápidos ao redor da portinhola. Então, com certo esforço, foi capaz de abri-la. O velho alçapão abriu-se para cima e deixou que ele alcançasse o topo da cidade-torre.

Ele sorriu, subindo até o teto. Cinco dias de exploração haviam levado Adolin e Navani para as profundezas da cidade-torre. Dalinar, contudo, fora atraído ao topo.

Para uma torre tão enorme, o teto era na verdade relativamente pequeno, e nem estava tão encrustado com crem. Ali tão alto provavelmente caía menos chuva durante as grantormentas — e todo mundo sabia que crem era mais espesso no leste do que no oeste.

Raios, o lugar era alto. Seus ouvidos haviam estalado várias vezes enquanto subia até o topo, usando o elevador fabrial que Navani havia descoberto. Ela falou em contrapesos e gemas siamesas, parecendo impressionada com a tecnologia dos antigos. Tudo que ele sabia era que a descoberta dela havia evitado que subisse algumas centenas de escadarias.

Dalinar foi até a beirada e olhou para baixo. Abaixo, cada círculo da torre se expandia um pouco mais do que o círculo acima dele. *Shallan está certa. São jardins. Cada círculo externo é dedicado a plantar comida.* Ele não sabia por que a face oriental da torre era reta e íngreme, voltada para a Origem. Não havia varandas daquele lado.

Ele se inclinou para fora. Ao longe, tão abaixo a ponto de deixá-lo com vertigem, identificou os dez pilares que continham os Sacroportais. O das Planícies Quebradas cintilou e um grande grupo apareceu nele; portavam a bandeira de Hatham. Com os mapas que as eruditas haviam enviado, Hatham e os outros só precisaram de uma semana de marcha rápida para alcançar o Sacroportal. Quando o exército de Dalinar havia cruzado aquela distância, fora de modo muito cauteloso, atento aos ataques dos parshendianos.

Agora, vendo os pilares daquela perspectiva, ele reconheceu que havia um deles em Kholinar. Ele formava a plataforma na qual o palácio e o templo real haviam sido construídos. Shallan suspeitava que Jasnah havia tentado abrir o Sacroportal de lá; as anotações da mulher diziam que os Sacroportais de cada uma das cidades estavam bem trancados. Só aquele nas Planícies Quebradas fora deixado aberto.

Shallan esperava descobrir como usar os outros, muito embora seus testes agora mostrassem que estavam trancados, de algum modo. Se ela conseguisse botá-los para funcionar, o mundo se tornaria um lugar muito, muito menor partindo do princípio de que alguma parte desse mundo sobrevivesse.

Dalinar virou-se e olhou para cima, fitando o céu. Respirou fundo. Por isso que viera até o topo.

— Você enviou aquela tempestade para nos destruir! — gritou ele para as nuvens. — Mandou-a para encobrir o que Shallan e depois Kaladin estavam se tornando! Você tentou acabar com tudo antes que pudesse começar!

Silêncio.

— Por que me enviou as visões e me disse para me preparar?! — gritou Dalinar. — E então tentou nos destruir quando demos ouvidos a elas?

Era minha obrigação enviar as visões quando a hora chegasse. O Todo-Poderoso assim me ordenou. Eu não podia desobedecê-lo, assim como não posso me recusar a soprar os ventos.

Dalinar respirou fundo. O Pai das Tempestades havia respondido. Abençoadamente, ele havia respondido.

— As visões eram dele, então, e você foi o veículo para escolher quem as receberia?

Sim.

— Por que me escolheu?

Não importa. Você foi lento demais. Você falhou. A tempestade eterna chegou, e os esprenos do inimigo vieram habitar os antigos. Acabou. Você perdeu.

— Você disse que era um fragmento do Todo-Poderoso.

Eu sou o... espreno dele, pode-se dizer. Não a alma. Eu sou a memória que os homens criam para ele, agora que ele se foi. A personificação das tempestades e do divino. Não sou um deus. Mas sou a sombra de um.

— Vou aceitar o que tiver.

Ele queria que eu encontrasse você, mas sua raça só trouxe morte para a minha.

— O que você sabe sobre essa tempestade que os parshendianos liberaram no mundo?

A tempestade eterna. É uma coisa nova, mas sua criação é antiga. Ela está rodando o mundo agora e leva consigo os esprenos dele. Qualquer um do povo antigo que ela tocar assumirá suas novas formas.

— Esvaziadores.

É um dos nomes deles.

— Essa Tempestade Eterna *virá* novamente, com certeza?

Regularmente, como as grantormentas, embora com menos frequência. Vocês estão condenados.

— E vai transformar os parshemanos. Não há maneira de detê-la?

Não.

Dalinar fechou os olhos. Era como ele temia. Seu exército havia derrotado os parshendianos, sim, mas eles eram apenas uma fração do que estava por vir. Logo enfrentaria centenas de milhares deles.

As outras terras não lhe davam ouvidos. Havia conseguido falar, via telepena, com o imperador de Azir em pessoa — um novo imperador, já que Szeth havia visitado o último. Não houvera guerra de sucessão em Azir, naturalmente; tais coisas exigiam uma papelada grande demais.

O novo imperador havia convidado Dalinar para uma visita, mas obviamente considerara suas palavras delírios. Dalinar não compreendera que os rumores da sua loucura haviam chegado tão longe. Mesmo sem isso, contudo, suspeitava que seus avisos teriam sido ignorados, já que as coisas que falava eram insanas. Uma tempestade que soprava na direção errada? Parshemanos se transformando em Esvaziadores?

Só Taravangian de Kharbranth — e agora, aparentemente, de Jah Keved — parecia disposto a ouvir. Que os Arautos abençoassem aquele homem; com sorte, ele levaria alguma paz para aquela terra torturada. Dalinar havia pedido mais informações sobre como ele havia obtido o trono; os relatos iniciais indicavam que ele chegara ao posto inesperadamente, por acaso. Mas o cargo era recente demais, e Jah Keved estava arruinada demais, para que ele pudesse fazer muito.

Além disso, havia súbitos e inesperados relatórios, chegando via telepena, de revoltas em Kholinar. Ainda não possuía respostas claras sobre isso. E que história era aquela que ouvira de uma praga em Lagopuro? Raios, que bagunça tudo se tornara.

Ele teria que fazer algo em relação a isso. A tudo isso.

Dalinar olhou novamente para o céu.

— Fui ordenado a refundar os Cavaleiros Radiantes. Preciso fazer parte deles, se pretendo liderá-los.

Trovão distante ecoou pelos céus, embora não houvesse nuvens.

— Vida antes da morte! — gritou Dalinar. — Força antes da fraqueza! Jornada antes do destino!

EU SOU O FRAGMENTO DO PRÓPRIO TODO-PODEROSO!, disse a voz, soando zangada. EU SOU O PAI DAS TEMPESTADES. NÃO ME PERMITIREI SER VINCULADO DE MODO A MORRER!

— Eu preciso de você — replicou Dalinar. — Apesar do que fez. O carregador de pontes me falou sobre fazer votos, e sobre como o de cada ordem de cavaleiros era diferente. O Primeiro Ideal é o mesmo. Depois disso, cada ordem é única, exigindo Palavras diferentes.

O trovão estrondou. Soou como... um desafio. Dalinar agora sabia interpretar o trovão?

Aquela era uma jogada perigosa. Estava confrontando algo primordial, algo incognoscível. Algo que havia ativamente tentado assassinar a ele e a todo o seu exército.

— Felizmente, eu conheço o segundo juramento que devo fazer — disse Dalinar. — Não preciso que me digam. Eu *vou* unir em vez de dividir, Pai das Tempestades. Eu vou juntar os homens.

O trovão silenciou. Dalinar estava sozinho, olhando para o céu, esperando.

Muito bem, disse o Pai das Tempestades finalmente. Essas Palavras foram Aceitas.

Dalinar sorriu.

Não serei uma simples espada para você, alertou o Pai das Tempestades. Não virei quando você chamar, e vai ter que se livrar dessa... monstruosidade que carrega. Você será um Radiante sem Fractais.

— Será como deve ser — disse Dalinar, invocando sua Espada Fractal.

Assim que ela apareceu, gritos soaram na sua cabeça. Ele deixou cair a arma como se fosse uma enguia que houvesse tentado mordê-lo. Os gritos desapareceram imediatamente. A Espada retiniu ao cair no chão. Desconectar-se de uma Espada Fractal supostamente era um processo difícil, que exigia concentração e um toque em sua pedra. Mas aquela ali se separou dele em um instante. Deu para sentir.

— Qual foi o significado da última visão que recebi? — disse Dalinar. — A dessa manhã, que veio sem uma grantormenta.

Nenhuma visão foi enviada esta manhã.

— Foi, sim. Eu vi luz e calor.

Um simples sonho. Não veio de mim nem dos deuses.

Curioso. Dalinar poderia jurar que a sensação era a mesma das visões, se não mais forte.

Vá, vinculador, disse o Pai das Tempestades. Lidere seu povo moribundo para o fracasso. Odium destruiu o próprio Todo-Poderoso. Você não é nada para ele.

— O Todo-Poderoso era passível de morrer — disse Dalinar. — Se isso é verdade, então esse Odium também é. Descobrirei uma maneira de fazer isso. As visões mencionavam um desafio, um campeão. Você sabe algo a respeito?

O céu não deu resposta além de um simples trovão. Bem, haveria tempo para mais perguntas depois.

Dalinar desceu do topo de Urithiru e adentrou novamente a escadaria. Os degraus levavam a uma sala que envolvia quase todo o andar superior da cidade-torre e brilhava com a luz que atravessava as janelas de vidro. Vidro sem molduras ou suportes, alguns voltados para leste. Como havia sobrevivido a grantormentas Dalinar não sabia, muito embora alguns lugares estivessem marcados por linhas de crem.

Dez pilares baixos cercavam a sala, com outro no centro.

— E então? — indagou Kaladin, voltando-se da inspeção que fazia de um deles.

Shallan contornou outro pilar; ela parecia muito menos exausta do que quando haviam chegado à cidade. Embora os dias ali em Urithiru houvessem sido frenéticos, algumas boas noites de sono haviam feito bem a todos eles.

Em resposta à pergunta, Dalinar pegou uma esfera do bolso e a segurou. Então sugou a Luz das Tempestades.

Ele sabia o que esperar; a sensação de uma tempestade rugindo dentro dele, como tanto Kaladin quanto Shallan haviam descrito. Ela o impulsionava a agir, a se mover, a não ficar parado. Não era, contudo, parecido com a Euforia de batalha — que era o que Dalinar havia antecipado.

Sentiu suas feridas se curando de uma maneira familiar. Achava que já havia feito aquilo antes. No campo de batalha? Seu braço estava bem agora, e o corte no flanco mal doía.

— É muito injusto que o senhor tenha conseguido fazer isso na primeira tentativa — observou Kaladin. — Me levou uma eternidade.

— Fui instruído — disse Dalinar, caminhando pela sala e guardando a esfera. — O Pai das Tempestades me chamou de Vinculador.

— Esse era o nome de uma das ordens — disse Shallan, pousando os dedos em um dos pilares. — Então somos três. Corredor dos Ventos, Vinculador, Teceluz.

— Quatro — disse uma voz das sombras da escadaria.

Renarin adentrou a sala iluminada, olhou para eles, depois recuou.

— Filho? — disse Dalinar.

Renarin permaneceu nas sombras, olhando para baixo.

— Sem óculos... — sussurrou Dalinar. — Você deixou de usá-los. Pensei que estivesse tentando parecer um guerreiro, mas não. A Luz das Tempestades curou seus olhos.

Renarin assentiu.

— E a Espada Fractal — disse Dalinar, se aproximando e pousando a mão no ombro do filho. — Você ouvia gritos. Foi *isso* que aconteceu na arena. Não conseguiu lutar devido aos gritos na sua cabeça por invocar a Espada. Por quê? Por que não disse nada?

— Pensei que o problema fosse eu — sussurrou Renarin. — Minha mente. Mas Glys diz... — Renarin piscou. — Sentinela da Verdade.

— Sentinela da Verdade? — repetiu Kaladin, olhando para Shallan. Ela balançou a cabeça. — Eu caminho pelos ventos. Ela tece luz. O Luminobre Dalinar forja vínculos. O que você faz?

Renarin encontrou o olhar de Kaladin, do outro lado da sala.

— Eu *vejo*.

— Quatro ordens — disse Dalinar, apertando o ombro de Renarin com orgulho. Raios, o rapaz estava tremendo. O que o deixava tão preocupado? Dalinar se voltou para os outros. — As outras ordens também devem estar voltando. Precisamos descobrir os escolhidos pelos esprenos. E rápido, pois a Tempestade Eterna está vindo, e é pior do que temíamos.

— Como? — quis saber Shallan.

— Ela vai mudar os parshemanos — disse Dalinar. — O Pai das Tempestades confirmou. Quando aquela tempestade chega, também traz de volta os Esvaziadores.

— Danação — disse Kaladin. — Preciso voltar a Alethkar, a Larpetra. Ele partiu a passos largos para a saída.

— Soldado? — chamou Dalinar. — Eu fiz o que pude para avisar nosso povo.

— Meus *pais* estão lá — disse Kaladin. — E o senhor da cidade de lá tem parshemanos. Estou indo.

— Como? — perguntou Shallan. — Vai voar por toda a distância?

— Vou cair. Mas sim. — Ele fez uma pausa na porta.

— De quanta Luz vai precisar, filho? — indagou Dalinar.

— Eu não sei — admitiu Kaladin. — Provavelmente de muita.

Shallan olhou para Dalinar. Eles não tinham Luz das Tempestades sobrando. Embora as pessoas dos acampamentos de guerra houvessem trazido esferas recarregadas, ativar o Sacroportal consumia muita Luz das Tempestades, dependendo de quantas pessoas eram transportadas. Acender as lâmpadas na sala no centro do Sacroportal era apenas a quantidade mínima necessária para iniciar o dispositivo — transportar muitas pessoas também esgotava parcialmente as gemas infundidas que elas traziam.

— Vou lhe dar o que puder, rapaz — disse Dalinar. — Vá com minha bênção. Talvez haja o bastante para você ir até a capital depois e ajudar as pessoas lá.

Kaladin assentiu.

— Vou preparar uma bolsa. Preciso sair em até uma hora. — Ele mergulhou da sala para a escadaria abaixo.

Dalinar sugou mais Luz das Tempestades e sentiu a última das suas feridas se remendar. Era uma habilidade fácil de se acostumar.

Ele enviou Renarin para falar com o rei e requisitar alguns brons de esmeralda que Kaladin pudesse usar durante a viagem. Elhokar finalmente chegara, na companhia de um grupo de herdazianos, inesperadamente. Um deles alegava que seu nome precisava ser acrescentado às listas dos reis alethianos...

Renarin saiu animado para obedecer a ordem. Ele parecia querer alguma tarefa.

Ele é um dos Cavaleiros Radiantes, pensou Dalinar, vendo-o partir. *Provavelmente é melhor parar de usá-lo como mensageiro.*

Raios. Estava realmente acontecendo.

Shallan havia caminhado até as janelas. Dalinar foi até ela. Era a face oriental da torre, a borda plana que olhava diretamente para a Origem.

— Kaladin só terá tempo de salvar uns poucos — disse Shallan. — Se tanto. Somos quatro, Luminobre. Só quatro contra uma tempestade cheia de destruição...

— É o que é.

— Tantos vão morrer.

— E salvaremos aqueles que pudermos — disse Dalinar, voltando-se para ela. — Vida antes da morte, Radiante. Essa é a tarefa que juramos cumprir.

Ela estreitou os lábios, ainda olhando para leste, mas assentiu.

— Vida antes da morte, Radiante.

EPÍLOGO

ARTE E EXPECTATIVA

— Um homem cego esperava a era dos finais — disse Riso —, contemplando a beleza da natureza.

Silêncio.

— Esse homem sou eu — observou Riso. — Não sou fisicamente cego, só espiritualmente. E essa outra frase foi na verdade *muito* inteligente, se você pensar.

Silêncio.

— Isso é muito mais satisfatório quando tenho por perto vida inteligente para impressionar com minha astuta verbosidade.

A coisa-caranguejo-lagarto feiosa na pedra ao lado estalou a mandíbula, um som quase hesitante.

— Você tem razão, claro — concedeu Riso. — Minha plateia usual não é *particularmente* inteligente. Contudo, essa foi uma piada bem óbvia, então você deveria se envergonhar.

A coisa-caranguejo-lagarto feiosa cruzou a pedra, movendo-se para o outro lado. Riso suspirou. Era noite, o que costumava ser um bom período para chegadas dramáticas e filosofia significativa. Infelizmente, não havia ninguém ali para filosofar ou visitar, dramaticamente ou de qualquer outro modo. Um pequeno rio gorgolejava ali perto, um dos poucos fluxos permanentes naquela terra estranha. Havia colinas estendendo-se em todas as direções, marcadas com sulcos pela passagem da água e cobertas nos vales por um estranho tipo de roseira-brava. Pouquíssimas árvores à vista, embora mais a oeste uma verdadeira floresta brotasse nos declives das colinas.

Um par de cantarinhos fazia sons estridentes ali perto, e ele pegou sua flauta para tentar imitá-los. Não conseguiu, não exatamente. O canto era parecido demais com percussão, um vigoroso chocalho — musical, mas diferente de uma flauta.

Ainda assim, as criaturas pareciam alternar com ele, respondendo à sua música. Quem diria? Talvez as coisinhas tivessem uma inteligência rudimentar. Aqueles cavalos, os richádios... eles o surpreenderam. Estava feliz que ainda houvesse algumas coisas capazes disso.

Ele finalmente pousou sua flauta e meditou. Uma audiência de coisas-caranguejo-lagarto feiosas e cantarinhos era *alguma* audiência, pelo menos.

— A arte é fundamentalmente injusta — declarou.

Um cantarinho continuou a chilrear.

— Sabe, nós fingimos que a arte é eterna, que há algum tipo de *persistência* nela. Uma Verdade, poderia-se dizer. A arte é arte porque é *arte* e não porque dizemos que é arte. Não estou falando rápido demais para você entender, estou?

Chilreio.

— Ótimo. Mas se a arte é eterna, e significativa e independente, por que depende tanto da audiência? Já ouviu a história sobre o fazendeiro visitando a corte durante o Festival da Representação, certo?

Chilreio?

— Ah, não é uma história tão boa assim. Totalmente dispensável. Começo normal, o fazendeiro que visita a cidade grande, faz algo embaraçoso, tropeça na princesa e, completamente por acidente, a salva de ser atropelada. As princesas nessas histórias nunca parecem capazes de olhar para onde estão indo. Acho que elas deviam conversar com um fabricador de lentes confiável e encomendar um par de óculos adequado antes de tentar qualquer travessia de vias públicas. De todo modo, já que essa história é uma comédia, o homem é convidado ao palácio para ser recompensado. Várias bobagens se seguem, acabando com o pobre fazendeiro que se limpa na privada com uma das mais belas pinturas já feitas, então sai para ver todos os olhos-claros fitando uma moldura vazia e comentando quão bela é a obra. Hilaridade e gostosas gargalhadas. Floreios e mesuras. Saída antes que alguém pense demais sobre a história.

Ele esperou.

Chilreio?

— Bem, não está vendo? — disse Riso. — O fazendeiro encontrou a pintura perto da privada, então deduziu que deveria ser usada para tal propósito. Os olhos-claros encontraram a moldura vazia no salão de arte e deduziram que era uma obra-prima. Pode considerar uma história boba.

E é. Mas não diminui sua veracidade. Afinal, eu frequentemente sou muito bobo... mas sou quase sempre veraz. Força do hábito.

"Expectativa. *Essa* é a verdadeira alma da arte. Se puder dar a um homem mais do que ele espera, então ele o louvará por toda a vida. Se puder criar um ar de antecipação e alimentá-lo apropriadamente, terá sucesso.

"Por outro lado, se adquirir a reputação de ser bom *demais*, hábil *demais*... cuidado. A arte sempre será melhor na imaginação das pessoas, e se você der a elas uma pitada a menos do que imaginam, subitamente você falhou. Subitamente, você é inútil. Se um homem encontra uma única moeda na lama, fala sobre isso durante dias, mas quando sua herança chega e é 1% menor do que ele esperava, então vai declarar que foi roubado."

Riso sacudiu a cabeça, levantando-se e espanando a poeira do casaco.

— Dê-me uma audiência querendo ser entretida, mas que não espere nada de especial. Para eles, eu serei um deus. Essa é a melhor verdade que conheço.

Silêncio.

— Um pouco de música seria bom — disse ele. — Para obter um efeito dramático, sabe? Tem alguém chegando, e quero estar preparado para dar as boas-vindas.

O cantarinho atenciosamente recomeçou a cantar. Riso respirou fundo, então assumiu a pose apropriada — expectativa preguiçosa, calculada sapiência, vaidade insuportável. Afinal de contas, já tinha uma reputação, então bem podia *tentar* corresponder a ela.

O ar diante dele tornou-se um borrão, como se aquecido em um círculo perto do chão. Um raio de luz girou ao redor do círculo, formando uma parede de mais de um metro e meio de altura. Ela sumiu imediatamente — na verdade, era só uma ilusão de óptica, como se algo brilhante houvesse girado em um círculo a alta velocidade.

No centro desse círculo apareceu Jasnah Kholin, com um ar orgulhoso.

Sua roupa estava esfarrapada, o cabelo preso em uma trança simples, seu rosto marcado com queimaduras. O vestido que usava já fora elegante, mas estava retalhado. Ela cortara a bainha na altura dos joelhos e costurara para si uma luva improvisada. Curiosamente, trazia um tipo de bolsa bandoleira e uma mochila. Ele duvidava que ela possuísse qualquer uma das duas no início da sua jornada.

Ela soltou um longo suspiro, então olhou para o lado, onde estava Riso. Ele a saudou com um largo sorriso.

Jasnah estendeu a mão rapidamente e, em um piscar de olhos, uma névoa se torceu ao redor do seu braço e condensou-se bruscamente na forma de uma espada longa e fina apontada para o pescoço de Riso.

Ele levantou uma sobrancelha.

— Como você me encontrou? — perguntou ela.

— Você tem criado uma perturbação e tanto do outro lado — disse Riso. — Já fazia muito tempo desde que os esprenos tiveram que lidar com alguém vivo, principalmente alguém tão exigente quanto você.

Ela soltou o ar em um sibilo, então pressionou mais a Espada Fractal.

— Conte-me o que sabe, Riso.

— Certa vez, passei quase um ano dentro de um grande estômago, sendo digerido.

Ela franziu o cenho.

— Essa *é* uma coisa que eu sei. Você realmente deveria ser mais específica nas suas ameaças. — Ele olhou para baixo quando ela torceu a Espada Fractal, girando a ponta, ainda voltada para ele. — Eu ficaria surpreso se essa sua faquinha pudesse me causar alguma ameaça real, Kholin. Mas você pode balançá-la por aí, se quiser. Talvez isso faça com que se sinta mais importante.

Ela o fitou atentamente. Então a espada se desfez em névoa, virando vapor. Ela baixou o braço.

— Não tenho tempo para você. Uma tempestade está chegando, uma tempestade terrível. Ela vai trazer os Esvaziadores para...

— Já chegou.

— Danação. Precisamos encontrar Urithiru e...

— Já foi encontrada.

Ela hesitou.

— Os Cavaleiros...

— Refundados — disse Riso. — Em parte pela sua aprendiz, que é exatamente 77% mais agradável do que você, se me permite o comentário. Fiz uma enquete.

— Você está mentindo.

— Tudo bem, foi uma enquete bastante *informal*. Mas a coisa-caranguejo-lagarto feiosa deu a você uma pontuação muito baixa por...

— Sobre as *outras* coisas.

— Eu não conto esse tipo de mentiras, Jasnah. Você sabe disso. É por isso que você me considera tão irritante.

Ela o inspecionou, então suspirou.

— É *parte* do motivo, Riso. Só uma parte muito pequena de um vasto, vasto rio.

— Você só diz isso porque não me conhece muito bem.

— Duvidoso.

— Não, de verdade. Se *realmente* me conhecesse, esse rio de irritação seria um oceano, obviamente. De qualquer modo, eu sei coisas que você não sabe, e acho que você pode *efetivamente* saber algumas coisas que eu não sei. Isso nos oferece a chamada sinergia. Se puder conter sua irritação, ambos podemos aprender alguma coisa.

Ela fitou-o de cima a baixo, então apertou os lábios e assentiu. Jasnah começou a caminhar direto para a cidade mais próxima; a mulher tinha um bom senso de direção.

Riso se juntou a ela.

— Você sabe que estamos a *pelo menos uma s*emana da civilização. Precisava Alternavegar para um lugar tão isolado?

— Estava com um pouco de pressa na hora em que parti. Tenho sorte de ter chegado até aqui.

— Sorte? Não sei se eu diria isso.

— Por quê?

— Você provavelmente estaria melhor do outro lado, Jasnah Kholin. A Desolação chegou e, com ela, o fim desta terra. — Ele olhou para ela. — Sinto muito.

— Não sinta até vermos o quanto consigo resgatar. A tempestade já veio? Os parshemanos foram transformados?

— Sim e não — disse Riso. — A tempestade deve atingir Shinovar esta noite, então seguir adiante. Acredito que a tempestade vá *trazer* a transformação.

Jasnah parou de repente.

— Não foi isso que aconteceu no passado. Aprendi coisas do outro lado.

— Tem razão. É diferente dessa vez.

Ela umedeceu os lábios, mas, exceto por isso, controlou bem seu nervosismo.

— Se não está acontecendo como antes, então tudo que sei pode estar errado. As palavras dos grão-esprenos podem ser imprecisas. Os registros que procuro podem não ter significado.

Ele assentiu.

— Não podemos confiar nos textos antigos — disse ela. — E o suposto deus dos homens é uma invenção. Então não podemos olhar para os céus em busca de salvação, mas aparentemente não podemos olhar pra o passado tampouco. Então para onde *podemos* olhar?

— Você está tão convencida de que não existe Deus.

— O Todo-Poderoso é...

— Ah, não estou falando do Todo-Poderoso. Tanavast era um bom sujeito... me pagou umas bebidas, certa vez... mas ele *não* era Deus. Eu admito, Jasnah, que simpatizo com seu ceticismo, mas não concordo com ele. Só acho que está procurando Deus nos lugares errados.

— Suponho que vá me dizer onde você acha que eu *deveria* procurar.

— Você vai encontrar Deus no mesmo lugar onde vai encontrar salvação para essa bagunça — disse Riso. — Dentro dos corações dos homens.

— Curiosamente, acho que posso até concordar com isso, embora suspeite que por motivos diferentes dos que você insinua. Talvez essa caminhada não vá ser tão ruim quanto eu temia.

— Talvez — disse ele, olhando para as estrelas. — Podemos falar o que quisermos, mas pelo menos o mundo escolheu uma noite linda para acabar...

FIM DO
LIVRO DOIS DE
OS RELATOS DA GUERRA
DAS TEMPESTADES

NOTA FINAL

Acesos, ventos se aproximam fatalmente se aproximam ventos acesos

Esse ketek, escrito no Dia de Luz, em jeseses de 1174, adorna a capa do diário pessoal de Navani Kholin. No seu interior, ela descreve em primeira mão os eventos que levaram à chegada da Tempestade Eterna.

Os glifos do ketek foram desenhados na forma de duas tempestades colidindo uma com a outra.

—Nazh

ARS ARCANUM

AS DEZ ESSÊNCIAS E SUAS ASSOCIAÇÕES HISTÓRICAS

Número	Gema	Essência	Foco Corporal	Propriedades de Transmutação	Atributos Divinos Primários/ Secundários
1 Jes	Safira	Zéfiro	Inspiração	Gás translúcido, ar	Proteção / Liderança
2 Nan	Quartzo fumê	Vapor	Expiração	Gás opaco, fumaça, névoa	Justo / Confiante
3 Chach	Rubi	Faísca	A Alma	Fogo	Bravo / Obediente
4 Vev	Diamante	Brilho	Os Olhos	Quartzo, vidro, cristal	Amoroso/ Curador
5 Palah	Esmeralda	Polpa	O Cabelo	Madeira, plantas, musgo	Erudito/ Generoso
6 Shash	Granada	Sangue	O Sangue	Sangue, todos os líquidos não oleosos	Criativo/ Honesto
7 Betab	Zircão	Sebo	Óleo	Todos os tipos de óleo	Sábio/ Cuidadoso
8 Kak	Ametista	Folha	As Unhas	Metal	Resoluto / Construtor
9 Tanat	Topázio	Astrágalo	O Osso	Rocha e pedra	Confiável /Engenhoso
10 Ishi	Heliodoro	Tendão	Carne	Carne, músculo	Pio/ Orientador

    A lista acima é uma coleção imperfeita do simbolismo vorin tradicional associado com as Dez Essências. Quando reunidas, elas formam o Olho Duplo do Todo-Poderoso, um olho com duas pupilas representando a criação das plantas e criaturas. Essa também é a base para a forma de ampulheta que frequentemente é associada com os Cavaleiros Radiantes.
    Os eruditos antigos também colocavam as dez ordens de Cavaleiros Radiantes nesta lista, junto com os próprios Arautos, que possuem individualmente associações clássicas com um dos números e Essências.
    Não sei ainda ao certo como os dez níveis de Esvaziamento ou sua prima, a Antiga Magia, cabem nesse paradigma, se é que cabem. Minha

pesquisa sugere que, de fato, deveria haver outra série de habilidades que é ainda mais esotérica que os Esvaziamentos. Talvez a Antiga Magia se encaixe nela, embora eu esteja começando a suspeitar de que seja algo inteiramente diferente.

Note que, no momento, acredito que o conceito de "Foco corporal" é mais uma questão de interpretação filosófica do que um atributo real dessa Investidura e suas manifestações.

OS DEZ FLUXOS

Como um complemento às Essências, os elementos clássicos celebrados em Roshar, encontramos os Dez Fluxos. Estes, embora sejam as forças fundamentais através das quais o mundo opera, são mais precisamente uma representação das dez habilidades básicas oferecidas aos Arautos, e posteriormente aos Cavaleiros Radiantes, pelos seus laços.

Adesão: O Fluxo de Pressão e Vácuo
Gravitação: O Fluxo da Gravidade
Divisão: O Fluxo da Destruição e Decomposição
Abrasão: O Fluxo da Fricção
Progressão: O Fluxo do Crescimento e Cura, ou Regeneração
Iluminação: O Fluxo de Luz, Som e Várias Formas de Onda
Transformação: O Fluxo da Transmutação
Transporte: O Fluxo do Movimento e Transição Entre Reinos
Coesão: O Fluxo da Interconexão Axial Forte
Tensão: O Fluxo da Interconexão Axial Suave

SOBRE A CRIAÇÃO DOS FABRIAIS

Cinco grupos de fabriais foram descobertos até agora. Os métodos da sua criação são cuidadosamente guardados pela comunidade artifabriana, mas parecem ser o trabalho de cientistas dedicadas, em oposição às Manipulações de Fluxos outrora realizadas pelos Cavaleiros Radiantes. Parece-me cada vez mais provável que a criação desses dispositivos precisem da escravização forçada de entidades cognitivas transformadoras, conhecidas pelas comunidades locais como "esprenos".

FABRIAIS DE ALTERAÇÃO

Aumentadores: Esses fabriais são feitos para aprimorar alguma coisa. Eles podem criar calor, dor ou até mesmo um vento suave, por exemplo. São energizados — como todos os fabriais — por Luz das Tempestades. Parecem trabalhar melhor com forças, emoções ou sensações.

Os ditos semifractais de Jah Keved são criados com esse tipo de fabrial conectado a uma folha de metal, aprimorando sua durabilidade. Já vi fabriais desse tipo fabricados usando vários tipos de gema; imagino que qualquer uma das dez Gemas Polares funcione.

Diminuidores: Esses são fabriais que fazem o oposto dos aumentadores e geralmente parecem cair sob as mesmas restrições que seus primos. As artifabrianas que me confidenciaram essas informações acreditam que seja possível fazer fabriais até melhores do que os que foram criados até agora, particularmente em relação a aumentadores e diminuidores.

FABRIAIS EMPARELHADOS

Siameses: Ao infundir um rubi e usando uma metodologia que não me foi revelada (embora eu tenha minhas suspeitas), é possível criar um par de gemas emparelhadas. O processo exige a divisão do rubi original. As duas metades então vão criar reações paralelas através de uma distância. Telepenas são uma das formas mais comuns desse tipo de fabrial.

A conservação de força é mantida; por exemplo, se um estiver conectado a uma pedra pesada, vai ser necessária da mesma força para levantar o fabrial emparelhado que seria necessária para levantar a pedra em si. Parece haver algum tipo de processo usado durante a criação do fabrial que influencia a qual distância as duas metades podem estar e ainda funcionar.

Inversores: Usar uma ametista em vez de um rubi também cria metades siamesas de uma gema, mas essas duas trabalham criando *reações* opostas. Levante uma, e a outra será pressionada para baixo, por exemplo.

Esses fabriais acabaram de ser descobertos, e já estão conjecturando suas possíveis serventias. Parece haver algumas limitações inesperadas para essa forma de fabrial, embora eu não tenha sido capaz de descobrir quais são.

FABRIAIS DE ALARME

Só há um tipo de fabrial nesse conjunto, informalmente conhecido como Alertador. Um Alertador pode avisar alguém de um objeto, um sentimento ou um fenômeno próximo. Esses fabriais usam uma gema de heliodoro como seu foco. Eu não sei se esse é o único tipo de gema que funciona, ou se há algum outro motivo para o uso do heliodoro.

No caso desse tipo de fabrial, a quantidade de Luz das Tempestades que se pode infundir nele afeta seu alcance. Dessa forma, o tamanho da gema utilizada é muito importante.

CORRIDA PELOS VENTOS E PROJEÇÕES

Relatos sobre as estranhas habilidades do Assassino de Branco me levaram a algumas fontes de informação que, acredito, são geralmente desconhecidas. Os Corredores dos Ventos eram uma ordem de Cavaleiros Radiantes, e eles usavam dois tipos primários de Manipulação de Fluxos. Os efeitos dessas Manipulações eram conhecidos — coloquialmente entre os membros da ordem — como as Três Projeções.

PROJEÇÃO BÁSICA: MUDANÇA GRAVITACIONAL

Esse tipo de Projeção era uma das Projeções mais comuns usadas na ordem, embora não fosse a mais fácil. (Essa distinção pertence à Projeção Plena, abaixo.) Uma Projeção Básica envolvia revogar o vínculo gravitacional espiritual de um ser ou objeto com o planeta abaixo, em vez disso ligando temporariamente esse ser ou objeto a um objeto ou direção diferente.

Efetivamente, isso cria uma mudança na força gravitacional, torcendo as energias do próprio planeta. Uma Projeção Básica permitia que um Corredor dos Ventos corresse pelas paredes, fizesse objetos ou pessoas saírem voando, ou criasse efeitos similares. Usos avançados desse tipo de Projeção permitiam que um Corredor dos Ventos se tornasse mais leve ao projetar parte da sua massa para cima. (Matematicamente, projetar um quarto da massa do indivíduo para cima diminuiria pela metade o peso efetivo de uma pessoa. Projetar metade da massa de um indivíduo para cima criaria ausência de peso.)

Múltiplas Projeções Básicas também podem puxar um objeto ou o corpo de uma pessoa para baixo no dobro, triplo ou outros múltiplos do seu peso.

PROJEÇÃO PLENA: JUNTAR OBJETOS

Uma Projeção Plena pode parecer muito similar a uma Projeção Básica, mas elas funcionam a partir de princípios muito diferentes. Enquanto uma tem a ver com a gravitação, a outra tem a ver com a força (ou Fluxo, como os Radiantes chamavam) da adesão — juntar objetos como se fossem um só. Acredito que esse Fluxo possa ter algo a ver com a pressão atmosférica.

Para criar uma Projeção Plena, um Corredor dos Ventos infundia um objeto com Luz das Tempestades, então pressionava outro objeto nele. Os dois objetos eram conectados com um vínculo extremamente poderoso, quase impossível de ser quebrado. Na verdade, a maioria dos materiais se quebrava antes do vínculo.

PROJEÇÃO REVERSA: DAR A UM OBJETO ATRAÇÃO GRAVITACIONAL

Acredito que esta possa ser na verdade uma versão especializada da Projeção Básica. Esse tipo de Projeção precisa da menor quantidade de Luz das Tempestades de qualquer uma das três Projeções. O Corredor dos Ventos infundia algo, dava um comando mental e criava uma *atração* ao objeto que puxava outros objetos na sua direção.

No seu âmago, essa Projeção cria uma bolha ao redor do objeto que imita seu vínculo espiritual com o chão abaixo. Assim, era muito mais difícil para a Projeção afetar objetos tocando o chão, onde seu vínculo com o planeta é mais forte. Objetos caindo ou voando são os mais fáceis de influenciar. Outros objetos podem ser afetados, mas requerem Luz das Tempestades e habilidade mais substanciais.

TECELUMINAÇÃO

Uma segunda forma de Manipulação de Fluxos envolve a manipulação de luz e som em táticas ilusórias comuns por toda a cosmere. Ao contrário das variações presentes em Sel, todavia, esse método tem um poderoso elemento Espiritual, exigindo não só uma imagem mental completa da criação desejada, mas também algum nível de conexão com ela. A ilusão é baseada não apenas naquilo que o Teceluz imagina, mas também no que ele *deseja* criar.

De muitas maneiras, essa é a habilidade mais similar à variante original de Yolen, algo que considero empolgante. Gostaria de aprender mais sobre essa habilidade, com a esperança de compreender plenamente como ela se relaciona com atributos Cognitivos e Espirituais.

ILUSTRAÇÕES

Ilustrações que precedem os capítulos 22 e 49 por Dan dos Santos
Ilustrações que precedem os capítulos 3, 17, 30, 45, 54, 70, 75 e 77 por Ben McSweeney
Mapas, verso da capa traseira, ilustrações que precedem os capítulos 5, 11, 14, 35, 60, 65, 80, 83 e Nota final por Isaac Stewart
Verso da capa frontal por Michael Whelan e Ben McSweeney
Arte da capa por Michael Whelan | www.michaelwhelan.com

Mapa de Roshar, **14**

Caderno da Shallan: Santide, **73**

Tatuagens da Ponte Quatro, **98**

Mapa das Terras Geladas do Sul, **165**

Pergaminho de posturas, **259**

Caderno da Shallan: Padrão, **293**

Fólio: Moda masculina contemporânea, **344**

Caderno da Shallan: Laite flora das Colinhas Devolutas, **429**

Caderno da Navani: Construções para prática com arco e flecha, **494**

Caderno da Shallan: Armadura Fractal, **624**

Fólio: Servidores públicos azishianos, **688**

Caderno da Shallan: Caminhadas, **759**

Mapa da Cidade da Tempestade, **890**

Ciclo de vida de um chule, **936**

Caderno da Shallan: Vida no abismo, **1005**

Caderno da Shallan: Demônio-do-abismo, **1069**

Caderno da Shallan: Espinha-branca, **1133**

Representação da forma das Planícies Quebradas, **1164**

Caderno da Navani: Mapa de batalha, **1212**

Caderno da Navani: Ketek, **1313**

DIREÇÃO EDITORIAL
Daniele Cajueiro

EDITOR RESPONSÁVEL
André Marinho

PRODUÇÃO EDITORIAL
Adriana Torres
Júlia Ribeiro
Mariana Lucena

REVISÃO DE TRADUÇÃO
Beatriz D'Oliveira

CONSULTORIA
Alec Costa
Raphael Castilho

REVISÃO
Alice Cardoso
Perla Serafim
Rita Godoy
Juliana Borel
Carolina Rodrigues
Vanessa Dias

ADAPTAÇÃO DE PROJETO GRÁFICO E DIAGRAMAÇÃO
Larissa Fernandez e Leticia Fernandez

Este livro foi impresso em papel Pólen natural 70g/m2, em 2023, pela BMF, para a Trama.